D1723617

HUGO VON HOFMANNSTHAL SÄMTLICHE WERKE

HUGO VON HOFMANNSTHAL

SÄMTLICHE WERKE

KRITISCHE AUSGABE

VERANSTALTET VOM
FREIEN DEUTSCHEN HOCHSTIFT
HERAUSGEGEBEN VON
RUDOLF HIRSCH, CLEMENS KÖTTELWESCH
HEINZ RÖLLEKE, ERNST ZINN

S. FISCHER VERLAG

HUGO VON HOFMANNSTHAL

SÄMTLICHE WERKE

VIII

DRAMEN 6

HERAUSGEGEBEN VON
WOLFGANG NEHRING · KLAUS E. BOHNENKAMP

S. FISCHER VERLAG

Freies Deutsches Hochstift – Frankfurter Goethe-Museum
Frankfurt am Main, Großer Hirschgraben

Redaktion:
Ingeborg Beyer-Ahlert
Ernst Dietrich Eckhardt
Ingeborg Haase

Die Ausgabe wird von der
Deutschen Forschungsgemeinschaft gefördert.
Die Erben Hugo von Hofmannsthals,
die Houghton Library der Harvard University, Cambridge (USA)
und die Stiftung Volkswagenwerk
stellten Handschriften zur Verfügung.

Der ›Schweizerische Nationalfonds
zur Förderung der wissenschaftlichen Forschung‹
finanzierte von 1971–1974 die unter der Leitung
von Martin Stern stehende Baseler Arbeitsstelle
der Kritischen Hofmannsthal-Ausgabe.
Hier wurde die Edition von ›Ödipus und die Sphinx‹ vorbereitet.

Gesamtherstellung: S. Fischer Verlag GmbH
Einrichtung für den Druck:
Horst Ellerhusen · Alexander Gutfreund
Printed in Germany 1983
ISBN 3 10 731 508 7

ÖDIPUS UND DIE SPHINX

HERAUSGEGEBEN
VON
WOLFGANG NEHRING

ÖDIPUS UND DIE SPHINX

TRAGÖDIE IN DREI AUFZÜGEN

Des Herzens Woge schäumte nicht so schön empor und würde Geist, wenn nicht der alte stumme Fels, das Schicksal, ihr entgegenstände. Hölderlin.

PERSONEN

ÖDIPUS
PHÖNIX,
ERMOS, } die Diener aus Korinth
ELATOS,
Die Stimmen der Ahnen 5

LAÏOS
Der Herold
Der Wagenlenker
Der eine, 10
Der andere, } Diener
Der dritte

Die Königin JOKASTE
KREON, ihr Bruder
Die Königin ANTIOPE, des Laïos Mutter 15
TEIRESIAS
Der Schwertträger des Kreon
Der Magier
Ein Mann aus der Stadt
Ein Kind 20
Ein Sterbender
Die Boten und Späher in Kreons Dienst
Die Mägde im Palast
Das Volk

Erster Aufzug

Der Dreiweg im Lande Phokis. Waldige Gegend im Gebirge. Felsen und Bäume. Platanen, Ahorn. Quer über die Bühne führt eine Straße, von rechts herauf, nach links wieder hinab. In der Mitte mündet in diese ein Hohlweg, steil herabführend.

5 Phönix, Ermos, Elatos; andere links hinter Bäumen und Gebüsch. Dort auch ein Wagen und Pferde, unsichtbar.

STIMME von oben

Er ist im Hohlweg, er ist nah, ihr Männer!

ERMOS

10 Wir wollen uns demütigen.

ELATOS

Wir wollen

mit Staub der Straße unsre Stirn bestreu'n.

ERMOS

Der Erstling seines Zorns ist fürchterlich,

15 wie Blitz und Donner. Phönix –

Zieht ihn nieder.

PHÖNIX

Nicht sein Zorn

zermalmt mein altes Herz. Allein

ein Etwas, dessen Namen ich nicht weiß.

20 Ihr Götter, wendet ab – nicht von dem meinen,

vom Haupte dessen, der hier nahen wird –

ihr Götter, wendet ab!

Stille.

Ödipus kommt den Hohlweg herab, einen Stock in der Hand, bleich, verwildert,

25 wie ein Flüchtiger, als wollte er rechts hinüber. Die drei neigen ihr Haupt zu Boden. Ödipus, ohne sie zu erkennen, wie schlafwandelnd, taumelt vorbei.

PHÖNIX aufspringend, angstvoll
Sperrt ihm den Weg, werft euch vor seine Füße!

ÖDIPUS springt dumpf aufschreiend zurück, deckt sich den Rücken, hebt den schweren Stock.

PHÖNIX vor ihm niedersinkend 5
Hebst du den Arm wider dich selber, Herr,
und schlägst, was dein ist?

ÖDIPUS Ungetreue Diener,
ist dies der Weg von Delphoi gen Korinth?

PHÖNIX 10
Dies ist ein Weg von Delphoi gen Korinth.

ÖDIPUS
Ein krummer Weg! Und welchen hieß ich euch
durch eines Knaben, meines Boten, Mund
zur Heimkehr wählen? 15

PHÖNIX Den, der stracks hinab
von Delphoi läuft ans Meer, so wie die Sehne
des Bogens.

ÖDIPUS Und warum dann find' ich euch
auf diesem Kreuzweg? 20

PHÖNIX In des Herzens Angst,
Herr, suchten wir nach dir und zählten nicht
die Berge noch die Täler, achteten die Nacht
wie Tag und Sternenlicht wie Sonnenlicht
und ließen nicht des Suchens ab bis hier, 25
da wir dich fanden.

ÖDIPUS Schlechte Diener heiß' ich,
die Unbefohlnes tuen.

PHÖNIX Ödipus,
ich bin der Älteste und muß vor diese 30
hintreten, wenn du zürnst, und muß den Mund
auftun und sprechen: Herr, wie du an uns
getan, da wir zu Delphoi lagerten,
so hast du nie zuvor an uns getan.
Uns dünkte, eine fremde Faust zu fühlen 35

am Zügel und von ungewohnter Hand
das Joch auf uns gelegt. Denn stets warst du
mehr mit der Seele als mit Zaum und Stachel
der Lenker unsres Tuns – doch von der Stund an,
5 da wir in dieser heilgen Stadt herbergten,
wo das Orakel thront, da wurde hart
dein Mund und deine Rede flackerte
wie Feu'r im Wind und zu gehorchen wurde
da schwer, das vordem leicht gewesen war.
10 Am neunten Tage kamst du nicht mehr heim
zur Herberge. Wir harrten dein zur Nacht
vergeblich und das Bette, das wir dir
bereiteten, blieb leer.

ÖDIPUS Mein Bote kam.

15 PHÖNIX neigt sich
Er kam. Und da er sprach: Aus meinem Mund
spricht Ödipus, mein Herr und euer Herr,
neigten wir uns. Allein aus seinem Mund
kam eine Rede, die für unser Herz
20 zu schwer war und zu dunkel. Die wir dein
Gefolge sind, wir sollten uns von dir
abtrennen, und die deine Treuen sind,
allein hinabziehn gen Korinth. Da sprachen
wir unter uns: Dies ist zu fremd, wir wollen
25 nicht glauben, daß dies seine Rede war.

ÖDIPUS
Der Knabe trug in seiner Hand den Ring
und war bekräftigt.

PHÖNIX neigt sich Darum fragten wir:
30 Was soll uns dieser königliche Ring,
den unser Herr noch nie vom Finger zog?
Da sprach er: Traget ihn hinab und wahrt
ihn gut, bis ihr vor Polybos, den König,
gelangt seid; diesem gebt den Ring und sprecht:
35 den schickt dir Ödipus, dein Sohn, er grüßt dich
und grüßt die Mutter, unsre Königin,
und grüßt Korinth, die Stadt, – denn dich, o König,

und deine Königin und deine Stadt,
die drei, die Vater ihm und Mutter ihm
und Heimat hießen, sieht sein Aug' nicht mehr.
Nicht wieder kehrt dir Ödipus, dein Sohn,
dess' sei der Ring dir Zeichen. 5

ÖDIPUS Treu und gut
sprach das mein Bote.

PHÖNIX schmerzvoll Nein!

ÖDIPUS So heiß' denn ich,
ich, Ödipus, ich, euer Herr, dich Phönix, 10
dich Elatos, dich Ermos, und was noch
an niedrem Dienstvolk bei den Pferden dort
und bei dem Wagen lagert, aufzustehn
vom Boden hurtig und die Pferde flink
zu schirren vor den Wagen, und hinab den Weg, 15
der wie der Pfeil vom Bogen stracks von hier
fliegt nach Korinth! Und wär' kein andrer Weg,
als den der Gießbach ausgefressen hat,
hinab denn durch des Baches Bett und käme
nicht Mann noch Pferd mit heilen Gliedern an – 20
gleichviel! Wer hieß euch lungern Tag und Nacht
in fremdem Land? wer hieß auf euren Herrn
euch pirschen wie auf Wild und mir den Wind
zu Abend abgewinnen und im Hohlweg
mich stellen? Sei's! nun sucht euch euren Weg! 25
Und wahret mir den Ring und wahret mir
im Hirn die Botschaft.

PHÖNIX Herr!

ÖDIPUS Leg' Hand an, Alter!

Da Phönix ihn am Kleide faßt 30

Dort, alter Mann!

PHÖNIX Gebieter!

ÖDIPUS Dort!

PHÖNIX Nein, hier!

ÖDIPUS stößt ihn fort
Gehorche, alter Diener!

PHÖNIX Herr, so schlag' mir
den alten Kopf an diesem Stein in Stücke!
5 Denn sieh, wenn du mir aufladst ohne Zucken,
was mir das Herz abdrückt, und mir den Mund
zubindest, daß ich gegen dich mit Stöhnen
dir nicht die Luft soll ekel machen, also
bin ich vor dir nichts andres als ein Tier.

10 ÖDIPUS bewegt die Lippen fast lautlos
Ich muß.

PHÖNIX kniend
Wer dieses an mir tuen kann,
daß er mich alten Mann hinunterschickt
15 zum alten Mann, den Knecht zu seinem König,
mit solcher Botschaft, die Tod gibt und Tod
zum Lohn nimmt, der darf mir als Botenlohn
auch einen Mantel nicht verweigern, und
ich heische einen steinernen von dir.
20 Faß einen schweren Stein mit deiner Rechten
und einen mit der Linken, steinige mich
und häufe Steine rings um mich, dann hab' ich
mein Grab um meinen Leib und brauche keinen,
der's in Korinth mir gräbt.

25 ÖDIPUS fast lautlos Ich muß.

PHÖNIX aufstehend O Kind –
Kind – du weißt nicht, was alt sein heißt.

ÖDIPUS Bewegung der Abwehr Mein Vater
ist rüstig, viele Jahre sind vor ihm.

30 PHÖNIX
Ja, wenn die Götter gut sind! Wie ein Baum
steht er und ist gewaltig. Willst du, Kind,
den Sturmwind spielen, der erbarmungslos
ihm in die Krone greift?

ÖDIPUS Erbarmungslos –
so greift's in uns.

PHÖNIX Laß deine Jugend, Herr,
nicht grausam sein, und wenn, so sei es gegen
die Feinde und nicht gegen uns, die Deinigen. 5
Wär' nicht dein Herz so jung, du hättest's nie
ersinnen können, über deinen Mund
wär's nie gekommen: denn wie kann das Herz
des Vaters und der Mutter dies ertragen
und nicht darüber bersten? 10

ÖDIPUS Phönix! Phönix!

PHÖNIX
So schrieest du, wie du ein Knabe warst,
oft aus dem Schlaf. Da weckte ich dich schnell –
dann war's ein Traum. 15

ÖDIPUS Nun kannst du mich nicht wecken,
denn nun träumt alles mit. Daß ihr mich alle
erkannt habt! Alle rieft ihr meinen Namen ...
So hab' ich mein Gesicht von damals?

PHÖNIX Herr, 20
drei Tage bist du fort von uns.

ÖDIPUS angstvoll Drei Tage?
drei Tage, Phönix?

PHÖNIX Mein Geliebter, drei!

ÖDIPUS sieht ihn fremd an 25
Im Grund, wer bist du, daß du so vertraulich
mir redest?

PHÖNIX Ich zu dir? wer ich dir bin?

ÖDIPUS
Es ist mir nicht geläufig – 30

PHÖNIX Ewige Götter!
es ist ihm nicht geläufig, wer ich bin!

ÖDIPUS zögernd
Doch wohl –

PHÖNIX Doch wohl? Wer hat dich denn zuerst
gehoben auf den Wagen? dich gelehrt
5 an deine Füße die Sandalen schnüren?
dein Haar gekämmt? wer hat denn dein Gewand
Abend für Abend an den hohen Nagel
gehängt, und an der Kammertür den Riegel
dann vorgeschoben, und den kennst du nicht?

10 ÖDIPUS
Die Götter impfen sonderbaren Saft
ins Blut: vor dem besteht nicht dieses Kinderzeug:
ich bin, der gestern war. Verstehst du mich?
hart
15 Geh. Such du dir den Knaben, den du liebtest.

PHÖNIX
Er steht vor mir.

ÖDIPUS Halt' deinen Atem ein.
Mich widert die korinthsche Luft aus deinem Mund.
20 Doch wenn dir Dienen Lust ist, geh und bring' mir
zu trinken.

PHÖNIX geht links hin.

ÖDIPUS steht wie in wachem Traum.

PHÖNIX kommt mit der Trinkschale.

25 ÖDIPUS sieht links hin. In verändertem Ton
Ah! was haben sie mir dort,
dort! mit dem einen Pferde – an dem Wasser.
Der Schimmel geht ja lahm.

PHÖNIX nickt Nyssia, die Stute.

30 ÖDIPUS will jäh hin
Nyssia, mein schöner Schimmel!
Erstarrt sogleich. Schlägt dem Phönix zornig das Trinkgefäß aus der Hand.
Freust du dich?
Was kümmert mich der Gaul! Seht ihr, wie ihr
35 nach Hause kommt. Mein Weg ist anderswo.
Wendet sich zu gehen.

PHÖNIX
Wo ist dein Weg?

ÖDIPUS Was kümmert's dich. Ich geh ihn
allein.

Geht nach rechts. 5

PHÖNIX ihm nach
Ich lass' dich nicht!

ÖDIPUS Ei, fort!

Stößt ihn.

PHÖNIX in seinem Weg Dies Haar 10
ist deines Vaters Haar, hier diese Hände
hebt deine Mutter zu dir auf. Wirst du
jetzt nach mir stoßen?

ÖDIPUS Frei den Weg!

PHÖNIX Hier geht 15
das Kind, das seinen Vater tritt und Steine
wirft nach der Mutter Herzen. Weicht ihm aus,
ihr Tiere dieses Waldes, auf, verkriecht euch,
die ihr in Höhlen wohnt, in Klüften horstet,
sonst werdet ihr zu Stein. 20

Ödipus geht weiter, ungerührt, langsam, gebundenen Schrittes. Schon ist er rechts zwischen den Stämmen. Phönix, ins Herz getroffen, kehrt sich, starr, betender Haltung im Gehen.

ÖDIPUS wendet sich, wie aus schwerem Traum heraus
O Phönix! 25

PHÖNIX links; wendet sich, steht bebend.

ÖDIPUS mit schwer arbeitender Brust, auf ihn zu, qualvoll
Hilf mir, Phönix!

Er taumelt.

PHÖNIX fängt ihn auf, küßt ihm Hände und Brust, legt ihn sanft hin. 30

ÖDIPUS richtet sich halb auf.

PHÖNIX kauert dicht bei ihm
Nun bist du's wieder!

ÖDIPUS
Nicht suchen den, der war. Versteh' mich doch.
Versteh' doch, was mein Mund sich krümmt zu sagen.
Dann geh und laß mich. Faß mich nur! Geredet –
5 durch seine Priesterin geredet hat
der Gott mit mir!
Von der ungeheuren Anstrengung des Geständnisses erschöpft
Mich dürstet. Bring' mir Wasser.

PHÖNIX will fort um Wasser. Besinnt sich
10 Und bis ich wiederkomme, bist du fort.
Ich geh nicht weg. Ich halte dich.

ÖDIPUS matt Mich dürstet.
Ich steh' nicht auf. Ich rede immerfort
mit dir.

15 PHÖNIX nimmt die Schale, geht, mißtrauisch umblickend.

ÖDIPUS sich anstrengend
Ich rede ja mit dir. Hier bin ich.

PHÖNIX kommt zurück, hält ihm die Schale hin.

ÖDIPUS greift gierig nach der Schale, trinkt
20 Nie wieder trink' ich Wein. Schwarz war der Wein
und schwer wie Blut. Da tranken er und ich
ein jeder seinen Tod.

PHÖNIX Sprichst du von Lykos?

ÖDIPUS
25 Das war der Anfang.
Mit meinen Händen schlug ich ihn. Sie fielen
wie Hämmer nieder, alle waren blutig
von seinem Blut, dann trugen sie ihn weg.
Warum nahm es den Weg durch seinen Mund!
30 Der Knabe war nicht schlimm – es wollte kommen:
im Wein verbarg es sich, da glitt es in den Knaben
und kräuselte ihm widerlich die Lippen. . . .
Wie nur?

PHÖNIX Du fragst?

35 ÖDIPUS heftig Mir ist's entfallen.

PHÖNIX Herr!

ÖDIPUS faßt ihn
Ich will, daß du mir's wiederholst.

PHÖNIX Verschon' mich!
Er redete zuerst herum und niemand
im Dunst des Weines gab viel acht. 5

ÖDIPUS Um was
herum? Ich will es hören.

PHÖNIX Daß so mancher
nicht wisse, was für Blut in seinen Adern –
Du zürnst mir? 10

ÖDIPUS Weiter!

PHÖNIX Herr, du wirst mir zürnen?

ÖDIPUS
Ich bitte dich. Mir ist's entfallen. Weiter!

PHÖNIX 15
Er hob sich über'n Tisch und sah mit Fleiß
nach einer andern Seite.

ÖDIPUS Richtig! – Und ...

PHÖNIX
Und sagte, daß man manchmal Findelkindern 20
auch auf den Stufen eines Thrones könne
begegnen.

ÖDIPUS Und da schlug ich schon auf ihn?

PHÖNIX
Nein, doch du grubst die Nägel deiner Finger 25
so in den Tisch, daß man es hörte. Alle
verstummten, seine stieren Augen waren
auf dich geheftet, und er schrie: Du selber,
Ödipus, sag' mir, bist du denn der Sohn
des Polybos? 30

ÖDIPUS steht jäh auf
Das Wort erschlug ihn schon?
Das bloße Wort? Den ganz lebend'gen Lykos?

PHÖNIX
Du kannst dich ja nicht sehen, wenn der Zorn
dich schüttelt, daß du schwarz wirst wie der Tod,
dann weiß wie Schaum. Ich hab' dich so gesehn,
5 mich schauderts in mein Mark.

ÖDIPUS läßt sich auf einen Stein hin
Das war der Anfang.
Von da an ging es schnell. Ich wusch das Blut
von mir und nahm ein anderes Gewand
10 und ging hinein – es war nicht Morgen noch,
da ich sie weckte. Wie sie leise schlafen,
die Eltern! Kaum, daß ich dem Bette nah war,
so hoben sie sich auf: der Vater, der
erkannte mich nicht gleich, die Mutter aber,
15 die Mutter –
schaudernd
Nie mehr werde ich sie sehn! –
Dem Vater schwoll die Ader an der Stirn
vor Zorn, die Mutter hatte gleich die Augen
20 voll Wasser und, in ihrem Ehebette
halb aufgerichtet, schworen sie mir's zu,
daß ich ihr Sohn bin. Und dann sprachen sie
zugleich, die beiden, auf mich ein und tauschten
blitzschnelle angst- und liebevolle Blicke,
25 und König Polybos, mein Vater, dessen Leib
ich nie berührt, der schlang zum erstenmal
im Leben seine beiden Arme fest
um meinen Hals und drückte meinen Kopf
an seine Brust, und übers Bette hin
30 ergriff die Mutter meine Hand.

PHÖNIX
Da warst du
noch nicht erlöst, Unseliger?

ÖDIPUS
Da ging ich
hinaus und fand nicht Ruhe, und ich dachte
35 an dies, wenn ich auf meinem Wagen fuhr,
an dies, indess' ich jagte, und an dies,
indess' ich aß und trank.

PHÖNIX
So warst du krank?

ÖDIPUS
Ich war nicht krank. Allein in mir war etwas,
das wollte sich nicht geben, bis ich nicht
gekommen wäre auf den Grund des Dinges.
So mußte ich dorthin, wo aus dem Schoß 5
der Erde Wahrheit bricht in Feuerströmen
und aus dem Mund der Priest'rin sich ergießt.
So fuhr ich gegen Delphoi.
Ihn schauderts.

PHÖNIX Weh, was haben die 10
getan an diesem Kinde, diese Priester!

ÖDIPUS
Wie klein ist alles das, wie klein! Als stünd' ich
auf einem hohen Berg und säh' es tief
dort drunten seine Straße ziehn wie Kinderspielzeug. 15
Was für ein kleines Leben lebst du, Phönix!

PHÖNIX
Geliebter, welche Antwort gab der Gott
auf deine Frage, Ödipus?

ÖDIPUS Die Götter 20
antworten weise, wo wir töricht fragen.
Die Frage, die aus unsrem Munde geht,
verschmähen sie, und was im tiefsten Grund
des Wesens schläft und noch zu Fragen nicht
erwachte, dem mit ungeheurem Mund 25
antworten sie zuvor. Was war ich für ein Knabe,
daß ich hinging und vor mir her mit halb
bekümmertem, halb frechem Herzen meine Frage
wie eine Fahne trug! Da faßte mich
der Gott am Haar und riß mich über'n Abgrund 30
zu sich.

PHÖNIX angstvoll
Sag', was sie dir getan im Heiligtum!

ÖDIPUS
O, sie sind weise! So wie einen König 35
hielten sie mich, und wie ein Kind. Sie gaben

mir ein Gemach, in das von oben her
der Schein der Sterne schlug, als wärens Flammen.

PHÖNIX
Hoch ragt der heilige Berg und nah den Sternen.
5 So nah den Göttern ist nicht gut zu wohnen.

ÖDIPUS
Nicht gut zu wohnen? Wo die Gipfel rings
der Berge blühn im Licht und Nacht und Tag
auf heiligem Nacken tragen, wo aus Säulen
10 lebendiger Zedern göttlich der Palast
in goldnem Rauch sich hebt, wo in dem Hain
einander Abend, Nacht und Tag umschlingen,
wo sich der Seele in der Opfernacht
die schwere funkelnde Milchstraße nieder
15 wie eine Wünschelrute biegt, und sie,
die Seele, dir, der eignen Kraft erschrocken,
hinuntertauchen in sich selber will
und spürt, hier ist kein Grund: dem Weltmeer ist
ein Grund gesetzt – ihr nicht –

20 PHÖNIX Die Priester, Knabe,
was sprachen sie zu dir?

ÖDIPUS Zu mir? Der Gott
sprach durch das Weib, in dem er wohnt, zu mir.

PHÖNIX
25 Sie weihten dich?

ÖDIPUS Sie wußten meine Frage,
und weil ich nach dem Quell zu fragen kam
des Bluts in mir, so weihten sie mein Blut,
auf daß es sich dem Gott entgegenhübe
30 aus eigner Kraft –

PHÖNIX Wie weihten sie dein Blut?
zum Leben oder für den Tod?

ÖDIPUS Was kümmern
den Knecht die Bräuche! Da war Nacht und Tag
35 mir abgetan und weggewischt die Grenze

von Schlaf und Wachen, und bald auch die andre,
die zwischen Tod und Leben.

PHÖNIX Ödipus!

ÖDIPUS
Im Tage mitten wurd' ich wach aus einem 5
Traum nach dem andern Traum und hatte immer
vergessen und mein Innres wurde immer
erneuert. Immer andre waren da
um mich, und ihre herrlichen Gestalten,
in Flammen ging die eine in die andre hin. 10
Ahnst du? Mit meinen Vätern hauste meine
schlaflose Seele.

PHÖNIX Wie, der Toten, die
du nie gesehen hast, entsannst du dich?

ÖDIPUS 15
Nein – sie entsannen sich des Enkels und
durchzogen mich, und es war mehr als Lust
und mehr als maßlose Begier, es war
die Lust und Qual von Riesen –

PHÖNIX Könige 20
und Götter, weißt du's nun!

ÖDIPUS Der Strom des Bluts,
das war die schwere, dunkle Flut, in der
die Seele taucht und findet keinen Grund.
Das war in mir. Nein, das war ich! Ich war 25
ein wilder König, der erbarmungslos
ein Weib umschlingt in einer Stadt, die brennt,
und war auch der Verbrennende im Turm –
ich war der Priester, der das Messer schwingt,
und ich zugleich war auch das Opfertier. 30
Und ich verging nicht! Ich brach nicht in Stücke!
Der Blutstrom riß sich auf in seinem Bette
mit mir auf seinem Haupt und hub mich auf
zum Gott. Dann fiel er wiederum zurück –
da lieg' ich nun. 35

PHÖNIX Wie sprach der Gott zu dir?

ÖDIPUS
So sprach der Gott zu mir: ich lag und hatte
die Augen zu und Dunkel war und rings
im Dunkel regte sich Lebendiges,
5 die Priester warens, um mein Lager standen
sie schweigend, und im Dunkel stieg ein Duft
von fremden Kräutern auf, und ich sank tiefer
in mich –

PHÖNIX Du träumtest, Kind!

10 ÖDIPUS Frag' nichts! Ich träumte
den Lebenstraum. Wie ein gepeitschtes Wasser
jagte mein Leben in mir hin, – auf einmal
erschlugen meine Hände einen Mann:
und trunken war mein Herz von Lust des Zornes.
15 Ich wollte sein Gesicht sehn, doch ein Tuch
verhüllte das, und weiter riß mich schon
der Traum und riß mich in ein Bette, wo
ich lag bei einem Weib, in deren Armen
mir war, als wäre ich ein Gott. In meiner Wollust
20 hob ich mich, ihr Gesicht, die meinen Leib
umrankte, wach zu küssen – Phönix! Phönix!
Da lag ein Tuch auf dem Gesicht, und stöhnend
von der Erinnrung an den toten Mann,
die jäh hereinschoß, krampfte sich mein Herz
25 und weckte mich. Da war ich ganz allein. Mein Herz
war groß in mir und schlug. Da, in der Mauer
tat eine niegesehne Tür sich auf
und unten kroch ein Licht herein und dann
kams auf mich zu, gerade auf mein Lager,
30 und leise glitt ein schleppendes Gewand
am Boden hin – so wie die Mutter kam es,
wenn sie ans Bett des Kindes tritt, so wie
die Braut zum Bräutigam, so trugen leise
die Füße es heran.

35 PHÖNIX Bei unsern Göttern –
wer?

ÖDIPUS

Fragst du noch? Das Weib.

PHÖNIX

Die Priesterin?

ÖDIPUS

Nenn' keinen Namen! Weib und Mann kann sich
in eins verschränken: aus dem Weibe glühte
der Gott, aus den verzerrten Zügen schaute
der Gott, die Zunge bäumte sich im Mund
und lallte, doch es redete der Gott!

PHÖNIX

Zu dir – zu dir –

ÖDIPUS

So nah der Mund dem Mund
wie dein Gesicht dem meinen. Wie das Lallen
der Zunge in mein aufgerißnes Herz
hineinschnitt!

PHÖNIX

Sag' es! sag' es! eh' dein Blut
aufs neu erstarrt. Du stirbst mir in den Armen!

ÖDIPUS

Ich leb' und trag' es! Und nun kommt's heraus:
so sprach der Gott aus dem verzerrten Mund
des glüh'nden Weibes: des Erschlagens Lust
hast du gebüßt am Vater, an der Mutter
Umarmens Lust gebüßt, so ist's geträumt
und so wird es geschehen.

PHÖNIX

Fürchterlich!
Allein es war die Antwort nicht der Frage!

ÖDIPUS

Wie, wahnsinniger Mensch?

PHÖNIX

Du mußtest nun
die Frage tun.

ÖDIPUS

Ich lag und sie glitt fort
ins Dunkle.

PHÖNIX

Weh! da mußtest du ihr nach!

ÖDIPUS
Ihr nach? Auf meiner Brust lag ja ein Berg,
ein Berg auf jedem Glied! Ihr nach?

PHÖNIX Unseliger!
5 Sie gab die Antwort nicht auf deine Frage!

ÖDIPUS
O blöder Phönix, sie tat mehr als das!
Weh, welch ein Mensch du bist! Was war noch offen?
was war noch einer Frage wert? wo war
10 die Welt! Vom Lallen dieser Zung' hinunter-
geschlungen! Was nach diesem Wort blieb denn
noch übrig als wir drei: der Vater,
die Mutter und das Kind, mit zuckenden,
mit ewigen Ketten des Geschicks geschmiedet Leib an Leib.

15 PHÖNIX
Zweideutig war das Wort!

ÖDIPUS Für eines Knechtes Seele,
nicht für die meinige. Nicht zweimal redet
der Gott. Den er sich wählt, von dem wird er
20 begriffen. Schau nicht so voll dumpfer Angst,
sonst schweig ich und dein Aug' sieht mich nicht wieder.
Sollt' ich noch fragen, wie ein Weib beschwätzen
das Ungeheure? Sollt' ich noch nicht wissen
am Grausensabgrund, der in mir sich auftat,
25 am namenlosen Weh, von welchem Vater
und welcher Mutter da die Rede war?

PHÖNIX
Das gräßliche Wort, du schlangst es hinab?
deine Seele warf es nicht aus?
30 Graunvoller! Liebster! es sitzt in dir?

ÖDIPUS
Es fraß sich hinab ins Mark meines Lebens.
Da fand es Nahrung – nichts als Nahrung.

PHÖNIX
35 Du bist rein, du bist gut,
nichts davon ist in deinem Blut –

nichts in deinem Sinn.
Ich kenne dein Atmen bei Tag und Nacht
ich weiß dein Gesicht, wenn es einschläft und wenn es erwacht.
Siehst du nicht, daß ich ruhig bin
und dir ins Gesicht sehen kann? 5

ÖDIPUS
Was weißt du von mir? Was wußte ich selber davon
bis die Stunde kam,
die mich aus meinem Kindertraum nahm?
Ich will dir jetzt etwas sagen: 10
du sollst es anhören und schweigen.

PHÖNIX
Kind, sag' es mir.

ÖDIPUS
Du nennst mich Kind, doch ich denke, ich bin ein Mann. 15

PHÖNIX
Ein Mann! und ein königlicher! Wer würde es zu leugnen wagen?

ÖDIPUS
Hör' es still an, ich will dir's jetzt sagen:
ich habe noch kein Weib berührt. 20

PHÖNIX
Wie soll ich das verstehn? Hast du nie eine begehrt?

ÖDIPUS
Die Qual, die sie Sehnsucht nennen, kenn' ich wohl.
Wie sanft erscheint mir jetzt dies Brennen, denk' ich zurück. 25
Wie klein dies alles: Kinderleid, Kinderglück.
Ach, wenn ich mit meinen Jagdgefährten schlief in ihren Häusern,
meinst du, ich hörte nicht in der stillen Nacht
einen Kammerriegel zurückziehn,
und es war kein Seufzen aus junger Brust unter den Nachtgeräuschen? 30
Meinst du, mein eigenes Herzklopfen konnte mich täuschen,
daß ich nicht fühlte, wo etwas glühte im Dunkeln
und sich mir hingeben wollte –
aber es war, als läge ein Schwert auf der Schwelle.
Dann kam der Morgen, dann war alles wieder vorbei. 35

PHÖNIX
Du Kind, was dich hielt, war Scham und Scheu
in deinem jungen Blut.

ÖDIPUS
5 O nein: es ist ein Schwert dazwischen gelegen.
Und weißt du, warum? Meiner Mutter wegen.

PHÖNIX
Was redest du da! Du bist trunken von einem Leid,
das grausam ein Gott dir angetan.
10 Deine Seele weiß nichts von dem, was aus deinem Munde geht.

ÖDIPUS
Nicht so, wie du meinst. Ich rede zu dir von meinem Geschick.
Wenn du mich nicht verstehst, muß ich gleich schweigen.
Ich wollte dir zeigen, wie alles sich verknüpft:
15 damit mich doch einer begreift, wenn ich nicht mehr da bin.
Sieh, ich konnte den Blick der Unberührten nicht ertragen,
seit ich Mann genug war, ihn ganz zu verstehn.
Ich fühlte, sie konnten dem Tiefsten in meinem Verlangen nicht
genügen.

20 PHÖNIX
Wie? die Jungen? Eine wie die andre rings im Land?

ÖDIPUS
Keine. Ich hätte in ihren Armen nicht liegen können
ohne eine geheime tiefe Scham.
25 Wie soll ich dir das mit Worten sagen?
Wo ein Blick mich nicht bände bis in alle Seelentiefen,
wo nicht die Welt mir schwände,
wo nicht Ehrfurcht und Schauder mich ganz auflöste –
wie könnte ich mich da geben?
Und eine nehmen und nicht mich geben,
30 dies tun, und es wäre nicht ein Wirbel,
der mein ganzes Wesen in sich reißt –
dies Unsagbare tun frech, kalt und dreist,
an eine Brust mich drücken, wühlen in Haaren
35 und lauernd frech in mir mich bewahren –
wie ein abenteuerndes Tier eine nehmen und eine nehmen –

müßt' ich mich da nicht vor dem Anhauch des Meeres zu Tode
schämen?
vor dem Schatten, dem Licht, vor den Sternen, dem Wind,
vor der nackten Nähe lebendiger Götter,
deren Augen überall sind? 5
So hielt ich meinen Blick im Zaum
vor ihrem Leib und ihrem Haar, weil keine eine Königin war....
Verstehst du nun, warum ich sagte: um meiner Mutter willen?

PHÖNIX sieht ihn an.

ÖDIPUS 10

An meiner Mutter hatte ich gesehen, wie Königinnen gehen.
Wenn ich auf meinem Wagen gefahren kam
und sah sie gehn mit ihren Frau'n
zu heiligen Festen, hinab zum Fluß,
darin in flutenden Palästen 15
die Götter wohnen, unsre Ahnen –
und sie trug ihren Leib wundervoll schreitend
wie ein heiliges Gefäß,
da stieg ich vom Wagen und kniete nieder,
zur Erde gebeugt, grüßte ich sie. 20
Und ich wußte: Kinder zeug' ich einst mit einer,
die mit heiligen Händen im dämmernden Hain
darf Bräuche üben, die allen Wesen verboten sind, nur ihr nicht:
denn zu ihr reden aus dunkelnden Wipfeln im Abendwind
Götter, die ihre Väter sind. 25
Kinder zeug' ich in einer solchen heiligem Schoß
oder ich sterbe kinderlos.

PHÖNIX

Du guter Knabe, du reines Kind,
was fürchtest du, wenn so königlich deine Gedanken sind? 30

ÖDIPUS

Des Gottes Wort! Begreifst du denn nicht? Ist deine Seele so dumpf?
Schaudert dich noch nicht?

PHÖNIX

Kein Hauch des Bösen ist in dir. Was quälst du dich? 35

ÖDIPUS

Bist du gefeit gegen die Mächte?

Weißt du, was für Mitternächte über uns noch hereinbrechen,
wo wir einander vorübertaumeln und erkennen einander nicht!
Wie in den Tod starrst du in mein Gesicht,
denn es hat eine Schlacht angehoben aus einem Gastmahl, bei dem
wir saßen,
und nun rinnt das verwandte Blut in den Straßen
und die Frauen töten sich auf den Dächern,
um nicht zu sehen, wie sie sich würgen,
der Vater den Sohn, der Bruder den Bruder,
in dem Saal, in den Gemächern.

PHÖNIX
Das sind gräßliche Nachtgesichte!

ÖDIPUS
Das alles ist in meinem Blut.
Waren nicht Rasende unter meinen Ahnen?
Ließen sie nicht Ströme Bluts vergießen?
Verschmachteten nicht ganze Völker in ihren Verließen?
Trieben sie nicht Unzucht mit Göttern und Dämonen?
Und wenn ihre Begierden schwollen wie Segel unter dem reißenden
Sturm,
konnten da sie ihr eigenes Blut verschonen?
Und wer hat dies Rasen für immer an Ketten gelegt?
Wer hat zu diesen Dingen gesagt:
Ihr seid dahin und kommt nie wieder?

PHÖNIX
Das sind uralte grausige Lieder.

ÖDIPUS
Wer sie hört in seinem Blut, dem bringen sie ferne Dinge nah –
was längst geschah, kann wieder geschehn –
wer weiß durch wen?

PHÖNIX
Du mußt fort! Bereit ist der Wagen, er trägt dich nach Haus!
Siehst du die Eltern, zergeht dein Wahn, zergeht das Grausen,
so wie ein böser Nebel zerfließt.

ÖDIPUS
So wird es geschehen, sprach der Gott, den Weg zeigte er nicht.

Ich spür' den Weg.
Durch mein Wesen hindurch bahnt sich's den Weg
wie durch fließendes Wasser.

PHÖNIX
Komm nur zu dir! Hätt' ich dich daheim in deinem Bette! 5

ÖDIPUS
Lieber tot in der Bergschlucht und Geier über mir!

PHÖNIX
Sohn meines Königs!

ÖDIPUS 10
Ich dachte, meinen Vater zu bitten um einen Turm,
um ein Lager von Stroh und um schwere Ketten –
aber wie könnte das uns retten?
Ich läge in ihrer Näh' wie ein Dämon auf der Lauer,
und eines Tags wie fahler Schnee zerschmölze des Turmes Mauer, 15
oder es flöge ein Pfeil herein und ich würf' ihn durchs Fenster zurück
und er flöge meinem Vater ins Genick.
Da kämen sie zu Hauf und brächen mein Gefängnis auf,
und ich sollte der Mutter die Botschaft bringen
und meine Arme fingen an sie zu umschlingen, 20
meine Lippen auf ihr zu weiden.

PHÖNIX
Das sind wüste Träume! Wach doch auf – wie mußt du leiden!
Nichts davon ist in deinen Gedanken, deine Seele schaudert davor
zurück! 25

ÖDIPUS
Das sind keine Schranken;
es waltet durch uns hindurch wie durch leeren Raum.
Freilich, es klingt wie ein böser Traum!
Auch ist meine Mutter ja keine junge Frau mehr. . . . 30
Meinst du, daß dies etwas wär', um sich daran zu klammern?
Aber wenn ich die Priesterin denke, ein Weib und doch kein Weib,
und das furchtbare Wohnen des Gottes in ihrem Leib –
dann ist kein Ding auf der Welt, das mein Herz nicht für möglich hielte.
Fort die Hand, die mich hält! 35
Laß mich los! verloren ist, wer zaudert!

PHÖNIX
Was willst du tun?

ÖDIPUS
Ein einziges Opfer ist, das mir frommt:
5 es wird dargebracht ohne Aussetzen,
es wird genährt mit allen meinen Schätzen,
unaufhörlich fließt es hin, wie die Zeit von den Sternen rinnt.

PHÖNIX
Was für ein Opfer, Kind?

10 ÖDIPUS
Mein Leben.
Aber nicht mein Blut darf ich hergeben,
davor warnt mich ein inneres Grausen:
ich muß bleiben, aber ich darf nirgend hausen,
15 unstet, mit tiefster Einsamkeit umhangen,
ein Gefährte den stummen Tieren –
dann brauch' ich mein Selbst nicht zu verlieren
an das Unsagbare, an den lebendigen Tod.

PHÖNIX
20 Vergebliches Opfer, wem zur Freude? Deine Eltern versteint das Leid!

ÖDIPUS
Ein grausames Opfer ist es wohl. Wo ist ein König, der so opfert?
Phönix! Nie hab' ich dich vor mir stehen sehn, wie du jetzt stehst vor meinem Blick.
25 Und dort – die andern – wie sie dort um den Wagen geschart sind!
Ich kann tief lesen in ihren Mienen.
O Gott, solche hatte ich, mir zu dienen!
Mit angstvollen Herzen starren sie her,
ihre Hände sind von den Taten schwer,
30 die sie mit mir tun wollten
und die nun ungetan in den Abgrund rollten.
Siehst du die Pferde? Sie scharren den Grund
und heben die Nüstern und wittern nach mir.
Wie ihre Augen sprechen,
35 als wollte die dumpfe Seele daraus hervorbrechen.
Es sind keine gewöhnlichen Pferde.
Sie hätten mich wiehernd in Schlachten gerissen

und mitgekämpft und funkelnd nach meinen Feinden gebissen –
sie wären mit mir durch fremde Flüsse geschwommen –
aber nun ist es anders gekommen.
Sie sollen den Pferden in die Zügel greifen und sie den Berg hinab
schleifen, 5
wenn sie zu ihrem Herren drängen,
wenn ihre dumpfen Seelen an dem so hängen,
der nicht mit ihnen fahren darf.
Nun aber fort, nun ist es genug!

PHÖNIX 10
Das letzte Wort für den Herrn und die Herrin, wenn sie mich fragen
um ihr Kind!

ÖDIPUS
Sie sollen sich keine Botschaft von mir erwarten,
nicht von den Fischern am Strand und nicht von den Pilgern, die 15
kommen über Land.
Was nicht sein kann, sollen sie nicht begehren
und nicht mit einem Vielleicht die Luft beschweren.
Mein Haus sollen sie versperren und ausleeren meine Truhen,
meine Hunde sollen sie forttun, 20
damit sie in der Nacht nicht nach mir heulen.
Ich hab' mir einen Stock geschnitten, der bleibt bei mir,
sonst niemand, kein Mensch und kein Tier.
Ich werde kein Bett haben zu Nacht und, wenn es dunkel wird,
kein Licht: 25
davon rede dem Vater und der Mutter nicht.
So allein ist nicht einmal ein Baum, nicht einmal ein Stein,
denn die Steine liegen doch einer beim andern,
immer liegen sie an gleicher Stelle, so heimlich ist ihnen,
so ruhevoll sind ihre Mienen, 30
als wäre jeder die Schwelle zu einem Vaterhaus.
Und die Bäume – hat jeder seine Gefährten,
sie klimmen zusammen nach oben,
ich fühle, wie sie ihr Leben loben
und mit den lebendigen Kronen 35
selig sind, daß sie hier wohnen
seit unzähligen Tagen,
die Wurzeln tief in den Felsen schlagen,

sie breiten die zackigen Äste –
ja, das sind unaufhörliche Feste!
Aber wer schlingt seine Zweige in meine,
wer ruht neben mir wie der Stein beim Steine?

PHÖNIX weint.

ÖDIPUS
Sag' meiner Mutter und meinem Vater sag': einmal im Tag
zu dieser Stunde, wenn die Erde sich ängstlich regt,
weil die Nacht das schwere Dunkel auf sie legt,
da sollen sie sich erinnern, daß ich noch in der Welt bin,
da werd' ich irgendwo niederknien
und, wenn die Hände des Nachtwinds im Walde wühlen
wie Menschenatem schwer und beklommen,
da wird ihr Gesicht zu mir kommen.
Und manchmal, wenn auch nicht jeden Tag,
da werden sie spüren ein Etwas im nächtigen Wind,
das wird sich regen und leise bewegen an dem Fenster, wo sie schlafen:
da sollen sie wissen, das ist ihr Kind.
Denn mein Beten wird mehr sein als ein Denken,
mein Lebensatem wird hier bleiben und das Nest behüten, meinen Leib,
aber meine Seele wird sich über das Nest emporschwingen
und über die Wälder und die Flüsse hindringen
wie ein glänzender Gott, wie ein seliger Schwan –

Ein Windstoß

Es kommt ein Sturm, – fort mit dem Wagen, fort mit den Knechten!
Sie sollen nicht jagen, daß mir die Pferde nicht stürzen.
Sieh du nach dem Rechten! Leb' wohl – lebt wohl!

Er schreitet aufwärts ins Gestein.

PHÖNIX
Sie werden fragen, was du tatest, als ich dich ließ.

ÖDIPUS
Sag' ihnen, der Wind ist mein Gefährte und das Dunkel ist mein Haus.

PHÖNIX
Mit solcher Botschaft tret' ich nicht vor sie!

ÖDIPUS
Bist du, die Worte zu setzen, so blöde?

Sag' ihnen, dem Sohn ist so wohl in der Öde,
du sahst ihn niederknie'n im wüsten Gestein
wie andre in einem heiligen Hain oder im seligen Lichten,
und sein Gebet verrichten.
Nun geh! 5

PHÖNIX
Herr, laß deine Diener bleiben so lange, bis du gebetet hast!

ÖDIPUS
Fort! eure Näh' ist mir zur Last!

PHÖNIX 10
Sohn meines Königs!

ÖDIPUS
Ein Ende! ein Ende!

PHÖNIX
Noch einen Blick! 15

ÖDIPUS
Willst du mich peinigen?
Seid ihr fort, dann bin ich frei,
dann betet mein Herz für mich und die Meinigen.

Tiefes Dunkel, starke Windstöße. 20

PHÖNIX links ab, schmerzlich zurückschauend.

ÖDIPUS oben, wo der Hohlweg einschneidet, legt seinen Stab weg, kniet nieder. Die Diener, unten aus dem Gebüsch hervortretend, strecken die Arme nach ihm. Dann gehen sie. Der Wagen rollt ab.

STIMMEN aus dem Sturm 25
Die wir tote Könige sind,
wir thronen im Wind –
die wir gewaltig waren,
uns schleift der Sturm an den Haaren,
und dieser ist unser Sohn. 30

ÖDIPUS das Haupt zur Erde geneigt, die Hände ausgebreitet
Erde, du mußt nun allein meine Mutter sein.
Die stillen Wolken, die lauten Winde sind meine Geschwister.
Ich hab' alles fortgegeben,
nur daß ich dein Kind bin, das ist mein Leben. 35

DIE STIMMEN
Unser Ringen und Raffen
hat ihn erschaffen.
Herz und Gestalt,
5 Begierden und Qualen –
er muß uns bezahlen,
daß wir mit Gaben
beladen ihn haben.
Er ist ein König und muß es leiden,
10 und wär' ein nackter Stein sein Thron:
er ist unsres Blutes Sohn.

ÖDIPUS
Es redet nicht, es gibt keinen Schein,
doch irgendwie dringt es in mich hinein,
15 daß ich Vater und Mutter und Glanz und Welt
und alles, was das Herz erhellt,
nicht ganz vergeblich hingegeben habe.
Ich fühl' es um mich weben: ich werde noch leben.

Stärkerer Sturm.

20 DER HEROLD des Laïos von rechts heraufkommend
Böser Sturm, tückisches Dunkel, kaum seh' ich den Weg vor den
Füßen!
Mußt du, fremdes Land, so häßlich den Herrn mir grüßen?
Steil die Straße – da liegt ein Stein, dort sperrt ein Baumstamm
25 den Weg.

ÖDIPUS hebt betend die Hände.

HEROLD ihm näher
Ein Mensch! Fort aus dem Wege! auf!
Den Weg gib frei! kannst du nicht hören?

30 ÖDIPUS aufschauend wie aus dem Traum
Häßlicher Ton! Zorngeschrei!
Wenn einer betet, sollst du ihn nicht aufstören –
Wenn seine Seele nicht mehr zu ihm zurückkehrt,
dann ist er schwer zu heilen.

35 HEROLD
Hörst du nicht den Wagen rollen, Nachtvogel du?
Du sollst dich trollen!

ÖDIPUS
Einsamkeit, bleib bei mir!

HEROLD
Aus dem Wege du!
Was räkelst du dich auf der Erde? 5
Bist du ein Hund, greif' ich den Stein!

ÖDIPUS an der Böschung, sich aufrichtend
Häßliche Gebärde! widerlicher Mund!

HEROLD
Fort aus dem Weg – zum letzten Mal! 10

ÖDIPUS mit Widerwillen
Du Tier, nicht so laut!

HEROLD
Willst du, daß ich den Stock brauch'?

ÖDIPUS bückt sich 15
Einen Stock hab' ich auch!
Ich geh' – nur warte – steh', bis ich dort bin.
Komm mir nicht so nah!

HEROLD
Vorwärts da! 20
Vorwärts oder –

ÖDIPUS
Nicht nach mir schlagen!

HEROLD
Nicht? 25

ÖDIPUS
Du Tier, da nimm!

DER HEROLD fällt dumpf hin.

ÖDIPUS
Still ist jetzt alles. Bist du tot? 30
Es blitzt.
Nirgends rot – ganz weiß wie der Stein –
mein Stock – meine Hand?

Der Wagen nahe, hat gehalten. Laïos, der Wagenlenker, die Diener von rechts.

DER WAGENLENKER tastend
Hier ist der Weg.

Ein Blitz

5 Hier liegt der Herold – erschlagen!

ÖDIPUS hat den Stock fallen lassen, steht links, auf den Toten schauend.

Wütender Sturm.

DIENER
Herr, es sind Räuber – zurück auf den Wagen!

10 LAÏOS in der Hand den Stachelstock
Mein Herold!

DER HEROLD erkennt die Stimme, wälzt sich hin
Mein Herr! bei dir sterben!

LAÏOS
15 Nicht sterben! Um Wasser!

ÖDIPUS
Ein Quell ist dort.

DER WAGENLENKER
Gebieter, ihrer sind mehr als wir: sie lauern im Dunkel.

20 ÖDIPUS
Ich bin allein.

Ein starker Blitz.

LAÏOS
Ah! faßt mir den Mörder!

25 DIE DIENER leise
Stricke vom Wagen, ihn zu binden!

Einer weg.

ÖDIPUS
Was wollt ihr tun? Ihr wißt nicht, wie es geschah.
30 Er schlug nach mir, er trat mir zu nah!

LAÏOS
Strauchdieb, still!
Mit deinem Atem schändest du noch dem Toten die Ruh'!

ÖDIPUS
Wenn er zu dir gehört, so drück' ihm doch die Augen zu.

LAÏOS bückt sich zu dem Toten
Zu mir hast du gehört;
die Jahre zählen wir nicht mehr – nicht wahr? 5

ÖDIPUS
Laß mich dein Diener sein anstatt des Toten – ich bin jung!

LAÏOS flüsternd, zu den Dienern, die alle hinter ihm geschart sind. Einer geht Ödipus in den Rücken.

ÖDIPUS 10
Ich will mich erniedern bei Tag und Nacht – ich schlafe vor deinem Bett auf der Erde –
ich betreue dir die Pferde – nimm mich mit!

LAÏOS
Du sollst mitgenommen werden, 15
aber gebunden an Händen und Füßen – so kommst du mit.

ÖDIPUS
Was wollen die?
Deckt sich den Rücken an einem Baum.

LAÏOS 20
Zugleich! – zu dritt!

Einer hebt hinter Ödipus' Rücken, wie es blitzt, die Schlinge.

ÖDIPUS ergreift blitzschnell den Stock vom Boden
Ich? gebunden? Was willst du mir tun?

LAÏOS 25
Das sollst du erfahren: dein Blut ist zu jung
zur Sühne für dieses Blut, das alt und schwer war,
dein Haar ist kein Preis für dieses angegraute Haar,
und schick' ich dich hier neben diesem schlafen,
so hieße das zu milde strafen. 30
So milde straf' ich nicht.

ÖDIPUS
Wohin willst du mich bringen?

LAÏOS
Ich will dein freches Gesicht leiden sehen, 35

aber im Tageslicht.
Deine Stimme soll dir versagen,
wenn sie dich Gebundnen mit Geißeln schlagen,
hinrichten lass' ich dich auf einer Richtstätte,
5 wo Menschen sind: Greis und Mann, Weib und Kind.
Sie sollen im Kreise stehn und es vollstrecken sehn –
die Sonne soll hören dein Schrei'n.

ÖDIPUS
Mit was für Mörderhänden greifst du in die Welt hinein? Wer bist
10 denn du?

LAÏOS
Ein alter Mann, der einen alten Mann hat müssen sterben sehn
wie einen Hund unter deinen Händen.
Aber du sollst zahlen!
15 Ich will dich hinunterschicken, behangen mit Qualen,
und bei den Toten wird er dir begegnen
und wird sich weiden und mich dafür segnen.

ÖDIPUS
Deine Stimme ist Haß und Qual. Du hast nie ein Kind gehabt,
20 du bist von den Unfruchtbaren,
dein trauriges Weib, mit Staub in den Haaren,
ist Tag und Nacht vor den Göttern gelegen –
in dein Haus kommt kein Segen!
Laß mich vorbei, laß mich fort!

25 LAÏOS
Er will entspringen!

ÖDIPUS
Wenn du wüßtest, wer ich bin, du hättest Mitleid mit mir.
Mein Leben ist bittrer als sein Tod.
30 Was weißt du in deinem alten Herzen von meiner gräßlichen Not?

LAÏOS
Willst du noch prahlen? – Faßt ihn doch, schleppt ihn her!
Ich will ihm zu trinken geben aus meinem Herzen den bittern Saft!
Ich trink' ihn seit Jahren, ich habe genug –
35 er soll ihn trinken in einem Zug!
Schnell, ihr drei!

ÖDIPUS
Ich will fort!

LAÏOS
Knechte!

ÖDIPUS vor sich
Kein Weg als dort! 5

LAÏOS
Hier steh' ich!
Er hebt den Stachelstock.

ÖDIPUS 10
Du Dämon, gib Raum!
Schlägt nach ihm.

LAÏOS stürzend
Fahre mein Fluch in dein Herz!

ÖDIPUS läuft rechts ab. 15

DIE DIENER
Dort hinab! Ihn fangen, ihn töten, ihm nach!
Stürzen ihm nach, ringen. – Sturm.

DIE STIMMEN aus der Luft
Mich reißt es aus der Luft herab, 20
mich wirft es aus meinem Königsgrab,
uralte Wut fällt mich Toten an –
Ai! unser Blut rinnt aus dem toten Mann!

EIN DIENER hat von rückwärts den oberen Abhang erklettert, eilt hinüber, fliehend 25
Ah! ein Dämon ist über uns – er tötet uns alle!
Flieht.

ÖDIPUS von rechts unten zurückkommend, Stille. Er steht
Wie gräßlich mir das Wasser half,
wie mit hundert Armen! 30
Schaudernd
Sie faßten mich noch und ertranken schon.
Hier muß er liegen. Ich weiß ja doch,
es ist ein fremder, alter Mann,
warum fällt dieser gräuliche Wahnsinn mich an 35

zu glauben, daß es mein Vater ist?
Ich muß hinkriechen und ihn berühren!

Ein Mondstrahl bohrt sich durchs Gewölk.

Es fällt ein Schein auf sein totes Gesicht!
5 Nur den Mut, nur die Kraft hinzusehn,
denn er ist es ja nicht!

Er schleppt sich hin.

Fremd! fremd! bleich, fremd und bös!
Nicht bös – nur fremd – eiskalt und bleich und fremd.
10 Gut sind die Götter – gut! Leicht ist mein Herz!

Hebt die Hände zum Mond

Bedankt, du Schwanenflügel, aus der Nacht
hervorgebrochen, mich zu trösten! Leicht
die Hände heb' ich! Leicht wiegt die getane Tat!
15 Was war dies alles? Warum ist mir dies
geschehn? Geschick, betastest du mich nur?
Warum ist mir nun wohl? Soll ich dir Taten tun?
Und darf der unbehauste Ödipus
von nun in seinen Taten wohnen – ja?

20 Fahles Dämmern rechts unten

Der Tag blüht auf. Die Welt blüht auf. Mein Herz
blüht auf! Kein Blut auf meinem Stab,
kein Blut auf mir! Nacht, nimm dir deinen Toten!

Der Mond verschwindet, Ahnen des Tages, Rauschen in den Zweigen.

25 DIE STIMMEN
Seht den Jungen,
dem wir zugesungen:
er fliegt wie gejagt
dorthin, wo es tagt, –
30 er setzt sich auf des Alten Thron –
er ist unsres Blutes Sohn!

Der Vorhang

Zweiter Aufzug

Vorhalle in Kreons Haus. Zur Rechten über einer Stufe liegt der Knabe Schwertträger fest eingeschlafen. Türhüter, Wärter der Hunde stehen beisammen.

KNABE regt sich im Schlafe
Mein Herr und König, ich will dich sehn in deiner ersten Schlacht. 5

WÄRTER
Wer redet?

TÜRHÜTER
Der Knabe.

WÄRTER 10
Träumt der laut wie ein Jagdhund?

TÜRHÜTER
Dabei schläft er so fest wie ein Toter.

KNABE
Hörst du denn nicht, mein König! Hör' doch rufen! 15
Ein ganzes Volk das ruft: Kreon und Theben!

WÄRTER
Mit wem redet er?

TÜRHÜTER
Mit dem Herrn vermutlich. Laß ihn und heb' dich. 20

WÄRTER
Er nennt ihn König.

TÜRHÜTER
Kümmert's dich!

WÄRTER 25
Wird unser Herr König sein in Theben? Daß er's werden will, weiß ich schon. Es läuft genug Gered' darüber herum.

TÜRHÜTER
Redest du mit deinen Hunden auch so viel?

WÄRTER 30
Die wedeln vor Freude, wenn ich nur den Mund auftue.

TÜRHÜTER
Ich nicht, wie du siehst.

WÄRTER
Gestern ist's zum Schlagen gekommen zwischen unseren Leuten und
5 den Leuten der Königin. Weißt du's nicht, oder tust du nur so, als ob
du's nicht wüßtest?

TÜRHÜTER sieht ihn bös an.

WÄRTER
Wie du einem von meinen bösen Thessalischen mit gespaltener Nase
10 ähnlich siehst. Du bist der Rechte, um die Tür zu hüten. Sie sagen,
wenn sie zehnmal ein Weib ist, so ist sie Königin und darf die Krone
und das Königsschwert behalten. Und die Unseren schrein: Für
Kreon die Krone! Sind das Sachen!

TÜRHÜTER
15 Vieh!

KNABE im Schlafe
Ich will auf deinem Wagen stehn, mein König,
und dir die Pfeile reichen. Ich will schwelgen,
wenn du den Tod ausstreust mit Königshänden.

20 WÄRTER
Hör' den, der ist schon mitten drin.

TÜRHÜTER
Ich sage, mach', daß du fortkommst.

WÄRTER
25 Warum tut er das? Warum ist's ihm so um die Kron? Ist er nicht der
reichste Herr im Land und der Bruder der Königin? Hat er nicht einen
Hundezwinger wie kein König in Griechenland? Ich versteh's nicht,
was ihn treibt, ich ließ es, wenn ich er wäre.

TÜRHÜTER
30 Er ließ es auch, wenn er du wäre.

EIN DIENER kommt gelaufen
Sie bringen den Magier!
Halb geführt und halb getragen!
Er hat die Augen zu, sie bringen ihn.

Der Magier Anagyrotidas, von zweien geführt. Ein verstörtes, bleiches Gesicht, die Augen mit schweren Lidern geschlossen.

KREON tritt aus dem Hause hervor, fürstlich gekleidet.

DIENER zum Magier
Du stehst vor Kreon, Mensch. 5

KREON
Du bist der Magier?

MAGIER mit geschlossenen Augen
Sein Leib, mit Schwerterhieben blutend aus
dem Mutterschoß der Nacht herausgehaun,
steht hier. Fluch über deine Knechte, die 10
ihn vor dich schleppten.

KREON
Meine Knechte taten,
was ich befahl. Sie packten dich im Schlaf?

MAGIER
Fluch dem, der es befahl. Die Nacht war gut. 15
Die Nacht war ohnegleichen. Auf dem Leib
des Opfertieres lag ich, zuckend mit
dem zuckenden. Aus seiner Kehle troff
das Blut. Ich mischte meinen Hauch damit,
da fuhr die Seele mir aus meinem Leib 20
und schwang sich auf dem Tier hinab zur Herrin Hekate.
Weh die Gelenke schmerzen!

KREON
Laß sie schmerzen.
Ich leg' dir Turmalin und Amethyst
herum! 25

MAGIER
Den göttlich Nackten rissen sie
in kalte Finsternis empor.

KREON
In Purpur
und Byssos will ich dir die Glieder wickeln. 30

MAGIER
Verflucht ihr Atem, den ich spüren mußte.

KREON
Wolken von Ambra über dich und Duft
von Myrrhen Tag und Nacht, wenn du mir hilfst! 35

MAGIER schlägt die Augen auf
Was ist's, das du begehrst?

KREON Muß ich dem Magier
viel reden? Mach' mir meine Seele stark,
5 Anagyrotidas, dann fordre was du willst.

MAGIER
Du bist in einen großen Kampf verstrickt
um einen hohen Preis.

KREON Du sagst es.

10 MAGIER Tag
und Nacht hörst du nicht auf zu ringen.
Du hast mich aus dem Grab gescharrt, darin
ich lebend lag, du kannst nicht länger warten:
denn eine Kraft ist dir entgegen, stärker
15 als deine Kraft.

KREON Du hast es wiederum
getroffen.

MAGIER Aber nicht im Lichte wird
der Kampf gekämpft: ein Etwas aus dem Dunkel
20 wirkt seinen Zauber gegen dich.

KREON So scheint's.

MAGIER
Von nah Verwandten etwa geht es aus.

KREON
25 Magier, du bist sehr klug.

MAGIER Für meine Augen ist
ein Menschenleib ein aufgeschlag'nes Buch
und jede Seele trägt die Miene ihres Schicksals
vor meinem Blick.

30 KREON So kannst du meinen Feind
mir sagen?

MAGIER Groß ist seine Kraft. Das seh' ich.
Drum flackert dein Gesicht, wie dessen, der

gemartert wird. Er saugt an deiner Seele.
Er stiehlt dich von dir selber. Wo du bist,
dort bist du nicht. Der Tag, den du betrittst,
ist doch nicht völlig Tag, die Nacht nicht völlig Nacht
und gleicht von fern nur früh'ren Nächt' und Tagen, 5
stets schweifst du, wie auf einem fremden Stern,
und Fremdes schweift durch dich, die Krongewalt der Seele,
der eigenen, ist dir entwendet, und der Welt
Gebirg und Meer und Täler sind die Kissen nur,
die deine Seele qualvoll durcheinander wirft, 10
um sich zu wälzen aus dem wüsten Fiebertraum.

KREON
O, du bist groß, der meine Krankheit kennt
und hat mich nie gesehen! Magier,
befreie mir die Seele und ich lasse dich 15
auf einem weißen Roß mit gold'nen Zäumen
nach Hause führen!

MAGIER
Der Feind, der mit dir ringt, hat eine mächtige Seele.

KREON 20
Ich nenn' ihn dir, Anagyrotidas!
dann aber hilf mir: es ist meine Schwester.
Versöhne mir die Schwester, daß sie mir
die Seele freigibt und mich König werden läßt!
Sie hat mich einst geliebt, nun haßt sie mich, 25
die Schwester, hörst du mich? Sie ist der Dämon,
der mir die Seele aus dem Leibe saugt:
denn ich hab' fürchterlich an ihr getan,
so tut sie fürchterlich an mir und zahlt.
In ihrer Hochzeitsnacht, verstehst du mich, 30
am Abend, da sich König Laïos
vermählte mit Jokaste, sandten mich,
den Knaben, der ich war, die hohen Priester
mit einer Botschaft. Willst die Botschaft wissen?
So fahr' auch dieses hin! Dies war die Botschaft: 35
»Nimm Laïos, dich in acht eh' du das Bett besteigst
und wahre dich, denn wenn dir je der Schoß
der leuchtenden Jokaste einen Sohn gebiert,

so stirbst du auch von dieses Sohnes Hand.
Nun wähle!« Fürchterliche Botschaft, Magier,
im Mund des Kindes! Magier, es war
die Hochzeitsnacht des Königs. War die Nacht,
5 da er dem jungfräulichen Weibe nahte. Schwebt da nicht
die Herrin Hekate ganz nah der Erde,
wenn solch ein Königskind gezeugt soll werden?
Verflucht die Priester, die dem Kind das taten.
Aus Kindesmund den gift'gen Tod hinein
10 zu träufeln in die Lebenssaat! Da ging's
wie mit der gift'gen Salbe, die Medea
zur Hochzeit der Kreusa sandte: die
zerfraß das Salbgefäß.

MAGIER Zerfraß das Gift
15 des Kindes Seele?

KREON Ja du fassest mich,
so hilf mir, Magier!

MAGIER Ich seh' durch wüsten Nebel
die Nacktheit deines Herzens glühn, gieß aus
20 die Seele, wie das schwarze Opferblut!

KREON
Durchdringen dich mit meines innersten
Geschicks unnennbarstem Gefühl, das will ich,
du großer Magier! Verlaß mich nicht,
25 denn heut entscheidet sich mein Schicksal, Magier.
Von dem Tag an zerfraß mein Herz und Hirn
dies Wissen: Du bist König, bis dahin
bist du das ungeborne Schattenbild
von einem König! Mensch, von Stund' an waren
30 des Lebens Möglichkeiten abgelebt
im voraus. Welche Taten sollt ich tuen?
Sie waren alle unfruchtbar, sie rissen
die Krone nicht von Laïos' Kopf herab.
Da ließ ich meine Hände von den Taten.
35 Ich wanderte, mich widerte das Land,
ich ging zu Meer, da war das Meer erschöpft.
Des Weibes Lust zu voraus abgeweidet,

als hätt' ich jede nackt in meinem Traum
gehabt und wiederum von mir getan.
Ein jedes Ding der Welt, ja auch der Mord,
hörst du mich, Magier, auch der Mord so schal,
als hätte ich's gekostet und dann wieder 5
von mir gespieen. Magier, die Götter
verglühten mir wie alte Fackeln! Ausgesogen war das Weltall, hörst du mich?
Das hat Jokaste mir getan, ihr Blick
hat mich gefeit gegen das Leben: weil 10
ich ihr das Ungeborene erwürgte
hat sie mir so gezahlt, entmannt mein Wollen,
in ungeborene kraftlose Träume mich
gejagt. Ich hab' zu viel geträumt. Beschneide mir
die Träume, Magier, mit einem Messer: 15
denn nun ist Laïos tot,
nun müssen meine Kräfte schwellen
zum Reißen, Mensch, nun muß ich greifen können
nach Kron' und Schwert, die Träume muß ich abtun:
ein König träumt nicht, eines Königs Träume 20
gehen aus ihm hervor und werden Taten
und thronen in der Welt. Nun muß ich blüh'n,
sonst faule ich! Dies ist mein Schicksalsmorgen, Zauberer,
wenn du dran stürbest, reiß mir aus der Nacht
ein Ding hervor, dran ich mich klammern kann, 25
ein Ding, und wär' es eine Qual, nur so viel,
als dem, der spielt, das Blinken des noch nicht
geworf'nen Würfels ist, daraus der Abgrund
ihm grinst und auch der Himmel lächelt! Magier,
nur einen solchen Lebensblick aus der 30
versteinten Welt, den zaubre mir hervor,
dann bin ich König, Magier, dann fordre
die Welt von mir! Wo geht dein Auge hin,
sieh mich nicht an, als ob du mich nicht kenntest.
Die Kraft über Jokaste! Soll ich Kräuter 35
anzünden? Willst du einen Becher trinken,
drin Perlen aufgelöst sind? willst du baden,
und wär's in Menschenblut? Womit bezwing ich
die Schwester?

MAGIER Opfre Kreon, opfre Kreon!

KREON
Was opfre ich? Die ganzen Herden, Magier?
Das Haus? Befiehl, es geht in Flammen auf,
5 die Edelsteine, die Gewänder, alles?

MAGIER
O Kreon, was du nicht gekauft hast, Kreon,
ganz unbefleckt von deiner Seele Gier
und dennoch dir gehörig, dieses opfre
10 geschwinde.

ZWERG hinzuspringend
Solch ein Ding
ist nicht auf Erden, Zauberer, du lügst.
Kreon ist solch ein reicher Fürst, die Welt
15 hat nicht, was Kreon nicht sich kaufen könnte:
hat er nicht mich gekauft, den schönen Zwerg,
mich, den Äthiopien geboren hat?
Die Welt ist feil für Kreon. Kreon opfert
kein ungekauftes Ding.

20 KREON Leckst du die Lippen
und geiferst Hohn auf mich? Die Peitsche her!

ZWERG läuft fort.

KREON zum Magier zurück
Was greifen deine Arme in die Luft?

25 MAGIER
Mein Dämon faßt mich an. Verflucht die Hände,
die mir den heil'gen Schlaf zerrissen, Fluch
der Gier in meinem Herzen, daß ich kam.

KREON
30 Und stürbest du, ich will die Antwort haben!
Was muß ich opfern?

MAGIER Kreon, sei verflucht,
aus meines Todes Schweiß heraus verflucht,
für dein und meine Gier.

Auch wenn ich jetzt nicht sterbe, sei verflucht,
daß ich den Tod vorkosten muß.

KREON Die Antwort.

MAGIER
Ich sterbe. 5

KREON packt ihn
Wie bezwing' ich mein Geschick?

MAGIER stürzt zu Boden.

KREON
Ihr Diener! 10

Diener kommen.

Schafft dies fort.

EIN DIENER Er ist nicht tot.
So lag er auch als wir ihn holten: auf den Knie'n
bat uns sein Bruder, ihn zu schonen, bis 15
die Seele ihm von selbst zurückgekehrt.
Du hattest's uns befohlen: diesen Morgen!
so schleppten wir ihn her.

Zwei tragen den Magier weg.

KREON Ins Haus, mir aus den Augen. 20
Die Welt ist übertüncht. Ich hab' das Glück,
daß unter meinen Augen ihre Risse
aufklaffen und mir scheußliche Geburten
entgegenspringen. Mußt' ich noch die Leiche
an meine Brust mir legen? Wie lang schlief ich 25
heut morgen?

DIENER Herr, du schliefest nicht, du warst
zu Wagen in der Stadt.

KREON Vergeß ich das, du Tier?
Wie lang ich nach dem Bade schlief? 30

DIENER Nur kaum
geruhet hast du nach dem Bad, die Augen
kaum zugetan.

KREON kehrt ihm den Rücken. Der Diener geht sich neigend.

Die Augen kaum. Und dennoch
so maßlos widerlich geträumt. Mich alt geträumt,
mit einer wüsten Schwere in den Gliedern,
5 und noch nicht König, immer noch nicht König
in Theben! Was? So etwas wie ein Diener
des neuen Mannes, der dann König war.
Ich glaube als sein Bote stand ich vor ihm
und wurde ausgescholten. Brächt' ich nur
10 den Ton aus meinem Ohr, mit dem ich ihm
entgegnete, . . . ein ekler Ton, ich glaub
ich habe sein Gewand mit meinen Händen
demütig angerührt. Verfluchter Traum!
Und wie ich das Gesicht des fremden Menschen
15 in mir nicht wiederfinde. Wenn ich glaub'
da ist's, dann nimmt's von Laïos Züge an,
ist eine Art von jüngrer Laïos, ist
ein Laïos, der wiederkam! Wer bin ich,
wenn ich voll Stoff zu solchen Träumen bin?
20 O bodenloser Abgrund, wenn das Zeugende
des tief geheimen Denkens mir zu innerst
mit solcher Unkraft mir vergiftet ist
und in so fahlen Träumen seinen Atem
ausläßt, daß mir vor Ekel übel wird.

25 DER KNABE schnell aufstehend
Herr, was befiehlst du mir?

KREON Schlaf' fort, das junge Blut
braucht seinen Schlaf.

KNABE Heut nicht. Ich schlief auch nicht.

30 KREON
Du schliefst nicht?

KNABE Nein doch, Herr, ich lehnte hier:
dein Schritt ist wie des Panthers und ich habe dich
gehört den Gang herüber aus dem Bade.
35 Schlief ich im Stehen?

KREON Ei, war niemand hier?

KNABE
Kein Mensch.

KREON Ach!

KNABE Herr, du seufzest?

KREON vor sich Eine Nacht 5
voll solchen Schlafs.

KNABE Wie sollt' ich schlafen können
nach einer solchen Nacht! Herr, du bist bleich
nach einer solchen Nacht!

KREON Was weißt du, Knabe, 10
von meinen Nächten?

KNABE War ich nicht mit dir?
O was für eine Nacht, Herr! Einen König
hat sie gemacht und hat's gewußt und funkelnd
und blinkend sich gebrüstet, daß sie's wußte. 15
Und wo du tratest in die Häuser, Herr,
da schlug das Dunkel vor, wie eine Mähne,
und aus dem Dunkel hob sich Wind und rauschte
und deckte das Geheimnis zu. Die Sterne wollten
aus ihrer Fassung brechen, um herab 20
zu stürzen in dein Diadem. Ich lag
bei deinem Wagen vor den Häusern, fliegend
in Fieber.

KREON Knabe, wenn ich König bin,
so laß ich deinen Namen in das Gold 25
des Weinpokales graben, d'raus ich trinke
zu Abend.

KNABE Und ich horchte in das Raunen
und Rauschen in der Luft, die königlich
dein Schicksal wob, und wenn ein dumpfer Laut 30
hervordrang aus den Häusern wußte ich,
nun fallen Männer, fürstliche, vor dir
zur Erde, ihrem König sich zu weih'n.
Mit dieser Nacht hast du vorausbezahlt
den Pfeil, der mich in deiner ersten Schlacht 35

ins Herz mag treffen, Herr, und wenn er kommt,
sink' ich von deinem Wagen in den Tod
und lache, wie der Schwimmer, der vom Kahn
sich gleiten läßt ins Wasser, weil er satt ist
5 die Lust des Fahrens.

KREON Könnt' ich seine Worte
für einen Morgentrunk in meine Seel'
mir trinken. Ah, durchlöchert ist der Becher,
nichts kommt in mich.

10 KNABE Herr, ich hör' einen laufen,
ein Bote, Herr. Hierher, hierher!

KREON vor sich
Was kann da werden? Hat ein Sieger je
an seinem Königsmorgen so geträumt?

15 ERSTER BOTE hereinstürzend
Wer weist mich zu dem Fürsten? Wo im Hause
find' ich den Kreon, der heut König wird.

KREON vortretend
Was bringst du ihm?

20 BOTE fällt vor ihm nieder
Ein ungeheu'res Glück.
Die Worte sind zu arm, du großer Fürst.
Vom flachen Land komm' ich hereingeflogen:
es sammeln sich die Hirten deiner Herden,
25 die Knechte sich im Wein- und Ackerland
und sie ergreifen Winzermesser und
sie binden Sicheln an die Hirtenstäbe:
es sind Sendboten durchgeritten überall.

KREON
30 Sendboten?

BOTE Weiß auf schaumbedeckten Pferden.

KREON
Geschickt von mir?

BOTE Von dir? Von Göttern scheint's
35 gespornt und ausgespieen von der Erde!

Es heißt, durch eines deiner Dörfer hat man
die Dioskuren selber jagen sehn
und rufen hören: Waffnet euch, ihr Männer
für Kreon! Waffnet euch und zieht hinein
ihm helfen! 5

ZWEITER BOTE schnell auftretend

Botenlohn, mein großer Fürst,
ich bin Agathokles, der Tagesläufer,
und bring' die Krone dir von Theben, Kreon,
im Mund getragen. 10

KREON Laß sie fallen, Freund.

ZWEITER BOTE

Die Stadt ist auf, das Schifferviertel brennt,
und wie mit Nackten und mit Schreienden
der Fluß und Strand sich füllen, von den Brücken 15
da schreit's herab: Laßt eure Häuser brennen
ihr Schiffer, Kreon wird euch Häuser geben!
Auf, die ihr keine Häuser habt, zu Kreon,
der König sein soll!

KREON Und wie wirkt das Wort? 20

ZWEITER BOTE

Wie's wirkt? So, daß sich aus dem Löwentor
Zehntausend wälzen ehe eine Stunde
vergeht, um dort vor jener Königsburg
für dich zu pochen, Herr! 25

DRITTER BOTE auftretend

Was immer diese melden, König Kreon,
heiß sie zur Seite stehn und warten: ich
allein bin wert, gehört zu werden.

KREON Bursche, 30
du grüßest vorschnell.

DRITTER BOTE Nein, ich grüße richtig,
denn aus der heil'gen Straße komm' ich keuchend:
da wälzt sich dir ein unerhörter Zug,
ein unabsehbarer von Priestern, Kreon, 35
und dieses singen sie: Seht euren König

ihr heiligen Thebaner, der die Sphinx
vertreiben wird aus ihrer Kluft zu Harma,
und Kreon ist sein Name.

KNABE O mein König,
5 ich fühle wie die Züge sich begegnen!
In meiner Brust, geliebter Herr, begegnen
einander sich die drei, wie Flüsse dröhnend!
Verfärbst du dich?

KREON Vor Ekel über dich
10 schmeichelnde Kröte, lügnerische.

KNABE Ich
dir lügen?

KREON Wie soll dies geschehen können
jemals, daß diese glatten Künste, diese
15 erbärmlich mühsam ausgesonnenen,
Gewalt bekommen, wirkliche, das Volk
emporzureißen zu der Königsburg,
auf daß sie mich zu ihrem König machen,
mich, dessen Herz sie minder kennen als
20 die Klüfte des Kythäronbergs da drüben?

KNABE zu den Boten
Ich bitt' euch geht, der Herr, ihr seht, ist unwohl.
Im Hause seid so gütig, Freunde, wartet.
Man ruft euch wieder.

25 ZWEITER BOTE Herr, bei meinem Kopf,
ich hab' dir wahr geredet.

KNABE Geht nur, geht,
wer zweifelt!

ERSTER BOTE in der Tür noch zu Kreon
30 Wie ich sagte, Herr, die Deinen
unzählbar wimmeln aus dem flachen Land
gewaffnet.

KREON Auch die Dirnen?

ERSTER BOTE Wie, mein Fürst?

KREON
Ich meine, ob die Dioskuren auch
Kuhdirnen sich bewaffnen hießen, mir
die Krone zu ergattern?

KNABE Geht, man ruft euch. 5

Drängt sie ins Haus.

KREON
Was starrst du so auf mich? Da du ja weißt,
daß ich dies alles ausgesonnen habe,
da du ja weißt, aus welchem Stoff dies alles 10
gebildet ist! Wie kannst du jubeln, Schlange,
wenn du vernimmst, daß nun die Sonne das
soll sehen, was der bodenlose Abgrund
heraufschickt, der die fahlen Träume mir
gebiert! Dies alles ist die Kreatur 15
meines Verlangens: Knabe, wo war Kraft in dem Verlangen?
Verflucht, was da erbärmlich sich hinaufschleppt:
ich will's erwürgen, eh' die Sonne es bescheint.
Mich graust, ich will nicht vor den Spiegel treten,
in dem ich ganz mich sehen muß! 20

KNABE Mein König!

KREON
Ja wirst du fahl, wird alles fahl, worauf
mein Auge fällt? Muß ich mit jedem Blick
die Leichen sehn in übertünchten Gräbern? 25
Tritt ab!

KNABE Herr, fürchterlich versuchst du mich,
doch du versehrst mir meine Seele nicht.
Hör' ich dich reden, daß das Blut mir friert,
so denk ich: träumend mußt du nieder, wie 30
das Niedrige empor sich träumt, und säh ich
dich tun mit deinen Händen eine Tat
des Grausens, säh ich dich in Schmach und Leiden
dich wälzen, dann noch schriee es in mir:
so müssen Könige ihr Diadem aufwiegen, 35
und würfe mich vor deine Füße hin.

KREON
Wie klug du lügst.

KNABE Veracht' mich nur, was hab' ich
vor dir getan!

5 KREON Ah, schminkst du dich mit Tränen?
Man kann sich auch mit Taten schminken, also
warum mit Tränen nicht? Sag' mir, womit
hab' ich denn dich gekauft? Ist's mit dem Glanz
des Königsschwertes, das du vor mir her
10 willst tragen? Mit dem Platz an meiner Seite
in meinem Wagen? Füllen die die Seele dir
bis an den Rand?

KNABE Du hast mich nicht gekauft,
es sei denn damit, daß du Kreon bist
15 und ein geborner König. Sieh' das kann ich
beweisen, Herr, mit einer Schrift, die mir
auf meiner Brust geschrieben ist.

KREON Die Narbe?
hier über'm Herzen?

20 KNABE Ja! Die ist aus einer Nacht,
da lagen wir auf unsren Knien in Theben,
und in das Dunkel sangen zu den Göttern
die Priester. Trug der Nachtwind dir's herauf?
Denn alles dieses war um deinetwillen.

25 KREON War's die Nacht,
da ich die Sphinx bestehen ging?

KNABE Die Nacht.
Mit einem Mal erloschen alle Lichter
und alles Singen wurde still und alle beteten für dich,
30 mir aber schien mein Beten zu gering,
denn es bestand nur aus Gedanken, zwar
aus glühenden, doch haftet auch Gedanken
noch von der Nichtigkeit der Worte an.
So griff ich nach dem kleinen Messer, das ich
35 im Gürtel trug, und ließ mein Blut hinfließen
für dich.

KREON Und ich, bevor der Morgen graute,
bin ich zurückgekehrt, unfruchtbar war
mein Gang und dein Geopfertes vergeblich.
Ekelt dich nicht?

KNABE Die Götter wollten's nicht 5
in jener Nacht. Sie gaben dir ein Zeichen:
sie ließen deines Fackelträgers Fuß
ausgleiten und er stürzte in den Abgrund,
so mußtest du zurück. Doch, siehe, ich,
ich wußte nicht, daß ich im Leben noch 10
die Augen würde auftun und ich wußte nicht,
daß dein Schwertträger lag, wo nur die Geier
ihn fänden!

KREON Midas bin ich, Midas, Midas,
dem was er anrührt scheußlich sich verwandelt! 15
Ich hab' auch dich gekauft, schwachsinn'ger Knabe,
es waren nicht die Götter, die den Mann,
der mir die Fackel trug, in Abgrund stürzten.

KNABE
Auf einem solchen Wege strauchelt keiner 20
von ungefähr.

KREON In seinem Rücken steckt mein Dolch.

KNABE Sag' nein!
sag', daß du mich nur prüfst! Wenn du ihn haßtest,
warum dein Schwert ihn tragen lassen? 25

KREON Knabe,
ich weiß nicht, ob ich ihn gehaßt hab' oder
geliebt. Doch wie er damals vor mir herging
so fühlte ich, daß er in seinem Herzen
nicht glaubte, daß ich siegen würde, hörst du? 30
Ich fühlte es an seinem Schritt, ich konnte
es seinem Rücken ansehn, – da erstach ich ihn.

DER KNABE verhüllt sich das Gesicht.

KREON
Wenn er als Fackelträger vor mir herging 35

und mich im Innern preisgab, war er da
nicht ein Verräter?

DER KNABE zittert.

KREON Schweigst du mir? Du meinst, entscheiden
5 darüber könnte einer nur, der wüßte,
ob er im Herzen ein Verräter war
an mir – vielleicht in seinem Herzen litt er
an seinem Zweifel. Sieh', ich sage dir,
wer so ist, dem ist besser nicht zu leben.
10 Einfache Seelen sollen leben, Knabe.
Nun, Knabe, willst du noch Kreons Schwertträger sein?

KNABE auf der Erde
Laß mich.

KREON über ihn gebeugt
15 Hab' ich dich Furcht gelehrt, und gingest immer
wie einer, den vom Rücken nichts bedroht,
Beneidenswerter! . . .

Eine Stille

Also doch gekauft,
20 gekauft ums Leben dessen, der vor dir
mein Schwert trug . . .

Eine Stille

Und mir ist, als hätte etwas mir
die Hand geführt bei dem lautlosen Stoß:
25 vielleicht war das dein Dämon, Knabe. Knabe,
hast du nicht ein begehrlich Spiel gespielt,
die Nacht mit deinem Blut?

Geht weg zur Tür.

KNABE sich aufrichtend Weh, bleib' ich nun bei dir,
30 so denkt dein Herz, du habest mich gekauft
mit deines Schwertes Glanz und mit dem Platz auf deinem Wagen.

KREON an der Tür
Hörst du, wie die uralten Totenlieder
um Laïos aus allen Mauern dringen?
35 Die Königin ist stark, verlaß mich, Knabe,
wer klug ist, läßt ein Schiff, das sinken soll.

KNABE steht auf, gebrochen
Dein Blick ist traurig, Herr, wie ich ihn nie
gesehen habe. Über einen Abgrund
von Qualen kommt er mir herüber. Herr,
wie wenig kenne ich dein Herz! ich fühle, 5
du kannst hier sein und anderswo. Mein König,
wo bist du?

KREON Immer wo ich nicht sein will,
einfache Seele du. Was gäb' ich drum
bei dir zu sein, den ich erkauft mir hab', 10
und bin, ich glaub', bei dem, der tot ist, der
im Abgrund dort verwest.

KNABE Herr, deine Seele
ist krank, mein König.

KREON Und doch könnt' ich dich 15
mehr lieben, als ich jemals ihn geliebt.
Allein ich glaub', er gab mir größ're Kraft,
wenn er bei mir war. Wär' er jetzt bei mir,
mir ist, ich stünde nicht von meiner Unkraft
geschüttelt hier, mir ist, wär' er bei mir, 20
ich läg' und schliefe jetzt, und aus dem Schlaf
mich wecken kämen sie und legten mir
die Krone auf mein Bett.

KNABE Mein Herr und König,
in deiner ersten Schlacht will ich auf deinem Wagen stehn, 25
mit offnem Hals und unbedecktem Haupt
und mich für dich dem ersten Pfeil hingeben.

KREON
Ist das die Luft, in der ich siegen kann?
Wie sie die unheimlichen Totenlieder mir 30
herüberjagt zum Hohn!

KNABE Die Lieder sind
um Laïos, der König war vor dir.

KREON
Ganz recht, warum zog Laïos hinaus 35

und ließ die Lanzenträger hinter sich?
Wem hält das Weib die Burg? Für wen bewahrt sie
Stirnreif und Schwert?

KNABE Das Volk von Theben pocht
5 ans Tor für dich.

KREON Verdammter Widerhall
kraftloser Wünsche. Nirgends aus der Luft
schwingt sich ein Helfer mir und wär' es nur
ein Fächeln, nur ein Hauch. Wie ausgesogen
10 das Weltall. Zog er nicht hinaus wie einer,
der Platz zu machen geht? Für wen? Ich muß sie fragen.

Will fort.

KNABE
In einer Stunde, Kreon, bist du König,
15 dann frag'.

KREON Jetzt muß ich's wissen, blöder Knabe,
jetzt oder nie. Sie thront und ist ein Dämon
voll Kraft und höhnt mich mit den Totenliedern,
sie hält mein nacktes Schicksal in den Händen.

20 KNABE
In deinen Händen ist dein Schicksal, Kreon.

KREON
Schweig mir! Warum zog Laïos in den Tod?
Es gibt keinen Gedanken auf der Welt als diesen.

25 KNABE
Weil Laïos in seinen Tod hinauszog,
um dessenwillen kannst du König sein,
eh' diese Sonne sinkt.

KREON Blödsicht'ger Knabe, eben
30 weil dies auf meinem Weg so lächelt, darum
atmet es mein Verderben!

Stürzt hinaus.

KNABE Kreon! Kreon!
Er hört mich nicht – Ich bin ihm nichts. Das Weltall

stockt rings um ihn. Er glaubt an keinen Menschen.
Kein Weg zu ihm. Ein Weg ist immer: einer –
vor dem mich schaudert, dieser ist der meine,
der einzige, – sonst bin ich nichts, verworfen,
ein Scherben. 5

Zieht ein Messer

Kreon,
du sollst den Dämon haben, der sich dir
herniederschwingt aus leerer Luft und Kraft
in deine Seele fächelt, o mein König! . . . 10
Man kann sich auch mit Taten schminken. Gräßlich,
daß mir das einfällt. Fort, das ist ein Wirbel,
der mich nicht packen darf. Ich muß mich haben.
Jetzt darf ich schnell mich geben.

Geht ins Haus. 15

VIERTER BOTE *kommt eilig* Kreon! Kreon!

FÜNFTER *kommt*
Die Schiffervorstadt brennt, zehntausend schreien
nach einem König. Wo ist Kreon?

VIERTER Kreon! 20

FÜNFTER
Ins Haus, dies hat nicht Zeit!

VIERTER *in der Tür* Hier liegt ein Mensch.

FÜNFTER *bei ihm*
Sein Knabe? Schläft der hier? 25

VIERTER Ich bin voll Blut.

FÜNFTER
Der Knab' ist tot!

VIERTER Er ist noch warm, doch jetzt
ist nicht die Stunde, dies zu melden. 30

SECHSTER *kommt eilig* Kreon!

Verhangenes Gemach im Palast. Halbdunkel. Links führen Stufen zu einer türlosen Öffnung in ein anderes, höher gelegenes Gemach.

Jokaste tritt herein. Im gleichen Augenblick tritt oben auf der Schwelle des Nebengemaches Antiope hervor. Ihr greises Gesicht ist blutlos weiß; ihr dunkles
5 Gewand verfließt in der Dämmerung des Raumes. Sie stützt sich auf einen Stab.

Im Augenblick, da Jokaste hereintritt, hört man sehr stark den Gesang der Totenklägerinnen im Hause. Dann dämpft er sich sogleich, als wären Türen zugefallen.

JOKASTE
Schläfst du, Mutter?

10 ANTIOPE von oben, wo sie bleibt
Meine Augen schlafen, aber mein Herz ist wach.
Was singen die?

JOKASTE Die Totenlieder, Mutter,
um Laïos, deinen Sohn.

15 ANTIOPE Und du klagst nicht?
Du liegst nicht an der Erde? Dein Gewand
ist nicht zerrissen?

JOKASTE Meine Frauen haben
die Brüste sich zerschlagen. Hörst du nicht,
20 wie das Gewölbe schallt von ihren Klagen?
Sie wälzen für mich ihren traurigen Leib auf der Erde,
in mir ist alles auf Tod und Trauer gestellt –
was brauch' ich die Zeichen?
Was frommt mir die Gebärde?

25 ANTIOPE böse
So große Kräfte sind in deinem Blut,
Du Königin, du große Priesterin –
wer ergründet deinen königlichen Sinn!
was brauchst du die Toten zu ehren!

30 JOKASTE
Was willst du, Mutter, von mir?

ANTIOPE
Wehe denen, die unfruchtbar sind!

JOKASTE
35 Mutter, du hast zu lange gelebt –
so warst du fruchtbar und bist es nicht mehr,

deine gesegneten Hände sind heute wieder leer,
kinderlos ist wieder dein Schoß.
Und der Wind gehet um dich herum
so wie um mich.

ANTIOPE
Wehe über dich, daß es so ist! 5
Dein Wort kehrt sich wider dich,
indem es aus deinem Munde geht.

JOKASTE
Mutter, was willst du von mir? 10

ANTIOPE
Laïos, meinen Sohn, will ich von dir!
Gib mir ihn wieder!

JOKASTE
Mutter, er war mein Mann. Wer hilft mir? 15

ANTIOPE
Ich stand aufrecht, als sie aus Königsschlachten
meinen Mann und meine Brüder brachten.
So wie Laïos starb, dürfen Könige nicht sterben:
vor der Zeit bleichte sein Haar, 20
mit Netzen umstellte ihn, daß ich es sah,
ein langsames Verderben.
Gib mir ihn wieder!

JOKASTE
Mutter, komm' zu dir! Ich bin seine Frau. 25

ANTIOPE
Wer die Unfruchtbare zu sich nimmt,
auf den blicken die Götter ergrimmt.
Er schläft mit ihr, er teilt mit ihr sein Brot, –
so ißt er sich den langsamen Tod. 30
Er atmet den Fluch in sein eigenes Blut,
er wird des Lebens nimmer froh –
wehe!

JOKASTE
Mutter, von wem redest du so? 35

ANTIOPE
Du warst seine Frau? So höre mich an,
die ich auch eine Königin bin.
Ich weiß die Gesetze und die Gebräuche und ihren Sinn.
5 Königen sind ihre Frauen gegeben,
damit das, was königlich war an ihnen,
an ihren Seelen und ihren Mienen,
ihre Königsgedanken und Königsgebärden,
unter den Völkern weiterlebe:
10 wo ist das Ebenbild, geprägt in deinem Schoß,
darin ich königlich und groß
meinen Sohn wiedersehe?
Bring' ihn doch, daß ich mich freue seiner Nähe!

JOKASTE
15 Mutter, laß uns jede in ihre Kammer gehn
und um die Toten weinen.
Aber es sind nicht alle Dinge auf Erden
so wie sie scheinen.

ANTIOPE schweigt haßvoll, wendet sich aufgestützt halb ab.

20 JOKASTE die Hände zu ihr hebend
O Mutter meines Königs und Erlauchte,
wie glich mein Gatte dir an Stirn und Aug.
Ich neige mich vor dir, die du ihn mir
geboren hast.

25 ANTIOPE Warum zog Laïos,
mein Sohn, hinaus? Ich weiß, du kannst nicht lügen,
so sag' es mir. Ertrug er nicht das Haus,
das ohne Kinder war, und widerte
dein unfruchtbares Bette seinem Herzen,
30 daß er hinzog mit wenig Knechten, so
wie einer, der den Tod nicht meiden will?

JOKASTE
Wer meidet seinen Tod? Nach Delphoi zog
dein Sohn zum Gott –

35 ANTIOPE Im Herzen welche Bitte,
die, ehe sie ans Licht kam, ungesprochen,
ermordet ist mit ihm zugleich?

JOKASTE Du fragst?
Die Sphinx! Erträgt ein König das?

ANTIOPE
Du teilst sein Bett; du sagst, das war der Grund?

JOKASTE 5
Seitdem der Dämon sich zum Nest gewählt
die Höhle dort und singend Männer würgte,
kam Nacht für Nacht kein Schlaf in unsre Augen,
wir saßen aufrecht da und lauerten,
und gräßlich war's zu hören – gräßlicher 10
die Stille. Unsre Blicke mieden sich
und unsre Lippen blieben zu – allein
wir dachten nur das Eine.

ANTIOPE Warum zog
der König nie hinaus und brachte Opfer 15
und übte heil'ge Bräuche vor der Höhle,
darin sie haust?

JOKASTE Dies ist – vielleicht geschehn –
vielleicht hat Laïos ein sehr großes Opfer
gebracht in einer finstern Opfernacht. 20

ANTIOPE
An welchem Ort?

JOKASTE Die Götter selber wählen
den Ort.

ANTIOPE 25
Allein der Dämon lebt und mordet!
So war dies Opfer nicht genug.

JOKASTE So scheint's.
für sich
Ich sag' mir's selbst – nun sagt sie's auch. Leb' wohl. 30

ANTIOPE
Leb' wohl? Du bleibst ja hier. Und ich – auch ich –
Meinst du, ich stürbe schnell dem Sohne nach,
und sagst mir Lebewohl? Allein ich lebe.

Und wenn mich dies nicht in die Grube warf,
so steh ich fest: uralte Götter nähren
mein altes Blut, die Nacht und andere,
zu denen ihr zu wenig betet. Ich
5 bedarf nicht Schlafes. Meine Augen sehen
die Nacht auch, wenn es tagt, so wie wer tief
genug in einen alten Brunnen stieg,
die Sterne auch am hellen Mittag schaut.
Ich lebe halb im Leben, halb im Tod.
10 Die ich geboren habe, sind dahin.
Der erste war ein schönes Kind: ihn zog
ein glitzernd helles unschuldsvolles Wasser,
ein liebliches hinab, – da war er tot.
Der zweite war ein kühner, wilder Knabe:
15 er legte Feu'r an seiner Feinde Stadt,
und Feu'r verbrannte seinen Leib. Der dritte –

sinnt nach

der dritte war dein Mann, er fuhr die Straße
durch fremdes Berggeklüft in Nacht und Wind
20 und kam nicht mehr zurück. Ich aber lebe.
Was ich dahingab an den off'nen Tag,
ist mir zur Nacht geheim zurückgekommen.
Mir ist, ich überlebe auch noch dich.

JOKASTE vor sich

25 Das kann leicht sein.

ANTIOPE Obwohl du dastehst funkelnd
von innen und bezeichnet bist mit Zeichen
des Lebens – so wie Laïos für mein Aug'
die Todeszeichen trug. – Doch was mich hält,
30 ist gleich geheimnisvoll wie das, was lebt
in dem Rubin, dem einzigen, der mitten
im königlichen Stirnreif sitzt und nachts
viel stärker als am Tage glüht, und stoß' ich
einmal die Nahrung und den Trunk zurück,
35 so leb' ich dann vielleicht noch Jahr und Tag,
im Dunkel kauernd, von den matten Blitzen
des Königsschwerts, das dort am Nagel hängt.
Von diesem Stab löst meine Hände nicht

der Tod: es muß ein Gott und ein Geschick
des Weges kommen und mir aus den Händen
ihn winden.

JOKASTE Ja, du redest zu den Göttern
wie zu verwandtem Blut. Du ringst mit ihnen 5
wie eine Riesenfackel mit dem Sturm.

für sich

Ich brenne mit so schwacher Flamme, käme
ein Kind, das irgendwo im Schatten steht,
es könnte sie ausatmen. Mutter – Mutter – 10
wie gleichen deine Hände, wenn sie so
den Stab umklammern, Laïos' Händen! Mutter –
er war fürwahr dein Sohn. Mit solchen Händen
hielt er das Königsschwert, mit solchen faßt' er
das Diadem – umschlang er meinen Leib – – 15

vor sich, halb unbewußt

mit solchen Händen griff er nach dem Kinde – –
Weh, Mutter, hörst du mich?

ANTIOPE Ich höre dich –
du sprachst von Laïos, meinem Kind. 20

JOKASTE Ich sprach
von Laïos und einem Kind!

ANTIOPE Du hast ihm
kein Kind geboren. Weh den Unfruchtbaren!
Sie tragen einen Fluch! 25

JOKASTE Dich schaudert nicht,
wenn du bedenkst, was du geboren hast?

ANTIOPE

Ich trug von einem König Könige!
Fort mit der Kinderlosen, aus dem Bette! 30

JOKASTE

Mich würde schaudern bis ins Mark; zu denken,
daß ich die Mutter eines Menschen bin.
Weh! Mutter von Dämonen! Schuld und Qual
aufhäufend maßlos! Wo sind Grenzen? Wie 35

entsühnst du dich? Wie legst du an die Kette
das rasende Begehren? Wann erlischt
der Brand, der springt und springt und was er anfällt,
verzehren will! So fleh' doch um ein Ende!
5 Was einer leiden kann, ist ohne Maß!
So segne doch die Götter, daß sie gnädig
mit ihren Füßen ausgetreten haben
das Feuer rings um dich, das fressende
aus deinem Leib, und dich mir gleich gemacht.
10 Nun atmet reine Luft um dich herum,
und stirbst du nun, so kommst du ganz zur Ruh.
Wohl dir und mir!

ANTIOPE Fluch über deine Zunge!
Auf, meine Söhne! Auf, du aus dem Wasser –
15 du aus dem Feuer – du aus frischem Grab!
Auf! Her zu mir! Und treibt das Weib hinaus!
Sie höhnt mich, daß ich fruchtbar war, und prahlt,
die nichts geboren hat.

JOKASTE Ich hab' geboren.

20 ANTIOPE böse
Beinahe hättest du. Allein den Atem
ihm mitzugeben, das hast du vergessen.
So kam es tot zur Welt und tauschte nur
ein Grab mit einem Grab.

25 JOKASTE finster Es hat gelebt.

ANTIOPE
Das stolze Kind! Wieviele Augenblicke?
Denn Stunden waren's nicht.

JOKASTE Es hat gelebt,
30 so lang, als diese Hände da zu leben
ihm gönnen wollten.

ANTIOPE Diese?

JOKASTE Oder die
des Sohnes. Denn es sind die gleichen.

ANTIOPE Was
für Reden sind das? – Dunkle jedenfalls.

JOKASTE
Die Tat war mehr als dunkel. Sie hat Nacht
für immer ausgeschüttet über mich 5
und über ihn.

ANTIOPE Ich höre, wenn du willst,
oder ich lasse dich und gehe fort.
Für Rätselreden ist mein Kopf zu alt.

JOKASTE 10
Stammmutter alles dieses Unheils du
so hast du nicht zur Grube fahren dürfen,
bevor auch dieses Letzte, Tiefverborg'ne
noch, wo es lag und über ihm, gewälzt,
die Qual von Jahren, unaufhaltsam sich 15
ans Freie windet und hinüberkriecht
in deinen Leib, wie, wenn es Abend wird,
die Schlangen zu der alten Höhle kehren.
Denn ohne daß ich mich bezwingen kann,
tritt es aus mir hervor – als stiege unten 20
in meiner Seele unaufhaltsam, lautlos
wie dunkles Wasser schon der Tod und jagte
ans Freie, was da wohnt.

ANTIOPE Ich steh' und höre.

JOKASTE 25
Aus meinem Schoß das Kind, das schöne Kind,
mit Augen tief und strahlend, mit dem Hauch
des Lebens rings um seinen Leib – das starke,
lebend'ge Kind – mit seinen beiden Händen
hat Laïos es erwürgt! 30

ANTIOPE Sie ist von Sinnen!
Jokaste, komm zu dir!

JOKASTE Ich bin bei mir.
Erwürgt mit eignen Händen oder fort
getragen und dem Knecht gegeben, der 35

es töten mußte. Ist nicht dies wie jenes?
Weh mir! Wie er es griff, das sahen noch
die Augen da – dann wurde Dunkel – Dunkel!
Und als ich zu mir kam, da stand er da
5 an meinem Bette, Laïos, – da war's
vorbei.

ANTIOPE schweigt.

JOKASTE

Hörst du mich, Mutter? Tot
10 war mein lebendiges Kind!

ANTIOPE schweigt.

JOKASTE Bist du von Stein?

Nach einer Stille

ANTIOPE

15 Warum hat Laïos, mein Sohn, der König,
das Kind aus deinem Schoß mit eigner Hand
hinrichten müssen? War es nicht sein Blut,
er hätte dich gerichtet mit dem Kinde.
Ich kann nicht sehn im Finstern. Rede du.

20 JOKASTE

Willst du es bis zur Neige trinken? Du
bist stark. Als ich vermählt mit Laïos war,
des Tages ward mein Leib gesegnet – oder
vielmehr verflucht – mit einem Kind. Da sandte
25 der König diese Botschaft an die Priester:
sie sollten kommen und die Bräuche üben
und weih'n in meinem Leib das Ungeborne.
Sie kamen nicht. Sie sandten eine Botschaft
zurück, und nicht durch einen Herold – nein!
30 Kreon, dem Kinde, meinem Bruder, legten
die Gräßlichen in seinen Mund, zu melden,
was gräßlich war: Der König hüte sich
und stehe an dem Bette seiner Frau,
gewappnet und mit einem nackten Schwert,
35 wie vor der Höhle, draus sein schlimmster Feind
hervorzubrechen lauert. Ist's ein Knabe,
den ihm die Königin gebiert, und wird

der Knabe Mann, erschlägt er seinen Vater
und setzt sich auf den Thron.

ANTIOPE Du standest nah,
als Kreon, der ein Kind war, deinem Mann
die Botschaft brachte? 5

JOKASTE Nein. Ich war so selig
in dem, was mich erwartete, ich lebte
und wusch mich in den heiligen Gewässern,
und daß der König bleich und finster wurde,
ich sah es kaum. Bis einmal, eine Nacht, 10
da trat er an mein Bette, und sein Atem
ging wie der Atem eines fremden Mannes,
daß ich erschreckt ihn rief bei seinem Namen:
da sagte er es mir.

ANTIOPE Was dann? 15

JOKASTE Ich betete,
daß es ein Mädchen würde. Tag und Nacht
rang ich in mir mit dem, was dunkel ist,
mit dem, was keinen Namen hat. Es waren
die Qualen alle ganz vergeblich. Einsam 20
im Berggeklüfte steht ein Turm – dort bracht' ich
ans Licht, was nicht im Lichte bleiben durfte.

ANTIOPE
Du sagst, zu töten gab er's einem Knecht?
Mitwisser war der Knecht. Er durfte schwerlich 25
am Leben bleiben. Was geschah mit ihm?

JOKASTE
Das weiß ich nicht. Doch hätte ich gehört,
er habe diesem einen andern nach-
geschickt, der stärker war, ihn zu erwürgen 30
und irgendwo geheim ihn zu verscharren,
ich glaubte es. Wer dieses eine tat,
tut vieles und schreckt nicht zurück vor Blut.

ANTIOPE
Recht war und klug und so, wie sich's geziemt 35
für einen König, war, was Laïos tat.

Auch mit dem Schicksal ringt ein König noch
Brust gegen Brust.

JOKASTE Nein! nein! nein! Ihr – ihr wohl.
Ihr tut's! Mit fürchterlichen Händen greift
5 ihr in die Welt. Allein was frommt es denn?
Nützt denn das blut'ge Opfer? Haben wir –
wir zwei, er, der mein Herr und König war,
und ich, ein halbes Kind, und alle beide
vom Blut der Götter, haben wir nicht da
10 dem Leben so geopfert, wie niemals
zuvor geopfert wurde? – Und dafür
hat uns das Leben angeschaut, als wäre
es über unsrer Tat erstarrt und müßte
mit Blicken, unter denen unser Mark
15 gefror, uns zahlen, daß wir ihm zu wild
gedient. Oh, hätte Laïos mich gehört
und mich und sich dem Tod geweiht, anstatt
des Kindes – oh, ich hätt' ihm geben können,
was nun vergraben blieb! – die Sterne hätten
20 in uns gebebt, die dunklen heil'gen Flüsse
in uns hineingerauscht, wir wären ganz
allein gewesen auf der stummen Welt –
allein! – wie hätte ich mich geben können!
Wie eine Göttin einem Gott! – Er aber,
25 er war dein Sohn und rang mit seinem Leben
und rang und rang, ich sah ihn bleicher werden
und finstrer, sah ihn leiden – litt ich denn
nicht auch? Ich weiß es kaum. Ich zog mich so –
so aus dem Leben, wie man seinen Leib
30 aus einem Bade zieht, kaum daß der Fuß
noch drinnen ist – ich war ganz abgelöst,
und in mir dacht' es nicht: dies muß ich leiden,
nein: solche Leiden gibt es in der Welt,
so leiden Königinnen, dachte ich,
35 als säng' es einer und ich hörte zu.

ANTIOPE
Dies ist ein Zeichen, daß die Götter dich
umgeben haben wie mit einer Wolke

und aufgespart für was noch kommen soll.
Jokaste, wie ich nie dich sah, so seh' ich
dich nun.

JOKASTE

Nun kommt nichts mehr. Nein, Mutter, sie 5
betrügen nicht, die Götter! Nun ist's doch
das Kind, das seinem Vater hat den Tod
gegeben. Freilich nicht mit eigner Hand,
das arme Kind – es wohnt ja nicht im Licht.
Doch einen Herold hat's zuerst geschickt, 10
der nistete sich ein, von wo sein Singen
zum Vater und zur Mutter drang, sooft
sie schlafen gehen wollten.

ANTIOPE Redest du
dies von der Sphinx? 15

JOKASTE Ich rede von der Sphinx.
Die Mutter kennt die Boten, die das Kind
heraufschickt aus der finstern Welt da drunten.

ANTIOPE
Es waren Räuber, die den König schlugen, 20
und nicht die Sphinx.

JOKASTE Doch war's die Sphinx, die trieb
ihn hin, dort in das fremde Berggeklüft,
und dort sprang sein Geschick ihn an. Der Räuber
war nur der mißgestalte niedre Sklav' 25
für einen, der im Dunkel stand. So schlug
das Kind den Vater. Doch sein Bote wartet
noch immer dort. Ihm fehlt noch immer etwas
zu seiner Botschaft, die er melden soll
dort drunten. 30

ANTIOPE Wie sie alle Zeichen deutet –
wie richtig und wie falsch!

JOKASTE Hörst du mich, Mutter?
Wo bist du?

ANTIOPE Wie das Dämmernde erglüht 35

von ihrem Blut! wie stark die Lebensflamme
sich hebt!

JOKASTE Was sagst du, Mutter?

ANTIOPE Wie du strahlst!
5 wie du den Gott herbeiziehst!

JOKASTE Welchen Gott?
Wen siehst du, Mutter, aus dem Dunkel treten?

ANTIOPE
Den Gott, der sich mit dir vermählen soll
10 und Laïos, dem Toten, einen Erben
erwecken soll aus deinem Schoß.

JOKASTE Schweig, Mutter!
Du stehst nicht dort, wo Menschen atmen dürfen –
ich höre nicht auf dich.

15 ANTIOPE Ich fühl' ihn nah'n,
aus einem Walde windet er sich los.
Trägt ihn ein Adlerfittig? Jagt ein dunkles
Gewölk mit ihm daher? Ich hör' ein Rauschen –
ist das sein Mantel?

20 JOKASTE Mutter, was dich schüttelt
wie Sturm die Flamme, ist mein naher Tod.

ANTIOPE
Dein Leben ist's, dein kommendes, es haucht
herüber grenzenlos, wie feuchter Atem
25 von stürzendem Gewässer auf mein altes
Gebein!

JOKASTE
Des Todes Zeichen sind um mich –
meinst du, ich fühl' es nicht? Mein Leben starrt
30 nicht mehr versteinert auf mich her, ich sehe
die Dinge alle so, als hätte ich
sie lieb gehabt und müßte um sie weinen:
mir ist, als wäre hinter ihnen allen
mein totes Kind versteckt.

35 ANTIOPE Die Ungebornen

verbergen sich in Busch und Strauch, sie winken
aus Luft und Wasser.

JOKASTE Laïos, mein Mann,
wo bist du denn? Ich kann dich ja nicht finden –
nicht hier in meiner Brust und nicht im Haus! 5
Ich kann den Klang von deiner Stimme nicht
mehr finden! Geh' mir nicht so schnell voraus –
so warte doch auf mich! – Hilf mir doch, Mutter!
Ich kann seit dreien Tagen meinen Mann
nicht denken, wie ein fahler fremder Schatten 10
sinkt er zurück, so tief hinab, er läßt mich
so ganz allein!

ANTIOPE Den Toten laß die Toten,
du Selige, die du lebendig bist!
Sieh, die Geräte leuchten, und das Haus 15
kann seine Lust nicht halten und die Luft
ist voll davon.

JOKASTE Nein, nein, so grüßt der Tod.
Bald kommt ein Zeichen. So wie nie im Leben,
so fühl' ich meinen Leib: nicht schwer noch leicht – 20
ich fühl' ihn so, als wär' ich selbst die Luft,
die ihn umfließt und von ihm Abschied nimmt.

ANTIOPE steigt die Stufen herab
Vergib dem Mund, der dich unfruchtbar nannte,
er hat gefrevelt. Sieh, die Hände machen 25
es gut und weihen dich. Leib meiner Tochter,
gesegnet sei!
Rührt Jokaste an, weihend, umschreitet sie feierlich.

JOKASTE Was tust du, Mutter? – Mutter –
ich bin des toten Laïos Weib! Für wen 30
segnest du mich?

ANTIOPE Für den, der kommen wird.

JOKASTE
Der Tod – der Tod!

ANTIOPE Du Blut vom Blut der Götter, 35

ich habe dich geweiht für Laïos Bette,
nun weih' ich dich für ihn, dem Platz zu machen
Laïos hat sterben müssen.

JOKASTE Auf die Tür!
5 Ihr Totenlieder, hüllt mich ein!

ANTIOPE schreitend und weihend Die Götter
vergessen nicht ihr Blut, sie senden einen:
er schwingt sich aus der Luft, er tritt aus Flammen
hervor, das Wasser gibt ihn her, er kommt –
10 sein ist das Schwert, sein ist der Stirnreif, sein
ist König Laïos Bette.

JOKASTE Schweig' und steh'!

Mächtiges, dumpfes Getöse außen

Ich hör' ein Brausen. Schwillt der Fluß herauf,
15 der alte heilige, über diesen Berg
und spült dies Haus hinweg und mich mit ihm?
Dann segne ich den Fluß: er ist mein Ahn
und kommt mich holen.

Sie stehen beide horchend. Das Totenlied ist plötzlich abgebrochen. Das Getöse
20 schwillt an.

Nun werden alle Träume wahr: das ist
das Ende.

ANTIOPE Was für Träume?

JOKASTE Wenn ich lag
25 und schlief nur halb, da kamen sie gezogen,
die Tritte schlürften – viele waren sie –
mit nackten Händen schlugen sie die Mauer.

ANTIOPE
Wer kam? wer schlug ans Haus?

30 JOKASTE Die Mütter.

ANTIOPE Mütter?

JOKASTE
Die, deren Kinder tot und unbegraben
da drüben liegen.

ANTIOPE Bei der Sphinx?

JOKASTE nickt. 5

ANTIOPE Die Toten
laß tot sein.

JOKASTE Doch die Mütter – zu der Mutter –
die Mütter ziehen alles hinter sich,
das Blut ist stark, die Welt hängt an den Müttern. 10

Dumpfe Schläge ans Tor.

ANTIOPE
Was haben wir zu schaffen mit dem Volk?

JOKASTE
Der Tod kam über sie aus meinem Leib! 15

ANTIOPE
Aus deinem Leib?

JOKASTE angstvoll Die Sphinx – ich weiß es, Mutter,
ich weiß es – Laïos hat es auch gewußt –
er zog hinaus – doch an dem einen Opfer 20
war nicht genug.

Schläge

Ich will hinaus!

ANTIOPE hinausrufend Verrammelt
das Tor mit Steinen! 25

JOKASTE Nein, ich will hinaus!

ANTIOPE
Wer wirft sich einem Wildbach in den Weg?
Ihn bändigt eine Mauer, nicht ein Mensch.

JOKASTE 30
Sie wollen mich!

ANTIOPE Wer sind sie, daß sie dürfen

die Hände recken und dein Blut begehren?
Du bist die Königin.

JOKASTE Sie fordern mich!

ANTIOPE
Ihr Schreien ist wie Wasser, wenn es brüllt.

JOKASTE
Ich will zu ihnen gehn!

Stärkere Schläge. Die Mägde schreien auf, draußen.

ANTIOPE Schreit zu den Göttern.
So hat es kommen müssen. Mit dem Blitz
in Fäusten fährt ein Gott in Flammen nieder
und mit der einen Hand umschlingt er dich
und mit der andern schleudert er den Tod.
Bacchos, wir schreien zu dir auf, wir sind
von deinem goldnen Blut! Jokaste, her!
Herab dies Kleid! Wer hüllt den Leib in Jammer,
wenn sich ein Gott mir dir vermählen kommt?

JOKASTE
Ja, Mutter, einem Gott vermähl' ich mich
nun bald. Her mit dem Kleid, her mit der Binde
der Opferpriesterin!

Sie geht hinauf, bleibt oben stehen, ruft zurück

Wer hieß
die Totenlieder schweigen? Hier im Haus
ist noch das Fest des Todes nicht am Ende!

Vor dem Palast. Das Volk drängt gegen das Tor. Kreon steht im heiligen Hain halb verborgen.

DAS VOLK
Auf das Tor! Heraus das Schwert! Heraus die Krone!
Kreon ist König! Öffnet dem König! Öffnet das Haus!
Kreon! Kreon!

DIE FRAUEN
Auf das Tor! Seid wie der Blitz, Söhne der Stadt!
Auf das Tor!

DAS VOLK Für Kreon! Für Kreon!

Sie drängen stärker.

DIE VORDERSTEN

Sie kommen von drinnen. Sie heben die Riegel.

DIE RÜCKWÄRTIGEN 5

Hinauf! Hinein! Kreon! Kreon!

DIE VORDERSTEN

Lanzen und Schwerter! Sie brechen hervor!

Weichen zurück, alle schreien auf.

Das Tor öffnet sich langsam, heraus tritt Jokaste, hinter ihr Antiope. Das Totenlied erschallt im Augenblick sehr stark, dann gedämpft. 10

DAS VOLK leise Die Königinnen.

ANTIOPE

Was willst du, Volk, was schnaubst du so und heulst
vor diesem Königshaus. Gib Antwort, Volk. 15

DAS VOLK

Ich will nicht länger ohne König sein.
Die Erde gibt das Schwert, die Götter geben
das Königsblut. Ich will das Königsschwert
aufblitzen sehn in eines Königs Hand. 20
Laïos ist tot. So gib das Schwert dem Kreon.
Kreon sei König: ein geweihter König
soll zwischen mir sein und der Sphinx. Ich will nicht
nackt sein und bloß und ohne einen Schutz,
wenn von dem Berg ins platte Land der Dämon 25
herniederhängt gleich einer Totenwolke.
Kreon soll König sein!

ANTIOPE Den willst du haben,
den Schattenmann, den Unhold ohne Kraft?
Schmach über dich! Dein eigner Wunsch bespeit dich 30
so wie ein mißgebornes krankes Kind.

VOLK

Nicht böse Worte gib, gib einen König!
Um dessen willen steh' ich hier.

ANTIOPE
Aus diesem Leib? Er ist zu alt.

VOLK
Die Junge, die bei dir steht, frag' doch die,
5 warum sie keinen König mir gebiert.

JOKASTE
Schweig', Volk! Mich rührt nichts Sterbliches mehr an.

VOLK
Dann her die Krone, her das Schwert, und Kreon
10 ist König, den die Götter wollen!

ANTIOPE Den?

VOLK
Ja, Weib, die Priester haben mir's gesagt.

ANTIOPE
15 Die Priester! Was sind Priester, daß sie mir
von Göttern reden! Hockt ihr an der Erde
und atmet Dämpfe, bis die Glieder zucken;
wenn Vögel krächzen, lallt die Botschaft nach,
doch redet nicht zu einer Königin
20 von Göttern, denn wir sind zu Tisch und Bett
Genossen derer, die zu euch nicht reden
als aus der Sturmflut oder aus dem Blitz.
Habt ihr ein Lied von Tantalos gehört,
von Niobe?

25 DIE GREISE Sie redet Zauberworte.
Weh uns, die Frau ist stark!

ANTIOPE
Wie Hunde seid ihr niedrig und voll Furcht.
Kriecht hin, wo eure Häuser stehen, macht
30 das Land voll Kinder, daß sie über Meer
so wimmeln wie auf festem Grund, es wird
nichts anderes von euch begehrt.

VOLK Was schmähst du mich?
Du bist ein Weib und ich will einen König.

ANTIOPE
Den willst du, der sich dort ins Dunkel drückt?
Hat er sich eine Königsprophezeiung
gekauft? Denn feil ist alles wie der Mord.

KREON
Dich schmäht sie so wie mich, hörst du sie, Volk? 5

VOLK
Ich höre, was sie spricht, sie spricht von Mord.
Von wessen Mord?

KREON Wahnsinnig ist das Weib:
ich hätte Laïos ermordet, schreit sie. 10

ANTIOPE
Ermordet nicht, du warst ja immer hier,
nicht dort im Wald. Allein, vielleicht, wer weiß?
gekauft, die ihn erwürgten. 15

KREON Weib, du lügst.

VOLK
Bei wem ist Wahrheit? Ich will einen König
mit reinen Händen. Auf, rechtfertige dich,
auf, Kreon! Kreon! 20

STIMMEN auf dem flachen Dach über dem Tor
Dort! Dort! Er tritt aus dem Wald heraus.
Ihn führt ein Kind, er kommt, er kommt!
Teiresias! Teiresias!

DAS VOLK
Teiresias! – Was meinem Aug' verborgen, 25
der Seher sieht's. Er kommt! er tritt zu mir:
so bin ich ja schon halb erlöst! er reißt
die Binde mir vom Aug', daß ich nicht länger
da stehe wie der Opferstier: er sagt mir 30
wer dich von deinem Thron des Grausens treibt
du Sphinx! er zeigt mir deutlich wie im Spiegel
den Retter, der mir kommen soll! er sagt mir
welch einen König mir die Götter wählen!
ich grüße dich, du heiliger, du Seher 35
Teiresias!

Teiresias von rechts hereingeführt von dem Kinde. Das Volk weicht in Ehrfurcht zurück.

TEIRESIAS
Wo steh' ich?

5 DAS KIND
Wohin du wolltest geführt sein.
Ich weiß nicht, wer die sind.
Ein großes Haus ist hier.

DAS VOLK
10 Das Haus des Laïos. Laïos ist tot.
Auf der Schwelle stehn zwei Königinnen.

TEIRESIAS
Um mich sind viele.

DAS VOLK
15 Alle sind wir hier, die Kinder der Stadt.

ANTIOPE
Wir grüßen dich Teiresias.

DAS VOLK
Die Königinnen grüßen dich.

20 TEIRESIAS schweigt.

DAS VOLK
Er hört sie nicht, er achtet nicht der Rede.

DAS KIND
Er ist in einem Schlaf und schläft doch nicht.
25 Er hat nichts gegessen, nicht getrunken seit dem letzten Mond.
Er sitzt vor der Höhle und sieht was nicht da ist.
Vögel nisten auf seinem Haupt, die Schlange schläft in seinem Schoß:
er achtet es nicht.
Heute stand er auf und sagt: führ' mich hinunter,
30 da führte ich ihn. Er wies mir den Weg.

DAS VOLK
Heilig ist sein Schlaf. Er schaut ins Innere der Welt.

KREON
Teiresias, hier steht ein unschuldig
35 Verklagter, hilf mir, großer Seher, hilf!

ANTIOPE
Teiresias, hier steht die Königsmutter
und klagt um einen König. Hilf mir, Seher!

DAS VOLK
Teiresias, hier steh' ich, das Lebendige 5
von Theben! aus den Mauern meiner Stadt
bin ich hervorgelaufen in der Angst
des Herzens, und ich schreie meine Not
zu dir: die Sphinx, die Sphinx ist über mir!
Hilf mir, Teiresias! 10

TEIRESIAS
Hier schreit ein großes Leiden auf zum Himmel.

DAS VOLK
Er wendet sich, er hat den Schrei gehört.

DER KNABE 15
Dort rief es um dich.

TEIRESIAS Nein hier, nicht dort.
Gegen die Richtung deutend, wo Jokaste steht.

DAS VOLK
Da steht die Königin. 20

TEIRESIAS
Zu tief der Schlaf. Zu weit vom Schläfer
die äußere Tür an der sie rufen.
Ist's einer? Sind's viele? »Königin«!
Einst hatt' es Sinn. Nun ist's ohne Wesen. 25

DAS VOLK
Er spricht zu sich selber.

TEIRESIAS
So helft mir doch, wenn ihr mich braucht!
Eure Angst zog mich her, 30
so helft mir doch herauf aus der Tiefe.

ANTIOPE
Bringt das Gewand des Toten!

JOKASTE
Mutter, was willst du von ihm?

Das Gewand wird gebracht. Antiope geht mit denen, die das Gewand tragen, an den Rand der Plattform vor.

5 ANTIOPE
Ehrwürdiger Seher, wer erschlug den Mann,
der dies am Leibe trug?

TEIRESIAS wendet sich ab
Was halten sie
10 den Duft von Blut mir vor? Vergießen sie
nur Blut und Blut, erschlägt der Sohn den Vater,
erwürgen sie das Leben, wie es frisch
aus ihrem Leib hervorgekrochen kommt!

JOKASTE
15 Ah, Mutter, laß mich fort!

TEIRESIAS Sie können nicht
mit ihrem Blut in ihrem Leibe hausen:
es wühlt in ihnen, ihre Adern schwellen
wie Schlangen um den Leib, sie sind sich nicht
20 genug gewaltig, ihre Hände sind
nicht stark genug zu wühlen in der Welt,
ihr Mund kann nicht in alle Früchte beißen,
noch sterbend buhlt ihr Aug' umher und wird
nicht satt: so zeugen sie die Kinder, zeugen neu
25 begierige Lippen, neue wilde Hände
und neue Glieder, die umklammern können,
aus ihrem Blut heraus, bis daß sich Blut
und Blut in dunklem Wald begegnet, Haß
und Haß die Augen schief verschränkt und Glied
30 in Glied sich krampft.

ANTIOPE Nun kündet er den Mord.

TEIRESIAS
O heiliges Blut!
Sie wissen nicht, was für ein Strom du bist,
35 sie tauchen nie in deine Lebenstiefen
wo Weh und Wahn erstorben sind, wo Liebe

und Haß nicht wohnen, Hunger nicht und Durst,
nicht Alter und nicht Tod.

ANTIOPE Wir warten, Seher,
daß du den Mörder uns enthüllst.

FRAUEN Nein! Nein! 5
Die Toten sind dahin! Wir wollen leben.
Ein ungeheures Grausen liegt auf uns:
die Sphinx! Die Sphinx!

TEIRESIAS Du sollst nicht zittern, Kind.
Es ist das Leid der Menschen, das von außen 10
mit dumpfem Anhauch meinen Leib erschüttert:
in meinem Blute innen blüht die Welt,
und Sterne gehen auf und nieder. Steh',
bald führst du mich nach Haus.

ANTIOPE Den Mörder will ich! 15

VOLK
Den Retter zeig' uns! Zeig' uns einen König,
hilf unserer Not!

ANTIOPE mit dem Gewand
Wer schlug den Laïos! Steht er etwa nahe? 20
Hier nahe uns?

TEIRESIAS weicht zurück
Der tote König liegt,
die Knechte liegen tot mit offnen Augen.
Die Pferde schnauben, auf dem Wagen funkeln 25
die goldenen Geschenke für den Gott.

ANTIOPE
Den Mörder! und die andern, die Gesellen!
Wer steht im Dunkel hinter ihnen?

VOLK Schweig, 30
der Seher achtet deiner nicht.

TEIRESIAS seinem Gesichte hingegeben
Der Knabe
ist königlich.

VOLK jubelnd
Er sieht mit seiner Seele
den, der uns retten wird!

ANTIOPE Wer ist der Knabe?
5 Auch Knaben können morden.

VOLK Schweig' und horch'.
Zeig' uns den Retter!

ANTIOPE Laß den Mörder nicht
aus deinem Aug'.

10 TEIRESIAS Nun tritt er aus dem Wald',
die Sonne ist auf ihm.

ANTIOPE Und Blut?

DIE RÜCKWÄRTIGEN Er sieht
den, der uns retten kommt.

15 ANDERE Sieht er den Gott?

DIE VORDEREN
Ein Halbgott ist's, die Sonne blitzt auf ihn.
Er sieht ihn immer. Kommt er näher?

ANDERE Weh,
20 wenn er nicht weiß von uns! Wenn er die Stadt
nicht kennt, die auf ihn wartet.

ANTIOPE Laß den Knaben
nicht aus dem Aug'.

VOLK Erbarme dich, wo ist er,
25 wo ist der Retter hin?

Teiresias achtet ihrer nicht, sein blindes Auge starrt in die Ferne.

FRAUEN Er stößt uns wieder
zurück in Nacht und Tod, wir werfen dir
zu Füßen unsre Kinder! Welchen Weg
30 kommt unser Retter?

TEIRESIAS wirft die Arme in die Luft, von der Größe seines Gesichtes überwältigt
Ah, was sich da gebiert! Der Qualenabgrund,

die Höhle weltengroß getürmt aus Jammer!
Du letzte Nacht, du Höhle! Ah! Und jenseits
ist neuer Tag und eine andre Welt,
darunter ist noch eine Welt verborgen,
sie mündet in die Leidenshöhle, unten 5
im Schlund des Grausens bricht ihr Glanz hervor,
aus Qualen ohne Maß erhebt ein Halbgott sich!
Schweig' Zunge, neig' dich Leib!
Er geht auf Jokaste zu und wirft sich vor ihr nieder.
Um deinetwillen 10
bin ich gekommen.

JOKASTE Weihst du mich?

TEIRESIAS Nein, Mutter,
du bist es, die mich weiht.

DAS VOLK 15
Der Seher liegt vor der Frau,
nicht vor der alten, die junge ehrt er wie eine Göttin!

TEIRESIAS
Fort, Knabe, nach Haus.

KNABE Zur Höhle? 20

TEIRESIAS Zur Höhle.

DAS VOLK wirft sich ihm entgegen
Wir lassen dich nicht! Den Retter! Welche Straße kommt er? Wann?

TEIRESIAS durch sie hinschreitend
Nun schreitet er durchs Tor! Nun ist er in der Stadt. 25
Fort, Knabe, fort mit uns!

DAS VOLK Weh wenn er uns
vorüberwandert! Wenn er uns nicht hört!
Wie schreien wir, daß er uns hören muß?
Seher, wie rufen wir ihn? 30

TEIRESIAS Das fragt die Mutter.
Er geht.

DAS VOLK
Die Mutter? Wen meint er? Jokaste meint er.
Jokaste! Mutter!

ANTIOPE
5 Um ihretwillen kommt der Gott. Mit ihr
vermählt er sich.

JOKASTE Wer spricht von einem Gott?

DAS VOLK
Um deinetwillen kommt er, dem die Krone
10 gehört.

KREON *von rückwärts*
Ansteckend Gift des Wahnsinns! Wer
soll kommen? Wollt ihr einem fremden Räuber
nachwerfen Kron' und Reich?

15 DAS VOLK Und wär's ein Räuber,
wenn er uns rettet, ist's ein Gott und er
soll König sein. Jokaste, ruf' ihn her.
gewaltig
Jokaste, ruf' ihn her.

20 JOKASTE Wie kann ich rufen,
den ich nicht kenne?

DAS VOLK Schwör' du bei der Luft,
beim Feuer, bei der Erde, daß der Stirnreif
sein ist, und sein das Schwert.

25 JOKASTE Das schwöre ich.

DAS VOLK
Und du!

JOKASTE
Was noch?

30 DAS VOLK Die Königin gehört
dem Retter, schwör' du wirst sein Weib.

JOKASTE
Des fremden Mannes Weib?

DAS VOLK Und wär's ein Räuber,

wär's ein verlauf'ner Knecht, wär' es ein Mörder,
schwör', daß du ihm gehörst, wenn er uns rettet.
Weib, schwör'!

DIE FRAUEN Geliebte, schwör'!

JOKASTE Ich schwor in mir. 5

KREON
Ihr Bette ist noch warm von Laïos' Leib.

DAS VOLK
Schwör laut!

JOKASTE Ich schwöre, wenn ein fremder Mann 10
euch von der Sphinx erlöst, so wird das Haus
ihm offen stehen, offen seiner Hand
das Schwert, der Stirnreif und des Laïos' Bette –
und mich dann findet er in dem Gemach.

KREON 15
So wahren Königinnen ihre Treu'!

JOKASTE vor sich
Daß er mich lebend findet, schwor ich nicht.

ANTIOPE
Nun schreit es aus in die vier Winde. Nahe 20
war er im Spiegel, den der Seher schaut,
er atmet eine Luft mit uns, so wird
ein Ruf ihn treffen.

JOKASTE Mutter komm' ins Haus.

Die Königinnen treten in den Palast. Das Tor schließt sich hinter ihnen. 25

KREON nach vorne kommend
Was willst du, Volk, noch hier? Was soll der Wahnsinn?

DAS VOLK
Wir warten auf den Retter. Laß uns, Kreon.
Wir wissen nichts von dir. Der Seher hat 30
nicht dich gezeigt; geh' fort.

KREON O Volk! Das Wasser
ist stetiger als du. Wer einen Haufen Kot

vom Boden aufnimmt, hält in seiner Hand
doch etwas, wer dich hält, der hält ja nichts.
Geil bist du auf das Neue wie ein Widder!
Mit einem Wort, aus seinem alten Maul
5 hervorgesprungen, macht ein Gaukler dich
da hüpfen oder dorthin! Wer dich hätte,
und schlüg' dich nicht mit Skorpionen, Schmach
und Schande über den! Werd' ich dein König,
dir tret' ich auf den Nacken!
10 Er verschwindet zur Rechten.

EIN MANN aus der Stadt, von rückwärts auftretend
Ein Held ist unter uns! Er kam herein,
sein Gang ist eines Königs Gang, er trägt
in seiner Hand den Stab, er kommt weit her!
15 Ein Held!

VOLK Nach welchen Zeichen? Läuft ein Einhorn
mit ihm? Steht über seinem Haupt ein Funkelstern?

DER BOTE
In seiner Augen Höhl' sind Sterne, Kraft
20 des Einhorns ist ihm selber um die Lenden
gegürtet! Wo ein Haus in Flammen stand,
dort sprang er hin, trat mit gewaltigem Fuß
die Tür ein, riß aus brennendem Gebälk
Lebendige hervor und achtete
25 die eigene Tat für nichts: vor seine Füße
fällt ihm die halbe Stadt: er stößt sie weg
er kommt heraufgestiegen, hier herauf,
ihr heiligen Thebaner.

VIELE STIMMEN von rückwärts
30 Seht den Helden.

Ödipus von rückwärts heraufsteigend.

ANDERE STIMMEN murmelnd
Den Helden seht.

ÖDIPUS Du Volk aus dieser Stadt,
35 was schnaubst du hier vor dem verschlossenen Tor
und bäumst dich wie ein reiterloses Roß?

Wo ist dein König, daß er dir den Zaum
nicht auflegt?

VOLK Tot ist unser König, Fremdling.

ÖDIPUS
Und warum brennen Häuser in der Stadt? 5
Und warum starren eure Felder wüst,
was heult das Volk und jammert?

DAS VOLK Weißt du nicht,
daß du in Theben bist? So kommst du denn
herunter aus der Luft? So bist du Perseus? 10
Bist du denn Perseus?

ÖDIPUS Eine Straße kam ich
vom Berg herab und habe keinen Namen.

VOLK
Kommst du vom Gebirge her? Und hast die Flüchtigen 15
nicht lagern sehn und war die Luft nicht voll
mit Wehgeschrei?

ÖDIPUS Ich achte nicht die Stimmen,
die in der Luft sind.

DAS VOLK Also bist du nicht 20
der Retter, der uns kommt?

ÖDIPUS Wovor ein Retter?

DAS VOLK
So bist du der Erlöser nicht, so willst du
nicht unser König sein? Wer bist du denn? 25

ÖDIPUS
Volk, rede nicht verwirrt; in welcher Not
schreist du zum Himmel? Denn du dauerst mich,
Volk, weil du keinen König hast.

DAS VOLK Die Sphinx, 30
er weiß nichts von der Sphinx.

ÖDIPUS Was soll das Wort?

DAS VOLK
Das Wort ist Qual und Tod. Dort drüben wohnt's.
Es horstet im Geklüft so wie ein Geier
und äugt herab wo Theben liegt, und Theben
5 gleicht dem gefall'nen Vieh und zuckt vor Angst
und seine Flanken fliegen und die Augen
sind blutig.

ÖDIPUS Ging denn keiner hin und schlug
das Wesen?

10 DIE FRAUEN schreien wehklagend auf.

DIE VORDERSTEN
Vor der Höhle ist ein Abgrund,
da liegen unsre Toten.

DIE FRAUEN Weh!

15 ÖDIPUS vor sich Ihr guten Götter!
Welch eine Tat, ihr Seligen! Baut ihr
dem Heimatlosen solche Taten auf,
so funkelnde Paläste, drin zu hausen
für eine Nacht und wiederum für eine,
20 wohin sein Fuß ihn trägt? So habt ihr mich
mit eurem Fluch gesegnet? Denn ich fühl's,
von grausigen Gliedern, von Polypenarmen
umschlungen, sterb' ich heute nicht: ich darf's
vollbringen und dann weiterziehen.

25 DAS VOLK Perseus
verlaß uns nicht!

ÖDIPUS Auf, zeigt mir diesen Weg.
Wo haust der Dämon? Aber laßt mich dann
allein hinaufgehn und fragt nicht nach mir.

30 DAS VOLK
Bist du nicht Herakles, bist du nicht Orpheus,
du junger Gott?

ÖDIPUS Den Weg.

DAS VOLK Die Königin,

er soll sie sehn, bevor er hingeht!

ÖDIPUS Sehen,
wen sehn?

DAS VOLK
Die Königin, du junger Gott. 5
Jokaste! Auf das Tor!

JOKASTE tritt allein hervor
Was ruft ihr mich?

DAS VOLK
Den Retter sieh, den Retter da, den jungen! 10

JOKASTE unwillkürlich
Laïos!

DAS VOLK
Was sagt die Frau?

JOKASTE Nein, nein, ein Traum. 15

ÖDIPUS von ihrem Anblick wie vom Blitz getroffen
Wer ist die Frau?

JOKASTE fast gleichzeitig
Wer ist der Jüngling?

DAS VOLK jauchzend 20
Perseus! Orpheus! Herakles!

ÖDIPUS wie entgeistert
Wer ist die Frau?

DAS VOLK Die Königin.

ÖDIPUS Was will 25
die Königin?

DAS VOLK Dein ist sie, dein, du Gott,
wenn du der Sieger bist! Er glaubt uns nicht.
zu Jokaste
Du hast's geschworen: künde du's. 30

JOKASTE Du darfst nicht!
Es ist dein Tod! Um deiner Mutter willen
tu's nicht.

ÖDIPUS Um meiner Mutter willen, Frau?
O, wohl will ich es tun.

DAS VOLK Den Helden seht,
den Helden! Flehe zu den Göttern, Frau,
5 so wird er dein Gemahl.

ÖDIPUS vor sich Die Königin.

DAS VOLK
Sie hat geschworen!

ÖDIPUS ungeheuer Ja?
10 sich bändigend Ich bin von Sinnen:
der König ist ihr Gatte.

JOKASTE Mein Gemahl
ist tot.

ÖDIPUS
15 Und ich, ihr Götter, steht mir bei,
daß ich jetzt nicht vergehe.

JOKASTE Willst du mich
noch etwas fragen, Jüngling?

ÖDIPUS Ich – mich nimmst du
20 zum Mann?

JOKASTE Ich bin nur wie das Diadem
und wie das Schwert: wer diese Stadt erlöst,
der greift nach uns.

ÖDIPUS Nicht fortgehn, nicht, noch nicht!
25 Der König, der dein Gatte war, gewann er,
der Tote, Kinder sich aus diesem Leib?
Ich will sie schützen und Verweser sein
für sie. Die Rechtgeborenen sind heilig.

Es sind indessen die Mägde hinter Jokaste herausgetreten. Die Totenklagen sind
30 verstummt.

JOKASTE mit schwacher Stimme
Ein Kind war da und war gleich nicht mehr da.

KREON von rückwärts
Wie sich der Landstreicher gebärdet! Wie
er schon den König spielt!

ÖDIPUS königlich Wenn einer ist,
der von dem frühern König Gold und Gut 5
und Vieh und Land empfing, der fürchte nichts,
ich fordre nichts zurück.

DAS VOLK Du bist ein König!
Du warst von je ein König!

KREON zerreißt sein Gewand Gaukler, sei verflucht! 10
Verschwindet zwischen den Bäumen. Es ist Dämmerung hereingebrochen.

ÖDIPUS
Ich möchte opfern und ich habe nichts
zu opfern, eh' ich geh'.

JOKASTE zu ihren Mägden sich umwendend, mit einem maßlos veränderten Ton 15
Sie sollen opfern
was lebt im Haus. Die Tiere, die mir lieb sind,
sollen sie töten schnell. Die Pferde alle töten,
die heil'gen Vögel sollen sie mit Pfeilen schießen
und alle meine Hunde, auch die Hündin, 20
die, seit sie lebt, vor meiner Kammer schlief,
die auch. Schnell, schnell, nichts braucht am Leben bleiben,
wenn dieser sterben geht.
Sie jagt mit der Wucht ihrer Befehle alle Mägde ins Haus und steht nun ganz allein
da. 25

ÖDIPUS Hab' ich denn gar nichts?
Bin ich so arm? Doch, da, der Wanderstecken,
ich muß ja ohne Waffen zu dem Dämon:
dort ist ein Opferfeuer, nehmt den Stab
und bringt ihn dar. 30

Mehrere nehmen den Stab und tragen ihn in den heiligen Hain.

Getöse im Palast.

JOKASTE, die sich nicht umwendet, saugt mit dem Blick Ödipus in sich, der jetzt
auf der Stufe zum heiligen Hain steht, plötzlich vom Widerschein starker Flammen
übergossen. 35

DAS VOLK drängt gegen den heiligen Hain
Die Flamme, seht die Flamme!

Wie sich die Götter freun an seinem Opfer!
Der Stock liegt vor dem Altar, wie die Flamme
zum Himmel schlägt.

DIE MÄGDE aus der Tür des Palastes hervorstürzend

5 Die Königin Antiope!

JOKASTE wendet nur halb den Kopf Was ist
mit ihr?

DIE MÄGDE

Sie rührt sich nicht, sie sitzt und hat
10 den Stab aus ihren Händen fallen lassen.
Wir fürchten uns, wir glauben sie ist tot.
Hörst du uns, Königin?

JOKASTE schweigt und starrt auf Ödipus.

ÖDIPUS Nun betet alle
15 mit mir um Sieg.

JOKASTE indem sie in die Luft greift, dann mit beiden Händen gegen ihr Herz fährt und jäh zusammensinkt

Ich habe nie gelebt!

DIE MÄGDE fangen sie in den Armen auf.

20 DAS VOLK
Die Königin fällt hin!

ÖDIPUS Sie ist nicht tot.

Indes tragen die Mägde die Königin hinein, das Tor schließt sich. Kein Licht mehr als der Widerschein der großen Flamme aus dem Hain

25 Ich weiß, sie ist nicht tot. In meinen Adern
halt ich die Welt: es stürzt kein Stern, es taumelt
kein Vogel von der Nestbrut, ohne mich.
Und alle meine Toten liegen gut:
der Vater und die Mutter gut daheim,
30 die ich nie wiedersehe, gut der Mann
am stillen Kreuzweg, gut das wundervolle Weib
im totengleichen Schlaf. Um meinetwillen
ist alles dies geschehn, damit die Kräfte
der Schlafenden in mir aufsteigen sollen,

wie Wasser in dem Springquell. Auf! Nun weist mir
den steilen Weg. Wo nicht, so wird vom Berg
die riesige Zypresse sich herab
mir neigen, daß ich ihren Wipfel küsse
und meine Glieder ihr verschlinge; auf 5
wird sie mich reißen zu der Höhle hin:
dort lauert's unter meiner Hand zu sterben!
Denn meine Hand ist schwer, wie eine Welt,
beflügelt ist mein Blut, und meine Seele
steigt wie ein Springquell. 10

Er wendet sich zum Gehn.

DAS VOLK ihm nachdrängend

Perseus bist du! Perseus!

Vorhang

Dritter Aufzug

Steiles Geklüft. Spärliche Bäume, ins Gestein gewurzelt. Rechts steigt's auf, links fällt's in den Abgrund: da mündet zwischen Felsen ein eingehauener Pfad.

Von unten Schein einer Fackel. Kreon kommt heraufgeklommen, vermummt in
5 einen dunklen Mantel. Er trägt eine Fackel, leuchtet Ödipus voraus.

KREON
Wir sind am Ziel.

ÖDIPUS heroben Wo ist's?

KREON Von hier mußt du
10 allein hinauf. Hier windet sich der Pfad
zur Höhle.

Stöhnen aus der Dunkelheit. Kreon hebt die Fackel.

ÖDIPUS Ist's der Dämon? Tritt zurück.
Laß mich zu ihm.

15 KREON Du irrst. Er sendet dir
den Kämm'rer, dich zu grüßen.

Aus dem Gestein schleppt sich ein Mann hervor. Halbnackt, den Tod im Gesicht. Er gleicht kaum mehr einem Menschen, aber man sieht keine Wunde an ihm.

ÖDIPUS Mensch, wer bist du?
20 Was willst du?

DER STERBENDE
Mensch, ich seh' dich nicht. Ich bin
vor Qualen blind geworden. Schlag' mich nieder
mit einem Stein! Erwürg' mich! Hab' Erbarmen,
25 erwürg' mich! Wirf mich in den Abgrund, Mensch.

Ödipus und Kreon stehen dicht beisammen.

ÖDIPUS
Er schaudert mich.

KREON Geh' deinen Weg, die Nacht ist kurz.

30 ÖDIPUS
Wer ist der Mensch?

KREON mit triumphierendem Hohn
Dein Vorgänger.

ÖDIPUS Hinauf!

DER STERBENDE

Seid ihr nicht Menschen? Gebt mir doch den Tod!
Die anderen sind alle tot, die Seligen!
Auf ihnen sitzen Geier, – warum kann ich 5
nicht sterben? Über lauter Leichen bin ich
herabgeklettert, und ich lebe noch.
Ist Nacht? ist Tag? ist Sturm? ist grausenhafte Nacht
für immer? Hat die Mörderin das Dach
der Welt hereingerissen und liegt Nacht 10
auf allem? Redet! oder seid ihr nichts?
Ist nichts mehr in der eingestürzten Welt
als meine Qual! O warum hast du mich
geboren, meine Mutter!

ÖDIPUS Mensch, ich helfe dir 15
zum Tode. Komm. Ich bin vom Weib geboren,
wie du. Ich kann nicht hören wie du winselst
um deinen Tod. Umschlinge mich. Ich werf' dich
hinab.

KREON 20
Nimm dich in acht, er reißt dich mit.

ÖDIPUS
Mich nicht.

DER STERBENDE an Ödipus aufgerichtet
Gesegnet sei die Brust, an der 25
ich liege.

ÖDIPUS Bist gelegen!
Wirft ihn schnell hinab. Ein dumpfer Sturz
Weh, was ist ein Mensch!
Wer über diesem brütet, stirbt. Hinauf! 30
Er steigt empor.
Noch eines. Mann aus Theben, hörst du mich?

KREON unter ihm
Was willst du, Abenteurer?

ÖDIPUS bleibt stehen, oberhalb, etwas seitlich oder rückwärts 35
Laßt mich nicht

so liegen wie da drunten den. Verbrennt die Leiche,
wenn ihr mich findet. Mensch, ich bin ein Königssohn!
Hörst du mich noch? Bleib' in der Nähe. Schnell
ist dies entschieden – leb' ich aber dann:
5 Mensch, siehst du über uns den Baum, der riesig
auf öder Klippe horstet? Mensch, bin ich der Sieger,
dann brauch' ich deine Fackel, daß sie mir
aus dem ein Feuerzeichen macht: dann hebt sich
die Königin aus ihrem Schlafe auf,
10 dann bringen sie die Krone und das Schwert,
dann lohn' ich dir den Weg, du Mann aus Theben!
Wahr' mir die Fackel gut!

KREON Das will ich tun.

Er stößt die Fackel gegen den Fels, daß sie verlischt.

15 ÖDIPUS höher gestiegen, nicht mehr sichtbar
Was machst du, Mensch?

KREON Dein Geier ist so gierig,
du Königssohn, er schlägt mir mit den Schwingen
das Licht aus.

20 ÖDIPUS oben, nicht mehr sichtbar
Weh, da nimm den Lohn!

Ein schwerer Stein fällt, ohne Kreon zu treffen.

KREON Mein Lohn
wird mir, wenn ich dich schreien hör' im Tod.
25 Laß mich nicht lange warten, Abenteurer!
Ich spür' schon Morgenluft. Nun zeigst du mir,
du alter Jäger in der Finsternis,
du Schicksal, wie du deine Netze stellst.
Der geht hinauf und meint er hat's dir ab-
30 gekauft, sein freches Blut zu Markt getragen,
sein gieriges und dir damit die Krone
von Theben abgehandelt, und davon
ist er betrunken, legt die Sterbenden
an seine Brust und meint, er ist ein Gott,
35 der Tod und Leben gibt, und läßt sich noch
den Hauch des Todes um die Locken triefen,

wie ein geweihtes Öl – und ich steh' hier,
von keinem Öl betrieft, vom kalten Tau
der Nacht gefeuchtet, einsam starr und groß,
und markte nicht mit dir, denn ich bin Kreon,
der weiß von dir und wie der Leib den Leib 5
dein Walten spürt im Dunkeln: zeig' mir jetzt,
daß du noch immer um eins tiefer gräbst!
Ich ruf' ja nicht den Ahn, der unten tost,
daß er aus seinem Bett sich schäumend hebt
und mir den Abenteurer niederreißt: 10
ich spreche nicht zum Berg: du alter Thron
des Kadmos, knirsche doch den Dieb hinab
in deine letzte Kluft – zu dir nur red' ich,
Schicksal, zu dir: du hast nicht für den Knaben,
den Straßenwandrer, nein du hast für mich 15
die Nacht da aufgebaut, die rings in Klüften
den Tod trägt und den Tod auf nacktem Gipfel
in sterngekröntem Duft. Der heiße Knabe,
ich weiß es, großes Schicksal, gilt für nichts
in diesem Spiel – der Knab' und seine Taten! 20
War Kreon nicht ein königlicher Knabe?
und hast du nicht sein Herz ihm in der Brust
in eines Greisen Herz verkehrt und von den Händen
die Taten abgesengt mit glüher Luft,
daß sie wie Zunder an die Erde fielen, 25
die unvollbrachten! Dir ist nichts für Taten feil,
die ganze Seele willst du, Taten lässest
du fallen und verfaulen auf der Erde
und höhnest, die mit Taten um dich buhlen!

STIMME DES KNABEN SCHWERTTRÄGERS 30
So hab' ich ganz umsonst mein junges Blut
hingeben müssen, weh!

KREON vor der Stimme nach rechts hin zurückweichend
Was, spinnen sich von überall
die Fäden her, die mich erwürgen sollen? 35
Ich will nicht hören was im Nachtwind redet,
ich will den Todesschrei des Menschen hören,
sonst nichts auf dieser Welt!

Er tastet sich nach rechts hinüber, im Gestein klimmend.

Die Szene verwandelt sich sogleich.

Eine andere Stelle des Berges. Offene Plattform, nach allen Seiten abstürzend, nur links Geröll und Geklüft. Kein Baum, kein Strauch. Dunkel. Am Himmel einzelne funkelnde Sterne. Nur die großen Formen sind dem Auge wahrnehmbar.

5 Von links, das Geröll überkletternd, kommt Kreon herüber, nach oben horchend, getrieben von verzehrender Ungeduld. Er steht.

KREON
Den Todesschrei des Fremden will ich hören
und König sein in Theben!

10 Stille

Höhnt ihr mich,
ihr Götter? Ich bin stark, ich bin jetzt wie das Tier,
wenn es im letzten Winkel seiner Höhle
standhält! Drängt mich nicht aus der Welt hinaus!

15 Stille

Nein? alles still? ihr wollt nicht, ihr verbündet euch
mit einem Dieb? verflucht die Opfernächte,
in denen ich die Blüte meines Leibes
euch weihte! Fluch dem Wasser, das mich wusch,
20 verflucht die Schauder meiner jungen Seele!

Er streckt verzweifelt betend die Hände aus.

Dich ruf' ich, Mörderin, dich, große Sphinx,
hier krümm' ich mich vor dir, so wie noch keiner
je vor dir lag, auf nacktem Lebensgipfel:
25 wirf mir den Schrei herab, du Ewige,
den Schrei des Fremden! daß dir meine Seele
wie ein Brandopfer steigt!

Von oben, von seitwärts, aus unbestimmbarer Nähe ertönt ein gräßlicher Todesschrei.

30 Kreon trinkt zuerst den Schrei mit Wollust in sich, dann – im grauenvollen Anschwellen des Schreies – entsetzt

So schreit kein Sterblicher!
Vernichtung! das war nicht des Fremden Schrei!

Ödipus kommt von links den steilen Felspfad herabgetaumelt. Kreon birgt sich
35 links vorne im tiefsten Dunkel eines Riesenblocks.

ÖDIPUS verstörten Gesichtes, seiner selbst nicht mächtig, sich an Steinen haltend, bald zu Boden taumelnd
Es nannte mich beim Namen! »Ödipus«,

sprach es zu mir! »sei, Ödipus, gegrüßt,
der du die tiefen Träume träumst!« Gekannt!
Auch hier gekannt! Die Welt hat keine Schluft,
die nicht voll meiner Flüche ist. Ich kann
mich nirgends bergen. Hier dies fremde Theben 5
ist eine Höhle, die mich kennt.

von Grausen geschüttelt Der Dämon,

der grauenhafte Dämon hat mit mir
Gemeinschaft! mit dem Todesatem lüftet
er den verschlossnen Deckel meiner Brust. 10
Er weiß von meinen Träumen – ah, es gibt nur einen,
den Traum von Delphoi, weh, den Traum vom Vater
und von der Mutter und dem Kind!

Er kauert auf der Erde. Warum

zerbrach ich nicht in Stücke, als das Weib 15
in Delphoi an mein Bette trat? Wozu
noch dieser letzten Tage wüster Traum?
Die Welt zerbricht. Mein Aug' ist krampfverdreht. Ich hasse
die mich geboren haben. Eltern! Eltern!
wohl euch, daß ihr's nicht wißt. 20

Sein irr schweifender Blick sieht die Sterne.

Ihr Götter, Götter!

Sitzt ihr auf goldenem Gestühl da droben
und weidet euch, daß der im Netz nun liegt,
den ihr mit Hunden hetzt von Tag zu Nacht! 25

finster, groß

Die ganze Welt ist euer Netz, das Leben
ist euer Netz, und unsre Taten machen
uns nackt vor euren schlummerlosen Augen,
die auf uns schauen durch das Netz: – da lieg' ich 30
und wollte Taten tun und habe nichts
getan als mich verraten an den Tod!
Nun macht ein Ende! Habt ihr keinen Blitz?
bin ich den Fels nicht wert, der niederrollt
und mich zermalmt – da unten schäumt ein Fluß: 35
herauf mit ihm! Habt ihr so säumige Diener?
Ganz still, ihr Gräßlichen, wenn Ödipus
um seinen Tod zu euch die Hände hebt?

Ich soll es selber tun? der Priester sein
und auch zugleich das Opfertier? Mir graut.
Mir graut vor euch, ihr Götter, ich will euch
nicht länger in die Augen schauen, werft
5 die Finsternis auf mich, werft mir den Tod
über's Gesicht wie einen Mantel, Götter!

Die Arme ausreckend

Ich will nichts als den Tod!

KREON springt aus dem Dunkel vor, mit gezücktem Dolch

10 Der kann dir werden!

ÖDIPUS wirft sich zurück, faßt den Kreon

Hat das Dunkel Arme?

KREON ringt, den Arm mit dem Dolch zum Stoß frei zu bekommen

In Theben ja, und Dolche auch!

15 ÖDIPUS im Ringen Her mit dem Dolch.

Ich brauch ihn selber.

Hat die Oberhand, drückt Kreon an den Boden.

Doch zuvor stirbst du.

Das Opfer, das ich bringen will, verträgt nicht,
20 daß einer nahe steht.

Er hebt den Dolch zum Stoß.

Hinab und melde
mich drunten an.

KREON Du weißt nicht, Abenteurer,
25 wen du erschlägst!

ÖDIPUS hebt abermals den Dolch

Die Welt ist ausgelöscht,
kein Ding braucht einen Namen!

KREON unter ihm liegend Mensch, ich bin der Bruder
30 der Königin.

ÖDIPUS starrt ihn von oben an

Was redet aus der Nacht?
Wer bist du, der mit mir sich auf der Schwelle
des ewigen Todes wälzt?

KREON Ich bin der Bruder
der Königin, du Königssohn.

ÖDIPUS ohne ihn loszulassen Der Bruder
des wundervollen Weibes, das zu Tod
erstarrte, als sie mein Gesicht erblickte? 5

Er zieht ihn aus dem tiefsten Dunkel nach vorne, dort wo der Sternenschein eine schwache Dämmerung erzeugt. Er sieht ihm ins Gesicht.

Und bist du nicht der Führer auch, der durch die Nacht
mit mir heraufstieg? Hast du nicht die Fackel
gelöscht? im voraus mich dem Tod geweiht? 10

Er läßt ihn ganz los. Kreon ist schnell wieder aufgerichtet.

Ödipus einen Schritt zurücktretend

Der Bruder! ungeheuer kettet ihr
die Sterblichen, ihr Götter, aneinander
mit Nacht und Tod und Wollust, ungeheuer! 15

Er hält dem Kreon den Dolch hin.

Da nimm das Opfermesser! Töte mich,
dir kommt es zu!

KREON vor ihm zurückweichend, ohne den Dolch zu nehmen
Wer bist du, un- 20
geheurer Fremdling, der so finstre Spiele spielt
mit sein und meinem Leben?

ÖDIPUS Der Verfluchte
von Vaters Samen her! Da nimm das Messer
und opf're! 25

Drängt ihm wieder den Dolch auf, wieder weicht Kreon zurück.

Schnell! das fremde fluchbelad'ne Tier
hat deiner Schwester Bett besteigen wollen.

Stark

Mensch, reinige die Königin! 30

KREON die Hände zurücknehmend, starke Gebärde des Weigerns
Du bist
der Sieger! Du hast nicht geschrie'n, es war
der Dämon, der im Tode schrie! Du bist
der Sieger! 35

ÖDIPUS Nein, ich bin verflucht
daheim und in der Fremde.

KREON unfähig ihn zu begreifen

Mensch, trägst du den Tod
im Leib? was stehst du aufrecht, wälze dich
vor meinen Füßen hin! Laß mich die Hände
5 in deine Wunden legen! schnell!

ÖDIPUS

Mein Leib ist heil
und starrt von Kräften, unverwüsteten.
Ich habe meine Tat nicht tuen können:
das Wesen floh vor mir!

10 KREON

Was marterst du mich noch,
verlarvter Gott, wenn du der Sieger bist?

ÖDIPUS in jagender Hast

Der Sieger! auf mir liegt das Chaos und
zernagt mich.

15 KREON

Mensch, wie Rätsel unbegreiflich,
was hat die Sphinx an dir getan?

ÖDIPUS in fliegender Hast

Vor seiner Höhle
auf stand das Weib und neigte sich zur Erde
vor mir und als ich nahe kam, so trat es
20 demütig hinter sich und bog sich nieder
bis an die Erde, als wär' ich der Gast,
auf den sie hundert Jahre wartete.
Und dann nach rückwärts taumelnd, ohne Laut,
da hob es sein Gesicht und sah mich an,
25 da sah ich das Gesicht, da traten mir
die Augen aus den Höhlen, von den Knochen
wie Zunder fühlte ich mein Fleisch sich lösen
vor Grau'n und Angst: mein Herz schlug wie im Tod
die ganze Brust schlug mir, da gab es von den fahlen
30 gräßlichen Lippen seinen Gruß in meine
schlagende Brust hinein: »Da bist du ja«, –
das Wort legt' es in mich hinein, »auf den ich
gewartet habe, heil dir Ödipus!
Heil, der die tiefen Träume träumt« – und da
35 zerschnitten meine Brust, wirft sich's nach rückwärts,
den Blick auf mir, den schon verendenden,

mit einer grauenhaften Zärtlichkeit
durchtränkten, rücklings in den Abgrund, den
das Aug' nicht mißt, den steinernen, und schreit
im Todessturz den namenlosesten,
furchtbarsten Schrei, in dem sich ein Triumph 5
mit einem Todeskampf vermählt und stürzt
vor meinem Fuß hinab und schlägt tief unten
dumpf auf. Versteinerst du? Den du im Finstern
hast schlachten wollen, opfre mich im Licht!
Hält ihm den Dolch hin. 10

KREON von einem geheimen Grauen überwältigt
Ich hebe meine Hand nicht wider dich!
Du bist ein Gott und Sohn von Göttern!

ÖDIPUS dringend Töte mich!
Ich bin der Sohn des Königs von Korinth 15
und habe einen Traum geträumt, der aufsteht
und mich erwürgt, wenn ich auch die Gebirge
der halben Welt, ihn zuzudecken, wälze!

KREON
Du bist der Sieger, Ödipus, du bist 20
der Sieger, König bist du jetzt in Theben!
Bereit vor ihm zu fliehen, angstvoll vor seiner Unbegreiflichkeit, halb zur Flucht gewandt.

ÖDIPUS noch dringender
So töte mich! Spürst du denn nicht wie ich 25
behängt mit Flüchen bin, gefleckt mit Unheil
wie eines Panthers Haut! Das Messer nimm
und opfre mich, solang ich selbst mich fessle:
denn ich will leben, ich will König sein,
ich will die Königin auf diesem Thron 30
aus nacktem Stein zu meinem Weibe machen!
Ich bin ein König und ein Ungeheuer
in einem Leib, erwürge beide schnell:
Kein Gott trennt eins vom andern, töte mich!
Ich könnte wähnen, daß ich diese Nacht 35
die Tat getan hab', die vom zuckenden
Gefild des Himmels sich mit seliger Hand

die Lebensblume reißt! ich könnte wähnen,
daß ich der größte aller Menschen bin,
der auserwählte Sohn des Glücks. Da nimm!
schnell! töte mich!

5 Er läßt sich vor Kreon nieder in der Haltung dessen, der sich opfert.

KREON trunken von der unbegreiflichen Wendung des Schicksals, schwingt den Dolch über den, der wie das gebundene Opfertier vor ihm kauert
Ihr Götter, seid bedankt!

Wie er zustoßen will, lähmt ein Etwas von innen heraus seinen Arm.

10 Ich kann ja nicht!

Er hebt nochmals den Dolch, mit dem Schicksal ringend.

Was macht ihn jetzt noch stärker? Er ist nichts.
Mein Traum ist's, der ihn stärker macht. Mein Traum
setzt mir den Fuß auf meinen Nacken!

15 Er wirft, von Grausen gepackt, den Dolch weg, daß er klirrend fällt. In diesem Augenblick fällt ein Blitz. Sogleich entzündet sich, unsichtbar, der Baum auf der Felsklippe, und es fällt starkes Licht von oben links herein.

KREON vom Blitz geblendet, schreit auf Ah!

Er flüchtet, sich mit dem Mantel das Gesicht verhüllend, von Ödipus weg.

20 ÖDIPUS springt auf.

KREON fünf Schritte von ihm, voll Angst vor ihm
Du bist ein Gott! verschone mich!

ÖDIPUS wie aus tiefem Traume erwachend
Das Licht der Götter!
25 Was willst du mir?

KREON gebeugt, jeden Augenblick bereit, ihn anzubeten
Du bist ein Gott! es schwebte
der ungeheure Blitz aus blauer Nacht
hernieder wie ein goldner Adler hinter dir!

30 ÖDIPUS in Staunen verloren
Das Licht!

KREON Der tausendjährige Baum, der droben
auf kahler Klippe horstet, steht in Flammen!
Du bist ein Gott! ich küsse das Gestein
35 vor deinem Fuß. Die Götter zünden dir
mit eigner Hand die Hochzeitsfackel an.

ÖDIPUS wie oben
Mit ihrer eignen Hand!

KREON Die Adler kreisen
als deine Feuerboten um den Berg!
Mein König, laß mich dein Gewand anrühren 5
Er wirft sich vor ihm nieder.
und heb' mich auf!

ÖDIPUS reckt beide Arme in die Luft
O meine Eltern, Phönix!
Korinth! hinab mit euch! . . . Steh' auf und sag' mir 10
den Namen!

KREON Kreon bin ich.

ÖDIPUS Du? wer fragt nach dir!
Ich frag' nach einem Namen auf der Welt:
den Namen nenne mir! 15

KREON Jokaste heißt
die Königin.

Der Baum ist abgebrannt. Fahles Dämmerlicht geht bald in den ersten grünlichen Schimmer des Morgens über.

ÖDIPUS den Namen in sich saugend 20
Wie seicht sind Träume: nie
hab' ich den Klang geträumt.

Von unten, aus großer Ferne dumpfrollende Pauken. Allmählich näher. Allmählich auch leise, wie man es von der Spitze eines hohen Berges aus dem Tal heraufklingen hört, ein feierliches Singen. Auch dieses nahend, immer aber tief unten, 25 weit, fern heraufdringend
Doch seit ich ihn
gehört hab', ist es mir als ob dumpfdonnernd
der Puls der Welt, das ruhelose Meer
sich hüb' und senkte, lustvermählt dem Schwellen 30
und Sinken meiner Adern.

KREON Ödipus,
das sind die heiligen Pauken, die du hörst
geschlagen dir zu Ehren!

ÖDIPUS Wird der Berg 35
lebendig?

KREON Das ist Theben, das sich hebt
wie eine Sturmflut, seinen König sich
herabzuholen von der Klippe.

ÖDIPUS läuft nach rückwärts an den Rand des Felsens, winkt Kreon zu sich. Sie
5 spähen beide hinab

Dort,
der ungeheure Zug?

KREON Das Volk, die Priester,
die Heiligtümer!

10 ÖDIPUS Dort, das dumpfe Blitzen
aus eignem Licht, von keinem Strahl des Tags
getroffen! Mensch, was blitzt so aus der Nacht?

KREON
Das ist das Königsschwert. Das ist das Schwert
15 des Kadmos.

ÖDIPUS in ungeheuerer Erregung, erträgt es nicht, rückwärts zu stehen und zu
warten. Er stürmt nach vorne, Kreon mit sich schleifend
Bleib' bei mir und sei mein Bruder!
Den Sturm, der durch mich geht, kann keine Seele
20 ertragen, ohne einen Bruder!
Wieder zurück, mit Kreon, an den Felsenrand
Dort,
das auf dem Wagen, den sechs Pferde ziehn,
das eingehüllt in dunkle Schleier, Kreon,
25 ist das ein Götterbild?

KREON Das ist Jokaste!

ÖDIPUS vom Rande weg nach vorne sich jäh werfend
Gehüllt in dunklen Glanz, so wie ein Stern
in eine Wolke! es sind Schleier: meine,
30 ah! meine Hände heben euch – dann schlägt
die Flamme in die Flamme!
Trunken eilt er wieder zurück an den Rand, beugt sich über, ruft hinab, königlich
ungeduldig
Schneller, schneller!
35 Dann tritt er wieder zurück vom Rand.

KREON hat noch hinabgespäht, springt jetzt zu Ödipus

Sie haben dich gesehn! sie grüßen dich
wie einen Gott, sie recken heilige Zweige
zu dir empor! Ha siehst du den Rubin
im königlichen Reif? Er hat das Blut 5
getrunken von Giganten. Ödipus!
er wird auf deiner Stirne glühn!

Plötzlich überwältigt ihn das Gefühl des eigenen Schicksals und jäh wirft er sich auf den Boden, schlägt die Hände ins Gestein, voll Wut und Schmerz.

ÖDIPUS in seiner Trunkenheit dessen, was in Kreon vorgeht, nicht achtend, reißt ihn stürmisch empor, an sich 10

Du Fürst,
mein Bruder Kreon, wie du vor mir stehst!
wie schön du bist! was wirst du bleich und dunkel
wie das Olivenlaub im Wind! Kreon, wir wollen leben, 15
wie ein Geschlecht von Seligen! Dies Theben
soll blühn wie eine Feuerblume! Kadmos,
dein Blut soll blühn in einer Brut von Adlern
aus Feu'r geboren!

KREON indessen wieder an den Rand gebeugt 20

Ödipus, sie steigt
vom Wagen!

ÖDIPUS vorne stehend, jubelnd, indes Kreon fern von ihm steht, dort am Felsenrand

Kreon, herrsch' ich hundert Jahr
zu Theben, das vergeß' ich nicht, daß du 25
der Bote warst, der dies mir zurief!

KREON am Felsenrand König,
sie kommt allein herauf.

KREON tritt links zurück.

ÖDIPUS steht vorne, starrend in Erwartung. 30

JOKASTE steigt herauf, eine Krone auf dem Kopf.

Das Volk, unsichtbar, ist dem Gipfel nahe gekommen. Die Unruhe einer Menge, die still sein will, wogt dann und wann herauf.

JOKASTE Was suchst du, Kreon,
wo eine Königin zu einem König kommt? 35
Tritt hinter dich.

KREON tritt noch weiter zurück.

JOKASTE erblickt Ödipus. Sie steht noch rückwärts, nah' dem Rande. Sie ruft, über die Schulter, gebietend zurück

Zurück auch ihr und trete keiner nah.

Sie geht auf Ödipus zu, bleibt zehn Schritt vor ihm stehen.

Du bist ein Gott. Nur Götter schaffen um,
was sie berühren. Ich bin dein Geschöpf:
in einen Schlaf hast du mich wie in Feuer
hinabgeworfen und mir drin erneut
die Seele und die Glieder. Sprich: soll dein
Geschöpf hinknieen zwischen deine Hände?

ÖDIPUS schweigt.

JOKASTE

Ich habe nie mit einem Gott geredet:
sag' selber mir, wie ich dich grüßen soll.

ÖDIPUS

Ich bin ein Mensch wie du, Jokaste!

JOKASTE Selig,

die dich getragen hat. Sag' mir den Namen
der Mutter, die dich trug! Ich will sie ehren
wie keine Göttin.

ÖDIPUS Nichts von meiner Mutter!

Dies alles hängt nicht mehr an mir. Ich hab' mich
mit Schwerteshieben losgelöst. Der Ödipus,
der vor dir steht, ist seiner Taten Kind
und diese Nacht geboren. Kommst du mir
nicht näher, Königin?

JOKASTE tritt heran. Drei Schritte vor ihm bleibt sie stehen. Sie hebt die Hände gegen ihn wie gegen ein Götterbild.

ÖDIPUS Ist dies dein Herz,

das deine Hand so glänzen macht?

JOKASTE läßt die Hände sinken.

ÖDIPUS leiser, vorgeneigt Um dich,

die mir kein Traum gezeigt, hab' ich die Jungfraun
verschmäht in meiner Jugend Land.

JOKASTE leise, zart, alle Gewalt der geheimsten Sehnsucht in ihren Augen

O Knabe,

bist du's, um den ich sterben wollte, wenn's mich
hinunterzog zu meinem Kind? Kein Traum
hat mir es zeigen wollen – war's, damit
dein Dastehn, dein lebendiges, in mich
mit solchem Strahl hat stechen sollen? 5

ÖDIPUS Du
hast sterben wollen, du, Jokaste?

JOKASTE Ich.
Nicht einmal, hundertmal. Mein Leben war
nur mehr ein Schatten. Bin ich denn Jokaste, 10
hab' ich nicht ihren Leib geborgt und bin
ein Gast von drunten aus der finstern Welt
und will das Blut aus deiner Brust? O Knabe,
nimm dich in acht vor mir.

ÖDIPUS Mit deiner Stimme 15
bewegst du in der Schlucht die Nacht und wirfst
auf alle Gipfel Licht.

JOKASTE Mach' deinen Blick
von meinen Händen los. Die Adern waren
dem selbstgeführten Messer allzunah'. 20
Das Blut in ihnen, das du schimmern siehst,
muß finster sein für alle Zeit. Was will
das traurige Weib beim jungen Knaben. Laß mich.

Er nimmt ihre Hand, läßt sie gleich wieder.

ÖDIPUS 25
Mir ist, als wüßt' ich Dinge, deren Namen
das Blut gefrieren machen. Doch, Jokaste,
ich hab' sie nur gelernt, in deinen Armen
sie zu vergessen.

JOKASTE kreuzt ihre Arme über der Brust 30
Jeder Mutterschaft
hab' ich geflucht, gepriesen hab' ich laut
den kinderlosen Schoß.

ÖDIPUS Jokaste, ich
hab' mit gebäumter Seele in den Tod 35
verflucht mein Leben.

JOKASTE alle Finsternis hinweglächelnd
Weh, wie wir einander
im Schlimmen gleichen.

ÖDIPUS
Wie wir sind und nicht sind!
5 Jokaste! Wie dies alles schwankt und zuckt
und vor dem Feuer weicht, das aus der Tiefe
des seligen Blutes bricht.
Er will sie an sich ziehen.

JOKASTE
O, wie mir wird,
10 wie schwach und leicht –
Sie hält sich an den Fels. Ich müßt' in deinen Armen
des Todes sein!

ÖDIPUS dicht bei ihr, ohne sie zu umfassen
Um dieses Todes willen,
15 durch den du dich getragen hast, Jokaste,
muß ich dich lieben, wie kein Mann auf Erden
sein jungfräuliches Weib. Um deinen Gürtel
in düstrem Feuer glühend, sitzen die
Geheimnisse des Todes: aber ich –
20 ich sage dir: so wahr der nackte Stein,
der meine Gruft hat werden sollen, nun
zum Thron sich baut für mich und dich – und weiß
um nichts und ist behängt mit Glanz
und heiliger Vergessenheit – so wahr
25 als dies was dort von Klippe springt zu Klippe,
geflügelt, rasend, sich herüberschwingt –

JOKASTE dem plötzlichen Glanze zugewandt, ehrfürchtig schaudernd
Das heilige Licht!

ÖDIPUS
So wahr als dies der Bote
30 der ungeheuren Götter ist, so wahr
sind du und ich nur Rauch, daraus sich funkelnd
gebären will ein Neues, Heiliges,
Lebendiges!

JOKASTE hauchend, von der Erinnerung überflogen
35 Ich habe einem Manne
gehört.

ÖDIPUS reißt sie an sich

Vorbei! Vergessend leben wir!
Jokaste!

JOKASTE sinkt über seinen Arm wie eine geknickte Blume

Ah, was ist es, das wir tun? 5

ÖDIPUS

Die blinde Tat der Götter.

DAS VOLK Heil dem König!
Dem unbekannten König Heil!

KREON vortretend Heil König Ödipus! 10

springt vor, wirft den Mantel ab, breitet ihn Ödipus und Jokaste vor die Füße. Er selbst, im purpurnen Gewand, fürstlich, fällt vor ihnen nieder, wie sie an ihm vorbeischreiten, hinabzusteigen.

Vorhang

OEDIPUS.

(Aus einer älteren, unveröffentlichten Arbeit.)[1]

DER DIENER
Was soll ich deinem Vater, meinem König,
5 ansagen, wenn er fragt: Wo ist mein Sohn?

OEDIPUS
Sag ihm, ein Gießbach hat mich hingeschmettert
und treibt nun meinen Rumpf wie ein Stück Holz
ins Meer hinaus. Sag ihm, ich haus' im Walde –
10 sag ihm, die Hunde des Geschicks, die niemals
ihr Auge schließen, sind mir auf den Fersen.
Sag, was du willst, mich aber frage nicht,
frag nicht! und weich mir aus! entspring! entspring!
Ich sehe einen Stein des Feldes, flieh,
15 flieh, wenn du leben willst –

Der Diener entspringt.

Allein! Allein!
Allein mit dem Geschick. Und dort herauf
aus flachem Land kommt schon die Nacht gestiegen,
20 so sind wir denn zu dritt. Da flieht er hin
wie ein gescheuchter Hase. Mir ist wohl.
Wie ein verfluchtes Schiff auf totem Meer,
so lag mein Herz, im eignen Blut erstickend,
die Füße waren mir von Blei, die Arme
25 gelähmt, da kamst du mir zurück, mein Zorn,

[1] *Separatdruck aus der ersten Fassung von Akt I.*

freundliche Gottheit! Wie du in den Adern
mir Leben wecktest, wie du Zauberkräfte
ins Blut mir flößest – nein, ich bin kein Tier,
das vor dem Altar liegt und nach dem Messer
des Opferpriesters stiert, nein, ich bin frei, 5
ich kann hierhin und dorthin, denn ich bin
das Schiff und bin der Wind zugleich, ich bin
das Segel und ich bin der Steuermann,
ich tu, ich lasse, was ich will – dies Wort
blitzt auf den fernsten Gipfeln meines Lebens 10
wie Morgenlicht die schwere Nacht hinweg
und kühn wie junges Meer im ersten Glanz,
wie Abgründe, die voll der Gärten sind,
rollt sich die Welt vor meinen Füßen auf.

Ihr Hunde des Geschicks, ob eure Augen 15
sich schließen oder nicht – vernehmts: auch meine
sind offen Tag und Nacht, auch mir sind Hunde
zu Dienst von treuem Blut, auch mich umgeben
Dämonen und der herrlichste von ihnen,
gerüstet wie ein junger Todesgott, 20
er, dem mein Zorn und meine Liebe nur
die Waffenträger sind: er heißt mein Wille.

Uralte Nacht, die du den schweren Leib
herauf die Hügel wetterleuchtend schleppst,
hör mich, denn du warst vor den Göttern, du 25
wirst sein, wenn keine Götter sind: niemals
wird diese Hand sich wider meinen Vater
erheben und ihn töten, und niemals
wird sie die Mutter mir umschlingen, sie
zu ziehen in mein Bett, auf daß ich ihr 30
den Leib befruchte, der mich trug, und Söhne
erzeuge, die auch meine Brüder sind.
Denn diese Hand gehört dem Oedipus,
dem vor dem bloßen Klange dieser Worte,
die niemand hier vernahm als du, die Seele 35
aufschäumt vor Graun. O müßt ich in den Klüften
Kimmeriens mich bergen, mit den Bären
um eine Liegestätte ringen, nackt

Berg auf und ab, Land aus und ein, von Klippen
zu Klippen hingeworfen, müßte ich
hinab zum Hades – ich will rein mich halten
von diesem Fürchterlichen, das kein Hirn
5 ausdenkt, das niemand je gehört hat, niemand
je hören wird, denn ungeboren wird es
erwürgt in mir, und tritt nie an dies Licht.

Ich will mir einen Wanderstecken schneiden
für diese Hand anstatt des Szepters von
10 Korinth.

Er tuts.

Drei Straßen, alte heilige
berühmte Straßen laufen hier zusammen:
die führt nach Delphoi, diese hier gen Theben,
15 nach Daulis diese. Welche ich betrete
ist gleich, auf jeder bin ich fremd, auf jeder
der ohne Haus, der ohne Freunde, der,
ob dem der Zorn der Götter wetterleuchtend
und nächtig hängt. Dort rollt ein Wagen hin,
20 und ich

er setzt sich

sitz hier im Staub, und dennoch, dennoch
der Königsmantel meines freien Willens
umfließt mir meine Schulter, und mir ist
25 als hätte ich die ganze Welt um mich
geschlagen und empfinge in mein Blut
davon die Wärme.

DIE KÖNIGIN JOKASTE.

Erste Studie zu einer Oedipus-Tragödie.[1]

Vor dem Palast zu Theben.

Die Königin Jokaste mit ihren Frauen kommt von außen geschritten. Die Königin geht starr, auf den Boden blickend, in der Mitte. Bleibt stehen. Die Frauen gegen den Palast gewandt. 5

ERSTE
O Haus des Toten: O verwaistes Haus!
Wir füllen dich mit Jammer. Unser Stöhnen
Hallt vom Gewölbe wider, vom Gewölbe 10
Hallt, wie wir unsre Brüste schlagen.

ALLE Ah!

ZWEITE
Weh, unglückselige Schwelle, wir allein,
Wir kehren wiederum allein zurück, 15
Ohnmächtige, wir Frauen. Doch der Herr
Kehrt nicht zurück. Der Herr liegt draußen, weh,
In seinem Grab liegt Laios, und wir kehren
Ins Haus zurück!

DRITTE gegen die Stadt 20
Weh, Theben, über dich:
Um deinetwillen zog er hin, der Herr,
Auf seinem Wagen. Deiner Qual zu setzen
Ein Ende, und die Grenze deiner Schmach.
Er wollte für dich bitten vor dem Thron 25

[1] *Separatdruck der ersten Fassung von Akt II.*

Apollons und mit deinem Heil in Händen
Wär er zurückgekehrt.

VIERTE Auch ihn erwürgte
Die Sphinx. Sie tötet mit dem Blick, sie tötet
Von weitem mit dem Hauch, sie tötet den,
Der vor ihr steht, und tötet den, der ferne
Von ihr auf seinem Wagen fährt, die Hände
Erhoben zu den Göttern.

ALLE Ah!

ERSTE Hin fuhr er.
Um unsertwillen! Da sprang aus dem Dickicht
Der mißgestalte Sklave des Geschicks,
Der Räuber, der dreimal verfluchte, hob
Die Keule wider ihn und schlug ihn nieder.

ALLE
Laios! Laios! Laios!

DIE KÖNIGIN vor sich
Althaea! Rhodope! Kallirrhoë!
Oenone! Atalanta! Pannychis!
Wo soll ich hin?

MEHRERE (die Jüngeren)
Die Herrin fragt.

ALTHAEA zu der Königin tretend Die Herrin
Weiß wohl: es ziemt sich, daß die Königin
Vom Grab des Königs heimgekehrt sich berge
In dem verfinsterten Gemach.

JOKASTE Im Haus? In welchem
Verfinsterten Gemach?

MEHRERE Die Herrin fragt.

eine Stille

ALTHAEA
Im Ehgemach. Dort, wo das Lager ist,
Das Du geteilt hast, Herrin, mit dem Toten,
Mit Laios dem Herrn.

JOKASTE Dort kann ich mich
Nicht bergen. Dort ist Nacht, und Nacht gebiert,
Gebiert das Leben, hört nicht auf, das Leben
Rings lautlos zu gebären. Dort kann ich
Dem Tod nicht dienen, dem zu dienen mir 5
Geziemt.

MEHRERE
Die Herrin will nicht in das Haus.

JOKASTE
Ich will die Götter anschau'n und verlangen, 10
Daß sie mein Innres ruhig machen, wie
Ihr eignes Antlitz ist.

MEHRERE
Die Königin will vor die Götter treten.
Sie ist vom Stamm der Götter. Sie geht hin 15
Wie zu verwandtem Blut.

JOKASTE vor dem Eingang zum heiligen Hain stehen bleibend
Ich will nicht vor den Götterbildern liegen.
Sie tragen eine namenlose Lockung
In ihren stummen Mienen. Wie sie schauen 20
Und schweigen, sind sie nur wie Masken, die
Das Leben vor sein fieberndes Gesicht
Genommen hat, aus ihren Augenhöhlen
Auf mich zu starren.

DIE FRAUEN 25
Die Herrin spricht und niemand ist bei ihr,
Zu dem sie spricht. Der Hauch des Toten wühlt
An ihr, so wie ein Sturmwind in den Zweigen
Des Oelbaums. Ihre bleichen Wangen schimmern
Wie solches Laub im starken Wind. Die Herrin 30
Befehle, daß wir noch im Staube liegen
Und klagen um den Toten, unsern Herrn.

JOKASTE
In Schweigen!
für sich 35
Welche war's die sprach? Was sprach sie?

Die Worte aus der Menschen Mund sind Lust,
Lust und Verlangen. Zwar, sie reden von
Den Toten aber aus dem Munde stürzt
Der Hauch des Lebens. Jedes Wort ist voll
5 Sehnsücht'gen Schwellens, alle Worte sind
Wie Wellen, die nach vorwärts wollen, alle
Sind voller Fieber, alle jagen, alle
Ergreifen ihre Beute, alle fassen
Ein Lebendes um seinen Hals, sie schlagen
10 Die Zähne in ein Lebendes, das flieht
Und fliehend doch sich gibt . . .
plötzlich sich besinnend Sie schweigen alle
Oenone!

OENONE tritt zu ihr.

15 JOKASTE nachdem sie Oenone starr ins Gesicht gesehen hat
Geh. Dein Aug ist nichts als Frage,
Dein Mund ist nichts als Fieber, in den Schläfen
Die Schatten wissen nicht wie sie das Beben
Des trunknen Bluts nur einen Augenblick
20 Verbergen sollen – Pannychis!

PANNYCHIS tritt zu ihr.

JOKASTE sieht ihr ins Gesicht Dein Atem
Geht wie bei einem Kind. Dein unberührtes
Erschrockenes Gesicht ist so beladen –
25 Beladen so! – mit ungelebtem Leben.
Wein' nicht, Du weinst es nicht hinweg, Du weinst es
Herbei. Geh fort. Wein' nicht. – Althaea!

ALTHAEA tritt zu ihr.

JOKASTE Dich
30 Will ich nicht ansehn, denn ich will nicht wissen,
Mit was für Zeichen es in Dein Gesicht
Seinen Triumph geschrieben hat, das Leben.
Ich will's nicht wissen, denn Du bist so alt,
Wie ich, Du Tochter meiner Amme. Geh
35 Ins Haus: befiehl der Schaffnerin von mir,
Sie soll die Kammern auftun, die mit meinen
Gewändern angefüllt sind. Heute abend
Will ich die Kammern leer.

ALTHAEA Die Königin
Befiehlt, daß die Gewänder aus den Kammern
Ans Licht getragen werden?

JOKASTE Manche sind
So schwer von edlen Steinen und von Perlen, 5
Daß sie von selber stehn: die sollen sie
Als Weihgeschenke vor die Füße legen
Den Göttinnen. Die andern sind so leicht
Wie Schleier: diese sollen sie zu oberst
Ins Feuer werfen auf den Scheiterhaufen, 10
Der brennt für Laios. Geh. Für mich ist dies
Gewand genug. – Kallirrhoë!

ALTHAEA geht in den Palast.

KALLIRRHOË tritt zur Königin.

JOKASTE Sie sollen die 15
Gewebe von den Wänden abtun und
Sie in das große Feuer werfen, das
Für Laios brennt. Sie sollen von dem Flur
Die schönen Matten reißen und verbrennen.
Sie sollen alle silbernen Geräte 20
Und die Dreifüße aus getriebnem Erz
In Mitten dieses großen Feuers werfen,
Daß sie zergehen. – Rhodope!

KALLIRRHOË geht in den Palast.

RHODOPE tritt zur Königin. 25

JOKASTE Sie sollen
Die Tiere, die mir lieb sind, töten. Geh.

RHODOPE steht zögernd.

JOKASTE
Die Pferde sollen sie mit Pfeilen töten, 30
Die Tauben sollen sie im Netz erschlagen,
Die Hunde alle töten. Chtonia,
Die schwarze Hündin, die zur Nacht seitdem sie lebt
Vor meiner Kammer schlief – die auch. Und alle
Die toten Tiere sollen sie verbrennen 35
In einem neuen großen Feuer auf

Dem Hügel dort, zu Ehren Laios',
Des Toten. Geh.

RHODOPE geht in den Palast.

JOKASTE vor sich

5 Mein Mann, ich will mein Haus
Gleichmachen Deinem Haus. Wer von mir kommt
Und zu Dir geht, der soll nicht wissen, wo
Das Leben wohnt, und wo der Tod.

KÖNIG ÖDIPUS

HERAUSGEGEBEN
VON
KLAUS E. BOHNENKAMP

KÖNIG ÖDIPUS

TRAGÖDIE VON SOPHOKLES

übersetzt und für die neuere Bühne eingerichtet

PERSONEN

ÖDIPUS, der König
JOKASTE, die Königin
KREON, ihr Bruder
TEIRESIAS
DER PRIESTER
DER BOTE AUS KORINTH
DER HIRTE
DIE MÄGDE
DIE GREISE

Vor dem Palast. Links das mächtige Tor, rechts der heilige Hain, die Mitte frei zur Stadt hinab sich senkend. Das Tor geschlossen. Es ist Tag, aber schwerer Dunst, lastend über den ganzen Himmel, macht eine fahle Nacht aus dem Tag.

Dumpfes Getös heraufdringend, stark und stärker. Die Gesichter zuerst am
5 Rande rückwärts; dann unter dem Druck der Nachdrängenden fluten sie herein wie ein Gießbach; auf einmal ist der Platz bis an die Stufen des Palastes überschwemmt mit ihnen. Ihre Augen sind auf die Tür gerichtet, ihre Lippen wiederholen wie eine Litanei: »Ödipus, hilf uns! Hilf uns, König!« Es sind ganz junge Menschen, Knaben und Jünglinge, vereinzelt unter ihnen Greise.

10 EINE STIMME lauter als alle
Ödipus – König – hilf uns!

Die schwere Tür des Palastes tut sich jäh auf. Eine Stille. – Ödipus tritt hastig heraus. Alle Arme recken sich zu ihm.

ÖDIPUS
15 Ihr Kinder, was denn soll mir euer Knien
vor meines Hauses Tür? was soll mir denn
dies Strecken eurer Hände gegen mich,
indes die Stadt bei Tag und Nacht dumpf stöhnt,
und singt und jammernd schreit bei Tag und Nacht
20 herauf zu diesem Haus. Ich will dies nicht
gemeldet haben erst durch fremden Mund.
Ich selber tret' hervor – ich, Ödipus.
So redet, – was treibt euch hierher?

STIMMEN matt, gräßlich
25 Die Pest ist auf uns – von Haus zu Haus,
von Leib zu Leib der schwarze gräßliche Tod –
wir sterben dahin – wir sterben alle, sterben!
Wie leere Höhlen starren die Häuser – der Markt ist voll mit Toten –
Sie stauen den Fluß – das Feuer verbrennt sie nicht mehr –

Wir wanken daher, und wo wir wanken, atmen wir den Tod –
Und wir sind jung! – Hilf uns, König!

ÖDIPUS
Der Alte rede. Was ihr wollt von mir,
begehrt, erhofft, erwartet, will ich hören. 5
Ich will euch helfen, will ja – herzlos wär ich,
wenn euer Knien mich nicht jammerte
vor meiner Tür.

PRIESTER sein Haar ist verwildert, die Priesterbinde halb gelöst
Nun denn, du großer König, 10
einst schon Erlöser dieser Kadmos-Stadt,
gewaltig Haupt du, ragend, Ödipus,
hoch über allen – hilf doch unsrer Not,
erfind' ein Etwas, dring' mit deinem Denken
ins Dunkle, find' uns eine Abwehr, du! 15
Sag' uns, wir sollen dahin oder dorthin, –
geh', der du größer bist als wir, geh hin,
wie der Hausvater hingeht, fass' die Stadt,
die, in die Knie gebrochen, stöhnend daliegt,
den Kopf am Boden, stoßweis atmend – fass' sie 20
beim Horn und richte, Ödipus, o richte
die Stadt doch wieder auf – Herr, deine Stadt!
Mit günst'gen Sternen hast du einmal, damals,
dies Glück geschaffen – nun bewähre dich
zum zweitenmal! 25

ÖDIPUS Ihr armen Kinder, kund
ist mir, nicht unbekannt, um wessen willen
ihr kamet. Und ich weiß – ich weiß die Namen
all eurer Leiden – weiß sie – geh mit ihnen
zu Bett und steh mit ihnen auf und trag sie 30
im Herzen und im Hirn und hab das Ohr
mit ihrem Atem voll und meine Zunge
schmeckt nichts als sie. Drum habt ihr mich auch nicht
aus Schlummerruh geweckt. Ich saß und wachte
und weinte – weinte um die Stadt – um euch – 35
um mich. Und dies ist nicht der erste Tag,
der so mich grüßt. Doch nicht wie Weiber weinen,

wein' ich, ich wein' und ringe gegen das,
was ist, und sinne hin und her und schicke
mein Denken hier- und dorthin. Und mein Sinn
fand dieses eine Mittel und nicht heute
5 wend' ich es an – nein, längst: zum pythischen
Palast und zum geheimnisvollen Thron
des Phöbos sandte ich vor vielen Tagen
den Kreon, meinen Schwager, um zu forschen,
wie ich die Stadt erlöse. Aber Kreon
10 bleibt mir zu lang und länger als der Weg
und als der Auftrag fordert, und mein Herz
hat diese Sorge zu den frühern und
die Qual des Wartens zehrt an mir. Doch kommt er,
dann wär' ich schlecht und niedrig, tät' ich dann
15 nicht alles, was der Gott mich heißen wird.
Was rufen diese?

PRIESTER Kreon rufen sie.
Sie sehn ihn kommen.

STIMMEN Kreon! Kreon! Kreon!

20 ÖDIPUS
Apollon! Käm' er doch umfunkelt so
mit Glück, wie er dem Aug' entgegenstrahlt.

PRIESTER
Er ist gesegnet. Seine Stirn ist schwer
25 von Glanz, und Lorbeer ist in seinem Haar.

Es bildet sich eine Gasse. Kreon tritt auf, geschmückt, Gefolge hinter ihm.

ÖDIPUS
O Fürst, mein Bruder, tu' die Lippen auf!
Welch einen Ausspruch bringst du uns vom Gott?

30 KREON
Mich dünkt, den besten. Denn wenn schlimme Dinge
zu gutem Ende kommen, dann, so mein' ich,
steht alles gut.

ÖDIPUS Das Wort! Das Wort des Gottes!
35 Dein Reden da macht weder froh noch bang.

KREON
Meld' ich vor diesen da des Gottes Botschaft
wie? oder wo wir ohne Zeugen sind?

ÖDIPUS
Heraus vor allen denen. Denn um diese 5
trag' ich den schwerern Kummer als um mich.

KREON
So gehe denn des Gottes Wort hervor
aus meinem Mund: uns heißt der Herrscher Phöbos
– und er gebietet's klar und unverhüllt – 10
aus diesem Land zu treiben einen Mann,
der wohnt in diesem Land und gräulich wohnt –
Pestbeule am gesunden Leib, Verderbnis
im heil'gen Boden haftend, um sich fressend
Fäulnis und Grausen. 15

ÖDIPUS Und die Reinigung
auf welche Weise? Wie wird dies vollzogen?

KREON
Durch Ächtung, oder so, daß Blut für Blut
vergossen wird. Denn Blutschuld ist die Nacht, 20
die zäh und gräßlich uns den Tag verhängt.

ÖDIPUS
Und welchen Mannes Tod wird hier verlangt?

KREON
Herr, Laios war unser König hier, 25
eh' du die Zügel nahmest dieser Stadt.

ÖDIPUS
Das weiß ich, da ich's hörte. Selber freilich
hab' ich ihn nie gesehn.

KREON Um seinetwillen, 30
des Toten, wird gefordert, daß die Hand
sich waffne und ein Schwert zum Schlag sich hebe
auf seine Mörder.

ÖDIPUS Doch wo hausen die?
Wo läuft die dunkle Spur so alter Blutschuld? 35

KREON
In diesem Lande, sagt der Gott. Er sagt:
Wer sucht, wird finden. Nur was keiner achtet,
entrinnt ins Dunkel.

5 ÖDIPUS War's in seinem Haus,
war's auf dem Felde, war's in fremdem Land,
daß Laios fiel?

KREON Er zog als Pilger, dies
war seine eigne Rede, in die Fremde. Heim
10 kam er nicht mehr.

ÖDIPUS Und war kein Mensch dabei,
kein Fahrtgenoss', kein Diener – gibt es keinen,
aus dem man etwas noch ans Licht –

KREON Auch sie
15 sind nicht zurückgekommen bis auf einen:
der war aus Furcht geflohn und wußte nichts
von allem, was er sah, zu sagen, außer eines.

ÖDIPUS
So! Was denn? Eines deckt das andere auf –
20 den Zipfel einer Hoffnung fassen wir.

KREON
Er sagt, auf Räuber stießen sie, der König
erlag der Überzahl, nicht einem Starken.

ÖDIPUS
25 Des unterfingen Räuber sich und waren
von hier nicht angestiftet – nicht von hier
gekauft?

KREON Auch dahin ging Verdacht, doch trat
in jener Not kein Rächer auf für Laios.

30 ÖDIPUS
Was war für eine Not, so fürchterlich,
zu hindern, daß man sich bekümmert hätte
um eines Königs Tod?

KREON Die Sphinx, mein Fürst,

die trieb genug gewaltig, nur aufs Nächste
zu achten und zu lassen, was im Dunkel lag.

ÖDIPUS

So bring' denn ich's vom Anfang an den Tag.
Denn recht hat Phöbos, recht hast du, daß euer Mund 5
sich auftut um des Toten willen, des vergessnen.
Darum verbünde ich mich euch, verbünde mich
mit Gott und diesem Land. Hier geht es nicht
um ferner Freunde Heil: vom eignen Haupt
wehr' ich den Greuel ab, der mich umschwirrt: 10
denn wer es immer war, der jenen totschlug,
wer bürgt mir, daß er nicht die gleiche Hand
erhebe wider mich: drum dien' ich mir,
wenn ich dem Toten diene. Auf, ihr Kinder,
laßt andre um mich sein, mit grauen Köpfen! 15
Nun muß ich mich beraten mit den Klugen
und stark sein mit den Starken und ans Ende
von diesen Dingen gehn, dann werden wir
sehr glücklich sein und mit dem Gotte! oder
wir werden niedergehn. 20

DIE KNABEN zurückweichend, sich neigend, wie abschiednehmend

Ödipus! König Ödipus!

Ödipus mit Kreon und dem Gefolge in den Palast.

Die Tür fällt zu. Die Knaben weichen völlig zurück, verschwinden.

DIE GREISE auftretend zu sieben von rechts her aus dem heiligen Hain. Das Gewölk des Himmels ballt sich finster zusammen, durch einen Spalt aber fällt ein Strahl der Sonne, die schon tief zu stehen scheint, auf den Palast. Die Greise treten heraus, ihre Stimmen klingen gedämpft 25

einzeln:

Wer wendet das Gräßliche ab? – 30
Mein Herz ist alt und voll Furcht –
Athene! Artemis! Phöbos!
Wer von euch wendet es ab?

zugleich, die Arme hebend, in einer Reihe:

Athene! Artemis! Phöbos! 35

DER ERSTE

Mörder, der mit Pantherarmen

mich von rückwärts überfällt,
dessen Schrei ins Ohr mir heult,
der mit Fieber das Mark mir verzehrt –
Mörder ohne Gestalt, Mörder Tod,
5 hinaus! Jagt ihn! Stoßt ihn hinab!
Klippen hernieder ins schäumende Meer,
wo Brandung zischt, stoßt ihn hinunter!
Götter zücken ihre Strahlen!
Götter fliegen uns zu Hilfe!
10 Götter! Bacchos! Apollon!

GREISE Bacchos! Apollon!

ÖDIPUS langsam aus dem Hause
Du betest. Bete nur – du kannst wohl etwa
herniederbeten, was ein Ende bringt.
15 Dies sag' ich, selber fremd der ganzen Sache,
fremd wie ich bin, der ich erst später kam
in diese Stadt und König wurde hier,
ein Fremder. Aber euch, Kadmäer, euch
ruf' ich nun auf: wenn einer unter euch ist,
20 der jemals dies erfuhr, durch wessen Hand
Laios, der König, starb, den heiß' ich dies
mir melden. Und wofern es ist, er müsse
sich selber nennen, und er scheut die Klage
wider das eigne Haupt: er sei getrost,
25 ihm widerfährt kein Übel, nur dies Land
muß er verlassen; straflos zieht er hin.
Und kennt er einen andern, andern Landes
Genossen als den Täter, soll er's nicht
verschweigen, denn ich lohne ihm's und Dank
30 bekommt er noch dazu. Doch wenn er mir
mit Schweigen trotzen wollt', wenn einer wäre
und wüßte drum und nur aus Angst um sich,
aus feiger Furcht für einen, der ihm lieb ist,
verschmähte er mein Wort – hört mich, Kadmäer,
35 wie ich an diesem tun will: ich verbiete,
daß ihn – und sei er wer er sei im Lande,
darin ich Herrscher bin und diesen Zepter
in Händen trage – jemand in sein Haus

aufnehme, noch auch zu ihm rede, noch
bei Opfer und Gebet ihm Anteil gönne.
Nein, jeder stoße ihn von seiner Tür
als einen Greuel, der die Luft uns schändet
und diesen heil'gen Boden, wie der Gott 5
es offenbart. Denn mit dem Gott und mit
dem toten Mann bin ich lebend'ger König
verbündet, und ob er allein die Tat,
ob mit Gesellen sie beging, ich wünsche,
daß er, der Schlimme, schlimm sein Leben friste, 10
in Elend, Not und Schmach. Dies gleiche wünsch' ich
mir selber auf mein Haupt, wofern er je
mit meinem Wissen sitzt an meinem Herd
und unter meinem Dache schläft. Von euch
verlang' ich, daß ihr ganz dasselbe heilig 15
erfüllt um meinetwillen, um der Stadt
und um der Götter willen. Wär' kein Gott
und keines Gottes Stimme hier im Spiel,
es ziemte dennoch nicht, daß diese Tat
hinwucherte wie Unkraut, ungejätet, 20
denn der Erschlagne war ein guter Mann
und euer Fürst. Nun aber hat ein Gott
geredet und ich hab's vernommen, ich,
und sitz' auf seinem Thron und hab' in Händen
den Stab aus seiner Hand und hab' sein Weib 25
zum Weibe und die Kinder, sein und meine
– wenn seinen Stamm das Glück nicht jählings abhieb –
so wären sie Geschwister – aber nun
brach ein Geschick hernieder auf sein Haupt,
um dessentwillen kämpfe ich für ihn, 30
als wäre er mein Vater, und ich will
nicht ruhn noch rasten, bis der Frevler mir
am Lichte ist, der Mörder dieses Königs
vor mir, des Laios, Sohns des Labdakos.
Dies ist mein Wort. Wer gegen dieses handelt, 35
dem fluch' ich, welchem dieses wohlgefällt
in seinem Herzen, diesen segne ich:
das ewige Recht und alle Götter seien mit ihm.

GREISE zusammen
Ich tat nicht dies – ich weiß den Täter nicht.
Nennen soll ihn der Gott!

ÖDIPUS Wer zwingt die Götter?

5 Stille.

ERSTER GREIS
Schweigt der Gott, so redet einer vielleicht.

ZWEITER GREIS
Weiß der Gott alles, einer weiß vieles.

10 GREISE
Teiresias! Ihn frage, König!

ÖDIPUS
Auch dies ist nicht versäumt. Zwei Boten hab' ich
Um ihn gesandt. Mich wundert, daß er säume.

15 Stille.

GREISE murmelnd unter sich
Noch lebt ein Wort,
ein längst verschollnes taubes Wort.

ÖDIPUS
20 Wie lautet's, denn ich acht' auf jedes.

ERSTER GREIS Wandrer
erschlugen ihn, so heißt's.

ÖDIPUS Ich hört' es schon.
Allein den Zeugen weiß man nicht. Wo ist er?

25 ERSTER GREIS
Wenn sein Herz nicht gefeit ist vor Grausen,
dem Fluche trotzt er nicht!
Er hört ihn und stellt sich.

ÖDIPUS
30 Wem vor der Tat nicht grauste, graust vor Worten nicht.

ERSTER GREIS
Es lebet, der ihn überführt. Sie bringen den Seher.

Teiresias tritt auf, von einem Kinde geführt.

ÖDIPUS

Teiresias, der du alles, was bekannt ist
und was geheim und was der Himmel brütet
und was die Erde trägt, mit innerm Licht durchdringst, 5
unsehend sehend, auch dies Elend ist
dir nicht verborgen, unsres da. – Drum suchen wir
bei dir die Rettung, Herr, für diese Stadt.
Denn so der Bote dir's nicht schon gesagt,
vernimm, daß Phöbos unsre Sendung so 10
erwidert: diese Seuche läßt uns los,
wenn wir des Laios Mörder stellig machen
und ihn erschlagen oder Lands verweisen.
Mißgönn' uns nicht den Rat, der in dir wohnt,
denn was ist schöner, was ziemt so dem Mann, 15
als helfen, wo er kann.

TEIRESIAS

Weh, schlimmes Wissen, qualvolles Schauen,
wo Grausen am Ende steht!
O weh, ich wußt' es vorher und konnt' es vergessen – 20
vergessen – nimmer sonst kam ich hierher.

ÖDIPUS

Was ist? Was wirst du trüb', Teiresias?

TEIRESIAS

Laß mich fort – trag' du das deine! 25
ich will das meine tragen – hör' auf mich!

ÖDIPUS

Nicht was du sollst, nicht was dir ziemt, redest du da!
Es ist deine Stadt, die Mutter! Weigerst du ihr den Spruch?

TEIRESIAS 30

Was einer redet, gedeiht ihm nicht. Das seh' ich an dir.
Jetzt eben seh' ich's. Davor will ich mich wahren.

Will gehen.

GREISE niederfallend

Versag uns nicht das Wort! 35
Rede, wir liegen vor dir!

TEIRESIAS
Ihr wißt nicht, was ihr tut! Niemals, niemals
kommt's über meine Lippen. Um euretwillen.

ÖDIPUS
5 Wie? Weißt es und willst nicht reden
und wir gehn zugrunde!

TEIRESIAS
Was drängst du mich? Drängst doch vergeblich.

ÖDIPUS
10 Du böser Alter! Einen Stein triebest du
zur Raserei – du sagst es nie?
Nichts rührt dich? nichts hat Macht über dich?

TEIRESIAS
Was weißt du von mir – was weißt du von dir?

15 ÖDIPUS
Wo ist ein Mensch, der das mit Ruhe anhört?
Und die Stadt geht zugrund'!

TEIRESIAS
Es macht sich frei, es windet sich los,
20 ob ich's bedecke mit Schweigen –
es kommt herbei.

ÖDIPUS
Was kommen wird, du sollst es sagen, das,
das eben – sagen. –

25 TEIRESIAS Mein Mund bleibt zu.

ÖDIPUS
So muß es denn heraus! Ich halt' mich nicht mehr!
Ich ahne, wie das steht. Du hast die Tat
im Dunkel angezettelt – du! Nur eben
30 die Hand nicht angelegt – das nicht, weil du ja blind bist!
Wärest du sehend, ich schrie es laut:
dir gehört die Tat, dir ganz allein!

TEIRESIAS böse
Wahrhaftig? – Nun, so gebe ich den Rat

bei dem zu bleiben, was du kundgetan
zuvor – du, König, als dein eigner Herold,
und weder mich von Stund' an noch auch diese
mehr anzureden.

ÖDIPUS Ich? 5

TEIRESIAS Da du der Greuel bist,
der blutbefleckte, das Gespinst des Grausens,
die fressend Beule dieser Stadt.

ÖDIPUS Schamlos,
wie er mit diesen Worten herumwirft – 10
mit diesen Worten! Und du meinst, daß du,
Mensch, dem entrinnen wirst –

TEIRESIAS
Bin schon entronnen! Um mich mein Schutz,
flügelschlagend, die Wahrheit, mein Besitz! 15

ÖDIPUS
Und woher hast du sie? Doch schwerlich wohl
von deiner Kunst?

TEIRESIAS Von dir – du! du! – du reißt es mir heraus.

ÖDIPUS 20
Noch einmal – wiederhol' es – deutlicher!

TEIRESIAS
Du hast mich nicht begriffen? Oder prüfst du mich?

ÖDIPUS
Ich faß es noch nicht ganz. Sag' es noch einmal! 25

TEIRESIAS
Des Mannes Mörder, den du suchst, bist du!

ÖDIPUS
Nicht noch einmal – nicht ungestraft!

TEIRESIAS Willst du 30
was anderes noch hören?

ÖDIPUS verachtungsvoll Was du willst.

Soviel du Lust hast. Es ist so wie leere Luft.
Er bläst Luft über seine Lippen.

TEIRESIAS
Ich sag', du lebst in scheußlicher Vermischung
5 mit deinen Nächsten und du kennst die Tiefe nicht
des Grausens, drin du wohnst.

ÖDIPUS Und unbekümmert
und fröhlich, meinst du, wirst du fort und fort
so reden?

10 TEIRESIAS
Wohl. Sofern die Wahrheit Macht
und Kraft besitzt auf dieser Welt.

ÖDIPUS Das tut sie.
Nur über dich nicht. Denn du bist ja taub
15 und blind zugleich und innen auch!

TEIRESIAS Ödipus!
So wie du mich da schmähst, so wird in kurzem
ein jeder hier dich schmähen!

ÖDIPUS Du Geschöpf,
20 das ewig wohnt in finstrer Nacht, was hast du
zu schaffen hier mit uns? Was kannst du
anhaben denen, die im Lichte wohnen?

TEIRESIAS
Auch ist dir nicht verhängt, durch mich zu stürzen
25 in deinen Abgrund. Dazu ist Apollon
der Rechte und schon ist er an dem Werk.

ÖDIPUS
Sag' kurz: Stammt alles dies aus deinem Hirn?
ja? oder sind's Erfindungen des Kreon?

30 TEIRESIAS
Kein Kreon gräbt die Grube, du allein
gräbst sie schon selbst.

ÖDIPUS
Macht, Reichtum, Herrscherthron, ihr schönen Kräfte,

im Kampfe der Lebenskräfte andern trotzend,
wie kriecht der Neid um euch herum, wie gräßlich,
wenn dieses Thrones willen, den die Stadt
als freien unbegehrten Lohn mir gab,
mein Schwager Kreon, mein geschworner Freund, 5
mir heimlich nachstellt, mich ins Elend jäh
zu stoßen sinnt und diesen Gaukler auf mich hetzt,
den alten Taschenspieler da, der Augen hat
für seinen Vorteil, aber sonst für nichts.
Denn rede doch: wo hast denn du einmal 10
die hohe Seherkraft bewährt? – Ich meine,
es war hier einmal Not an Mann: es saß doch
auf einem Felsen vor der Stadt, mich dünkt,
die Sphinx und sang, die Hündin, Tag und Nacht
in eure Qual hinein – wo warst denn damals 15
du? Denn mir ist, daß damals Ödipus
hereinkam – wie? – der Nichtverstehende,
kein Seher – und ein Ende machte dem,
woran ihr da verdarbet. Aber diesen
suchst du jetzt fortzutreiben, weil dann Kreon 20
auf diesem Thron wird sitzen, wie du meinst,
und du wirst seine rechte Hand sein: aber schlecht
wird dieses Kunststück euch bekommen, dir
und deinem Helfer. Wärst du nicht so alt,
du solltest fühlen lernen – büßend fühlen, 25
was du mir ausgebrütet!

TEIRESIAS Und bist du
der Herrscher, dir entgegen red' ich, rede
so stark wie du, des' ist in meiner Seele
Gewalt. Ich leb', und nicht dein Untertan – 30
einzig dem Gott nur, ihm, und brauche keinen Kreon,
daß er mich schütze! Höhnst du mich blinden Mann?
Blinder du selbst, erkennst nicht, in welcher Höhle dein Lager!
Siehst nicht, wer die sind, die mit dir hausen!
Sag' doch, woher du stammst? Fremd und feind 35
den deinen daheim, den deinigen hier.
Wohnst im Lichte? Nicht mehr für lange!
Mit schrecklichen Schritten kommt ein Fluch

von Vater und Mutter und jagt dich hin,
dann frißt dich die Nacht, dann heulen die Berge,
dann heulen die Buchten hinter dir drein den Wehruf.

ÖDIPUS

5 Dies soll ich tragen – dies mir dulden? Fort!
Hinweg mit dir von dieser Schwelle – fort!
Zur Hölle fort mir dir!

TEIRESIAS Riefst du mich nicht,
Teiresias kam nimmer vor dein Haus.

10 ÖDIPUS

Wußt' ich, daß du ein Narr bist?

TEIRESIAS Bin ich dir
ein Narr und schien doch deinen Eltern weise?

Er geht.

15 ÖDIPUS

Halt! Welche Eltern? Wer auf dieser Welt
hat mich gezeugt?

TEIRESIAS Dich zeugt der heut'ge Tag –
zeugt dich und macht dich zunichte.

20 ÖDIPUS

Gräßliche Finsternis redet sein Mund! Rätsel auf Rätsel!

TEIRESIAS

Bist du nicht der, vor dem die Rätselfrager
verstummen?

25 ÖDIPUS Ja, begeifre nur, was groß
mich schuf.

TEIRESIAS Elend schuf's dich zugleich.

ÖDIPUS

Mag es! Hab' ich die Stadt erlöset doch!

30 TEIRESIAS

Fort nun! Schnell, Knabe, führ' mich weg!

Es ist indessen fast völlig dunkel geworden.

ÖDIPUS
Ja, laß dich führen. Bist du hier, so lastet
ein häßlich Etwas, bist du fort, wir atmen
dann wieder frei.
Er wendet sich, hineinzugehen. 5

TEIRESIAS Ich gehe fort, doch werf' ich
ins Antlitz dir das Wort, um dessenwillen
ich herkam, denn dein Arm erreicht mich nicht.
Ich sage dir: den du mit Heroldsrufen
und Flüchen suchest, jener Laiosmörder, 10
der Mann ist hier am Ort. Es wird sich zeigen,
daß er vollbürtig ist, theban'sches Blut,
nicht bloß ein zugelassner Fremdling. Blind
aus einem Sehenden, sonst reich, jetzt Bettler,
wird er am Stabe sich ins Elend tasten. 15
Erfunden wird er werden als ein solcher,
der haust mit seinen Kindern als ihr Bruder
zugleich und Vater, und von der er stammt,
des Weibes Sohn und Gatte, und des Vaters
Genoß im Eh'bett und zugleich sein Mörder. 20
Nun, König, geh' hinein und denke diesem nach,
und lüg' ich dir zuletzt, dann höhne mich!
Ab.

Ödipus ins Haus ab. Das Tor fällt zu. Nacht.

Die Greise treten vor. 25

ERSTER GREIS umblickend
Wer?

ZWEITER GREIS
Wer hat es getan mit blutigen Händen?

DRITTER GREIS 30
Das Unsägliche!
zugleich
Er fliehe! er fliehe!
Sie sind an der Mauer des Palastes.

ERSTER GREIS die Hände aufhebend 35
Im wilden Walde schweift er hin,

durch Schlünde und Klüfte klimmt sein Fuß,
er will die Stimme nicht hören!
Doch fliegt sie ihm nach und umflattert sein Haupt, –
er entflieht ihr nicht!

5 ZWEITER GREIS an dem Hause
Ist er nicht klug, ist er nicht gut
und unser König –
und ihn stürzte ein Wort –
ein Hauch vernichtete ihn!
10 Ödipus! Ödipus!

ALLE
Dunkel! – Wer schaut ins Dunkel?
Götter allein – Zeus – Apollon!
stark
15 Zeus! Apollon!

Kreon von rechts, in dunklem Kleide. Vor ihm ein Fackelträger. Er geht auf das Haus zu.

DIE GREISE aus dem Dunkel
Kreon!

20 KREON stehenbleibend; in der Mitte
Wer ruft? Wer klagt mich an?

DIE GREISE
Ödipus!

KREON
25 So will ich sterben, wenn ich untreu bin!
Wer erfindet mich untreu der Stadt? –
den Freunden? – euch? – ihm? – wer?

ERSTER GREIS
Ich weiß nicht. Was die Herrscher tun, das seh' ich nicht.

30 KREON
Er selber sprach das Wort? Antworte mir:
mit klarem Blick, seiner selbst bewußt, bei Sinnen?
Antworte mir!

ZWEITER GREIS
35 Ich weiß nicht. Was die Herrscher tun, das seh' ich nicht.

Das Tor auf; Licht bricht heraus. Ödipus steht da.

Die Greise treten nach rechts hinüber ins Dunkle.

Ödipus und Kreon stehen sich Aug' in Auge.

ÖDIPUS

Du hier? Wie wagst du das? mit welcher Stirn? 5
Der du gezielt nach diesem Haupte da?
Vor aller Augen die Finger krallst nach der Krone?
Rede doch: bin ich dir dumm oder feig,
daß du das ersannest mir zu tun?
Hast du gemeint, ich könne das Netz 10
nicht merken? wie? oder nicht zerreißen,
wenn ich's gemerkt? Wer bist du denn?
Einen Thron erobert Glück oder Kraft –
Wer bist du – Kreon!

KREON 15

Hör' mich, dann richte.

ÖDIPUS

Zu hören brauch' ich dich nicht.
Was du getan, redet für dich.
Strafen werd' ich. 20

KREON

Was hab' ich dir getan, mein Bruder Ödipus?
Welches Leid dir angetan?

ÖDIPUS

Der mich hieß, Boten senden an den Seher, 25
warst du – oder warst es nicht?

KREON

Ich war's und steh' noch ein für den Rat.

ÖDIPUS

Stehst ein. 30

Pause.

Wie lange ist das her, daß Laios –

KREON

Was Laios –? Weiter! Ich versteh' dich nicht!

ÖDIPUS
Verschwand – ganz spurlos – hingemordet irgendwo.

KREON
Lang' ist das her.

5 ÖDIPUS Lang'! Und hat damals schon
des Propheten Kunst geblüht?

KREON Er war von jeher
ein großer Seher. Damals gerade so wie heute.

ÖDIPUS
10 Und hat er damals immer so gedacht?

KREON
Nicht daß ich wüßte.

ÖDIPUS Aber nach dem Mörder
habt ihr geforscht?

15 KREON Das taten wir. Allein
stumm blieb um uns die Welt.

ÖDIPUS Warum hat damals
der weise Mann es nicht gesagt?

KREON
20 Das weiß ich nicht.

Pause.

ÖDIPUS Doch so viel weißt du – so viel
kannst du auch sagen, wissend, daß du's weißt:
daß jener Alte, kam er nicht mit dir
25 zusammen, nie und nimmer hätt' den Mord
des Laios mein Werk genannt.

KREON
Davon weiß ich nichts. Darf ich nun fragen?

ÖDIPUS
30 Frag' nur. Ich bin kein Mörder.

KREON
Sag', ist nicht meine Schwester dir vermählt?

ÖDIPUS
Soll ich dir das verneinen?

KREON Teilst du nicht –
und willig, dieses Landes Macht mit ihr?

ÖDIPUS 5
Soviel sie wünscht.

KREON Und bin der Dritte dann
und euch zunächst nicht ich?

ÖDIPUS Da sagst du's, Kreon!
Weh, ungetreues Herz! 10

KREON hebt die Hände Du sollst es prüfen –
erwäg' es, Herr! Soll ich nach Herrschaft gieren,
die muß voll Sorgen sein, statt daß ich so
die gleiche Macht wie einen weichen Mantel
um mich gezogen, ohne Alpdruck schlafe? 15
Was soll ich wollen, der ich als ein Fürst
gehalten bin, ein kummerfreier Herrscher,
die Brust umspielt von weicher Luft, und alle
umschlingen meine Hand mit ihren Händen
und meines Mantels Ende fassen sie 20
und ihre Augen schmeicheln meinen Augen,
wenn sie vor dich hin wollen, o mein Bruder!
Dies sollt' ich fahren lassen, süß und reich,
wie's mich umgibt, und haschen, wie in fahlen
Halbträumen nach dem andern? Ödipus! 25
kennst du mein Herz so schlecht? nimmst du mich so?
auf unerwiesnen Argwohn? Ödipus!
Er rührt sein Gewand an.
Laß doch die Zeit mich prüfen. Triffst du mich
mit dem – mit jenem – mit dem Seher dort 30
geheime Pläne schmieden, straf' mich dann!
Straf' mich, wie du noch nie gestraft! Allein
stoß' nicht den Freund von dir um nichts!
Ist's nicht, als würfest du dein eigen Sein
Im jähen Zorn von dir! Sind Jahre nichts? 35
Gelebte Jahre, Ödipus!

DIE GREISE murmelnd Er redet

ein gutes Wort! Wer sich vor jähem Sturze
in acht nimmt, hört ein solches Wort, o Fürst!
Der Rasche handelt selten wohlbedacht.

ÖDIPUS
5 Im Rücken spinnt Verrat sich an und ich
soll zögern, ruhig warten, bis ich hin bin
und er an seinem Ziel?

KREON Was denn begehrst du?
Du stößest mich aus diesem Land?

10 ÖDIPUS O nein.

KREON
Nein?

ÖDIPUS
Nein. Geächtet wirst du nicht. Du stirbst.

15 KREON
Wahnsinniger!

ÖDIPUS Nun bei Vernunft, nun erst
vielleicht zum erstenmal.

KREON Vernunft –

20 ÖDIPUS Für mich.
Für mich!

KREON Doch auch für mich verlang' ich sie –
Vernunft?

ÖDIPUS Kreon, du bist ein Schurke.

25 KREON
Und wenn dies alles Unsinn ist?

ÖDIPUS Auch dann
hast du zu bücken dich.

KREON Nicht vor dem Unrecht,
30 das bös sich spreizt.

ÖDIPUS O Königtum von Theben!

KREON
Auch ich bin Blut von Theben, ich bin auch
ein Teil von dieser Stadt.

GREISE Ihr Fürsten! Still!
Jokaste kommt, die Königin! 5

Jokaste tritt aus dem Tor.

JOKASTE
Unselige, was streitet ihr im Dunkeln?
Schämt ihr euch nicht noch finstres Leid zu schaffen,
wo alles rings von finstrem Leiden stöhnt? 10
Geh' in dein Haus zurück, schnell, Kreon geh!

KREON
Schwester, das Ungeheuere, dein Mann
verhängt es über mich und schreit: es ist
Gerechtigkeit. Er stößt mich aus der Heimat, 15
oder er liefert mich dem Henker!

ÖDIPUS Ja!
so tu ich, meine Frau. Denn ich hab' ihn
ertappt, wie er Verrat im Dunkel spann.

KREON 20
So töte mich ein Fluch, wenn ich getan hab',
wess' er mir Schuld gibt.

JOKASTE Glaub' doch bei den Göttern,
glaub' doch dem Eid. Er schwört ja doch. Bezähm'
doch deinen Zorn vor mir und vor den Männern, 25
die dort im Dunkel stehn.

DIE GREISE Gib nach, mein Fürst!
Bezähme dich!

ÖDIPUS Was soll ich tun?

DIE GREISE 30
Stoß' nicht den Freund von dir! Verachte nicht
gelebte Jahre! Sie sind alles, was uns bleibt!

ÖDIPUS
Und weißt du, was du forderst?

DIE GREISE
Weiß es wohl.

ÖDIPUS
5 So rede!

DIE GREISE
Er hat sich rein geschworen.
Aus grundlosem Wahn stoß' ihn nicht fort!

ÖDIPUS
10 Begehrt ihr das? So habt ihr mein Verderben
begehrt.

DIE GREISE
Nein! nein! nein!
Zerbrich mir nicht mein altes Herz!
15 Mög' ich vergehn, wenn ich jemals das gedacht!

ÖDIPUS
So geh er hin und müßt' ich zehnmal drum
zugrunde gehn. Dein Jammer schneidet mir
ins Herz. Doch, wo er bleiben wird,
20 werd' ich ihn hassen.

KREON
Ödipus!

ÖDIPUS
Fort! Laß mich!
Heb' endlich dich von hier!

KREON
Ich geh', ich gehe.
25 Du kennst mich nicht, die aber kennen mich.
Er geht.

DIE GREISE unter sich
Was führt sie den Mann nicht hinein?
ins Haus, in den Frieden?

30 JOKASTE mit Ödipus vor dem Tor. Von innen aus dem Haus fällt Fackellicht.
Sag mir, was es war. Mich ängstet dein Zorn.
Mich ängstet das Dunkel.

ÖDIPUS
Betrug und Tücke, namenlos!

JOKASTE
Sprich es aus! Zu mir, Ödipus!

ÖDIPUS
Er sagt – er sagt, es kommt heraus, daß ich
der Mörder dieses Laios bin – 5

JOKASTE Er sagt?
Was heißt: er sagt? er meint es? er bezeugt's?
oder er hat's gehört von irgendeinem?

ÖDIPUS
O, er nimmt's nicht in seinen Mund, das Wort. 10
Er hat den schurkischen Seher ausgeschickt –

JOKASTE
Den Seher! O dann schlag' dir's aus dem Sinn.
Hör' mich doch an: es gibt kein sterblich Wesen,
das Seherkraft besitzt. Ich weiß es, ich, 15
und ich beweis' es dir: dem Laios
ward so verkündigt, o mit solcher Wucht,
daß ihm der Tod bestimmt sei von der Hand
des eignen Sohnes. Nun? und haben ihn
auf einem Kreuzweg wo in fremdem Wald 20
nicht fremde Räuber eines Nachts erschlagen?
Und hat des armen Kindes Leben kaum
den dritten Tag geseh'n, so griff er es
und band mit Riemen ihm die kleinen Füße
und warf's durch eines Knechtes Hand hinaus 25
in öde Wildnis, die kein Fuß betritt.
So hat Apollon weder dies erfüllt
noch jenes: jenes Wesen wuchs nicht auf
und ward kein Vatermörder, Laios
erlitt nicht seinen Tod von Kindeshand. 30
Da hast du ihre Sehersprüche. Will
ein Gott das Schicksal offenbaren, reißt
er selber leicht die dunklen Schleier weg.

ÖDIPUS
Weib! Weib! wie du da redest, wühlt sich mir 35
das Innre um und gräßlich fliegt im Hirn
das Denken.

JOKASTE Was beängstigt dich? was meinst du?

ÖDIPUS
Ich glaub', du hast gesagt, auf einem Platz
im Walde, wo sich Wege kreuzen, wurde
5 Laios erschlagen.

JOKASTE Ja, so ward gesagt.

ÖDIPUS
Wo liegt das Land, wo dies geschah? wo liegt es?

JOKASTE
10 Das Land heißt Phokis. Mit dem Weg nach Daulia
ans Meer trifft sich ein Hohlweg, der nach Delphoi
hinaufführt.

ÖDIPUS Wie viel Zeit mag seit der Tat
verflossen sein?

15 JOKASTE Es war nur wenig früher,
daß wir's erfuhren, als den Tag, den du
hier zu uns kamest und dann König wurdest.

ÖDIPUS zum Himmel
O Zeus! was hast du mir zu tun beschlossen!

20 JOKASTE
Mein Ödipus, was faßt dich an?

ÖDIPUS Frag nicht.
Noch nicht. Vom Laios melde mir. Nur schnell.
Wie war sein Wuchs? von welchem Alter war er?

25 JOKASTE
Groß, eben fing sein Haar zu bleichen an.
Dir glich in vielem die Gestalt.

ÖDIPUS O weh'!
O weh' mir Armem! bodenloser Abgrund
30 gräßlicher Flüche, selbst gegraben, selbst mich selber
hinabgestürzt!

JOKASTE Mein Fürst! ich habe Furcht.

ÖDIPUS
Ich habe Angst, gräßliche Angst, es könnte
der Seher richtig das gesehen haben . . .
Er rafft sich auf.
Das wird sich zeigen, wenn du eines noch 5
mir sagst.

JOKASTE Mich schüttelt solche Furcht! Sei ruhig,
ich werde alles sagen, was ich weiß.

ÖDIPUS
Ob jener Laios einfach reiste oder 10
mit viel Gefolge, als ein Fürst?

JOKASTE Es waren
im ganzen fünf. Darunter war ein Herold.
Ein Wagen bloß, auf dem fuhr Laios.

ÖDIPUS 15
Ah! alles klar! Wer war es denn nachher,
der diese Nachricht brachte, Weib!

JOKASTE Ein Diener.
Der einzige, der sich rettete.

ÖDIPUS Wo ist er? 20
im Haus?

JOKASTE
Nicht mehr. Nachdem er wiederkam
und sah die Macht in deinen Händen und
verschwunden Laios, so warf er sich 25
vor mir zur Erde, faßte mein Gewand
und bat mich flehend, ihn aufs offne Land
zu lassen, zu den Herden. Und ich ließ ihn.
Denn war er auch ein Knecht, er war wohl noch
viel größrer Gnaden wert als dieser Gunst. 30

ÖDIPUS
Er muß herbei. Geht das? geht das in Eile?

JOKASTE
Das kann er. Doch zu welchem Zweck begehrst du's?

ÖDIPUS
Mir bangt um mich, Frau, daß ich schon zu viel
geredet habe. Darum wünsch' ich ihn
zu sehen.

5 JOKASTE
Er soll kommen. Doch auch ich
verdiene wohl, mein König und Gemahl,
zu wissen, was dir so das Herz beschwert.

ÖDIPUS
10 Es bleibt dir nicht erspart, da ich so weit
gekommen bin in meinen Hoffnungen.
Wo wäre auch ein höh'res Haupt, zu dem
ich reden könnte, da mich mein Geschick
so weit getrieben hat. Hör' zu. Mein Vater
15 war Polybos, der König von Korinth,
die Mutter Merope. Ich lebte dort,
als erster nächst dem Throne, bis sich etwas
begab, das seltsam zwar, allein nicht wert
all meines Eifers war. Bei einem Gastmahl
20 berauschte sich ein Mensch und nannte mich
ein Findelkind, ein eingeschmuggeltes
an Königsohnes statt. Ich schlug den Mann,
daß sie für tot ihn trugen, und am Morgen,
nein, noch die gleiche Nacht, ging ich hinein
25 zu meinen Eltern und befragte sie. Sie zürnten schwer
dem, dessen frecher Mund gesprochen hatte
im Rausch, was nicht die Wahrheit war. Sie schlangen
die Arme so wie nie um mich und gaben
der Seele unvergeßlich süße Worte.
30 Allein das andre Wort fraß sich mir tief und tiefer
ins Innre und so zog ich heimlich fort
nach Delphoi, zum Palast des Gottes, wo
die Wahrheit aus dem Mund der Priesterin
wie flüssig Feu'r hervorbricht. Doch Apollon, –
35 merk' auf – um was ich kam, das achtete
er nicht der Antwort wert und kündete
mir andre schlimme grauenvolle Dinge:
daß ich zum Weib die Mutter nehmen würde

und Kinder zeugen, ein Geschlecht des Grausens,
und meines Vaters Mörder sein. Und als
ich dies vernommen, stieß ich mein Gefolge
von mir und mied von da an mein Korinth
und zog in fremdes Land, damit ich nie 5
die Schmach des grauenvollen Spruches möchte
an mir erfüllt sehn. Und die Wanderung
hat mich, daß weiß ich, auch dahin geführt,
wo dieser König, wie du sagst, erschlagen ward.
Und, Frau, ich will die Wahrheit reden: einmal, 10
an einem Abend, war ich jenem Kreuzweg
ganz nah' – da kam ein Herold mir entgegen
und fuhr mich an mit bösen Reden und
er wollte nach mir schlagen. Da erschlug ich
den Herold und nachher erschlug ich auch 15
den Herrn des Wagens und die Knechte auch,
weil sie mich binden wollten für den Henker.
zögernd
Wenn nun der Fremde irgendwie verwandt
mit Laios war – wer wäre dann so elend, 20
wie dieser Mann? Wo wäre, Weib, auf Erden,
ein zweiter so verhaßt, so erzverhaßt
den Göttern? Über mir kein Dach. Mich nimmt
kein Gastfreund in sein Haus. Es redet keiner
zu mir. Sie stoßen mich von ihrer Schwelle. 25
Und das hat keiner über mich, kein andrer
verhängt als ich. Und dann des Toten Bette,
das wird von meinem Leib berührt, vom Leib
des Mörders. Bin ich nicht verrucht? nicht ganz
verworfen? Und muß ich von jetzt nicht schweifen 30
auf ewig unbehaust? Nicht hier daheim,
nicht dort? Denn setzt ich den verfluchten Fuß
dort in die alte Heimat, müßt ich ja
die Mutter freien und des Vaters Mörder sein,
der mich gezeugt und aufgezogen hat, 35
des Königs Polybos. Hier dies, dort das.
Wer spielt dies Spiel mit mir? Das ist ein ungeheurer, grausam starker Dämon! Weh!
O Heiliges, verborgen Webendes,

den Tag nur lass' mich nicht erleben, lass'
mich aus der Welt entschwinden, spurlos, ewig
verschwinden, eh' das Schicksal auf die Stirn
Dies blutige Brandmal drückt.

5 DIE GREISE Noch ist ja Hoffnung!
Die eine! bis der Mensch, der eine Zeuge,
dess' Augen alles sah'n, gesprochen hat.

ÖDIPUS
So weit frist' ich die Hoffnung hin. So lange
10 ertrag ich es, zu warten.

JOKASTE
Und wenn er da ist, was beschließest du,
was dann zu tun?

ÖDIPUS Dann? Find' ich, daß er überein
15 aussagt mir dir, dann wär' ich ja entflohn
der fürchterlichen Angst.

JOKASTE
In welchem Ding? was hab' ich denn gesagt?

ÖDIPUS
20 Du sagst, er sprach von einer Räuberschar,
die ihn erschlug. Ich bin ein einzelner.
Doch wenn er einen ledig zieh'nden Wandrer nennt,
dann fällt's auf diesen Kopf!

JOKASTE
25 So sei gewiß, so war's, so wie zuerst
ich sagte. Wenn er widerrufen wollte,
es waren Männer da, nicht ich allein,
die's hörten. Und wenn er verdrehen wollte
das eigne Wort, zur alten Meldung dies
30 und jenes fügen – das – das wäre ja
gar nichts! Dann stimmen ja aufs neue nicht
des Laios Untergang und die Orakel.
Denn Laios verhieß ja er, der Gott,
daß ihm das Kind, aus meinem Schoß geboren,
35 den Tod bereiten würde. Hat ihn denn

nun dies unsel'ge Kind erschlagen, das
längst vor dem Vater tot war? Das sind Sprüche
von Sehern! Mich bekümmert keiner mehr.

ÖDIPUS

Wie du das ausdenkst! Du hast recht. Nur dennoch 5
lass' mir den Hirten kommen.

JOKASTE

Ödipus!

ÖDIPUS

Nein, das versäum' mir nicht.

JOKASTE

Ich will es tun. 10
In Eile send ich hin. Nur komm hinein.

Sie gehen in den Palast. Das Tor schließt sich. Halbdunkel, wie wenn der Mond hinter Wolken steht.

Die Greise treten vor.

DER ERSTE 15

Hast du gehört, wie sie von den Göttern sprachen?
wie frech die Worte, schamlos und nackt
aus ihrem Munde brachen?

DER ZWEITE

Ein Etwas muß sein, es bindet das Wort, 20
es bindet die Tat, es bindet die frevelnden Hände.
Wehe, wenn nichts uns bände!
Wenn Unzucht rast hinauf und hinab,
das ist das Ende!

DER DRITTE 25

Unzucht wohnt in ihren Herzen,
ein ewiger Sturm umschnaubt ihr Leben:
es treibt sie hinauf zu schwindliger Höh,
wo keinem zu stehen gegeben.
Wann stürzt es sie wieder hinab 30
in Jammer, Schmach und Grab?

DER VIERTE

In Jammer und Grab
soll es sie werfen!
Wenn straflos sie gehen, 35

erhoben das Haupt,
wer ist's, der noch glaubt?
Wenn diese wandeln
in Glanz und Ehr,
5 dann opfern wir alle nicht mehr!

DER FÜNFTE
Wie sie den Götterspruch schmähten,
von Laios den Spruch,
den uralten Fluch!
10 Wenn sie das dürfen, wer wird noch beten!

Eine Pause.

DER ERSTE
Zum Nabel der Erde, zum delphischen Haus,
zum strahlenden Tempel von Abä,
15 trägt mich Pilger der Fuß nicht mehr!

DIE SIEBEN zugleich
Trägt mich mein Fuß nicht mehr!

DER ERSTE
Wenn hier nicht das Göttliche kommt an den Tag,
20 so, daß ich's mit Händen zu greifen vermag.

DIE SIEBEN zugleich
An euch ist's, ihr Götter, dies furchtbar zu wenden,
wir wollen es greifen, mit diesen Händen,
sonst opfern wir alle nicht mehr.

25 Jokaste aus dem Haus, mit den Binden der königlichen Priesterin umwunden. Vor ihr drei Mägde, zum Opferdienst in fließende Gewänder eingewunden bis unter die Augen. Sie tragen jede in goldner Schale eine lautlos lodernde blaue Flamme. Die Greise treten auseinander, ins Dunkel. Die Königin schreitet im Licht der bläulichen Flammen auf den Hain zu.

30 DIE GREISE
Die Königin! Was will sie weih'n?

Jokaste bleibt auf der obersten Stufe zum Hain stehn. Die drei mit den Schalen stehen nebeneinander, unter der Königin.

JOKASTE
35 Die Seele eures Königs, meines Herrn
ist krank. Drum will ich vor die Götter treten,

damit sie sanft ihn heilen. Denn was sind
denn wir, wenn er zu Boden liegt, der Mann
am Steuer und es werfen Sturm und Nacht
das Schiff einander zu?

EIN BOTE von rückwärts auftretend 5
Ihr guten Leute,
sagt einer mir das Haus des Ödipus?
und wo ich selbst ihn finde, sagt mir einer?

DER ERSTE
Dies ist sein Haus. Hier findest du ihn drin. 10
Die vor dir steht, ist seine Königin,
die Mutter seiner Kinder.

BOTE Sei gesegnet,
du Königin, und lebe mit Gesegneten
vereint im Leben. 15

JOKASTE Und das gleiche sei
auch dir beschieden, fremder Freund. Du bist
es wert um deines Grußes willen. Rede,
was bringst du uns? was kommst du zu begehren?

BOTE 20
Glück deinem Haus und deinem Gatten Glück.

JOKASTE
Was für ein Glück? von wo kommt's hergeschwebt?

BOTE
Vom Land Korinth: und eine Botschaft ist's, 25
die etwa wohl zugleich erfreuen ihn
und auch betrüben mag.

JOKASTE Welch Ding ist dies,
das Doppelkräfte hat?

BOTE Sie wollen ihn, 30
die Männer dort vom Isthmusland, zum König.

JOKASTE
Wie? Hält nicht Polybos in alter Hand
den Stab?

DER BOTE

Nicht mehr. Denn in der Erde schläft er.

JOKASTE

Was sagst du, Alter? Tot ist Polybos!

5 DER BOTE

So wahr ich atme, ja.

JOKASTE O meine Mädchen!

Rhodope, Pannychis, Kalirrhoe,
zum Herrn! zum Herrn!

10 Die Mägde eilen ins Haus.

Ihr Offenbarungen,
wo seid ihr nun? So lange bebte er
vor einem Mord an diesem alten Mann:
nun hat das Schicksal ihn erlegt, o Ödipus!

15 Ödipus tritt aus dem Haus, hinter ihm ein dunkler Gewappneter mit einer Fackel.

ÖDIPUS

Geliebtes Herz, du hast mich holen lassen,
von wo ich saß und dachte. Sprich, wozu.

JOKASTE

20 Den Mann da höre und dann sage mir,
was wird aus dem erhabnen Götterspruch!

ÖDIPUS

Wer ist der Fremde und was bringt er mir?

JOKASTE

25 Der Mann ist aus Korinth und meldet bloß,
daß Polybos, dein Vater, tot ist.

ÖDIPUS Was?

Sag' das mit eignem Mund!

DER BOTE Nun denn: so sag' ich,

30 er ist hinab.

ÖDIPUS Durch Mord? Nein? Nicht durch Mord?

Durch Krankheit?

DER BOTE Ein geringer Anstoß war
genug: denn er war alt.

ÖDIPUS So hat den Armen,
so hat ihn Krankheit weggezehrt?

DER BOTE 5
Auch schon am Alter selbst beinahe ist
er hingewelkt.

ÖDIPUS O weh! was hat man dann,
Jokaste, noch beim pythischen Orakel
zu suchen, warum späht man noch nach Zeichen, 10
die mir mit maßlosem Betrug da her-
gehängt den Vatermord, da über's Haupt!
Der ist nun unterm Boden und ich hab'
kein Schwert hier angerührt – er müßte denn
aus Sehnsucht nach mir gestorben sein. So wär' ich 15
denn freilich schuld an seinem Tod.
Nun hat er diesen Fluch hinabgenommen,
wo er mit ihm zu Staub zerfällt.

JOKASTE Und hab' ich
nicht längst dir dies vorhergesagt? 20

ÖDIPUS Du hast's
gesagt. Ich aber war vor Angst
wie toll.

JOKASTE
Nun aber mach' dich frei, auch völlig 25
für immer frei.

ÖDIPUS Wie? Vor der Eh' der Mutter
soll mir nicht bangen doch?

JOKASTE Was braucht der Mensch
zu fürchten? Treibt ihn nicht das Ungefähr 30
dahin und dort? Weiß er von einem Ding
das Wesen, windet ihm nicht jeder Luftzug
sein Selbst aus seiner Hand? Nur leben, leben
gradhin. Bekümmre dich um kein Orakel.

Es haben Menschen auch in Träumen schon
gelegen bei der Mutter. Acht' es nicht.
Wer's von sich bläst, erträgt die Last des Lebens,
der andere erliegt.

5 ÖDIPUS Das alles sagst du
vortrefflich, wäre nur die Mutter nicht
am Leben. Aber da sie lebt, was soll ich
denn anders in mir haben, als die Angst!

JOKASTE
10 Vom Grab des Vaters weht kein Trost dich an?

ÖDIPUS
Ja. Wohl. Doch, daß die Mutter lebt, das ängstet.

DER BOTE
Um welche Frau bist du in Ängsten, König?

15 ÖDIPUS
Um Merope, die Frau des Polybos.

DER BOTE
Was ist's mit ihr, wovor dir banget, Herr?

ÖDIPUS
20 Ein schlimmes Wort, von Göttern offenbart.

DER BOTE
Läßt es sich sagen? Oder ist's verwehrt
dem fremden Ohr?

ÖDIPUS Ich kann dir's sagen, Mensch.
25 Mir offenbarte der zu Delphoi thront,
umarmen würd' ich meine Mutter und
mit eigner Hand des Vaters Blut vergießen.
Das trieb mich von Korinth. Meinst du, ich hab'
um nichts das hingeopfert, ihr Gesicht
30 nicht mehr zu sehen?

DER BOTE Wirklich dies? Nichts andres
vertrieb dich aus Korinth?

ÖDIPUS Wie, nicht genug?
Dies eine und des Vaters Mörder werden?

DER BOTE
So soll ich eilen, Herr, und schnell das Wort
dir sagen, das dich frei macht, wenn ich gut
dir dienen will?

ÖDIPUS O könntest du's, ich wollte 5
dir lohnen, lohnen –

DER BOTE Darum kam ich auch,
daß du mich lohnest als ein reicher König,
wenn du zurückkehrst in dein Vaterhaus.

ÖDIPUS 10
In einem Haus mit ihnen wohn' ich nicht,
die mich geboren!

DER BOTE Nein? Dann weißt du nicht,
Kind, was du tust.

ÖDIPUS So lehr' mich's Alter, red'! 15
Was weiß ich nicht?

DER BOTE Wenn du um ihretwillen
nicht heimkehrst.

ÖDIPUS Faß mich doch: aus Angst, aus alter
tödlicher Angst. 20

DER BOTE Vor dem, was du begehen –
an deinen Eltern dort begehen könntest?

ÖDIPUS
Ja, Vater, ja!

DER BOTE Und, daß all' diese Angst 25
um nichts ist: weil ja Polybos, du Fürst,
gar nicht ein Blut mit dir.

ÖDIPUS Was redest du?
Nicht Polybos hat mich gezeugt?

DER BOTE So wenig 30
als ich, der vor dir steh'.

ÖDIPUS Was soll das heißen?

Warum dann nannte er mich Sohn?

DER BOTE So wisse:
als ein Geschenk bekam er dich aus meiner,
aus dieser Hand da!

5 ÖDIPUS Aus der Hand des Knechtes?
und hielt mich lieb und wert und hegte mich?

DER BOTE
Das macht, sie waren vordem kinderlos.

ÖDIPUS
10 Ein Findling bin ich? oder hast du mich
gekauft?

DER BOTE
Ein Findling aus dem Waldgeklüft
Kithäron.

15 ÖDIPUS Wie kamst du in dies Gebirg?

DER BOTE
Ein Senne war ich dort, mit großer Herde
zu Berg gefahren.

ÖDIPUS Solch ein Hirte warst du?
20 der wandert mit dem Vieh?

DER BOTE Dein Retter war ich,
dein Retter, lieber Sohn.

ÖDIPUS Du fandest mich
in Not und Qual?

25 DER BOTE Wahrhaftig das bezeugen
wohl heut' noch die Gelenke deiner Füße.

ÖDIPUS
O weh! was rührst du auf!

DER BOTE Die armen Füße
30 durchbohrt, umschnürt, aus blut'gen Riemen löst' ich
die Füße dir.

ÖDIPUS Verfluchte Narben, schmählich

empfangen in den Windeln!

DER BOTE Deinen Namen
hast du ja auch daher.

ÖDIPUS Jetzt rede: war's
des Vaters oder war's der Mutter Hand, 5
die das an mir getan?

DER BOTE Das weiß ich nicht.
Der dich mir gab, wird das wohl eher wissen.

ÖDIPUS
Du fandst mich nicht? ein andrer gab mich dir? 10

DER BOTE
Ein andrer Hirte war's. Der gab dich mir.

ÖDIPUS
Wer? weißt du, wer es war?

DER BOTE Er hieß ein Knecht 15
des Laios.

ÖDIPUS Dessen, der hier König war,
vor mir?

DER BOTE
Desselben. Ja. 20

ÖDIPUS Und lebt der Mensch?
Kann man ihn reden machen?

DER BOTE Das müßt ihr
am besten wissen, ihr Einheimischen.

ÖDIPUS 25
Ist einer unter euch, der Kunde weiß
von diesem Hirten, den er meint? So redet.

EINER DER GREISE
Ich mein', es ist kein andrer als der Mann
vom Felde, den du ehe schon begehrtest. 30
Ich mein, es ist gesandt um ihn. Doch hier
die Frau wird alles dir am besten sagen.
Er tritt sogleich wieder ins Dunkel zurück.

ÖDIPUS zu Jokaste
Ich bitte, sprich: ist der, um den du schicktest
der gleiche, den der Mann hier meint?

JOKASTE qualvoll
Ich weiß nicht,
5 wen dieser meint. Ich höre nicht auf ihn.
Was kümmert dich sein Reden!

ÖDIPUS
Was? Dies hören
und mein Geschlecht im Dunkel lassen? Nein!
Jetzt oder nie ergründ' ich, wer ich bin.

10 JOKASTE
Nein! nein! bei deinem Leben, frag' nicht weiter!
Genug ist meine Pein.

ÖDIPUS
Ist dir so bang?
Getrost, ich schände nicht dein Bett und wär' ich
15 von Vater her und Ahn' aus Knechtesblut.

JOKASTE
Und dennoch folg' mir! Lass' dich bitten!

ÖDIPUS
Still!
Ich folg' dir nicht. Jetzt gilt's zu wissen!

20 JOKASTE
Hör' mich!
Dein Bestes rat' ich dir.

ÖDIPUS
Dies Beste ist
mir lange schon zur Qual. Den Hirten will ich.
Schafft mir ihn keiner?

25 JOKASTE
Unglückseliger!
erfahre niemals wer du bist.
Sie steht starr vor Grauen.

ÖDIPUS
Ich lass' dir
die Lust an deinem Blut. Wird einer mir
30 den Hirten bringen?

JOKASTE indem sie ins Haus geht
Du Unseliger!

DIE GREISE leise
Die Frau! seht auf die Frau! Ich kann die Augen
nicht sehn, mit denen sie dich ansah. Hast du
die Augen nicht gesehen? Ödipus!

ÖDIPUS 5
Es reiße, was da reißen will! Doch ich
will wissen, wo ich hergekommen bin,
und wär' es aus dem Staub. Das Weib ist stolz.
Mir scheint, sie schämt sich meiner: aber ich,
ich bin der Sohn des Glücks und Vettern sind mir 10
die Monde, die mich groß und klein gemacht,
die wechselnden. Wer solchen Stammbaum hat,
der forscht nach seinem Blut.

DIE GREISE verschieden
Vielleicht bist du das Kind von einem Gott 15
gezeugt im Wald mit einer? Ist nicht Pan
dein Vater? Nicht Apollon? Bacchos nicht?
Nicht Bacchos? Hat nicht eine von den Nymphen
am Helikon mit Bacchos dich gezeugt?

ÖDIPUS ohne sie zu achten, ins Dunkel spähend 20
Das muß der Alte sein! Der Hirte dort,
den wir erwarten. Überdies erkenn ich
in denen, die ihn führen, meine Diener.
Siehst du den Mann?

DIE GREISE zusammen 25
Er ist es. Dieser ist es.

Der alte Hirte tritt in den Schein der Fackeln.

ÖDIPUS
Dich frag ich, Fremdling aus Korinth, zuerst:
ist's dieser, den du meinst? 30

Er zieht in seiner verzehrenden Ungeduld mit der Linken den Boten, mit der Rechten den Hirten dicht vor sich ins volle Licht der Fackeln.

DER BOTE Derselbe, Herr.

ÖDIPUS zum Hirten
Hör' Alter. Sieh mich an und gib Bescheid 35
– auf meine Fragen: Du warst Knecht bei Laios?

DER HIRTE
Sein Knecht, Herr, von Geburt sein Knecht.

ÖDIPUS in rasender Ungeduld, wendet sein Gesicht jäh von dem einen zum anderen, kaum die Antworten, die er voraus weiß, abwartend. Es ist, als risse er in
5 dämonischer Gier das Schicksal in sich hinein wie ein Schwert.
Was war dein Dienst?

DER HIRTE Die Herden trieb ich, Herr,
die meiste Zeit.

ÖDIPUS In welcher Gegend?

10 DER HIRTE Meist
auf dem Kithäron, oder ringsherum,
Herr, in der Nachbarschaft.

ÖDIPUS So kennst du diesen?

Er faßt den Boten und den Hirten am Nacken und nähert ihre Köpfe einander im
15 grellsten Licht der Fackel, die er durch einen Griff nach dem Arm des Fackelträgers näher herbeizwang.

DER HIRTE
Wie sollt' ich diesen – Herr – was ist es denn
für einer?

20 ÖDIPUS Dieser! Dieser! Hast du nie
mit diesem was zu tun gehabt?

DER HIRTE Nicht, daß ich
mich des so schnell entsinnen könnte, Herr.

DER BOTE
25 Das ist kein Wunder, Herr. Doch frisch ich ihm
sogleich das Alte auf. Des wird er sich,
das wette ich, entsinnen, daß vorzeiten
auf dem Kithäron, wo die Triften sind,
die großen Weideplätze, daß wir da
30 drei halbe Jahre, jedesmal vom Frühjahr
bis tief in' Herbst hinein, mit unsern Herden,
er hatte zwei und ich nur eine, daß wir
da Nachbarn waren und freundnachbarlich
verkehrten, und zu Wintereinbruch dann
35 trieb ich hinab zu meinen Hürden, er

zu Laios' Höfen. Rede ich die Wahrheit,
ja? Oder nein?

DER HIRTE Ja, ja, nur ist es lange,
so lange her.

DER BOTE So sage, weißt du's noch, 5
wie du das Kind mir damals gabst?

DER HIRTE Was soll das?
Was fragst du das mich jetzt?

DER BOTE Der hier, mein Guter,
der ist dies Kind! 10

DER HIRTE Verflucht sei dir die Zunge
in deinem Mund!

ÖDIPUS Ah, Alter, strafe du
den nicht! Nicht was er redet, was du tust,
verdient Bestrafung. 15

DER HIRTE Was, mein gnäd'ger Herr,
was tat ich denn?

ÖDIPUS Verleugnen willst du hier
das Kind, nach dem er sucht.

DER HIRTE Was weiß der Mensch! 20
Schad' um die Zeit.

ÖDIPUS Sagst du es willig nicht,
so sagst du's doch im Zwang.
Er faßt ihn hart an.

Allmähliches Heraufdämmern am Rand des Himmels. 25

DER HIRTE Mein gnädger Herr,
mißhandelst du den alten Knecht?

ÖDIPUS Heran!
Schnürt ihm die Hände auf den Rücken fest.

DER HIRTE 30
Wofür? Was willst du? Unglückseliger Herr,
was willst du denn erfahren?

ÖDIPUS Gabst du ihm
das Kind?

DER HIRTE
Ich gab's. Wär' ich an jenem Tag
5 gestorben!

ÖDIPUS Sterben wirst du heute hier,
wo du nicht Wahrheit sprichst.

DER HIRTE Und red' ich Wahrheit,
so sterb' ich auch!

10 ÖDIPUS drohend Der Alte, scheint es, sucht
Ausflücht' und hält uns hin.

DER HIRTE Ich? Hab' ich's nicht
schon längst gesagt? Ich gab das Kind! Ich hab'
es ihm gegeben.

15 ÖDIPUS Woher war das Kind?
Ein eignes? Oder fremdes?

DER HIRTE Freilich war's
nicht meines. Irgendwo empfing ich es.

Fahler Morgen bricht an.

20 ÖDIPUS
Von welcher Hand? aus welchem Haus?

DER HIRTE Nicht fragen,
nicht fragen, Herr!

ÖDIPUS Du bist ein toter Mann,
25 wenn ich noch einmal fragen muß.

DER HIRTE So sei's:
es war aus Laios' Haus, das Kind.

ÖDIPUS Von Knechten?
Ja? Oder aus des Königs eignem Blut?

30 DER HIRTE
Jetzt bin ich, wo mir graust.

ÖDIPUS Mir auch, doch hören
muß ich's!

DER HIRTE
Sie nannten es ein Kind von ihm.
Da drinnen, Herr, dein Weib erklärt dir das 5
am besten.

ÖDIPUS Sie?

DER HIRTE Sie war dabei, als er,
der alte König, mir es gab.

ÖDIPUS Es gab? 10
Zu welchem Ende?

DER HIRTE Töten sollte ich's.

ÖDIPUS
Das Kind? So grausam?

DER HIRTE Grausam war der Spruch, 15
vor dem erbebten sie.

ÖDIPUS Was für ein Spruch?

DER HIRTE
Der Knabe würde seinen Vater morden,
so hieß es. 20

ÖDIPUS Und du gabst es fort? an den?

DER HIRTE
Aus Mitleid, Herr, aus Mitleid. Daß er's trüge
mit sich, in fremdes Land. Doch wenn es du –
wenn du das bist – ihr Götter der drei Welten – 25
so hab' ich für ein gräßliches Geschick
dich aufgespart, Herr!

ÖDIPUS Klar! O alles klar!
O Licht! jetzt seh' ich dich zum letztenmal.
Verfluchtes Kind! Verflucht im Ehebett'! 30
verfluchter Mörder! Ganz und gar verflucht!
Er stürzt ins Haus.

Die Greise treten nach vorne. Sie bleiben lange stumm. Dumpfer Lärm im Palast.

DIE GREISE
Wißt ihr noch, wie er kam? – Gleich einem Gott grüßten wir ihn.
Herakles! Perseus! Orpheus! So riefen wir, da wir ihn sahn.
Wie glänzte der Tag: da brachten wir ihm die Königin mit der Krone.
5 Wie glänzte die Nacht, da stieg er zu Bette mit ihr.
Wißt ihr, mit wem er zu Bette stieg? Wehe!

Aus dem Palast tönt ein Wehelaut wie ihnen zur Antwort.

DIE GREISE
Wie konnte das Bett ihn tragen? – Lag nicht der Tote darin?
10 Laios!

ALLE dumpf wiederholend
Laios!
Wie lange vergaßen wir den! Nun ist auch er wieder da. Wehe!

Ein gleicher Laut aus dem Palast, noch schrecklicher.
15 Die Tür des Palastes wird jäh aufgerissen.
Die Mägde kommen hervor.

DIE MÄGDE
Die Königin ist tot!

EINE Selber –

20 ANDERE
Mit ihren eignen Händen –

DIE DRITTE hängt sich an sie Sag' es nicht,
wie sie's getan hat!

DIE ERSTE vorne Ich war im Gemach –
25 dort wo das Ehebette steht – ich lag
und reinigte Gerät – da fliegt die Tür auf
und sie herein, – mich sieht sie nicht – sie sieht
den Toten, ihren ersten Mann, den König Laios,
sie redet mit dem Toten – und zugleich
30 ist noch ein anderer bei ihr – der Sohn,
mit dem sie auch in diesem Bette lag
und Kinder ihm gebar, – dort, wo sie ihn
geboren hatte, ihn – sie greift – sie greift
jäh hin und nestelt an dem Gürtel, ah,
35 sie macht den Gürtel los und in der Luft
zieht sie ihn durch, daß eine Schlinge wird,

ah, ihr Gesicht, als sie sich freute, weil
es eine Schlinge wurde –

ANDERE Sprich's nicht aus!
Sag' nicht, was dann geschah!

DIE ERSTE Ich sag' es nicht! 5

Sie verhüllt ihr Gesicht.

DIE ZWEITE drängt sich vor
Er fand sie dann erhängt, er!

EINE VIERTE Ödipus!
er kam ins Haus – ich will in meinem Leben 10
nie wieder einen laufen sehn mit solchem
Gesicht, wie er hineinlief!

DIE ZWEITE Keine Stimme,
ihr Götter, will ich hören, wie die Stimme war,
mit der er schrie: Wo ist mein Weib, nein, nicht 15
mein Weib, die Mutter! wo ist meine Mutter?

VIERTE
Wir gaben keine Antwort, aber er –

DIE ZWEITE
Sein Dämon zeigt es ihm, mit einem Schrei, 20
wie hundert wilde Tiere springt er an und bricht
die Tür – da mußten unsre Augen sehn:
die Frau da hängen.

DIE VIERTE Aus der Schlinge macht
der jammervolle Mensch sie los und legt sie 25
sanft auf den Boden – –

DIE ZWEITE Und dann nimmt er ihr
die goldnen Spangen ab, ganz sanft, die Spangen
vom Kleid, womit es zugeheftet war –
und redet und wir stehen da und wissen nicht, 30
zu wem er redet: zu der Toten nicht,
und nicht zu uns – allein wir hörens alle:
»Ihr habt ja nie gesehen«, sagt er, »nicht
gesehen, was ich tat, nicht, was ich litt,
niemals gesehn, wer vor mir steht, so schaut 35

auch weiter in die Nacht« und hebt, – die Augen,
zu seinen Augen redet er, – und hebt
die Hände, beide Hände, mit den Spangen
und bohrt die Spangen sich in beide Augen,
5 in die lebend'gen Augen, bis ihm Blut
heruntertrieft über die Wangen, über
das ganze Gesicht!

Unruhe im Palast.

DIE ERSTE wieder vorkommend

10 Sie können ihn nicht halten!
er schreit, sie sollen öffnen: allem Volk
den Mann zu zeigen, der erschlagen hat
den Vater, und der Mutter –

ALLE Sag es nicht!

15 DIE ERSTE hält sich

Mein Mund sagt's nicht!

Von innen drängt's heran.

Die Mägde bilden am Tor eine Gasse. Vor Entsetzen und Angst recken sie alle die Arme empor und schließen die Augen.

20 Aus dem Tor kommt Ödipus, mit wildem Haar, die blutenden Augen dürftig verbunden. Er geht mit solchen Schritten, daß zwei, die ihn stützen und führen wollen, ihm kaum nachkommen. Hinter ihm eine Schar von Dienern, auch Gewappnete darunter. – Die Greise weichen schaudernd nach rechts hin.

DIE GREISE

25 Ich frage nichts mehr, – ich prüf' es nicht mehr –
ich bedenk' es nicht mehr – mich schaudert!

ÖDIPUS

Ah! Ah! Ah!
Wo fliegt mein Schreien hin? wer fängt es auf?
30 verhallt es in der Luft?
O Schicksal, wo treibst du mich hin!

DIE GREISE flüsternd

Zu grauenvollem Tun, das kein Aug'
begehrt zu sehen.

35 ÖDIPUS

O Finsternis!

Ewig um mich – unendlich – unausdenkbar,
unüberwindlich! Namenloses Dunkel!
Und nochmals Weh! Wie bohren diese Qualen
in meine Augen und die Dolche innen
des Denkens! 5

DIE GREISE Doppelt ist die Qual: so sind wir
gebildet!

ÖDIPUS den Greisen nahe
Ah! Du bist noch da, du harrest
noch bei dem Blinden aus! Weh mir! 10

DIE GREISE zu ihm tretend
Furchtbarer Mensch! wer hat die Hand geführt,
als sie die Augen mordete?

ÖDIPUS Apollon,
Apollon hat dies grausenhafte Weh 15
mir aufgebaut. Doch mit den Augen wurden
die Hände da mir fertig. Dazu brauchte
kein Gott zu helfen. Was soll ich noch anschaun?
Den Vater drunten, wenn ich ihm begegne?
oder die Kinder, ihren Blick in meinen 20
verschränken und ein unausdenkbares Gespräch
von Aug' zu Auge führen? Fort mit mir!
Jagt doch das große Unheil, jagt doch das
hinaus, was trieft von allen Himmelsflüchen!

DIE GREISE zugleich 25
Ich wollt', ich hätte niemals dich gekannt.

ÖDIPUS leiser
Was ich getan hab' an der Mutter und
am Vater, büßt Erhängen nicht.
Er brütet vor sich hin. 30
Ah! Hochzeit! Hochzeit! nächt'ge Saat, zutage
gebracht, die Söhne Vaters Brüder, Töchter
ah, Schwestern! Namenlos! Versteckt mich doch
im Waldgeklüft! erschlagt mich! Werft mich wo
ins Meer hinab! Nur schnell! Von wo ihr nimmer 35
mich wiederkommen seht! Erniedrigt euch

mich anzurühren! Fürchtet nichts! Hier drinnen
ist alle Pein der Welt: es springt nichts über!

Kreon, begleitet, tritt aus dem Palaste.

DIE GREISE

5 Du bittest, – der entscheiden wird, ist Kreon.
Er waltet nun des Landes. Er tritt nah.

ÖDIPUS leise

Was rede ich zu Kreon?

KREON Ödipus,

10 nicht dein zu spotten komme ich, der du elend bist,
doch ihr, wenn ihr nicht Scheu vor Menschen tragt,
so scheuet den lebend'gen Gott, der dort herauf,
der heilige, funkelt, Helios, und zeigt ihm nicht
dies dort, dies ohne Namen, diesen Greuel,
15 vor dem die Erde zuckt und nicht berührt
will sein von seinem Leib und nicht das Licht
darf triefen hin an ihn und nicht der Regen,
die heilig sind. Wir sind sein Blut, auf uns
liegt dies, in einem Haus mit ihm zu sein,
20 und dieses Leiden unsres Bluts zu schauen.

ÖDIPUS

O Kreon, du bist gut!
Mit solcher Güte redest du zu Ödipus,
dem schlimmen. Ah! gewähre eines! gewähre!

25 KREON

Um welche Gunst fleht Ödipus?

ÖDIPUS O stoß mich

hinaus, nur schnell hinaus, dorthin wo nie,
nie mehr, mich eine Menschenstimme grüßt!

30 KREON

Dies wäre schon getan. Doch will der Gott
zuvor befragt sein.

ÖDIPUS Nein, nicht mehr befragt.

Vernichten will er den, der Vaters Blut vergoß.
35 Sonst nichts.

KREON So sprach der Gott. Doch lag's im Dunkel.
Nun ist's am Tage. Wer errät den Gott?
Ich wart' und frage.

ÖDIPUS Fragen wiederum?

KREON 5
Nun glaubst du ja den Göttern, Ödipus?
Wie?

ÖDIPUS
Dies liegt alles nun in deiner Hand.
Die Leiche drinnen laß bestatten, so 10
wie dir's gefällt. Auch das gebührt ja dir.
Doch das begehre nicht, daß mich die Stadt
noch länger tragen soll. Nein, im Gebirg,
dort laß mich hausen, am Kithäron dort;
der Ort ist mein. Bestimmten mir die Eltern 15
am frühen Tag ihn nicht zum frühen Grab?
Und dennoch weiß ich dies in mir: mich tötet
nicht Krankheit, noch ein Wurf des widrigen
zufälligen Geschicks: noch steht ein Etwas
im Dunkel, ungeheuer, ohne Name, 20
für dieses bin ich aufgespart. So gehe
das Schicksal, welchen Gang es will. O Kreon,
erbarm' dich meiner Kinder! denkst du's, Kreon,
sie aßen nie an einem Tisch getrennt
von mir, sie sind gewohnt, daß dieser da, 25
ihr Vater, seinen Bissen teilt mit ihnen!
Sie nimm in deinen Schutz. Und laß mich sie
anrühren noch einmal!

Auf einen Wink Kreons werden zwei der Kinder, die Mädchen, herausgeführt, zu Ödipus hin. 30

ÖDIPUS Ich höre sie!
Ich hör' ihr Weinen! Hast du so viel Mitleid,
Kreon, ist's wahr? Hast du sie mir heraus-
geschickt?

KREON Gedenkend früherer Zeiten, Ödipus, 35
und deiner Vaterfreuden tat ich dies.

ÖDIPUS
So sei beglückt! Und wahre dich ein Dämon
auf deinem Weg, der meiner nicht gewahrt.
Wo seid ihr, meine Kinder! Kommt zum Vater!
5 Die Augen sehn euch nicht. Ich hab' sie mir
herausgeweint – mit meinen Händen da.
Weh! Mädchen! Bitter! Bitter! Wer nimmt euch
zum Weibe, wer ist frech genug und schwingt
die Schmach, die ungeheuere Schmach als Mitgift
10 auf seine Schulter? Hängen nicht die Flüche
der ganzen Welt auf euch! Der Vater schlug
den Vater tot, dann kam er her und freite
die Mutter und derselbe Schoß, der ihn
getragen, trug dann euch, da hatt' er Lust,
15 da hatt' er Vaterlust – wer wird aus euch
sich Kinder zeugen? Keiner auf der Welt!
Unfruchtbar welkt ihr hin, vergeblich Leben,
um nichts geboren, öde! Kreon! Kreon!
Sie haben niemand auf der Welt, nicht tot,
20 nein, mehr als tot, zernichtet ist ihr Vater,
dahin die Mutter, laß sie nicht im Land
umirren, Fürst, laß sie nicht betteln, Fürst,
sie sind von deinem Blut. Sie haben keinen
als dich. Versprich mir dies! Laß deine Hand
25 die Hand anrühren, daß du mir es hältst,
die Hand dem armen Ödipus. –

KREON
Genug
des Weinens. Auf und komm' ins Haus. Ein Dach
über dein Haupt. Die Sonne steigt.

30 ÖDIPUS
Weh mir!
Steigt sie? Nur, daß du mich dann lässest, Kreon,
daß du mich lässest –

KREON
aus dem Lande?

ÖDIPUS
Fort!

35 KREON
Die hohe Gunst erflehe du von Göttern.

ÖDIPUS
Weh Götter! Die mich hassen.

KREON Sie gewähren's,
wenn sie dich hassen.

ÖDIPUS Aber du? 5

KREON Nun geh'
und laß die Kinder los.

ÖDIPUS Nein! Nein, die nimm mir nicht!

KREON
Hoffst du noch immer dir Gewinn? Und blieb 10
denn etwas treu, das du im Leben dir gewannest?

ÖDIPUS steigt die Stufen hinan, zu Kreons Hand; oben
Thebaner! das ist Ödipus, der groß war
unter dem Volk und viel beneidet war.
Drum muß ein Mensch des letzten Tages harren 15
im stillen, ganz im stillen.

DIE GREISE in sich erschauernd
Ödipus!

Der Vorhang

VARIANTEN UND ERLÄUTERUNGEN

ÖDIPUS UND DIE SPHINX

ENTSTEHUNG

Ödipus und die Sphinx *ist nach* Alkestis *(1894) und* Elektra *(1903) Hofmannsthals drittes vollendetes Drama aus dem Stoffkreis der antiken Mythologie.* *Es gehört in die zweite Schaffensperiode des Dichters, deren Einsatz durch* Ein Brief *(1902) markiert wird und deren Überwindung durch den Beginn der Komödiendichtungen* Silvia im »Stern« *(1907) und* Florindo *(1908) gekennzeichnet ist. In dieser Periode versucht Hofmannsthal, nach Aufgabe der lyrischen Poesie, mit großen dramatischen Werken die wirkliche Bühne zu erobern. Es geht ihm dabei nicht primär um die Erneuerung der griechischen Tragödie, sondern um den Anschluß seines Schaffens an bedeutende europäische Theatertradition überhaupt. Er findet homogene Vorbilder in der Antike, in der Shakespeare-Tradition, im spanischen Barocktheater oder im mittelalterlichen Mysterienspiel. Im Jahre 1901 arbeitete er an einer Tragödie* Pompilia *nach Robert Browning; dann nahm er* eine sehr freie Bearbeitung von »das Leben ein Traum von Calderon« *(B II 62) in Angriff. Dieser Plan wurde wiederum verdrängt von der Arbeit am* Geretteten Venedig, *dem Trauerspiel nach Thomas Otway, das zwar vor* Elektra *begonnen (1902), aber nach* Elektra *abgeschlossen (1904) wurde. Die Arbeit an* Ödipus und die Sphinx *mußte sich gegen Pläne zu* Jedermann *durchsetzen. Die antiken Stücke Hofmannsthals bilden offensichtlich keine isolierte Gruppe, sondern sie gehören in den Zusammenhang weitreichender Bemühungen um das große Drama.*

Die Entstehungsgeschichte von Ödipus und die Sphinx *gliedert sich in drei deutlich voneinander unterscheidbare Phasen:*

1) Die Nachschaffung des französischen Vorbildes (1904).
2) Das Entstehen eines eigenständigen Dramas (1905–1906).
3) Spätere Bearbeitungsversuche (1908–1923).

Die Beschäftigung mit dem Drama beginnt im September des Jahres 1904, ein Jahr nach Vollendung der Elektra. *Hofmannsthals* Alkestis *schloß sich eng an die Tragödie des Euripides an,* Elektra *war* frei nach Sophokles *gearbeitet, mit* Ödipus und die Sphinx *folgt der Dichter einem zeitgenössischen Drama. Am*

21. September 1904 schreibt Hofmannsthal aus Venedig an Richard Beer-Hofmann: Ich wollte hier »Jedermann« anfangen, da fiel mir ein französisches Stück »Oidipus und die Sphinx« in die Hände, und der Stoff gefiel mir so sehr, daß ich sogleich anfing das gleiche zu machen. Es wird ein sehr kurzes Stück in drei Aufzügen, ein hymnenartiges lyrisches Drama (circa 1500 Verse) ein Vorspiel zum Oidipus rex des Sophokles.

Es liegt mir nun an zweierlei sehr viel. 1.) zu wissen ob Wüllner[1] ein möglicher Ödipus ist – und 2.) wenn ja – ich las über ihn eine sehr lobende Kritik, im gleichen Sinn äußerte sich Kassner[2] – dann den Reinhardt[3] sofort wissen zu lassen, daß er ja nicht den König Ödipus aufführt weil ich ihm sicher einen Ödipus und die Sphinx und wahrscheinlich auch einen einactigen Ödipus-Greis mache so daß es eine Trilogie, an 2 Abenden zu spielen wird.

Wollen Sie so lieb sein, mir auf einer Karte schreiben, wann Sie in Berlin sein werden, damit ich weiß ob Sie mir von dort über Wüllner Ihr Urteil schreiben. Ich bin dann eventuell so weit daß ich Sie bitten kann, Reinhardt in meinem Namen gewisse Eröffnungen zu machen. Der erste Act des Ödipus-Sphinx (350 Verse) ist fertig. *(BW 124f.)*

Die psychologische Tragödie Elektra *und ihre »hysterische« Hauptgestalt waren oft als ungriechisch kritisiert worden. Bezeichnend für Hofmannsthals ursprüngliche Konzeption des neuen Stücks ist die Tatsache, daß er plant, das moderne Ödipus-Drama mit der antiken Ödipus-Tragödie des Sophokles zu einer Einheit zusammenzuschließen.*

Am 14. September 1904 kommt Hofmannsthal in Venedig an. Am 15. September scheint er sein Vorbild gelesen zu haben. Für den 16. September ist der Anfang der eigenen Arbeit bezeugt (vgl. S. 221, 11–13). Ein Brief an den Vater vom 20. 9.[4] *und einer an George vom 22. 9.*[5] *sprechen von dem guten Fortschreiten der Arbeit bzw. von dem* mit Freude begonnene⟨n⟩ *Werk.*

Das französische Stück, *das der Dichter in dem Brief an Beer-Hofmann erwähnt, ist: Joséphin Péladan, Œdipe et le Sphinx. Tragédie en trois actes. Paris: Société du Mercure de France 1903. Dieses Werk sowie der antike Ödipus-Mythos, in der Gestaltung des Sophokles, sind die Hauptquellen für Hofmannsthals Drama. Andere Quellen, zahlreiche Bücher, die Hofmannsthal während der Entstehungsgeschichte las, haben die Darstellung einzelner Figuren, Ideen oder Motive beeinflußt, auf die Anlage des Ganzen hatten sie keinen Einfluß.*

[1] *Ludwig Wüllner (1858–1938).*

[2] *Rudolf Kassner (1873–1959).*

[3] *Max Reinhardt (1873–1943) war damals Direktor des Kleinen Theaters und des Neuen Theaters in Berlin. Das Deutsche Theater, in dem* Ödipus und die Sphinx *aufgeführt wurde, bekam er erst in der Spielzeit 1905/06.*

[4] *FDH/Dauerleihgabe Stiftung Volkswagenwerk.*

[5] *BW 217.*

Wie Hofmannsthal zu ›Œdipe et le Sphinx‹ kam, ob er das Stück geradezu zufällig las, wie man aus dem zitierten Brief schließen könnte, ist nicht auszumachen. Zweifellos war Péladan (1859–1918) für ihn, der die zeitgenössische französische Literatur seit der Schulzeit kritisch beobachtete und selbst wenig bekannte Werke rezensierte, eine vertraute Erscheinung. Der Franzose, der später rasch in Vergessenheit geriet, war in den achtziger und neunziger Jahren des vergangenen Jahrhunderts eine Berühmtheit auf der kulturellen Szene. Seine zahlreichen Romane, vor allem ›Le Vice Suprême‹ (1886), erlebten hohe Auflagen. Sein militanter mystisch-okkultistischer Katholizismus sowie sein exzentrisches Gebaren als selbst-ernannter Sâr (Weiser) eines von ihm gereinigten und erneuerten Rosenkreuzer-Ordens verwickelten ihn in zahlreiche spektakuläre Polemiken und Fehden, sowohl mit den Vertretern des ausgehenden Naturalismus als auch mit konkurrierenden katholischen, mystischen und okkultistischen Gruppen. Seine scharfen Kritiken der jährlichen Kunstsalons erregten so viel Ärger und Widerstand, daß ihm mehrfach der Zutritt zu den Ausstellungen verwehrt wurde und er 1893 seinen eigenen ›Salon de la Rose + Croix‹ begründete. In diesem Salon stellte unter anderen der von Hofmannsthal hoch geschätzte Belgier Fernand Khnopff aus (vgl. S. 666, 4-26).

Das Drama ›Œdipe et le Sphinx‹ ist kein typisches Produkt aus Péladans Feder, keine Bekenntnis-Dichtung aus mystisch-prophetischem Geist, sondern eine nüchtern moralistische Arbeit über ein phantastisches Thema. Die Sphinx erscheint als Strafe für ein moralisches Vergehen der Thebaner, für die Grausamkeit, daß sie die von der Pest heimgesuchten Chalkider verhungern ließen. Der furchtlose Ödipus besiegt das Ungeheuer, indem er die bekannte Rätselfrage, welches Wesen zunächst auf vier, dann auf zwei und schließlich auf drei Füßen gehe, mit dem Hinweis auf den Menschen richtig beantwortet. Anschließend trachtet die Sphinx zwar noch, ihn zu verführen, aber der Held ist ebenso tugendhaft wie tapfer und läßt sich nicht versuchen. So wird das Böse vertrieben. Die Motivierung ist äußerst simpel, der Dialog meist farblos-rationalistisch; nur manchmal steigert er sich zum geistreich Eleganten.

Was konnte Hofmannsthal an diesem Werk anziehen? Zunächst sicher die Möglichkeit, der er in dem Brief an Beer-Hofmann Ausdruck gibt: ein modernes mythologisches Stück mit der Tragödie des Sophokles zu verbinden, über deren Inszenierung er bereits im Jahre 1903 nachgedacht hatte. Darüber hinaus kam die Hauptfigur seiner dichterischen Phantasie entgegen. Péladans Ödipus ist ein Tatmensch, der seinen Willen gegen die schicksalhafte Prophezeiung stellt, dann aber doch tut, was er schicksalhaft tun muß. Hofmannsthal, der gerade in diesen Jahren der dramatischen Expansion immer wieder das Problem der Tat gestaltet, der in Elektra *sowie im* Geretteten Venedig *dargestellt hatte, wie schwierig es ist, zum Tun zu kommen, und wie selten die Figuren Herr über ihre Taten sind, fand hier sein eigenstes Thema angerührt. Wie dürftig das Gerüst Péladans aber noch war und wie wenig tragfähig für eine weitergehende Behandlung, ist ihm erst während der Arbeit aufgegangen.*

Der in wenigen Tagen entstandene erste Akt (1 H) seines Dramas bestätigt Hofmannsthals Hinweis, er habe sogleich angefangen, das gleiche zu machen. *Die Personen des Stücks und ihre Namen entsprechen ganz denen bei Péladan. Der Diener des Ödipus (der einzige, wie im Vorbild) heißt noch Lychas. Die Handlungsführung folgt ebenfalls der Quelle. Die Worte sind nicht selten, besonders in den Szenen zwischen Ödipus und dem Herold sowie Ödipus und Laios, freie Übersetzung des französischen Dialogs. Der Unterschied liegt hauptsächlich darin, daß Hofmannsthal Péladans rhythmische Prosa in Blankverse umgedichtet, die trockene Sprache in bildkräftige Rede übertragen und dem Ganzen durch reichere szenische Details Atmosphäre gegeben hat. Außerdem hat Hofmannsthal die dialektische Spannung von Schicksal und freiem Willen in Ödipus vertieft. – Später wurde dieser erste Akt von dem Dichter aufgegeben und neu geschrieben. Ein längeres Fragment aus der ursprünglichen Fassung wurde in ›Die Schaubühne‹ veröffentlicht (5 D; vgl. S. 119–121 und S. 211, 49–53).*

Über den ersten Akt ist Hofmannsthal in Venedig nicht hinausgekommen. In seinem Tagebuchbericht heißt es zusammenfassend: 15–24 Venedig. nach wenigen schönen Tagen (eine Abendstunde im Giardino Eden) schlimme Tage: Bora wie im November. Ich schreibe den ersten kurzen Act des »Oidipus u. die Sphinx«.[1]

Am 28. September liest der Dichter den fertiggestellten Akt Hermann Bahr vor.[2] *Anfang des nächsten Monats setzt er die unterbrochene Arbeit fort. Am Manuskriptrand der begonnenen Szene (2 H) findet sich die Datierung:* R⟨odaun⟩ 4. X. ⟨1904⟩. *Das Tagebuch vermerkt:* Etwa 5ten fange ich an, am II^{ten} Act Ödipus zu arbeiten. Es bereichert sich indessen dieser Act, auch der provisorisch abgeschlossene erste.[3]

Am 11. Oktober nimmt Hofmannsthal in einem Brief an Beer-Hofmann auch seine Vorsorge wegen der Aufführung wieder auf: Falls Schauspieler W. versagt, bitte alles Ödipus betreffend auf Steinrück[4] zu übertragen. *(BW 125)*

Es wird im Herbst dieses Jahres aber nur noch die angefangene Szene des zweiten Akts fertig, das Gespräch zwischen Jokaste und ihren Frauen, das die Wirkung von Laios' Tod auf die Königin und ihre Umgebung reflektiert. Aus einer kurzen Rede der Jokaste bei Péladan entwickelt, um die typische Hofmannsthalsche Spannung zwischen Todeswunsch und geheimem Lebensdrang erweitert, sollte diese Szene offensichtlich den 2. Akt einleiten – zu einer Zeit, als der Dichter noch nicht daran dachte, die Figur des Kreon in das Drama einzuführen. Später wird auch diese Szene verworfen und durch die Begegnung der beiden Königinnen ersetzt. Hofmannsthal hat sie nach Erscheinen der ganzen Tragödie separat in der Zeitschrift ›Arena‹ veröffentlicht (23 D; vgl. S. 122–127 und S. 219, 22–27). Mit dem Abschluß dieser Szene ist die erste Phase des Schaffensprozesses, die Péladan-Nachfolge, beendet. Bereits

[1] *H VII 16.14.*

[2] *Vgl. S. 624, 4–21.*

[3] *H VII 16.15.*

[4] *Albert Steinrück (1872–1929) spielte bei der Uraufführung nicht den Ödipus, sondern den Laios.*

während der Arbeit an der Jokaste-Szene entstehen verschiedene Notizen zum ersten und zweiten Akt, welche die Neuformung des ganzen Dramas vorbereiten.

Zwischen Oktober 1904 und März 1905 hat die Arbeit an dem Drama offensichtlich geruht. Eine Waffenübung, komplizierte Verhandlungen über die Aufführung des Geretteten Venedig *im Lessingtheater,*[1] *mehrere Aufsätze liegen dazwischen. Nur die Lektüre dieser Zeit mag gelegentlich mit Hinblick auf das Drama gewählt worden sein. Für Oktober 1904 vermerkt der Dichter im Tagebuch:* Kierkegaard: Entweder-oder mit Hinblick auf meine Gestalten der Antigone u. des Kreon.[2] *Diese Bemerkung zielt freilich noch nicht auf die Figur Kreons in* Ödipus und die Sphinx, *sondern auf die Gegenüberstellung von Antigone und Kreon in dem Schlußstück der geplanten Trilogie.*

Am 11. März 1905 fährt Hofmannsthal allein nach Ragusa (Dubrovnik), um die Arbeit an seinem Drama fortzuführen. Die Fortsetzung wird ein Neubeginn. Sogar ein neuer Titel ist vorgesehen. Die Manuskripte sind jetzt mehrfach überschrieben Des Ödipus Ankunft *(vgl. S. 210,35, 212,34, 213,19). – In einem undatierten Brief (16. März) an den Vater heißt es:* es geht mir gut, ich lebe sehr ruhig, stehe um 8 Uhr auf, gehe um 1/2 10 Uhr schlafen und wechsle den ganzen Tag buchstäblich mit niemand ein Wort. Ich befinde mich in den eigentümlichsten Schwankungen zwischen Selbstvertrauen und Verzagtheit, in denen man immer beim Anfangen einer größeren Arbeit ist, und die sich ein anderer Mensch vielleicht nicht leicht vorstellen kann, die einen aber so intensiv erfüllen, daß die 14 Stunden des Tages vergehen wie ein Traum. Ich hoffe, den ersten Akt des Oedipusvorspieles hier fertig zu bringen, das wäre mir sehr wertvoll, würde mich sehr entlasten. *(B II 202f.)*

Aber die Arbeit an Akt I zieht sich in die Länge. Die psychologische Vertiefung des Helden, die Schilderung seines Erlebnisses beim delphischen Orakel, die Deutung der erhaltenen Prophezeiung aus den Kräften seines Blutes geben diesem Beginn sowohl inneren Reichtum als auch äußeren Umfang. Wir sind über die Entstehungsdaten gut informiert durch Notizen am Manuskriptrand (3 H) sowie durch einen chronologischen Überblick Hofmannsthals auf dem Titelblatt der Handschrift (vgl. S. 210, 38–41). Der Dichter scheint ca. 14 Tage in Ragusa geblieben zu sein. Er widmete sich dort nicht ausschließlich dem Drama, sondern schrieb unter anderem den Beitrag Eines Dichters Stimme *für ›Die Neue Rundschau‹.*[3] *Der erste Akt der Tragödie gedieh nur wenige Seiten weit. Erst am 23. August 1905*[4] *nimmt der Autor in Grundlsee (Salzkammergut) die Arbeit wieder auf. Möglicherweise ist auch da die Niederschrift nicht gleich in Gang gekommen. Zwar*

[1] *Hofmannsthals Drama* Das gerettete Venedig *wurde am 21. Januar 1905 unter Otto Brahm uraufgeführt.*

[2] *H VII 16.15.*

[3] *Hofmannsthal an Oscar Bie, den Herausgeber der Zeitschrift, 21. 3. ‹1905›. In: S. Fischer-Almanach 87, S. 91.*

[4] *Datierung am Manuskriptrand von 3 H.*

berichtet Hofmannsthal später an Gertrud Eysoldt[1] *(13. November 1905):* seit dem 25. August arbeite ich Tag um Tag *(B II 221), aber in einem Brief an Dora Bodenhausen*[2] *und im Tagebuch wird der eigentliche Arbeitsbeginn auf den 4. September festgelegt. Das Tagebuch vermerkt:* 2ten September[3] gehen wir nach Lueg. 4ten–10ten sind wundervolle Tage, die schönsten des ganzen Sommers. 4ten fange ich an, auf der Bank im Wald über dem See »Oidipus und die Sphinx« niederzuschreiben. Ich schreibe hier Act I, und von Act II die Scene der Königinnen) ⟨...⟩ Gegen 20ten fahren wir nach Rodaun, ich arbeite weiter: Öd. u. d. Sphinx II, später III.[4]

Die Arbeit erfolgt nun unter wachsendem Zeitdruck, da Max Reinhardt, für dessen Bühne Hofmannsthal sein Drama von Anfang an bestimmt hat, das Stück bzw. die ganze Trilogie noch im Herbst spielen möchte. Bereits am 22. März hatte Hofmannsthal an Bodenhausen geschrieben, er könne ihn nicht besuchen, weil ich mit einer großen Arbeit ringe, weil ich diese Arbeit (aus complicierten Gründen) dem Reinhardt für Oktober zusichern mußte ⟨...⟩ *(BW 61) Im Spätsommer, nach einer abermaligen langen Unterbrechung, schwankt er zwischen Zuversicht und Zweifel an der Realisierbarkeit des Projekts. So heißt es in einem Brief an Gertrud Eysoldt vom 21. September:* Ich bin so phantastisch glücklich, so arbeiten zu können. Vorgestern abends redete Kreon das letzte Wort (wer wird diesen Kreon spielen, wer? Wo bleibt Wiecke?[5] Ihr habt keine Männer!) Gestern fuhr ich den ganzen Tag Eisenbahn und heute legte ich das Papier hin und Jokaste gab ihre Antwort, wie wenn nichts dazwischen wäre. So schreibe ich jeden Tag hundert Verse, und auf diese Art ist es auch möglich (ich sage möglich), daß Reinhardts ganz verrückter Wunsch in Erfüllung geht, und ich die ganze, zwei Abende füllende Trilogie so fertig bekomme, daß wir sie im November spielen können. Ich würde es selbst kaum glauben. *(B II 211)*

Vielleicht in Gedanken an Péladans Drama, möglicherweise angeregt durch die freien Verse in Grillparzers antiker Trilogie, vornehmlich aber wohl aus Zeitdruck entschließt sich Hofmannsthal, Teile des Dramas provisorisch oder endgültig in Prosa zu verfassen. Der in Ragusa begonnene erste Akt wird in Grundlsee und Lueg in Prosa fortgesetzt, anfangs nur als Skizze zu späterer Versifizierung, dann aber in einer Form rhythmischer Prosa, die der Dichter bewahren konnte. Am 10. September ist der erste Akt abgeschlossen. Der Beginn der Prosa wird, wie Hofmanns-

[1] *Gertrud Eysoldt (1870–1950). Hofmannsthal schrieb für sie die Rollen der Elektra und des Knaben Schwertträger.*

[2] *Vgl. B II 224f. u. BW 70f. Der Wortlaut des Briefes (s. S. 199, 38–200, 14) wurde berichtigt nach dem Original im Deutschen Literaturarchiv, Marbach a. N.*

[3] *Muß wohl heißen: 4. September, da das Tagebuch weiter oben festhält:* Grundlsee 17 August – 3ten September.

[4] *H VII 16.22.*

[5] *Paul Wiecke (geb. 1862) gehörte nicht zu Reinhardts Ensemble.*

thals Randnotierungen und der Überblick auf dem Deckblatt von 3 H bezeugen, vom 7.–9. Oktober in Verse umgeschrieben. Der größere Teil bleibt jedoch in Prosa bestehen und wird Anfang Oktober nur leicht überarbeitet oder ergänzt. (Die durch Verse ersetzte Prosapartie ist verlorengegangen.)

5 Von Act II ⟨schreibe ich⟩ die Scene der Königinnen[1]. *Der Konvolutumschlag von 6 H gibt als Arbeitsdaten für die zweite Szene die Zeit vom 14.–19. September (Lueg) sowie den 21. und 22. September (Rodaun) an. Die Szene ersetzt das Gespräch zwischen Jokaste und ihren Frauen aus der ersten Arbeitsphase. Hofmannsthal hat die Figur der Königsmutter Antiope neu erfunden und* 10 *der Auseinandersetzung der beiden Königinnen einige der tiefsten Motivierungen des Dramas anvertraut: Hier enthüllt sich das Geheimnis der Sphinx, die Verbindung zwischen der Schuld des Laios und dem Erscheinen des Ungeheuers; hier erfährt man, wie das Leben ungelebt an Jokaste vorbeigegangen ist, so daß sie ihre innere Jugend bewahrt hat und sich mit dem jungen Ödipus verbinden kann; und hier offenbart sich* 15 *die zentrale Bedeutung der Opfer-Idee, die Möglichkeit, durch das Selbstopfer das Schicksal zu verwandeln.*

Die Szene II B *ist aber in der ursprünglichen Fassung, die in Lueg und Rodaun entstand, wesentlich umfassender als im Druck. Eingeschoben in den Dialog zwischen Jokaste und Antiope, dem Ansturm des Volks vorausgehend, ist eine längere Szene* 20 *zwischen Jokaste und ihrem Bruder Kreon (vgl. S. 445, 30–459, 9 sowie S. 592, 23–599, 21). Kreon ist die zweite Hauptgestalt, die Hofmannsthal neu in das Drama eingeführt hat. In ihm entstand dem Titelhelden eine Gegenfigur von vertrauter Hofmannsthalscher Prägung – aus der Tradition Claudios und der Elektra. Ödipus und Kreon sind, wie schon frühe Kritiker erkannt haben,*[2] *als Träumer Verwandte. Aber* 25 *Ödipus, der Berufene, befreit sich durch seine Opferbereitschaft von der lähmenden Macht seines Traums zum Erlösungstäter, während Kreon als ungläubiger und kraftloser Plänemacher nur fruchtlose Anstalten ins Werk setzt. – Die Szene zwischen Jokaste und Kreon wurde erst kurz vor der Uraufführung des Dramas gestrichen. Die Theatermanuskripte des Deutschen Theaters in Berlin, selbst das offizielle* 30 *Zensurexemplar, enthalten sie noch. Der Grund für die späte Tilgung ist wohl der Umstand, daß die Szene dem Dichter nach Vollendung des Dramas funktionslos erschien. Zwar werden der schwache Bruder und die überlegene Schwester anschaulich gegenübergestellt, aber die sachlichen Details tragen entweder wenig zum Verständnis der Handlung und der Figuren bei oder sie sind nach Niederschrift dieses* 35 *Gesprächs auch in andere Szenen* (II A, II C) *eingegangen und daher an der vorliegenden Stelle entbehrlich.*

[1] *Tagebuchnotiz, s. S. 192, 4–9.*

[2] *Vgl. besonders einen Brief Rudolf Kassners an Hofmannsthal vom 20. Februar 1906, in dem es heißt: »daß des Ödipus Dialektik fast dieselbe ist wie die Kreons.« In: Die* 40 *Presse, Wien, 11. September 1973. Vgl. ferner die Zusammenfassung der Rezensionen des Stücks, S. 200, 35–202, 9.*

Nach dem Tagebuchbericht scheint von Akt II nur die Szene der Königinnen (unter Einschluß des Dialogs Jokaste-Kreon) in Lueg geschrieben worden zu sein. Aber wir dürfen als gesichert annehmen, daß auch eine frühe Version der Kreonszene II A *während dieses Aufenthaltes entstand. Die Kreonszene ist in zwei Fassungen überliefert: 8 H und 12 H. Auf dem Konvolutumschlag nennt Hofmannsthal 8 H* Neue Fassung; *12 H, die letzte Fassung, heißt:* 3. Fassung. *Es muß also eine früheste Fassung gegeben haben, die der Dichter mitzählt. Der Umschlag von 8 H trägt ursprünglich die Arbeitsdaten* Semmering 16–19 X. *Davor ergänzt Hofmannsthal:* 11. 12. 13/ IX 05 in Prosa und Umschreibung in Versen. *Die nachgetragenen Daten stimmen nicht zu den Randdatierungen von 8 H. Offensichtlich beziehen sie sich auf die* e r s t e *Fassung der Kreonszene, die demnach zwischen dem Abschluß des ersten Akts und der Niederschrift der Königinnenszene in Lueg entstanden ist, wobei der Arbeitsprozeß durchaus dem Ablauf des Dramas folgt. Aus dem Hinweis auf dem Deckblatt von 8 H entnehmen wir, daß diese erste Version von Akt* II A *wie der größte Teil von Akt I in Prosa verfaßt war. Die in der Aufschrift erwähnte Umschreibung in Verse ist die überlieferte Fassung 8 H. Die Prosafassung und die zweite Fassung wurden offensichtlich nach Abschluß der letzten Version zusammen in einem Konvolut abgelegt, deshalb die Ergänzung auf dem Umschlag, der zunächst nur für 8 H galt. Die Prosaversion muß später wieder dem Konvolut entnommen worden sein. Sie ist nicht mehr auffindbar.*

Die Figur Kreons ist spät in das Konzept des Dramas eingetreten, und die Kreonszene ging durch mehrere Verwandlungen, ehe sie sich der Idee des Ganzen fügte. Ende August in Grundlsee liest Hofmannsthal nach Auskunft des Tagebuchs die Biographie des Choderlos de Laclos (wovon später vieles in die Gestalt des Kreon übergeht).[1] *Mitte September entsteht die Prosafassung. Mitte Oktober fährt Hofmannsthal von Rodaun auf den Semmering, um die Szene in Ruhe fertig zu schreiben. Am ⟨17. 10.⟩ teilt er seiner Frau mit:* Hoffe morgen mit Umarbeitung des Kreon fertig zu werden, wodurch das ganze Stück viel gewinnen wird.[2] *Aber die Version, die am 19. Oktober abgeschlossen wird (8 H), unterscheidet sich noch wesentlich von der endgültigen. Ihr fehlt noch die Figur des Magiers, mit dessen Hilfe Kreon Macht über Jokaste gewinnen will. Die innere Problematik Kreons, sein krampfhaftes Begehren, sein mangelndes Selbstgefühl, seine unterbewußten Hemmungen, die Unfähigkeit, von der unfruchtbaren Antizipation zu wirklichen Handlungen zu kommen, offenbaren sich ausschließlich im Dialog mit dem Schwertträger. Der Knabe, der von vornherein mit den Skrupeln und Schwächen seines Herrn konfrontiert wird, kann deswegen in dieser Fassung nicht die Unbefangenheit und Leichtigkeit entwickeln, die seine Rolle später auszeichnet.*

[1] *H VII 16. 22. – In Hofmannsthals nachgelassener Bibliothek befindet sich der Band: Emile Dard, Le Général Choderlos de Laclos. Paris: Perrin 1905. Er enthält auf Seite 133 das Lesedatum* Grundlsee 26 VIII 05 – *Eine Beziehung zwischen Choderlos de Laclos und Kreon besteht im Motiv des Ehrgeizes, der letztlich zum Scheitern verurteilt ist.*

[2] *Deutsches Literaturarchiv, Marbach a. N.*

Kurz nach Vollendung der zweiten Version, noch auf dem Semmering, beginnt Hofmannsthal die endgültige Gestaltung dieser Szene. Nun führt er die Figur des Magiers Anagyrotidas (ursprünglich Argantiphontidas) ein und vertieft den Gehalt um die Opferproblematik, wodurch sich die Kreon-Bilder enger mit den Szenen des Ödipus und der Jokaste verknüpfen. Endlich befriedigt, schreibt der Dichter am ⟨24. 10.⟩ an den Vater: Ich habe mich vorige Woche mit einer gewissen Scene sehr geplagt, die ich jetzt zum dritten Mal schreibe. Jetzt wird sie aber gut.[1]

Das Tagebuch faßt zusammen: Gegen Ende October verbringe ich eine Woche auf dem Semmering, mit Brahm[2] und Arthur,[3] zuletzt allein. Hier finde ich die neue bleibende Form für die Kreonscene.[4]

Am 25. Oktober kehrt Hofmannsthal nach Rodaun zurück; am 28. wird die Szene abgeschlossen.

Da die Schlußszene von Akt II (7 H), die Szene zwischen Königinnen, Volk und Seher, die Szene von Ödipus' Ankunft in Theben, die dem Vorbild Péladans wieder näher steht, bereits Ende September fertiggestellt worden war – laut Konvolutumschlag in der Zeit vom 23.9.1905–27.9.1905, unmittelbar nach Abschluß der Königinnenszene II B *–, liegen Ende Oktober zwei Akte des Dramas vor. Doch Akt III fehlt noch, und von den beiden übrigen Teilen der Trilogie ist höchstens einer vorhanden.*

Hofmannsthals produktive Phantasie war von Anfang an auf die Idee einer Ödipus-Trilogie gerichtet gewesen. Reinhardt hatte sich diese Idee zu eigen gemacht, und wenn im Laufe des Jahres 1905 von der geplanten Aufführung die Rede war, so handelte es sich stets um die Trilogie. – Lange Zeit verlor Hofmannsthal diesen Plan nicht aus den Augen. Nach der Rückkehr aus Lueg vermerkt das Tagebuch: ⟨...⟩ ich arbeite weiter: Öd. u. d. Sphinx II, später III. Zugleich die Übersetzung von Sophokles König Ödipus.[5] *Am 26. September rechnet er noch mit der Möglichkeit einer Aufführung der drei Stücke im November. So schreibt er an Oscar Bie:* Ich befinde mich nämlich in der absurden Situation, daß Reinhardt die Arbeit, an der ich bin, augenblicklich spielen will und muß (aus repertoire gründen) sobald sie nur irgend fertig ist. Dadurch geht der November verloren. Wenn ich überhaupt im October mit der Arbeit an ein Ende komme, heißt das! Eventuell gebe ich auch von der dreiteiligen dramatischen Arbeit einen Theil Ihnen und lasse den gar nicht als Buch erscheinen. In 14 Tagen wird sich das alles disponieren lassen.[6]

[1] *Deutsches Literaturarchiv, Marbach a.N.*

[2] *Otto Brahm (1856–1912), Vorgänger Max Reinhardts als Direktor des Deutschen Theaters in Berlin. Ab 1904 Direktor des Lessingtheaters.*

[3] *Arthur Schnitzler (1862–1931).*

[4] *H VII 16.23.*

[5] *H VII 16.22.*

[6] *S. Fischer-Almanach 87, S. 92f.*

Zu der Zeit, als er dies schreibt, steht der Dichter aber noch mitten im 2. Akt von Ödipus und die Sphinx, *die Übersetzung von* König Ödipus *ist gerade begonnen, der dritte Teil der Trilogie, der* Ödipus-Greis, *besteht nur in Plänen und Notizen. Am 28. September spricht ein Brief an Gertrud Eysoldt von den Zeitproblemen, denen Hofmannsthal sich gegenübersieht, wenn die Uraufführung im Herbst stattfinden soll. Zum ersten Mal taucht die Hoffnung auf einen späteren Termin für die Premiere auf:* ⟨...⟩ wann kann ich – zwischen der Arbeit, mit dem Fertigen, so weit es vorliegt –, auf 24 Stunden hinkommend, auf so viel Ruhe rechnen, daß ich es Max Reinhardt, Ihnen, der Sorma[1] und Kayssler[2] (so denke ich, nebst den Dramaturgen), eventuell auch Max allein, vorlesen kann? Daß er die Ruhe im Kopf hat, es zu hören? Nach dem 15. Oktober aber dürfte dieser Tag schwerlich mehr sein, sonst ist es ja gar nicht möglich, daß die komplizierte Inszenierung, Proben etc. vor 15. November fertig wird, und nach dem 15. November, d.h. näher an Weihnachten, kann man ja eine Première dieser Wichtigkeit, eine zwei Abende füllende Trilogie, doch aus materiellen Gründen nicht bringen! Bitte, fragen Sie doch auch Holländer[3] und schreiben Sie es mir, ob denn das unumstößlich ist, daß die Sorma im Jänner und Februar fortgeht.[4] Ich kann auf sie absolut nicht verzichten! Wie leicht ginge alles im Jänner, ohne daß ich mich so zu quälen brauchte! Ich halte noch immer aber an einer Art Hoffnung fest, daß ich zirka 10. Oktober hinkommen und mitbringen könnte: das dreiaktige Vorspiel »Ödipus und die Sphinx«, mit zwei fertigen, einem unfertigen Akt (dieser müßte eventuell während der Proben eingeführt werden), dann »Ödipus, der König«, von Sophokles, neu übersetzt, fertig, und mein einaktiges Nachspiel, fertig.

Bitte, fragen Sie auch und schreiben mir, ob dann ein Maler für die Dekorationen überlegt ist, wenigstens dann zur Hand, wenn ich hinkomme. Es handelt sich im Ganzen um vier ziemlich einfache Dekorationen: Wald mit Kreuzweg, Palast, Wald mit Höhle, Eumenidenhain. Kriese kommt, selon moi, nicht in Frage. Aber es braucht kein Zauberer sein. An Roller[5] ist bei der Eile nicht zu denken, es muß jemand sein, der dort ist. An Craig[6] kaum zu denken, weil er die Proben dominieren wollen wird. Hat man jemand? *(B II 217f.)*

[1] *Agnes Sorma (1865–1927) spielte die Jokaste.*

[2] *Friedrich Kayssler (1874–1945) spielte den Ödipus.*

[3] *Felix Hollaender (1867–1931), Dramaturg Reinhardts am Deutschen Theater; 1920–24 Nachfolger Reinhardts als Leiter des Theaters.*

[4] *Die Sorma hatte für Januar und Februar Gastspielverträge, die später gelöst wurden.*

[5] *Alfred Roller (1864–1935). Er entwarf tatsächlich das Bühnenbild und die Kostüme für* Ödipus und die Sphinx.

[6] *Gordon Craig (1872–1966) hatte Bühnenbild und Kostüm für Hofmannsthals* Gerettetes Venedig *entworfen.*

Hofmannsthal fährt im Oktober nicht nach Berlin. Wie wir gesehen haben, beendet er vielmehr den zweiten Akt des Dramas. Er fährt aber auch nicht in der ersten Novemberhälfte. Denn vorher will er den 3. Akt vollenden. Der Aufführungstermin muß bis zum Beginn des neuen Jahres verschoben werden.

November und Dezember gehören der Arbeit an dem dritten Akt des Dramas. Am 22. Oktober hatte Hofmannsthal vom Semmering an seinen Vater geschrieben: ich gebe doch noch ein paar Tage hier zu, erstens weil mir der 3te Act nach vielen Plagen nun doch endlich aufgegangen ist 〈...〉[1]. *Am 4. November schreibt er an Harry Graf Kessler über seine Stimmung bei der Arbeit:* 〈...〉 manchmal ist eine Lebensfülle in mir, die mich fast umwirft. Ich mache jetzt den dritten Act. Daneben stürmt »Jedermann« herein, eine wundervolle Semiramis[2] 〈...〉 dann das kleine griechische Hetärenstück.[3] 〈...〉 Ich bin nun mitten im dritten, d.h. letzten Act von Oedipus und die Sphinx. *(BW 109)*

Die erste Niederschrift des Akts (13 H) beginnt am 5. November. Ob sie abgeschlossen wurde oder wie weit sie gediehen ist, läßt sich nicht eindeutig entscheiden, da einzelne Blätter verloren sind, andere in eine überarbeitete Fassung (15 H) eingegangen sind. Das Tagebuch vermerkt: November vollende ich so ziemlich das Drama, doch fehlt die zweite Scene des Schlußactes (von Ödipus Zurückkommen an), die dritte ist vorhanden.[4]

Dem widerspricht die Tatsache, daß 13 H fortlaufend geschrieben ist – vom Anfang auf das Ende zu. Die zweite Scene, *die Szene zwischen Ödipus und Kreon nach dem Sphinx-Erlebnis, war in 13 H bereits vorhanden und ist teilweise noch jetzt in dem Manuskript erhalten. Vielleicht hat Hofmannsthal sie nur als provisorisch betrachtet. Bei der späteren Überarbeitung des Akts hat er freilich in der ersten Szene viel durchgreifender geändert als in der zweiten. Die langen Dialog-Partien zwischen Ödipus bzw. Kreon und dem Sterbenden wurden gekürzt, und die rasche Erlösung des Unglücklichen durch Ödipus trat an ihre Stelle. Es ist nicht auszuschließen, daß Hofmannsthal sich in dem aus zeitlicher Distanz geschriebenen Tagebuchbericht nicht mehr genau an den Ablauf der Arbeit erinnert. Wahrscheinlich war die im November entstandene erste Fassung des dritten Akts ziemlich vollständig, aber im ganzen noch nicht befriedigend. Möglicherweise ging bei Entstehung der neuen Fassung dann die dritte Szene der zweiten voraus.*

Am 20. November fährt Hofmannsthal schließlich nach Berlin, um das Stück Max Reinhardt und den Schauspielern vorzulesen. Ein Brief an Gertrud Eysoldt vom

[1] *FDH/Dauerleihgabe Stiftung Volkswagenwerk. Möglicherweise meint Hofmannsthal hier nicht den 3. Akt, sondern die 3. Fassung der Kreonszene II A.*

[2] *Die frühesten Entwürfe einer Semiramis-Dichtung entstehen fast parallel zu* Ödipus und die Sphinx.

[3] *Wohl der Ursprung des Dialogs* Furcht, *veröffentlicht in: Die Neue Rundschau 1907, S. 1223–30.*

[4] *H VII 16.23.*

13. November kündigt sein Kommen an: 〈...〉 ich bin so abgemüdet, so nervenmüde; denken Sie, seit dem 25. August arbeite ich Tag um Tag und ich lasse auch nicht nach, ich bringe den letzten Akt in diesen nächsten drei Tagen zu Ende, aber dann bin ich so abgespannt und fürchte mich so sehr, fürchte mich direkt vor Berlin, vor dem Theater, vor dieser Atmosphäre unaustilgbarer Unverläßlichkeit. Jetzt wieder das mit Schildkraut.[1] Dies ewige Auf-Sand-bauen.

Liebe, nur jetzt helfen Sie mir noch. Ich komme den 20. vormittags in Berlin an. Ich wohne Savoy. Ich kann nur drei Tage bleiben, weil ich den 23. in Bremen vorlese. In diesen drei Tagen muß die Besetzung festgelegt werden. (Es handelt sich nur um »Ödipus und die Sphinx«, wir spielen zunächst nur dies Stück, später dann den »König Ödipus« und das Nachspiel.) Sagen Sie nur, Liebe, werden diese Verhandlungen wegen der Sorma nicht jetzt versäumt, geht nicht wieder uneinbringliche Zeit verloren? Ich zeige gleichzeitig Kahane[2] meine Ankunft an. Daß nur Max da ist! Und ein bißchen ausgeruht. *(B II 221)*

Dieser Brief ist der erste Hinweis darauf, daß Hofmannsthal bereit war, die Idee der Trilogie zu opfern. Vielleicht sind es nur Zeitgründe, die ihn dazu bestimmt haben. König Ödipus *scheint zwar fertig zu sein, aber der* Ödipus-Greis *ist noch ungeschrieben und würde auch zu einem Aufführungstermin am Anfang des nächsten Jahres nicht leicht fertig werden. Doch wahrscheinlich hat der Dichter im Laufe der Arbeit bereits erkannt, daß* Ödipus und die Sphinx *über die Dimensionen eines Vorspiels zu* König Ödipus *hinausgewachsen ist und sich von dem antiken Geist der Sophokleischen Tragödie weit entfernt hat. Der seine Taten traumhaft erleidende Ödipus Hofmannsthals entspricht nicht dem strengen Wahrheitssucher im Drama des Sophokles. Der despotisch-ehrgeizige, aber kraftlose Plänemacher Kreon kann nicht zu dem königlichen Thronerben der Antike werden, und auch die mystisch-geheimnisvolle Jokaste Hofmannsthals fügte sich nur schwer in die überlieferte Rolle. – Der* Ödipus-Greis *wurde nie geschrieben. In einem Brief an Alexander Moissi aus dem Jahre 1920 (s. S. 206, 4–15) taucht zwar einmal der Gedanke auf,* Ödipus und die Sphinx *und* König Ödipus *nacheinander spielen zu lassen, aber als Hofmannsthal im Jahre 1923 eine Inszenierung seines Stücks am Burgtheater anstrebt (s. S. 206, 18ff.), distanziert er sich ausdrücklich von dieser Verbindung. Das moderne psychologisch-symbolische Drama und die monumentale antike Tragödie stimmen weder im Geist noch in den Motiven zusammen.*

Das Stück ist noch nicht vollendet, als Hofmannsthal es in Berlin vorliest und die Aufführung mit Regisseuren und Schauspielern bespricht. Der Dichter überläßt die ersten beiden Akte dem Theater, so daß Regiebuch (14 T), Inspizierbuch, Rollenbücher und dgl. hergestellt werden und die Proben beginnen können. Die Fer-

[1] *Rudolf Schildkraut (1862–1930) spielte den Sterbenden.*
[2] *Arthur Kahane (1872–1932), Dramaturg bei Reinhardt.*

tigstellung des dritten Akts muß warten, bis Hofmannsthal ein Vorlesungsprogramm in Bremen (23. 11.) und in Göttingen (29. 11.) sowie einen mehrtägigen Aufenthalt in Weimar (30. 11.–4. 12.) absolviert hat. Das Tagebuch berichtet darüber: Den 20ten November fahre ich nach Berlin lese das Stück vor. Dann Vorlesung in Bremen. Aufenthalt im Haus Heymels.[1] Von dort Göttingen (Vorlesung. ⟨...⟩) Dann Weimar wo ich 6–8 Tage bleibe. (Auch Max Reinhardt dort zum Besuch.) December in Wien vollende das Drama.[2]

Während Hofmannsthal an der Fertigstellung des dritten Akts arbeitet, verfaßt er für Reinhardt Instructionen über Tonstärke und Tempo *der Akte I und II, die in Berlin geprobt werden (vgl. S. 627, 11–628, 38). Das Ergebnis seiner Bemühungen um den Schlußakt sind zunächst die Handschriften 15 H und 16 H. Beide sind undatiert, gehören aber offensichtlich in den Dezember. 15 H enthält den Teil des Akts nach Ödipus' Sphinx-Begegnung, 16 H den Teil vor diesem Erlebnis. Aber die beiden Textteile schließen sich nicht genau zu einem Ganzen zusammen und stellen noch nicht die endgültige Fassung des dritten Akts dar. 16 H war zwar bereits als Reinschrift geplant, weist aber noch zahlreiche Varianten auf und wird bald durch eine neue Reinschrift überholt (17 H). Die Zeit drängt so sehr – es muß inzwischen zweite Hälfte Dezember geworden sein –, daß Hofmannsthal die fertigen Szenen nicht mehr zum Typieren geben kann, sondern die Reinschriften 17 H und 18 H direkt an das Deutsche Theater schickt, letztere (Akt III, 2. Szene) mit der Bitte:* Bitte dringend nach eiligst genommener Copie dieses Manuscript umgehend express an mich zurück, ebenso Bild I des IIIten Actes. *Die Reinschrift der Schlußszene (nicht erhalten) muß so spät in Berlin angekommen sein, daß sie nicht einmal mehr in Reinhardts Regiebuch inkorporiert werden konnte. Die letzten Änderungen sind kaum vor dem Jahreswechsel abgegangen; denn am 4. Januar 1906 schreibt Hofmannsthal an Gertrud Eysoldt:* ich sitze ein bischen unglücklich da, ganz abgeschnitten. Die Dramaturgen schreiben mir nicht, ich hab keine Ahnung ob denn die Proben halbwegs weitergehen. Hier machte mir Reinhardt einen so übermüdeten Eindruck ⟨...⟩

Bitte schreiben Sie mir doch ob's vorwärts geht? wies vorwärts geht? Wie ist Kreon? wie der Magier? von der Scene der Königinnen müsste man doch schon was spüren! den letzten Act habe ich sehr gekürzt: die Erzählung des Oedipus ganz gestrichen. Die Dramaturgen haben mir nicht einmal den Empfang dieser Kürzungsvorschläge bestätigt. Sind sie angekommen?[3]

Am 2. Januar 1906 gibt Hofmannsthal in einem Brief an Dora Bodenhausen einen zusammenfassenden Rückblick über die Arbeit an Ödipus und die Sphinx*:* Ich habe Monate fast phantastischer Arbeit hinter mir: wie ein Gehen und

[1] *Alfred Walther Heymel (1878–1914), Schriftsteller, Mitbegründer des Insel-Verlags.*

[2] *H VII 16.23.*

[3] *Wiedergabe nach einer Abschrift; FDH/Dauerleihgabe Stiftung Volkswagenwerk.*

Gehen durch dicken Wald, durch zähes Unterholz, immer vor sich hin, oder wie ein Schaufeln und Schaufeln, Sich-einschaufeln in einen Berg, Sich-durchschaufeln durch einen Berg. Es waren wundervolle trunkene übermäßige Tage und Abende darunter, und quälende fast aufreibende Tage.

Es fing den 4ten September an, dann war November, ich war noch nicht fertig, musste nach Berlin, las das unfertige Stück dem Reinhardt und den Schauspielern, musste nach Bremen und Göttingen (wo ich Vorträge zugesagt hatte, vor einem Jahr zugesagt) war wenige Tage in Weimar kam zurück, fand mich nur unter Qualen in den letzten Act wieder zurück, indessen fingen die in Berlin, die mir das unfertige Manuscript aus den Händen gerissen hatten, schon an zu probieren – probieren indessen fort und fort – ich fahre aber erst im letzten Augenblick hin, um nicht dort das Essen und Schlafen ganz zu verlernen –[1]

Die Premiere sollte, wie Hofmannsthal am 26. November an seine Frau schrieb, bereits in den ersten Tagen Jänner sein.[2] *Aber sie wird bis zum 2. Februar hinausgeschoben. Hofmannsthal fährt nicht vor Mitte Januar nach Berlin, um an den abschließenden Proben teilzunehmen. Das Tagebuch berichtet:* Mitte Jänner fahre mit Gerty nach Prag, lese dort, fahren dann Berlin. Proben zu Ödipus. Der interessanteste Schauspieler Moissi als Kreon. Schöne Wirkung des Chores. (150 Sprecher.) Nach der Aufführung (2ten II) ein paar Tage in Weimar mit Gerty. Auch Hauptmanns, Heymels![3]

Die Proben sind für Hofmannsthal noch einmal eine Zeit lebhafter künstlerischer Tätigkeit. Er nimmt mit großem Engagement und schöpferischer Phantasie an der Vorbereitung der Aufführung teil. Die Interpretation des Kreon durch Moissi verstört ihn zunächst; kaum zwei Wochen vor der Premiere strebt er noch eine Umbesetzung der Rolle an. Dann arbeitet er mit dem Schauspieler an einer rollengerechten Darstellung. Das Ergebnis der Aufführung belohnt seine Anstrengungen. Moissi bewährt sich vortrefflich und hat seinen ersten Erfolg beim Berliner Publikum. Das Drama Hofmannsthals, die phantasievolle Inszenierung Max Reinhardts, das Bühnenbild Alfred Rollers, der viel-gerühmte Theaterhimmel des Bühnenbildners Fortuny[4] hinterlassen einen starken Eindruck. Nach der viereinhalbstündigen Uraufführung kann der Dichter an seinen Vater telegraphieren: sehr grosser erfolg freue mich hugo.[5]

Die Kritik in der Presse ist geteilt zwischen Bewunderung und Ablehnung. Meistens wird das Stück an dem ›König Ödipus‹ des Sophokles gemessen: Und wo die einen Kritiker dem Dichter Dank sagen, daß er dem starren Mythos Leben gegeben

[1] *Nach der Handschrift korrigiert. Vgl. S. 192, Anm. 2.*
[2] *Deutsches Literaturarchiv, Marbach a.N.*
[3] *H VII 16.23.*
[4] *Mariano Fortuny (1871–1949), der Erfinder des Rundhorizonts.*
[5] *FDH / Dauerleihgabe Stiftung Volkswagenwerk.*

habe, das unverständliche Schicksal vermenschlicht habe,[1] *da meinen die anderen, daß das Drama des Sophokles bereits den Inbegriff der Menschlichkeit darstelle und daß Hofmannsthals Modernisierung des Stoffs ein Sakrileg an dem ehrwürdigen Gedicht des Griechen bedeute und selbst nichts anderes als ein stilloses Monstrum sei;*[2] *eine dritte Gruppe findet, die dargestellte Welt sowohl Hofmannsthals als auch des Sophokles hätte der Gegenwart wenig oder nichts zu sagen.*[3] *Die Psychologisierung des Stoffes, die Rückbeziehung von Ödipus' Schicksal auf sein Inneres, den Strom des Blutes, die Gesetze der Vererbung, das Unterbewußte, wird von manchen als Vertiefung des Gehalts*[4] *gerühmt, von anderen als Pathologie verworfen oder als reine Artistik abgetan.*[5] *Mit Recht regen sich in einigen Besprechungen Zweifel, ob der moderne Ödipus, die moderne Jokaste und der moderne Kreon den Weg zurück zum* König Ödipus*, dem zweiten Teil der angekündigten Trilogie finden würden.*[6] *– Manch ein Rezensent weiß mit dem ganzen Ödipus-Motiv nichts anzufangen und findet, das Werk überzeuge nur in den Szenen des von Gedankenblässe angekränkelten Kreon,*[7] *andere rügen gerade diesen Kreon als einen überflüssigen Fremdkörper in dem Stück.*[8] *Nur wenige Kritiker erkennen die Beziehungen zwischen Ödipus und Kreon, die Verwandtschaft in ihrem Träumen und den Gegensatz in der Reaktion auf die Träume.*[9] *Die Figuren werden isoliert beurteilt, und ihre Konfiguration bleibt unverstanden. Niemand verweist auf die Bedeutung der Hingabe, des Selbstopfers in dem Drama für Erfolg und Versagen im Leben. Die Fähigkeit, sich selbst aufzugeben, zeichnet die Lebensstarken vor den Lebensschwachen aus, nicht nur Ödipus vor Kreon, sondern*

[1] *Vgl. besonders: Georg Brandes, Griechische Gestalten in neuerer Poesie. In: Nord und Süd XXXII, 373 (April 1908), S. 3–24. – Maximilian Harden, Theater. In: Die Zukunft XIV (3. März 1906), S. 346–356. – Gustav Landauer, Hofmannsthals »Ödipus«. In: Das Blaubuch II, 3 (1907), S. 859–868. – Felix Salten, Oedipus und die Sphinx. In: Berliner Zeitung am Mittag, 3. Februar 1906.*

[2] *Vgl. Leo Berg, Oedipus und die Sphinx. In: Das literarische Echo VIII, 12 (15. März 1906), S. 892–896. – Ludwig Brehm, Oedipus-Hofmannsthal. In: Der Deutsche III, 20 (1906), S. 631–638. – Paul Goldmann, »Ödipus und die Sphinx« von Hugo von Hofmannsthal. In: Neue Freie Presse, 16. Februar 1906. – Siegfried Jacobsohn, Oedipus und die Sphinx. In: Die Schaubühne II, 6 (8. Februar 1906), S. 160–166.*

[3] *Besonders: Josef Hofmiller, Oedipus und die Sphinx. In: Süddeutsche Monatshefte III, 3 (März 1906), S. 329–334. – Alfred Kerr, Ödipus und der Ruf des Lebens. In: Die neue Rundschau XVII, Bd. 1 (1906), S. 492–498.*

[4] *Besonders von: Hermann Kienzl, »Ödipus und die Sphinx«. (Deutsches Theater.) In: Das Blaubuch I, 6 (1906), S. 251–257.*

[5] *Besonders von Brehm und Goldmann, a.a.O. passim. Vgl. auch: Ernst Heilborn, Theater. In: Die Nation XXIII, 19 (10. Februar 1906), S. 301 f.*

[6] *Am deutlichsten bei Harden, a.a.O., S. 353 und bei Jacobsohn, a.a.O., S. 164.*

[7] *Vor allem: Julius Hart, Noch einmal »Ödipus und die Sphinx«. Ein Nachwort und eine Begründung. In: Der Tag, 7. Februar 1906. Ähnlich auch Kerr, a.a.O., S. 492.*

[8] *Goldmann, a.a.O.*

[9] *Vgl. Harden, a.a.O., S. 352; Kienzl, a.a.O., S. 256.*

auch Jokaste vor Laios. Die Frage nach Verschuldung und Verantwortung, nach der Freiheit jenseits der Unfreiheit kommt ebenfalls nicht zur Sprache. Und kein Beurteiler hat (wie spätere Interpreten) die Idee, daß Hofmannsthal den Mythos nicht nur psychologisch differenziert, sondern unter der Arbeit neu gedeutet haben könnte,[1] *– daß die Hochzeit, mit der die Tragödie endet, die Überwindung und Verwandlung des überlieferten Schicksalsspruchs bedeuten könnte, was die Verbindung mit* König Ödipus *grundsätzlich ausschließen würde. – Das Berliner Publikum bleibt dem Stück treu. Die Aufführung wird in der ursprünglichen Inszenierung fünfundzwanzigmal wiederholt.*

Die etwas hektische Entstehungsgeschichte spiegelt sich auch in der Drucklegung des Dramas. Nachdem Hofmannsthal sich von dem Vorbild Péladans gelöst hat, noch während er den ersten Akt des Stücks neu schreibt, erscheint am 7. September 1905 ein Bruchstück aus der ersten Fassung von Akt I (1 H) in Siegfried Jacobsohns ›Die Schaubühne‹ unter dem Titel: Oedipus. (Aus einer ältern, unveröffentlichten Arbeit.) *(5 D). Zu der Zeit, als der Dichter an der Kreonszene arbeitet, bietet er Oscar Bie den ersten Akt oder die zweite Szene von Akt II zum Vorabdruck in der ›Neuen Rundschau‹ an. Er schreibt am 14. Oktober 1905:* Da ich ja doch die Rundschau sehr liebe – wozu wäre sonst alles hin und her nütz gewesen – so hätte ich bald und sobald als möglich gerne wieder was drinnen. Ich denke an das erste Heft des neuen Jahrgangs – Voraussetzung wäre, daß dieses Heft nichts dramatisches von Hauptmann bringt.

Denn in diesem Fall hätte er schon als der Ältere, naturgemäß den ersten Platz, und den zweiten möchte ich nicht. Bringen Sie also keinen Hauptmann so könnte ich Ihnen aus den Theilen von Ödipus und die Sphinx die fertig daliegen, und es sind das große und wie ich fühle ziemlich gelungene Theile – entweder den ersten Aufzug oder einen starken in sich geschlossenen Theil des 2.ten Aufzuges schicken. Wodurch ja das Buch und die Aufführung die keinesfalls vor dem 6. Jänner stattfindet nicht tangiert werden. Im Jännerheft ginge es freilich nicht mehr. Nun schreiben Sie ganz offen, ganz ungebunden, ob Sie Lust und Raum haben. Ich könnte Ihnen dann die beiden Acte zur Wahl innerhalb 8 Tagen typiert schicken.[2]

Bie ist offensichtlich dankbar auf dieses Angebot eingegangen. Hofmannsthal läßt Ende Oktober den ersten Akt sowie die zweite und (wohl auch schon) die dritte Szene des zweiten Akts typieren. Die Typoskripte für die ›Neue Rundschau‹ sind zwar nicht erhalten, aber sie sind wahrscheinlich identisch mit den Kopien, die Hofmannsthal später dem Deutschen Theater überläßt (Akt I = 9 T, Akt II B = 10 T, Akt II C = 11 T), freilich, wie der Vorabdruck vermuten läßt, gründlicher durchgesehen als die Theatertyposkripte. Am 26. Oktober schickt der Dichter das Material an Bie und bemerkt dazu: mit gleicher Post geht eingeschrieben

[1] *Am nächsten kommt diesem Gedanken Landauer, a.a.O., S. 867.*
[2] *S. Fischer-Almanach 87, S. 93.*

an Sie soviel vom Manuscript des (noch nicht fertigen) »Ödipus u. die Sphinx« definitiv ist, nämlich der in sich geschlossene vorspielartige erste Act und ein in sich geschlossener Theil des 2. Actes. Die Vollendung des 3. Actes können Sie nicht abwarten, das ganze Stück (es hat die Dimensionen eines fünfactigen) können Sie nicht bringen, auch wäre es aus materiellen Gründen nicht recht möglich, wegen der Buchausgabe.

Wählen Sie hier den ersten Aufzug: so hätte die Überschrift zu lauten: Der Kreuzweg im Lande Phokis. (Aus »Ödipus u. die Sphinx«) wählen Sie das andere Stück, so lautet der Titel Die Königin Jokaste (aus »Ödipus und die Sphinx«) beidemal ohne nähere Bezeichnung aus welchem Aufzug es ist. Als Honorar verlange ich eine schon in früheren ähnlichen Fällen gewohnte Summe: 400 M. Den Theil den Sie nicht bringen, schicken Sie mir bitte baldigst zurück.[1]

Oscar Bie druckt den ersten Akt des Dramas in dem Heft der ›Neuen Rundschau‹ vom 1. Januar 1906, das Ende Dezember ausgeliefert wird (21 D). Die Szene aus dem zweiten Akt, die der Dichter der ›Rundschau‹ als Alternative angeboten hatte, wird am 24. Dezember 1905 in der Berliner Zeitung ›Der Tag‹ abgedruckt unter dem Titel Die beiden Königinnen. (Aus dem Trauerspiel »Ödipus und die Sphinx«.) *(20 D). Ein weiterer Separatdruck, die bereits erwähnte Szene der Jokaste mit ihren Frauen aus der ursprünglichen, Péladan verpflichteten Arbeitsphase erscheint unter dem Titel* Die Königin Jokaste. Erste Studie zu einer Oedipus-Tragödie von Hugo von Hofmannsthal *am 1. April in der Zeitschrift ›Arena‹ (23 D).*

Die Buchausgabe des Dramas sollte unmittelbar nach dem Vorabdruck in der ›Neuen Rundschau‹ erscheinen, vor der Aufführung womöglich. *So schrieb Hofmannsthal an Bie am 4. November,[2] zu einer Zeit, als er mit einer Uraufführung Anfang Januar rechnete. Tatsächlich ist das Buch etwa eine Woche vor der Februar-Premiere erschienen. Gustav Landauer[3] bestätigt in einem Brief vom 25. Januar[4] die Zusendung des Texts für denselben Tag. Der Erstdruck muß also in großer Eile hergestellt worden sein, da das Manuskript des letzten Akts keineswegs vor Ende Dezember abgeschlossen wurde. Hofmannsthals Briefwechsel mit dem Fischer-Verlag über die Drucklegung sowie die Briefe zwischen dem Fischer-Verlag und der Druckerei sind nicht erhalten und die Druckvorlage des Werks ist verloren. Aus der Übereinstimmung einzelner Fehler im Erstdruck und den Manuskripten des Deutschen Theaters kann man schließen, daß Hofmannsthal, zumindest für einige Szenen, Kopien der dem Theater überlassenen Typoskripte, wenig oder gar nicht korrigiert, als Textgrundlage für den Erstdruck verwendet hat.*

[1] *S. Fischer-Almanach 87, S. 94.*

[2] *Ebenda.*

[3] *Gustav Landauer (1870–1919), Philosoph, Literaturwissenschaftler, sozialistischer Politiker.*

[4] *FDH/Dauerleihgabe Stiftung Volkswagenwerk.*

So ist es keine Überraschung, daß der Erstdruck zahlreiche Fehler enthält. Darüber hinaus beruht die erste Buchausgabe aber auf einer Vorlage, die nicht mehr Hofmannsthals letzte Änderungen an dem Drama berücksichtigt. Vermutlich unter dem Eindruck der Berliner Inszenierung sowie aus Erwägungen, welche die fortschreitende Verselbständigung des Stücks gegenüber der Trilogie betrafen, hat der Dichter noch spät den Text an zwei Stellen beträchtlich gekürzt (vgl. S. 606, 9–38 u. S. 609, 27–610, 39). Im ersten Fall handelt es sich um eine Straffung des Texts, um die Streichung einer vornehmlich dekorativen Passage, der wortreichen Huldigung des sonst eher wortkargen Phönix an seinen jungen Herrn, die für den Handlungszusammenhang leicht entbehrlich ist. Die zweite Kürzung betrifft die rauschhaft-hybriden Schlußworte der Jokaste, in denen die Königin nicht nur die düsteren Schicksalsprophezeiungen abstreift, sondern sich in ihrem Glück zugleich über die Götter erhebt. Diese Rede beschwört kontrapunktisch den tragischen Sturz des Königspaars herauf und verbindet Ödipus und die Sphinx *mit dem* König Ödipus. *Wenn der Dichter eine poetisch so ausgezeichnete Stelle tilgt, so darf man darin eine Bestätigung sehen, daß sich für ihn das Stück aus dem Zusammenhang der Überlieferung des Sophokles-Dramas gelöst hat.*[1] *Erst die Verbesserung der Fehler des Erstdrucks sowie die Revision dieser Textstellen ergeben einen Text, der zur Zeit seines Erscheinens den Willen des Autors repräsentiert. Dies ist mit der 5. Auflage erreicht. Die 1.–4. Auflage folgten einander so schnell,*[2] *daß ein Eingriff nicht mehr möglich war. Die fünfte Auflage (24 D), ebenso wie die sechste noch im Jahre 1906 erschienen, bietet einen veränderten und verbesserten Text, den man als den eigentlichen Abschluß der Entstehungsgeschichte bezeichnen darf. Diesem Text folgt die vorliegende Edition – im Unterschied zu den Gesammelten Werken von 1924 und allen späteren Ausgaben.*

Nach dem Erfolg der Uraufführung des Dramas bewarben sich viele Bühnen um das Stück. Hofmannsthal berichtet am 15. Februar 1906 an Bodenhausen: München, Breslau, Nürnberg, Düsseldorf haben sogleich angenommen, Wien (Burg) eben jetzt, Hamburg Dresden kommen sicher nach *(BW 72). Die meisten dieser Aufführungen sind aber nicht zustande gekommen. In Wien hat Hofmannsthal mit Hilfe der Fürstin Marie von Thurn und Taxis eine Aufführung durchsetzen wollen, ist aber am Widerstand des Theaterleiters Schlenther gescheitert.*[3] *Die Wirkungsgeschichte des Dramas blieb fast ganz auf die Berliner Inszenierung und die Buchausgabe von 1906 beschränkt.*

Zweimal jedoch hat Hofmannsthal einen Versuch unterstützt oder selbst versucht, das Stück in überarbeiteter Form auf die Bühne zu stellen, einmal als Oper, ein anderes Mal als revidiertes Bühnenstück. Damit beginnt die dritte Phase der Entstehungsgeschichte. – Im Jahre 1908 trifft Hofmannsthal in Berlin den jungen französi-

[1] *Vgl. zu diesen Textänderungen: Wolfgang Nehring, Zwei Fassungen von Hofmannsthals ›Ödipus und die Sphinx‹. In: Modern Austrian Literature 7, 3–4 (1974), S. 109–20.*

[2] *Eine Auflage umfaßte bei Fischer in der Regel 1000 Exemplare.*

[3] *Zwei unveröffentlichte Briefe an Marie von Thurn und Taxis, Privatbesitz.*

schen Musiker Edgard Varèse.[1] *Dieser ist fasziniert von* Ödipus und die Sphinx *und bittet den Dichter, den Text des Dramas einer Oper zugrunde legen zu dürfen. Hofmannsthal gibt nicht nur sein Einverständnis, sondern er scheint versprochen zu haben, selbst den Text für die Oper einzurichten. Im Jahre 1909 bearbeitet er den ersten Akt für Varèse (25 DH). Als der Komponist dann aber nach seinen weiteren Vorschlägen fragt, besonders seine Hilfe in der Behandlung der Rolle Kreons sucht, antwortet Hofmannsthal am 12. September* ⟨*1909*⟩ *in einem bisher unveröffentlichten Brief:*[2] Pour Édipe: pardonnez moi, me trouvant moi même dans une espèce de crise de travail, crise qui absorbe toutes mes forces qui ne sont pas énormes – je ne pourrai pas faire pour les 8 semaines ou 10 semaines à venir, ce que je vous ai promis. Et, franchement, je crois que ce serait mieux que vous fassiez tout cela vous même. Je crois qu'il se faut pénétrer d'un texte tellement que – mieux que moi même, vous devez finalement savoir quel usage faire (ou ne pas faire) de Kréon – et comprendre les »Motive« et les »Gegenmotive«: il faut, je crois, que l'oeuvre vous dise tout, moi rien. Ai-je tort?

Varèse überträgt Hofmannsthals Einrichtungen des 1. Akts in sein eigenes Arbeitsexemplar und bearbeitet die beiden anderen Akte selbständig. In einer undatierten Karte aus Aussee (wohl bereits Sommer 1910) erklärt sich Hofmannsthal mit den Eingriffen des Musikers ganz einverstanden: Je parcourrai Oedipe. P.S. J'ai parcouru. C'est très bien. C'est excellent surtout de supprimer tout à partir de page 170. Je suis très content de la façon dont vous vous êtes pénétré de l'essence de ce drame.

Varèse hat die Oper in den folgenden Jahren zwar mehr oder weniger beendet,[3] *aber einzelne Szenen schienen ihm immer noch revisionsbedürftig. Jahrelang lag das Manuskript in einem Berliner Lagerhaus, während Varèse in Frankreich und in den USA lebte. Als er im Jahre 1922 nach Berlin zurückkehrte, fand er das Lagerhaus niedergebrannt. Die Oper war verloren.*

Nach vielen Jahren, in denen sich Hofmannsthal nicht um Ödipus und die Sphinx *gekümmert hat, liest er das Drama im Jahre 1920 wieder. Es ist die Zeit, da er mit dem* Turm *begonnen hat. Vielleicht hat die innere Verwandtschaft zwischen Sigismund und Ödipus, den beiden von Geburt durch ein Orakel Verdammten und doch zu Erlösungstätern Aufwachsenden, ihn neu für den früheren Helden eingenommen. Jedenfalls erwägt er, das Stück, um den dritten Akt gekürzt, mit Alexander Moissi in der Titelrolle wieder auf die Bühne zu bringen. Ja, nach Unterdrückung des*

[1] *Edgard Varèse (1885–1965).*

[2] *Photokopien von Hofmannsthals Briefen an Edgard Varèse sowie Kopien der Arbeitsexemplare von Dichter und Musiker wurden mir freundlicherweise von der Witwe des Komponisten, Frau Louise Varèse, zur Auswertung für die Edition zur Verfügung gestellt.*

[3] *Vgl. Fernand Ouellette, Edgard Varèse. Paris: Seghers 1966, S. 51.*

dritten Akts mit seinem triumphierenden Finale scheint ihm sogar eine Verbindung des Dramas mit Sophokles' ›König Ödipus‹ möglich, wie er sie ursprünglich geplant hatte. In einem Brief vom 15. November 1920 sucht der Dichter, Moissi für die Idee der Wiederaufnahme zu erwärmen:[1] Noch eines. Etwas zog mich neulich, nach jahrelanger Entfremdung, zu Oedipus und die Sphinx. Mich traf darin etwas, ich dachte an Sie – wie bitter entbehre[2] ich in solchen Momenten die beständige örtliche Trennung! Bitte lassen Sie zu Fischer telephonieren und sich ein Exemplar kommen und lesen es mit frischem Sinn aber in der ursprünglichen Form, die zweiactig war, und »des Oedipus Ankunft« hieß.[3] Also lesen Sie's, bitte, mit Weglassung des dritten Actes, und lesen es nicht von Kreon aus – den ein anderer guter Schauspieler spielen müsste – Kraus[4] oder wer immer – sondern von Oedipus aus und mit der Vision, dass es als Vorabend zu einer Aufführung des Oedipus-König gespielt würde. Ob Sie es dann nicht lieb gewinnen könnten? Mich traf es ganz frisch, und ich bin streng und kalt gegen meine Arbeiten.

Ob Moissi auf die Idee Hofmannsthals eingegangen ist, wissen wir nicht. Jedenfalls blieb der Plan einer Wiederaufnahme zunächst ohne Folgen.

Im Jahre 1923 jedoch bemüht sich Hofmannsthal um eine Neuinszenierung von Ödipus und die Sphinx *im Wiener Burgtheater. Er vereinbart mit dem Direktor des Theaters, Max Paulsen,*[5] *die Aufführung eines überarbeiteten und wieder um den dritten Akt gekürzten Dramas. Wie in dem Brief an Moissi gibt er das zweiaktige Stück als die ursprüngliche Form des Dramas aus, welche die eigentlichen Intentionen des Dichters reiner widerspiegele. Von einer Verbindung mit dem* König Ödipus *ist jetzt freilich nicht die Rede, vielmehr wird gerade die dreiaktige Fassung als Zugeständnis an die Idee der Trilogie erklärt.*

Im Februar schickt der Dichter Paulsen ein überarbeitetes Exemplar (26 DH) zu. Aber im Sommer wird Paulsen nach einjähriger Tätigkeit als Direktor des Burgtheaters abgelöst, und in der neuen Saison erkundigt sich Hofmannsthal bei dem Dramaturgen und literarisch-artistischen Sekretär des Theaters, Erhard Buschbeck,[6] *ob die Absprachen wegen der Inszenierung noch gälten. Er schreibt am 26. September 1923:* ⟨...⟩ darf ich Sie um eine Freundlichkeit bitten? Dass Sie mir schreiben, ob die neue Direction[7] daran denkt Ödipus u. die Sphinx (in der ur-

[1] *Wiedergabe nach einer Abschrift; FDH/Dauerleihgabe Stiftung Volkswagenwerk.*

[2] *Müßte heißen:* empfinde; *Fehler des Autors oder des Abschreibers.*

[3] Des Ödipus Ankunft *sind die Manuskripte 3 H, 7 H, 8 H überschrieben; auch in den Notizen kommt der Titel mehrfach vor. Zweiaktig war das Stück aber weder zur Zeit der Péladan-Nachfolge noch zu einem späteren Zeitpunkt konzipiert.*

[4] *Wahrscheinlich Werner Krauß (1884–1959).*

[5] *Max Paulsen (1876–1956), Burgtheater-Direktor 1922–23.*

[6] *Erhard Buschbeck (1889–1960). Die beiden zitierten Briefe sind in Privatbesitz.*

[7] *Neuer Direktor ist Franz Herterich (1877–1966).*

sprünglichen zweiactigen Form, mit der ursprünglichen Bezeichnung: Der Weg des Ödipus,[1] – nur auf diese bezog sich mein Vertrag mit Herrn Paulsen) im Lauf[2] des Winters aufzuführen.

Wenn ja dann würden Sie mich sehr verpflichten wenn Sie so freundlich sein wollten das gedruckte von mir eingerichtete (um mehr als ein Dritteil gekürzte) Exemplar das ich Herrn Paulsen übergab, nächstens, sobald Ihre Zeit es zulässt, zu durchfliegen – damit ich (es wäre mir dieses sehr wohltuend) auf Ihre Bekanntschaft mit dem Stück weiterhin zählen kann.

Lautet Ihr Bescheid bejahend so habe ich dann – wie ich Herrn Paulsen schon zusicherte – am Ende des II^{ten} Actes (womit das Stück in der aufzuführenden Form schließt) gewisse Veränderungen anzubringen: ich will (gemäß meiner Erinnerung an die verlorene oder vernichtete erste Fassung[3]) der Kreon-figur einen entschiedenern Abschluss geben. – Die bisher gespielte dreiactige Fassung war als erster Teil für eine Dilogie oder Trilogie gedacht. Es sollte zumindest der Ödipus-König, vielleicht auch die dritte Tragödie später dazutreten. Dadurch wurde ich veranlasst den ursprünglichen Entwurf abzubiegen, der aber der stärkere und reinere war.

Buschbeck hat offensichtlich die Absicht der Theaterleitung wissen lassen, das Drama gemäß den früheren Vereinbarungen zu inszenieren und nach Hofmannsthals Besetzungsvorschlägen gefragt. Am 3. Oktober antwortet der Dichter: ich danke vielmals für Ihre freundlichen Zeilen. Von Darstellern möchte ich, ohne ins Detail zu gehen, vor allem Frau Wolgemuth[4] für die Jokaste als unentbehrlich bezeichnen. Das ist wirklich eine schöne dankbare Rolle, von der sie Freude haben wird. Sie wurde seinerzeit von Frau Sorma gespielt. Nun, da es also dabei bleibt, bitte ich Sie recht schön: schicken Sie mir dieses einzige eingerichtete Exemplar des Textes hierher. Ich werde dann die Veränderungen, die sich alle auf die Rolle des Kreon beziehen, in den nächsten Wochen machen u. Ihnen schicken.

Der Dichter erhielt zwar sein Arbeitsexemplar zurück, aber dieses weist keine abschließenden Veränderungen der Figur des Kreon auf. Hofmannsthal zögerte offensichtlich, weitere Arbeit an den Plan zu wenden, ohne feste Zusagen über die Aufführung erhalten zu haben. Am 26. Januar schrieb er an Buschbeck: Ich könnte mich jetzt den Veränderungen am II^{ten} Act des Ödipus zuwenden. Aber ich höre gar nichts, was auf eine in absehbarer Zeit bevorstehende Aufführung deuten würde, und es widerstrebt mir, in vorgerückten Jahren, eine rein zweckhafte dramaturgische Arbeit vergeblich zu unternehmen. Bitte

[1] *Dieser Titel ist in den Manuskripten nicht nachweisbar. Dagegen heißt das Werk oft:* Des Ödipus Ankunft.

[2] *Im Manuskript ein unidentifiziertes Wort; am ehesten etwas wie: ja, je, gar ...*

[3] *Hat nie existiert.*

[4] *Elsa Wohlgemuth (1881–1972).*

sagen Sie mir ganz aufrichtig was ich denken u. tun soll.[1] *Die Aufführung des Dramas kam damals nicht zustande. Erst nach dem Tode des Dichters scheint man sich im Burgtheater wieder auf das Stück besonnen zu haben; denn am 17. Mai 1930 wurde es, eingerichtet von Buschbeck selbst und ironischerweise nun doch verbunden mit* König Ödipus, *zur Aufführung gebracht. Raoul Aslan spielte den Ödipus, Elsa Wohlgemuth, wie Hofmannsthal gewünscht hatte, die Jokaste. Diese Inszenierung wurde bis zum Herbst elfmal wiederholt. Ansonsten blieb das Drama nahezu vergessen. –* Ödipus und die Spinx, *eine der tiefsten und reichsten Dichtungen Hofmannsthals, ist nicht mehr gespielt worden, bis Oscar Fritz Schuh das Stück 1974, im Jahre des 100jährigen Geburtstags Hofmannsthals, im Schloßtheater von Hellbrunn neu inszeniert hat.*

[1] *Joseph A. von Bradish, Sechs ungedruckte Briefe Hugo von Hofmannsthals an Erhard Buschbeck. In: Jahrbuch des Wiener Goethe-Vereins, N.F. Band 72 (1968), S. 145.*

ÜBERLIEFERUNG

DIE PAPIERSORTEN

Die Hauptmasse der Papiere läßt sich drei Sorten (Siglen a–c) zuordnen. Die daneben verwendeten Unika (privates und Firmen-Briefpapier, Formulare, Zettel) werden an ihrem Ort beschrieben.

Sorte a:

Gelbliches glattes dünnes Papier, dichte Querrippen, Längsrippen im Abstand von 33 mm.
Formate:
1. *Doppelblatt, zweimal 230 x 290 mm, verwendet für Konvolutumschläge (und darauf befindliche Notizen).*
2. *Blatt (getrenntes Doppelblatt), 230 x 290 mm, verwendet für Handschriften und Notizen.*
3. *1/2 Blatt (Zettel), 230 x 145 mm, verwendet für Notizen.*
4. *Unregelmäßige Trennungen (Fragmente).*

Sorte b:

Gelbliches glattes dünnes Papier.
Formate:
1. *Doppelblatt, zweimal 230 x 291 mm, verwendet für Konvolutumschläge.*
2. *Blatt (getrenntes Doppelblatt), 230 x 291 mm, verwendet für Handschriften und Notizen.*
3. *Unregelmäßige Trennung (Fragment).*

Sorte c:

Gelbliches glattes dünnes Papier, kariert (schmalhoch), 27 Zeilen.
Formate:
1. *Doppelblatt, zweimal 229 x 289 mm, verwendet als Konvolutumschlag.*
2. *Blatt (getrenntes Doppelblatt), 229 x 289 mm, verwendet für Handschriften und Notizen.*

HANDSCHRIFTEN, TYPOSKRIPTE, DRUCKE

1 H *E III 185.47, 54^{b}, 48–69*[1] *– Akt I, 1. Fassung; Niederschrift. Konvolutumschlag mit der Aufschrift*

Oidipus und die Sphinx.
Tragödie in 3 Aufzügen.
(Venedig Sept. 1904).
⌈^{T} I.⌉
Text. ⌈^{S} (erste Fassung)⌉

und 22 mit einer Ausnahme einseitig beschriebene Blätter von Sorte a, pag. 1.–22.
Grundschicht mit blauschwarzer Tinte, ein Nachtrag (s. o.) mit braunschwarzer Tinte, Korrekturen z. T. mit Stift.
Auf dem Konvolutumschlag (E III 185.47) in Stenographie derselbe Text wie N 118.

[1] *Die Konvolute E III 185.1–331 und E XXIII 18.1–28 gingen während der Drucklegung dieses Bandes in den Besitz des Freien Deutschen Hochstifts über. Auf die Mitteilung der neuen Signaturen wird verzichtet.*

Auf der Rückseite von pag. 7 (E III 185.54) obere Partie: ursprünglicher, nach vier Zeilen abgebrochener Beginn von 1 H (pag. 1.), untere Partie: N 23.

Entstehung: 16.–22. September 1904, Venedig.
Daten: V⟨enedig⟩ 18 IX. 1904. *pag.* 1. *(vgl. S. 233, Anm. 2)*
19 IX *pag.* 7 *(vgl. S. 240, Anm. 2)*
20. IX. *pag.* 12. *(vgl. S. 244, Anm. 2)*
21. IX. *pag.* 14. *(vgl. S. 247, Anm. 2)*
22/IX *pag.* 21. *(vgl. S. 252, Anm. 2)*

Ein Abschnitt dieser Handschrift wurde überarbeitet (s. 4 H) und als Sonderdruck unter dem Titel Oedipus. (Aus einer ältern, unveröffentlichten Arbeit.) *veröffentlicht (5 D).*

2 H *E III 185.238–246 – Akt II (= erste Szene), 1. Fassung; Niederschrift. Konvolutumschlag mit der Aufschrift*

Oidipus und die Sphinx
II.
Text. ⌈erste Fassung⌉

und 8 einseitig beschriebene Blätter von Sorte a, pag. 1.–8.
Grundschicht mit braunschwarzer (Konvolutumschlag und pag. 3.–8.) und blauschwarzer (pag. 1.–2.) Tinte; Nachträge auf pag. 2. mit braunschwarzer Tinte, auf pag. 4. und 5. mit Stift.

Entstehung: Ca. 3.–7. Oktober 1904, Rodaun.
Da pag. 1. und 2. mit derselben blauschwarzen Tinte geschrieben sind wie 1 H, ist es denkbar, daß sie – entgegen Hofmannsthals Tagebuchbericht (vgl. S. 190, 20–22) – bereits unmittelbar nach Abschluß von 1 H, also etwa am 23. September, in Venedig entstanden sind.
Daten: R⟨odaun⟩ 4. X. *pag.* 3. *(vgl. S. 413, Anm. 1)*
5. X. *pag.* 4. *(vgl. S. 414, Anm. 1)*
6. X. *pag.* 6. *(vgl. S. 417, Anm. 2)*
7 X. *pag.* 7. *(vgl. S. 418, Anm. 1)*

Die Szene wurde, leicht überarbeitet, unter dem Titel Die Königin Jokaste. Erste Studie zu einer Oedipus-Tragödie von Hugo von Hofmannsthal. *veröffentlicht (23 D).*

3 H *E III 185.148, 150–204 – Akt I, 2. Fassung; Niederschrift. Konvolutumschlag mit der Aufschrift*

Des Ödipus Ankunft I.
(Text.)
⌈Neue Fassung.
begonnen Ragusa März 1905
dann Grundlsee Ende August
schliesslich Lueg 5–10. September 1905.
und Rodaun 7–9 October " ⌉[1]

und 55 Blätter, überwiegend einseitig beschrieben, pag. 1.–28, $\alpha.$–$\eta._{1}$, $\vartheta.$, $\eta._{2}$, ι, κ_{1} *(ursprünglich* $\mu._{1}$*)*, κ_{2}, $\lambda.$, $\mu._{2}$, $\nu.$, $o.$[2]–$\omega.$, $\omega_{1.}$, ω_{2}

Papier: Sorte a: Konvolutumschlag, pag. 2., 12.–28, κ_{2}, $\nu.$, $o.$, $\omega_{1.}$, ω_{2}; *Sorte b: pag.* 1., 3.–11., $\alpha.$–$\eta._{2}$, κ_{1}, $\mu._{2}$; *Sorte c:* ι, $\lambda.$, $\pi.$–$\omega.$
Grundschicht und drei Nachträge[3] bis Ende August mit schwarzer Tinte, seit

[1] *An der unteren Kante links:* Rxxx Arbeit)
[2] *Pag.* ξ *wurde wohl versehentlich übersprungen.*
[3] *S. 275, 13, 296, 10 und 297, 12; voraus geht jeweils ein Nachtrag mit Stift.*

dem 5 IX. *mit wechselnden braunschwarzen Tinten; daneben durchgängig Nachträge mit Stift.*

Auf Seite d des Konvolutumschlags (E III 185.148) Personenverzeichnis (s. S. 266, 3–26).

Auf pag. β. (E III 185.179) auch N 21.
Auf pag. ϛ. (E III 185.183) auch N 4.
Auf der Rückseite von

pag. α.	*E III 185.178*	*S. 297,26–32 u. 298,17–24*
pag. ϑ.	*E III 185.185*	*S. 308,28–33*
pag. κ₂	*E III 185.189*	*N 20*
pag. μ.₂	*E III 185.191*	*N 8, N 22*
pag. ν.	*E III 185.192*	*N 3*
pag. o.	*E III 185.193*	*N 7, N 18*

Entstehung: Mit Unterbrechungen von März bis Oktober 1905.

Daten: Rag⟨usa⟩ (14 III) *pag.* 1. *(vgl. S. 266, Anm. 2)*
17 III. *pag.* 2. *(vgl. S. 268, Anm. 2)*
18 III *pag.* 5. *(vgl. S. 271, Anm. 2)*
19 III *pag.* 8. *(vgl. S. 274, Anm. 1)*
Grundlsee 30 *(ursprünglich* 23*)* VIII 1905 *pag.* 11. *(vgl. S. 278, Anm. 1)*
Lueg 5 IX. *pag.* δ. *(vgl. S. 300, Anm. 2)*
7 IX. *pag.* λ. *(vgl. S. 313, Anm. 1)*
8. IX. *pag.* π. *(vgl. S. 317, Anm. 1)*
9 IX. *pag.* φ. *(vgl. S. 322, Anm. 2)*
R⟨odaun⟩ 7 X. *pag.* $\omega_{1.}$ *(vgl. S. 328, Anm. 2)*
(R⟨odaun⟩ 9 X 05) *pag.* 24. *(vgl. S. 291, Anm. 1)*

Pag. 1.–28 *sind Verse, pag.* α.–ω_2 *größtenteils Prosa. Aus dem Befund der verschiedenartigen Zählung, der Datierungsvermerke und der Papiersorten läßt sich folgender Ablauf erschließen: In Ragusa wurden pag.* 1.–11. *geschrieben; in Grundlsee kam die Arbeit nicht rasch in Gang. Hofmannsthal entschloß sich, den Text zunächst in Prosa niederzuschreiben, wahrscheinlich mit der Absicht, ihn später zu versifizieren. Während der Niederschrift der Prosa gewann er die Überzeugung, daß die Prosaform möglicherweise bestehen könne. Die Blätter, die er bewahren wollte, wurden separat mit griechischen Buchstaben paginiert, weil noch nicht feststand, wieviele Blätter zwischen den Versen des Anfangs und dieser Prosapartie einzuschieben waren. Die Prosa wurde am 10. September in Lueg abgeschlossen. Im Oktober wurde zunächst die zu bewahrende Prosapartie* α.–ω. *überarbeitet und ergänzt (vgl. Datierung* $\omega_{1.}$*), anschließend wurde der Beginn der Prosa in Verse umgeschrieben: Pag.* 12.–28 *sind später entstanden als* α.–ω. *Pag.* 12. *wird deshalb eingeleitet mit dem Hinweis:* (1. Aufzug. eingeschobenes). *Die Versifizierung wurde über den 1. Teil der Prosa hinaus auch auf pag.* α. *ausgedehnt, so daß an der Nahtstelle zwei Fassungen vorliegen.*

4 H *Privatbesitz – Reinschrift eines Abschnitts aus Akt I, 1. Fassung. Vier einseitig beschriebene Blätter, pag.* 1.–4. *Titel:* Ödipus. (Aus einer älteren unveröffentlichten Arbeit.)
Pag. 1. *links oben:* H. v. Hofmannsthal.
Schwarze Tinte.

Entstehung: Spätestens August 1905. Keine Daten im Manuskript.

4 H war Vorlage für den Teildruck 5 D.

5 D Oedipus. (Aus einer ältern, unveröffentlichten Arbeit.)
In: Die Schaubühne. Hrsg. von Siegfried Jacobsohn. Jg. 1, Heft 1, Berlin, 7. September 1905, S. 2–4.
(Am Ende des Texts: Hugo von Hofmannsthal.*)*
Teildruck aus Akt I, 1. Fassung; Text S. 119–121; übereinstimmend mit 4 H.

6 H *E III 185.247–273, 274/28, 27/275, 276–285 – Akt II,2; Niederschrift. Konvolutumschlag mit der Aufschrift*

Ödipus II B.
und
die
Sphinx Text.
Lueg 14–19 IX./Rodaun 21–22. IX.

und 38 Blätter, überwiegend einseitig beschrieben, pag. 1.–38.[1]

Papier: Sorte a: pag. 2., 3., 5; *Sorte b: Konvolutumschlag (Doppelblatt) und pag.* 1., 4, 6.–9, 35–38.; *Sorte c: pag.* 10.–34.
Pag. 1.–3.: *Grundschicht mit schwarzer, Nachträge mit braunschwarzer Tinte; ab pag.* 4 *Grundschicht und Nachträge mit wechselnden braunschwarzen Tinten; daneben durchgängig Nachträge mit Stift.*
Auf der Rückseite von

pag. 2. *E III 185.249 N 87*
pag. 3. *E III 185.250 N 114*
pag. 5 *E III 185.252 N 115, N 113*
pag. 6. *E III 185.253 N 82*
pag. 7. *E III 185.254 N 80*
pag. 25. *E III 185.272 ursprüngliche pag.* 23.

Entstehung: 14.–22. September 1905.
Daten: 15 IX. *pag.* 6. *(vgl. S. 426, Anm. 3)*
16/IX. *pag.* 10. *(vgl. S. 431, Anm. 2)*
17 IX. *pag.* 15 *(vgl. S. 436, Anm. 1)*
18 IX. *pag.* 17 *(vgl. S. 439, Anm. 2)*
19. IX. *ursprüngliche pag.* 23. *(vgl. S. 445, Anm. 2)*
Lueg: 19 IX *pag.* 24 *(vgl. S. 446, Anm. 1)*
Rodaun. 21. IX. *pag.* 28 *(vgl. S. 451, Anm. 1)*
22 IX 05. *pag.* 35 *(vgl. S. 459, Anm. 1)*

6 H umfaßt die Szene S. 420,3–462,22, die in der Handschrift wesentlich umfangreicher ist als in den Drucken; sie enthält ein langes Gespräch Jokaste – Kreon.

7 H *E III 185.205–218, 225, 219–224, 226–228, 230, 229, 231–237 – Akt II,3; Niederschrift. Konvolutumschlag mit der Aufschrift*

Des Ödipus Ankunft
II C.
Rodaun 23 IX – .

und 32 Blätter, überwiegend einseitig beschrieben, pag. 1., 2., 2b., 2c. *(ursprünglich* 2b.*),* 3. *(ursprünglich* 4.*),* 4.–11., 11b., 12.–15, 15b., 15c, ⟨15d⟩, 16, 17., 17b., 18.–23., 23b., 24.

Papier: Sorte a: pag. 2b., 2c., 11b., 15b., 15c, ⟨15d⟩, 17b., 23., 23b., 24.; *Sorte b: Konvolutumschlag und alle übrigen Blätter.*
Pag. 1.–2c.: *Grundschicht mit schwarzer Tinte, ein Nachtrag (pag.* 2.*) mit braunschwarzer Tinte; pag.* 3.–23.: *Grundschicht und ein Nachtrag*[2] *mit braunschwarzer Tinte; zahlreiche, z. T. umfangreiche Nachträge, auch auf eigenen Blättern (pag.* 11b., 15b., 15c, ⟨15d⟩, 17b., 23b., 24.*), mit schwarzer Tinte. Daneben durchgängig Nachträge mit Stift.*

[1] *Die untere Hälfte von pag.* 27. *war abgerissen und wurde als Notizzettel selbständig signiert (E III 185.28). Ebenso war der obere Teil von pag.* 28 *abgerissen und wurde gesondert signiert (E III 185.27).*

[2] *S. 469,6; voraus geht ein Nachtrag mit Stift.*

Auf der Rückseite von
pag. 2c. *E III 185.209 S.464,34f.*
pag. 11. *E III 185.218 S.477,21–23*
pag. 15c *E III 185.224 N 102*
pag. 17. *E III 185.228 N 109*
pag. 21. *E III 185.233 N 98*
pag. 23. *E III 185.235 N 121, N 117, N 118, N 122*

Entstehung: 23. – etwa Ende September 1905.
Daten: R⟨odaun⟩ 25 IX. *pag.* 3. *(vgl. S.466, Anm. 2)*
26 IX. *pag.* 11. *(vgl. S.476, Anm. 1)*
27 IX *pag.* 15 *(vgl. S.484, Anm. 1)*

Aus der Verteilung der Papiersorten kann man schließen, daß alle eingeschobenen Blätter erst gegen Ende der Niederschrift bzw. bei einer Revision hinzugefügt wurden, da Sorte a erst am Schluß (pag. 23.*) auch im laufenden Text Verwendung findet.*

8 H *E III 185.80–81, 309, 82–84, 311, 318, 85–96, 327 – Akt II,1, 2. Fassung (Fragment). Konvolutumschlag mit der Aufschrift*

⌈*S* Kreonscene.⌉
Des Ödipus Ankunft *(1)* II *(2)S* II A /
Neue Fassung
Text.
⌈*S* 11. 12. 13 / IX 05⌉
⌈*S* in Prosa
und Umschreibung in Versen.⌉
Semmering 16–19 X.

und 20 – ursprünglich mindestens 33 – einseitig beschriebene Blätter, pag. 1., 2., 4.–7., 14.–23., 26.–29.
Folgende Seiten gingen später in 12 H ein: Pag. 2.–3. *(= 12 H 23.–24),* 7.–14. *(= 12 H 25–32.),* 24. *(= 12 H* 34.b.*),* 25. *(= 12 H* 35.*),* 29.–33. *(= 12 H 40–44).*
Papier: Sorte a: alle Blätter; Sorte b: Konvolutumschlag. Grundschicht und ein Nachtrag[1] *mit schwarzer Tinte, die übrigen mit Stift.*
Auf Seite d des Konvolutumschlags befinden sich zwei Bühnenskizzen; auf pag. 21. *am linken Rand (Mitte) N 57.*

Entstehung: 16.–19. Oktober 1905.
Datum: S⟨emmering⟩ 18 X *pag.* 16. *(vgl. S.338, Anm. 2)*

8 H ist ein Fragment, weil der Autor, um sich überflüssiges Abschreiben zu ersparen, bei der Neuformung der Szene (= 12 H) zahlreiche Blätter aus der vorausgehenden Fassung in die neue übernommen hat. Eine zuverlässige Rekonstruktion von 8 H mit Hilfe von 12 H ist nicht möglich, weil häufig nicht zu entscheiden ist, welche Varianten auf den verschobenen Blättern bereits zu 8 H gehörten und welche erst bei Einarbeitung in 12 H hinzutraten. Bei der Darstellung von 8 H wird an allen Stellen, an denen Blätter fehlen, auf den neuen Platz in 12 H verwiesen.

Die Hinweise auf dem Titelblatt führen zu den folgenden Schlüssen: Eine erste Fassung der Kreonszene war in Prosa geschrieben. Sie entstand vom 11.–13. September 1905. Nachdem die zweite Fassung in Versen, entstanden vom 16.–19. Oktober 1905, durch eine dritte (= 12 H) abgelöst worden war, wurden beide überholte Fassungen in einem Konvolut abgelegt. Aus diesem Grund trägt das Titelblatt zwei verschiedene Datierungen. Später ist die Prosafassung offensichtlich dem Konvolut entnommen worden und ging verloren.

[1] *S.331,30; voraus geht ein Nachtrag mit Stift.*

9 T *Archiv des Deutschen Theaters, Berlin – Akt I, Typoskript. Original und Durchschlag eines Typoskripts von 56 Seiten (einschließlich Titelblatt), beide mit Schnur geheftet; Original: blauer Heftumschlag, Durchschlag: Heftumschlag vorn und Titelblatt abgerissen. Aufschrift des Titelblatts (nur im Original):*

Hugo von Hofmannsthal.
OEDIPUS UND DIE SPHINX.
Tragödie in drei Aufzügen.
⌈S I.⌉ 5

S. ⟨1⟩: Hölderlin-Zitat. Das Motto im Typoskript zunächst vierzeilig wie Verse angeordnet. Hofmannsthal gruppiert im Original um auf 2 1/2 Zeilen, damit der Text als Prosa gelesen wird. Im Durchschlag Randbemerkung mit Stift: Prosa. 10
S. 2: Personenverzeichnis des ganzen Dramas.
S. 3–55: Text von Akt I.
Das Original trägt auf der Innenseite des Heftumschlags am oberen Rand links die Aufschrift: Exemplar für Director Max Reinhardt. 15

Beide Exemplare sind vom Autor korrigiert und gelegentlich gekürzt, das Original ist weniger gründlich durchgesehen und in geringerem Maße verändert als der Durchschlag, der ihm als Arbeitsexemplar gedient hat. – In beiden Exemplaren einzelne Bemerkungen von fremder Hand.
Schichten: 9,1 T Grundschicht 20
9,2 T Variationsschicht im Original mit Tinte
9,3 T 1. Variationsschicht im Durchschlag mit Tinte
9,4 T 2. Variationsschicht im Durchschlag mit Stift

Entstehung: Zwischen 3 H, der teilweise schwer lesbaren und textlich manchmal abweichenden Niederschrift des 1. Akts, und 9 T ist wohl eine verschollene Reinschrift anzusetzen. 25
Das Typoskript ist nicht datiert; es ist wahrscheinlich identisch mit dem Typoskript, das Hofmannsthal am 14. Oktober 1905 Oscar Bie für einen Vorabdruck in der ›Neuen Rundschau‹ verspricht und am 26. Oktober abschickt.

9 T ist die Vorlage für alle weiteren Typoskripte von Akt I, die im Deutschen Theater für die Aufführung hergestellt wurden, Regiebuch, Inspizierbuch, Schauspielerexemplare, Rollenbücher usw. Möglicherweise liegt eine Kopie auch dem Erstdruck des Dramas zugrunde. 30

10 T *Archiv des Deutschen Theaters, Berlin – Akt II,2. Typoskript von 40 Seiten, mit Schnur geheftet, blauer Heftumschlag.* 35
Aufschrift des Titelblattes (S. ⟨1⟩):

OEDIPUS UND DIE SPHINX
II. Aufzug. ⌈S B.⌉

S. 2–40: Text von Akt II, 2. Szene.

Das Typoskript ist vom Autor flüchtig durchgesehen; nur wenige Fehler sind verbessert; einige Kürzungen wurden vorgenommen. Alle Änderungen gehören derselben Schicht an. 40
Schichten: 10,1 T Grundschicht
10,2 T Variationsschicht mit Tinte

Entstehung: Zwischen 6 H, der schwer lesbaren Niederschrift von Akt II,2, und 10 T ist wohl eine verschollene Reinschrift anzusetzen. 45
Das Typoskript ist nicht datiert; es ist wahrscheinlich identisch mit dem Typoskript, das Hofmannsthal am 14. Oktober 1905 Oscar Bie für einen Vorabdruck in der ›Neuen Rundschau‹ verspricht und am 26. Oktober abschickt. Die Tatsache, daß der Text zunächst nur II. Aufzug. *– ohne Szenenangabe:* B. *– über-* 50

schrieben wurde, läßt ebenfalls darauf schließen, daß 10 T vor Ende Oktober 1905 entstand, bevor nämlich Akt II A abgeschlossen war.

10 T ist die Vorlage für alle weiteren Typoskripte dieser Szene, die im Deutschen Theater vorhanden sind: Regiebuch, Inspizierbuch, Schauspielerexemplare usw.

11 T — *Archiv des Deutschen Theaters, Berlin – Akt II,3. Typoskript von 28 Seiten, mit Schnur geheftet, blauer Heftumschlag.*
Auf dem Heftumschlag: Dir. Reinhardt.
Kein Titelblatt.
S. ⟨1⟩ überschrieben: II. Aufzug. C.
Keine Spuren einer Durchsicht des Typoskripts.

Entstehung: Etwa 15.–25. Oktober 1905.
Das Typoskript ist nicht datiert; die völlig gleiche äußere Form wie die von 9 T und 10 T legt nahe, daß 11 T im Auftrag Hofmannsthals zugleich mit jenen hergestellt wurde. Der Dichter hat im Oktober offensichtlich alle fertigen Teile des Dramas typieren lassen.

11 T muß auf eine verschollene, schwer lesbare Reinschrift zurückgehen. Es enthält krasse Abschreibfehler. Manche Fehler, die als solche nicht leicht erkennbar waren, sind produktiv geworden und unberichtigt in alle von 11 T abhängigen Typoskripte des Deutschen Theaters (Regiebuch, Inspizierbuch usw.) eingegangen.

12 H — *E III 185.286–288, 292^b, 293^b, 294^b, 289–331 – Akt II,1, 3. Fassung.*[1] *Konvolutumschlag*[2] *mit der Aufschrift*

Kreonscene
3te Fassung.
(beg. Semmering 22 X)
geendet Rodaun 28 X

und 45 überwiegend einseitig beschriebene Blätter, pag. 1.–33., 34.a., 34.b., 35.–44.
Folgende Seiten wurden aus 8 H übernommen: pag. 23.–24 *(= 8 H* 2.–3.*)*, 25–32. *(= 8 H* 7.–14.*)*, 34.b. *(= 8 H* 24.*)*, 35. *(= 8 H* 25.*)*, 40–44 *(= 8 H* 29.–33.*)*.

Papier: Sorte a: Konvolutumschlag, pag. 1.–8, 10.–17, 21.–44; *Sorte c: pag.* 9., 18–20.
Grundschicht mit schwarzer Tinte, Nachträge mit braunschwarzer Tinte und mit Stift.
Auf der Rückseite von

pag. 5	*E III 185.291*	*N 60*
pag. 6.–8	*E III 185.292–294*	*S. 362,17–365,29*[3]
pag. 21.	*E III 185.307*	*N 79*

Entstehung: 22.–28. Oktober 1905.
Daten: S⟨emmering⟩ 23 X. *pag.* 1. *(vgl. S. 359, Anm. 1)*
S⟨emmering⟩ 24 X. *pag.* 3. *(vgl. S. 365, Anm. 2)*

[1] *2. erhaltene Fassung; vgl. 8 H.*
[2] *Auf Seite d:* Kreonscene (II.A)
[3] *Zusammenhängende Entwürfe zur Magier-Szene, die dem gültigen Text unmittelbar vorausgehen.*

13 H *E III 185.97–115 – Akt III, 1. Fassung (Fragment). Konvolutumschlag mit der Aufschrift*

Ödipus u. die Sphinx
III. ⌈S B⌉[1]
Text.
⌈S (Rodaun 5 XI –)⌉

und 18 mit einer Ausnahme einseitig beschriebene Blätter von Sorte a. Das Manuskript umfaßte ursprünglich wohl 37 Blätter, davon in 13 H erhalten: pag. 1.–15, 17. *(geändert in* ζ*; die Seite sollte in 15 H übernommen werden),* 18., 24 *Pag.* 19. *und* 20. *sind nicht überliefert. Die übrigen Blätter sind später in 15 H eingegangen; sie erscheinen dort als:*

pag. ϵ. *(ursprünglich* 16.*) E III 185.122*
pag. ι *(ursprünglich* 21.*) E III 185.126*
pag. κ *(ursprünglich* 22.*) E III 185.127*
pag. λ *(ursprünglich* 23.*) E III 185.128*
pag. ν *(ursprünglich* 25.*) E III 185.130*
pag. ξ *(ursprünglich* 26.*) E III 185.131*
pag. 27.–37. *E III 185.133–143*

Es ist nicht eindeutig zu entscheiden, ob Akt III in 13 H vollständig war. Die letzten Seiten (ab pag. 27.*) gingen in 15 H ein, ohne eine neue Paginierung zu erhalten, so daß in der Schlußpartie von 15 H nicht mit Sicherheit zu erkennen ist, wie weit der übernommene Text reicht und wo neuer Text beginnt. Die Paginierung von 15 H geht bis pag.* 38, *der zwei unpaginierte Blätter, pag.* ⟨39.⟩ *und* ⟨40.⟩, *folgen. Aus der Deutung des graphischen Befundes, besonders der gebrauchten Feder, schließt der Herausgeber, daß pag.* 27.–37. *zur ursprünglichen Fassung gehörten. Pag.* 37. *ist als zumindest vorläufiger Abschluß des Akts durchaus denkbar.*

Grundschicht und zwei Nachträge[2] *mit schwarzer Tinte, die übrigen mit Stift.*
Auf dem Konvolutumschlag (E III 185.97) auch N 137 und N 138.
Auf pag. 1. *E III 185.98 auch N 132*
pag. 3. *E III 185.100 auch N 130*
pag. 5. *E III 185.102 auch N 129*
pag. 10. *E III 185.107 auch N 131*
Auf der Rückseite von pag. 15 *(E III 185.112) N 110 und N 111.*

Entstehung: 5. bis etwa Mitte November 1905.
Daten: 6./XI *pag.* 3. *(vgl. S. 498, Anm. 1)*
8 XI *pag.* 13 *(vgl. S. 507, Anm. 3)*
Am 13. November schrieb Hofmannsthal an Gertrud Eysoldt, er erwarte, Akt III vor seiner Reise nach Berlin (20. November) fertigzustellen. Er ist wohl mit 13 H als einem provisorisch abgeschlossenen Schlußakt nach Berlin gefahren.

14 T *Archiv des Deutschen Theaters, Berlin – Regiebuch Max Reinhardts. Typoskript von Akt I und Akt II; Akte bzw. Szenen jeweils mit eigener Seitenzählung. Vorderer Innendeckel, von Hofmannsthals (?) Hand mit Rotstift:*

Oedipus
und
die Sphinx.

[1] *Der Zusatz* B *beruht auf einem Irrtum. Das Konvolut enthielt ursprünglich wohl den ganzen Akt. Wenn es jedoch fragmentarisch war, so fehlte jedenfalls das Ende und nicht der Anfang.*

[2] *S. 507,27 und 509,32; voraus gehen einmal ein Nachtrag, einmal ausnahmsweise wenige Zeilen Grundschicht mit Stift.*

Vorsatzblatt: Korrekturen und Notizen des Regisseurs zu Akt I. Rückseite Skizze. Titelblatt:

Hugo von Hofmannsthal.
OEDIPUS UND DIE SPHINX.
Tragödie in drei Aufzügen.

Rechts oben: I. *(= Hinweis, daß Akt I mit diesem Titelblatt versehen wurde).*[1]

1. Konvolut (Akt I) = S. ⟨1⟩–37; S. ⟨1⟩: Hölderlin-Motto; S. 2: Personenverzeichnis; danach ein ungezähltes Blatt mit Skizze; S. 3 oben Mitte: I. Aufzug.*; danach S. 3–37 Text des I. Akts. 2. Konvolut (Akt II, Kreon-Szene) = S. ⟨1⟩–25; S. ⟨1⟩ rechts oben:* II. A.*; oben Mitte:* II. Aufzug. A.*; danach bis S. 25 Text der Kreon-Szene. 3. Konvolut (Akt II, Jokaste-Szene) = S. ⟨1⟩–30; S. ⟨1⟩ Titelblatt:*

Hugo v. Hofmannsthal.
OEDIPUS UND DIE SPHINX.
II. Aufzug.

Rechts oben: II B.*; S. 2 oben Mitte:* II. Aufzug.*; danach bis S. 30 Text der Jokaste-Szene (Jokaste – Antiope, Jokaste – Kreon). 4. Konvolut (Akt II, Volksszene) = S. 1–19; S. 1 oben Mitte:* II. II. Aufzug.*; danach bis S. 19 Text der Szene* Vor dem Palast.
14 T ist reich an Anmerkungen, Skizzen, Regievorschriften u. dgl. Einzelne Varianten von der Hand des Regisseurs, wohl auf Hinweise Hofmannsthals zurückgehend.

Entstehung: 1905, nach dem 20. November.

Von Akt II A *ist keine Reinschrift und kein von Hofmannsthal durchgesehenes Typoskript überliefert. Für diese Szene wurde deshalb Reinhardts Regiebuch dem Textvergleich (s. S. 589,22–591,38) stellvertretend zugrunde gelegt, da es auf einer Reinschrift oder – wahrscheinlicher – auf einem autorisierten Typoskript beruhen muß. Die Abschrift ist nicht immer zuverlässig. Die Vorlage scheint von Hofmannsthal nicht durchgesehen worden zu sein.*

15 H *E III 185.116–146 – Akt III, 2, 2. Fassung. Konvolutumschlag mit der Aufschrift*

III. B.
neue Fassung.

und 30 überwiegend einseitig beschriebene Blätter von Sorte a, pag. α., α.$_1$*, β.–ο,* 27.–38, ⟨39–40⟩. *Zahlreiche Blätter wurden aus der ursprünglichen Fassung des 3. Akts (vgl. 13 H) übernommen.*

Grundschicht mit schwarzer Tinte, Nachträge mit schwarzer Tinte[2] *und mit Stift. Auf der Rückseite von*

pag. β. E III 185.119 S. 532,2–9
pag. ε. E III 185.122 N 124

Entstehung: Dezember 1905.
Keine Daten im Manuskript. Hofmannsthal überarbeitete etwa seit dem 5. Dezember den im November nur provisorisch abgeschlossenen 3. Akt.

15 H schließt nicht genau an das Ende von III A *(= 16 H) an. Daraus ist zu schließen, daß die zweite Szene der ersten vorausging.*

[1] *Rechts oben Stempel: »Deutsches Theater zu Berlin«. Ebenso S. ⟨1⟩, S. 2, S. 3 und auf weiteren Seiten mit Szenenbeginn.*
[2] *Durchweg nach vorangegangenem Nachtrag mit Stift.*

16 H *E III 185.70–79 – Akt III,1, 2. Fassung. Konvolutumschlag mit der Aufschrift*

Ödipus u.d. Sphinx. III A [S (Zweite Fassung.)]

und 9 einseitig beschriebene Blätter von Sorte a, pag. 1.–9.

Grundschicht mit schwarzer Tinte, Nachträge mit Stift.
Das Schriftbild ist anfangs sehr regelmäßig. 16 H war offensichtlich als Reinschrift geplant. Ab pag. 2. Varianten, ab pag. 3. flüchtige Schriftzüge; die Absicht, eine Reinschrift anzufertigen, scheint aufgegeben.

Entstehung: Dezember 1905.
Keine Daten im Manuskript. Hofmannsthal überarbeitete etwa seit dem 5. Dezember den im November nur provisorisch abgeschlossenen 3. Akt.

III A *fügt sich nicht als erster Teil zu* III. B. *(15 H).*

17 H *E XXIII 18.1–8 – Akt III,1; Reinschrift. Konvolutumschlag mit der Aufschrift*

Ödipus III A.
[S Reinschrift.
Zur Verfügung des »Deutschen Theaters«][1]

und sieben einseitig beschriebene Blätter von Sorte a, pag. 1.–7. *Schwarze Tinte.*

Entstehung: Etwa 2. Hälfte Dezember 1905.
Keine Daten im Manuskript.

18 H *E XXIII 18.9–28 – Akt III,2, 1. Teil; Reinschrift. Konvolutumschlag mit der Aufschrift*

III. B.[2]
Reinschrift
(mit Ausnahme der letzten Scene
des Stückes.)

Darunter:
[S Bitte dringend nach eiligst genommener Copie dieses
Manuscript umgehend express an mich zurück, ebenso
Bild I des III^{ten} Actes.
Hofmannsthal.][1]

An der oberen Kante:
[S (Text für Musik schick ich morgen express)][1]
Im Konvolutumschlag 19 einseitig beschriebene Blätter von Sorte a, pag. 1.–19.
Grundschicht mit schwarzer Tinte, Nachträge mit Stift.

Entstehung: Etwa 2. Hälfte Dezember 1905.
Keine Daten im Manuskript.

19 T *Archiv des Deutschen Theaters, Berlin – Akt III,2, 2. Teil. Typoskript von sieben Seiten, gezählt: 14–20, geheftet; Überschrift:* III. B.

Entstehung: Etwa Ende Dezember – Anfang Januar 1906.

Da vom letzten Bild von Akt III keine Reinschrift und kein von Hofmannsthal durchgesehenes Typoskript überliefert ist, wurde stellvertretend dieses Typoskript dem Textvergleich (s. S. 604,26–40) zugrunde gelegt.

[1] *Wahrscheinlich gestrichen nach Rücksendung des Manuskripts durch das Theater.*
[2] *Mit Stift doppelt unterstrichen.*

Die Seitenzählung weist 19 T als Teil des Typoskripts aus, das Vorlage für Max Reinhardts Regiebuch von Akt III war. Reinhardts Regieexemplar des letzten Bildes ist nicht erhalten. 19 T ist ein unsorgfältig hergestelltes Typoskript mit vielen unkorrigierten Fehlern.

5 *20 D* Die beiden Königinnen.
(Aus dem Trauerspiel »Ödipus und die Sphinx«.)
Von Hugo von Hofmannsthal.
In: Der Tag. Berlin, 24. Dezember 1905.

Teildruck aus Akt II,2, Text S. 65,1–79,12.

10 *21 D* Der Kreuzweg im Lande Phokis
Aus Ödipus und die Sphinx
von Hugo v. Hofmannsthal
In: Die Neue Rundschau. XVIIter Jahrgang der Freien Bühne, Band I, 1906, S. 52–76.

15 *Teildruck (Akt I), Text S. 11–43.*

22 D Ödipus und die Sphinx
Tragödie in drei Aufzügen
von Hugo von Hofmannsthal
⟨1. Auflage⟩ Berlin: S. Fischer Verlag 1906.
20 *Erschienen etwa Februar 1906.*

Die 2.–4. Auflage, ebenfalls 1906 erschienen, folgt dem Text der 1. Auflage.

23 D Die Königin Jokaste.
Erste Studie zu einer Oedipus-Tragödie
von Hugo von Hofmannsthal.
25 *In: Die Arena. Hrsg. von Rudolf Presber. Band I, Nr. 1, Berlin, 1. April 1906, S. 57–61.*

Teildruck (Akt II,1, 1. Fassung), Text S. 122–127.

24 D Ödipus und die Sphinx
Tragödie in drei Aufzügen
30 von Hugo von Hofmannsthal
5. Auflage. Berlin: S. Fischer Verlag 1906.

In der 5. Auflage sind zahlreiche Fehler der 1.–4. Auflage korrigiert und zwei Textpartien fortgefallen. Diese Auflage stellt den eigentlichen Abschluß der Entstehungsgeschichte dar. Sie wurde deshalb als Textgrundlage gewählt.

35 *Die 6. (und letzte Auflage) folgt der 5. Auflage.*

25 DH *Privatbesitz – Opernbearbeitung für den Musiker Edgard Varèse. Zugrunde liegt* Ödipus und die Sphinx, *3. Auflage 1906.*

Akt I vom Autor mit Stift bearbeitet (nur S. 15 mit Tinte). Hauptsächlich Kürzungen.

40 *Entstehung: Juni 1909. – Am 28. Juni 1909 bestätigt Varèse den Empfang der Bearbeitung: »J'ai reçu les 2 Ödipus avec vos modifications au 1er Acte.«*
Am 12. September 1909 lehnt Hofmannsthal aus Zeitmangel ab, den Text weiter zu bearbeiten. Varèse überträgt Hofmannsthals Änderungen in sein eigenes Arbeitsexemplar und richtet sich den weiteren Text selbst ein. Hofmannsthal akzeptiert
45 *diese Bearbeitung ohne Einschränkung. Auf S. 156–163 von Varèses Arbeitsexemplar finden sich kleinere Striche und Bemerkungen von Hofmannsthals Hand,*

die in diese Edition nicht aufgenommen wurden, weil sie nur im Zusammenhang von Varèses Text Bedeutung haben.

Zum Schicksal der Oper s. S. 204, 34–205, 28.

26 DH *FDH/Dauerleihgabe Stiftung Volkswagenwerk – Bearbeitung für das Burgtheater. Zugrunde liegt* Ödipus und die Sphinx, *6. Auflage 1906.* 5

Akt I und II bearbeitet, Akt III gestrichen; alle Eintragungen und Veränderungen mit Stift.
Titelblatt (S. ⟨5⟩):

1. Fassung:

Ödipus und die Sphinx 10
von Hugo von Hofmannsthal
(Erste Fassung)

2. Fassung:

Der Weg des Ödipus.
(Ein Schauspiel) 15
In zwei Aufzügen.
von Hugo von Hofmannsthal

Rechts oben: Handexemplar
Widmung (S. ⟨1⟩): für Max Paulsen.
II 1923. H⟨ofmannsthal⟩ 20

S. ⟨7⟩: Die damalige Besetzung (1906)
Oedipus – Kayssler
Jokaste – Sorma
Antiope – Sandrock
Kreon – Moissi 25
Laïos – Steinrück
Tiresias – Royards
Knabe – Eysoldt
(Schwertträger)

S. ⟨8⟩: *Über dem Personenverzeichnis:* 30
Regie: Paulsen
Decoration: Roller (– die Skizzen sind vorhanden)

Zu einzelnen Personen werden als mögliche Darsteller notiert:
ÖDIPUS – Aslan
PHÖNIX – Reimers 35
LAÏOS – Siebert?
Der Herold – Danegger (?)
Die Königin JOKASTE – Wolgemut
KREON, ihr Bruder – Romberg? Schmöle? Paulsen
Die Königin ANTIOPE, des Laïos Mutter – Bleibtreu 40
TEIRESIAS – Reimers?
Der Schwertträger des Kreon – Hans Thimig
Ein Zwerg: Moser

ERMOS, ELATOS *(*ERMOS *wohl nur versehentlich) und* Ein Sterbender *getilgt;* Ein Zwerg *neu hinzugetreten. Am Ende von Akt II (S. 147):* Schluss der Tragödie 45

Entstehung: Etwa Februar 1923.

Die Bearbeitung ist nicht völlig abgeschlossen. Hofmannsthal wollte noch an der Rolle des Kreon ändern. Die geplante Aufführung kam nicht zustande (s. S. 206, 18–208, 2).

27 D Ödipus und die Sphinx
Tragödie in drei Aufzügen
In: Hugo von Hofmannsthal, Gesammelte Werke. Sechster Band. Berlin: S. Fischer Verlag 1924, S. 78–228.

5 *Dieser Druck folgt der 1. Auflage (22 D). Die Tatsache, daß nicht die veränderte und verbesserte 5. Auflage (24 D) gewählt wurde, läßt den Schluß zu, daß 27 D ohne Zutun des Autors zustande kam.*

NOTIZEN

Die Notizen sind größtenteils in drei eigenen Konvoluten überliefert:

10 *1. E III 185.1–12 – Konvolutumschlag (E III 185.1) mit der Aufschrift:*

Oidipus und die Sphinx.
(Venedig ⌈begonnen⌉ den 16 IX. 1904)
⌈^{T}Notizen.⌉

Auf derselben Seite rechts unten: Merlin
15 *Auf Seite d Niederschrift einer Parabel:*

Stoff und Form
Ein Greis pisste gegen eine Mauer. Nachher ging ein großer Maler vorüber warf sein Auge auf die frischen Flecken an der Mauer und sah darin die Gestalten der Andromeda das Ungeheuer *(1)* und *(2)*, Meer mit Klippen, und schuf ein herrliches Bild. *(1)* Den Stoff *(2)* Die Erfindung /
20 dazu hat er von mir ⌈genommen⌉, pflegte der Greis zu sagen.

Der Konvolutumschlag galt zunächst wohl dem ganzen Drama und wurde erst später zur Sammlung von Notizen verwendet. Er enthält 11 Blätter unterschiedlichen Formats und Papiers, mit Notizen zu sämtlichen Akten des Dramas. Die Notizen stammen aus dem gesamten Zeitraum der Entstehung von September 1904 bis ca. Dezember 1905. Datierungen der einzelnen
25 *Notizen, soweit ermittelt, sowie Hinweise auf ihren Kontext finden sich in den ›Erläuterungen‹.*

2. E III 185.13–20 – Konvolutumschlag (E III 185.13) mit der Aufschrift:

Des Ödipus Ankunft
I.
30 Notizen.

Auf Seite d oben N 17, unten N 106. Der Konvolutumschlag, ursprünglich für Notizen zu Akt I, 2. Fassung bestimmt, wurde später auch für andere Notizen verwendet. Er enthält 7 Blätter unterschiedlichen Formats und Papiers. Etwaige Datierungen und Hinweise auf den Kontext der einzelnen Notizen sind in den ›Erläuterungen‹ dargeboten.

35 *3. E III 185.21–46 – Konvolutumschlag (E III 185.21/46) mit der Aufschrift:*

Des Ödipus Ankunft II.
Neue Fassung.
(1) Text. →
(2) Notizen zu II A |
40 ⌈^{S}auch Notizen zur 3ten Fassung.⌉

Der Konvolutumschlag enthält 22 Blätter unterschiedlichen Formats und Papiers mit Notizen zu Akt II (vornehmlich II A*) sowie einer Notiz zum III. Akt. 2 fragmentarische Blätter (E III*

185.27 und E III 185.28) wurden ausgesondert. Sie waren Teil einer Niederschrift von Akt II B und gehören zu pag. 27. (E III 185.274) und pag. 28 (E III 185.275) von 6 H. Vgl. S. 212, Anm. 1.

Die Notizen dieses Konvoluts stammen durchweg aus der Zeit von September bis Oktober 1905. Alle Notizen auf Papier der Sorte c (vgl. die Übersicht S. 209) gehören in die Periode von Hofmannsthals Aufenthalt in Lueg vom 4.–20. September. Alle Notizen, die den Magier betreffen, sind aus der Zeit von Hofmannsthals Aufenthalt auf dem Semmering, ca. 15.–25. Oktober.

Weitere Notizen befinden sich auf vier separat überlieferten Blättern (E III 185.147; E III 185.149; E III 231.16; 1 Blatt Privatbesitz) sowie in verschiedenen Niederschriften zu einzelnen Szenen von Ödipus und die Sphinx.

Zum Ganzen

N 1 *E III 185.2 – Einseitig beschriebener Zettel (1/2 Blatt) von Sorte a; Stift.*

N 2 *E III 185.14 – Vorderseite eines beidseitig beschriebenen Blattes (Rückseite: Bücherliste[1]), halbierter Briefbogen (zur Papierbeschreibung s. N 15), 112 x 177 mm; schwarze Tinte.*

N 3 *E III 185.192^b – Rückseite eines beidseitig beschriebenen Blattes (Vorderseite: 3 H, pag. ν.) von Sorte a; schwarze Tinte, mit Stift durchgestrichen.*

N 4 *E III 185.183 – Am rechten Rand unten auf einseitig beschriebenem Blatt (3 H, pag. ζ.) von Sorte b; schwarze Tinte.*

N 5 *E III 185.12 – Obere Partie eines einseitig beschriebenen Blattes (untere Partie: N 85) von Sorte a; schwarze Tinte.*

N 6 *E III 185.20 – Obere Partie (erster Teil = N 26, zweiter Teil = N 108) eines einseitig beschriebenen Blattes von Sorte b; schwarze Tinte. Untere Partie: erster Teil = N 53, zweiter Teil = N 81.*

N 7 *E III 185.193^b – Obere Partie auf der Rückseite eines beidseitig beschriebenen Blattes (Vorderseite: 3 H, pag. o.) von Sorte a; blauschwarze Tinte. Untere Partie: N 18; beide Notizen durchgestrichen.*

[1] Mirkhonds History of the Assassins
Kern. Sacred Books of the east (unerschwinglich)
Spencer On education
Mirabeau Œuvres ed.
Lettres au comte de la Marck
Hearn Japan ed. Macmillan
Keats Works Hampstead ed. (Finch)
Emerson Essays
Recht u⟨nd⟩ Sprache Günther
Achelis Ekstase } Rades V⟨erlag⟩
Leuss Aus dem Zuchthaus }
Vgl. auch die Erläuterungen S. 662,16–663,42.

Zu Akt I

N 8 *E III 185.191*^{b} *– Obere Partie auf der Rückseite eines beidseitig beschriebenen Blattes (Vorderseite: 3 H, pag.* $\mu._2$*) von Sorte b; schwarze Tinte. Untere Partie: N 22; beide Notizen mit Stift durchgestrichen.*

N 9 *E III 185.149 – Sechste Partie auf einem einseitig beschriebenen Blatt von Sorte a; schwarze Tinte. Erste Partie: N 24, zweite: N 25, dritte: N 11, vierte: N 12, fünfte: N 13, siebte: N 10. Sämtliche Notizen in engem Zusammenhang mit der Entstehung von Akt I, 2. Fassung: März–Oktober 1905; wohl nicht später als der Abschluß der Prosafassung dieses Akts am 10. September 1905. Schreibmaterial (N 24 und N 25 mit Stift) und Schriftzüge untereinander verschiedenartig.*

N 10 *E III 185.149 – Siebte Partie auf einem einseitig beschriebenen Blatt (Beschreibung: N 9); schwarze Tinte.*

N 11 *E III 185.149 – Dritte Partie auf einem einseitig beschriebenen Blatt (Beschreibung: N 9); schwarze Tinte.*

N 12 *E III 185.149 – Vierte Partie auf einem einseitig beschriebenen Blatt (Beschreibung: N 9); schwarze Tinte.*

N 13 *E III 185.149 – Fünfte Partie auf einem einseitig beschriebenen Blatt (Beschreibung: N 9); schwarze Tinte.*

N 14 *E III 185.19 – Einseitig beschriebenes Blatt (Fragment; nur unteres Ende erhalten) von Sorte b, 230 x 29 resp. 61 mm; schwarze Tinte, Nachtrag mit Stift.*

N 15 *E III 185.16 – Obere Partie auf Seite a eines gefalteten Briefbogens, Seiten b–d unbeschrieben; geripptes Papier, zweimal 112 x 178 mm, Wasserzeichen: Rosette, ORIGINAL MARGARET MILL. VIENNA MANUFACTURE; schwarze Tinte. Untere Partie: N 125; die ungewöhnlich steife Schrift in beiden Notizen macht gleichzeitige Entstehung wahrscheinlich.*

N 16 *E III 185.15 – Zweite Partie (erste: N 89, dritte: N 86, vierte: N 91, fünfte: N 92, sechste: N 93, siebte: N 90, achte: N 134) auf einem einseitig beschriebenen, unten abgerissenen Blatt (Fragment) von Sorte a, 230 x ca. 208 mm; schwarze Tinte, Nachtrag mit blauschwarzer Tinte.*

N 17 *E III 185.13*^{d} *– Obere Partie auf Seite d des Umschlags von Konvolut 2 (s. S. 221, 27–34); Sorte a (untere Partie: N 106); schwarze Tinte.*

N 18 *E III 185.193*^{b} *– Untere Partie auf der Rückseite eines beidseitig beschriebenen Blattes (obere Partie: N 7, Beschreibung s. dort); blauschwarze Tinte; zusammen mit N 7 durchgestrichen.*

N 19 *E III 185.17 – Einseitig beschriebenes Blatt von Sorte a; links oben pag. 5. (vorpaginiert?); schwarze Tinte.*

N 20 *E III 185.189*^{b} *– Rückseite eines beidseitig beschriebenen Blattes (Vorderseite: 3 H, pag.* κ_2*) von Sorte a; schwarze Tinte, mit Stift durchgestrichen.*

N 21 *E III 185.179 – Am unteren Rand eines einseitig beschriebenen Blattes (3 H, pag. β.) von Sorte b; blauschwarze Tinte, eingeklammert mit schwarzer Tinte.*

N 22 *E III 185.191*^{b} *– Untere Partie auf der Rückseite eines beidseitig beschriebenen Blattes (Beschreibung: N 8); schwarze Tinte, mit Stift durchgestrichen.*

N 23 *E III 185.54*^{b} *– Untere Partie auf der Rückseite eines beidseitig beschriebenen*

Blattes (Vorderseite: 1 H, pag. 7) von Sorte a; Stift. Obere Partie: ursprünglicher Beginn von 1 H (s. S. 233,4–6 und Fußnote dazu). Beide Partien zusammen durchgestrichen.

N 24 *E III 185.149 – Erste Partie auf einem einseitig beschriebenen Blatt (Beschreibung: N 9); Stift, Nachtrag mit schwarzer Tinte.* 5

N 25 *E III 185.149 – Zweite Partie auf einem einseitig beschriebenen Blatt (Beschreibung: N 9); Stift, Nachtrag mit schwarzer Tinte.*

N 26 *E III 185.20 – Erster Teil der oberen Partie auf einem einseitig beschriebenen Blatt (Beschreibung: N 6); schwarze Tinte.*

Zu Akt II, 1. Szene 10

N 27 *E III 185.43,44,34 – Drei einseitig beschriebene Blätter von Sorte c; pag. β., γ., δ. (pag. α. nicht überliefert); pag. β. und γ. jeweils überschrieben* Disposition*; schwarze Tinte. Auf pag. β. unten außerdem – wohl in dieser Reihenfolge entstanden – N 37, N 33, N 34, N 40.*

N 28 *E III 185.8*[b] *– Zusammen mit 14 weiteren Notizen auf einem doppelt gefalteten,* 15 *beidseitig beschriebenen Blatt der Sorte c. Da die durch die Faltung entstandenen acht Viertelseiten ohne erkennbare Reihenfolge beschriftet wurden, bleibt auch die Reihenfolge der Entstehung der Notizen unbestimmbar.*
Übrige Notizen: N 30, N 36, N 44, N 47, N 49, N 50, N 51, N 88, N 94, N 95, N 107, N 126, N 128; außerdem eine Notiz, überschrieben diese Rundschau,[1] *zu* 20 *dem Plan eines Aufsatzes aus dem Jahre 1904/06.*
Alle außer N 44 (blauschwarze Tinte) mit Stift.

N 29 *E III 185.45 – Einseitig beschriebener kleiner Briefbogen, festes gelbliches geripptes Papier, Wasserzeichen: MK PAPIER / ANNO DOMINI 1528, 109 x 175 mm; schwarze Tinte.* 25

N 30 *E III 185.8*[b] *– Beschreibung: N 28.*

N 31 *E III 185.40*[b] *– Rückseite eines beidseitig beschriebenen Blattes (Vorderseite: N 42) von Sorte a; schwarze Tinte.*

N 32 *E III 185.38 – Obere Partie eines einseitig beschriebenen Blattes von Sorte a; schwarze Tinte. Untere Partie: N 105.* 30

N 33 *E III 185.43 – Am rechten Rand unten auf einem einseitig beschriebenen Blatt (Beschreibung: N 27); blauschwarze Tinte.*

N 34 *E III 185.43 – Am unteren Rand links auf einem einseitig beschriebenen Blatt (Beschreibung: N 27); blauschwarze Tinte.*

N 35 *E III 185.41 – Untere Partie auf der Rückseite eines Telegramms des ›Literarischen Echos‹ vom 7. September (Eingang: St. Gilgen, 8. September) 1905 an Hofmannsthal (obere Partie mit Ergänzung unterhalb der mittleren: N 38, mittlere Partie: N 39), 228 x 241 mm; schwarze Tinte.* 35

[1] diese Rundschau
was diese Dinge Schlachtfeldern so ähnlich macht – einem dunklen Krieg, verlorenen Posten 40 – das ist dies: man hat eine Idee, man weiss – irgendwo findet sie Verstärkung – aber ich erleb es vielleicht nicht bis die Verstärkung herkommt die Besatzung ⌈aus Seelenkräften⌉ die ich hier hergelegt habe stirbt indessen

N 36 *E III 185.8ᵇ – Beschreibung: N 28.*

N 37 *E III 185.43 – Am unteren Rand links auf einem einseitig beschriebenen Blatt (Beschreibung: N 27); blauschwarze Tinte.*

N 38 *E III 185.41 – Obere Partie – mit Ergänzung unterhalb der mittleren Partie – eines einseitig beschriebenen Blattes (Beschreibung: N 35); Stift.*

N 39 *E III 185.41 – Mittlere Partie eines einseitig beschriebenen Blattes (Beschreibung: N 35); Stift.*

N 40 *E III 185.43 – Am rechten Rand (unteres Drittel) eines einseitig beschriebenen Blattes (Beschreibung: N 27); schwarze Tinte.*

N 41 *E III 185.42 – Obere Partie eines einseitig beschriebenen Blattes (untere Partie: N 43) von Sorte c; schwarze Tinte, Nachträge mit blauschwarzer Tinte.*

N 42 *E III 185.40 – Vorderseite eines beidseitig beschriebenen Blattes (Rückseite: N 31, Beschreibung s. dort); schwarze Tinte. Überschrieben:* 13 IX. fortsetzen.

N 43 *E III 185.42 – Untere Partie eines einseitig beschriebenen Blattes (obere Partie: N 41, Beschreibung s. dort); blauschwarze Tinte.*

N 44 *E III 185.8 – Beschreibung: N 28.*

N 45 *E III 185.39 – Vierte Partie auf einem einseitig beschriebenen Blatt (erste Partie: N 54, zweite: N 104, dritte: N 56) von Sorte b; schwarze Tinte.*

N 46 *E III 185.36 – Obere Partie (untere: N 48) eines einseitig beschriebenen Blattes (Fragment; unten abgerissen) von Sorte b, 230 x ca. 199 mm; schwarze Tinte, mit Stift durchgestrichen.*

N 47 *E III 185.8ᵇ – Beschreibung: N 28.*

N 48 *E III 185.36 – Untere Partie eines einseitig beschriebenen Blattes (obere: N 46, Beschreibung s. dort); schwarze Tinte.*

N 49 *E III 185.8 – Beschreibung: N 28.*

N 50 *E III 185.8ᵇ – Beschreibung: N 28.*

N 51 *E III 185.8ᵇ – Beschreibung: N 28.*

N 52 *E III 185.35 – Vorderseite eines beidseitig beschriebenen Blattes (Rückseite: ehemaliges Konvolutdeckblatt mit der gestrichenen Aufschrift* Des Ödipus Ankunft II*) von Sorte b; schwarze Tinte.*

N 53 *E III 185.20 – Erster Teil der unteren Partie auf einem einseitig beschriebenen Blatt (Beschreibung: N 6); schwarze Tinte.*

N 54 *E III 185.39 – Erste Partie auf einem einseitig beschriebenen Blatt (Beschreibung: N 45); schwarze Tinte.*

N 55 *E III 185.37 – Einseitig beschriebenes Blatt (Fragment; unten abgerissen) von Sorte b, 230 x 157 resp. 112 mm; schwarze Tinte.*

N 56 *E III 185.39 – Dritte Partie auf einem einseitig beschriebenen Blatt (Beschreibung: N 45); schwarze Tinte.*

N 57 *E III 185.91 – Am linken Rand (Mitte) eines einseitig beschriebenen Blattes (8 H, pag. 21.) von Sorte a; Stift.*

N 58 *E III 185.30 – Obere Partie auf Seite a eines gefalteten Blattes von Sorte a, ursprünglich 230 x 290 mm, nach Faltung zweimal 145 x 230 mm; Stift. Auf derselben Seite am rechten Rand unten: N 59, am linken Rand unten Adresse:* Kainz XIX Lannerstrasse 24., *auf den Seiten b und c: N 65, auf Seite d: N 67 und darunter, in Gegenrichtung geschrieben:* Moreau Du Hachich (1845) Radloff Aus Sibirien (1884). *Vgl. auch die Erläuterungen S. 664,34–665,8.* 5

N 59 *E III 185.30 – Beschreibung: N 58; Stift.*

N 60 *E III 185.291[b] – Rückseite eines beidseitig beschriebenen Blattes (Vorderseite: 12 H, pag. 5) von Sorte a; schwarze Tinte, mit Stift durchgestrichen.*

N 61 *E III 185.31 – Obere Partie auf der Vorderseite eines beidseitig beschriebenen Blattes (untere Partie: N 63; Rückseite: gestrichene Aufschrift* III Disposition*) von Sorte a, pag.* 1 *(keine korrespondierende pag.* 2 *überliefert); schwarze Tinte.* 10

N 62 *E III 185.29, 32 – Zwei einseitig beschriebene Blätter von Sorte a, pag.* a. *und* b.*; auf pag.* b. *außerdem N 64; schwarze Tinte.*

N 63 *E III 185.31 – Untere Partie auf der Vorderseite eines beidseitig beschriebenen Blattes (Beschreibung: N 61), schwarze Tinte.* 15

N 64 *E III 185.32 – Untere Partie eines einseitig beschriebenen Blattes (obere Partie: pag.* b. *= Schluß von N 62, Beschreibung s. dort); schwarze Tinte.*

N 65 *E III 185.30 – Seiten b und c eines gefalteten Blattes (Beschreibung: N 58); Stift.*

N 66 *E III 185.22 – Unteres linkes Viertel auf der Vorderseite eines sonst nicht beschriebenen, doppelt gefalteten Blattes von Sorte a; schwarze Tinte.* 20

N 67 *E III 185.30 – Seite d eines gefalteten Blattes (Beschreibung: N 58); Stift.*

N 68 *E III 185.26 – Einseitig beschriebenes Blatt von Sorte a; schwarze Tinte.*

N 69 *E III 185.25 – Dritte Partie auf einem einseitig beschriebenen Blatt (erste Partie: N 71, zweite: N 73, vierte: N 72, fünfte: N 78, sechste: N 74, siebte: N 75) von Sorte c; schwarze Tinte, ein Wort mit Stift verdeutlicht, mit schwarzer Tinte durchgestrichen.* 25

N 70 *E III 185.24 – Einseitig beschriebenes Blatt von Sorte c; schwarze Tinte.*

N 71 *E III 185.25 – Erste Partie auf einem einseitig beschriebenen Blatt (Beschreibung: N 69); schwarze Tinte, ein verschriebener Buchstabe mit Stift korrigiert.* 30

N 72 *E III 185.25 – Vierte Partie auf einem einseitig beschriebenen Blatt (Beschreibung: N 69); Stift.*

N 73 *E III 185.25 – Zweite Partie auf einem einseitig beschriebenen Blatt (Beschreibung: N 69); schwarze Tinte, Unterstreichung mit Stift.*

N 74 *E III 185.25 – Sechste Partie auf einem einseitig beschriebenen Blatt (Beschreibung: N 69); schwarze Tinte, Unterstreichung mit Stift.* 35

N 75 *E III 185.25 – Siebte Partie auf einem einseitig beschriebenen Blatt (Beschreibung. N 69); Stift.*

N 76 *E III 185.23 – Untere Partie eines einseitig quer beschriebenen Blattes (obere Partie: N 77, am unteren Rand rechts: N 99) von Sorte c; schwarze Tinte.* 40
Das Blatt wurde ursprünglich als aufgefalteter und hochgestellter Doppelbogen beschrieben. Die obere Hälfte ist abgerissen, so daß der ursprüngliche Beginn von N 77 verloren ging; später mit Stift restituiert.

N 77 *E III 185.23 – Obere Partie eines einseitig beschriebenen Blattes (Beschreibung: N 76); schwarze Tinte, Nachträge mit Stift.*

N 78 *E III 185.25 – Fünfte Partie auf einem einseitig beschriebenen Blatt (Beschreibung: N 69); schwarze Tinte in eckigen Klammern mit Stift.*

5 N 79 *E III 185.307^{b} – Rückseite eines beidseitig beschriebenen Blattes (Vorderseite: 12 H, pag.* 21.) *von Sorte a; schwarze Tinte, durchgestrichen.*

Zu Akt II, 2. Szene

N 80 *E III 185.254^{b} – Rückseite eines beidseitig beschriebenen Blattes (Vorderseite: 6 H, pag.* 7.) *von Sorte b; schwarze Tinte, mit Stift durchgestrichen.*

10 N 81 *E III 185.20 – Zweiter Teil der unteren Partie auf einem einseitig beschriebenen Blatt (Beschreibung: N 6); schwarze Tinte.*

N 82 *E III 185.253^{b} – Rückseite eines beidseitig beschriebenen Blattes (Vorderseite: 6 H, pag.* 6.) *von Sorte b; schwarze Tinte, mit Stift durchgestrichen.*

N 83 *E III 185.3 – Einseitig beschriebenes Blatt eines glatten gelblichen Papiers,*
15 *114 x 175 mm; Stift.*

N 84 *E III 185.7 – Einseitig beschriebenes Blatt von Sorte a, pag. β. (pag. α. nicht überliefert); schwarze Tinte, Unterstreichungen und Nachträge mit Stift.*

N 85 *E III 185.12 – Untere Partie eines einseitig beschriebenen Blattes (obere Partie: N 5, Beschreibung s. dort); schwarze Tinte.*

20 N 86 *E III 185.15 – Dritte Partie auf einem einseitig beschriebenen Blatt (Beschreibung: N 16); schwarze Tinte.*

N 87 *E III 185.249^{b} – Rückseite eines beidseitig beschriebenen Blattes (Vorderseite: 6 H, pag.* 2.) *von Sorte a; schwarze Tinte, mit Stift durchgestrichen.*

N 88 *E III 185.8 – Beschreibung: N 28.*

25 N 89 *E III 185.15 – Erste Partie auf einem einseitig beschriebenen Blatt (Beschreibung: N 16); schwarze Tinte.*

N 90 *E III 185.15 – Siebte Partie auf einem einseitig beschriebenen Blatt (Beschreibung: N 16); schwarze Tinte.*

N 91 *E III 185.15 – Vierte Partie auf einem einseitig beschriebenen Blatt (Beschrei-*
30 *bung: N 16); schwarze Tinte.*

N 92 *E III 185.15 – Fünfte Partie auf einem einseitig beschriebenen Blatt (Beschreibung: N 16); schwarze Tinte.*

N 93 *E III 185.15 – Sechste Partie auf einem einseitig beschriebenen Blatt (Beschreibung: N 16); schwarze Tinte.*

35 N 94 *E III 185.8 – Beschreibung: N 28.*

N 95 *E III 185.8 – Beschreibung: N 28.*

Zu Akt II, 3. Szene

N 96 — *E III 185.11 – Erste Partie auf einem einseitig beschriebenen Blatt von Sorte a; blauschwarze Tinte. Zweite Partie: N 97, ferner unten links: N 120, unten rechts: N 100.*

N 97 — *E III 185.11 – Zweite Partie auf einem einseitig beschriebenen Blatt (Beschreibung: N 96), blauschwarze Tinte, Nachtrag und Unterstreichung mit Stift.* 5

N 98 — *E III 185.233[b] – Rückseite eines beidseitig beschriebenen Blattes (Vorderseite: 7 H, pag.* 21.*) von Sorte b; schwarze Tinte, Nachträge mit Stift, mit schwarzer Tinte durchgestrichen.*

N 99 — *E III 185.23 – Am unteren Rand rechts auf einem einseitig beschriebenen Blatt (Beschreibung: N 76); Stift.* 10

N 100 — *E III 185.11 – Am unteren Rand rechts auf einem einseitig beschriebenen Blatt (Beschreibung: N 96); Stift.*

N 101 — *E III 185.9 – Zweite Partie auf einem einseitig beschriebenen Blatt (erste Partie: N 119) von Sorte a; schwarze Tinte.* 15

N 102 — *E III 185.224[b] – Rückseite eines beidseitig beschriebenen Blattes (Vorderseite: 7 H, pag.* 15c*) von Sorte a; schwarze Tinte, Nachtrag mit Stift, mit Stift durchgestrichen.*

N 103 — *E III 185.6 – Untere Partie eines einseitig beschriebenen Blattes (obere Partie: N 112) von Sorte b (Fragment; oben abgerissen), 230 x 132 resp. 160 mm; schwarze Tinte.* 20

N 104 — *E III 185.39 – Zweite Partie auf einem einseitig beschriebenen Blatt (Beschreibung: N 45); Stift.*

N 105 — *E III 185.38 – Untere Partie eines einseitig beschriebenen Blattes (obere Partie: N 32, Beschreibung s. dort); schwarze Tinte.* 25

N 106 — *E III 185.13[d] – Untere Partie auf Seite d des Umschlags von Konvolut 2 (Beschreibung: N 17); schwarze Tinte.*

N 107 — *E III 185.8 – Beschreibung: N 28.*

N 108 — *E III 185.20 – Zweiter Teil der oberen Partie auf einem einseitig beschriebenen Blatt (Beschreibung: N 6); schwarze Tinte.* 30

N 109 — *E III 185.228[b] – Rückseite eines beidseitig beschriebenen Blattes (Vorderseite: 7 H, pag.* 17.*) von Sorte b; schwarze Tinte.*

N 110 — *E III 185.112[b] – Untere Partie auf der Rückseite eines beidseitig beschriebenen Blattes (obere Partie: N 111, Vorderseite: 13 H, pag.* 15*) von Sorte a; schwarze Tinte.* 35

N 111 — *E III 185.112[b] – Obere Partie auf der Rückseite eines beidseitig beschriebenen Blattes (Beschreibung: N 110); schwarze Tinte, mit Stift durchgestrichen.*

N 112 — *E III 185.6 – Obere Partie eines einseitig beschriebenen Blattes (untere Partie: N 103, Beschreibung s. dort); Stift.*

N 113 — *E III 185.252[b] – Untere Partie auf der Rückseite eines beidseitig beschriebenen Blattes (Vorderseite: 6 H, pag. 5) von Sorte a; schwarze Tinte. Obere Partie: N 115; beide Notizen gemeinsam mit Stift durchgestrichen.* 40

N 114 *E III 185.250*^{b} *– Rückseite eines beidseitig beschriebenen Blattes (Vorderseite: 6 H, pag. 3.) von Sorte a; schwarze Tinte, mit Stift durchgestrichen.*

N 115 *E III 185.252*^{b} *– Obere Partie auf der Rückseite eines beidseitig beschriebenen Blattes (untere Partie: N 113, Beschreibung s. dort); schwarze Tinte, mit Stift durchgestrichen.*

N 116 *Privatbesitz – Vorderseite eines Briefbogens, 114 x 178 mm, gelbliches Papier; schwarze Tinte.*

N 117 *E III 185.235*^{b} *– Zweite Partie auf der Rückseite eines beidseitig beschriebenen Blattes (Vorderseite: 7 H, pag. 23.) von Sorte a; Stift. Erste Partie: N 121, dritte: N 118, vierte: N 122. Ganze Seite mit schwarzer Tinte durchgestrichen.*

N 118 *E III 185.235*^{b} *– Dritte Partie auf der Rückseite eines beidseitig beschriebenen Blattes (Beschreibung: N 117); schwarze Tinte, durchgestrichen. Auf dem Konvolutumschlag zu 1 H ist derselbe Text in Stenographie überliefert.*

N 119 *E III 185.9 – Erste Partie auf einem einseitig beschriebenen Blatt (Beschreibung: N 101); schwarze Tinte, Nachtrag mit Stift.*

N 120 *E III 185.11 – Am unteren Rand links auf einem einseitig beschriebenen Blatt (Beschreibung: N 96); blauschwarze Tinte.*

N 121 *E III 185.235*^{b} *– Erste Partie auf der Rückseite eines beidseitig beschriebenen Blattes (Beschreibung: N 117); Stift, durchgestrichen.*

N 122 *E III 185.235*^{b} *– Vierte Partie auf der Rückseite eines beidseitig beschriebenen Blattes (Beschreibung: N 117); schwarze Tinte, durchgestrichen.*

N 123 *E III 185.5 – Einseitig beschriebenes Blatt von Sorte b; schwarze Tinte.*

N 124 *E III 185.122*^{b} *– Rückseite eines beidseitig beschriebenen Blattes (Vorderseite: 15 H, pag. ε.) von Sorte a; schwarze Tinte.*

Zu Akt III

N 125 *E III 185.16 – Untere Partie auf Seite a eines Briefbogens (obere Partie: N 15, Beschreibung s. dort); schwarze Tinte.*

N 126 *E III 185.8*^{b} *– Beschreibung: N 28.*

N 127 *E III 185.18 – Einseitig beschriebenes Blatt von Sorte b; schwarze Tinte.*

N 128 *E III 185.8*^{b} *– Beschreibung: N 28.*

N 129 *E III 185.102 – Am linken Rand unten auf einem einseitig beschriebenen Blatt (13 H, pag. 5.) von Sorte a; Stift.*

N 130 *E III 185.100 – Am linken Rand unten auf einem einseitig beschriebenen Blatt (13 H, pag. 3.) von Sorte a; schwarze Tinte.*

N 131 *E III 185.107 – Am linken Rand unten auf einem einseitig beschriebenen Blatt (13 H, pag. 10.) von Sorte a; Stift.*

N 132 *E III 185.98 – In der Ecke links oben auf einem einseitig beschriebenen Blatt (13 H, pag. 1.) von Sorte a; Stift.*

N 133 *E III 185.33 – Einseitig beschriebenes Blatt von Sorte a; schwarze Tinte.*

N 134 *E III 185.15 – Achte Partie auf einem einseitig beschriebenen Blatt (Beschreibung: N 16); schwarze Tinte, eingeklammert.*

N 135 *E III 185.10 – Obere Partie eines einseitig beschriebenen Blattes (untere Partie: N 136) von Sorte c (Fragment; oben abgerissen), 229 x 124 resp. 87 mm; Stift.*

N 136 *E III 185.10 – Untere Partie eines einseitig beschriebenen Blattes (obere Partie: N 135, Beschreibung s. dort); Stift.* 5

N 137 *E III 185.97 – Vorderseite des Konvolutumschlags zu 13 H (s. dort); an der unteren Kante rechts schräg aufsteigend notiert (links N 138); Stift.*

N 138 *E III 185.97 – Beschreibung: N 137; schwarze Tinte.*

N 139 *E III 185.147 – Obere Partie eines einseitig beschriebenen Blattes (untere Partie: N 140) von Sorte a; schwarze Tinte.* 10

N 140 *E III 185.147 – Untere Partie eines einseitig beschriebenen Blattes (obere Partie: N 139, Beschreibung s. dort); schwarze Tinte.*

N 141 *E III 185.4 – Einseitig beschriebenes Blatt eines dünnen gelblichen Papiers, 258 x 201 mm, Wasserzeichen: Krone, darunter COLONIAL BANK / 139; schwarze Tinte, Nachtrag mit Stift.* 15

N 142 *E III 231.16 – Obere Partie eines einseitig beschriebenen Blattes (untere Partie: Notiz zu* Semiramis*), weißes starkes Papier, ca. 212 x ca. 280 mm (2 unregelmäßige Abrißkanten); schwarze Tinte.*

VARIANTEN

ZUM EDITORISCHEN VORGEHEN

Text

Der Text der vorliegenden Edition von Ödipus und die Sphinx *folgt der 5. Auflage des Dramas (24 D). Die 1.–4. Auflage wurde in solcher Eile hergestellt, daß viele Fehler in den Text eingegangen sind und abschließende Textverkürzungen des Autors nicht mehr berücksichtigt werden konnten. Erst die 5. Auflage bietet einen vom Dichter zur Zeit seines Erscheinens wirklich gewollten Text. Auch in der 5. Auflage gab es noch eine Anzahl von größeren und kleineren Korruptelen zu verbessern. Druckfehler wurden stillschweigend korrigiert. Die Emendationen und Konjekturen sind nachgewiesen (siehe S. 611, 1–612, 6).*

Es gibt vier Separatdrucke einzelner Akte und Szenen des Dramas. Zwei davon (20 D; 21 D) stimmen im wesentlichen mit dem Wortlaut des Erstdrucks der Tragödie überein. Sie wurden im Lemmaapparat erfaßt. Die beiden anderen stammen aus einer früheren Fassung des Stücks und unterscheiden sich beträchtlich von dem Text der Buchausgabe. Da es sich um zwei vom Dichter autorisierte Drucke handelt, sind sie in der vorliegenden Edition unmittelbar nach dem Text des ganzen Dramas wiedergegeben. Der Separatdruck Oedipus *(5 D) hat eine Sonderstellung unter allen gedruckten Überlieferungsträgern dadurch, daß seine Druckvorlage erhalten ist. Abweichungen des Druckes von der Vorlage – außer wo diese fehlerhaft erschien – wurden rückgängig gemacht, um den Text mit dem Autorwillen zur Deckung zu bringen. Der Separatdruck* Die Königin Jokaste *(23 D) bedurfte einiger Emendationen (siehe S. 623, 15–19).*

Varianten

Bei der Variantendarstellung wurden zwei verschiedene Verfahren angewandt: die integrale Darstellung und die lemmatisierende Darstellung. Lemmatisiert wurden Überlieferungsträger, die dem gedruckten Text nahestehen und geringe Binnenvarianz aufweisen: Reinschriften, typierte Abschriften, Drucke und spätere Bearbeitungen des Texts. Bezugstext der Lemmaapparate ist jeweils der vom Herausgeber durchgesehene Text der 5. Auflage bzw. der durchgesehene Text der Separatdrucke Oedipus *und* Die Königin Jokaste. *– Die integrale Darstellung wurde gewählt bei Überlieferungsträgern, die vom gedruckten Text erheblich abweichen: Notizen, Entwürfe und dgl., sowie bei Überlieferungsträgern mit starker Binnenvarianz, wo sich die Variationsfelder nicht mehr sinnvoll voneinander abgrenzen und in individuelle Lemmabereiche einteilen lassen. Sämtliche Niederschriften der einzelnen Akte oder Szenen des Dramas gehören in diese*

Kategorie. Denjenigen Niederschriften, deren letzte Textstufe sich vom gedruckten Text noch wesentlich unterscheidet, wurde zur Erleichterung der Lektüre ein Lesetext der letzten Stufe beigegeben.

Bei der Lemmatisierung der Reinschriften, Typoskripte, Drucke und Bearbeitungen des Dramas empfahl sich die Dreiteilung des Materials, da eine Gesamt-Synopse unübersichtlich geworden wäre. Im ersten Lemmaapparat, S. 586–604, wurden die Überlieferungsträger, die dem gedruckten Text des Stücks vorausgehen, zusammengestellt. Dabei wurde, wo ein Überlieferungsträger von einem anderen direkt abhing, ohne daß ein erneuter Einfluß des Autors sich geltend machte, jeweils nur derjenige mit dem größten Autoritätsgrad berücksichtigt. Theatermanuskripte, die auf eine vom Autor angefertigte Reinschrift oder ein durchgesehenes Typoskript zurückgingen, blieben z. B. von der Darstellung im Apparat ausgeschlossen. Im zweiten Lemmaapparat, S. 605–610, wurden die Abweichungen der verschiedenen Drucke wiedergegeben, der dritte Apparat, S. 612, 7–622, 27, erfaßt die späteren Bearbeitungen des Dichters. Der vierte und fünfte Lemmaapparat, S. 622, 28–623, 14 und S. 623, 15–19, beziehen sich auf die Separatdrucke.

Die integralen Apparate der Niederschriften wurden systematisch nach Akten und Szenen angeordnet, um den Entstehungsprozeß der einzelnen Szenen möglichst klar vor Augen zu stellen. Da alle Überlieferungsträger – mit Ausnahme der Notizen – chronologisch sigliert sind, ist die Übersicht über die Gesamtchronologie ebenfalls gewährleistet. – In zwei Fällen (8 H und 13 H) sind Manuskripte unvollständig, weil der Autor, um sich überflüssiges Abschreiben zu ersparen, zahlreiche Blätter aus diesen Überlieferungsträgern in die jeweils neue Fassung der entsprechenden Szene verschoben hat. Die ursprünglichen Fassungen sind nicht genau zu rekonstruieren, weil sich nicht mit Sicherheit entscheiden läßt, welche Varianten auf den verschobenen Blättern bereits zur früheren Version gehören und welche erst bei Einarbeitung in die neue Fassung hinzutraten. Der Versuch einer Gesamtintegration der beiden Fassungen, bei denen die Versionen stückweise nacheinander dargestellt wurden bis zu dem gemeinsamen Text, konnte ebenfalls der jeweils ursprünglichen Fassung nicht gerecht werden und wirkte zudem unübersichtlich. So erschien es am sinnvollsten, die früheren Fassungen fragmentarisch und die späteren zusammenhängend wiederzugeben. Durch Verweise im Apparat wurde in jedem Fall auf die Umfunktionierung der Blätter hingewiesen.

Die Notizen wurden ebenso wie die Niederschriften systematisch angeordnet; Notizen zum Ganzen stehen am Anfang; dann folgen die Notizen zu den einzelnen Akten bzw. Szenen. Manche Notizen fanden sich am Rand oder auf den Rückseiten der Niederschriften der einzelnen Szenen. Wo es sich um Vornotierungen, skizzenhafte Gedächtnishilfen für die Niederschrift oder dgl. handelte, wurden solche Notierungen nicht aus dem Kontext ausgegliedert und nicht in die Notizsammlung aufgenommen; sie wurden vielmehr als Anmerkungen in ihrem Textzusammenhang wiedergegeben. Alle anderen Notizen sind in die systematische Sammlung eingegangen. Sie wurden durchnumeriert N 1–N 142.

NIEDERSCHRIFTEN

1 H

1. Akt, 1. Fassung

A Oidipus und die Sphinx.

5 Der Kreuzweg.

Oidipus tief brütend. Lychas, zwischen Bäumen herannahend, spähend.[1]

B I.[2]

(1) ↑Der Kreuzweg. ≈ *(a)* Die Dreiwege-Kreuzung in Phokis →
(b) Der Dreiweg im Lande Phokis↓
10 *(2)*^{S} Der Dreiweg im Lande Phokis |

OIDIPUS Er steht in der Mitte. Die Hände am Leib, sieht an sich herab.
(1) Ich? Oidipus? →
(2)^{S} Ich, Oidipus, | ich eines Königs Sohn
und einstens König von Korinth, derselbe
15 der seiner Träume *(1)* so
(2) letzten von Befleckung
rein hielt und seine Hand vom Unrecht, der
vor jedem *(1)* Funkelstern →
(2) kleinen Stern | des Himmels jedem
20 Anhauch *(1)* der [nächtgen] Luft →
(2)^{S} des Meers[3] | in Ehrfurcht schauderte
(1) ↑als vor der Gegenwart lebendiger Götter
≈ wie vor der nackten Näh lebendiger Götter↓ →
(2)^{S} wie vor der nackten Näh lebendiger Götter |
25 er zieht die Arme hinauf
der seinen Leib verbot den Buhlerinnen
und niedern Mägden – seines Geistes Schwung

[1] *Diese Version, Z. 4–6, auf anderem Blatt als das Folgende. Nach wenigen Zeilen abgebrochen und Niederschrift auf neuem Blatt begonnen. Das beiseite gelegte Blatt*
30 *wurde noch für eine Notiz (N 23) verwendet und blieb als Rückseite von pag. 7 erhalten.*

[2] *Am linken Rand:* V⟨enedig⟩ 18 IX. 1904.

[3] Meeres *Hs.*

(1) zusammenbog
(2) mit beiden Händen bändigt so wie
(3) an beiden ausgeschweiften Enden fest
zusammenbog und ⌈(1) eisern
(2) schweigend⌉ bändigte (1) und in
(2) damit →
(3)
damit | zu treffen nach dem (1) einen Ziel →
(2)^S einen Ziel |
Gerechtigkeit –
⌈er (1) macht →
(2) malt | unwillkürlich die Geberde des Bogenschützen⌉[1]
ich soll begehen müssen
was auszudenken schaudert⟨e⟩ mein Hirn
was meine Lippe nicht der leeren Luft
ansagt vor Grausen –

LICHAS Oidipus! (1) woran
(2) was ist
das Fürchterliche das du mit dir redest?

OIDIPUS an der gleichen Stelle
Die Götter haben es verhängt! (1) O →
(2)^S Weh | hab ich
so (1) schlecht
(2) wenig Euch bis nun (1) erkannt, ihr
(2) erkannt?
zum Himmel
die Großen
gewaltig (1) schweifenden →
(2) fliegenden
(3)^P Schweifenden | [^P in ihrem dunkel
nachschweifenden Gewand] die (1) vorm
(2) mit dem Hauch
des ungeheuern (1) Wollens →
(2) Lebens | jeden[2] Abgrund
und jede Sternennacht erfüllen, die
vor deren Lächeln die Gewitterstürme
zergehen, die in diesem Bau der Welt

[1] *Regieanweisung am linken Rand; genaue Plazierung nicht gesichert.*
[2] jeden *unterschlängelt.*

so *(1)* *(a)* wohnen →
(b)
(c)^{P} wohnen | wie zu Gast geladne *(a)* Könige →
(b)^{p} Fürsten |
5 in einer Burg,
(2)^{P} ↑wohnen wie die Gäste in der Burg
(a) von einem K⟨önig⟩
(b) des Königs,
≈^{S} wohnen wie bekränzte Königsgäste↓
10 *(3)*^{T} wohnen wie die Gäste in der Burg
des Königs, | *(1)* die deren →
(2)^{p} deren[1] grenzenlose
(3) deren unerschöpfte | Lust
(1) und
15 *(2)* mich lechzen machte *(1)* und in denen
(2) und in deren Dasein
ich nackt wie im
(3) deren Lebensstrom
in grenzenlosen Stürzen über mich
20 hinfiel dass ich in ihrer Seligkeit
mich badete so wie ein nackter Wandrer
im Wassersturz, *(1)* die →
(2) sie ¦ die mich wissen ließen
dass ich im Tiefsten ihresgleichen war.[2]

25 [^{S} er dreht sich jäh um. Lichas stammelt, von seinem Blick geängstigt]
Sie sind es nicht – sie sind nicht da – sie waren
nie da. Ich bin allein auf dieser Erde
mit andern Göttern: mit den Göttern die
mir dies verhängen *(1)* könnten →
30 *(2)*^{S} konnten. | Zeigt Euch an
ich weiß ihr weidet Euch an meinem Anblick
(1) mit
(2) ich fühle Eure todeslüsternen
(1) steiner⟨nen⟩ →
35 *(2)* versteinten | Augen sind auf mir, im Nebel
des Abends *(1)* kriechet ihr von rückwärts her
umschlingt →
(2)^{S} kriecht ihr rückwärts her, umschlingt |

[1] deren *aus Stufe (1) gestrichen,* die *ungestrichen; wohl Versehen, später mit Stift*
40 *korrigiert.*
[2] *Danach Lücke von ca. 5 Zeilen. Wahrscheinlich war Verbindungstext zum Folgenden geplant.*

den *(1)* Arm⟨en⟩
(2) Einsamen mit ⌈^{S}magern⌉ Pantherarmen
A *(1)* und bohrt die Nägel in sein Herz, ihr lasst
kein Aug in euer Auge sehn, euch freun →
(2) Ihr lasst kein Aug in euer Auge sehen 5
Euch freun
(3)^{S} Euch freun | Altäre nicht, *(1)* E⟨uch⟩
(2) Ihr werft *(1)* →
(2) lautlos
(3)^{P} | die Schlinge des 10
Schicksals ⌈^{P} lautlos⌉ um den *(1)* →
(2) nackten
(3)^{P} | Hals *(1)* der *(a)* Menschen
(b) Sterblichen
(a) und wenn sie stürzen und vergeblich 15
(b) und wenn sie in vergeblichen
(2) ↑des Menschen
≈ uns Armen↓
(3) des Menschen
B lautlos aus fürchterlichen Höhen tretet 20
ihr in der Nacht hervor und werft die Schlinge
des grässlichen Geschicks *(1)* um unsern Hals
und diese Jagd ist Eure Lust!
(2)

LICHAS Fürst Oidipus. 25
bei allen Göttern hörst du mich

OIDIPUS[1] wendet sich jäh[2], sieht und sieht nicht
Wer redet?
wer ruft mich? Lichas! *(1)* du
(2) wer hat dich geheißen 30
mir folgen?

LICHAS Kehr zurück! Kehr nach Korinth
zurück!

OIDIPUS
Nie! nie! nie! nie! 35

[1] *Name abgekürzt:* O. *Solche Abkürzungen im Folgenden stillschweigend aufgelöst.*
[2] je *Hs.*

LICHAS
Hör mich, geliebter Herr! *(1)* Hör
(2)

OIDIPUS *(1)* Hinweg! Verschwinde!
5 *(2)* Fort! Verschwinde!
(3) Fort! mach dich fort!

LICHAS
Sohn meines Königs! lass mich deine Knie
umschlingen

10 OIDIPUS Keine Namen! nenne mich
mit keinem Namen! Die korinthische Luft
aus deinem Mund nimmt ⌊mir⌋ den Athem! Fort!

LICHAS
Sohn meines Königs! Komm zu dir! ein *(1)* Schurke
15 *(2)* Narr
ein niedriger betrunkner Narr, ein *(1)* Kerl ->
(2) Geck ¦
nicht werth an deinem Wanderschuh den Riemen
zu lösen, Herr ein Bursch aus[1] dem der Wein
20 bewusstlos blökte hat dich schmähen wollen.
Lach doch darüber Herr! Herr! Komm zu dir

OIDIPUS
Hältst du noch dort. Wir sind schon weiter. Wirklich
das war der *(1)* Anfang. →
25 *(2)*[S] Anfang! | Ist mir doch als wärs
so lange lange her.

LICHAS Drei Tage sinds.

OIDIPUS
Drei Tage. Wirklich? Wie er taumelte
30 sein Blick war stier und blöd. Wie er es nur
vorbrachte.

LICHAS Ist es dir entschwunden

OIDIPUS Ja
beinahe ganz.

35 [1] aus *eingefügt; evtl. ursprünglich andere Version erwogen.*

LICHAS So ists nicht *(1)* dies o Herr →
(2)[S] dieses, Herr, |
was dich bedrückt.

OIDIPUS Wie! was?

LICHAS Die Schmähung, Herr. 5
Du standest todtenblass

OIDIPUS Warf ich denn nicht
den Krug nach ihm

LICHAS Du wolltest, doch es hielten
dir ihrer *(1)* drei 10
(2) fünf den Arm

OIDIPUS So ⌈[SP] ihrer⌉ fünf? *(1)* Mit Mühe!

LICHAS
Mit Müh. →

(2) 15

LICHAS Mit Mühe!

OIDIPUS
Mit Müh?

LICHAS

(3)[Sp] 20

LICHAS
Mit Müh. | Die anderen indessen schleppten
ihn aus dem Saal.

OIDIPUS *(1)* Wie er nur
(2) ⌈Ei ja.⌉ Wie er es nur 25
vorbrachte.

LICHAS Wie?

OIDIPUS heftig Ich will es hören.

LICHAS Herr.

OIDIPUS 30
Ich *(1)* wün⟨sch⟩
(2) will dass du mir wiederholst.

LICHAS (1) Du weißt doch →
(2)^S Du w⟨eißt⟩'s nicht?
(3) Verschon mich, |
er redete zuerst herum und zielte
5 doch immer nach dem einen. Dass so mancher
nicht wisse was für Blut er in den Adern
Du zürnst mir

OIDIPUS Weiter.

LICHAS Herr! du wirst mir zürnen

10 OIDIPUS
Ich bitte dich. Mir ist's entfallen (1)

LICHAS Dann
hob er →

(2)^S

15 LICHAS Dann:
er hob

(3) Weiter!

LICHAS
er hob | sich übern Tisch und sah mit Fleiß
20 nach einer andern Seite

OIDIPUS (1) Ja! ja! ja! →
(2)^S Richtig! und – |

LICHAS
und sagte dass man manchmal Findelkindern
25 auch auf den Stufen eines Thrones könne
begegnen

OIDIPUS Und da griff ich nach dem Krug

LICHAS
Nein, doch du grubst die Nägel deiner Finger
30 so in den Tisch dass man es hörte. Alle
verstummten, (1) und er wandte sein Gesicht
und seine (a) trunknen →
(b) stieren | Augen qu⟨ollen⟩
(2) [^{P}und] er sein stier⟨es⟩ Auge (1) au⟨f⟩
35 (2)^p war
auf dich geheftet: bist du denn, du selber
[du,] Oidipus, sag mir, bist du denn der Sohn
des Polybos –

OIDIPUS Da griff ich nach dem Krug
von Stein

LICHAS *(1)* Herr Herr →
(2)[S] Herr! Herr! | ein Narr, nicht werth den Krug
den du ihm nachwirfst 5

OIDIPUS Ei ja wohl ein Narr.
Ein Narr mich dünkt, von *(1)* meinem Glück →
(2)[S] ⟨dem⟩ Geschick | als Herold
an mich gesandt. – *(1)* Und als Morgen ward
da stand ich 10
(2) Es war nicht Morgen noch
da ich sie weckte. Wie sie leise schlafen
die alten Eltern! Kaum daß ich dem Bett
nah war so hoben sie sich auf, der Vater
erkannte mich nicht gleich, die Mutter aber 15
die Mutter –
schaudert
nie mehr werde ich sie sehen![1]
Dem Vater schwoll die [eine] Ader an der Stirn[2]
vor Zorn die Mutter hatte gleich die Augen 20
voll Wasser und in ihrem Ehebette
halb aufgerichtet schworen sie mir's zu
dass ich ihr Sohn bin. Und dann sprachen sie
zugleich *(1)* und tauschten Blicke miteinander →
(2) die beiden auf mich ein und tauschten | 25
blitzschnelle angst- und liebevolle Blicke
und König Polybos mein Vater dessen Leib
ich nie *(1)* berührte *(a)* legte
(b) schlang →
(2)[S] berührt er schlang | zum erstenmal 30
im Leben *(1)* beide →
(2) seine beiden | Arme fest
um meinen Hals und drückte meinen Kopf
an seine Brust und übers Bette hin

[1] *Nach diesen Versen dreieinhalb Zeilen in Prosa. Diese Prosa, am Ende eines Arbeitstages entstanden, hat Konzeptcharakter:* Wie sie zugleich in mich hineinredeten, und miteinander Blicke tauschten, und wie ein Kind mich überzeugten und mich dann hinausschickten und thaten als schliefen sie noch 35

[2] *Links am Rand mit Stift:* 19 IX

ergriff die Mutter *(1)* mit den kühlen Händen
wie
(2) meine Hand und schlang
die kühlen *(1)* Finger
5 *(2)* welken blumenzarten Finger[1]
durch meine Finger hin. Und als ich ging
und hinter mir die Thür des Schlafgemaches
ehrfürchtig schloss da hört ich sie noch reden
die beiden Alten –
10 ⌈hart⌉
aber ich bin *(1)* der
(2) einer
(1) der auf den Grund von einem Ding
(2) der *(a)* auf
15 *(b)* einem Ding auf seinen Grund will
(3) der bis zum Ende *(a)* und auf den
(b) einem Ding
(4) in dem es liegt, *(a)* den Grund von einem Ding
sehen zu wollen
20 *(b)* daß er nicht muß
(5) der *(a)* nicht zur
(b) sich
(6) der sich nicht giebt, *(1)* er sei denn auf den Grund
gelangt von
25 *(2)* bevor er auf den Grund
und Boden *(1)* und
(2) ist gelangt von einem Ding.
So ging ich hin nach Delphi wo der Gott
auf seinem Throne sitzt der in den Kern
30 der Dinge schaut. Sie wollten mit dem Blick
und mit erhobnem Finger mich zurück
von ihrer Schwelle scheuchen. Finstre Priester
vertraten mir den Weg Gewölbe thaten
sich auf und wieder zu ich aber hielt
35 wie eine Fackel und wie eine Waffe
die einzige *(1)* Frage →
(2) , | in ausgerecktem Arm,
die eine einzige Frage vor mir her
und ich erzwang dass mir die Priesterin
40 in Krämpfen zuckend, wie ein sterbend Thier

[1] *Graphisch:* Blumenzartenfinger *oder* Blumengartenfinger

den Mund verzerrt, das Weiße ihrer Augen
auf *(1)* mich gestellt →
(2) mir | die fürchterliche Antwort gab –

LICHAS
Sohn meines Königs! 5

OIDIPUS *(1)* Das Geheimnis bleibt
merk, zwischen mir und
(2) Heiß du deine Augen
nicht fragen. Das Geheimnis bleibt in mir
und zwischen mir und ihm, dem Gott. 10
(3) Das Geheimnis bleibt
nur zwischen mir und ihnen, merk, den Göttern.

LICHAS
Doch einmal wiederum kehrst du zurück?

OIDIPUS 15
Nie. Nie.

LICHAS Wenn *(1)* es vorüber ist, das W⟨erk⟩
(2) sie vorüber ist die Zeit
geheimnisvoller Buße

OIDIPUS Keine Buße. 20

LICHAS
Wenn du ein ungeheures Werk vollbracht
das dir die Götter auferlegt

OIDIPUS Kein Werk.

LICHAS 25
Wenn deine Frist verstrichen

OIDIPUS Keine Frist!
Wer hat dich heißen meiner Spur zu folgen

LICHAS
Sie rufen dich, die Herrin Merope 30
die Königin ist auf den Thurm gestiegen
(1) auf den die alten Knie
(2) und späht nach dir. Der König Polybos
späht nicht. Er sitzt auf *(1)* seinem
(2) dem erhöhten Stuhl 35

und achtet[1] unser nicht und nicht der Arbeit
die wir verrichten. *(1)* Seine Blicke gehen
durch uns *(a)* wie durch →
(b) hin traur⟨ig⟩[2]
(2)[S] Traurig geht sein Blick
(a) durch uns
(b) ⟨wie durch⟩[2] | die leere Luft

OIDIPUS
Wer hat dich
geheißen mich zu pirschen? bin ich Wild
das frei für deinesgleichen

LICHAS
Oidipus
ich hab den König *(1)* *(a)* als →
(b) da | er in der Halle
allein sich wähnet weinen sehn →
(2)[S] abends in der Halle
da er allein war weinen hören. |

OIDIPUS
(1) Hinweg. →
(2)[S] Fort! |

LICHAS
Was soll ich deinem ↑Vater ≈[S] Mutter↓[3] meinem Herrn
ansagen wenn er fragt: wo ist mein Sohn?

OIDIPUS ⌈[S] losbrechend⌉:
Sag ihr ein Giessbach hat mich hingeschmettert
und treibt nun meinen Rumpf wie ein Stück Holz
ins Meer hinaus, sag *(1)* aus →
(2) ihr | ich haus im Walde
mit Räubern, sag ich *(1)* bin →
(2) leb
(3) lieg | auf einer Insel
im wilden Meer, *(1)* mit einer offnen →
(2) besät mit[4]
(3) mit einer ⟨offnen⟩ | Wunde
wie Philoktet, und lebe von den Vögeln
die mir mein Pfeil aus eisigen Lüften holt

[1] achtet *gestrichen; wohl Versehen.*
[2] *Stufen (1b) und (2b) fragmentarisch.*
[3] Vater *gestrichen, nach* Mutter *in Klammern Fragezeichen.*
[4] *Hs.:* besät einer – *wohl versehentlich das falsche Wort gestrichen.*

sag ihr die Hunde des Geschicks die niemals
ihr Auge schliessen sind mir auf den Fersen
sag was du willst, mich aber frage nicht
(1) mich nicht!
(2) frag nicht! und weich mir aus! entspring! entspring!
(1) bevor mein Zorn *(a)* nach einem →
(b) mir einen | *(a)* Feldstein fasst
(b) Stein des Feldes
(c) Feldstein fasst.
(2) der Mann ist nicht geboren der sich mir
(1) und →
(2) in | meinem Zorn entgegenstellt! entspringe
ich sehe einen Stein des Feldes, flieh,
flieh wenn du leben willst![1]
allein! allein!
allein mit dem Geschick *(1)* und mit der Nacht
(2) und dort herauf
aus flachem Land⟨e⟩ kommt die Nacht gestiegen
(1) und will die dritte sein.
(2) so sind wir denn zu dritt. *(1)* Dort →
(2) Da | flieht er hin
reckt sich ohne Stellung zu ändern
wie ein gescheuchter Hase. Mir ist wohl.
Wie ein verfluchtes Schiff auf todten Meeres[2]
bleifarbiger Öde war mein Herz, *(1)* umschnürt
mein Denken, so wie das gebundne *(a)* lag ich
(b) Thier
lag ich →
(2) ich lag
vor dem Altar wie das gebundne Thier
umschnürt
(3) ich lag
umschnürt | und konnte nur mein Auge drehen
und *(1)* nach
(2) wenden nach dem Grässlichen das kam
und kam, die Füsse waren mir von Blei, die Arme

[1] *An dieser Stelle – rechts unten auf pag. 11., teilweise überlagert von Z. 13f. – eine flüchtig mit Bleistift geschriebene Notiz; offenbar als Gedächtnishilfe für Konzeption dieser Rede gedacht:* weich meinem Zorn aus der Mann ist nicht geboren der sich mir in Weg stellt.

[2] *Am linken Rand:* 20. IX.

gelähmt, da kamst Du mir zurück, mein Zorn
freundliche Gottheit, wie Du in den Adern
mein Leben weckest, wie Du Zauberkräfte
ins Blut mir *(1)* giessest →
5 *(2)* flössest | , nein ich bin kein Thier
das vor dem Altar liegt und auf das Messer
des *(1)* Schlächters →
(2) Opferp⟨riesters⟩[1] | wartet, ich bin frei
ich kann hierhin und dorthin denn ich bin *(1)* das Schiff →
10 *(2)*^{p}
das Schiff | und bin der Wind zugleich, *(1)* und →
(2)^{p} ich | bin *(1)* das Segel →
(2)^{p}
das Segel | und ⌈^{p} ich⌉ bin der Steuermann.[2]
15 Ich thu und lasse was ich will! Dies Wort
blitzt auf dem fernsten Gipfel *(1)* alles →
(2)^{S} meines | Lebens
(1) die schwere Nacht hinweg wie *(a)* Morgenstrahlen →
(b)^{P} Morgenroth
20 *(2)*^{S} wie Morgenroth die schwere Nacht hinweg |
und kühn wie junges Meer im *(1)* Morgenlicht →
(2)^{p} ersten Licht |
wie Abgründe die voller Gärten sind
(1) liegt mir die Welt zu Füß⟨en⟩
25 *(2)* rollt sich die Welt vor m⟨einen⟩ Füß⟨en⟩ auf.
Ihr Hunde des Geschicks ob Eure Augen
sich schließen oder nicht – *(1)* ich sag's →
(2) vernehmt's | auch meine
sind offen Tag und Nacht auch mir sind Hunde
30 zu Dienst von treuem *(1)* Blut und scha⟨rf⟩
(2) Blut, auch mich umgeben
Dämonen und der herrlichste von ihnen
gerüstet wie ein junger Todesgott

[1] *Tintenfleck.*
35 [2] *Auf linkem Rand Notizen für die Konzeption späterer Teile dieses Monologs:*
uralte Nacht die du den schweren Leib
herauf den Hügel wetterleuchtend schleppst.

Ihr Hunde des Geschicks ob Eure Augen
sich (*1*) niemals
40 (*2*) schließen oder nicht (*1*) ist (*a*) mir eins
(*b*) glei⟨ch⟩
(*2*) auch meine Augen
sind offen Tag und Nacht

er dem mein Zorn und meine Liebe nur
die Waffenträger sind, er heißt mein Wille

Uralte Nacht die du den schweren Leib
herauf die Hügel wetterleuchtend schleppst 5
hör mich denn du warst *(1)* du
(2) vor den Göttern du
wirst sein wenn keine Götter sind – niemals
(1) werd ich den Vater
(2) wird diese Hand *(1)* mir 10
(2) sich wider meinen Vater
erheben und ihn tödten und niemals
A wird
B streckt sie sich [aus] meine Mutter zu umfassen
und *(1)* in[1] das Bette sie zu ziehen *(a)* in welchem 15
(b) darin
(a) ich
(b) ich
(c) ich
(2) sie 20
C wird sie ⟨die⟩ Mutter mir umschlingen sie
(1) ins Bett zu *(a)* ziehn darin ich
(b) ziehn
(2) zu ziehen in mein *(1)* Betten darin ich
(2) Bett auf dass ich ihr 25
den Leib befruchte derer die mich trug und Söhne
erzeuge die *(1)* mir →
(2) zugleich mir
(3) auch meine | Brüder sind.
Denn diese Hand gehört dem Oidipus 30
dem vor dem bloßen Klange dieser Worte
die niemand ⌈hier⌉ vernahm als du, die Seele
aufschäumt vor ***A*** *(1)* Graußen.
(2) Graußen wie der schwarze Schlund
ein 35
(3) tiefem Graußen *(a)* wie der →
(b) und der
(c) in ⟨dem⟩ | Schlund
(4) Graußen *(a)* →
(b) schlingend 40
(c) gähnend
(d) stöhnend
(e) | wie ein Wirbelschlund

[1] *Ursprünglich – wohl versehentlich –* ihn

voll Gischt und Schwärze der ins eisge Chaos
hinunterführt. Und Oidipus, allein[1] →
(5) Graußen. Oidipus, allein[2]
(6) Graun. Und Oidipus, allein |
5 und unbehaust und nackt und waffenlos
und sterblich wie er ist er ruft dir zu
und ruft den Göttern zu die sich zumal
in d⟨einem⟩ Dunkel bergen
B Graun. Und Oidipus, allein
10 und unbehaust und nackt und waffenlos
C Graun. O müsst ich in den Klüften
Kimmeriens mich bergen, mit den Bären
um eine Liegestätte ringen, nackt
und unbehaust und freud und waffenlos
15 Berg auf und ab, Land ein und aus von Klippe
zu Klippe (1) mich
(2) hingespült →
(3) hingeworfen, | (1) Oidipus
wird rein von diesem bleiben
20 müsste
(2) müsste ich
hinab zum Hades ich will rein mich halten
von diesem Fürchterlichen das kein Hirn
ausdenkt, das niemand je gehört hat niemand
25 je hören wird, denn ungeboren (1) will
(2) werd ichs
erwürgen (a) in →
(b) ¦ mir →
(3) wird es
30 erwürgt ⟨in⟩ mir ¦ und tritt nie an dies Licht.
O meine Eltern! was für Worte (1) sendet
(2) sprecht
ihr vor Euch hin wenn es nun abend ⟨wird⟩
(1) und
35 (2) heut morgen, Tag um Tag und Euer Kind
kehrt nicht zurück, reckt ihr die alten Hände
mit Flüchen gegen Himmel, weint ihr, werdet
ihr lange weinen? – – – (1) o →
(2) weh | und einmal dann

40 [1] Oidipus, allein *gestrichen und gleich wieder restituiert. Wohl Versehen, da die folgende Zeile unberührt bleibt.*

[2] *Am linken Rand:* 21. IX.

drückt eine andre Hand als diese hier
Euch Eure Augen zu.
Ich will mir ⌈einen⌉ Wanderstecken schneiden
für diese Hand anstatt des Szepter von
Korinth

er thuts.

Drei Straßen, alte heilige
berühmte Straßen laufen hier zusammen
die führt nach Delphoi diese hier gen Theben
nach Daulis diese. Welche ich betrete
ist gleich, auf jeder bin ⟨ich⟩ fremd, auf jeder
der ohne Haus, der ohne Freunde, der
(1) auf dessen
(2) ob dem der Zorn der Götter wetterleuchtend
(1) und grausig →
(2) und mächtig | hängt.

⌈er setzt sich⌉

Dort rollt ein Wagen hin
und ich sitz hier im Staub – und dennoch dennoch
der Königsmantel meines freien Willens
(1) wärmt me⟨ine⟩
(2) umfließt mir meine Schultern und mir ist
als hätte ich die ganze Welt um mich
geschlagen und empfing in m⟨einem⟩ Blut[1]
(1) gleichmäßige Wärme aus dem Blut
(2) davon die Wärme.

HEROLD oben heranschreitend (über Büschen)

He! *(1)* gieb Raum! gieb Raum
Mensch →
(2) gebt Raum! gebt[2] Raum
ihr | auf der Straße! Raum!

OIDIPUS vor sich

Ich gebe Raum
Raum dem Geschick! o mög es weit von mir
vorüberziehn –

HEROLD

He! du! steh auf! gieb frei
(1) den Weg ⇢
(2) die Straße ¦ ! hurtig! auf! mein Herr vor dem

[1] *Vielleicht:* empfing⟨e⟩ in m⟨ein⟩ Blut
[2] *Wohl versehentlich nicht variiert.*

ich schreite ist noch keinem je gewichen.
Auf! spute dich! auf! sonst beim Herakles!

OIDIPUS sitzend, über die Schulter
Beim Herakles, wenn ich mich hebe, Mensch,
5 so legst du dich für einen langen Schlummer

HEROLD
Auf! Willst du! oder schlag ich –

OIDIPUS auf (1) Schlägst du
(2) Schlage
10 (3) Willst du sterben
so schlag

HEROLD hebt den Stab

OIDIPUS Du hast dich selbst verurtheilt. Stirb
fahr nieder zu den Schatten, (1) grüße sie von mir
15 (2) und vermelde
(1) [dort meinen Gruß] an alle Übermüthigen
(2) den Überm⟨üthigen⟩
(3) den fre⟨chen⟩
(4) an alle (a) Überkühnen →
20 (b) frechen Seelen | meinen Gruß.

STIMME DES LAIOS
Ihr haltet das Gespann. Mein Herold! (1) ho
(2) Her!

OIDIPUS
25 Hier liegt d⟨ein⟩ Herold.

LAIOS[1] sichtbar Elender! weh dir
Todschläger

OIDIPUS Ich schlug den, der (1) sei⟨nen⟩ Stab →
(2) sei⟨ne⟩ Ha⟨nd⟩ |
30 hob wider mich.

LAIOS Auf deine Knie! Hund
die Hände in die Höh

OIDIPUS Ich seh der Knecht
war wie der Herr. Dein Aug ist bös du hast
35 ein hartes übermüthiges Gesicht

[1] *Hier und mehrfach:* Laius

Du bist schon übern Berg nimm dich in acht
(1) spiel nicht mit deinen Tagen sie sind schon →
(2) vermiss dich nicht denn deine Tage sind |
gezählt

LAIOS Du stehst vor dem der niemals noch 5
ein Wort der Schmähung ohne Strafe ließ

OIDIPUS
(1) Vor diesem stehest du. \Hör/ →
(2) Du stehst vor einem solchen. | Mann vom Wagen
sieh mich gut an. Ich bin nicht, was ich scheine. 10
Ich bin kein Wanderer wie andre sind.
Die Götter haben ihren Plan mit mir.
Wir wollen jeder unsre Straße ziehen.

⟨Laios⟩[1] winkt mit der Hand.

Wagenführer, 1ter 2ter Diener. noch immer rückwärts 15

LAIOS
Ihr andern! haltet! ihn! er macht sich fort!
Alle zugleich! fasst mir den Wegelagrer!

OIDIPUS
Der Wegelagrer der bist du, der Räuber 20
↑der mir Bluthunde *(1)* auf den Reisenden
(2) hetzt auf einen Reisenden
≈ der seine Hunde auf den Wandrer[2] hetzt!↓
Wär *(1)* ich zu schwach sie mir →
*(2)*ᴾ er zu schwach sie ⟨sich⟩ | vom Hals zu halten 25

(1) müsst ich dir *(a)* knech⟨tisch⟩
(b) fo⟨lgen⟩
*(2)*ᴾ schlügst du ihn wohl in Ketten? ja?

LAIOS Wie lang
ihr feigen Seelen *(1)* werdet 30
(2) lasst ihr *(1)* ihn →
(2) ¦ Euren Herrn
beschimpfen?

WAGENFÜHRER hebt die Peitsche

[1] *Zuweisung der Regieanweisung zu Laios, da dieser wohl Diener heranwinkt.*
[2] *Letzte drei Wörter stenographiert.*

OIDIPUS Wagenlenker fahr zum Hades
auf deinem Wagen!
erschlägt ihn
Hör mich alter Mann!
5 (1) Du
(2) In deinen Augen blitzt die Wuth sie regt
schon deinen weißen Bart. (1) Hör mich!
(2) Sinnloser Zorn
(1) steh⟨t⟩
10 (2) ziemt einem Greise schlecht. Willst du mich nicht
des Weges ziehen lassen! Irgend etwas
in mir heißt mich so reden! Willst du mich
nicht ziehen lassen?

LAIOS (1) Unverschämter
15 (2) Wüßtest du, dreimal
Verfluchter, wen du vor dir hast

OIDIPUS (1) In mir
nenn ich dich
(2) Du bist
20 für mich die Schmach verkörpert und behängt
mit einem weißen Bart

LAIOS (1) Du bist der Mord
und (a) Di⟨ebstahl⟩
(b) Straßenraub in eigener Person!
25 (c) Straßenraub
(2) ↑Du bist nichts anders
als Mord und Diebstahl in Person!
≈ (a) Dich nenn ich
Meuchelmord und Straßenraub →
30 (b) Du heißest Mord
und Raub |↓
Verflucht
sei m⟨it⟩ den Söhnen die (1) aus deinen Lenden
(2) du dir erzeugst
35 sie mögen dich von deinem Herde treiben
und dann einander wechselweis erwürgen.

OIDIPUS
Du sei verflucht in deinem Ehebett
das Elend hocke sich auf deine Schwelle
40 Umklammerst du den Stachel? Du! gieb acht

(1) gieb acht!
(2) nimm dich in acht, wer nach mir schlägt ist hin
jung oder alt, Sclav oder König er
sieht dieses Licht nicht länger

LAIOS Deine Lippe 5
befleckt das heilge Licht indem sie's nennt

OIDIPUS schreiend
Ah! Mann des Unheils! du hast meine Stirn
berührt! Fahr hin wo deine Väter sind!

LAIOS 10
Zu mir! Ich (1) sterb! rächt
(2) sterb⟨e⟩! strafet! ewg⟨e⟩ Götter!

1ter DIENER
Der König fiel. Hinweg.

2ter DIENER Wir sind zu zwein. 15
Wir rächen ihn.

OIDIPUS Fort! fort! zur Unterwelt
hinab mit Euch! Der Herr hat Euch gerufen
Du! sieh du holst ⟨ihn⟩ ein. Du zögerst noch?
Am dunklen Ufer[1] steht dein Herr und flucht 20
dem säumgen Diener. Auf und dien ihm gut
da drunten bei den Todten.

einer flieht.

Wer von den Göttern der am (1) Menschenblut →
(2) Rauch des Blutes |[2] 25
sich freut hat das gethan durch meinen Arm?
Ich habe nichts davon gewollt. Ein Gott
ein unbekannter Gott und nicht mein Wille
hat diese Hand geführt. Doch Polybos
mein Vater lebt und kein verwandtes Blut 30
strömt von den Stirnen dieser (1) Todten sickernd
in
(2) Todten. Fort!
Drei Straßen schweigend (1) fahl erleuchtet
(2) fahlen Lichtes (1) schicksalsvoll 35
(2) lauernd

[1] Ufer *fehlte zunächst.*
[2] *Am linken Rand:* 22/IX

geheimen Schicksals voll. Hier liegt mein Stab
er fiel gen Theben. Warum nicht gen Theben
Ein jeder Weg ist gut der von Corinth
(1) wegführt.
5 *(2)* hinweg mich führt. Ihr Todten ob ihr auch
mit starrem Blick mich anseht über Euch
schreit ich hinweg wie über Steine die
das Schicksal in den Weg mir werfen wollte
so schreit ich über Berge, wühle mich
10 durch giftge Sümpfe, werfe mich ins Meer
und fliehe fort und ziehe meinen Leib
rein von dem Blut des Vaters rein ihr Götter
(1) von gräßlichen Umarmungen die *(a)* nicht mehr →
(b) nimmer
15 *(c)* nicht mehr |
die Zunge nennt →
(2) vom Mutterkuss
(3) ⟨von⟩ fürchterlichen Küssen |[1] – *(1)* aus
(2) rein aus den ⌈tausend⌉ Schlingen
20 des lauernden Geschickes! *(1)* Brüte Nacht
in mir ist Licht. *(a)* Nach Theben.
(b) Ich geh gen Theben.
(2) Brüte Nacht.
In mir ist Licht genug. Ich geh gen Theben.

25 *Lesetext zu 1 H*

1. Akt, 1. Fassung

Der Dreiweg im Lande Phokis

OIDIPUS Er steht in der Mitte. Die Hände am Leib, sieht an sich herab.
Ich, Oidipus, ich eines Königs Sohn
30 und einstens König von Korinth, derselbe
der seiner Träume letzten von Befleckung

[1] *Version (3), einzig ungestrichen, am linken Rand; hat vielleicht nur Konzeptcharakter. Am linken Rand weiterer, aber gestrichener Konzeptversuch, der Version (1) nahe:*
vom *(1)* gräßlichen
35 *(2)* nam⟨enlosen⟩

rein hielt und seine Hand vom Unrecht, der
vor jedem kleinen Stern des Himmels jedem
Anhauch des Meers in Ehrfurcht schauderte
wie vor der nackten Näh lebendiger Götter
er zieht die Arme hinauf 5
der seinen Leib verbot den Buhlerinnen
und niedern Mägden – seines Geistes Schwung
an beiden ausgeschweiften Enden fest
zusammenbog und schweigend bändigte
damit zu treffen nach dem einen Ziel 10
Gerechtigkeit –
er malt unwillkürlich die Geberde des Bogenschützen
ich soll begehen müssen
was auszudenken schauderte mein Hirn
was meine Lippe nicht der leeren Luft 15
ansagt vor Grausen –

LICHAS Oidipus! was ist
das Fürchterliche das du mit dir redest?

OIDIPUS an der gleichen Stelle
Die Götter haben es verhängt! Weh hab ich 20
so wenig Euch bis nun erkannt?
zum Himmel
die Großen
gewaltig Schweifenden die mit dem Hauch
des ungeheuern Lebens jeden Abgrund 25
und jede Sternennacht erfüllen, die
vor deren Lächeln die Gewitterstürme
zergehen, die in diesem Bau der Welt
so wohnen wie die Gäste in der Burg
des Königs, deren unerschöpfte Lust 30
mich lechzen machte deren Lebensstrom
in grenzenlosen Stürzen über mich
hinfiel dass ich in ihrer Seligkeit
mich badete so wie ein nackter Wandrer
im Wassersturz, sie die mich wissen ließen 35
dass ich im Tiefsten ihresgleichen war.
Sie sind es nicht – sie sind nicht da – sie waren
nie da. Ich bin allein auf dieser Erde
mit andern Göttern: mit den Göttern die
mir dies verhängen konnten. Zeigt Euch an 40
ich weiß ihr weidet Euch an meinem Anblick

ich fühle Eure todeslüsternen
versteinten Augen sind auf mir, im Nebel
des Abends kriecht ihr rückwärts her, umschlingt
den Einsamen mit magern Pantherarmen
5 lautlos aus fürchterlichen Höhen tretet
ihr in der Nacht hervor und werft die Schlinge
des grässlichen Geschicks

LICHAS Fürst Oidipus.
bei allen Göttern hörst du mich

10 OIDIPUS wendet sich jäh, sieht und sieht nicht
Wer redet?
wer ruft mich? Lichas! wer hat dich geheißen
mir folgen?

LICHAS Kehr zurück! Kehr nach Korinth
15 zurück!

OIDIPUS
Nie! nie! nie! nie!

LICHAS
Hör mich, geliebter Herr!

20 OIDIPUS Fort! mach dich fort!

LICHAS
Sohn meines Königs! lass mich deine Knie
umschlingen

OIDIPUS Keine Namen! nenne mich
25 mit keinem Namen! Die korinthische Luft
aus deinem Mund nimmt mir den Athem! Fort!

LICHAS
Sohn meines Königs! Komm zu dir! ein Narr
ein niedriger betrunkner Narr, ein Geck
30 nicht werth an deinem Wanderschuh den Riemen
zu lösen, Herr ein Bursch aus dem der Wein
bewusstlos blökte hat dich schmähen wollen.
Lach doch darüber Herr! Herr! Komm zu dir

OIDIPUS
35 Hältst du noch dort. Wir sind schon weiter. Wirklich
das war der Anfang! Ist mir doch als wärs
so lange lange her.

LICHAS Drei Tage sinds.

OIDIPUS
Drei Tage. Wirklich? Wie er taumelte
sein Blick war stier und blöd. Wie er es nur
vorbrachte. 5

LICHAS Ist es dir entschwunden

OIDIPUS Ja
beinahe ganz.

LICHAS So ists nicht dieses, Herr,
was dich bedrückt. 10

OIDIPUS Wie! was?

LICHAS Die Schmähung, Herr.
Du standest todtenblass

OIDIPUS Warf ich denn nicht
den Krug nach ihm 15

LICHAS Du wolltest, doch es hielten
dir ihrer fünf den Arm

OIDIPUS So ihrer fünf?

LICHAS
Mit Müh. Die anderen indessen schleppten 20
ihn aus dem Saal.

OIDIPUS Ei ja. Wie er es nur
vorbrachte.

LICHAS Wie?

OIDIPUS heftig Ich will es hören. 25

LICHAS Herr.

OIDIPUS
Ich will dass du mir wiederholst.

LICHAS Verschon mich,
er redete zuerst herum und zielte 30
doch immer nach dem einen. Dass so mancher
nicht wisse was für Blut er in den Adern
Du zürnst mir

OIDIPUS Weiter.

LICHAS Herr! du wirst mir zürnen

OIDIPUS
Ich bitte dich. Mir ist's entfallen Weiter!

LICHAS
5 er hob sich übern Tisch und sah mit Fleiß
nach einer andern Seite

OIDIPUS Richtig! und –

LICHAS
und sagte dass man manchmal Findelkindern
10 auch auf den Stufen eines Thrones könne
begegnen

OIDIPUS Und da griff ich nach dem Krug

LICHAS
Nein, doch du grubst die Nägel deiner Finger
15 so in den Tisch dass man es hörte. Alle
verstummten, er sein stieres Auge war
auf dich geheftet: bist du denn, du selber
Oidipus, sag mir, bist du denn der Sohn
des Polybos –

20 OIDIPUS Da griff ich nach dem Krug
von Stein

LICHAS Herr! Herr! ein Narr, nicht werth den Krug
den du ihm nachwirfst

OIDIPUS Ei ja wohl ein Narr.
25 Ein Narr mich dünkt, von dem Geschick als Herold
an mich gesandt. Es war nicht Morgen noch
da ich sie weckte. Wie sie leise schlafen
die alten Eltern! Kaum daß ich dem Bett
nah war so hoben sie sich auf, der Vater
30 erkannte mich nicht gleich, die Mutter aber
die Mutter –
schaudert
nie mehr werde ich sie sehen!
Dem Vater schwoll die Ader an der Stirn
35 vor Zorn die Mutter hatte gleich die Augen
voll Wasser und in ihrem Ehebette
halb aufgerichtet schworen sie mir's zu

dass ich ihr Sohn bin. Und dann sprachen sie
zugleich die beiden auf mich ein und tauschten
blitzschnelle angst- und liebevolle Blicke
und König Polybos mein Vater dessen Leib
ich nie berührt er schlang zum erstenmal 5
im Leben seine beiden Arme fest
um meinen Hals und drückte meinen Kopf
an seine Brust und übers Bette hin
ergriff die Mutter meine Hand und schlang
die kühlen welken blumenzarten Finger 10
durch meine Finger hin. Und als ich ging
und hinter mir die Thür des Schlafgemaches
ehrfürchtig schloss da hört ich sie noch reden
die beiden Alten –
hart 15

aber ich bin einer
der sich nicht giebt, bevor er auf den Grund
und Boden ist gelangt von einem Ding.
So ging ich hin nach Delphi wo der Gott
auf seinem Throne sitzt der in den Kern 20
der Dinge schaut. Sie wollten mit dem Blick
und mit erhobnem Finger mich zurück
von ihrer Schwelle scheuchen. Finstre Priester
vertraten mir den Weg Gewölbe thaten
sich auf und wieder zu ich aber hielt 25
wie eine Fackel und wie eine Waffe
die einzige, in ausgerecktem Arm,
die eine einzige Frage vor mir her
und ich erzwang dass mir die Priesterin
in Krämpfen zuckend, wie ein sterbend Thier 30
den Mund verzerrt, das Weiße ihrer Augen
auf mir die fürchterliche Antwort gab –

LICHAS
Sohn meines Königs!

OIDIPUS Das Geheimnis bleibt 35
nur zwischen mir und ihnen, merk, den Göttern.

LICHAS
Doch einmal wiederum kehrst du zurück?

OIDIPUS
Nie. Nie. 40

LICHAS Wenn sie vorüber ist die Zeit
geheimnisvoller Buße

OIDIPUS Keine Buße.

LICHAS
5 Wenn du ein ungeheures Werk vollbracht
das dir die Götter auferlegt

OIDIPUS Kein Werk.

LICHAS
Wenn deine Frist verstrichen

10 OIDIPUS Keine Frist!
Wer hat dich heißen meiner Spur zu folgen

LICHAS
Sie rufen dich, die Herrin Merope
die Königin ist auf den Thurm gestiegen
15 und späht nach dir. Der König Polybos
späht nicht. Er sitzt auf dem erhöhten Stuhl
und achtet unser nicht und nicht der Arbeit
die wir verrichten. Traurig geht sein Blick
wie durch die leere Luft

20 OIDIPUS Wer hat dich
geheißen mich zu pirschen? bin ich Wild
das frei für deinesgleichen

LICHAS Oidipus
ich hab den König abends in der Halle
25 da er allein war weinen hören.

OIDIPUS Fort!

LICHAS
Was soll ich deiner Mutter meiner Herrin
ansagen wenn sie fragt: wo ist mein Sohn?

30 OIDIPUS losbrechend
Sag ihr ein Giessbach hat mich hingeschmettert
und treibt nun meinen Rumpf wie ein Stück Holz
ins Meer hinaus, sag ihr ich haus im Walde
mit Räubern, sag ich lieg auf einer Insel
35 im wilden Meer, mit einer offnen Wunde
wie Philoktet, und lebe von den Vögeln
die mir mein Pfeil aus eisigen Lüften holt

sag ihr die Hunde des Geschicks die niemals
ihr Auge schliessen sind mir auf den Fersen
sag was du willst, mich aber frage nicht
frag nicht! und weich mir aus! entspring! entspring!
der Mann ist nicht geboren der sich mir 5
in meinem Zorn entgegenstellt! entspringe
ich sehe einen Stein des Feldes, flieh,
flieh wenn du leben willst!
allein! allein!
allein mit dem Geschick und dort herauf 10
aus flachem Lande kommt die Nacht gestiegen
so sind wir denn zu dritt. Da flieht er hin
reckt sich ohne Stellung zu ändern
wie ein gescheuchter Hase. Mir ist wohl.
Wie ein verfluchtes Schiff auf todten Meeres 15
bleifarbiger Öde war mein Herz, ich lag
umschnürt und konnte nur mein Auge drehen
und wenden nach dem Grässlichen das kam
und kam, die Füsse waren mir von Blei, die Arme
gelähmt, da kamst Du mir zurück, mein Zorn 20
freundliche Gottheit, wie Du in den Adern
mein Leben weckest, wie Du Zauberkräfte
ins Blut mir flössest, nein ich bin kein Thier
das vor dem Altar liegt und auf das Messer
des Opferpriesters wartet, ich bin frei 25
ich kann hierhin und dorthin denn ich bin
das Schiff und bin der Wind zugleich, ich bin
das Segel und ich bin der Steuermann.
Ich thu und lasse was ich will! Dies Wort
blitzt auf dem fernsten Gipfel meines Lebens 30
wie Morgenroth die schwere Nacht hinweg
und kühn wie junges Meer im ersten Licht
wie Abgründe die voller Gärten sind
rollt sich die Welt vor meinen Füßen auf.
Ihr Hunde des Geschicks ob Eure Augen 35
sich schließen oder nicht – vernehmt's auch meine
sind offen Tag und Nacht auch mir sind Hunde
zu Dienst von treuem Blut, auch mich umgeben
Dämonen und der herrlichste von ihnen
gerüstet wie ein junger Todesgott 40
er dem mein Zorn und meine Liebe nur
die Waffenträger sind, er heißt mein Wille

———

Uralte Nacht die du den schweren Leib
heraúf die Hügel wetterleuchtend schleppst
hör mich   denn du warst vor den Göttern du
wirst sein wenn keine Götter sind – niemals
5 wird diese Hand sich wider meinen Vater
erheben und ihn tödten und niemals
wird sie die Mutter mir umschlingen   sie
zu ziehen in mein Bett auf dass ich ihr
den Leib befruchte derer die mich trug und Söhne
10 erzeuge die auch meine Brüder sind.
Denn diese Hand gehört dem Oidipus
dem vor dem bloßen Klange dieser Worte
die niemand hier vernahm als du, die Seele
aufschäumt vor Graun. O müsst ich in den Klüften
15 Kimmeriens mich bergen, mit den Bären
um eine Liegestätte ringen, nackt
und unbehaust und freud und waffenlos
Berg auf und ab, Land ein und aus von Klippe
zu Klippe hingeworfen, müsste ich
20 hinab zum Hades   ich will rein mich halten
von diesem Fürchterlichen das kein Hirn
ausdenkt, das niemand je gehört hat niemand
je hören wird, denn ungeboren wird es
erwürgt in mir und tritt nie an dies Licht
25 O meine Eltern! was für Worte sprecht
ihr vor Euch hin wenn es nun abend wird
heut, morgen, Tag um Tag und Euer Kind
kehrt nicht zurück, reckt ihr die alten Hände
mit Flüchen gegen Himmel, weint ihr, werdet
30 ihr lange weinen? – – – weh und einmal dann
drückt eine andre Hand als diese hier
Euch Eure Augen zu.
Ich will mir einen Wanderstecken schneiden
für diese Hand anstatt des Szepter von
35 Korinth

er thuts.

Drei Straßen, alte heilige
berühmte Straßen laufen hier zusammen
die führt nach Delphoi   diese hier gen Theben
40 nach Daulis diese. Welche ich betrete
ist gleich, auf jeder bin ich fremd, auf jeder
der ohne Haus, der ohne Freunde, der

ob dem der Zorn der Götter wetterleuchtend
und mächtig hängt.

er setzt sich

Dort rollt ein Wagen hin
und ich sitz hier im Staub – und dennoch dennoch 5
der Königsmantel meines freien Willens
umfließt mir meine Schultern und mir ist
als hätte ich die ganze Welt um mich
geschlagen und empfing in meinem Blut
davon die Wärme. 10

HEROLD oben heranschreitend über Büschen
He! gebt Raum! gebt Raum
ihr auf der Straße! Raum!

OIDIPUS vor sich Ich gebe Raum
Raum dem Geschick! o mög es weit von mir 15
vorüberziehn –

HEROLD He! du! steh auf! gieb frei
die Straße! hurtig! auf! mein Herr vor dem
ich schreite ist noch keinem je gewichen.
Auf! spute dich! auf! sonst beim Herakles! 20

OIDIPUS sitzend, über die Schulter
Beim Herakles, wenn ich mich hebe, Mensch,
so legst du dich für einen langen Schlummer

HEROLD
Auf! Willst du! oder schlag ich – 25

OIDIPUS auf Willst du sterben
so schlag

HEROLD hebt den Stab

OIDIPUS Du hast dich selbst verurtheilt. Stirb
fahr nieder zu den Schatten, und vermelde 30
an alle frechen Seelen meinen Gruß.

STIMME DES LAIOS
Ihr haltet das Gespann. Mein Herold! Her!

OIDIPUS
Hier liegt dein Herold. 35

LAIOS sichtbar Elender! weh dir
Todschläger

OIDIPUS Ich schlug den, der seine Hand
hob wider mich.

LAIOS Auf deine Knie! Hund
die Hände in die Höh

5 OIDIPUS Ich seh der Knecht
war wie der Herr. Dein Aug ist bös du hast
ein hartes übermüthiges Gesicht
Du bist schon übern Berg nimm dich in acht
vermiss dich nicht denn deine Tage sind
10 gezählt

LAIOS Du stehst vor dem der niemals noch
ein Wort der Schmähung ohne Strafe ließ

OIDIPUS
Du stehst vor einem solchen. Mann vom Wagen
15 sieh mich gut an. Ich bin nicht, was ich scheine.
Ich bin kein Wanderer wie andre sind.
Die Götter haben ihren Plan mit mir.
Wir wollen jeder unsre Straße ziehen.

Laios winkt mit der Hand
20 Wagenführer, 1ter 2ter Diener. noch immer rückwärts

LAIOS
Ihr andern! haltet! ihn! er macht sich fort!
Alle zugleich! fasst mir den Wegelagrer!

OIDIPUS
25 Der Wegelagrer der bist du, der Räuber
der seine Hunde auf den Wandrer hetzt!
Wär er zu schwach sie sich vom Hals zu halten
schlügst du ihn wohl in Ketten? ja?

LAIOS Wie lang
30 ihr feigen Seelen lasst ihr Euren Herrn
beschimpfen?

WAGENFÜHRER hebt die Peitsche

OIDIPUS Wagenlenker fahr zum Hades
auf deinem Wagen!
35 erschlägt ihn
Hör mich alter Mann!
In deinen Augen blitzt die Wuth sie regt

schon deinen weißen Bart. Sinnloser Zorn
ziemt einem Greise schlecht. Willst du mich nicht
des Weges ziehen lassen! Irgend etwas
in mir heißt mich so reden! Willst du mich
nicht ziehen lassen? 5

LAIOS Wüßtest du, dreimal
Verfluchter, wen du vor dir hast

OIDIPUS Du bist
für mich die Schmach verkörpert und behängt
mit einem weißen Bart 10

LAIOS Du bist nichts anders
als Mord und Diebstahl in Person! Verflucht
sei mit den Söhnen die du dir erzeugst
sie mögen dich von deinem Herde treiben
und dann einander wechselweis erwürgen. 15

OIDIPUS
Du sei verflucht in deinem Ehebett
das Elend hocke sich auf deine Schwelle
Umklammerst du den Stachel? Du! gieb acht
nimm dich in acht, wer nach mir schlägt ist hin 20
jung oder alt, Sclav oder König er
sieht dieses Licht nicht länger

LAIOS Deine Lippe
befleckt das heilge Licht indem sie's nennt

OIDIPUS schreiend 25
Ah! Mann des Unheils! du hast meine Stirn
berührt! Fahr hin wo deine Väter sind!

LAIOS
Zu mir! Ich sterbe! strafet! ewge Götter!

1ter ⟨DIENER⟩ 30
Der König fiel. Hinweg.

2ter ⟨DIENER⟩ Wir sind zu zwein.
Wir rächen ihn.

OIDIPUS Fort! fort! zur Unterwelt
hinab mit Euch! Der Herr hat Euch gerufen 35
Du! sieh du holst ihn ein. Du zögerst noch?
Am dunklen Ufer steht dein Herr und flucht

dem säumgen Diener. Auf und dien ihm gut
da drunten bei den Todten.

einer flieht.

Wer von den Göttern der am Rauch des Blutes
5 sich freut hat das gethan durch meinen Arm?
Ich habe nichts davon gewollt. Ein Gott
ein unbekannter Gott und nicht mein Wille
hat diese Hand geführt. Doch Polybos
mein Vater lebt und kein verwandtes Blut
10 strömt von den Stirnen dieser Todten. Fort!
Drei Straßen schweigend fahlen Lichtes lauernd
geheimen Schicksals voll. Hier liegt mein Stab
er fiel gen Theben. Warum nicht gen Theben
Ein jeder Weg ist gut der von Corinth
15 hinweg mich führt. Ihr Todten ob ihr auch
mit starrem Blick mich anseht über Euch
schreit ich hinweg wie über Steine die
das Schicksal in den Weg mir werfen wollte
so schreit ich über Berge, wühle mich
20 durch giftge Sümpfe, werfe mich ins Meer
und fliehe fort und ziehe meinen Leib
rein von dem Blut des Vaters rein ihr Götter
von fürchterlichen Küssen rein aus den tausend Schlingen
des lauernden Geschickes! Brüte Nacht.
25 In mir ist Licht genug. Ich geh gen Theben.

3 H

1. Akt, 2. Fassung

Ödipus
Phönix }
Ermos } die Diener[1]
Elatos }
⌈die⌉ Stimmen der Ahnen
Lahios
der Herold
der Wagenlenker
der eine Diener
der andere Diener
⌈der dritte Diener⌉
Jokaste die Königin
Kreon
(1) Antiope
(2) D⟨ie⟩ K⟨önigsmutter⟩ Antiope
(3) Antiope des *(1)* K⟨önigs⟩
(2) Lahios Mutter
(1) der
(2) Teiresias
der Schwertträger des Kreon
ein Kind
⌈ein Jüngling⌉
Boten Späher *(1)* Volk
(2) in Kreons Dienst Volk

von[2] rückwärts Hohlweg. links nach rechts Strasse in die der Hohlweg mündet, rechts Felsen und Bäume, ein Thor bildend. links Cisterne mit grosser Platane.

Phönix Ermos Elatos. Phönix ein Greis, die andern rüstige Männer.

STIMME von oben
Er ist im Hohlweg. Er ist nah, ihr Männer.

[1] *Am rechten Rand:* Marpessa
[2] *Am linken Rand:* Rag⟨usa⟩ (14 III)

ERMOS
Wir wollen uns demüthigen.

(1) ↑ELATOS ≈ PHÖNIX↓ →
(2) ELATOS | Wir wollen
5 (1) den Staub der Strasse auf uns (a) streuen.
(b) streun.[1] Sein Zorn
ist fürchterlich.
(c) streun. Der Erstling
(d) streuen.[1]
10 ERMOS Still.
(2) den Staub der Strasse auf die Stirn uns streuen.

ERMOS →
(3) mit Staub der Strasse uns[2] die Stirn bestreuen.

ERMOS
15 (4)S mit Staub uns unsre Stirn bestreuen.

ERMOS |
(1) Der Erstling →
(2) Das Erste | seines Zorns ist fürchterlich
↑wie Blitz und Donner. Phönix!
20 zieht ihn nieder↑

PHÖNIX Nicht sein Zorn
zermalmt mein altes Herz, (1) nicht dies, allein →
(2)S
sondern | ein Etwas dessen Name ich nicht weiss.
25 Ihr Götter wendet ab! nicht von dem meinen
und nicht von diesen Häuptern, von dem Haupt
(1) des
(2) da
(3) des der hier nun auf
30 (4) dess →
(5)S dessen | der hier nahet, wendet ab! ihr Götter!

Stille.

Ödipus kommt den Hohlweg herab, am Stab, bleich, verwildert, wie ein Flüchtiger. Als wollte er rechts herüber.

35 [1] *Graphisch unverändert.*
[2] uns *versehentlich statt* auf *gestrichen.*

(1) ÖDIPUS wie aus dem Schlaf aufschreckend
(a) U
(b) Oh!
(2) ⌈[P] Die drei neigen ihr Haupt zum Boden.⌉
ÖDIPUS ⌈[P] ohne sie zu erkennen, wie schlafwandelnd⌉ taumelt links hin.[1] 5

PHÖNIX ↑aufspringend ≈ schwer aufstehend↓[2]
Sperrt ihm den Weg! Werft Euch vor seine Füße!

ÖDIPUS springt ⌈dumpf aufschreiend⌉ zurück, deckt sich den Rücken, hebt den schweren Stock
(1) Wer? → 10
(2) |

PHÖNIX vor ihm *(1)* dem⟨ütig⟩
(2) niedersinkend
Hebst du den Arm wider dich selber, Herr,
und schlägst was dein ist? 15

ÖDIPUS Ungetreue Diener!
Was schafft ihr hier? Du ⌈[S] Alter⌉ mit dem weißen Bart
wie heißt der Boden da

PHÖNIX *(1)* Sein Nam ist Phok⟨is⟩
(2) Des Landes Nam? 20
(3) Des Landes Nam
ist Phokis.

ÖDIPUS [[S] Weiter,] ungetreuer Knecht
ist dies der Weg von Delphoi *(1)* nach →
(2) gen | Korinth. 25

PHÖNIX
Dies ist ein Weg von Delphoi gen Korinth.

ÖDIPUS
Ein krummer Weg. Und welchen hieß ich Euch
durch eines Knaben, meines Boten Mund, 30
zur Heimkehr wählen.

[1] *Es folgen 5 Zeilen in eckigen Klammern. Diese gehören nicht in den fortlaufenden Text, sondern sind Konzept für den folgenden Dialog:*
Ich bin das Wild nicht. Auf. Hand angelegt. Ihr seid zu faul. Angeschirrt. Ich will Euch dorthin jagen sehen. Ich habe befohlen. Ermos: wir rasteten. Phönix 35 nein: wir suchten dich.
Phönix: sperrt ihm den Weg [[S] werft Euch zu seinen Füßen,] umschlingt seine *(1)* Füße. *(2)*[S] Füße! |
[2] *Am linken Rand:* 17 III.

PHÖNIX Den der stracks hinab
von Delphoi läuft ans Meer so wie die Sene
des *(1)* Bogens, diesen hießest du uns nehmen.
(2) Bogens.

5 ÖDIPUS Und warum dann find ich Euch
(1) hier
(2) auf diesem Kreuzweg?

ERMOS Wo sich unter Delphoi
die Straßen gabeln, irrte unser Zug

10 [ELATOS
Die wir befragten, wiesen uns verkehrt.]

PHÖNIX
(1) Dies ist nicht wahr.
(2) Dem ist nicht so. *(1)* Wie Hirten voller Angst
15 nach den Verlaufnen ihrer Heerde suchen
so →
(2)[S] In unsrer Herzen Angst
Herr | suchten wir nach dir *(1)* und streiften
(2) und zählten nicht
20 die Berge noch die Thäler, nicht die Flüsse
und nicht die Dörfer, achteten die Nacht
wie Tag und Sternenlicht wie Sonnenlicht
und ließen nicht des Suchens ab bis hier
da wir dich fanden

25 ÖDIPUS *(1)* Augendiener nennt
man die, so thun was nicht befohlen.
(2) Augendiener heißen
die unbefohlen Werk sich
(3) Schlechte Diener heiß ich,[1]
30 die Unbefohlnes[2] *(1)* thun

PHÖNIX Gebieter Ödipus →
(2)[S] thuen

PHÖNIX Ödipus |
ich bin der älteste von diesen.

35 [1] ich, *mit Stift nachträglich eingefügt.*
[2] *Graphisch unverändert:* unbefohlen

ÖDIPUS (1) Doch
wie's scheint nicht alt genug denn →
(2)^S Doch | zu gehorchen
hast du noch nicht gelernt

PHÖNIX und ⌈^S ich⌉ muß vor diese ⌈^S da⌉ 5
hintreten wenn du zürnst und muß den Mund
(1) aufthun
(2) aufthuen: Herr wie
(3) aufthun und sprech⟨en⟩ Herr wie du (1) mit uns
verfahren bist auf dieser Reise so 10
bist du ⟨mit⟩ uns noch (a) nicht →
(b) nie | verfahren (a) und →
(b) Herr
(c) und
(2) an uns 15
gethan ⟨hast⟩ da wir zu Olympia lagen
so hast du nie ⌊zuvor an uns⌉ gethan. |
(1) wir deine Diener
(2) wir konnten einmal in
(3) von einer Stunde an so haben wir 20
(4) ein Zug der Zügel, die uns leiten, nicht
(5) uns dünkte eine fremde (1) Hand →
(2) Faust | zu fühlen
(1) ein Zug
(2) am Zügel und von ungewohnter Hand 25
das Joch auf uns gelegt. Denn stets warst du
mehr mit der (1) Stimme →
(2) Seele | als mit (1) Sporn und Zaum
(2) Zaum und Stachel
der Lenker unsres Thuns, doch von ⌈^S der⌉ Stund an 30
da wir in dieser heiligen Stadt herbergten
wo das Orakel thront, da wurde hart
dein Mund und deine Rede flackerte
wie Feur im Wind und zu gehorchen wurde
da schwer, das vordem leicht gewesen war. 35

A ÖDIPUS
Und trug der Knabe der von mir an dich
die Botschaft brachte nicht (1) den Ring am Finger
(2) in seiner Hand
den Ring von meiner Rechten, den du kennst 40
und war bekräftiget und so als sprach

ich *(1)* selbst der Herr zu dir dem Knecht.
(2) selber was aus seinem Munde ging?
B[1]
Am[2] neunten Tag⟨e⟩ kamst du nicht mehr heim
5 zur Herberge, wir harrten dein zu⟨r⟩ Nacht
vergeblich und das Bette das wir dir
bereiteten blieb leer. ⌈[S] und so den nächsten Tag
und wieder⟨um⟩ die Nacht und wie⟨derum⟩ den Tag⌉[3]

ÖDIPUS Mein Bote kam.

10 PHÖNIX neigt sich
Er kam und da er sprach aus meinem Mund
spricht Ödipus mein Herr und Euer Herr
neigten wir uns. Allein aus seinem Munde
kam eine Rede die für unser Herz
15 zu schwer war und zu dunkel. Die wir dein
Gefolge sind wir sollten uns von dir
abtrennen und die deine Treuen sind
allein hinabziehn gen Korinth – da sprachen
wir unter uns: dies ist zu *(1)* schwer
20 *(2)* fremd wir wollen
nicht glauben daß dies *(1)* deine →
(2) seine ¦ Rede war

ÖDIPUS
Der Knabe trug in seiner Hand den Ring
25 *(1)* von meinem Finger und so war der Knabe
bekräftig⟨t⟩
(2) und war bekräftigt.

PHÖNIX *(1)* Darum fragten wir →
(2)[S] Wir fragten uns[4]
30 *(3)* Darum fragten wir |
was soll *(1)* mit diesem königlichen →
(2) uns dieser königliche | Ring
den unser Herr noch nie vom Finger zog.
Da sprach er traget *(1)* ⟨ihn⟩ mit ⟨euch⟩ hinab und
35 w⟨ahrt⟩
(2) ihn hinab und wahrt

[1] *Tilgung von **A** mit Stift nachgeholt.*
[2] *Am linken Rand:* 18 III
[3] *Nachtrag ohne Verseinteilung.*
40 [4] *Graphisch unverändert:* wir

ihn gut, bis ihr vor Polybos den König
gelangt seid. Diesem gebt den Ring und sprecht.
Den schickt dir Ödipus dein Sohn, er grüßt dich
und grüßt die Mutter, unsre Königin,
und grüßt Korinth die Stadt – denn dich, o König, 5
und deine Königin und deine Stadt,
die drei die Vater ihm und Mutter ihm
und Heimath *(1)* heißen →
(2) hießen ¦ sieht sein Aug nicht mehr.
Nicht wieder *(1)* kehret → 10
(2) kehrt dir | Ödipus dein Sohn
(1) →
(2) den du entließe⟨st⟩
(3) |
dess sei der Ring dir Zeichen. 15

ÖDIPUS *(1)* Mein Knabe
trug Euch
(2) Meine Worte
trug Euch
(3) Treu 20
(4) Treu und gut
sprach das mein Bote.

PHÖNIX [^{P}schmerzvoll]
Nein! *(1)* Gebieter!
(2)^{p} 25

ÖDIPUS So heiß denn ich
ich Ödipus, ich Euer Herr, dich Phönix
dich Elatos, dich Ermos und was noch
an niederm Dienstvolk *(1)* dort bei den Pferden
(2) bei den Pferden dort 30
und bei dem Wagen lagert aufzustehen
vom Boden, hurtig, und die Pferde flink
zu *(1)* span⟨nen⟩
(2) schirren *(1)* vor den Wagen
(2) und was morsche Glieder hat 35
zu packen auf den Wagen und hinab
(1) hinab mit →
(2) mit
(3) zu lenken | *(1)* Euch ans →
(2)^{S} an das | Meer hinab den Weg 40
der wie *(1)* des Bogens Sene →
(2) der Pfeil | stracks von hier

fliegt nach Korinth! und wär kein ⸌andrer⸍ Weg
als den der Gießbach ausgefressen hat
(1) und
(2) hinab denn durch des Gießbachs *(1)* Bette!
5 *(2)* Bett und käme
nicht Mann noch Pferd mit heilen *(1)* Knochen →
(2)^S Gliedern | an
⸌^P gleichviel!⸍ wer hieß Euch lungern *(1)* zwei
(2) zweimal →
10 *(3)*^p | Tag und Nacht
im fremden Land, wer hieß auf Euren Herrn
Euch pirschen wie auf Wild und mir den Wind
zu Abend abgewinnen und im Hohlweg
(1) mir die Netze stellen, →
15 *(2)* mich stellen? | *(1)* gut ihr habts gewollt, *(a)* und fort! →
(b) nun fort!
(2) sei's. Nun sucht Euch Euren Weg! |
Und wahret mir den Ring und wahret mir
(1) im Hirn die Botschaft an den König gut, →
20 *(2)* im widerspenstigen Hirn die Botschaft *(a)* nur
(b) gut
(c)^P gut, |
(1) an meinen Vater!
(2)^p dass sie Euch nicht *(1)* entfällt.
25 *(2)* entfällt eh sie bestellt ward
an meinen Vater.

PHÖNIX *(1)* Ödipus!
(2) Herr!

ÖDIPUS Leg Hand an Alter!
30 *(1)* ich will daß
(2) da Phönix ihn am Kleid faßt
(1) Dort! dort es ist befohlen anzuspannen.
Ich will, daß alles flink *(a)* ist
(b) geschieht. Sie werden
35 dich brauchen.

PHÖNIX Ödipus!

ÖDIPUS Dorthin.

PHÖNIX Nein hier!
(2) ⸌^S Dort! dort es ist befohlen anzuspannen.⸍
40 Dort alter Mann!

PHÖNIX Gebieter.

ÖDIPUS Dort!

PHÖNIX Nein hier!

Die[1] anderen links, noch mehre⟨re⟩, angstvoll spähend.

Phönix rechts, Ödipus umklammernd 5

ÖDIPUS ⌈S stößt ihn fort⌉

Gehorche, alter Diener!

PHÖNIX Herr so fass mich

am Nacken, wie du (1) einst ein →

(2)S einst, als | Knabe noch 10

den tollen Hund (1) gefasst →

(2)S gewürgt | hast, fass mich (1) fest →

(2)S eisern[2] |

und schmettre mir, wie du dem Hunde thatest

den alten Kopf an diesem Stein in Stücken. 15

Denn sieh wenn du mir auflädst ohne Zucken

was mir das Herz abdrückt und mir den Mund

zubindest dass ich gegen dich mit Stöhnen

dir nicht die Luft soll ekel machen, also

bin ich vor dir (1) nicht anders denn ein Thier 20

so thu an mir wie an dem Hunde

(2) nicht anders denn ein Thier. →

(3)S nichts anders (a) als das Thier.

(b) als ein Thier. |

ÖDIPUS 25

(1) Phönix!

(2)[3] Phönix! Ich muss! →

(3) bewegt die Lippen ⌈fast lautlos⌉

[S Phönix!] Ich muss!

PHÖNIX ↑aufgerichtet ≈S kniend↓ 30

Wer dieses ⌈an mir⌉ thuen kann

dass er mich alten Mann hinunterschickt

zum alten (1) Vater, mich →

(2) Mann, | den Knecht zu seinem König

[1] *Am linken Rand mit Stift:* 19 III 35

[2] *Variante nachträglich mit Tinte nochmals bestätigt.*

[3] *Stufe (1) mit Tinte getilgt, auf Stufe (2) mit Stift weitergeschrieben, danach wieder Tinte.*

mit solcher Botschaft, die Tod giebt und Tod
zum *(1)* Lohne →
(2)[P] Lohn | nimmt, *(1)* der kann
(2) von dem *(a)* anstatt
5 des Mantels
(b) anstatt des Mantels
heisch ich *(a)* als Botenlohn →
(b) zum Lo⟨hn⟩
(c) Botenlohn, Herr | einen steinernen Rock →
10 *(3)*[S] der schuldet mir
als Botenlohn statt *(a)* eines Mantels nichts →
(b) Mantels | einen steinernen Rock
(4)[T] der schuldet mir dafür
und von ihm heisch ich seine Schuld
15 als Botenlohn statt eines Mantels einen steinernen Rock
(5)[p] der darf mir als Botenlohn
auch einen Mantel nicht verweigern und
ich heische einen steinernen von dir. |
Fass einen schweren Stein mit deiner Rechten
20 und einen mit der Linken, steinge mich
und häufe Steine rings um mich, dann hab ich
mein Grab *(1)* am Leibe und brauch *(a)* nicht
(b) keinen Knecht
der⟨'s⟩ →
25 *(c)* keine Schaufel
die⟨'s⟩[1] | in der Erde von Korinth mir gräbt.
(2) um meinen Leib und brauch⟨e⟩ keinen
der's in Korinth mir gräbt.

ÖDIPUS fast lautlos. Ich muss.

30 PHÖNIX [aufstehend] O Kind!
Kind! du weißt nicht was alt sein ***A*** heißt, du weißt nicht
was Schmerzen sind. Du bist ein Königssohn
und einstens König und ich bin ein Knecht.
und dennoch insofern wir[2] *(1)* Alte sind
35 *(2)* beide alt sind
(1) der König
(2) ich und der *(1)* Vater
(2) König sind wir eins →
B[S] heißt. |

40 [1] der *graphisch unverändert.*
[2] wir *wohl versehentlich mit Stufe (1) gestrichen.*

ÖDIPUS [Bewegung der Abwehr] Mein Vater
ist rüstig. Viele Jahre sind vor ihm.

PHÖNIX
Ja, wenn die Götter gut sind. *(1)* Doch kein Sturm
darf mit [unsanften] Fäusten 5
(2) Er steht mächtig
wie ein gewaltiger Baum:
(3) Wie ein Baum
steht er und ist gewaltig. *(1)* Weh aber
wenn ⟨in⟩ die Krone von nicht jungem Baum 10
(a) der Sturm greift.
(b) der Sturmwind greift.
(c) der Stu⟨rm⟩ greift.
(d) der Sturmwind greift.
(2) Willst du Kind 15
(1) das Schicksal spielen das →
(2) den[1] Sturmwind spielen der[1]
(3) das Schicksal spielen das | erbarmungslos
ihm in die Krone greift?

ÖDIPUS Erbarmungslos 20
so greifts in uns.

PHÖNIX *(1)* Erbarmungslos und grausam
(2) Lass deine Jugend, Herr,
nicht grausam sein und wenn *(1)* sie's sein muss sei sies
(2) so sei es gegen 25
die Feinde und nicht gegen uns, die *(1)* deinigen. →
(2) deinen. ¦
Wär nicht dein Herz so jung, du hättest's nie
ersinnen können, über deinen Mund
(1) wärs nie gekommen etwas so *(a)* entblößt 30
(b) beraubt
der Milde, etwas *(a)* so verlassen
(b) maßlos hart und kahl
und
(2) ↑wärs nie gekommen etwas maßlos *(1)* hart 35
und kahl und
(2) hartes

[1] das *graphisch unverändert.*

und kahles, aus entblößten Nüstern hassvoll
Verzweiflung (1) athmendes →
(2)^S hauchendes | wie diese Botschaft
mit diesem (1) ↑nackten ≈ stummen↓ →
5 (2)^S | (1) Ring.
(2) Ring dazu. Wie
≈ kam nie dies kalte Wort das maßlos harte
mit diesem Todeszeichen diesem Ring
(a) Verzweiflung athmen⟨d⟩
10 (b) grässlich bekräftigt. Herr, wie↓ kann
(1) des Vaters und der Mutter
(2) das Herz
des Vaters und der Mutter dies (1) ertragen? →
(2) ertragen
15 und nicht (a) zerbrechen?[1] →
(b)^P darüber bersten? | ↑(1) Alter Menschen Herzen →
(2)^p Alte Herzen |
sind nicht verdorrt, nicht eingeschrumpft, (1) nicht todt
sie liegen groß und zitternd und
20 (2) sie liegen
uns in der Brust voll Sorge, schwellend, zitternd
und schlafen nie auch nicht indess wir schlummern.
Bist du zu Schiff und ist ein Sturm, vielleicht
du schläfst in seinem Toben (1) und des Schiffes Ächzen
25 (2) doch der Vater
auf festem Land setzt sich im Bett⟨e⟩ auf
und starrt voll Angst ins Dunkle, denn der Sturm
der spielt mit deinem Schiff (1) spielt tausend Stunden
von dir mit seinem Herzen.
30 (2) den spürt sein Herz
und weckt ihn auf.
(3)
(4) spielt tausend Stunden
von dir mit seinem Herzen.[2] ↑
35 ÖDIPUS Phönix! Phönix!

[1] und nicht zerbrechen? *Ausfüllung einer Lücke mit Stift; desgleichen Tilgung des ? hinter* ertragen

[2] *Endstufe graphisch nicht restituiert. Nur erwogene Tilgung des Ganzen durch eckige Klammern gekennzeichnet.*

PHÖNIX
(1) Du schrie⟨est⟩
(2) So schrieest du wie du ein Knabe warst
oft aus dem Schlaf. Da weckte ich dich schnell
Dann war es eine Schlange die sich [^{S}dir]
im Traum um *(1)* deinen Arm →
(2)^{S} deine Brust | geringelt *(1)* hatte
oder ein ungeheuer Weib mit Haar
wie Schlangen das im Dunkel stand und grässlich
das Auge auf dir hielt so träumtest du →
(2)^{S} hatte. |

ÖDIPUS
Nun kannst du mich nicht wecken.
(1) starrt vor sich.[1]
(2) Denn *(1)* heute
(2) nun träumt alles mit.
starrt vor sich.[2]
I Dass du mich gleich *(1)* erkennen
(2) hast erkennen können. Alle rieft ihr mich gleich bei⟨m⟩ Namen. So hab ich noch mein Gesicht von ↑damals? ≈ früheren Zeiten↓

PHÖNIX
(1) Damals. →
(2) ¦ Es sind *(1)* 2 →
(2)[3] 3 | Tage, dass du nicht mit uns warst.

[1] *Mit Stift; am linken Rand, ebenfalls mit Stift:* Grundlsee 23 VIII 1905 – *Hofmannsthal nahm die Arbeit nach längerer Pause wieder auf. Sie scheint jedoch nicht gleich in Gang gekommen zu sein, denn es werden mit Stift nur obige Regieanweisung und einige Variationen auf den zurückliegenden Seiten fixiert. Erst seit dem 30. VIII. – so wird das Datum mit Tinte verbessert – scheint die Arbeit kontinuierlich fortgesetzt worden zu sein.*

[2] *Es folgt eine halbe Manuskriptseite in Prosa. Der Text wird auf nächstem Blatt in überarbeiteter Form wieder aufgenommen. – Wahrscheinlich war diese Prosapartie der Beginn einer kontinuierlichen Prosafassung des gesamten folgenden Akts. Der größere Teil dieser Prosa war weiter ausgearbeitet als der Anfang und ging als 2. Teil in die endgültige Gestalt des Akts ein. Vgl. S. 294, Anm. 1. Der Anfang wurde in Verse umgeschrieben, wobei die Blätter mit der Prosa beiseite gelegt wurden und verlorengingen (vgl. S. 191, 25–193,4 u. S. 210, 33–211, 41). – Der Übergang von der Prosaausarbeitung zum Vers wird hier mit römischen Ziffern wiedergegeben.*

[3] *Graphisch unverändert.*

ÖDIPUS
(1) 2 Tage. Phönix, 2 →
(2) 3 Tage. Phönix, 3 | Tage.
angstvoll

5 PHÖNIX
(1) O
(2) Mein junger Herr!

ÖDIPUS ⌈sieht ihn fremd an⌉
Wer bist du eigentlich zu mir?

10 PHÖNIX
Du fragst? Wer hat dich zuerst auf einen Wagen gehoben! Dir dein Haar gekämmt! Dich gelehrt deine Sandalen schnüren! Abend für Abend dein Gewand an den Nagel gehängt, den Riegel vor deiner Schlafkammer zugeschoben wer denn

15 ***II***[1] dass ihr
mich alle erkannt habt! Alle rieft ihr meinen Namen . .
So hab ich mein Gesicht von damals?

PHÖNIX Herr,
drei Tage bist du fort von uns.

20 ÖDIPUS[2] angstvoll Drei Tage?
Drei Tage, Phönix?

PHÖNIX Mein (1) geliebter Herr!
(2) Geliebter, drei!

ÖDIPUS sieht ihn fremd an
25 (1) Im Grund, was hast du, Mensch, mit mir zu schaffen?
(2) Im Grund, wer bist du, dass du so vertraulich
mir redest

PHÖNIX Ich zu dir? (1) was →
(2) wer | ich dir bin?

30 ÖDIPUS
Es ist mir nicht geläufig –

[1] *Der folgende Text an die vorausgehenden Verse angeschlossen durch:* (I. Aufzug. eingeschobenes) (⌈anschließend an:⌉ »denn nun träumt alles mit.«) *Die nächsten Seiten in Versen sind insofern ein Einschub, als der Autor offensichtlich entschlossen war,*
35 *die 2. Hälfte des Akts in Prosa zu belassen (vgl. S. 278, Anm. 2).*

[2] *Hier und im Folgenden oft:* OED⟨IPUS⟩

PHÖNIX *(1)* Ermos, Elatos
versteht du ihn, versteht ihr was er sagt?
es ist ihm nicht geläufig wer ich bin

ÖDIPUS
Doch wohl – entschwunden nur 5

PHÖNIX *(2)* Ewige Götter!
Es ist ihm nicht geläufig wer ich bin

ÖDIPUS zögernd
Doch, wohl

PHÖNIX Doch wohl? Wer hat dich denn zuerst 10
gehoben auf den Wagen? dich gelehrt
an *(1)* deinen Füßen →
(2)[S] deine Füße | die Sandalen schnüren?
dein Haar gekämmt? wer hat denn dein Gewand
Abend für Abend an den hohen Nagel 15
gehängt, und an der Kammerthür den Riegel
dann *(1)* leise vorgeschoben. Den →
(2) vorgeschoben, und den | kennst du nicht?

ÖDIPUS
Die Götter impfen sonderbaren Saft 20
(1) ins Blut
(2) ins Blut: vor dem besteht nicht dieses Kinderzeug:
ich bin, der gestern war. Verstehst du mich?
hart
(1) Such du dir deinen Knaben, den du liebtest. 25

PHÖNIX
Er steht vor mir, *(a)* ist →
(b) hier, | meines Königs Sohn.

ÖDIPUS
Anreden lass! Halt deinen Athem in dir. → 30
(2)[S] Geh. Such du dir den Knaben, den du liebtest.

PHÖNIX
Er steht vor mir.

ÖDIPUS Halt deinen Athem ein. |
Mich widert die korinthsche Luft aus deinem Mund. 35
Doch wenn dir Dienen Lust ist, geh und bring mir
zu trinken.

PHÖNIX geht links hin.

ÖDIPUS steht wie in wachem Traum.

PHÖNIX kommt mit der Trinkschale.

ÖDIPUS sieht links hin. In verändertem Ton
(1) was
5 (2) Ah! was haben sie mir dort,
dort! mit dem einen Pferde – an dem Wasser.
Der Schimmel geht ja lahm

PHÖNIX nickt Nyssia, die Stute.

ÖDIPUS will jäh hin.
10 Nyssia, mein schöner Schimmel!
erstarrt sogleich. Schlägt dem Phönix zornig das Trinkgefäß aus der Hand
Freust du dich?
Was kümmert mich der (1) fremde Gaul. Seht ihr
wie ihr
15 (2) Gaul. Seht ihr, wie ihr
nachhause kommt. Mein Weg ist anderswo.
wendet sich, zu gehen.

PHÖNIX
Wo ist dein Weg?

20 ÖDIPUS Was kümmerts dich. Ich geh ihn
allein.
geht nach rechts

PHÖNIX ihm nach.
Ich lass dich nicht.

25 ÖDIPUS Ei, fort!
stößt ihn

PHÖNIX in seinem Weg Dies Haar
ist deines Vaters Haar, hier diese Hände
hebt deine Mutter zu dir auf. Wirst du
30 jetzt nach mir stoßen?

ÖDIPUS Frei den Weg!

PHÖNIX Hier geht
das Kind das seinen Vater tritt und Steine
wirft (1) auf →
35 (2) nach | der Mutter (1) Herz. Geht aus dem Weg, →
(2) Herzen. Weicht ihm aus, |
ihr Thiere dieses Waldes, auf, verkriecht euch

die ihr in Höhlen *(1)* wohnt und haust in Klüften →
(2) wohnt, in Klüften horstet, |
(1) damit ihr nicht
(2) sonst werdet ihr zu Stein!

Ödipus geht weiter, ungerührt, langsam, gebundenen Schrittes. Schon ist er rechts zwischen den Stämmen. Phönix, ins Herz getroffen, kehrt sich, starr, betender Haltung im Gehen. 5

ÖDIPUS wendet sich, wie aus schwerem Traum heraus
O Phönix!

PHÖNIX links; wendet sich, steht bebend 10

ÖDIPUS schwer arbeitender Brust, auf ihn zu, qualvoll
(1) So hilf mir, →
(2) Hilf mir, [du] | Phönix!
er taumelt.

PHÖNIX fängt ihn auf, küsst ihm Hände und Brust, legt ihn sanft hin 15

ÖDIPUS richtet sich halb auf.

PHÖNIX kauert dich⟨t⟩ bei ihm.
(1) O, nun →
(2) Nun | bist dus wieder!

ÖDIPUS 20
Nicht suchen den, der war. Versteh mich doch.
Versteh doch, was mein Mund sich krümmt zu sagen.
Dann geh und lass mich. Fass mich nur! *(1)* Der Gott
(2) Geredet
durch seine Priesterin geredet hat 25
der Gott mit mir!
von der ungeheueren Anstrengung des Geständnisses erschöpft
Mich dürstet. *(1)* Meine Zunge
klebt mir am Gaumen. Bring mir Wasser, lieber. →
(2) Bring mir Wasser. ¦ 30

PHÖNIX will fort um Wasser, besinnt sich.
Und bis ich wiederkomme, bist du fort.
Ich geh nicht weg. Ich halte dich.

ÖDIPUS matt Mich dürstet.
Ich steh nicht auf. Ich rede immerfort 35
mit dir.

PHÖNIX nimmt die Schale, geht, misstrauisch umblickend

ÖDIPUS sich anstrengend
Ich rede ja mit dir. Hier bin ich.

PHÖNIX kommt zurück, hält ihm die Schale hin.

ÖDIPUS greift gierig nach der Schale, trinkt.
5 Nie wieder trink ich Wein. Schwarz war der Wein
und schwer wie Blut. Da tranken er und ich
ein jeder seinen Tod.

PHÖNIX Sprichst du von Lykos?

ÖDIPUS
10 *(1)* Der
(2) Das war der Anfang.

[PHÖNIX Lykos ist nicht todt.

ÖDIPUS]
Mit meinen Händen schlug ich ihn. Sie fielen
15 wie Hämmer nieder, alle waren blutig
von seinem Blut, dann trugen sie ihn weg.
Warum *(1)* de⟨nn⟩
(2) nahm es den Weg durch seinen Mund?
Der Knabe war nicht schlimm – es wollte kommen:
20 im Wein verbarg es *(1)* sich und glitt *(a)* dem Knaben
(b) un
(2) sich, da glitt es in den Knaben
und kräuselte ihm widerlich die Lippen . . .
(1) Wie brachte er's hervor? Wie er es nur
25 vorbrachte? →
(2)[P] Wie nur? |

A PHÖNIX Ist es dir entschwunden?

ÖDIPUS Ja.
beinahe ganz

30 PHÖNIX So ist's nicht dieses Herr
was dich bedrückt?

ÖDIPUS Wie? was?

PHÖNIX Die Schmähung, Herr.

B PHÖNIX *(1)* Wie?

35 ÖDIPUS heftig Ich will es hören. →

(2)[p] Du fragst?

ÖDIPUS heftig Mir ist's entfallen. |

PHÖNIX Herr!

ÖDIPUS fasst ihn
Ich will dass du mir's wiederholst.

PHÖNIX Verschon mich!
Er redete zuerst herum und niemand 5
im Dunst des Weines, gab viel acht.

ÖDIPUS *(1)* Worum ->
(2) Um was ¦
herum? Ich will es hören

PHÖNIX Dass so mancher 10
nicht wisse, was für Blut in seinen Adern –
(1) du zürnst mir! →
(2) du leidest!
(3) Du zürnst mir? |

ÖDIPUS Weiter 15

PHÖNIX Herr, du wirst mir zürnen!

ÖDIPUS
Ich bitte dich. Mir ist's entfallen. Weiter!

PHÖNIX
Er hob sich über'n Tisch und sah mit Fleiß 20
nach einer andern Seite

ÖDIPUS Richtig! – und

PHÖNIX
Und sagte, dass man manchmal Findelkindern
auch auf den Stufen eines Thrones könne 25
begegnen

ÖDIPUS Und da schlug ich schon auf ihn?

PHÖNIX
Nein, doch du grubst die Nägel deiner Finger
so in den Tisch, dass man es hörte. Alle 30
verstummten, seine stieren Augen waren
auf dich *(1)* geheftet: Bist du denn, du selber, →
(2) geheftet: Bist du denn, – er lallte –
(3) geheftet und er schrie: Du selber |
Ödipus, sag mir, bist du denn der Sohn 35
des Polybos⌈s ?⌉ –

ÖDIPUS steht jäh auf

Das Wort erschlug ihn schon?
Das bloße Wort? Den *(1)* armen jungen Knaben? →
(2) ganz lebendigen Lykos? |

5 PHÖNIX[1]
(1) O Herr du weißt nicht wie du bist
(2) O Ödipus du weißt nicht was dein Zorn
(3) Du *(a)* siehst dich nicht
(b) hast dich nicht gesehen →
10 *(4)* Du kannst dich ja nicht sehen |, wenn der Zorn
dich schüttelt, dass du schwarz wirst wie der Tod
dann weiß wie Schaum. Ich hab dich so gesehn,
mich schauderts in mein Mark.

ÖDIPUS lässt sich auf einen Stein hin.
15 Das war der Anfang.
Von da an ging es schnell. Ich wusch das Blut
von mir und nahm ein anderes Gewand
und gieng hinein – *(1)* noch in der gleichen Nacht.
Es war nicht Morgen noch, als ich sie weckte.
20 *(2)* es war nicht Morgen noch
da ich sie weckte. Wie sie leise schlafen
die *(1)* alt⟨en⟩
(2) Eltern! Kaum dass ich dem Bette nah war
so hoben sie sich auf, der Vater, der
25 erkannte mich nicht gleich, die Mutter aber,
die Mutter
schaudernd
nie mehr werde ich sie sehn! –
Dem Vater schwoll die Ader an der Stirn
30 vor Zorn, die Mutter hatte gleich die Augen
voll Wasser und in ihrem Ehebette
halb aufgerichtet schworen sie mir's zu
dass ich ihr Sohn bin. Und dann sprachen sie
zugleich, die beiden, auf mich ein und tauschten
35 blitzschnelle angst- und liebevolle Blicke
und König Polybos, mein Vater, dessen Leib
ich nie *(1)* berührte, →
(2) berührt, der | schlang zum ersten Mal
im Leben seine beiden Arme fest
40 um meinen Hals und drückte meinen Kopf

[1] *Mit Stufe (2) gestrichen, mit Stufe (3) neu geschrieben.*

an seine Brust und übers Bette hin
ergriff die Mutter meine Hand. *(1)* Und als ich gieng
und hinter mir die Thür des Schlafgemaches
ehrfürchtig schloss, da hört ich sie noch reden.
(2) 5

PHÖNIX
Da warst du
noch nicht erlöst, Unseliger?

ÖDIPUS
Da gieng ich
hinaus und fand nicht Ruhe, und ich dachte
an dies, wenn ich auf meinem Wagen fuhr, 10
an dies, indess ich jagte und an dies
indess ich aß und trank

PHÖNIX
So warst du krank?

ÖDIPUS
Ich war nicht krank. *(1)* Doch schlief ich nicht zur Nacht 15
(2) In →
(3)^S Allein in | mir war Etwas
das wollte sich nicht geben bis ich nicht
gekommen wäre auf den Grund des Dinges.
So musste ich dorthin wo aus dem Schooß 20
der Erde Wahrheit bricht in Feuerströmen
und aus dem Mund der Priest'rin sich ergießt.
So fuhr ich gegen Delphoi.
ihn schauderts.

PHÖNIX
Weh, was haben die 25
gethan an diesem Kinde, diese Priester!

ÖDIPUS
Wie klein ist alles das, wie klein. Als stünd ich
auf einem hohen Berg und säh es tief
dort drunten seine Straße ziehn wie Kinderspielzeug. 30
Was für ein kleines Leben lebst du, Phönix!

PHÖNIX
(1) Wir dienen Euch,
(2) Welch eine Antwort, Ödipus, Geliebter
(3) Geliebter, welche Antwort gab der Gott 35
auf deine Frage, Ödipus?

ÖDIPUS Die Götter
antworten (1) nicht
(2) weise, wo wir thöricht fragen.
Die Frage, die aus unsrem Munde geht
5 verschmähen sie, und was im tiefsten Grund
des Wesens schläft und noch zu Fragen nicht
erwachte, dem mit ungeheurem Mund
antworten sie \zuvor/. Was war ich für ein (1) Wicht →
(2) Knabe |
10 dass ich hingieng und vor mir her mit halb
bekümmertem halb frechem Herzen meine Frage
wie eine Fahne trug! Da fasste mich
der Gott am Haar und riss mich über'n Abgrund
zu sich!

15 PHÖNIX \angstvoll/
Sag was sie dir gethan im Heiligthum!

ÖDIPUS
O sie sind weise. So wie einen König
hielten sie mich, und wie ein Kind. Sie gaben
20 mir ein Gemach in das von oben her
der Schein der Sterne schlug als wären's Flammen.

PHÖNIX
(1) Der Tempel liegt zuhöchst
(2) Hoch ragt der heilige Berg. Der Tempel liegt
25 den Sternen nah wie keine Menschenwohnung.

(1) ÖDIPUS
(2) So nah den Göttern ist nicht gut zu wohnen.

ÖDIPUS
Nicht gut zu wohnen? wo die (1) Berge rings
30 (2) Gipfel rings
der Berge blühn im (1) stillen Licht und tragen,
die heiligen, Nacht und Tag
(2) Licht und Nacht und Tag
auf heiligem Nacken tragen, wo (1) auf →
35 (2)P aus | Säulen
lebendiger Cedern göttlich der Palast
in goldnem (1) Rauche steht, →
(2)P Rauch sich hebt, | wo in dem Hain

A dem lastenden *(1)* von Zwielicht und Geheimnis
(2) von Ehrfurcht und Geheimnis
(3) geheimnisvoller Lust
(4) ⟨von⟩ Lust und von Geheimnis →

B^S |
einander Abend Nacht und Tag ↑verfolgen ≈ umschlingen↓
wo sich der Seele in der *(1)* Feiernacht →
(2) stum⟨men⟩ Nacht
(3)^S | [1]
die schwere funkelnde Milchstrasse nieder
wie eine Wünschelruthe biegt und sie
die Seele dir, der eignen Kraft erschrocken
(1) in ihre T⟨iefe⟩
(2) im eignen Dunkel untertauchen →
(3) hinuntertauchen in sich selber | will
und spürt hier ist kein Grund *(1)* das Weltmeer hat
(2) dem[2] Weltmeer ist
ein Grund gesetzt – ihr nicht –

PHÖNIX Die Priester Knabe
was sprachen sie zu dir?

ÖDIPUS *(1)* Zu mir. Der Gott
sprach dann zu mir
(2) Der Gott sprach dann
zu mir
(3) Zu mir?
der Gott sprach durch das Weib in dem er wohnt. →
(4) Zu mir? Der Gott
sprach durch das Weib in dem er wohnt *(a)* zu mir.
(b) . Allein
(c) allein
(d)^S zu mir. |

PHÖNIX
Sie weihten dich.

ÖDIPUS Sie wussten meine Frage
und weil ich nach dem Quell zu fragen kam
des Bluts in mir, so weihten sie mein Blut:

[1] *Nicht vollendet, vielleicht Stufe (1) zu restituieren.*
[2] das *graphisch unverändert.*

auf dass es (1) dem Gott sich →
(2) sich dem Gott | entgegen (1) hübe.
(2) hübe
aus eigner Kraft.

5 PHÖNIX Wie weihten sie dein Blut

(1) ÖDIPUS
Was (a) kümmern dich die Bräuche, Knecht?
(b) kümmert's dich?
(2) zum Leben oder für den Tod

10 ÖDIPUS Was kümmern
den Knecht die Bräuche! Da war Nacht und Tag
mir abgethan und (1) bald auch Tod und Leben
(2) bald[1] au⟨ch⟩
(3) abgethan
15 (4) weggewischt die Grenze
von Schlaf und Wachen und bald auch die andre
die zwischen Tod und Leben.

PHÖNIX Ödipus!

ÖDIPUS
20 (1) Mitten im Tage (1) ha
(2) erwachte ich
aus einem →
(2) (a) Mitten im Tage →
(b)^S Im Tage mitten | wurd ich wach aus einem
25 Traum | nach dem andern Traum und hatte immer
vergessen und mein (1) Innerstes →
(2) Innres | wurde immer
(1) aufs neu geboren. →
(2) erneuert. | Immer andre waren da
30 um mich und ihre herrlichen Gestalten
(1) wie →
(2) in | Flammen ging die eine in die andre hin
(1) Da hauste ich
(2) Ahnst du? mit meinen (1) Ahnen →
35 (2) Vätern | hauste meine
schlaflose Seele

[1] *Beim Übergang zu Stufe (3) nicht gestrichen.*

PHÖNIX Wie der Todten, die
du nie gesehen hast entsannst du dich

ÖDIPUS
Nein, sie entsannen sich des Enkels und
durchzogen mich *(1)* mit leise nagender 5
Gewalt und mit
(2) wie sehnsüchtiger Duft und mit den Stim⟨men⟩
maßvoll
(3) und es war mehr als Lust
und mehr als maßlose Begier, es war *(1)* die Lust → 10
*(2)*ᵖ
die Lust | und Qual von Riesen

PHÖNIX Könige *(1)* und Götter →
*(2)*ᵖ
und Götter, | weißt du *(1)* es → 15
*(2)*ᵖ | nun!

ÖDIPUS Der Strom des Blutes
das war die schwere dunkle Fluth in die[1]
die Seele *(1)* tauchen kann ⇢
(2) taucht ¦ und findet keinen Grund 20
Das war in mir. Nein das war ich. Ich war
der wilde König, der ↑mit Flammenhänden ≈ erbarmungslos↓
ein Weib umschlingt in einer Stadt die brennt
und war auch der Verbrenn⟨ende⟩ im Thurm
(1) ein Qualenkönig, und ich war der Priester 25
und schwang das Opfermesser und zugleich
war ich auch das gebundne →
(2) ich war der Priester *(a)* und ⌈ˢ ich⌉ schwang das Messer →
*(b)*ˢ , der das Messer schwingt |
und ich zugleich war auch das | Opferthier. 30
(1) das seine Augen *(a)* dreht in stum⟨mer⟩ Qual
(b) grässlich dreht ⟨in⟩ Grausen.
(c) dreht und stoßweise athmet. →
(d) dreht und grässlich athmet.
*(2)*ˢ | 35

[1] *Graphisch eher* der

Und ich verging *(1)* nicht. Ich zerfiel auch da
nicht
(2) *(a)* auch da nicht →
(b) da nicht. Hör! | Ich zerfiel nicht
5 in Stücke. Auf in seinem Bett
(3) nicht. Ich brach nicht in Stücke.
Der Blutstrom riss sich auf in seinem Bette
mit mir auf seinem Haupt und hub mich auf
zum Gott. Dann fiel er wiederum zurück
10 da lieg ich nun.

PHÖNIX Wie sprach der Gott zu dir?

ÖDIPUS[1]
So sprach der Gott zu mir: ich lag und hatte
die Augen zu und Dunkel war und rings
15 im Dunkel regte sich Lebendiges.
Die Priester warens um mein Lager standen
sie schweigend und *(1)* im Dunkel →
(2) lautlos
(3) im Dunkel[2] | stieg ein Duft
20 von fremden Kräutern *(1)* auf, →
(2) hoch, | und ich sank tiefer
in mich. ***A*** Wie ein gepeitschtes Wasser jagte
mein Leben in mir hin.

PHÖNIX[3]
25 *(1)* Du träumtest, Kind?

ÖDIPUS
Den →

(2) will fragen

⟨ÖDIPUS⟩ *(a)* Sei still, →
30 *(b)* Frag nichts! | ich träumte
den | Lebenstraum.

B

PHÖNIX Du träumtest Kind

ÖDIPUS Frag nichts! ich träumte
35 den Lebenstraum. Wie ein gepeitschtes Wasser

[1] *Am linken Rand:* (R⟨odaun⟩ 9 X 05)
[2] *Graphisch nicht restituiert.*
[3] *Versehentlich mit der folgenden Stufe (1) gestrichen.*

jagte mein Leben in mir hin. Auf einmal ***A*** *(1)* war ich →
(2)
war ich | in einem dicken Wald und maßlos *(1)* schwoll →
mein Zorn in meinem *(a)* Herzen →
(b) Leib | und ich erschlug 5
(2)
schw⟨oll⟩
(3) schwoll |
mein Zorn in mir und ich erschlug
B 10
erschlugen meine Hände einen Mann
[ˢ jäh fiel die Trunkenheit des wilden Zorns
aus mir heraus, so wie ein Stein, da lag
zu meinen Füßen der Erschlagene]
ich wollte sein Gesicht sehn doch ein Tuch 15
verhüllte das und weiter *(1)* jagte schon
der Traum mit mir.
(2) riss mich schon
der Traum, und riss mich ⟨in⟩ ein Bett⟨e⟩ wo
ich lag bei einem Weib in deren Armen 20
mir war als wäre ich ⟨ein⟩ Gott und riss⟨e⟩
die Lebensblume mir vom *(1)* flammenden →
(2) zuckenden |
Gefild des Himmels und in meiner Wollust
hob ich mich, ihr Gesicht, *(1)* um 25
(2) die meinen Leib
umrankte *(1)* mit entzücktem Aug zu küssen
(2) wach zu küssen, Phönix! Phönix!
da lag ein Tuch auf dem Gesicht und stöhnend
vor der Erinnerung an den todten Mann 30
die jäh hereinschoss krampfte sich *(1)* das →
(2) mein | Herz
und weckte mich. Da war um mich das Dunkel,
der Duft von fremden Kräutern, aber nicht mehr
die Priester. Ganz allein war ich. Mein Herz 35
war groß in mir und schlug. Da in der Mauer
that eine niegesehne Thür sich auf
und unten kroch ein Licht herein und dann
kams auf mich zu, gerade auf mein Lager
und leise glitt ein schleppendes Gewand 40
am Boden hin so wie die Mutter kam es
(1) zum Kind, so wie die Braut zum Bräutigam
(2) wenn sie ans Bett des Kindes tritt so wie

die Braut *(1)* die
(2) zum Bräutigam so *(1)* kams geg⟨angen⟩
(2) trugen leise
die Füße es heran

5 PHÖNIX Bei unsern Göttern
wer?

ÖDIPUS
Fragst du noch? Das Weib

PHÖNIX Die Priesterin

10 ÖDIPUS
Nenn keinen Namen! Weib und Mann *(1)* auch da
ist keine Grenze: →
(2)[S] kann sich
in eins *(a)* verschlingen:
15 *(b)* verschränken: | aus dem Weibe glühte
der Gott *(1)* in
(2) aus den verzerrten Zügen schaute
der Gott, die Zunge *(1)* ihr
(2) bäumte sich im Mund
20 und lallte, doch es redete der Gott

PHÖNIX
Zu dir? Zu dir?

ÖDIPUS So nah der Mund dem Mund
wie dein Gesicht dem meinen. Wie *(1)* ihr Lallen
25 hineinschnitt in mein
(2) das Lallen
der Zunge in mein aufgerissnes Herz
hineinschnitt!

PHÖNIX *(1)* Rede rede →
30 *(2)* Sag es sag es | eh dein Blut
⸢aufs neu⸣ erstarrt! Du stirbst mir in den Armen

ÖDIPUS
Ich leb und trag es: und nun kommts heraus:
So sprach *(1)* das
35 *(2)* der Gott aus dem verzerrten Mund
des glühen Weibes: Des Erschlagens Lust
hast du gebüßt am Vater, an der Mutter
Umarmens Lust gebüßt, so ist's geträumt

und so *(1)* geschieht
(2) wird es geschehen[1]

I PHÖNIX
\Fürchterlich./ Aber *(1)* das →
(2) es | war nicht die Antwort auf deine Frage an den Gott 5

ÖDIPUS
Wunderlicher Mensch!

PHÖNIX
Du musstest nun die Frage thun 10

ÖDIPUS
Ich lag da, [auf meiner Brust ein Berg,][2] und sie glitt ins Dunkel

PHÖNIX
Du musstest ihr nach

ÖDIPUS 15
Ihr nach, ein Berg lag auf meiner Brust, ein Berg auf jedem Glied. Ihr nach –

PHÖNIX
Unseliger Ödipus, sie antwortete nicht auf deine Frage

ÖDIPUS
(1) Thörichter → 20
(2) Blöder | Phönix, *(1)* du Seele eines Knechtes, ↑du Mensch der keinen Schatten wirft,↑ →
(2) du Seele eines Knechtes,
(3)[P] | sie that mehr als dies. Welch ein Mensch du bist – was war noch offen – was war noch einer Frage wert? 25
(1) Lautlos ging ein Abgrund auf und der Abgrund war meine Seele. →
(2) ¦ Wo war der jetzt der ahnungslose Knabe der eine \vorwitzige/

[1] *Das Folgende bis zum Ende des Akts in Prosa und freien, manchmal gereimten Rhythmen. Neue Paginierung pag.* α.–ω. *Diese Prosa wahrscheinlich mit der S. 278, Anm. 2 erwähnten Prosapartie zusammengehörend. Sie ist später als der Anfang des Akts pag.* 30 1.–11., *geht aber – außer einzelnen überarbeiteten Teilen – pag.* 12.–28 *zeitlich voraus. Vgl. S. 191, 25–193, 4 und S. 210, 33–211, 41. Pag.* α. *wurde mit Ausnahme der letzten beiden Zeilen (S. 297, 20–22,* An . . . war.*), ebenso wie die frühere Prosapartie, nachträglich in Verse umgeschrieben. Hier sind also zwei Fassungen überliefert, die ebenso wie S. 278,18 u. 279,15 mit römischen Ziffern unterschieden werden.* 35

[2] *Spätestens bei Niederschreiben der Z. 16 getilgt.*

Frage ⌈mit halb bekümmertem halb frechem Herzen⌉ vor sich hergetragen hatte wie einen Wimpel. *(1)* Der Abgrund →
(2) Das Wort | hatte ihn hinuntergeschlungen ⌈und hatte die Welt hinuntergeschlungen⌉. *(1)* Was blieb nach diesem
5 *(2)* Wer
(3) Was blieb nach diesem Wort noch übrig als wir drei, der Vater, die Mutter und ich, wir drei
(1) und *(a)* unser →
(b) das | Geschick. →
10 *(2)* mit zuckenden Ketten *(a)* Leib an Leib zusammen →
(b) aneinander | geknüpft
(3)[1] und unser Geschick. |

PHÖNIX
Zweideutig war das Wort.

15 ÖDIPUS
Für *(1)* Knechte →
(2)[p] die Seele eines Knechts | vielleicht, *(1)* für Menschen die keinen Schatten werfen →
(2) für einen Menschen der keinen
20 Schatten wirft[2]
(3) nicht für
(1) mich. →
(2) die meine. | *(1)* Am Abgrund meines Grausens
(2) Den der Gott sich wählt, von dem wird er begriffen
25 *(1)* Sieh →
(2) Schau | mich nicht an ⌈voll Angst⌉ wie ein Hund, sonst schweig ich und dein Aug sieht mich nicht wieder. →

II PHÖNIX Fürchterlich
Allein es war die Antwort nicht der Frage

30 ÖDIPUS
Wie, *(1)* wunderlicher →
(2) wahnsinniger | Mensch

PHÖNIX Du musstest nun
die Frage thun *(1)* wer deine Eltern sind
35 *(2)*

[1] *Stufe (2) ungestrichen, vielleicht Alternative.*
[2] die *und* werfen *unverändert.*

ÖDIPUS Ich lag und sie glitt fort
ins Dunkel.

PHÖNIX Weh da musstest du ihr nach!

ÖDIPUS
Ihr nach? (1) ein Berg lag stu⟨mm⟩ auf meiner Brust 5
(2) auf meiner Brust (a) lag ein Gebirg →
(b) lag ein Berg!
(c)[S] da lag ein Berg!
(d) lag wie Gebirg!
(e)[T] lag ja ⟨ein⟩ Berg! | 10
ein Berg auf jedem Glied? Ihr nach

PHÖNIX Unseliger!
sie gab die Antwort nicht auf deine Frage!

ÖDIPUS
O blöder Phönix, sie that mehr als das. 15
(1) O →
(2) Weh, | welch ein Mensch du bist? was war noch offen?
was war noch einer Frage werth? Wo war
die Welt! (1) dies Lallen ihrer Zunge hatte
⌊die Welt⌋ hinabgeschlungen! 20
(2) vom Lallen dieser Zung hinunter
geschlungen! was nach diesem Wort blieb (1) noch
(2) dann
noch übrig als wir drei (1) der Vater
(2) 25
der Vater die Mutter und ich
mit zuckenden Ketten aneinandergeknüpft! →
(3)[S]
der Vater und die Mutter und das Kind
mit zuckenden Ketten aneinandergeknüpft! 30
(4) wir der Vater
die Mutter und[1] das Kind ich Ödipus
mit zuckenden Ketten aneinandergeknüpft!
(5) wir der Vater
die Mutter und das Kind mit zuckenden 35
Ketten, mit ewigen (a) aneinander
(b) geschmiedet aneinander!
(c) geschmiedet Leib
an Leib |

[1] *Versehentlich gestrichen.* 40

PHÖNIX
Zweideutig war das Wort?

ÖDIPUS
(1) Für eines Knechtes Seele (a) vielleicht,
5 nicht für die meine.
(b) ja, nicht für ⟨die⟩ meine.
Nicht →
(2)[P] Für eines Knechtes Seele ja,
nicht für die meinige. Nicht
10 (3)[S] Für eines Knechtes Seele.
(a) →
(b)[T] Nicht für die meinige. | Nicht | zweimal redet (1) der Gott.
Den er sich wählt von dem wird er begriffen.
Schau mich nicht an voll dumpfer Angst, sonst schweig ich
15 und
(2)[P]
der Gott. Den er sich wählt von dem wird er
begriffen. Schau nicht[1] so voll dumpfer Angst,
sonst schweig ich u⟨nd⟩ dein Aug sieht mich nicht wieder. | [2]

20 *A* An meines Schmerzes Grässlichkeit, an dem Abgrund von Grausen in mir musst ich doch wissen, von welchem Vater, welcher Mutter da die Rede war. (1) Noch fragen: sind diese gemeint, das war schon Schändung an mir, an ihnen.
(2) Sollte ich noch fragen: sind diese gemeint, wie ein Weib das
25 Unabänderliche bereden →

B[3] Sollt ich noch fragen wie ein Weib beschwätzen
das Ungeheure? sollt ich noch nicht wissen
am Grausenabgrund der in mir sich aufthat
an (1) meiner Schmerzen Grässlichkeit, noch ⟨nicht⟩ →
30 (2) meinen Schmerzen, noch ⟨nicht⟩
(3)[S] meines Herz⟨ens⟩ namenlosem Weh |
von welchem Vater da die Rede war von welcher Mutter? |

[1] *Versehentlich* nicht *statt* mich *gestrichen.*
[2] *Die Überarbeitung in Versen ist zuende.*
35 [3] ***B**, d.i. Versifizierung von **A**, auf Rückseite von pag. α., graphisch nicht in fortlaufenden Text integriert. **A** nur teilweise nachträglich gestrichen mit Stift.*

PHÖNIX

Das grässlich Wort, du (1) frassest →
(2) schlangest
(3) frassest | es hinab, deine Seele (1) spie es nicht
von (a) dir, →
(b) sich? 5
(2) warf es nicht
aus? | Grauenvoller, Liebster, es sitzt in dir?

ÖDIPUS

Es fraß sich hinab in's Mark meines Lebens. Da fand es Nahrung, nichts als 10
Nahrung.

PHÖNIX

A Du bist rein du bist gut, nichts davon ist in deinem Blut, nichts in deinem Sinn. Ich kenn dein Athmen bei Tag und Nacht, ich weiß dein Gesicht wenn es einschläft und wenn es erwacht, siehst du nicht dass ich ruhig bin 15
und dir ins Gesicht sehen kann – [^{SP} so sieh mich doch an] →

B[1] Du bist rein du bist gut
nichts davon ist in deinem Blut
nichts in deinem Sinn.
Ich kenn dein Athmen bei Tag und Nacht 20
ich weiß dein Gesicht wenn es einschläft und wenn es erwacht
siehst du denn nicht dass ich ruhig bin
und dir ins Gesicht sehen kann
so sieh mich doch an! |

ÖDIPUS 25

Was (1) nenns⟨t⟩
(2) weißt du von mir [^{Sp} von dem was dichtet und trachtet in mir,[2]
was wusste ich selber davon bis die Stunde kam die mich aus meinem
(1) Traumleben →
(2) Kindertraum | nahm.] Ich will dir jetzt etwas sagen, du sollst es an- 30
hören und schweigen ↑und es (1) dann →
(2) schweigend | in dir tragen↑:

PHÖNIX

Kind, sag es mir

ÖDIPUS 35

Du nennst mich Kind, doch ich denk ich bin ein Mann

[1] *B auf Rückseite von pag. α., graphisch nicht in fortlaufenden Text integriert. A ungestrichen.*

[2] *Graphisch:* immer

(1) PHÖNIX
Ein Mann und ein königlicher, wer ist so frech und so überkühn[1]

(2) PHÖNIX
Ein Mann und ein königlicher, wer würde es zu leugnen wagen.

5 ÖDIPUS
Hör es still an ich will dirs jetzt sagen: ich habe noch kein Weib berührt.

PHÖNIX *(1)* schweigt
(2)
Wie soll ich das verstehn, hast du nie eine begehrt

10 ÖDIPUS
Die Qual die sie Sehnsucht nennen kenn ich wohl, /[2]
wie sanft erscheint mir jetzt dies Brennen denk ich zurück, /
wie klein dies alles: Kinderleid, Kinderglück. /
Ach, wenn ich mit meinen Jagdgefährten schlief in ihren Häusern, /
15 meinst du ich hörte nicht in *(1)* die
(2) der Stille ⟨der⟩ Nacht [3]
einen Kammerriegel zurückziehn, /
und es war kein *(1)* Athmen →
(2)^{T} Seufzen | aus junger Brust unter den
20 Nachtgeräuschen, /
meinst du mein eigenes Herzklopfen konnte mich täuschen /
dass ich nicht fühlte wo etwas glühte im Dunkeln /
und sich *(1)* anbot der Hand die es brechen wollte wie die reife Frucht
(2) vers⟨chenken⟩
25 *(3)* ⌈^{T}mir⌉ hingeben wollte – aber es war als läge ein Schwert auf
der Schwelle, dann *(1)* kam die Helle
(2) wurde es helle →
(3)^{TP} kam der *(a)* Tag
(b) Morgen es wurde helle
30 *(4)*^{S} kam der Morgen | , und *(1)* dann war alles →
(2)^{Tp} da war alles wieder | vorbei

[1] *Zwischen den beiden Stufen der Phönix-Replik der folgende Text (wahrscheinlich früher entstanden und rasch unten auf der Seite notiert). Eine Schleife verweist ihn zu Ödipus' Worten S. 298, 36, sprachlich jedoch nicht integriert. Nachträglich in eckigen Klam-*
35 *mern.*
ÖDIPUS
Du hast gute Augen, treue. Wie gute starke Hunde haben. *(1)* Es lodert →
(2) so loderts | in
ihn⟨en⟩. O Gott solche hat⟨te⟩ ich mir zu dienen! Sei still.

40 [2] *Im Folgenden ist die fortlaufend geschriebene Prosa teilweise durch senkrechte Bleistiftstriche in Zeilen gegliedert. Die Striche werden durch / wiedergegeben.*

[3] *Ein zunächst gesetzter Abteilungsstrich wieder getilgt.*

PHÖNIX
Du Kind, was dich hielt war [^{S} Scheu und][1] Scham /
in deinem ⸢jungen⸣ Blut

ÖDIPUS
O nein: es ist ein Schwert dazwischen gelegen
und weißt du warum meiner Mutter wegen

PHÖNIX
Was redest du da! Du bist trunken von einem Leid, /
das *(1)* ein⟨er⟩ →
(2) grausam ein Gott | dir angethan /
deine Seele weiß nicht von dem was aus deinem Mund geht

ÖDIPUS
Nicht so wie du meinst. Ich rede nicht in der Trunkenheit
Meine Qual ist *(1)* bei
(2) in mir [^{S}, aber keine Versunkenheit
verstört meine Rede]. Ich rede zu dir von meinem Geschick. /
Wenn du mich nicht verstehst muss ich gleich schweigen. /
Ich wollte dir zeigen wie alles *(1)* zusammen
(2) sich verknüpft: /
damit mich doch einer begreift wenn ich nicht mehr da bin. /
Sieh ich konnte ⟨den⟩ *(1)* begehrlichen ⇢
(2) ¦ Blick der Unberührten nicht ertragen /
seit ich Mann genug war ihn *(1)* ganz zu fühlen →
(2)^{T} ⟨zu⟩ verstehen. | Ich *(1)* fühlte →
(2)^{T} spürte | wenn
ich ihnen nahe kam ich *(1)* müsste sie verführen →
(2) | müsste sie ⸢^{T}wie ein Verführer⸣ belügen. /
Ich fühlte sie konnten dem *(1)* Besten →
(2) Tiefsten | in meinem Verlangen nicht genügen /

PHÖNIX
Wie die jungen, eine wie die andere *(1)* →
(2)^{T} , ⸢rings⸣ im Land? |[2]

ÖDIPUS
Keine. Ich hätte in ihren Armen nicht liegen können /
ohne eine geheime ⸢tiefe⸣ Scham: /
(1) ich
(2) wie soll ich das mit Worten sagen? /

[1] und *versehentlich nicht mit gestrichen.*
[2] *Am rechten Rand:* Lueg 5 IX.

wo ein Blick mich nicht bände bis in alle Seelentiefen, /
wo nicht die Welt mir schwände, /
wo nicht Ehrfurcht *(1)* und Schauder →
(2) tief und fremd | mich ganz auflöste, /
wie könnte ich mich da geben – /[1]
und eine nehmen und nicht mich geben /
es thun und es wäre nicht ein Wirbel, /
der mein ganzes Wesen in sich reißt, /
dies *(1)* Heilige →
(2) Unsagbare | thun frech kalt und dreist, /
mit halbem Herzen *(1)* zuchtlosem →
(2) wüstem
(3) lüsternem | Sinn, /
nicht alles was in mir ist an diesen Altar tragen, /
A wie ein *(1)* →
(2) lüsterner
(3)[S] | Faun *(1)* →
(2) wie einer
(3) | in die Büsche mich schlagen, →
B wie ein Faun | *(1)* an
(2) *(a)* →
(b) und wie
(c) | eine an ihren Brüsten
(3) an eine Brust mich drücken wühlen in Haaren /
und lauernd frech in mir mich bewahren, /
wie ein abenteuern⟨des⟩ Thier eine nehmen und eine nehmen, /
müsste ich mich da ⌈nicht⌉ vor dem Anhauch des Meeres *(1)* *(2)* ↑in der Seele ≈ zu Tode↓ | schämen, /
vor dem Schatten dem Licht, vor den Sternen, ⌈vor dem Wind⌉ /
vor der nackten Näh lebendiger Götter *(1)* die überall →
(2) deren Augen überall | sind. /
A Kannst du verstehen, warum ich es niemals that. /
den Leib den *(1)* Buhlerinnen verbat und allen niedrigen Mägden, →
(2) niedrigen Mägden verbat, |
(1) ↑die gerne mich pflegten und hegten↑ →
(2) die ihn ⌈[S]vielleicht⌉ *(a)* im Her⟨zen⟩
(b) in Träumen hegten.[2] | /

[1] *Danach eine gestrichene Zeile, nicht in Zusammenhang gehörend, sondern ältere Vornotierung für das Folgende:* . . keine in der ganzen Schar . . weil keine eine Königin war.
[2] *Nur* pflegten *beim Übergang zu Stufe (2) gestrichen.*

– ja (1) meinen Blick und meinen Traum →
(2) meinen Traum und meinen Blick
(3) meinen Blick und meinen Traum |
(1) vor ihrem Leib hielt ich im Zaum
(2) hielt ich im Zaum vor ihrem Leib und ihrem ⌈fluthenden⌉ Haar → 5
(3) im Zaum hielt vor ihrem Leib und ihrem fluthenden Haar
B^S (1) ja meinen Traum vor ihrem Leib hielt ich im Zaum
(2) so hielt ich meinen Traum selbst im Zaum ⟨vor ihrem⟩ Leib und ihrem Haar | . . . weil keine eine Königin war. Verstehst du nun warum ich sagte: um meiner Mutter willen 10

PHÖNIX

———

ÖDIPUS

An meiner Mutter hatte ich gesehen /
wie (1) Könige gehen 15
(2) Königinnen gehen. /
Wenn ich (1) →
(2) auf meinem Wagen ⌈gefahren⌉ | kam /
und sah sie (1) zieh⟨en⟩
(2) gehen mit ihren Frauen / 20
(1) hinab zum heiligen Fluß, →
(2) hinab zum Fluß zu heiligen Festen,
(3) zu heiligen Festen hinab zum Fluß, | /
(1) →
(2) in dem ⌈in flut⟨henden⟩ Palästen⌉ Götter wohnen unsere Ahnen | / 25
und sie trug ihren Leib wundervoll schreitend /
wie ein heiliges Gefäß, /
da stieg ich vom Wagen und kniete (1) an ihrem Weg mit gebeugten
(2) an ihrem Weg zur Erde gebeugt, →
(3) (a) nieder → 30
(b)^S nieder; | /
zur Erde gebeugt | grüßte ich sie. /
Und lange lag ich auf den Knien die Hand vor den Augen /
in süßen Wellen ging mein Blut /
(1) von Herz zu → 35
(2) vom[1] Herzen zu⟨m⟩ Hirn und wiegte mein Denken /
und ich (1) wusste →
(2)^S wusste: | /
Kinder zeug ich einst mit einer /
die eine Königin ist und eine Priesterin, / 40

[1] *Graphisch unverändert.*

nicht dienend am Tempel sondern die selber mit
(1) königlichen →
(2) heiligen | Händen im dämm⟨ernden⟩ *(1)* Heilig⟨tum⟩
(2) Hain /
darf Bräuche üben die allen Wesen verboten nur ihr nicht, /
(1) da sie eine Tochter der Götter und
(2) denn zu ihr reden aus *(1)* dem Dunkel →
(2) den dunkelnd⟨en⟩ Wipfeln, *(a)* und →
(b) | im
Abendwind | /
Götter die ihr⟨e⟩ Väter sind. Kinder zeug ich *(1)* mit *(2)* in *(3)* aus einem solchen heiligen Schooß /
oder ich sterbe kinderlos.

PHÖNIX
Du guter Knabe, du ⌈reines⌉ Kind, /
was fürchtest *(1)* du →
*(2)*S du,
(3) du | wenn so *(1)* rein und stolz →
(2) rein und königlich
(3) königlich | deine Gedanken sind.

ÖDIPUS
Des Gottes Wort begreifst du denn nicht, /
ist deine Seele so dumpf? /
schaudert dich ⌈noch⌉ nicht?

PHÖNIX
Kein Hauch des Bösen ist in dir. Was quälst du dich? /

A [1] ÖDIPUS
Weißt du was für Mitternächte über uns noch hereinbrechen, *(1)* hast du sie gezählt
(2) bist du
gefeit gegen die Mächte, die dem *(1)* Schick⟨sal⟩
(2) Geschick *(1)* zu Diensten sind?
(2) im Finstern dienen?
↑Wenn ich ⌈einmal⌉ mit solchen Mienen aus dem Dunkel auf dich losgehe, dass du mich nicht mehr erkennst?[2]
≈ Wenn wir ⌈einmal⌉ mit solchen Mienen aneinander vorübertaumeln, dass einer den andern nicht erkennt↓

[1] *A hat weitgehend Charakter eines Konzepts, stand schon vor Streichung in eckigen Klammern.*
[2] *Dieser Satz eingeklammert, aber, wie späte Ergänzung* einmal *(Z. 34) zeigt, nicht endgültig gegenüber dem Folgenden verworfen.*

B ÖDIPUS
Bist du *(1)* stärker als →
(2) gefeit gegen | die Mächte /
[die dem Geschick im Finstern dienen – und]
weißt du was für Mitternächte über uns noch hereinbrechen, |
wo wir an einander vorüber taumeln /
und erkennen einander nicht /
– wie in den Tod starrst du in mein Gesicht /
– denn es hat eine Schlacht angehoben aus einem Gastmahl bei dem wir saßen /
– und nun rinnt *(1)* wie ein Bach →
(2) | das ⸢verwandte⸣ Blut in den Straßen /
– und die Frauen *(1)* kriechen zusam⟨en⟩
(2) tödten sich auf den Dächern /
(1) oder
(2) und die Edelsten *(a)* verbrennen →
(b)[1] | sich in ihren Gemächern →
(3) | um nicht zu *(1)* sehen →
(2) erleben | was sich thut ⸢zwischen Vater und Söhnen zw⟨ischen⟩ Bruder und Bruder⸣ in dem Saal in den Gemächern

PHÖNIX
Das sind grässliche Nachtgesichte

ÖDIPUS
Das alles ist in meinem Blut. /
Waren nicht Rasende unter meinen Ahnen, /
ließen sie nicht Ströme Blutes vergießen, /
verschmachteten nicht ganze Völker in ihren Verließen. /
Trieben sie nicht Unzucht mit Göttern ⸢u⟨nd⟩⸣ Dämonen, /
und wenn ihre Begierden schwollen /
wie Segel unter *(1)* nächtigem →
(2) reißendem | Sturm, /
konnten sie da ihr eigenes Blut verschonen – /
↑sie kämpften mit *(1)* den hundert Köpfen →
(2) dem wilden Wurm | sie schlugen den Stier mit dem
(1) Menschenko⟨pf⟩
(2) Menschenhaupt *(1)* sie haben den Göttern
(2) einer hat dem Nachtgott sein Weib geraubt
(3) sie haben Flussgöttern *(a)* die →
(b) ihre | Weiber geraubt↑[2]

[1] *Variante nicht mehr fixiert.*
[2] *Daneben (rechts unten in Ecke) Randnotiz:* Thurm. Ach was hilfts grässlich – Leiden Könige so viel?

Und wer hat dies Rasen ⌈für immer⌉ an Ketten gelegt. /
wer hat zu diesen *(1)* Leidenschaf⟨ten⟩
(2) Dingen gesagt /
– ihr seid dahin und kommt nie wieder –

5 PHÖNIX
Das sind uralte grausige Lieder /

ÖDIPUS
Und sind sie verschollen und uralt, /
sie sind wahr und haben viel Gewalt. /
10 Wer sie hört in seinem Blut, dem bringen sie ferne Dinge nah. /
Was längst geschah kann wieder geschehn – wer weiß durch wen? /

(1) PHÖNIX
(2) Das Geschick hat lautlose langsame Gewalten, unheimlicher als Blitze,
die das *(1)* Bestehende →
15 *(2)* Wirkliche leise | spalten /
– nirgends ist eine Schranke für die unsagbaren Mächte bürgst du mir für
alle meine Tage, alle meine Nächte

A *(1)* PHÖNIX
Du hast dein Wesen, aufs Gute gerichtet ist dein Sinn

20 ÖDIPUS
Weißt du wer ich bin. Ein König wollte ich sein. ja. →
(2)^S
(3) ÖDIPUS
Weißt du wer ich bin. Ein König wollte ich sein. ja. | *(1)* In einsamen
25 Stunden des Geistes *(a)* tiefsten
(b) wildesten Schwung *(a)* an beiden ausgeschweiften
Händen →
(b) ⟨an⟩ beiden ausgeschweiften ⟨En-
den⟩[1] | fest zusammenbiegen ⌈und⌉ schweigend bändigen, damit zu
30 *(a)* schießen →
(b)^S treffen | nach dem einen Ziel: *(a)* Gerechtigkeit. →
(b)^S Da stand es vor mir: ein König
sein! | *(a)* Zerbrochen ist meines Geis⟨tes⟩
(b) Wo ist der Bogen! ⌈wo ist der Schütz!⌉ Mir hat ein Gott
35 *(a)* mich selber[2] →
(b) ⟨meine⟩ Seele | aus den Händen *(a)* gewunden da muss ich das Ziel
sein lassen.
(b) gewunden! weh mir!

[1] Händen *war offenbar Versehen für* Enden. *Vgl. denselben Fehler weiter unten.* an *und*
40 Hände *gestrichen, aber Variation nicht abgeschlossen.*
[2] mich *ungestrichen.*

(2) In einsamen
Stunden (a) den →
(b) meines Innern[1] | wildesten Schwung an beiden ausgeschweif-
ten (1) Händen →
(2) Enden ¦ bog ich zusammen mit starken Händen, damit zu treffen 5
nach dem einen Ziel: da stand es vor mir ein König werden! ach es war
ein schönes Spiel – doch es waren altkluge Kindergeberden . . wo ist jetzt
der Bogen wo ist der Schütz wo sind meine einsamen Stunden! →

B[s] |

PHÖNIX 10
Du musst fort. Bereit ist der Wagen Er trägt dich nachhause. Wenn du die
Eltern siehst zergeht dein Wahn /
zergeht dein Grausen wie ein böser Nebel zerfließt

ÖDIPUS
So wird es geschehen sprach der Gott. / 15
Den Weg zeigte er nicht. Ich (1) weiß →
(2) spür | den Weg. /
Durch mein Wesen hindurch (1) bricht sich der Pfad. Es bahnt sich den
Weg
(2) bahnt sichs den Weg. / 20
wie durch fließendes Wasser

A PHÖNIX
Wie kann das geschehen. Die Treuen sind um dich. Ich will vor deinem
Lager mich betten.

ÖDIPUS 25
Deine Stimme trifft mich wie von fern. Deines (1) Auges Angst →
(2) flehenden Auges [angst-
voller] Kern | hat nicht Kraft genug (1) mich ganz zu (a) fassen. →
(b) bezwingen.
(2) in mich zu dringen. | Dein Wort 30
fällt irgendwo hin wo ich bin und doch nicht bin. In Eurer Weiber
Armen hab ich mich geschämt zu liegen, sie konnten mich nicht ganz
umschlingen – so gehts nun mit dir – o Gott wie einsam hast du mich
gemacht →
B[s] | 35

PHÖNIX
(1) Du redest wie aus →
(2) Wirf nur von dir den | Traum und Nacht, /

[1] den *ungestrichen*.

komm nur zu dir! |
Hätt ich dich (1) daheim!
(2) daheim in deinem Bett |

ÖDIPUS
5 Lieber todt in (1) einer →
(2) der | Bergschlucht und Geier über mir!

PHÖNIX
Sohn meines Königs!

ÖDIPUS
10 Ich[1] dachte meinen Vater (1) um einen Thurm zu bitten →
(2) zu (a) bitten →
(b)[S] flehen
(c) bitten | um einen Thurm |
um ein Lager von Stroh und um schwere Ketten – aber wie könnte das uns
15 [dreie] retten! ↑Ich ≈ Mein Geschick↓ läge in ihrer Näh wie ein Dämon auf der Lauer, und eines Tages wie fahler Schnee zerschmölze des Thurmes Mauer. Oder es flöge ein Pfeil herein und ich würfe ihn \durch⟨s⟩ Fenster/ zurück und er flöge meinem Vater ins Genick. Da kämen sie zu Hauf und brächen (1) den
20 (2) mein Gefängnis auf und ich sollte der Mutter die Botschaft bringen und mein Arm finge an sie zu umschlingen meine Lippen auf ihr zu weiden \er verhüllt sich schaudern⟨d⟩/

A PHÖNIX
Das sind wüste Träume wach doch auf (1)

25 ÖDIPUS
(a) Was sein soll, nimmt seinen Lauf.
(b) Es sind Leiden, grässliche Leiden
(2), wie musst du leiden!

ÖDIPUS
30 Was sein soll nimmt seinen Lauf. →

B[S] |
PHÖNIX
Aber du! du wie kannst du das begehen! nichts davon ist in deinen Gedanken, deine Seele schaudert davor zurück

35 [1] *Vor* Ich *einzelne eckige Klammer mit Stift; Funktion nicht deutlich.*

ÖDIPUS

Das sind keine Schranken: *(1)* es frißt sich durch
(2) es waltet durch uns hindurch wie durch leeren Raum. Freilich es klingt wie ein böser Traum. Auch ist meine Mutter ja keine junge Frau mehr meinst du das dies etwas wär um sich 5
daran zu klammern. Ihre Glieder sind mehr als reif[1] sie hat *(1)* von grauem Haar einen Streifen
(2) einen Streifen von grauen Haaren im dunklen Haar. ***A*** *(1)* →
(2) Aber weiß ich was für Blicke 10
mir das Geschick einsetzt? Wenn ich an die Priesterin denke ein Weib und so furchtbar | *(1)* Wie aber
(2) Meine Mutter! Ist nicht ⌈von meinem Athem⌉ die Luft schon befleckt – siehst du wie grässlich sich dort von dem Baum
(1) ein Zweig vor 15
(2) ein Arm gegen mich reckt – *(1)* *(a)* wie mitwissend →
(b) mitwissend lauert | der ganz finstere Raum – →
(2) | *(1)* →
(2) *(a)* grässlich → 20
(b) drohend | baut der Fels sich auf
(3) | Nun schleppt die uralte Nacht den schweren Leib herauf. →
B^{S} Aber weiß ich was für Blicke mir das Geschick einsetzt? Wenn ich an die Priesterin denke ein Weib und so furchtbar 25

C^{T}[2]

Aber weiß ich was für Augen
das Geschick mir noch einsetzt
Wenn ich die Priesterin denke: kaum noch ein Weib 30
und das furchtbare Wohnen des Gottes in ihrem Leib
⟨gibt⟩ es kein Ding auf der Welt
das mein Herz nicht für möglich hielte. |
Fort die Hand die mich hält *(1)* , mir frommt in der Welt nur eins!
(2)^{S} . Mir frommt nur eines! 35

[1] Reif *Hs.*

[2] *Stufe* **B** *ungestrichen.* **C** *steht nicht im fortlaufenden Text, sondern auf Rückseite des vorausgehenden Blattes pag. 9. Hier im Textzusammenhang dargestellt, weil Überarbeitung und Abrundung von* **B**.

PHÖNIX
(1) O →
(2) Weh | dass ich einen[1] König so muss leiden sehen. Wir denken Euch werden die Schmerzen zu purpurnen Mänteln und die Qualen zu Diademen, [nun muss ⟨ich⟩ dich so finden *(1)* sehen unter Ä⟨ngsten⟩
(2) unter den Ängsten dich winden]

A ↑^{S} ÖDIPUS ⌊(hinaufschauend)⌋
(1) Ja wenn wir unser Geschick auf uns nehmen
(2) Ja wenn wir sie *(a)* ganz →
(b) groß | auf uns nehmen↑

PHÖNIX
So seid ihr *(1)* wie wir
(2) , was wir sind, üppige Weiden, ↑auf denen ≈ darauf↓ Schmerz und Leiden sich satt *(1)* frisst →
(2) fressen | bei Tag und Nacht, habt ihr nicht größere *(1)* Macht und Pracht
(2) Macht! Seid ihr nicht von höherer Art?

ÖDIPUS
Wohl darum bleib⟨en⟩ solch⟨e⟩ Geschick⟨e⟩ Euch erspart und die ↑entsetzlichen ≈ grässlichen↓ Blicke voraus, wie *(1)* hieltet ihr →
(2)[2] hielte Eure Seele | die aus. ↑Uns zeigt ein Gott die grässlichen Leiden aber in uns wohnt die Kraft sie zu meiden↑[3] ⌊Nun lass mich fort. Ich weiß meinen Weg.⌋
(1) Ich will mich nicht verlieren *(a)* in dem
(b) an das was zu denken mich schaudert →
(2)^S | Lass mich los – verloren ist, wer zaudert[4] →

B^S ⟨ÖDIPUS⟩
Lass mich los – verloren ist, wer zaudert |

PHÖNIX
Was willst du thuen

ÖDIPUS
Ein einziges Opfer ists das mir frommt. /
⌊Es wird genährt mit allen m⟨einen⟩ Schätzen⌋ /
Es wird dargebracht ohne Aussetzen, /
unaufhörlich fließt es hin /
wie die Zeit von den Sternen rinnt /

[1] *oder* meinen
[2] hieltet ihr *graphisch unverändert. Vielleicht Alternativvariante.*
[3] *Zu diesen Reflexionen ausführliche Entwürfe auf Rückseite von pag.* K2. *Vgl. N 20.*
[4] *Danach einzelne eckige Klammer, vielleicht um die beiden vorausgehenden Zeilen an die früheren zur Tilgung erwogenen anzuschließen.*

PHÖNIX

Was für ein Opfer Kind

ÖDIPUS

Mein Leben. /
Aber nicht mein Blut darf ich hingeben /
davor warnt mich ein inneres Grausen. /
Ich muss bleiben, aber ich darf nirgends hausen /
(1) als in der tiefsten Einsamkeit
(2) unstät mit tiefster Einsamkeit *(1)* behangen, →
(2) verhangen,
(3)[S] umhangen, | ein Gefährte den Steinen
⟨und⟩ Thieren /
– dann brauch ich mein Selbst nicht zu verlieren an das Unsagbare an den lebendigen ***A***[1] Todt [, an das *(1)* was
(2) Grässlich⟨e⟩ was mich bedroht].

PHÖNIX

Willst leben im Wald?

(1) ÖDIPUS

auf Klipp⟨en⟩ in Schluchten ist einerlei nur dass es weit von den Menschen sei. Und komm ich im Wandern an Menschen vorbei, darf ich mich nicht verweilen [[S] *(a)* kaum eine →
(b) auch keine | einzige Nacht in ihren Mauern]

PHÖNIX

Das hast du dir ausgedacht? wie lange soll es dauern – →
(2)
(3)[S] auf Klipp⟨en⟩ in Schluchten? wie lange soll es dauern? |

ÖDIPUS

Die Botschaft wird mich finden, dass sie todt sind
Da weiß ich dass sie nicht mehr von mir bedroht sind.
O wär ich alt bevor sie mirs melden können, o wär ich todt bevor es geschieht, *(1)* das
(2) darum will ich beten →
B Tod.

[1] ***A*** *auf pag.* κ_2, ***B*** *auf pag.* κ_1. *Offensichtlich war ursprünglich* $\kappa_2 = \kappa$. *Erste Hälfte dieser Seite wurde stückweise gestrichen; Ersatztext auf eingeschobenem Blatt* (κ_1). *Folgetext auf zweiter Hälfte von* κ_2. *Pag.* κ_1 *hieß einmal* $\mu._1$ *Daraus folgt: Ersatztext* ***B****, ursprünglich für anderen Zusammenhang entworfen, wurde hierher verlegt. Früherer Platz wohl: nach Ödipus' langer Einsamkeits-Rede auf* $\mu._2$ *(ursprünglich* $\mu.$*). Vgl. S. 314, Anm. 1.*

PHÖNIX
Wie kannst du einsam sein – das kann ich oder einer von den Knechten unser Gesicht kann werden wie eines Thier⟨s⟩ Gesicht, wir können eins werden mit einem Stein, unser Haar wie Flechten und Moos unsere Hände
5 können werden wie Klauen, wir können behangen mit Niedrigkeit uns in der Weiten Welt verlieren und schweifen mit dem Gethier aber du, der du ein König bist wo du *(1)* kommst
(2) deiner[1] Wege fährst erdröhnt die Erde, sie drängen sich um deine Pferde, alle wissen sie deinen Namen und deine
10 Väter wohin du gehst wandeln neben dir und aus den Flüssen heben die Götter deine Verwandten Haupt und Hände steigst du zu Schiff rauschen die Wellen ↑und drängen sich *(1)* stolz und↑[2] →
(2)^S | üppig dein Schiff zu tragen,[3] du kannst
(1) d⟨ich⟩
15 *(2)* nicht schweifen auf ödem Meer als ein Verlorener dein Segel bläht ↑der ≈^{T} ein kühner↓ Wind ⌈^{T} und läuft *(1)* dir als Herold vor
(2)^S ⟨vor⟩ dir als Herold her⌉ Sterne
funkeln dir vertraulich, *(1)* Burgen deiner Ahnen →
(2) wie dein Haus | und die Länder heben die
20 Brüste dir entgegen: wo du landest, ist der Strand nicht öde, wo ⟨du⟩
(1) ziehest →
(2)^T ziehest auf den einsamsten
(3) ziehst auf unbetret⟨enen⟩ Wegen | ist nicht Wildnis, weil du ein König bist.

25 ÖDIPUS[4]
(1) Du sagst es, →
(2) Recht sagst du, | *(1)* das →
(2) dieses
(3) das | alles werf ich hin. Wär es weniger wie
30 *(1)* könnt ⌈es⌉ das →
(2) käm es mir in den
Sinn, dass es könnte das | Andere aufwiegen. So wird es ⌈aber⌉ vielleicht genügen. |

PHÖNIX
35 vergebliches Opfer, wem zur Freude. Deine Eltern versteinert das Leid.

[1] deiner *versehentlich in* du *hineinverbessert.*
[2] *Klammer versehentlich nach* stolz *abgeschlossen statt nach* und
[3] *Danach ein Einschubzeichen mit Stift, offenbar sogleich wieder gestrichen.*
[4] *Die Ödipus-Rede gehört nicht zu ursprünglichem Text von* $\mu._1$, *sondern wurde erst hinzu-*
40 *gefügt, als* $\mu._1$ *zu* κ_1 *wurde, um in* $\kappa = \kappa_2$ *integriert zu werden; diesem Stadium gehören auch die Nachträge (Z. 16f.) an.*

ÖDIPUS

Ein *(1)* schönes →
(2) grausiges | Opfer ist es *(1)* schon. →
(2) wohl. | Wo ist ein König der so opfert? Phönix nie hab ich dich vor mir stehen sehen wie du jetzt stehst vor meinem Blick. Und dort die anderen [die mir dienen] wie sie dort um den Wagen geschaart sind *(1)* ich kann tiefer lesen als in ihren Mienen, dass ↑sie mir alle wollen ≈ es sie verlange↓[1] treu dienen. →
(2)[S] jetzt
(3) schau⟨en⟩ kann ⟨ich⟩ tiefer[2] als in ihren Mienen, solche hatt⟨e⟩ ich *(a)* mir zu dienen
(b) zu treuen Dienern![3] | Mit angstvollen Herzen starren sie her ihre Hände sind von den Thaten schwer, die sie mit mir thun wollten und die nun ⸌ungethan⸍ in den Abgrund *(1)* sinken sollten
(2) rollten. Siehst du die Pferde sie scharren die *(1)* finstere →
(2) dämmernde | Erde, und heben die Nüstern und wittern nach mir, wie ihre Augen sprechen, als wollte die dumpfe Seele daraus hervorbrechen. Es ⟨sind⟩ keine gewöhnlichen Pferde sie hätten mich wiehernd in Schlachten gerissen und mitgekämpft *(1)* mit Hufen
(2) nach den ⸌funkelnden⸍ Feinden →
(3) funkelnd | gebissen sie wären mit mir durch ⸌fremde⸍ Flüsse geschwommen,
(1) ich weiß wohl ich wäre überall hingekommen. Aber d⟨as⟩
(2) – aber nun ist es anders gekommen. Sie sollen den Pferden in die Zügel greifen und sie den Berg hinab schleifen *(1)* →
(2) ihrer drei sollen sie
(3) | wenn sie zu ihrem Herrn drängen – wenn *(1)* so
(2) ihre dumpfen Seelen an dem so hängen – der nicht mit ihnen fahren darf. Mein Vater soll sie keinem anderen geben es thäte mir weh *(1)* in meinem traurigen Leben –
(2) in meinem einsamen Leben – Nun aber *(1)* geh →
(2) fort | nun ist es genug

[1] *Alternative nicht genau ausformuliert und integriert.*

[2] lesen *nach* tiefer *ungestrichen.*

[3] mir *ungestrichen,* dienen *graphisch unverändert. Evtl.* treu *am falschen Platz eingewiesen und zu lesen:* treu zu dienen.

PHÖNIX
Das letzte Wort für den Herrn und die Herrin wenn sie mich fragen um ihr Kind.

ÖDIPUS[1]
Sie sollen sich keine Botschaft von mir erwarten Nicht von den Fischern am Strand und nicht von den Pilgern die kommen überland. Was nicht sein kann sollen sie nicht begehren, nicht mit einem Vielleicht die Luft beschweren. *(1)* Sie sollen mich vergessen, so als wär ich nie ⌈S ihr Kind⌉ gewesen. →

(2) | Mein Haus sollen sie versperren und ausleeren meine Truhen. Meine Hunde sollen sie fortthun damit sie nicht in der Nacht nach mir heulen. [S Sie *(1)* können welche davon →
(2) sollen von meinen Sachen viel | dem Lykos schenken den ich zum Krüppel geschlagen und ihm dazu etwas von mir sagen: er soll nicht im Bösen an mich denken, er soll nicht[2] *(1)* ⌈sich⌉ fluchen →
(2) sein Leben verfluchen | und nicht weinen er hats doch ⌈so⌉ gut – er ist bei den Seinen. Ich bin allein.]
Ich hab mir einen Stock geschnitten der *(1)* geht m⟨it⟩
(2) bleibt bei mir sonst niemand – kein Mensch und kein Thier. Ich werde kein Bett haben zunacht, und wenn es dunkel wird kein Licht: davon rede dem Vater und der Mutter nicht. So ganz allein ist nicht einmal ein Baum, nicht einmal ein Stein. Denn die Steine liegen doch einer beim andern, immer liegen sie *(1)* am gleichen
(2) an gleicher Stelle, so heimlich ist ihnen, so ruhevoll sind ihre Mienen, als wäre jeder die Schwelle zu einem Vaterhaus, und die Bäume jeder hat seine Gefährten, sie klimmen zusammen nach oben, ich fühl wie sie ihr Leben loben, *(1)* mit →
(2) in | den *(1)* mächtigen →
(2) lebendigen
(3)
(4) lebendigen | Kronen selig sind dass sie hier wohnen seit unzähligen Tagen die Wurzeln tief in den *(1)* St⟨ein⟩
(2) Felsen schlagen

[1] *Am rechten Rand:* 7 IX.
[2] soll nicht *versehentlich gestrichen.*

(1) und durch zackige Äste Licht und Schatten *(a)* zu ewigen
(b) in ewigen
(c) schütte⟨n⟩
(2) wie ein zackiger
(3) wie starke zackige Äste Licht und Schatten tragen das sind unaufhörliche Feste! 5
(4) wie sie *(1)* die starken zackigen Äste wiegen und Licht und Schatten drin *(a)* fassen →
(b) halten
(2) *(a)* die starken zackigen Äste regen, → 10
*(b)*ˢ regen zackige Äste | voll Licht und Schatten, ⌈ˢ ja⌉ | das sind unaufhörliche Feste. Aber wer schlägt seine Zweige in meine, wer ruht neben mir, wie der Stein beim Steine? *(1)* Und der Bach der rauscht er weiß wohin
(2) 15

Stille.[1]

PHÖNIX weint.

ÖDIPUS

Sag meiner Mutter und meinem Vater sag einmal im Tag zu dieser Stunde, wenn die Erde sich ängstlich regt weil die Nacht das schwere Dunkel auf sie legt da sollen sie sich erinnern dass ich noch in der Welt ⌈bin⌉, dass ich irgendwie noch da hereingestellt bin. Da werd ich irgendwo *(1)* → 20
(2) in dem X
(3) | niederknien und wenn die Hände des Nachtwinds im Walde wühlen 25
(1) wie Athemzüge →
(2) wie eines Menschen Athem
(3) so wie Athmen | *(1)* schwer
(2) ⌈schwer und⌉ angstbeklommen da werd ich sie fühlen da *(1)* wird ihr Athem → 30
(2) wird ihr Gesicht
(3) werden ihre Gesichter | zu mir kommen. Und manchmal wenn auch nicht jeden Tag wird es geschehen dass ich *(1)* zu beten vermag für sie →
(2) ⌈ˢ stark⌉ im Gebet zu rufen vermag nach ihnen | die meine Todten sind da werden sie 35

[1] *Hier sollte wohl ursprünglich die Rede des Phönix (s. S. 311, 2–24) Platz finden. Vgl. S. 310, Anm. 1.*

spüren etwas wie ⌈nächtigen⌉ Wind und doch anders, das wird sich regen
und leise bewegen an dem Fenster wo sie schlafen *(1)* →
(2) wie ein Fischer-
boot *(a)* heimkehrend →
5 *(b)* das heimkehrt nachts | in den Hafen
(3)^S | da sollen sie wis-
sen, das ist ihr Kind: Denn mein Beten wird mehr sein als ein Denken, ich
werd mich so *(1)* hinein →
(2) in Sehnsucht | versenken mein Lebensathem wird hier
10 bleiben und das Nest *(1)* brüten
(2) hüten mein Leib an einem Felsen oder irgendwo /
aber meine Seele wird sich ⌈über das Nest⌉ aufschwingen /
und über die Wälder und die Flüsse [hin] dringen /
wie ein glänzender Gott, wie ein seliger *(1)* Schwan und wird zu ihnen
15 *(a)* reisen und um ihre schlafenden
(b) reisen und ihre schlafenden Gesichter sehen
(c) reisen.
(2) Schwan.

Windstoß

20 Es kommt ein Sturm – fort mit dem Wagen – fort mit den Knechten. /
Sie sollen nicht jagen, dass mir die Pferde nicht stürzen. /
Sieh du nach dem Rechten. Leb wohl. Lebt wohl.
⌈^S schreitet aufwärts⌉

PHÖNIX

25 Sie ⌈^S werden⌉ fragen was du thatest als ich dich ließ. *(1)* Ich kann nicht
sagen dass du so hineingingst in *(a)* die Nacht →
(b)^S Nacht u⟨nd⟩ Graus
(2) |

ÖDIPUS

30 Sag ihnen der Wind ist mein Gefährte und das Dunkel ist mein Haus.

PHÖNIX

Mit solcher Botschaft *(1)* fahr ich nicht nachhaus. →
(2)^S tret ich nicht vor sie. |

ÖDIPUS

35 Bist du die Worte zu setzen so blöde. Sag ihnen ihrem Sohn ist so wohl
in der Oede so leicht ist sein Herz geworden und frei, *(1)* d⟨u⟩
(2) sahst →
(3) du sahst über
deine Schulter zurück, mit deinem letzten Blick [da] sahst du | ihn niederknien

im ⌜wüsten⌝ Gestein, [und im Sturm und in der Nacht,] wie andere in einem heiligen Hain oder im *(1)* heiligen Licht.
(2) seligen Licht.
(3) seligen Lichten und sein Gebet verrichten. Nun geh, muss ich mit *(1)* Drohen dich treib⟨en⟩ →
(2) Schlägen dich *(a)* von mir →
(b) fort | treiben |

PHÖNIX
Herr lass deine Diener[1] bleiben nur solange bis *(1)* dein Gebet zu Ende.
(2) du gebetet du hast.

ÖDIPUS
(1) Wozu. Zu lange war die Ras⟨t⟩ →
(2)[S] Fort Eure Näh ist mir zur Last |

[[S] PHÖNIX
Dass wir ein Schutz sind für deine Ruh solang du betest

ÖDIPUS
Und morgen und die *(1)* andern
(2) Tage die kommen →
(3) Tage dann ¦

PHÖNIX
nur bis du den Wanderstab ⌜wieder⌝ nimmst in die Hände solang nur

ÖDIPUS
(1) Kein Ende! Kein Ende! →
(2) ein Ende! ein Ende! | Ich hab Lebewohl gesagt dir und den andern. Nun macht euch fort, *(1)* sonst muss ich →
(2) ihr habt weit zu | wandern.]

PHÖNIX
Sohn meines Königs!

ÖDIPUS
(1) Das ist
(2) Vorbei! vorbei!

PHÖNIX
Noch einen Blick

ÖDIPUS oben
Willst du mich peinigen: Seid ihr fort, dann bin ich frei. Dann
(1) bet ich →
(2)[S] betet mein Herz |

[1] Diener *zunächst versehentlich ausgelassen.*

⌈im Dunkel⌉ für ⌈mich und⌉ die meinigen.

⌈Phönix links ab, schmerzvoll zurückschau⟨end⟩⌉

Ödipus oben, legt Stab weg. Sturm.

Diener unten, zwischen *(1)* Äs⟨ten⟩
(2) Zweigen: Arme nach ihm reckend. Ab Dunkler.

⌈Wagen ab.⌉

Ödipus[1] allein, nachdem das Rollen des Wagens verklungen ist.

STIMMEN aus dem Sturm
Die wir todte Könige sind
wir thronen im Wind
die wir *(1)* mächtig →
(2) gewaltge | waren
uns schleift der Sturm an den Haaren
und dieses ist unser Sohn

ÖDIPUS
Erde du musst nun allein, mir Mutter sein die *(1)* schweren →
(2)[P] wand⟨ernden⟩
(3) stillen | Wolken die
(1) wandern⟨den⟩ →
(2)[P] lauten
(3) lauen | Winde sind meine Geschwister ich hab alles fortgegeben, nur dass ich dein Kind bin das ist mein Leben

STIMMEN
Unser Ringen und Raffen
hat *(1)* ihn erschaffen
mit heimlich
(2) ihm erschaffen
Herz und Gestalt
(1) Lust oder →
(2) Begierden und | Qualen
er muss uns bezahlen
dass wir mit Gaben
beladen ihn haben.
Er ist ein König und muss es leiden
und wär ein nackter Stein sein Thron
er ist unsres Blutes Sohn

ÖDIPUS
↑Du redest nicht du giebst
≈ es redet nicht es giebt↓ keinen Schein, doch irgendwo dringt es in mich

[1] *Am linken Rand:* 8. IX.

hinein: dass ich nicht lebendig liege im Grabe dass ich Vater und Mutter und Glanz und Welt und alles was das Herz erhellt ↑noch nicht für immer verloren
≈ nicht ganz umsonst
hergegeben↓ habe ich fühl es um mich weben: ich werde noch leben. ⌊Nimm mich noch stärker ich fühl wie Athem quillt aus dem *(1)* Dunkel
(2) dunklen Boxxx
xxx xxx⌋

Eine Stille. Stärkerer Sturm.

DER HEROLD von rechts um den Felsen kommend
(1) Hässlicher →
(2) ↑Böser ≈ Hässlicher↓ | Sturm! tückisches Dunkel! Kaum seh ich den Weg vor den Füßen Musst du fremdes Land, so *(1)* →
(2) ↑hässlich ≈ böse↓ |
meinen Herrn grüßen.
Steil *(1)* der Weg,
(2) die Straß⟨e⟩, da liegt ein *(1)* Block
(2) Stein, dort sperrt ein Baumstamm
den Weg

ÖDIPUS hebt die Hände

HEROLD
ein Mensch! fort aus dem Wege! auf! den Weg gieb frei Kannst du nicht hören

ÖDIPUS
(1) Welch ein ⌊böses⌋ Geschrei – →
(2) Hässlich Geschrei –
(3) Hässlicher Ton! Zorngeschrei! |
entgegen dem andern, wie aus dem Traum

(1) Du sollst *(a)* den Betenden nicht aus seinem →
(b) mich nicht aus meinem | Traum wecken
(2)[1] Wenn einer betet sollst ⟨du⟩ ihn nicht aufstören – *(1)* Kam
(2) Wenn seine
Seele nicht mehr zu ihm zurückkehrt dann ist er schwer zu heilen

HEROLD
Hörst du nicht den Wagen rollen *(1)* →
(2) Geselle dort
(3) Nachtvogel dort | Willst du immer
noch verweilen Du sollst dich trollen!

[1] *Von Stufe (1) nur* Du sollst *gestrichen.*

⌈ÖDIPUS
Einsamkeit bleib bei mir⌉

⟨HEROLD⟩
Aus dem Weg du – nicht mehr lange schau ich dir zu was räkelst du dich
5 auf der Erde – soll ich dir helfen bist du ein Hund greif ich den Stein

ÖDIPUS ⌈an der Böschung sich aufrichtend⌉
Hässliche Geberde – widerlicher Mund –

HEROLD brüllend
Fort aus dem Weg, zum letzten Mal

10 ÖDIPUS ⌈mit Widerwillen. halblaut⌉
Du Thier nicht so laut

HEROLD
Willst du mir den Weg wehren

ÖDIPUS
15 Könnt ich ihm den Rücken kehren

HEROLD
Willst du dass ich den Stock brauche

ÖDIPUS bückt sich
Einen Stock hab ich auch. nimmt ihn Ich gehe nun. Nur warte. Steh.
20 Bis ich dort bin. Komm mir nicht so nah.

HEROLD
Vorwärts da – vorwärts oder – da ist der Wagen

ÖDIPUS
Nicht nach mir schlagen

25 HEROLD
Nicht?

ÖDIPUS ⌈losbrechend⌉
Du Thier! Da nimm!

⌈der Herold fällt dumpf hin⌉

30 *(1)* Wie →
(2) | still ist jetzt Alles. Bist du todt.

Es blitzt

Nirgends roth. Ganz weiß wie die Steine. Mein Stock! meine Hand – seine
Augen schauen mich an voll Hass – wie geschah mir das?

35 Der Wagen, nahe, hält.

WAGENLENKER
Hier ist der Weg.

Blitz

Hier liegt der Herold – erschlagen.

Ödipus ohne Stock steht links auf den Todten schauend

Lahios mit 2 Dienern. Sturm.

DIENER
Herr es sind Räuber, zurück auf den Wagen.

LAHIOS in der Hand *(1)* s⟨einen⟩ -→
(2) einen
(3) den ¦ Stachelstock

Mein Herold

DER HEROLD erkennt die Stimme
Mein Herr! bei dir ⌈–⌉ sterben –

LAHIOS
Nicht sterben! um Wasser

ÖDIPUS
ein Quell ist dort

WAGENLENKER
Gebieter ihrer sind mehr als wir. Sie lauern im Dunkeln

(1) L⟨AHIOS⟩

(2) ÖDIPUS
Ich bin allein

ein starker Blitz

LAHIOS
(1) Ha -→
(2) Ah ¦ fasst mir den Mörder

ÖDIPUS
Ist er todt? ⌈Meine Hand.⌉ Er ist nirgends wund.

LAHIOS
[^{S} Meuchelmörderischer Hund.] leise Stricke vom Wagen ihn zu binden

einer weg

ÖDIPUS
Was wollt ihr thun? Ihr wisst nicht[1] *(1)* er
(2) wie es geschah Er schlug nach mir er *(1)* kam →
(2) trat | mir zu nah. Er ist ja nirgends wund

[1] *Versehentlich gestrichen.*

LAHIOS
Strauchdieb *(1)* halt den Mund.
(2) still. *(1)* Der Athem aus d⟨einem⟩ Mund schändet →
(2) Dein Athem schändet
(3) Dein Laut schändet
(4) ⟨Mit⟩ dein⟨em⟩ Laut schändest du |
(1) die Todtenruh.
(2) ⌈noch⌉ dem[1] *(a)* todten Mann →
(b) Todten | die Ruh!

ÖDIPUS
(1) So →
(2) Wenn er zu dir gehört so | drück ihm doch die Augen zu.

LAHIOS bückt sich zu dem Todten
Zu mir hast du gehört die Jahre zählen wir nicht mehr, nicht wahr?
(1) einmal hatten wir beide braunes Haar.
(2) Zuerst war es gut bei mir sein, dann war es ein langsames Verderben, und jetzt musst ⟨du⟩ um meinetwillen sterben in wildfremdem Land auf der Straße da, *(1)* wie ein ⌈armes⌉ Thier, →
(2)^S arm wie ⟨ein⟩ Thier, | aber dein Herr *(1)* ist →
(2) ¦ dein alter
Herr weint bei dir. ***A*** Weil mein Weg immer mehr ins Finstere und ins Finstere geht, hast du nicht mehr vor mir her *(1)* wandern →
(2) ziehen | wollen,
(1) du hättest
(2) warst du müd du hättest mir⟨s⟩ sagen sollen – aber nun ist es zu spät.
B Mir ist, du warst *(1)* ⌈in deiner Seele⌉ matt
(a) und hattest
(b) meinen ⌈freudlosen⌉ Dienst hattest du satt, dein Athem ging schwer ⌈und dein *(a)* →
(b) treu⟨es⟩
(c) | Herz noch mehr,⌉ →
(2) matt du hattest an dir selber zu tragen, | verdrossen gingst du vor mir her und
(1) der erste beste Straßendieb →
(2) ↑der erste beste *(a)* →
(b) feige
(c) | Straßenhund
≈ das erste beste ⟨feige⟩ Thier↓
(3)^S das erste beste Thier | *(1)* streckte dich mit einem Knüttelhieb.
(2) ⌈mit einem Knüttel⌉ dich niederhieb.[2]
(3) konnte dich niederschlagen. →
C^S |

[1] *Versehentlich gestrichen.*
[2] *Stufe (2) setzt subordinierende Konjunktion voraus, statt* und *(Z. 33) etwa »bis«.*

ÖDIPUS
Lass mich dein Diener sein anstatt des Toten. ⌊TP Ich bin jung⌋

LAHIOS flüstert zu den Dienern die alle hinter ihm geschart sind.
(1) 2
(2) Einer umgeht Ödipus 5

ÖDIPUS
Ich will mich erniedern *(1)* nach deinen Befehlen
(2) bei Tage und Nacht. Ich schlafe vor deinem Bett auf der Erde. Ich *(1)* bediene
(2) betreue dir die Pferde. Nimm mich mit. 10
(1) →
*(2)*T Ich bin jung
*(3)*p |

LAHIOS
Du sollst mitgenommen werden. [S Die Nacht verbringst ⟨du⟩ bei den 15 Pferden.] Aber *(1)* gef⟨esselt⟩
(2) gebunden an Händen und Füßen ⌊, so kommst du mit⌋

ÖDIPUS
Was wollen die

LAHIOS 20
Zugleich zudritt!

ÖDIPUS
⌊Ich?⌋ Gebunden? – Du *(1)* auch
(2) bist *(1)* der →
(2) ein 25
(3) einer der | Mörder du mit deinen ↑Hunden ≈S Fanghunden↓ – was willst du mir thuen reicht nach links an Baum dort liegt Stock

LAHIOS
Das sollst du erfahren, dein Blut ist zu jung zum Ersatz für dieses Blut das 30 alt und schwer *(1)* war, dein
(2) in den Pulsen
(3) war, dein Haar ist kein Preis für dieses angegraute Haar – und schick ich dich hier neben diesen schlafen so hieße das zu milde strafen ↑Wer alt ist weiß was die Welt in sich hält er hat ihren Saft 35 getrunken↑ So milde straf ich nicht.[1]

Blitz.[2]

[1] *Neben dieser Rede des Lahios Randnotiz:* bedeutende Geberden dessen mit dem Strick ⌊henkerhaft⌋. er ist in ein anschmiegendes Gewand gekleidet, mit nacktem Hals, einer Lederkappe – *letzter Satz der Rede am unteren Rand vornotiert.* 40

[2] *Neues Blatt, links oben:* 9 IX.

A ÖDIPUS
Wie verzerrst du dein Gesicht. Bist du so grausam alter Mann.

LAHIOS
Schrei *(1)* nur schrei: ich bin jung
5 *(2)* mir ins Gesicht dass du jung bist, schrei doch das Wort noch einmal ↑fort und fort ≈*T* dein Feldgeschrei↓. Es ist immer ein stummes Ringen in finsterer Nacht zwischen Euch und uns aber noch haben wir die Macht [Euch zu zwingen] →
*B*T |
10 ÖDIPUS
Wohin willst du mich bringen

LAHIOS
Ich will dein freches Gesicht *(1)* ste⟨rben⟩
(2) sich verze⟨rren⟩
15 *(3)* leiden sehen aber im *(1)* Licht
(2) Tageslicht
A deine *(1)* →
(2) junge
(3) helle
20 *(4)* | Stimme soll dir versagen wenn sie gebunden mit Geißeln ⟨dich⟩ schlagen bevor du stirbst

ÖDIPUS
Was willst du mir thuen? →
LAHIOS
25 *B*S |
Wenn ich dich hier im Wald erschlüge da geschäh meinem *(1)* Herol⟨d⟩
(2) Todten
kein Genüge hinrichten lass ich dich auf einer Richtstätte wo Menschen sind Greis und Mann Weib und Kind *(1)* →
30 *(2)* sie sollen im Kreise stehen und es ⌊vollstrecken⌋ sehen[1] | am hellen Tag die Sonne soll hören dein Schr⟨ein⟩
(1) *(a)* eine Strafe →
(b) Strafe | soll es sein →
*(2)*S |
35 ÖDIPUS *(1)* schweigt[2]
(2)
Mit was für Mörderhänden greifst du in die Welt hinein – wer bist denn du

[1] auf einer . . . sehen *mit Stift unterstrichen.*
[2] *Ungestrichen.*

LAHIOS

Ein alter Mann der einen alten Mann hat müssen sterben sehen wie einen
Hund unter deinen Händen, *(1)* ein Herr der vor seinem treuen Diener
(2) ein alter Mann
(3) aber du sollst du sollst zahlen ich will
dich hinunter schicken behangen mit Qualen *(1)* er wird
(2) und bei den Todten
wird er dir begegnen *(1)* →
(2) (a) an den Spur⟨en⟩ d⟨einer⟩ Leiden →
(b) an deinen Schreien | wird er sich weiden |[1]
und wird mich dafür segnen: ***A*** denn er war alt und von dem bösen Saft
den die Welt in sich hält hat er fort und fort zu kosten bekommen. Das hat
ihm die Kräfte gen⟨ommen⟩ und du bist blutjung dich kostets nur einen
(1) Schwung
(2) Scherz, einen Hieb mit dem Stock da lag er am *(1)* Boden.
(2) Grund.
(3) Boden. →

B[T] |

A ÖDIPUS

Wie *(1)* d⟨eine⟩ →
(2)[P] s⟨eine⟩ | Augen glühen ist es die Wuth die zerrt an
(1) d⟨einem⟩ →
(2)[p] seinem | Bart oder der Wind

LAHIOS

Wie frech er die Worte mir *(1)* in die Zähne wirft
(2) ins[2] Gesicht schlägt

ÖDIPUS

Es ist der Wind der sie so hinträgt.[3] \hebt die Hände Unschuld Athmen/

LAHIOS

(1) →
(2)[S] S
(3) | Fasst ihn noch nicht.

[1] *Möglicherweise ist die ganze Stufe (2) als intentional getilgt zu betrachten.*

[2] in die *graphisch unverändert.*

[3] *Danach wieder Sprecherangabe* Ödipus, *verbessert zu* Lahios. *Der Autor schrieb manchmal Namen der Sprecher untereinander, bevor der Zwischenraum mit Dialog gefüllt wurde. Dabei traten möglicherweise Verschiebungen ein.*

ÖDIPUS ⌈[T] hält sich die Hände vor⌉
Er will mein Gesicht sehen. ⌈Haben wir vielleicht schon einmal aus dem gleichen Becher getrunken⌉[1]

LAHIOS
(1) Ja wie ⇢
(2) Wie ¦ hast du denn das errathen ich will sehen ob es passt zu deinen Thaten, ich weide mich im voraus dran ⌈*(1)* verderbt
(2) verdorben zum Kind,
(1) noch ⇢
(2) ¦ zu bübisch für einen Mann⌉

ÖDIPUS[2]
Seine Stimme ist *(1)* Wuth →
(2) Hass | und Qual →

B[T] LAHIOS
(1) Fasst ihn doch zeigt mir sein Gesicht ich weide mich im Voraus daran verdorben zum Kind, zu bübisch für einen Mann
(2)[S] Fasst ihn doch *(a)* ↑zeigt mir sein Gesicht
≈ führt mir ihn her↓ →
(b) zeigt mir sein Gesicht |

ÖDIPUS
Seine Stimme ist Hass und Qual | *(1)* Du hast →
(2)[T] Du bis⟨t⟩
(3) Du hast | nie ein Kind gehabt. Du bist von den Unfruchtbaren, dein trauriges Weib mit *(1)* zerrauftem →
(2) Staub ⟨im⟩ |
Haar ist *(1)* Nachts →
(2) Tag ⟨und⟩ Nacht[3] | vor den Göttern gelegen –
(1) über dir
(2) dir →
(3)[S] in dein Haus | kam[4] kein Segen.

[1] *Am rechten Rand ein getilgtes Einschubzeichen.*
[2] *Am linken Rand ein getilgtes Einschubzeichen.*
[3] Nachts *unverändert.*
[4] *Versehentlich gestrichen.*

A ein starker Blitz Ödipus im Dunkel.

(1) LAHIOS
Verflucht sei in dem

(2) ÖDIPUS
(a) Warum muss ich →
(b) Weh! Ich muss | dein Gesicht so hassen als hätten *(a)* vor →
(b) seit | unausdenklichen Jahren deine Augen *(a)* erbarmungslos
(b) ohne Erbarmen hineingestarrt in meine *(a)* warmen →
(b) armen
(c) du⟨mmen⟩
(d) armen | Kinderträume: →

(3) ÖDIPUS |
Du! Du! lass mich *(1)* f⟨ort⟩
(2) vorbei lass mich fort – verflucht ist
(1) →
(2)^S für uns
(3) | dieser Ort →

B^S ÖDIPUS
lass mich vorbei lass mich fort – |

LAHIOS
Er will entspringen

ÖDIPUS
Wenn du wüsstest wer ich bin. Du hättest Mitleid mit mir. *(1)* Dem Todten hier war sein Herz so leicht gegen das meine. ⌈^{S}mein Leben ist bittrer als sein Tod.⌉ →
(2)^S mein Leben ist bittrer als sein Tod. | Was weißt du in deinem alten Herzen von meinen ⌈grässlichen⌉ *(1)* Ängsten und Schmerzen. →
(2)^S Qualen. |

LAHIOS
Willst du noch prahlen – fasst ihn doch, schleppt ihn her festgebunden,
(1) d⟨ie⟩
(2) Stunden und Stunden die ganze Nacht will ich mit ihm reden →
(3)^T | ich will *(1)* ihn lehren was für ein Saft die
(2) ihm zu trinken geben aus meinem Herzen den ↑bösen ≈ bittern↓ Saft den die Welt in sich hält[1] ich trinke ihn seit Jahren

[1] in sich hält *in Rundklammern; vielleicht Streichung des ganzen Relativsatzes erwogen.*

(1) und fühl die Seele mir langsam verderb⟨en⟩ er soll ihn trinken in einem Zug und dann sterben. →
(2) ich hab genug er soll ihn trinken in einem Zug *(a)* er soll mich beerben und dann sterben →
5 *(b)*
(c)[S] und dann sterben |

ÖDIPUS
(1) Den Weg frei –
(2) frei den Weg[1] |

10 LAHIOS
Schnell ihr drei

ÖDIPUS
Ich will fort

LAHIOS
15 *(1)* Knechte!
(2) In den H⟨ohlweg⟩
(3) Knechte![2]

ÖDIPUS
Kein Weg als dort

20 LAHIOS
Hier steh ich *(1)* und v
(2) Er hebt den Stachel

ÖDIPUS
Du Dämon gieb Raum
25 stößt ihn mit dem Stock nieder

⟨LAHIOS⟩ sinkt stöhnen⟨d⟩ um.
(1) In dein Herz fahr mein Fluch.
(2) Fahr mein Fluch in dein Herz.

DIENER
30 Dort hinab: ihn fangen. ihn tödten. ihm nach.
Ringen. Sturm.

STIMMEN
Mich reißt es aus der Luft herab
mich wirft es aus meinem *(1)* sti⟨llen⟩
35 *(2)* Königsgrab

[1] *Graphisch versehentlich:* frei frei
[2] *Graphisch nicht restituiert.*

Uralte Wut fällt mich todt⟨en⟩ an
(1) Hier rinnt unser Blut →
(2) Seht unser Blut
(3)^S *(a)* Ai
(b) Hei →
(c)^T Ai | unser Blut rinnt | aus dem todten Mann

EIN DIENER von rechts rückwärts fliehend
Ah ein Dämon ist über uns! er tödtet uns alle.
flieht

(1) ÖDIPUS von rechts.
(2)[1]

A STIMMEN [^{S} im Wind]
Seht den Jungen
dem wir zugesungen
(1) Blitze erhellen
(2) Er fliegt wie gejagt
dorthin wo es tagt
(1) Er setzt →
(2)^P Dort setzt ⟨er⟩ | sich auf des *(1)* Alten →
(2)^p Todten | Thron
Auch Er ist *(1)* unser →
(2)^p unsres Blutes | Sohn.

B[2] ÖDIPUS von rechts unten zurückkommend. Tiefstes Dunkel. Stille. er steht
Wie grässlich mir das Wasser half[3]
[^{S} wie mit hundert Armen!]
sie *(1)* schrien →
(2) fassten mich | noch und ertranken schon
schaudernd
die Armen!
er *(1)* sto⟨lpert⟩
(2) tastet sich vorwärts
Hier muss er liegen. Ich weiß ja doch
es ist ein fremder alter Mann

[1] *Schweifklammer zum Zeichen des Aktschlusses. Darunter (pag.* ω*., 2. Hälfte) die folgende Stufe* **A** *notiert, die Verse der* Stimmen im Wind. *Dann Aktschlußzeichen wieder getilgt und Hinweis:* ω_1 einzuschieben. *Der Einschub umfaßt* ω_1*. und* ω_2*.* ω_2 *schließt mit Wiederaufnahme der Verse aus* ω*, die an ihrem ursprünglichen Ort nachträglich mit Stift gestrichen wurden.*

[2] *Am linken Rand:* R⟨odaun⟩ 7 X.

[3] *Das Folgende, obwohl Prosa, in kurzen Zeilen. Die Wiedergabe folgt diesem Zeilenstil.*

warum fällt dieser ↑grässliche
≈ gräuliche↓ Wahnsinn mich an
zu glauben dass es mein Vater *(1)* ist
(2) war
[^{S} dass mich mein Vater holen kam
auf seinem Wagen
und dass ich von Sinnen war und hab ihn verkann⟨t⟩
und hab ihn erschlagen.]
Stöhnt er[1] *(1)* rührt er sich →
(2) nicht rührt er sich nicht | auf der Erde?
Ich muss hinkriechen und ihn berühren
[^{S} wenn aber meine Hände den Vater *(1)* spüren
und ich wirklich wahnsinnig werde
(2) spüren?]
ein Mondstrahl \schiebt sich durch Gewölk/
Es fällt ein Schein auf sein todtes Gesicht
Nur den Muth nur die Kraft: *(1)* er ist es ja nicht →
(2) hinzusehen
denn er ist es ja *(a)* nicht →
(b)^{S} nicht! |
er schleppt sich hin
Fremd! fremd! bleich, fremd und bös!
(1) →
(2) Nicht bös – nur fremd eiskalt \$^{S}$ u⟨nd⟩ bleich/ und fremd!
(3)^{S} |
Gut sind die Götter Gut! Leicht ist mein Herz!
zum Mond
Bedankt du *(1)* schmaler
(2) Schwanenflügel aus der Nacht
hervorgebrochen mich zu trösten! Leicht
die Hände heb ich! leicht wiegt die gethane That!
Wie war das alles? Warum *(1)* hat mir dies
geschehen müssen?
(2) ist mir dies
geschehen? Geschick betastest du mich nur
A *(1)* dass ich aufwachen soll aus meiner Starrheit: →
(2) ¦ Soll ich dir Thaten thun? *(1)* soll →
(2) darf | ich wohnen
in den Thaten meiner Arme wie die Götter

[1] *Danach zunächst irrtümlich* sich, *verbessert bei Übergang von Stufe (1) zu (2).*

in ihrem Himmel? soll der Unbehauste
von nun in seinen Thaten wohnen – [1]
B Warum ist mir *(1)* so →
(2)[S] nun | wohl? soll ich dir Thaten thun?
(1) ja, →
(2)[P] und | darf der unbehauste Ödipus
von nun in seinen Thaten wohnen *(1)* rede! →
(2)[P] ja
(3)[S] ja? |
Der Tag blüht auf. Die Welt blüht *(1)* mir auf. *(a)*
Hinab
(b) Hinab!
(2) auf. Mein *(a)* Blut →
(b)[S] Herz |
blüht auf! Kein Blut auf meinem Stab
Kein Blut auf mir. Nacht, nimm dir deinen Todten.

⌈[S]*(1)* starker Mond →
(2) ¦ rauschen in den Zweigen.⌉

⟨STIMMEN⟩
Seht den Jungen
dem wir zugesungen
er fliegt wie gejagt
dorthin wo es tagt
Er setzt sich auf des Alten Thron
er ist unsres Blutes Sohn!

[1] *Zeitweise hat* **A** *ungestrichen neben* **B** *gestanden, vielleicht als Alternativvarianten gemeint.* **B** *mit Tinte geschrieben,* **A** *mit Stift gestrichen.*

8 H

2. Akt, 1. Szene, 1. erhaltene Fassung
(Kreon-Szene)[1]

Kreons Haus. Eine Vorhalle. Links und rechts eine Thür ins Freie. Mitten eine
5 Thür ins dämmernde Innere des Hauses. Draussen heller Tag.

Knabe, lehnt an *(1)* einer Säule ->
(2) der Mauer. ¦

Kreon tritt aus *(1)* dem innern des Hauses
(2) der mittleren Thür.

10 KREON
Bist du noch immer auf den Füssen Knabe
(1) leg dich. →
(2) [^{S}geh] leg dich hin.
(3) leg dich. | Dein *(1)* →
15 *(2)* junges
(3) | Blut braucht *(1)* seinen →
(2)
(3) seinen | Schlaf

A KNABE
20 *(1)* Heut nicht *(a)* Gebieter
(b)
Gebieter, nicht nach dieser Nacht. →
(2)^S Heut nicht, Herr, nicht nach dieser Nacht
25 *(3)*^{T} Herr, heute nicht. |

KREON *(1)* Dein Aug
sieht überwacht. →
(2) | Du schläfst im Stehen[2] *(1)* . →
(2)^S , Knabe
30 *(3)*^{T} . Leg dich. |

KNABE *(1)* Herr
(2) *(a)* Wie, →
(b) Mein | Gebieter?
(3) Herr →

35 [1] *Das Manuskript ist fragmentarisch, weil zahlreiche Blätter in eine Neufassung der Szene (12 H) eingegangen sind (vgl. S. 213, 16–50 u. S. 215, 20–40). Der neue Zusammenhang der fehlenden Blätter ist in Fußnoten nachgewiesen.*

[2] Stehen *graphisch zweimal, wohl zur Verdeutlichung.*

B^S KNABE[1] |
dein Schritt ist wie des Panthers und ich hab dich
gehört den Gang herüber aus dem Bad.
Schlief ich *(1)* →
(2) da
(3) | im Stehen?

(1) KREON Du bist *(a)* bleich →
(b)^S blass |

KNABE *(a)* Herr →
(b)^S Nein | Du →

(2)^S KNABE Herr was ist dir, du |
bist bleicher *(1)* wie →
(2) als | der Mond. Mit *(1)* solcher →
(2)^P welcher | Stirn
(1) tauchst →
(2)^p trittst | du aus *(1)* solcher →
(2) einer solchen
(3) solcher | Nacht *(1)* empor! →
(2)^p ? ¦

A[2] ↑KREON
Aus welcher Nacht.

KNABE *(1)* Du fragst. Aus dieser Herr.↑
(a) Herr, →
(b) Mein lieber Herr,
(c) Gebieter,
(2)
Du fragst mich? | Diese Nacht hat einen König
gemacht[3]

B KREON
(1) Aus einer solchen Nacht
(2)^p Aus solcher Nacht →
⟨. . .⟩

[1] *Der folgende ungestrichene Text (Z. 2–6) nimmt Bezug auf das hier Gestrichene (S. 331,19–34). Hofmannsthal hat offensichtlich die ganze Partie nicht wirklich abgeschlossen, weil er eine nochmalige Überarbeitung plante.*

[2] *Stufe* **A** *zwischen ↑↑ ungestrichen, nur eckige Klammern.*

[3] *Die folgenden beiden Blätter wurden als pag. 23. und 24 in 12 H integriert (E III 185.309 f.; s. S. 389,7–392,14). Da die erste Zeile von pag. 23. aber nicht zu 12 H paßte und offensichtlich gleich bei der Übernahme des Blattes gestrichen wurde, wird sie hier angeschlossen.*

KNABE vor sich

(1) Ists →
(2) Ist dies | in meinem Blut?
Ists außer mir? nun wiederum. Mein König
5 Hörst du denn nichts?

KREON Ich hör die *(1)* Todtenklagen →
(2) Todtenlieder |
um Lahios. Die uralten Königslieder
hör ich im Wind

10 KNABE *(1)* Und ich *(a)* höre
(b) hört einen Ruf
zehntausend rufen ihn. Ein ganzes Volk
hör ich das ruft: →
(2)[SP] Mir war ich hörte rufen
15 ein ganzes Volk, das rief: | Kreon und Theben

A KREON *(1)* Knabe →
(2)[Sp] |
so hörst du was ich hörte hundertmal
wenn ich *(1)* schlaflos
20 *(2)* mich schlaflos wälzte auf dem Bette.
O meine Nächte!

KNABE Herr ich will dich sehen
in einer Schlacht. Ich will auf deinem *(1)* Königswagen →
(2) Wagen |
25 zu deinen Füßen stehen und die Pfeile
dir reichen. Ich will schwelgen wenn ich dich
den Tod ausstreuen seh ↑, mein Herr und König!
≈ mit Königshänden!↓ →
B[S] |

30 KREON[1]
Träumt so wer siegen wird? Wie lange schlief ich
heut morgen?

KNABE Herr du schliefest nicht. Nur kaum
geruhet hast du, nach dem Bad, die Augen
35 kaum zugethan

[1] *Am linken Rand, neben Kreons Worten, Notiz mit Stift:* Zu einem Diener? *Weiter unten, wohl auf dieselbe Stelle bezogen:* (kühlt sich die Hände)

KREON Die Augen kaum. Und doch
so ⌈maßlos⌉ widerlich geträumt –

KNABE[1] Nach *(1)* dieser →
(2) solcher | Nacht?

KREON
Ich träumte mich viel älter als ich bin. 5

(1) KNABE
Ein Spiegel zeigte dirs?

(2) KNABE
Du sahst dich in dem Spiegel 10

KREON Nein ich fühlte's.
an einer wüsten Schwere überall
im Leib. Und damals

(3) an einer wüsten Schwere meiner Glieder
verrieth es sich 15

KNABE
(1) Und was geschah dir in dem Traum

KREON Nicht viel
Mit träumte dass →

(2) *(a)* → 20
(b) Und | was geschah dir in dem Traum

KREON
Nicht viel: nur ⌈s dass⌉ | zu jener Zeit, will sagen
in jener Zukunft einer König war *(1)* in Theben
(a) und dass 25
(b)

KNABE
Nicht du? so ists ein lügnerischer Traum →

(2)
in Theben – 30

KNABE und nicht du? so ists ein Lügentraum |
von denen einer die das Gegentheil
bedeuten. Und was thatest du dem Mann
der König war in Theben

[1] *Die nächsten 2 Blätter mit Stift gestrichen, aber wohl erst bei Durchsicht von 8 H für 12 H: Kennzeichnung, daß Text für 12 H erledigt.* 35

KREON ich war nicht
sein Mörder: Knabe. Ich war so etwas
wie einer seiner Diener –

KNABE Herr du spottest

5 KREON
Wer bist du dass ich deiner spotten sollte
Ich rede und erzähle meinen Traum
dir, mir, *(1)* der leeren
(2) hier den 4 Wänden →
10 *(3)*[S] der leeren Luft hier | was weiß ich.
Er stand dort auf der Schwelle des Palastes.
Er sprach zu mir *(1)* es schien er zürnte mir
oder er klagte
(2) er schien mit mir zu zürnen
15 oder mich anzuklagen.

KNABE Wessen Herr?

KREON
Das weiß ich nicht. ***A*** Der Anfang meines Traumes
ist abgebrochen. *(1)* →
20 *(2)*[1] Als sein Bote kam ich
(a) irgendwoher. *(aa)* Er schalt mich
(bb) Nur
(b) und ward gescholten. →
B[S] Doch als sein Bote kam ich
25 und ward gescholten.[2] | Aber wie ich ihm
entgegnete – *(1)* ich möchte mir den Ton
(2) das hör ich könnte ich
(3) das hör ich brächte ich nur
den Ton aus meinem Ohr

30 KNABE Was ist dir Herr.

KREON
(1) Ich glaube fast ich habe sein Gewand
(2) Es[3] war ein *(1)* Ton von Sanftmuth – o ich hör ihn – →
(2) ekler Ton von Sanftmuth – o, ¦

35 [1] *Möglicherweise Stufe (2) als Alternative zu vorausgehendem Satz gemeint, nicht als Ergänzung.*
[2] *Versehentlich* und ward gescholten *statt* ist abgebrochen *gestrichen.*
[3] *Wohl versehentlich gestrichen.*

von einer Unterwürfigkeit, von einer
herzlichen Unterwürfigkeit – ich glaube
ich hab⟨e⟩ sein Gewand mit meinen Händen
demüthig angerührt. Nie habe ich
zu Lahios so gesprochen. In die Erde 5
versänk ich hätte mich ein Mensch zu Lahios
so sprechen hören. Widerlicher Traum!
Und wie ⌈ich⌉ das Gesicht des fremden Menschen
⌈in mir⌉ nicht wiederfinde. *(1)* Wie →
(2) Wenn | ich glaube: 10
da ists – *(1)* da →
(2)^S dann | nimmts von Lahios Züge an
ist eine Art von jüngrem Lahios, ist
ein *(1)* wiederaufgetauchter Lahios
(2) Lahios der wiederkam 15

KNABE Herr L⟨ahios⟩

(3) Lahios der heimlich wiederkam

KNABE
Herr, Lahios kommt nicht wieder.
der Gesang stärker 20

KREON Wer bin ich
wenn ich voll Stoff zu solchen Träumen bin?[1]
O bodenloser Abgrund wenn das Zeugende
das tief geheime Denken, *(1)* wenn der Stoff des Seins
mit solcher Unkraft mir → 25
(2)^S mir zu innerst
mit solcher Unkraft durch und durch | vergiftet ist
(1) *(a)* die sich in einem Athem fahl⟨er⟩ Träum⟨e⟩ →
(b) und seinen Athem in so fahl⟨en⟩ Träum⟨en⟩ |
auslässt, dass mir 30
(2) und *(1)* sich in so fahlen Träumen
(2) in so fahlen Träumen seinen Athem
auslässt dass mir vor Ekel übel wird.
Was kann da werden? Hat ein Sieger je
(1) am Morgen sein 35
(2) an ⟨seinem⟩ Königsmorgen so geträumt?
⟨. . .⟩

[1] *Die folgenden 8 Blätter sind als pag. 25–32. in 12 H integriert (E III 185.311–318; s. S. 392,15–400,29). Der Anfang (Z.23–36) wurde gleich bei der Übernahme gestrichen. Er ist mit dem Konzept von 12 H nicht vereinbar und stellt auch keine vorübergehende Textstufe* 40 *der neuen Fassung dar. Daher wird er hier im Zusammenhang von 8 H wiedergegeben.*

KNABE mein König!
du kannst mir meine Seele nicht versehren
A mit deines Mundes Rede.
B mit deinem Mund. Ich sehe o ich sehe[1]
5 mit solchen Qualen müssen Könige
ihr Diadem aufwiegen. *(1)* Ja ich sehe
du musst von allem niedrigen [so] träum⟨en⟩
(2) Träumend musst du
(1) die Qualen alles Niedrigen durchmessen →
10 *(2)* den Alpdruck alles Niedrigen *(a)* du⟨rchleiden⟩
(b) erdulden |
so wie das Niedrige vom Hohen träumt
musst an vergifteten
C mit deines Mundes Rede. Träumend musst du
15 den Alpdruck alles Niedrigen erdulden
D[2] mit deines Mundes Rede. Träumen musst du
vom Niedrigen so wie das Niedrige
vom Hohen träumt, das seh ich. Keine Qual
und keine Niedrigkeit die nicht einmal
20 dein Herz *(1)* besuchen kommt. So müssen Könige
ihr Diadem aufwiegen: →
(2)^S besuchen darf. So und nicht anders müssen
geborne Könige *(a)* d⟨as⟩
(b) ihr Diadem
25 *(3)*^{S} besucht. So müssen Könige
ihr Diadem aufwiegen: |

A KREON richtet sich [^{S} auf]
(1) Ja kann sein
Was kann nicht alles sein. Ja kann sein. →
30 *(2)*^{S} Ja kann sein.
(3) |
Auch dies kann sein. Kann sein du lügst auch dies.

KNABE
Befiehl so thu ich mir die Adern auf
35 und lass mein Blut vor deine Füße rinnen

[1] *Z. 1–4 in 12 H (E III 185.318) überliefert, aber zum Verständnis des Variationsvorganges in 8 H nötig. Daher hier wie dort wiedergegeben; vgl. S. 400, 26–34.*
[2] *Z. 16 mit Stift nachgetragen; intentional bei Niederschrift des Folgenden aber bereits vorhanden.*

KREON
Befiehlt man das Und thätest (1) du es auch →
(2) du' s sogar |
[Ich weiß] man kann sich auch mit Thaten schminken

KNABE
Nein gnädger Herr, was (1) ficht →
(2) kommt | dich an

KREON Ein (1) Windhauch. →
(2) Hauch |
Hörst du wie die uralten Todtenlieder
um Lahios aus allen Mauern dringen

B[1] KREON aufspringend
Kluger Knabe
auch wenn du lügst – hörst du die Todtenlieder
um Lahios aus allen Mauern dringen?
so sag mir doch warum zog Lahios
hinaus mit wenig Knechten waffenlos
sag mir's mein Schicksal hängt daran

KNABE[2] Er war
der König und er konnte doch die Sphinx
nicht bannen. Und ihm graute vor ihm selber.
Er fühlte dass die Götter ihn nicht liebten
so zog er in Verzweiflung hin zum Gott
nach Delphoi

KREON In Verzweiflung, ließ die Burg
ließ Diadem und Königsschwert daheim
und zog nach Delphoi in Verzweiflung – und
Jokaste frag ich dich warum verschließt
sie sich, umgürtet sich mit Mauern Waffen
und Todtenliedern – wem bewahrt (1) sie
(2) die Frau →
(3)[S] die Stolze
(4) das Weib |
(1) das Königsschwert
(2) den Stirnreif und das Schwert

[1] *Nachträgliche Streichung von **A**: Stift, neuer Text: Tinte. – Die folgenden 8 Seiten von 8 H sind durchweg mit Stift gestrichen, offensichtlich bei Durchsicht auf Verwendbarkeit für 12 H. Diese Streichung wird hier nicht wiedergegeben.*

[2] *Am linken Rand mit Stift:* S⟨emmering⟩ 18 X

KNABE In einer Stund
bist du der *(1)* König →
(2) Herr | dann rufe deine Schwest⟨er⟩
und frage *(1)* was du
5 *(2)* was zu wissen dich
(3) sie was dich zu wissen reizt.

KREON
Du lügst mir wieder. Sie ist Herr und hält
das Königshaus.

10 KNABE Das Volk pocht an das Volk
begehrt für dich das Schwert

KREON Du glaubst es nicht
und lügst vor deinem Herrn.

KNABE ***A*** Heiß mich die Adern
15 mir aufthun und mein Blut vor deine Füße
verschütten, denn ich lüg⟨e⟩ nicht vor dir

KREON
Man kann sich auch mit Thaten schminken Knabe

KNABE
20 Weh Herr, wem glaubst du *(1)* wenn ⌊nicht⌋ deinem Knaben?
(2) auf der Welt? →

BSP Weh Herr, wem glaubst du? |

1ter SPÄHER herein. *(1)* Fürst Kreon. →
*(2)*Sp |

25 KREON ihm jäh entgegen

1ter SPÄHER
Ich komme aus ⟨der⟩ Burg

KREON Warum zog Lahios
mein Schwager insgeheim und wie ein Flüchtling
30 hinaus

1ter SPÄHER
Darüber hab ich mancherlei
dir zu berichten

KREON Freund, ich höre

35 SPÄHER Seltsam
für einen König starb der König Lahios.

Es heißt sie fanden ihn mit offnen Augen
im Walde liegen nahe einem Kreuzweg
Der Herold lag bei ihm Die todten Knechte
in einem Abgrund. Räuber sagt man Herr
erschlugen ihn, so sagen sie es alle 5
die im Palast. Allein die Pferde kamen
dann führerlos daher, man fing sie auf
und auf dem Wagen waren goldene
Geschenke für den Gott, die waren alle unberührt.

KREON 10
(1) Doch weiter nur

SPÄHER Des weitern kann ich dir →

(2) Dies find ich sonderbar. Doch weiter nur

SPÄHER

Des weitern kann ich dir, *(a)* mein gnädger Herr 15
(b) wenn du befiehlst |
die Namen dir *(1)* von
(2) der Knechte sagen Herr,
die mit ihm waren, nebst dem Wagenlenker
und Herold 20

KREON Doch warum zog Lahios
hinaus

SPÄHER

Herr als ein Pilger wie es heißt
zum Gott 25

KREON Das weiß ich. Doch warum in Schmerz
der König Lahios, den sie einem Kreuzweg
zunächst mit offnen Augen lieg⟨en⟩ fanden
bei ihm sein todter Herold und die Knechte
was alles mir bekannt war wie mein *(1)* Stiefel → 30
(2) Schuh |
warum er heimlich und mit wenig Knechten
in welcher Absicht, eigentlich, zum Gott
hinzog und unbestellt *(1)* das Haus →
(2) die Stadt | dahint⟨er⟩ 35
und Burg und Krone ließ, das *(1)* liegt
(2) zu erfahren
liegt mir am Herzen

SPÄHER Herr das hab ich dir
gesagt: er wollte pilgern zum Orakel 40

KREON
So hast du mir gesagt was jeder Sperling
vom Dache pfeift, du Tropf und was zu[1] wissen
ich hätt *(1)* das
(2) aus meinem Stall das dümmste Maulthier
so gut hinschicken mögen zum[2] Palast
als dich. Tritt ab und komm mir aus den Augen

(1) Der zweite ⟨Späher tritt auf⟩[3]

Noch solch ein *(a)* Köpfchen.
(b) Kopf.
(2) Denn zu erfahren was du mir nicht sagst
schickt ich dich hin.

1ter ab.

O weh da kommt der andre.

2ter SPÄHER
Ich sah die Königin. Wie du mich hießest
vermischte ich mich dem Gesinde fragte
bald dies bald das und nichts was wichtig schien
Ich hatte Früchte mit im Korb und fragte
ob nicht die Königin nach Pfirsichen
gelüste – *(1)* →
(2)[5]

KREON Fragtest ob die Königin
gelüste –[4]

⟨SPÄHER⟩ |
dass es Schwangre sind die so
sich *(1)* zu erkennen geben →
(2) oft verrathen | – daran nur zu den⟨ken⟩
gab ich mir nicht den Anschein, wirklich trug
der Mägde eine meinen Korb hinein
doch blieb er unberührt

KREON Du sahest meine Schwester

[1] du *Hs.*
[2] *Graphisch eher* in
[3] Der zweite: *Hs.*
[4] *Stufe (2) am Rand, nicht in fortlaufenden Text eingewiesen.*

SPÄHER

Sie schritt am frühen Morgen durch den Saal
der Wachen in den Garten. *(1)* →
(2) aus d⟨en⟩ Bäu⟨men⟩ stürzten sich
die Vögel jauchzend nieder und das Einhorn
das heilige Thier das seine Speise nur
aus ihren Händen nimmt sah ich von weitem
mit hochgebog⟨nem⟩ Haupt und *(a)* blitzen⟨den⟩ →
(b) großen | Augen
auf sie zukommen. | Alles lebt *(1)* in
(2) dort drüben
wie immer. Außer Lahios um den
sie Todtenklagen singen.

KREON Nichts von Unruh
nichts von geheimem Thun

SPÄHER so wenig Unruh
als in den Sternen. Gestern, hörte ich
zu Abend wollte sie, die Königin
hinab zur heiligen Quelle und den Göttern
die im Gestein der Burg lebendig wohnen
ein Opfer bringen. Doch von ihren Thieren
war eins, die Katze glaub ich, eingeschlafen
auf ihres Kleides Saum. Die Fackeln sah
geordnet schon zum Zug die Königin
will sich erheben sieht das Thier und setzt sich
winkt ab den Fackeln, lässt die Opferspenden
verbrennen und auf einen andern Tag
⌈den Opfergang⌉ verschieben, setzt sich wieder
und *(1)* wartet →
(2) bleibt | solang⟨e⟩ bis das Thier den Schlaf
(1) abschüttelt
(2) sich von den Gliedern schüttelt und das Kleid
freigibt und mit dem Kleid die Königin

(1) KREON

(2) als ich das hörte ging ich denn ich sah
ich hab dir nichts zu melden.

geht

KREON Eine Katze!
um einer Katze willen – ***A*** *(1)* um den Schlaf
der Katze nicht zu stören
(2)[1] läge ich ihr Bruder
5 aus *(1)* →
(2)^{P} Todes
(3)^{S} | Wunden blutend auf der[2] *(1)* großen →
(2)^{P} | Treppe
die sie zum Opfer gehend niedersteigt
10 *(1)* →
(2) und könnte sie ⌈^{S} stehenbleibend⌉[3] durch einen Blick mich retten |
sie raffte kaum ihr *(1)* Kleid um einer Katze
(2) schleppen⟨des⟩ Gewand
die Lach⟨e⟩ m⟨eines⟩ Blutes nicht zu streifen –

15 *(1)* KNABE
(2) →
(3) und stürbe eher als den Blick zu geben
(4) | um einer Katze *(1)* willen!
(2) willen, Agathon!
20 *(1)* KNABE
(2)
(3) KNABE ⌈^{S} angstvoll⌉
Fürst Kreon du hast Furcht vor deiner Schwester →
B^{S} |
25 ***A*** KREON
Dort thront sie mit den Thieren die ihr dienen[4]
das Einhorn ist der Dämon, der ihr Leben
mit Feueraugen hütet, *(1)* um den Schlaf
von einem Dämon nicht zu stören bleibt sie
30 drei Stunden ohne Regung. →
(2) | Ihren Augen
ist alles gegenwärtig nichts vergisst sie
vor ihr trägt *(1)* jeder Mensch
(2) jede hüllenlose Seele
35 die Farbe ihres Schicksals

[1] *Nachträgliche Streichung mit Stift, neuer Text mit Tinte – wie mehrfach in diesem Bereich.*
[2] *Zunächst versehentlich* auf der der*; verbessert:* [auf der] der *statt* auf [der] der
[3] *Rhythmisch nicht integriert.*
40 [4] *Daneben am linken Rand mit Stift Stichworte:* Späher Thürhüter Nacht Boten. (Jokaste) Angstanfall. Verzweiflung

B[1] KREON
Nun zahlt sie *(1)* mir. Sie ist ein
(2) mir's für
(3) mir, Dämonen sind um sie
das Einhorn ist der Dämon der ihr Leben 5
mit Feueraugen hütet. *(1)* Ihrer Seele
(2) Ihren Augen
ist alles gegenwärtig Finster sitzt sie
(1) und sieht die Farbe *(a)* meiner Seele, →
(b) meines Schicksals, | lacht 10
in sich
(2) und jede Seele trägt vor ihrem Blick
der durch die Leiber dringt die Farbe ihres Schicksals
so sieht sie meine Seele hüllenlos
(1) und lacht in sich → 15
(2) da lacht sie über mich | und denkt vergangner Zeiten
und dessen was ich gethan

C[2] KREON
Nun zahlt sie mir.
(1) Sie ist ein stiller Dämon 20
in *(a)* Hass
(b) Liebe und in Hass.
(2) Sie ist ein Dämon
wie eine unsichtbare lautlose Flamme
lodert die Seele unsichtbar in ihr 25
(3) Nun hat sie den hinaus-
geschickt in seinen Tod und bleibt allein
mit mir und *(1)* bricht
(2) hüllenlos steht meine Seele
vor ihr *(1)* verfärbt in → 30
(2) und zeigt ⟨die⟩ | Farben meines Schicksals
da lacht sie über mich und denkt vergangner Zeit⟨en⟩
und dessen was ich ihr gethan und bricht mich
in Stücke –

KNABE Was hast du an ihr gethan 35

KREON
Ich war ein Kind. Und doch hab ich seither
nie wieder einen so erbleichen sehen
als meinen Schwager da ich ihm die Botschaft
bestellte. 40

[1] *Nachträgliche Streichung mit Stift, neuer Text mit Tinte.*
[2] *Wie beim Übergang von **A** zu **B** Streichung mit Stift, neuer Text mit Tinte.*

A KNABE
Welche Botschaft.
KREON *(1)* An der Thür
des Schlafgemachs die Fackeln brannten stärker →
5 *(2)*[S] Die sein Leben
Ihm aus der Seele sog und ihn zum Schatten
gemacht hat seiner Selbst und meine Schwester
zu einer *(a)* Unh⟨eils⟩
(b) Unglückskönigin. *(a)* Die Fackeln
10 des Schlafgemaches →
(b)

KNABE Die Botschaft
wer *(a)* trug
(b) sandte sie.

15 KREON Der xxxxxx Mund. Am Eingang
des Schlafgemachs die Fackeln[1] | brannten stärker |
(1) als →
(2) und röther so als | wär sein ganzes Blut
aus ihm herausgeströmt und in die Fackeln
20 herüber. Sonderbares böses[2] Amt →
B[S] |[3]

(1) KNABE
(2) mir
(3) wer lädt dergleichen Botschaft einem *(a)* Knaben →
25 *(b)* Kinde |
auf seine Seele?

KNABE Herr was war die Botschaft

KREON
und wie dies dann in mir zu leben anfing
30 [[S] mit seinem Saft in mir zu kreisen anfing]
und sich dem jungen Blut untrennbar mischte

KNABE
Was war die Botschaft

[1] *Halbzeile graphisch nicht restituiert.*
35 [2] Sonderbares böses *evtl. gestrichen mit Stift.*
[3] *Möglicherweise ist diese Streichung (Z. 1–20) nur Teil der Gesamtstreichung von 8 H bei Durchsicht für 12 H. Vgl. S. 338, Anm. 1.*

KREON bis zum heutgen Tag!
da gings wie mit der ⌈giftgen⌉ Salbe die
Medea an Kreusa sandte: die
zerfrass das Salbgefäß *(1)* , drin man ⟨sie⟩ schickte
(2) . 5

KNABE Ich kann dich nicht
verstehen Herr

KREON Ich habe nicht gewünscht
dass du *(1)* verstehen sollest. Thränen Knabe →
(2)[S] mich ganz verstehen sollest Knabe. | 10

(1) KNABE
Weil ich verstehe, dass du mich verachtest

(2)[1] KNABE
veracht mich nur. Was hab⟨e⟩ ich bis heute
für dich gethan? 15

KREON *(1)* So stark *(a)* →
(b) an mi⟨ch⟩
(c) | dein Glaube
(2) So stolz und so voll Glauben
an mich. Sag mir womit in aller Welt → 20
(3)[SP] Ah schminkst du dich mit Thränen
Man kann sich auch mit Taten schminken. Also
warum mit Thränen nicht. Sag mir womit |
hab ich *(1)* dich mir →
(2)[Sp] denn dich | gekauft? wars mit dem Glanz[2] 25
⟨. . .⟩

⟨KNABE⟩
⟨. . .⟩
dass dein Schwertträger lag, wo nur die Geier
ihn fänden. Siehst du *(1)* Kreon → 30
(2) nun mein Fürst | dass du
mich nicht gekauft hast. ***A*** dass *(1)* die Götter →
(2) von Göttern ¦ dies
gefügt ist worden wie es kam

[1] *Die letzten Zeilen vor Unterbrechung von 8 H von Gesamtstreichung ausgenommen.* 35
[2] *Die folgenden beiden Blätter sind als pag.* 34.b. *und* 35. *in 12 H integriert (E III 185.321 f.; s. S. 402,3–403, 38).*

(1) KREON
Wie aber wenn es nicht die Götter

(2) KREON Wie aber →

B^S

5 KREON Aber wie, *(1)* mein Knabe,
(2) wenns nicht |
wenn's nicht die Götter waren, die *(1)* m⟨einen⟩
(2) den Mann
der mir die Fackel trug in Abgrund stürzten

10 KNABE
Auf einem solchen Wege strauchelt keiner
ohne die Götter.[1]

KREON ***A*** *(1)* Hör
(2) Meinst du
15 *(3)* Nun ich saß an einem Abend
(1) vor meinem Haus, drei Tage später.
(2) vor meinem Haus, da kam ein Ziegenhirt
von meinen Knechten, der geklommen war
hinab →
20 ***B***^{S} Nicht So hör mich gut
(1) ein Ziegenhirt von meinen Knechten klomm
(2) Es klomm einmal von meinen Knechten einer |
dort wo die Leiche lag des Menschen
(1) und →
25 *(2)*^{S} die | Schlangen wohnten in dem Leib und Vögel
des Himmels lösten Fleisch von seinem Kopf
allein in seinem Rücken stak mein Dolch.
Mein Dolch. Hier. dieser.

KNABE Herr dein Dolch im Rücken
30 des Todten?

KREON *(1)* waren das die Götter, Knabe.
Und hör. →
(2)^S Und | mir ist als hätte etwas mir
die Hand geführt bei dem lautlosen Stoß
35 Vielleicht war[2] das dein Dämon. Knabe, Knabe
du hast kein harmlos Spiel gespielt die Nacht
mit deinem Blute

[1] *Am Rand mit Stift Notiz für das Folgende:* Gekauft! Gekauft um einen sonderbaren Preis ums Leb⟨en⟩
40 [2] was *Hs.*

KNABE verhüllt sich

KREON Also doch gekauft
(1) Seltsamer Preis. Um's Leben dessen der
vor dir
(2) Gekauft. Um's Leben dessen der vor dir 5
(1) K⟨reons⟩
(2) Schwertträger Kreons war.

KNABE Mein Herr und König →

(3)[S] mein[1] Schwert trug

KNABE Herr und König, hab Erbarmen | 10
warum hast du's gethan?

KREON schw⟨eigt⟩

KNABE Wie[2] soll ich nun
vor dir hergehen und die Fackel tragen

KREON 15
Hab ich dich Furcht gelehrt. Und gingest immer
wie einer den *(1)* vom →
(2) im | Rücken nichts bedroht
Beneidenswerter!

KNABE Sag warum du's thatest 20
sag er hat schlimm an dir gehandelt, sag
du hast ihn richten müssen.

KREON Ja. das war es.
verschlossen war sein Herz. ***A*** Ich will dir etwas sagen
er und kein andrer war's um dessen willen 25
ich damals in der finstern Nacht den Weg ging
den ganz vergeblichen

KNABE Du hast ihn nicht
geliebt, warum durft er das Schwert dir tragen

KREON 30
(1) Ich weiß nicht hab ich ihn
(2)
B[3] und da er vor mir herging
so fühlte ich, dass er in seinem Herzen
nicht glaubte dass ich siegen würde. 35

[1] *Wieder gestrichen – wohl Versehen.*
[2] *Davor, nicht in Text integriert:* lass mich
[3] *Nachträgliche Streichung mit Stift, neuer Text mit Tinte.*

(1) KNABE Füh⟨ltest⟩
(2) Ich fühlte es an *(1)* seinen Schritten
(2) seinem Schritt, ich konnte
es seinem Rücken ansehn. Da – *(1)* sprich Knabe →
5 *(2)*^{S} |
wenn er *(1)* mein →
(2)^S als | Fackelträger vor mir herging
und mich im Innern preisgab war er da
nicht ein Verräther Und wenn ich sein Herr
10 ihn hab gerichtet wie die Götter richten
in einem Blitz, ist das ein Grund zu schaudern
vor mir?

KNABE Ich weiß es nicht.

KREON Du meinst, entscheiden
15 darüber könnte einer nur der wüsste
ob er im Herzen ein Verräther *(1)* war.[1]
(2) war
an mir. Vielleicht in seinem Herzen litt er
an seinem Zweifel und mag sein er zweifelte
20 an seinem Zweifel. Seis. Ich sag⟨e⟩ dir
wer so ist, dem ist besser nicht zu leben.
Nun Knabe willst du noch ↑mein ≈^{S} Kreons↓ Schwertträger sein?

KNABE
Herr du zerreißest mich denn bleib ich nun
25 so denkt dein Herz du habest mich gekauft
mit deines Schwertes Glanz und mit dem Platz[2]
an deiner Seite auf dem Wagen

KREON Ja
das könnte sein dass *(1)* du
30 *(2)* ich das denken müsste
so willst du mich verlassen. Geh doch. Geh
wer klug ist lässt ein Schiff das sinken soll
⟨. . .⟩

[1] *Graphisch unverändert.*
35 [2] *Der Schluß der Szene ganz in 12 H eingegangen (E III 185.327–331; s. S. 406, 21–411, 9). Der Anfang (Z. 27–32) bei der Übernahme in 12 H gleich gestrichen, weil mit vorausgehendem Text nicht vereinbar. Daher hier im Zusammenhang von 8 H wiedergegeben.*

Lesetext zu 8 H
2. Akt, 1. Szene, 1. erhaltene Fassung
(Kreon-Szene)

Kreons Haus. Eine Vorhalle. Links und rechts eine Thür ins Freie. Mitten eine Thür ins dämmernde Innere des Hauses. Draussen heller Tag. 5

Knabe, lehnt an der Mauer.

Kreon tritt aus der mittleren Thür.

KREON
Bist du noch immer auf den Füssen Knabe
leg dich. Dein Blut braucht seinen Schlaf 10

KNABE
Herr, heute nicht.

KREON Du schläfst im Stehen. Leg dich.

KNABE Herr
dein Schritt ist wie des Panthers und ich habe dich 15
gehört den Gang herüber aus dem Bad.
Schlief ich im Stehen? Herr was ist dir, du
bist bleicher als der Mond. Mit welcher Stirn
trittst du aus solcher Nacht?

KREON Aus solcher Nacht 20
⟨. . .⟩

KNABE vor sich
Ist dies in meinem Blut?
Ists außer mir? nun wiederum. Mein König
Hörst du denn nichts? 25

KREON Ich hör die Todtenlieder
um Lahios. Die uralten Königslieder
hör ich im Wind

KNABE Mir war ich hörte rufen
ein ganzes Volk, das rief: Kreon und Theben 30

KREON
Träumt so wer siegen wird? Wie lange schlief ich
heut morgen?

KNABE Herr du schliefest nicht. Nur kaum
geruhet hast du, nach dem Bad, die Augen 35
kaum zugethan

KREON Die Augen kaum. Und doch
so maßlos widerlich geträumt –

KNABE Nach solcher Nacht?

KREON
5 Ich träumte mich viel älter als ich bin.
an einer wüsten Schwere meiner Glieder
verrieth es sich

KNABE Und was geschah dir in dem Traum

KREON
10 Nicht viel: nur dass zu jener Zeit, will sagen
in jener Zukunft einer König war
in Theben –

KNABE und nicht du? so ists ein Lügentraum
von denen einer die das Gegentheil
15 bedeuten. Und was thatest du dem Mann
der König war in Theben

KREON ich war nicht
sein Mörder: Knabe. Ich war so etwas
wie einer seiner Diener –

20 KNABE Herr du spottest

KREON
Wer bist du dass ich deiner spotten sollte
Ich rede und erzähle meinen Traum
dir, mir, der leeren Luft hier was weiß ich.
25 Er stand dort auf der Schwelle des Palastes.
Er sprach zu mir er schien mit mir zu zürnen
oder mich anzuklagen.

KNABE Wessen Herr?

KREON
30 Das weiß ich nicht. Doch als sein Bote kam ich
und ward gescholten. Aber wie ich ihm
entgegnete – das hör ich brächte ich nur
den Ton aus meinem Ohr

KNABE Was ist dir Herr.

35 KREON
Es war ein ekler Ton von Sanftmuth – o,
von einer Unterwürfigkeit, von einer

herzlichen Unterwürfigkeit – ich glaube
ich habe sein Gewand mit meinen Händen
demüthig angerührt. Nie habe ich
zu Lahios so gesprochen. In die Erde
versänk ich hätte mich ein Mensch zu Lahios 5
so sprechen hören. Widerlicher Traum!
Und wie ich das Gesicht des fremden Menschen
in mir nicht wiederfinde. Wenn ich glaube:
da ists – dann nimmts von Lahios Züge an
ist eine Art von jüngrem Lahios, ist 10
ein Lahios der heimlich wiederkam

KNABE
Herr, Lahios kommt nicht wieder.

der Gesang stärker

KREON Wer bin ich 15
wenn ich voll Stoff zu solchen Träumen bin?
O bodenloser Abgrund wenn das Zeugende
das tief geheime Denken, mir zu innerst
mit solcher Unkraft durch und durch vergiftet ist
und in so fahlen Träumen seinen Athem 20
auslässt dass mir vor Ekel übel wird.
Was kann da werden? Hat ein Sieger je
an seinem Königsmorgen so geträumt?
⟨. . .⟩

KNABE mein König! 25
du kannst mir meine Seele nicht versehren
mit deines Mundes Rede. Träumen musst du
vom Niedrigen so wie das Niedrige
vom Hohen träumt, das seh ich. Keine Qual
und keine Niedrigkeit die nicht einmal 30
dein Herz besucht. So müssen Könige
ihr Diadem aufwiegen:

KREON aufspringend Kluger Knabe
auch wenn du lügst – hörst du die Todtenlieder
um Lahios aus allen Mauern dringen? 35
so sag mir doch warum zog Lahios
hinaus mit wenig Knechten waffenlos
sag mir's mein Schicksal hängt daran

KNABE Er war
der König und er konnte doch die Sphinx 40

nicht bannen. Und ihm graute vor ihm selber.
Er fühlte dass die Götter ihn nicht liebten
so zog er in Verzweiflung hin zum Gott
nach Delphoi

5 KREON In Verzweiflung, ließ die Burg
ließ Diadem und Königsschwert daheim
und zog nach Delphoi in Verzweiflung – und
Jokaste frag ich dich warum verschließt
sie sich, umgürtet sich mit Mauern Waffen
10 und Todtenliedern – wem bewahrt das Weib
den Stirnreif und das Schwert

KNABE In einer Stund
bist du der Herr dann rufe deine Schwester
und frage sie was dich zu wissen reizt.

15 KREON
Du lügst mir wieder. Sie ist Herr und hält
das Königshaus.

KNABE Das Volk pocht an das Volk
begehrt für dich das Schwert

20 KREON Du glaubst es nicht
und lügst vor deinem Herrn.

KNABE Weh Herr, wem glaubst du?

1ter SPÄHER herein

KREON ihm jäh entgegen

25 1ter SPÄHER
Ich komme aus der Burg

KREON Warum zog Lahios
mein Schwager insgeheim und wie ein Flüchtling
hinaus

30 1ter SPÄHER
Darüber hab ich mancherlei
dir zu berichten

KREON Freund, ich höre

SPÄHER Seltsam
35 für einen König starb der König Lahios.
Es heißt sie fanden ihn mit offnen Augen
im Walde liegen nahe einem Kreuzweg
Der Herold lag bei ihm Die todten Knechte

in einem Abgrund. Räuber sagt man Herr
erschlugen ihn, so sagen sie es alle
die im Palast. Allein die Pferde kamen
dann führerlos daher, man fing sie auf
und auf dem Wagen waren goldene 5
Geschenke für den Gott, die waren alle unberührt.

KREON
Dies find ich sonderbar. Doch weiter nur

SPÄHER
Des weitern kann ich dir, wenn du befiehlst 10
die Namen dir der Knechte sagen Herr,
die mit ihm waren, nebst dem Wagenlenker
und Herold

KREON Doch warum zog Lahios
hinaus 15

SPÄHER
Herr als ein Pilger wie es heißt
zum Gott

KREON Das weiß ich. Doch warum in Schmerz
der König Lahios, den sie einem Kreuzweg 20
zunächst mit offnen Augen liegen fanden
bei ihm sein todter Herold und die Knechte
was alles mir bekannt war wie mein Schuh
warum er heimlich und mit wenig Knechten
in welcher Absicht, eigentlich, zum Gott 25
hinzog und unbestellt die Stadt dahinter
und Burg und Krone ließ, das zu erfahren
liegt mir am Herzen

SPÄHER Herr das hab ich dir
gesagt: er wollte pilgern zum Orakel 30

KREON
So hast du mir gesagt was jeder Sperling
vom Dache pfeift, du Tropf und was zu wissen
ich hätt aus meinem Stall das dümmste Maulthier
so gut hinschicken mögen zum Palast 35
als dich. Tritt ab und komm mir aus den Augen
Denn zu erfahren was du mir nicht sagst
schickt ich dich hin.

1ter ab.

O weh da kommt der andre. 40

2ter SPÄHER
Ich sah die Königin. Wie du mich hießest
vermischte ich mich dem Gesinde fragte
bald dies bald das und nichts was wichtig schien
5 Ich hatte Früchte mit im Korb und fragte
ob nicht die Königin nach Pfirsichen
gelüste –

KREON Fragtest ob die Königin
gelüste –

10 SPÄHER dass es Schwangre sind die so
sich oft verrathen – daran nur zu denken
gab ich mir nicht den Anschein, wirklich trug
der Mägde eine meinen Korb hinein
doch blieb er unberührt

15 KREON Du sahest meine Schwester

SPÄHER
Sie schritt am frühen Morgen durch den Saal
der Wachen in den Garten. aus den Bäumen stürzten sich
die Vögel jauchzend nieder und das Einhorn
20 das heilige Thier das seine Speise nur
aus ihren Händen nimmt sah ich von weitem
mit hochgebognem Haupt und großen Augen
auf sie zukommen. Alles lebt dort drüben
wie immer. Außer Lahios um den
25 sie Todtenklagen singen.

KREON Nichts von Unruh
nichts von geheimem Thun

SPÄHER so wenig Unruh
als in den Sternen. Gestern, hörte ich
30 zu Abend wollte sie, die Königin
hinab zur heiligen Quelle und den Göttern
die im Gestein der Burg lebendig wohnen
ein Opfer bringen. Doch von ihren Thieren
war eins, die Katze glaub ich, eingeschlafen
35 auf ihres Kleides Saum. Die Fackeln sah
geordnet schon zum Zug die Königin
will sich erheben sieht das Thier und setzt sich
winkt ab den Fackeln, lässt die Opferspenden
verbrennen und auf einen andern Tag
40 den Opfergang verschieben, setzt sich wieder

und bleibt solange bis das Thier den Schlaf
sich von den Gliedern schüttelt und das Kleid
freigibt und mit dem Kleid die Königin
als ich das hörte ging ich denn ich sah
ich hab dir nichts zu melden. 5
geht

KREON Eine Katze!
um einer Katze willen –
Nun zahlt sie mir. Nun hat sie den hinaus-
geschickt in seinen Tod und bleibt allein 10
mit mir und hüllenlos steht meine Seele
vor ihr und zeigt die Farben meines Schicksals
da lacht sie über mich und denkt vergangner Zeiten
und dessen was ich ihr gethan und bricht mich
in Stücke – 15

KNABE Was hast du an ihr gethan

KREON
Ich war ein Kind. Und doch hab ich seither
nie wieder einen so erbleichen sehen
als meinen Schwager da ich ihm die Botschaft 20
bestellte.
wer lädt dergleichen Botschaft einem Kinde
auf seine Seele?

KNABE Herr was war die Botschaft

KREON 25
und wie dies dann in mir zu leben anfing
und sich dem jungen Blut untrennbar mischte

KNABE
Was war die Botschaft

KREON bis zum heutgen Tag! 30
da gings wie mit der giftgen Salbe die
Medea an Kreusa sandte: die
zerfrass das Salbgefäss.

KNABE Ich kann dich nicht
verstehen Herr 35

KREON Ich habe nicht gewünscht
dass du mich ganz verstehen sollest Knabe.

KNABE
veracht mich nur. Was habe ich bis heute
für dich gethan?

KREON Ah schminkst du dich mit Thränen
Man kann sich auch mit Taten schminken. Also
warum mit Thränen nicht. Sag mir womit
hab ich denn dich gekauft? wars mit dem Glanz
⟨. . .⟩

KNABE
⟨. . .⟩
dass dein Schwertträger lag, wo nur die Geier
ihn fänden. Siehst du nun mein Fürst dass du
mich nicht gekauft hast.

KREON Aber wie, wenns nicht
wenn's nicht die Götter waren, die den Mann
der mir die Fackel trug in Abgrund stürzten

KNABE
Auf einem solchen Wege strauchelt keiner
ohne die Götter.

KREON Nicht So hör mich gut
Es klomm einmal von meinen Knechten einer
dort wo die Leiche lag des Menschen
die Schlangen wohnten in dem Leib und Vögel
des Himmels lösten Fleisch von seinem Kopf
allein in seinem Rücken stak mein Dolch.
Mein Dolch. Hier. dieser.

KNABE Herr dein Dolch im Rücken
des Todten?

KREON Und mir ist als hätte etwas mir
die Hand geführt bei dem lautlosen Stoß
Vielleicht war das dein Dämon. Knabe, Knabe
du hast kein harmlos Spiel gespielt die Nacht
mit deinem Blute

KNABE verhüllt sich

KREON Also doch gekauft
Gekauft. Um's Leben dessen der vor dir
mein Schwert trug

KNABE Herr und König, hab Erbarmen
warum hast du's gethan?

KREON schweigt

KNABE Wie soll ich nun
vor dir hergehen und die Fackel tragen

KREON
Hab ich dich Furcht gelehrt. Und gingest immer 5
wie einer den im Rücken nichts bedroht
Beneidenswerter!

KNABE Sag warum du's thatest
sag er hat schlimm an dir gehandelt, sag
du hast ihn richten müssen. 10

KREON Ja. das war es.
verschlossen war sein Herz. und da er vor mir herging
so fühlte ich, dass er in seinem Herzen
nicht glaubte dass ich siegen würde.
Ich fühlte es an seinem Schritt, ich konnte 15
es seinem Rücken ansehn. Da –
wenn er als Fackelträger vor mir herging
und mich im Innern preisgab war er da
nicht ein Verräther Und wenn ich sein Herr
ihn hab gerichtet wie die Götter richten 20
in einem Blitz, ist das ein Grund zu schaudern
vor mir?

KNABE Ich weiß es nicht.

KREON Du meinst, entscheiden
darüber könnte einer nur der wüsste 25
ob er im Herzen ein Verräther war
an mir. Vielleicht in seinem Herzen litt er
an seinem Zweifel und mag sein er zweifelte
an seinem Zweifel. Seis. Ich sage dir
wer so ist, dem ist besser nicht zu leben. 30
Nun Knabe willst du noch Kreons Schwertträger sein?

KNABE
Herr du zerreißest mich denn bleib ich nun
so denkt dein Herz du habest mich gekauft
mit deines Schwertes Glanz und mit dem Platz 35
an deiner Seite auf dem Wagen

KREON Ja
das könnte sein dass ich das denken müsste
so willst du mich verlassen. Geh doch. Geh
wer klug ist lässt ein Schiff das sinken soll 40
⟨. . .⟩

12 H

2. Akt, 1. Szene, 2. erhaltene Fassung
(Kreon-Szene)

Vorhalle[1] in Kreons Haus. Heller Tag. Zur rechten über eine Stufe liegt der
5 Knabe Schwertträger, fest eingeschlafen.

(1) Thürhüter tritt hervor.
(2) Thürhüter, Wärter der Hunde, stehen beisammen.

KNABE regt sich im Schlafe unverständlich
(1) Mein Herr und Kön⟨ig⟩
10 *(2)* Mein Herr und König!
ich will dich sehn in *(1)* einer
(2) deiner ersten Schlacht

WÄRTER
Wer redet?

15 THÜRHÜTER
Der Knabe. *(1)* Er träumt laut wie ein Jagdhund. →
(2)[S]

WÄRTER
Träumt der laut wie ein Jagdhund.

20 THÜRHÜTER |
Dabei schläft er so fest wie ein Todter. Früher *(1)* *(a)* ging
(b) lief ⟨ein⟩ Hund
hier durch und bellte wie der Höllenhund, er rührte sich nicht.

WÄRTER
25 Die *(a)* schwer⟨e⟩ →
(b) molossische | Dogge. Wo ist die Bestie hin Ich muss ihr nach. →
(2) ging eine Magd hier
durch erschrak wie sie ihn so liegen sah, ließ einen Krug in Scherben fallen,
er rührte sich nicht. |

30 KNABE
Hörst du denn nicht mein König! Hör doch! *(1)* Hör →
(2) rufen
(3)[S] rufen! |
ein ganzes Volk: *(1)* sie rufen →
35 *(2)* das ruft | Kreon und Theben

[1] *Links oben am Rand:* S⟨emmering⟩ 23 X.

WÄRTER
Mit wem redet er?

THÜRHÜTER
Mit dem Herrn ⸌vermutlich⸍. Lass ihn und *(1)* geh deines Wegs. Hat die molossische Dogge die große gefleckte ⸌schon⸍ geworfen.

WÄRTER
(a) Er nennt ihn König. ⸌Nein.⸍ Sie hat noch nicht geworfen.
(b) Nein. Er nennt ihn König. →
(c)^{S} Die Baubo? Er nennt ihn König.

(2)^{S} heb dich.

WÄRTER
Er nennt ihn König. |

THÜRHÜTER
Kümmerts dich.

WÄRTER
Wird unser Herr König [sein] in Theben? Dass er es [werden] will weiß ich schon. Es läuft genug ⸌^{S} böses⸍ Gerede darüber herum.

THÜRHÜTER
(1) Redest
(2) Wahrschein⟨lich⟩ redest[1] | du mit deinen *(1)* Hunden →
(2) Pferden
(3) Hunden | auch so
(1) viel!
(2) viel darüber.

WÄRTER
⸌Lass nur die.⸍ Die wedeln vor Freude wenn ich nur den Mund aufthu.

THÜRHÜTER
Ich nicht, wie du siehst.

WÄRTER
(1) →
(2)^{S} Vieh.
(3) | Gestern ists zu dem schlagen gekommen zwischen unseren Leuten und den Leuten der Königin Weißt dus nicht oder thust du nur so als ob du es nicht wüsstest? [^{S} Dein Sohn war darunter!]

THÜRHÜTER sieht ihn ⸌bös⸍ an.

[1] *Wohl irrtümlich gestrichen.*

WÄRTER
Wie du einem von meinen bösen thessalischen ⌈mit gespaltener Nase⌉ ähnlich siehst. Du bist der Rechte, um die Thür zu hüten. Sie sagen [und] wenn sie zehnmal nur ein Weib ist, so ist sie die Königin und darf die Krone und das Königsschwert behalten. Und die unser⟨en⟩ schreien: für Kreon die Krone! Sind das Sachen!

⌈^{S} THÜRHÜTER
Vieh

WÄRTER
. . . . .⌉[1]

KNABE
Ich will auf deinem Wagen stehn mein König
und dir die Pfeile reichen. Ich will schwelgen
wenn du den Tod ausstreust mit Königshänden.

WÄRTER
⌈Hör den. Der ist schon *(1)* in der Zukunft. →
(2)^S mitten drin.

THÜRHÜTER
Ich sag dir du hast hier nicht zu horchen. |

⟨WÄRTER⟩⌉
Warum thut er das ⌈unser Herr⌉? Was ist's ihm so um die Krone? Was geht ihm ab. Ist er nicht der reichste Herr im Land und der Bruder der Königin [^{S} bleibt er nicht was er war solang Lahios lebte.] ⌈Hat er nicht einen Hundezwinger wie keiner in Griechenland⌉ Ich versteh s nicht was ihn treibt. Ich ließ' es, wenn ich er wäre.

THÜRHÜTER
Er [ließe es] auch, wenn er *(1)* ↑Myron ≈ Thrax↓ →
(2)^S Mykon
(3) Kreon
(4) du | der Hundewärter wäre, [vermute ich.]

[1] *Hofmannsthal bezeichnet durch Punkte und zwei Auslassungszeichen (wieder gestrichen), daß Antwort des Wärters erwogen. Hinter Stifteinfügung – zwischen der vorausgehenden Rede des Wärters und den Worten des Knaben – ein mit Tinte geschriebener Einschub, nur teilweise leserlich. Er gehört wahrscheinlich zu der gesuchten Replik des Wärters:* würd sich die stichelh⟨aarige⟩ Dog⟨ge⟩ xxx ich mein Oberkleid nehme

A[1] *(1)* WÄRTER
(a) Damit *(aa)* willst
(bb) dass du so redest willst du so thun, als ob –
(aa) o du ⌈mürrisches⌉ altes Gestell du!

THÜRHÜTER 5

(bb) und willst mir zu verstehen geben – als wenn – o du altes Gestell du. →
(b)^{S} | Wer ist die alte Vettel da schau, deine Geliebte! sie winkt dir schon →

(2)^{S} |[2]

AMPH⟨YTRION⟩ auftretend als altes Weib: winkt dem Thürhüter
Psst! psst! Amphytrion! Amphytrion! 10

THÜRHÜTER
so heiß ich nicht.

AMPHYTRION
Was du! ich bin Amph⟨ytrion⟩. Amphytrion zubenannt der Hund

WÄRTER näher 15
Er ist der Hund! Komm her er ist es so wahr ich lebe.

THÜRHÜTER tritt hinzu.

AMPHYTRION
(1) Ist
(2) führ mich zu Kreon! 20

THÜRHÜTER
Kreon schläft.

AMPHYTRION
So führst du mich zu ihm sobald er wach ist. Ich komme aus den Gemächern der Königin. 25

WÄRTER
(1) ⌈Du?⌉ Wie fängt man das an dass man da hineinkommt? →
(2) Du? es werden wohl nur die Vorgemächer gewesen sein ¦

[1] *Stufe* **A** = *Amphytrion-Szene und Anfang der Magier-Szene; umfaßt 4 Seiten; der aufgegebene Text teilweise erhalten, da die Rückseiten einiger Blätter für die Niederschrift wiederverwendet wurden.* 30

[2] *Diese Streichung, obwohl separat vollzogen, wahrscheinlich gleichphasig mit Streichung der ganzen Stufe* **A**.

AMPHYTRION
Nimm dich in acht Bursche es könnte sein dass ich mir von Kreon ⌊zum Lohn⌋ ein paar Sandalen ausbäte aus der Haut deines Rückens geschnitten.
(1) →
5 *(2)*^S KNABE |[1]

ARGANTIPH⟨ONTIDAS⟩ hastig auftretend
Argantiphontidas der Zeichendeuter. Schnell, melde mich!

THÜRHÜTER
Kreon schläft.

10 ARGANTIPHONTIDAS
⌊Schläft jetzt?⌋ So weck ihn!

THÜRHÜTER
Das werd ich bleiben lassen.

ARGANTIPHONTIDAS
15 Weck ihn, Schuft! oder ich weck ihn selber

AMPHYTRION
Mich meldest du zuerst

ARGANTIPHONTIDAS
Wie? was? Hinaus Affe! schlägt ihn

20 Kreon tritt heraus Hundewärter springt fort
KREON winkt Amphytrion und Thürhüter abzutreten

ARGANTIPHONTIDAS
Heil deinen Morgenträumen an dem Tage
des Schicksals! *(1)* Kreon der du König sein wirst →
25 *(2)*^SP |

(1) KREON
Von meinen Träumen schweig.

ARGANTIPHONTIDAS Warum so bleich →

(2)^Sp Kreon! |
30 Was flackert *(1)* deine Miene wie das Antlitz
(2) dein Gesicht wie dessen der
gemartert wird? *(1)* Woran ist deine Seele krank? →
(2) Was zuckt in deiner Seele? |

[1] *Geplante Einfügung nicht vollendet.*

KREON
Ich bins der fragt.

ARGANTIPHONTIDAS[1]
So frage schnell ich hab
nicht lange Zeit. 5
er taumelt

KREON stützt ihn
Was ist dir

ARGANTIPHONTIDAS Weiß ich sicher
ob ich noch eine Stunde lebe. 10

KREON Mensch
wie siehst du aus

ARGANTIPHONTIDAS Schaum vor dem Mund
Wie einer der die Nacht
verbracht hat bei den Todten. Kreon! Kreon! 15
mein *(1)* Leben →
(2)[S] Dämon | über dich

KREON Was willst du mir
Wahnsinniger

ARGANTIPHONTIDAS 20
Mein *(1)* Leben →
(2)[S] Dämon | über dich
Wenn du dein Werkzeug hast missbraucht wenn du
geschickt mich hast mit dem zu ringen den du
ermordet hast[2] *(1)* 25

KREON *(2)* – hast du →
(3) - du hast | den Lahios
ermorden lassen

(1) KREON Ich – den Lahios
(a) Räuber erschlugen ihn -→ 30
(b) den Räuber todtgeschlagen ¦

[1] *Z. 3–6: Ausfüllung einer Lücke mit Stift.*
[2] *Am linken Rand mit Stift, wohl als Fragment einer Alternative:*
wenn du [des Werk⟨zeugs⟩] Seelenkräfte
mit Mord und Blutvergießen 35

ARGANTIPHONTIDAS Auf ⟨dem⟩ Kreuzweg
mit offnen Augen lag der König Lahios
bei ihm sein Herold, seine todten Knechte →
(2)[S]
5 *(3)* KREON Ich – den Lahios
den Räuber todtgeschlagen |
⟨. . .⟩[1]

(1) ARGANTIPHONTIDAS

(2) KREON *(1)* Hab ich
10 *(2)* Weiß ich von *(1)* diesem →
(2) dem | Mord

(1) ARGANTIPHONTIDAS
Dein Aug⟨e⟩ weiß nichts.

(2) ARGANTIPHONTIDAS
15 *(1)* Herr →
(2)[P] Verzeih mir. | du bist rein.

KREON schüttelt ihn Wann werd ich König *(1)* sein? ⇢
(2)[p] ? ¦

Was künden mir die Todten?

20 ARGANTIPHONTIDAS
Die Nacht war gut Ich fühls in meinem Leib
ob Nächte gut sind. Groß und feurig war
das Thier ein schwarzer Widder. *(1)* Mund an Mun⟨d⟩
(2) Auf dem Leib
25 des Opferthieres lag ich, zuckend mit
dem zuckenden. Aus seiner Kehle troff
das Blut. Ich mischte meinen Hauch damit
da fuhr die Seele mir aus meinem Leib
und schwang sich auf dem Thier hinab zu den Todten.

30 *B* EIN DIENER[2] kommt gelaufen
Sie bringen den Magier! halb geführt und halb getragen! er hat die Augen
zu! *(1)* er hat Schaum vor dem Mund! ⇢
(2) ¦ sie bringen ihn!

[1] *Hier fehlt eine Manuskriptseite.*
35 [2] *Links oben am Rand:* S⟨emmering⟩ 24 X.

ARGANTIPHONTIDAS von zweien geführt. er schlägt die Augen auf
A Was glotzt ihr Knechte? *(1)* ruft den Fürsten Kreon →
(2) sagt dem Fürsten Kreon
Argantiphontidas der Magier *(a)* steht vor seiner Thür!
(b)
den er *(aa)* mit →
(bb) von | frechen Händen aus der Nacht
hat reißen lassen steht vor seiner Thür |

THÜRHÜTER
Kreon schläft.

ARGANTIPHONTIDAS
So weck *(1)* ihn!
(2) ihn auf

THÜRHÜTER
(1) →
(2) Ja?
(3) | Das werd ich bleiben lassen

ARGANTIPHONTIDAS
(1) Weck ihn weck! sonst *(a)* gehe ich ihn wecken!
(b)[1] schick ich ↑einen ≈ meinen↓ Dämon
(2)[2] Beim Dämon *(a)* mit dem
(b) du sollst ihn wecken! sonst
schick ich ↑einen ≈ meinen↓ Dämon

THÜRHÜTER
[Du][3] T⟨hier⟩

ARGANTIPHONTIDAS ⌈off⟨ene⟩ A⟨ugen⟩⌉
(1) Hinein! →
(2) Fort! | Affe!
schlägt ihn
(1) melde mich!
(2) wecke deinen Herrn!
(3) da hinein!
steht wieder mit geschlossenen Augen →
B^T |
KREON tritt hervor, geschminkt. blass. übernächtig

[1] *In (a) nur* gehe *gestrichen, evtl.* ihn wecken *hinter* Dämon *zu erhalten.*
[2] *Ganze Stelle weitgehend unsicher.* Weck ihn weck *ungestrichen.* Beim Dämon mit dem *wegen Leseunsicherheit nicht eindeutig zuzuordnen, möglicherweise in separaten Bestandteilen zu lesen und als Ergänzung zu* Weck ihn weck *aufzufassen.*
[3] *Vielleicht sollte die ganze Replik entfallen.*

A ARGANTIPHONTIDAS mit geschlossenen Augen
Was will der Bruder
der Königin von dem den seine Knechte
aus zaubertiefem Schlaf gerissen haben
5 *(1)* an dieses *(a)* stumpfe Tageslicht →
(b) stumpfe⟨n⟩ Tages Licht
(2) *(a)* der →
(b) ¦ Dämon über sie!
(3)^{T} mit frechen Händen
10 *(4)* |

KREON Du bist der Magier. →
B^{T} Du bist der Magier
ARGANTIPHONTIDAS mit geschlossenen Augen

DIENER Du stehst vor Kreon ⌈^{S} Mensch!⌉ |

15 ARGANTIPHONTIDAS ⌈gesch⟨lossene Augen⟩⌉
Sein Leib mit Schwerterhieben blutend aus
dem Mutterschooß der Nacht herausgehauen
steht hier Fluch *(1)* über deine ⌈wilden⌉ Knechte →
(2)^{S} deinen Knechten | *(1)* sie
20 zerrissen *(a)* ungeheuere Ketten, →
(b) Ewiges, | Fluch
den Händen die sich an dem Leib vergriffen
(a) wer
(b) der ohne Seele *(a)* war →
25 *(b)* lag . . |
Fluch ihren Fäusten! →
(2)^{S}
(3) die
ihn *(a)* her
30 *(b)* vor dich schleppten |

KREON *(1)* Die →
(2) Meine | Knechte thaten
was ich befahl. Sie packten dich im Schlafen ⌈^{S} ?⌉

ARGANTIPHONTIDAS ⌈geschlosse⟨ne Augen⟩⌉
35 *(1)* Die Nacht war gut Fluch über deine Knechte! →
(2)^{S} Fluch dem der es befahl |
Die Nacht war *(1)* herrlich. Groß und feurig war
das Thier, ein schwarzer Widder. →
(2) ohne Gleichen. | Auf dem Leib
40 des Opferthieres lag ich, zuckend mit

dem zuckenden. aus seiner Kehle troff
das Blut. Ich mischte meinen Hauch damit
da fuhr die Seele *(1)* de<m>
(2) mir aus meinem Leib
und schwang sich auf dem Thier hinab zur Herrin Hekate. 5
Da fassten sie den Schlafen<den> mit Fäusten
(1) am Handgelenk

KREON Ich leg dir *(a)* goldne Ketten
um die Gelenke
(b) ums Gelenk 10
Ketten von Turmalin und Amethyst

(2) weh die Gelenke schmerzen

KREON Lass sie schmerzen
ich leg dir Turmalin und Amethyst *(1)* herum
(2) 15
herum!

A ARGANTIPHONTIDAS
↑Den göttlich Nackten rissen sie
in kalte Finsternis empor
≈^{S} aus heilger Nacktheit rissen sie 20
in kalte Finsternis den *(1)* Leib
(2) Mann↓

KREON *(1)* mit →
(2) in | Purpur
und Byssos will ich dir die Glieder wickeln → 25

B^S |

ARGANTIPHONTIDAS
(1) Den
(2) Verflucht ihr Athem den ich *(1)* fühlen musste →
(2)^S spüren musste 30
(3) ↑athmen musste ≈ spürte↓ |

KREON
Wolken von Ambra über dich und Duft
von Myrrhen Tag und Nacht, wenn du mir hilfst!

ARGANTIPHONTIDAS schlägt ⌈^{S} jetzt erst⌉ die Augen auf 35
Was ist, das du begehrst?

KREON Muss ich dem Magier
viel reden? Mach mir meine Seele *(1)* heil →
(2) stark |
Argantiphontidas, dann fordre was du willst. 40

ARGANTIPHONTIDAS
Du bist in *(1)* einem großen Kampf begriffen →
(2)[S] einen großen Kampf verstrickt |
um einen hohen Preis.

5 KREON Du sagst es, Magier

ARGANTIPHONTIDAS
(1) Tag
und Nacht hörst du nicht auf zu ringen.
⌈Du hast mich aus ⟨dem⟩ Grab gescharrt
10 mit blutgen Fingern,⌉ →
(2)[T] Du hast mich aus ⟨dem⟩ Grab gescharrt
mit blutgen Fingern, aus tiefer Nacht *(a)* in der ich lag
(b)
(3) Du hast mich aus dem Grab gescharrt darin
15 ich lebend lag, du kannst nicht länger warten |
(1) Und →
(2)[S] Denn | eine Kraft ist dir entgegen stärker
als deine Kraft.

KREON[1] Du hast es wiederum
20 getroffen

ARGANTIPHONTIDAS
Aber nicht im Lichte wird
der Kampf gekämpft. Ein Etwas aus dem Dunkel
wirkt seinen Zauber gegen dich

25 KREON So scheint es.

ARGANTIPHONTIDAS
Von Nahverwandtem etwa geht es aus?

KREON
⌈[S] Magier⌉ du bist sehr klug!

30 *A* ARGANTIPHONTIDAS *(1)* schließt ⟨die Augen⟩ →
(2)[S] auf ihn zu, unbändig⟨er⟩ Blick
(3) |
Wehe dem Mörder
des Lahios! Wehe! wehe!

35 KREON Räuber haben
den Lahios erschlagen

[1] *Z. 19–29 versehentlich mit Stift gestrichen, zusammen mit dem unteren Teil des Manuskriptblattes (Ermordung des Lahios). Vermutlich sofort wieder restituiert.*

ARGANTIPHONTIDAS ⌈S geschl⟨ossene Augen⟩⌉
(1) Doch der Wagen
voll goldener Geschenke für den Gott
war unberührt.
(2) Auf dem Kreuzweg
mit offnen Augen lag der todte König
Die Knechte in dem Abgr⟨und⟩ Führerlos
kam das Gespann daher und auf dem Wagen
die goldenen Geschenke für den Gott
von keiner Hand (1) berührt →
(2)S betastet. | (1) Hat dies Gesicht
die That von Räubern? →
(2) ⌈(a) Weh:
(b) Ich frage:⌉ Hat die That
von Räubern dies Gesicht?
(3)S |

KREON (1) Magier meine Hände →
(2)S Ich weiß
(3) Magier meine Hände |
sind rein von diesem (1) Blut →
(2)S Blut! | Ich weiß von nichts.
Auch dies spinnt aus dem Dunkel sich herüber
und will mich würgen! Magier

ARGANTIPHONTIDAS Ich (1) wusst's. →
(2) wusst es. |
(1) →
(2)S Du bist k⟨ein⟩ Mann des
(3) |

KREON
Du wusstest es. →

BS |

ARGANTIPHONTIDAS
Für meine Augen ist
ein (1) L⟨eib⟩
(2) Menschenleib (1) durchsichtig wie Kristall →
(2)S ein aufgeschlagnes Buch |
und jede Seele trägt die (1) Farbe →
(2)S Miene | ihres Schicksals
vor meinem Blick.

KREON So kannst du meinen Feind
mir sagen?

ARGANTIPHONTIDAS ⌈SP ihn durchblickend⌉
Groß ist seine Kraft. Das seh ich
5 Drum flackert dein Gesicht (1) dir unbewusst
wie dessen, der gemartert wird →
(2)Sp wie dessen der
gemartert wird. |[1] Er saugt an deiner Seele.
Er stiehlt dich von dir selber. Wo du bist
10 dort bist du nicht. Der Tag den du betrittst
ist doch nicht völlig Tag, die Nacht nicht (1) völlig →
(2)
(3) völlig | Nacht
↑(1) sie
15 (2) nur gleicht es →
(3)S und gleicht nur | frühern Nächten, ↑frühern ≈ (1)S fremden →
(2)T fernen | ↓Tagen
≈S und gleicht von fern nur frühern Nächt u⟨nd⟩ Tagen↓
(1) Das Fremde →
20 (2) Stets schweifst du wie auf fernen Sternen
und Fremdes | schweift durch dich, [S zuweilen ist dir
als stockte jetzt des Herzens Blut weil irgendwo
wo du nicht bist etwas geschehen ist,
was du nicht weißt,] die Krongewalt der Seele
25 der eigenen ist dir entwendet, und die [S ganze] Welt
(1) mit Bergen und Meeren ⌈u⟨nd⟩ Thälern⌉ →
(2)S Gebirg und Meere u⟨nd⟩ Thäler | sind die Kissen nur
die deine Seele ⌈S qualvoll⌉ durcheinander wirft
sich loszuwälzen aus dem wüsten Fiebertraum

30 KREON
O du bist groß der meine Krankheit kennt
und hat mich nie gesehen! *A* Schweiß mir die Seele
zusammen die zerfallende und mach mich
zum König (1) erst in mir nur, dann pflück ich mir
35 die Kron von Theben [wie ein Kind]
und[2] →
(2)S Magier!
und[2]

[1] *Stufe (2) in eine Lücke hineingeschrieben.*
40 [2] *Davor Lücke von etwa zwei Zeilen Umfang zur Ergänzung oder Variation des vorangegangenen Texts.*

B^{S} Magier
mach mich zum König! und
C Magier |
befreie mir die Seele und ich lass dich
auf einem weißen[1] Ross mit goldnem Zaum
nach Hause führen! Was? ich lasse dich
hier wohnen [und][2] mit fürstlichem Gepräng
dir deinen ↑schmutz⟨gen⟩ Leib
≈^{S} Jammerleib↓ ↑ersticken
≈ umwickeln↓ dass du *(1)*
zum Gott dich umgewandelt glaubst. -->
(2) dich
zum Gott verwandelt glaubst ¦ ⸢^{S}und Blitze schleuderst⸣.

ARGANTIPHONTIDAS
Der Feind der mit dir ringt hat eine mächtige Seele

KREON
(1) Es ist die Königin Jokaste
(2) Ich nenn ihn dir; Argantiphontidas[3]
dann aber hilf mir: es ist meine Schwester

A ARGANTIPHONTIDAS
Die Königin Ich wusste es.

KREON *(1)* Du wusst⟨est⟩
(2) Gewusst
auch dies gewusst! Nun bei den Göttern Magier
(1) versöhn mir ihre Seele und dann fordre
(a) dann fordre! ⸢fordre! fordre!⸣ →
(b) dann fordre!
(2)
(3) dann fordre
B^{S} |

A ARGANTIPHONTIDAS
⸢^{S} Fluch über deine Knechte.⸣ Mir ist übel.
Mein Dämon kommt und fasst mich an Verflucht
die Hände die mich aus dem ⸢heilgen⸣ Schlaf⟨e⟩ rissen

KREON
Jetzt rede und dann fordre was du willst

[1] weiß *Hs.*
[2] *Vielleicht versehentlich gestrichen – ohne Rücksicht auf Versmaß.*
[3] *Versehentlich* Argantophides

ARGANTIPHONTIDAS
Weiß ich ob ich nur eine Stunde *(1)* noch
(a) am →
(b) im | Leben bin.
5 *(2)* lebe?
Führ mich dorthin.

KREON führt ihn zum Ruhebett

ARGANTIPHONTIDAS *(1)* Was willst du noch von mir →
(2) *(a)* Und rede →
10 *(b)* Jetzt rede
(c) Jetzt Mensch red | schnell was willst ⟨du⟩ |
Es ↑teilt mit mir. ≈ fasst mich an!↓ →
B |

KREON Versöhne mir die Schwester ⌈*(1)* Bä⟨ndige⟩
15 *(2)* Zähme sie⌉
(1) damit sie meine Seele freigibt und
mich König werden läßt!

(a) ARGANTIPHONTIDAS Verfluchte Krone

KREON dicht *(aa)* bei dem Liegenden
20 *(bb)* beim Sterbenden

(b) KREON dicht beim Sterbenden Sie hat mich einst
geliebt. Nun hasst sie *(a)* mich, die Königin
die Schwester. Hörst du mich. →
(b)^S mich,
25 *(2)*^S dass sie[1] mich König werden läßt!

ARGANTIPHONTIDAS schließt die Augen

KREON dicht beim Sterbenden
Sie hat mich einst geliebt. Nun hasst sie mich.
die Schwester. Hörst du mich. | Sie ist der Dämon
30 der mir die Seele aus dem Leibe saugt.
Denn ich hab fürchterlich an ihr gethan
so thut sie fürchterlich an mir *(1)* und zahlt
mit neuen Leiden alte Leiden heim.
↑In ihrer Hochzeitsnacht
35 ≈ ⟨An⟩ ihrem Hochzeitsabend↓ *(a)* verstehst →
(b) hörst | du mich →
(2)^S. Am Abend
(3) und zahlt mit Leiden.
In ihrer Hochzeitsnacht verstehst du mich |

40 [1] *Versehentlich gestrichen.*

am Abend da sich König Lahios
vermählte mit Jokaste, sandten mich
den Knaben der ich war die hohen Priester
mit einer Botschaft an den König. Hörst du
mit einer Botschaft! 5

ARGANTIPHONTIDAS bewegt

KREON *A* ↑Was? du willst die Botschaft
erfahren. *(1)* Fahr denn auch dieses hin →
(2) ↑*(a)* Reiß →
(b) Brech | denn auch dieses Siegel! 10
≈ Reiß denn *(a)* was reißen soll!
(b) was reißen muss!
(c) auch dieses Siegel.↓
(3)[S] Brech denn auch dieses Siegel! |
≈ Willst die Botschaft wissen 15
So reiß⟨e⟩ denn was nicht *(1)* mehr →
(2) ¦ halten will↓
Dies war die Botschaft: »König[1] Lahios
nimm →
B[S] Willst die Botschaft wissen 20
So fahr auch dieses hin. Dies war die Botschaft
» nimm[1] Lahios | dich in acht eh du das Bett besteigst
(1) du stirbst entweder *(a)* kinderlos →
(b) ohne einen Erben
(c) ohne einen Sohn | 25
oder du stirbst von deines →
(2) und wahre dich denn *(a)* wie dir deine
(b) wenn[2] dir je der Schooß
der leuchtenden Jokaste einen Sohn
gebiert so stirbst ⟨du⟩ *(a)* einst → 30
(b)[S] auch | von dieses | Sohnes Hand
Nun wähle!« ↑Sonderbare ≈ Fürchterliche↓ Botschaft Magier
im Mund des Kindes! Magier es war
die Hochzeitsnacht des *(1)* Königs Lahios!
(2) Königs! Schwebt *(a)* nicht die 35
(b) da nicht
die Herrin Hekate ganz nah der Erde
wenn solch ein königlicher Mann sein jungfräulich⟨es⟩ Weib

[1] *Die einleitenden Anführungsstriche fehlen; vgl. aber Z. 32.*
[2] wenn *grammatikalisch erschlossen, graphisch blieb* wie *erhalten.* 40

⌊zum ersten mal⌋ umarmt, wenn *(a)* mit →
(b) unterm
(c) im | Strahl geweihter Fackeln
ein Königskind gezeugt soll werden[1] →
5 *(3)*^{S} Königs! war die Nacht
da er dem jungfräulichen Weibe nahte. *(a)* Schwebt da nicht
die Herrin Hekate ganz nah der Erde
wenn solch ein Kö⟨nigskind⟩ gezeugt soll werden?
(b)[2] |

10 *A* ARGANTIPHONTIDAS *(1)* auf →
(2) murmelnd | *(1)* Fluch
(a) Fluch,
(b) der Botschaft, Fluch dem Boten ịn d⟨ie⟩ Seele! →
(2)
15 Der Botschaft und dem Boten ịn d⟨ie⟩ Seele Fluch! |

KREON
(1) Arganti⟨phontidas⟩
(2) Nicht mich sollst du verfluchen Magier
verflucht →
20 *B* Verflucht | die Priester die dem Kind⟨e⟩ das
auf seine Seele legten. Wer ersinnt das
aus Kindesmund den giftgen Tod hinein
zu *(1)* träufen →
(2) träufeln ¦ in die *(1)* königliche Saat!
25 *(2)* d⟨unkle⟩ Saat ↑der Nacht ≈ des Lebens↓. →
(3)^{SP} Lebenssaat. |

A *(1)* Wer sinnt das aus! Verstehst du mich: Da gings →
(2) Verstehst du mich: Da gings ⟨mit⟩ meiner Seele |
wie mit der giftgen Salbe die Medea
30 zur Hochzeit *(1)* sandte der Kreusa: →
(2) der Kreusa sandte: | die
zerfrass das Salbgefäß. Kannst du mich fassen
↑mach deine Augen auf
≈^{S} wo geht dein Auge hin?↓ →
35 *B*^{S}
C^{T} Da gings
wie mit der giftgen Salbe die Medea
zur Hochzeit der Kreusa sandte: die

[1] *Zeile mit Tinte gestrichen vor der Variation des Ganzen mit Stift.*
40 [2] *Streichung von Stufe (a) nicht eindeutig.*

zerfrass das Salbgefäß. Kannst du mich fassen
↑mach deine Augen auf
≈ wo geht dein Auge hin?↓

ARGANTIPHONTIDAS öffnet mühsam
(1) Das Salbgefäß
war deine Seele! →
(2) Zerfrass das Gift
des Kindes Seele? |

KREON Ja du fassest mich
so hilf mir Magier! ↑[S] Ganz kleine Dinge[1]
werd ich nicht los. *(1)* Sie liegen *(a)* wie ein Stein →
(b) so wie Steine
auf einem Grund. →
(2)[2] Sie *(a)* wandeln
(b) weichen nicht sie machen
mich glauben dass ich todt bin. | Wie Lahios erbleichte
als mir die Botschaft von dem Munde ging.
Nie wieder hab ich einen Menschen so
erbleichen sehn. *(1)* So
(2) In einem Sturze ging
sein Blut aus ihm heraus als wärs hinüber
geschleudert in die *(1)* düst⟨ern⟩
(2) Fackeln die auf ein⟨s⟩
(1) so →
(2) tief | roth und düster flammten an der Thür
des Schlafgemachs. Dann ging der König Lahios
hinein zu meiner Schwester und mich ließ er
A *(1)* da stehen, noch im Gehen streift⟨e⟩ mich
sein seelenloser Blick. →
(2) mit grässlich seelenlos gewordnem Blick. | *(1)* *(a)* mir war →
(b) | er sah[3]
durch mich hindurch →
(2)
(a) er →
(b) und | sah durch mich | wie durch *(1)* die ⌈leere⌉ Luft →
(2) ⟨ein⟩[4] Luftgebild ¦

B[S] |↑

ARGANTIPHONTIDAS *(1)* setzt sich auf
Red schnell →
(2)[S] |

A es reißt an mir
B Ich *(1)* seh dich wie durch *(a)* einen →
(b) wüsten | Nebel
lass mich die Nacktheit deines Herzens sehen →
(2) seh⟨e⟩ wie durch wüsten Nebel
(a) lass mich die Nacktheit deines Herzens sehen
(b) Ich seh die Nacktheit deines Herzens glühen.
(3) seh⟨e⟩ noch durch wüsten Nebel
die Nacktheit deines Herzens *(a)* glühen. Schnell!
(b) glühn. vor mir
(c) glühn mich an. |
(1) Es reißt an mir. Vielleicht *(a)* zerreißt es mich!
(b) reißts mich hinab. →
(2) *(a)* Allein das [ewige] →
(b) Das | Dunkel reißt an mir[1] *(a)* Vielleicht reißts →
(b) Bald reißt es[2] | mich hinab.
(3) Das Dunkel reißt bald mich hinab.
(4) |

[1] *Ungestrichen.*
[2] *Graphisch bleibt* reißts

Anmerkungen zu Seite 376

[1] Ganz kleine Dinge *ist gestrichen (oder unterstrichen). Das Folgende bis Z. 36 in ekkigen Klammern.*
[2] *Erste Hälfte von Stufe (1) ungestrichen.*
[3] *Da Reihenfolge der Varianten in dieser Partie nicht feststellbar, ergeben sich zahlreiche Kombinationsmöglichkeiten. Für vorliegende Zeile gibt es zwischen Anfangs- und Endstufe wenigstens 6 hypothetische Zwischenstufen:*
mit seelenlosem Blick. mir war er sah
sein grässlich seelenloser Blick. er sah
sein seelenlos gewordner Blick. er sah
mit grässlich seelenlosem Blick. er sah
mit seelenlos gewordnem Blick. er sah
sein grässlich seelenlos gewordner Blick. er sah
seelenlos *war vorübergehend – wohl versehentlich – gestrichen.*
[4] die *in Stufe (1) ungestrichen.*

A KREON
Du musst mir bleiben

B Durchdringe mich mit *(1)* deiner Seele
(2) deines innersten
Geschicks unnennbarstem Gefühl dann stürz ich
hinab und will dein Helfer sein bei dem
der in *(1)* der Nacht auf ewgen Stühlen →
(2)[1] den ewgen Schluchten | sitzt
(1) mit
(2) und ehern eherne Geschicke lenken
(3) und lenken was zu lenken ist! →
C (1) Durchdringe mich mit deines innersten
Geschicks unnennbarstem Gefühl →
(2)[SP] |[2] Gieß aus
die Seele wie das schwarze Opferblut
(1) gegossen *(a)* wird
(b) rau⟨cht⟩
(2) ins Becken rauchend stürzt. |

KREON *(1)* Durchdringen dich!
Vom Scheitel bis zur Sohle will ich dich →
(2)[Sp] Durchdringen Mag⟨ier⟩!
Durchdringen dich mit meines innersten
Geschicks unnennbarstem Gefühl das will ich dich |
du großer Magier! Verlass mich nicht!
(1) Sei für
(2) Denn heut entscheidet sich mein Schicksal, Magier!
(1) Heut hilf mir oder nie! Von der Stund an
wo *(a)* ich
(b) Kindermund die Botschaft austrug
wie eine mit verfluchtem Leib ein Kind austrägt
das *(a)* ihr →
(b) ihm | Verderben sein soll – war das Leben mir[3]
verloren →
(2)[S] Von stundan wo mein Kindermund die Botschaft austrug
verloren war mein Leben, | von dem Tage an zerfraß
mein Herz und Hirn dies Wissen[4]: du wirst König

[1] *Nur* Nacht *in Stufe (1) gestrichen.*
[2] *Stufe (1) in Klammern. Tilgung aus späterer (variierter) Wiederverwendung erschlossen.*
[3] war . . . mir *ungestrichen.*
[4] wissen *Hs.*

wenn Lahios nicht zu alt wird bis dahin
(1) dahin
(2) bist du das ungeborne Schattenbild
von einem König – *(1)* von der Stunde an war⟨n⟩ →
(2)[S] Mensch, von stundan waren |
des Lebens Möglichkeiten abgelebt
im voraus, welche Thaten sollt ich thuen
sie waren alle unfruchtbar sie rissen
die Krone nicht von Lahios Kopf *(1)* herab.
(2) herab
auf meinen,
(3) herab.
(1) Mir war ich hatte *(a)* Hände die zu Schatten
(b) Schattenhände die →
nicht griffen wenn sie fassten nach der Welt
(2) Denn ich erkannt⟨e⟩ sie[1]
(3) Sie blühten nur zum Schein, im innern faulten sie.
(4) Da ließ ich meine Hände von den Thaten |
ich *(1)* streifte über Land →
(2) wanderte | mich widerte das Land
ich *(1)* starrte auf das →
(2) ging zu | Meer da war das Meer erschöpft
A *(1)* Die Lust *(a)* am Weibe →
(b) der Weiber
(2) Des Weibs Geheimnis | war zu voraus abgeweidet
als hätt ich jedes Weib in meinem Traum
schon nackt ⌈im Arm⌉ gehabt und ihre Lust
(1) genossen ja sie *(a)* todt gesehen →
(b) sterben sehen | unter mir
(2) aufbrechen und erstarren sehen unter mir
B Der Weiber Lust zu voraus abgeweidet
(1) als hätte ich eine jede nackend
geheim
(2) als hätt ich jedes *(1)* Weib →
(2) nackt | in meinem Traum
gehabt und wie⟨derum⟩ von mir gethan
ein[2] jedes Ding der Welt, ja auch der Mord
hörst du mich Magier auch *(1)* die Lust am Mord
(2) der Mord *(1)* so →
(2) war | schal

[1] *Ungestrichen; vielleicht als Nachsatz zu Stufe (4) bewahrt.*

[2] *Die folgenden 5 Zeilen am linken Rand mit Bleistiftklammer versehen. Vielleicht zur Variation oder Tilgung vorgemerkt.*

als hätt⟨e⟩ ichs *(1)* gegessen →
(2)[S] gekostet | und dann wieder *(1)* ausgespien
Die Götter
(2)
von mir gespien, Magier, die Götter
verglühten mir wie alte Fackeln, *(1)* zuckend
(2) ausgesogen war
(3) aus-
gesogen war das Weltall, hörst du mich
das hat Jokaste mir gethan, ihr Blick
hat mich gefeit gegen das Leben, weil
ich ihr das Ungeborene erwürgte
(1) entmannte sie mein Leben
(2) hat sie mir so gezahlt, entmannt mein *(1)* Leben →
(2) Wollen |
ins ungeborne Reich kraftloser Träume *(1)*
mich aus der Lebenswelt hinausgestoßen →
(2)[S] mich gejagt.
(3) mich
gejagt. | Ich hab zuviel geträumt beschneide mir
die Träume Magier mit einem Messer
mach dass ich wieder leben kann, denn nun
ist Lahios todt nun ist mein Wunsch am Ziel
nun müssen alle Kräfte an mir schwellen
(1) nun muss ich greifen können nach der Krone
nun muss ich meine Träume von mir thun →
(2) zum Reißen, ah, nun greifen können muss ich nach
der Krone, meine Träume muss ich *(a)* von mir thun
(b) abthun[1]
(3)[T] Zum Reißen Mensch, nun muss ich greifen können
nach Kron und Schwert, die Träume muss ich abthun |
ein König träumt ⸌nicht⸍ eines Königs Träume
(1) sind Thaten
(2) gehen ⸌aus ihm⸍ hervor und werden Thaten
und thronen in der Welt Nun muss ich blühen
sonst faule ich, ***A*** *(1)* durchdringt dich mein Gefühl
(2) Sie *(a)* will *(aa)* ich
(bb) auch jetzt →
(b) aber will auch jetzt[2] |

[1] *Stufe (2) ungestrichen.*
[2] *Hinter* jetzt *mit Stift* mich binden *Integration unklar, wohl abgebrochener Ansatz.* will *versehentlich gestrichen, vielleicht bei Einführung von* aber

mich binden, *(1)* ihres Hasses Ketten *(a)* legt sie
im Dunkel um mich
(b) hängt sie
im Dunkel um mich auf
5 *(2)* ungeheure Ketten *(a)* hängt →
(b) legt | sie
mir innen um die Brust
(3) ungeheure dumpfe Ketten
hängt sie mir innen um die Brust, sie *(1)* geht →
10 *(2)* lauert |
und wickelt sich in Schweigen, warum hat sie
den Lahios in seinen Tod geschickt
(1) will sie mit mir allein auf dieser Welt
(2) bleibt sie allein mit mir und ist die Welt
15 ihr nur *(1)* eine →
(2)^T die | Kammer wo sie mich hinein
gelockt hat und mich fasst und mich zerbricht →
B^S |[1]
Versöhn mir ihre Seele oder mach mich
20 zum Herren über ihre Seele heute,
A nur heute Magier! ich hab ein Werk
begonnen das kommt heute an das Licht
[doch seine Wurzeln *(1)* xxxxx mein Königthum
hier
25 *(2)* hat es hier vom Hirn] →
B^S |
Dies ist mein Schicksalsmorgen! Zauberer
(1) auf!
(2) wenn du dran stürbest reiß mir aus der Nacht
30 ein Ding hervor dran ich mich ↑halten ≈^{S} klammern↓ kann
(1) dass ich mein selbst und ihrer kann vergessen
und meine Seele werfen in ein Werk
(2) dass ich mich schwinge über diese Angst
und meiner selbst vergesse, Magier →
35 *(3)*^{S} |
ein Ding und wär es eine Qual, *(1)* an der
(a) die Hände wie
(b) die
(c) ich die
40 *(2)* nur soviel

[1] *Streichung setzt graphisch erst bei* hängt sie *(Z. 9) ein, aber der auf dem vorausgehenden Manuskriptblatt stehende Anfang der Partie wohl intentional mitgetilgt.*

als dem der spielt *(1)* und auf den einen Wurf
sein alles hat gesetzt, der Würfel ist
er grinst auf ihn *(a)* und lächelt doch auf ihn
und m
(b) so wie der Todesahnend⟨e⟩ 5
(2) das *(a)* ungeheu⟨re⟩ Blinken
des ungeworfnen Würfels ist daraus
der Abgrund →
(b)^{T} Blinken des noch nicht
geworfnen Würfels ist daraus der Abgrund 10
ihm | grinst und auch der Himmel lächelt ⌈^{S}, Magier⌉
(1) nur soviel als der *(a)* Vogel →
(b) arme Vogel
(c) Vogel | hat, der matte,
an seinem Zweig, das zaubre mir ⟨hervor⟩[1] 15
dann fordre Kreons
(2) nur einen[2] solchen Lebensblick
aus *(1)* dem *(a)* unendlich Todten →
(b)^{T} Unendlichen | in dem sie mich
(a) versteinert → 20
(b)^{T} umsteinert
(c) versteinert | hat, →
(2)^{T} der versteinten Welt mit der sie mich
umrungen hat, | den zaubre mir hervor
dann bin ⟨ich⟩[3] König, Magier dann fordre 25
die Welt von mir. ***A*** *(1)* Er
(2) Schlägst du die Augen auf

ARGANTIPHONTIDAS
Lass mich. →
(3)^{T} 30

ARGANTIPHONTIDAS Fluch deinen Knechten Fluch
Fluch |[4]

KREON
Und lägest du im Schooß

[1] *Statt* hervor *wohl versehentlich* fordre 35
[2] einen *versehentlich verdoppelt, da zunächst sehr flüchtig.*
[3] *Statt* ich *scheinbar ein Ausrufezeichen im Manuskript.*
[4] *Streichung mit Stift (nachträglich?), Ersatz mit Tinte.*

der Todesnacht *(1)* ich hieb ⇢
(2) ¦ mit Schwerdt⟨er⟩hieb⟨en⟩
hieb ich mir dich[1] heraus.

ARGANTIPHONTIDAS *(1)* Was willst du Kreon. →
(2) *(a)* Lass →
(b) xxxx[2] lass | mich schlafen
(3) |

KREON →

B^S *(1)* Schlägst du die Augen auf →
(2) Wo geht dein Auge hin? |
Sieh mich nicht an als ob du mich nicht kenntest |

(1) Ein
(2) Die Kraft über *(1)* Jokaste: →
(2)^S Jokaste! | soll ich Kräuter
anzünden, willst du einen Becher tri⟨nken⟩
drin Perlen aufgelöst sind, willst du baden
und wär es Menschenblut. *(1)* Reiß aus der Nacht
(2) Womit bezwing ich
die Schwester

ARGANTIPHONTIDAS
Opfre Kreon! *(1)* opfre Kreon! →
(2)^S |

KREON
Was opfre ich? die ganzen Heerden? Magier
das Haus? *(1)* soll
(2) befiehl es geht in Flammen auf
die Edelsteine? die Gewänder? alles?

ARGANTIPHONTIDAS
(1) Nein was du nicht gekauft, Kreon →
(2) *(a)* Nein →
(b) O | Kreon! was du nicht gekauft *(a)* →
(b) Kreon
(c) hörst du mich |
(3) O was du nicht gekauft hast, Kreon |

[1] *Darüber schwer entzifferbare Variante mit Stift, abgebrochen und wieder gestrichen, etwa:* auf den mir

[2] M⟨ensch⟩? N⟨un⟩? N⟨ein⟩?

[^{T}erbeten nicht, erlistet nicht ganz rein]
ganz unbefleckt von deiner Seele *(1)* Gier →
(2)^{T} Athem |
und den⟨noch⟩ dir gehörig, ***A*** *(1)* dieses →
(2) solch⟨es⟩ | Ding
(1) das
(2) müsstest du opfern Kreon →
(3) musst opfern ⟨du⟩ ⌈^{T}geschwind⌉ *(a)* Kreon
(b)^{T} du Kreon
(4)^{T} mußt du den Nachtgesp⟨enstern⟩ opfern eile Kreon
B^{S} dieses opfre
geschwind! |

ZWERG Solch ein Ding
ist nicht auf Erden. *(1)* Wisse Zauberer
(2) Zauberer du lügst!
Kreon *(1)* ist
(2) kauft alles was er will. *(a)* für
(b)
(3) ist solch ein reicher Fürst, die Welt
hat nicht was Kreon nicht *(1)* erkaufen →
(2) sich kaufen | könnte.
Hat er nicht gekauft den schönen Zwerg
(1) den
(2) mich den Aethiophien geboren hat
Die Welt ist feil für Kreon. Kreon opfert
kein ungekauftes Ding

KREON Leckst du die Lip⟨pen⟩
und *(1)* höhnst mich. Her die Peitsche
(2) spei⟨e⟩st Hohn auf mich. Die Peitsche her.

(1) ZWERG
Warum kaufst du dir keinen frischen Kreon
wie herrlich lebtest du!

KREON zum Magier der starr liegt
War das dein letztes Wort!
Du warum greifst du in die Luft →

(2)^{S} KREON
Magier warum greifen deine Arme in die Luft |

ARGANTIPHONTIDAS[1] *(1)* →
(2)^{S} stürzend
(3) stöhnt auf |

[1] *Sprecherangabe zunächst vergessen; im Zuge der Variationen mit Stift ergänzt.*

(1) Es fasst mich
(2) Mein Dämon fasst mich an. Verflucht die Hände
die mir den heilgen Schlaf zerrissen. Fluch
der Gier in meinem Herzen, dass ich kam

5 KREON
(1) Jetzt rede und dann fordre was du willst →
(2) Und (a) stürbest du →
(b)[S] stürbst du hier | ich[1] muss die Antwort haben |
(1) wo ich ⌈es⌉ finde

10 ARGANTIPHONTIDAS Kreon →
(2)[S] Wo finde ich dies Ding

ARGANTIPHONTIDAS (a) Nein
(b) So

(3) Was muß ich opfern?

15 ARGANTIPHONTIDAS Kreon[2] | sei verflucht
aus meinem Todesschweiß heraus verflucht
für dein und meine Gier, auch wenn ich jetzt
nicht sterbe, sei verflucht dass ich den Tod
vorkosten muss

20 KREON Die Antwort Magier

ARGANTIPHONTIDAS
Weiß ich ob ich (1) in einem →
(2) im nächsten | Augenblick
noch lebe

25 KREON Wie bezwing ich (1) meine Schwester? →
(2) mein Geschick?[3]
(3)[S] mein Geschick? |

(1) (a) →
(b)[S] ⌈Magier⌉ Wo ist das ungekaufte Ding |

30 ARGANTIPHONTIDAS taumelt und fällt →

(2)[S] Was muss ich opfern

ARGANTIPHONTIDAS fällt hin |

[1] *Versehentlich bei der Einführung von* hier *gestrichen.*
[2] Kreon *graphisch nicht restituiert.*
35 [3] mein Geschick *zunächst ohne Ersatz verworfen.*

KREON
Ihr Diener! ***A*** die dies[1] *(1)* Stück Verwesung →
(2) Ding da | brachten sollens
fortschaffen wiederum
B Schafft dies fort. Dies Stück Verwesung
(1) den hübschen Leichnam hier. →
(2) die Leiche \da/ die *(a)* hässliche.
(b) zuckende am Boden.
(3)^{P} ⟨das⟩ zuckende [da]
C^{S} Schafft dies fort. |

DIENER *(1)* Er →
(2)^{P} Der Magier
(3)^{S} Er | ist nicht todt.
So lag er auch als wir ihn holten. Auf den Knien
bat uns sein Bruder, ihn zu schonen bis
die Seele ihm *(1)* zu
(2) von selbst zurückgekehrt.
Du hattest uns befohlen: diesen Morgen
so *(1)* trugen →
(2) schleppten | wir ihn her.

zwei tragen den Magier weg

KREON *(1)* Als thäten sich
die übertünchten
(2) In⟨s⟩ Haus. Mir aus den Augen!
Die Welt ist übertüncht. Ich hab das Glück
dass *(1)* vor →
(2) unter | meinen Augen *(1)* hinfällt
(2) sol
(3) ein Riss
zu klaffen anfängt
(4) ihre *(a)* Klüfte →
(b) Risse |
aufklaffen und mir *(1)* scheußlich⟨e⟩ Geburten →
(2)^{S} scheußlich Höllgebu⟨rten⟩ |
(1) entgegenspein. Wie lang⟨e⟩ schlief ich heute.
(2) entgegenspringen. →
(3)^{S} entgegentr⟨eten⟩. | *(1)* Musste ich →
(2)^{S} Musst' ich noch | die Leiche
an meine Brust mir legen. Wie lang schlief ich
heut morgen.

[1] dies die *Hs.*

DIENER Herr du schliefest nicht du warst
zu Wagen[1] in der Stadt

KREON Vergess ich das du Thier
wie lang ich nach dem Bade schlief

5 DIENER Nur kaum
geruhet hast du nach dem Bad, die Augen
kaum zugethan.

KREON *(1)* winkt ihm zu
(2) dreht ihm den Rücken. Diener geht nach einer Weile
10 Die Augen kaum. Und doch
so maßlos widerlich geträumt. Mich alt geträumt
mit einer wüsten Schwere in den Gliedern
und *(1)* doch
(2) noch nicht König, immer noch nicht König
15 in Theben! ↑Nein ≈ Was?↓ so etwas wie sein Diener
des neuen Mannes der dann König war
Ich glaube als sein Bote stand ich vor ihm
und wurde ausgescholten *(1)* und entgegnete
(2) brächt ich nur
20 den Ton aus meinem Ohr mit ⟨dem⟩ ich ihm
entgegnete – ein ekler Ton von Sanftmuth
von einer Unterwürfigkeit [^{S} , von einer
herzlichen Unterwürfigkeit]. Ich glaub
ich hab⟨e⟩ sein Gewand mit meinen Händen
25 demüthig angerührt. *(1)* *(a)* Pfui →
(b) Ah
(c) Ja | In die Erde
versänk ich, hätte mich ein Mensch vor Lahios
so sprechen hören. Widerlicher →
30 *(2)*^{S} Verfluchter | Traum
und wie ich das Gesicht d⟨es⟩ f⟨remden⟩ Menschen
in mir nicht wiederfinde. Wenn ich glaube
da ist's: dann nimmts von L⟨ahios⟩ Züge an
ist eine Art von jüngrer Lahios ist
35 ein Lahios der heimlich wiederkam
(1) Wer bin ich
(2) Zwar Lahios kommt nicht wieder doch wer bin ich[2]
wenn ich voll Stoff zu solchen Träumen bin

[1] wag *Hs.*
40 [2] *Z. 36f.: Ausfüllung einer Lücke mit Stift.*

O bodenloser Abgrund wenn das Zeugende
des tief geheimen Denkens *(1)* wenn →
(2) mir ¦ zu innerst
(1) von →
(2) mit | solcher Unkraft mir vergiftet ist
und in so fahlen Träumen seinen Athem
auslässt dass mir vor Ekel übel wird
(1) Was kann da werden? Hat ein Sieger je
an seinem Königsmorgen so geträumt! →
(2)[S] |

KNABE schnell aufstehend
Herr was befiehlst du mir

KREON Schlaf *(1)* weiter Knabe →
(2) fort Schlaf fort |
dein jung⟨es⟩ Blut braucht seinen Schlaf.

KNABE
(1) Heut nicht.
Ich schlief auch nicht.

KREON Schliefst nicht. *(a)*

KNABE →
(b) Ein wenig doch
im Stehen.

KNABE Nein doch Herr.
(2)[S] Heut nicht. Ich schlief auch nicht.

KREON
Du schliefst nicht?

KNABE Nein doch Herr. | Ich lehnte hier
Dein Schritt ist wie des Panthers und ich hab dich
gehört den Gang herüber aus dem Bad
schlief ich im Stehen?

KREON Ei. War niemand hier.

KNABE
Kein Mensch.

KREON Ach!

KNABE Herr ⌈du⌉ seufzest

KREON vor sich Eine Nacht
voll solch⟨en⟩ Schlaf⟨s⟩

KNABE Wie sollt ich schlafen können
nach *(1)* solch⟨er⟩ →
(2) einer solch⟨en⟩ | Nacht! Herr du bist bleich
nach einer solchen Nacht?

KREON ***A***[1] was weißt du Knabe
von meinen Nächten

KNABE War ich nicht mit dir?
(1) Wie Herr. Mir ist *(a)* xxx xxxxx
(b) ich hätt nicht sterben dürfen
↑und diese nicht erleben
≈ o was für eine Nacht. Herr.↓ →
(2)[S]
(3) o was für eine Nacht. Herr.
B[2] Was weißt du Knabe
von meinen Nächten

KNABE War ich nicht *(1)* mit.
(2) mit dir
o was für eine Nacht. Herr. | Einen König
hat sie gemacht, *(1)* die Nacht, und hats gewusst,
und winkend →
(2) und hats gewusst, und funkelnd
und winkend
(3) und hats gewusst,
und funkelnd | sich gebrüstet, dass sie wusste.
Da wo wir fuhren stand die Finsternis
vor deinem Wagen still wie vor Erwartung.
Und wo du tratest in die *(1)* →
(2) fr⟨emden⟩
(3) | Häuser, Herr,
↑in eines nach dem andern, deiner Freunde,↑

[1] *Pag. 23., die hier beginnt, und 16 weitere pag. sind aus 8 H, der früheren Fassung der Kreon-Szene, übernommen (vgl. S. 215, 28f.). Die erste Zeile, die nicht zu dem vorausgehenden Text von 12 H paßte, wurde gleich bei Übernahme gestrichen; in 8 H (S. 332, 29–31) dargestellt. Ersatz in 12 H bis* mit dir? *mit Stift.*

[2] *Z. 16–19 auf pag. 22, der letzten, nur halb beschriebenen Seite des neukonzipierten Teiles von 12 H.*

(1) so →
(2) da | schlug das Dunkel vor, wie eine Mähne
und aus dem Dunkel hob sich Wind und rauschte
und deckte das Geheimnis zu. Die Sterne
am schwarzen Himmel *(1)* bebend, wollten brechen 5
(2) ↑bebten und sie wollten
aus ihrer Fassung brechen, *(a)* mein Gebieter
herabzustürzen in dein Diadem.
(b) und hinab
sich stürzen in dein Diadem. → 10
(c) um hinab
zu stürzen in dein Diadem.
(d) um zu stürzen
in dein geweihtes Diadem. |
≈ funkelten hernieder 15
in dein geweihtes Diadem.↓ Ich lag
bei deinem Wagen *(1)* auf der Schwelle
(2) vor den Häusern *(1)* zitternd →
(2) fliegend |
(1) vor → 20
(2) im[1] | Fieber

KREON Knabe wenn ich König bin
so lass ich deinen Namen in das Gold
des Weinpokales *(1)* trag⟨en⟩
(2) graben draus ich trinke 25
zu abend

KNABE und ich horchte in das Raunen
und Rauschen in der Luft, die königlich
dein Schicksal *(1)* webte. Wenn →
(2) wob, und wenn | ein dumpfer Laut 30
hervordrang aus den Häusern wusste ich
nun fallen *(1)* fürstliche
(2) Männer, fürstlich, vor dir
⌈*S* lachend vor Lust⌉[2]
zur Erde, *(1)* ihren König zu begrüßen. ⇢ 35
(2) ihrem König sich zu weihn. ¦
(1) Ich fühlte dass ein stolzeres Gefühl
(a) sein wird, →
(b) , | auf *(a)* deines Königshauses nackter →
(b) deiner Königsburg basaltner | Schwelle 40

[1] im *versehentlich gestrichen.*
[2] *Am linken Rand.*

die Nacht zu liegen als *(a)* aus goldnem Becher
auf deines Hauses Dach mit
(b) es jenes war
auf dieses deines Hauses Dach mit dir
5 aus *(a)* goldnem Kelch →
(b) goldenem Pokal | zu trinken. Herr – →
(2) Herr es wird stolzer sein das fühlte ich
auf deiner Königsburg basaltner Schwelle
(a) die nackte →
10 *(b)*^S in kalter | Nacht zu kauern als es war
(a) in diesem deinem Haus an deiner Seite →
(b) im Haus hier neben dir auf weichem Pfühl |
mit dir aus goldenem Pokal zu trinken.
(3)^S |
15 Mit dieser Nacht hast du ***A*** den *(1)* ersten Pfeil
vorausbezahlt der in der ersten Schlacht →
(2) Pfeil voraùs
bezahlt der *(a)* in der ersten Schlacht für dich
(b)^P ⟨mich⟩ in deiner ersten Schlacht |
20 *(1)* mich in die Kehle treffen kann →
(2)^P *(a)* kann →
(b) mag
(c) kommt | treffen in den Hals
B vorausbezahlt
25 den Pfeil der mich in deiner ersten Schlacht
(1) im →
(2) in meinen
(3) im | Hals mag treffen, Herr, | und *(1)* kommt er jetzt →
(2) wenn er kommt |
30 sink ich von deinem Wagen in den Tod
und lache wie der Schwimmer der vom Kahn
sich gleiten lässt ins Wasser weil er satt ist
der Lust des Fahrens

KREON Könnt ich seine Worte
35 *(1)* hinunter
(2) für einen Morgentrunk in meine Seele
mir trinken. *(1)* Weh! →
(2)^S Ah! | durchlöchert ist der Becher
(1) es kommt nichts →
40 *(2)* nichts kommt ¦ in mich

(1) KNABE Herr ich will dich sehen
in *(a)* einer Schlacht.→
(b) Schlachten. | *(a)* Ich →
(b) Herr ich | will auf deinem Königswagen

(2) KNABE Herr ich hör einen laufen! *(1)* →
(2)[S] Hier hierher
(3) |

(1) KREON
Träumt so wer siegen wird

KNABE Ein Bote Herr! →
(2)[S] Es ist ein Bote Herr! Hierher! hierher

KREON
Was kann da wer⟨den⟩. Hat ⟨ein⟩ S⟨ieger⟩ je
an s⟨einem⟩ K⟨önigsmorgen⟩ so geträumt |

1ter BOTE[1] *(1)* hereinstürzend
(2) hereinstürzend ruft schon in der Thür
Wer weist mich zu dem Fürsten? wo im Hause
find ich den Kreon der heut König wird.

(1) →
(2) KNABE
[Hier steht der Kreon.] Hörst du ihn mein König!
(3)[S] |

KREON
Hier steht der Kreon. Mein erlesner Freund
was bringst du ihm?

BOTE fällt nieder ein ungeheures Glück
vom flachen Land komm ich herein geflogen
Herr was sich ⸌da⸍, du Fürst, du glücklicher,
(1) d⟨ir⟩
(2) ereignet, meine Zunge ist →
(3) ereignet dir, die Worte sind | zu arm:
es sammeln sich die Hirten deiner Heerden
in deinem Weinland sammeln sich die Knechte
und in dem Ackerland und sie ergreifen

[1] *Anfang des aus 8 H stammenden Textes mit dem hier vorausgehenden Text nicht vereinbar. Bei Übernahme in 12 H sofort gestrichen. Deshalb im Zusammenhang von 8 H wiedergegeben (s. S. 336, 23–36).*

die Winzermesser und sie binden Sicheln
(1) fest an die →
(2)S an alle | Hirtenstäbe, denn es sind
Sendboten durchgeritten überall

5 KREON
Sendboten

BOTE weiß, auf schaumbedeckten Pferden

KREON
(1) Von mir geschickt

10 BOTE Herr von den Göttern (a) heißt
(b) scheints →

(2)S Geschickt von mir?

BOTE von dir? was sagst du da.
(a) Du scherzest wohl. Herr von den Göttern scheints
15 (b) Herr von den großen Göttern scheint es wohl |
gespornt und ausgespien von der Erde
es heisst (1) in einem →
(2) durch eines | von den Dörfern hat man
die Dioskuren selber (1) reiten →
20 (2) jagen | sehen

(1) KREON
Die Dioskuren!

BOTE
(2) und rufen hören: Waffnet Euch ihr Männer
25 denn Kreon Euer Herr ist König worden
in Theben! waffnet Euch und zieht hinein
ihm helfen

(1) 2ter BOTE
Botenlohn!

30 KREON zum ersten[1]
Dich merk ich mir
du heißest Dolon. Meinen eignen Namen
vergäss ich eher

2ter nahe[2]
35 Botenlohn, mein →

(2)S 2ter BOTE
Botenlohn, mein hoher | Fürst!

[1] *Bis hierher Stufe (1) ungestrichen.*
[2] *Ungestrichen.*

Ich *(1)* heiß →
(2) bin | Agathokles, *(1)* ich bring die Krone
von Theben dir im Mund.

KREON

(2) der *(a)* Läufer Herr → 5
(b)[S] Tagesläufer |
ich bring die Krone dir von Theben, Kreon
im Mund getragen

KREON Lass sie fallen, Freund.

2ter BOTE 10
Die Stadt ist auf. Es fahren fremde Männer
↑die niemand kennt
≈ im Morgengraun↓ den Fluss herab und werfen
(1) Pechkränze →
(2)[S] Pechfackeln 15
(3) Pechkränze | in die schilfgedeckten Häuser
des Schifferviertels, brennende, und *(1)* schreiend
(2) Fackeln
von oben aber wie mit Schreienden
mit Nackten und mit Kämpfenden der Fluss 20
und Strand sich füllen, kommen auf den Brücken
Gewappnete gefahren und die schreien
hinab: Lasst Eure Häuser brennen, lasst
ihr Schiffer! Kreon wird Euch Häuser geben
von Stein darin zu wohnen. Kommt mit uns 25
ihr die ihr keine Häuser habt, zu Kreon
der König sein *(1)* w⟨ird⟩[1] →
(2)[S] soll |

KREON ⟨Und⟩[1] wie wirkt dies Wort

2ter 30
Wie's wirkt: so dass sich aus dem Löwenthor
zehntausend wälzen *(1)* und wie eine Wolke
(2) ehe eine Stund
vergeht und dort vor[2] jene Königsburg
für dich zu pochen Herr! 35

[1] *Unleserlich durch Tintenklecks.*
[2] vor, *möglicherweise auch* dort *gestrichen, vielleicht war Variation geplant.*

A KREON Agathokles
du bist der beste Läufer *(1)* in dem →
(2)[S] zwar im | Land
des Kadmos, aber dieser Königsdank
5 *(1)* holt diesen Tag herein um den du ihm
(a) zuvorgek⟨ommen⟩
(b) voraus bist.
(2)[1] wenn er auch morgen erst zu laufen anfängt
holt ein was er dir vorgegeben hat. →
10 **B**[S] |

3ter BOTE
Was immer diese melden König Kreon
heiß sie zur Seite stehn und warten: ich
allein bin wert gehört zu werden

15 KREON Freund
du grüßest vorschnell

3ter Nein ich grüße richtig:
denn aus der heilgen Straße komm ich keuchend
heraufgejagt, *(1)* in
20 *(2)* darin die *(1)* Tempel münden
(2) Vorhöfe
der Tempel münden: nun: die heilge Straße
hernieder *(1)* schreiten lange feierlich
(2) kommt ein unerhörter Zug
25 ein unabsehbarer von Priestern, Kreon,
und dieses singen *(1)* sie mit heilgem Mund:
(2) sie dass nur ein König
(3) sie: Nur Euer König
ihr heiligen Thebaner, wird die Sphinx
30 vertreiben, die da liegt in *(1)* einer →
(2)[S] ihrer | Höhle
zu Harma, und ein Graul ist über Theben
und Kreon ist *(1)* der →
(2) sein | Name

35 KNABE O mein König
ich fühle wie die Züge sich begegnen
in meiner Brust, geliebter Herr begegnen *(1)* sie
(2)

[1] *Zeile zur Verdeutlichung oder im Prozeß einer vorgesehenen Variation (vor der Streichung) am linken Rand mit Stift wiederholt.*
40

einander sich die drei, wie Flüsse **A** mischen
(1) sich →
(2) sie | dröhnend ihre Wasser *(1)* *(a)* und ⇢
(b) ¦ wie ein Meer
im Sturme branden sie, die alten Mauern 5
(a) von Theben →
(b) des Kadmos | schwanken ihrer Wucht, →
(2)^{S} Herr, | und Theben →
B^{S} dröhnend |
aus seinem Bette hebt sich Theben auf 10
wie eine Sturmfluth, *(1)* und ⇢
(2) ¦ schwillt *(1)* und
(2) in seinem Zorn
(1) und schlägt
(2) zur Burg empor, *(1)* schlägt an das → 15
(2) und schlägt *(a)* an⟨s⟩ →
(b) das | Thor von Erz
(1) Kreon und Theben

DIE DREI BOTEN

(2) verfärbst du dich 20

KREON vor *(1)* Zo⟨rn⟩
(2) Ekel über dich.
Schmeichelnde Kröte, *(1)* falsche lügnerische.
(2)^{S} lügnerische.

KNABE Ich 25
dir lügen?[1]

KREON Wie soll dies geschehen können
jemals dass diese glatten Künste, diese
erbärmlich mühsam ausgesonnenen
Gewalt bekommen, wirklich⟨e⟩, das Volk 30
emporzureißen vor die Königsburg
A wie *(1)* soll⟨en⟩
(2) kön⟨nen⟩ diese matten Lügenreden
ein Volk verführen an *(1)* die Burg →
(2) das Thor | zu schlagen 35
und mich zu ihrem König zu begehren →
B^{S} auf dass sie mich zu ihrem König machen |
(1) den sie
(2) mich dessen Herz sie minder kennen als
die Klüfte des *(1)* Gebir⟨ges⟩ 40
(2) Kythäronbergs da drüben

[1] *Z. 24–26: Ausfüllung einer Lücke mit Stift; Vorstufe zu* lügnerische *noch mit Tinte gestrichen.*

KNABE
Ich bitt[1] Euch geht, der Herr ihr seht ist unwohl
im Haus⟨e⟩ seid so gütig Freunde wartet
man ruft Euch wieder

5 *(1)* 2ter
(2) 1ter Herr bei meinem Kopf
ich hab dir wahr gemeldet

(1) 2ter

(2) KNABE Geht nur geht.
10 Wer zweifelt?

1ter in der Thür noch zu Kreon
Wie ich sagte Herr, die Deinen
unzählbar wimmeln aus dem flachen Land
mit Waffen umgeschaffen aus Geräthen
15 es finden

KREON Auch die Dirnen ⌈s?⌉

1ter Wie mein Fürst[2]

KREON
Ich meine ob die Dioskuren auch
20 Kuhdirnen sich bewaffnen hießen mir *(1)* die Krone
von Theben →

(2)
die Krone | zu ergattern. *(1)* Wie dies alles
dumm und erbärmlich angezettelt ist

25 KNABE
Man wird Euch rufen Geht. Man wird Euch rufen →
(2)

KNABE Geht. Man wird Euch rufen

(3) Ja?

30 KNABE Man wird Euch rufen

(4)

1ter Scherzest du
mit deinem Diener?

KNABE Geht. Man wird Euch rufen

35 *(5)*

KNABE Geht. Man ruft Euch |
drängt die drei hinein

[1] bitte *Hs.*
[2] *Z. 17–37 (*Wie ... hinein*) mit Stift (Ausfüllung einer Lücke?); dabei auch* ? *(Z. 16)*
40 *nachgetragen.*

KREON
(1) Wozu?

KNABE Der Herr ist *(a)* öfter so. →
*(b)*ˢ plötzlich krank. | Ihr seht ihn
nachher nur umso gnädiger 5

KREON Wie dies alles
dumm und erbärmlich angezettelt ist. →
*(2)*ˢ |

(1) KNABE
Mein Herr und 10

(2) Was starrst du so auf mich. Da du ja weißt
dass ich dies alles *(1)* angezettelt →
(2) ausgesonnen | habe.
und denen, die du meine Freunde nennst,
(1) dann in ihr Hirn → 15
(2) in ihr Gehirn
*(3)*ˢ es in ihr Hirn | gepflanzt, und *(1)* es →
*(2)*ˢ drin | gehegt
und durch Umarmungen ihr Blut erhitzt
und es mit Schwüren und Versprechung 20
gedüngt *(1)* und bin aus einem reichen Fürsten
ein armer Fürst geworden – warum lügst du →
(2)
warum lügst du | mir vor, als glaubtest *(1)* du →
(2) 25
(3) du ¦
dass solch ein Ding gelingen kann?

KNABE Mein König!

KREON
Da du ja weißt aus welchem Stoff dies alles 30
gebildet ist. ***A*** Wie kannst du jubeln, Schlange,
wenn du vernimmst dass *(1)* d⟨ie⟩
(2) nun die Sonne da
soll sehen was *(1)* aus bodenlosem Abgrund
die Unkraft sich gebiert. Hab ich umsonst 35
den Traum erzählt den mir mein innres
heraufgeschickt.
(2) aus bodenlosem Abgrund
die Unkraft sich gebiert. Erzähl ich dir
umsonst die Träume die der Abgrund mir 40

heraufschickt der die fahlen Träume mir
gebiert. →
(3)[1] ⟨der⟩ bodenlose Abgrund
heraufschickt der die fahlen Träume mir
5 gebiert. →
B[S]
C Wie kannst du jubeln, Schlange,
wenn du vernimmst dass nun die Sonne da
soll sehen was der bodenlose Abgrund
10 heraufschickt der die fahlen Träume mir
gebiert. | Dies alles (1) was
(2) ist die Creatur
meines Verlangens. Knabe! wo war Kraft
in dem Verlangen? **A** Und mein Wille schuf dies
15 und immer gleicht das Werk dem Mann, der Mann
dem Werk. (1) Ich will nicht vor den Spiegel treten
(2) So (1) werd ich
(2) wird mein Ebenbild was da
erbärmlich sich heraufschleppt. Ich will dies
20 erwürgen eh →
B[S] Und mein Wille schuf dies
und Hölle immer gleicht das Werk dem Mann
der Mann dem Werk. So wirds mein Ebenbild
(1) was da erbärmlich sich heraufschleppt! (a) Ich
25 (b) Ich will dies erwürgen
eh noch
(2) (a) Weh mir →
(b) Verflucht | was da erbärmlich sich heraufschleppt!
Ich wills erwürgen[2] eh
30 **C**
Verflucht was da erbärmlich sich heraufschleppt![3]
Ich wills erwürgen eh | die Sonne es bescheint
Mich graust. Ich will nicht vor den Spiegel treten
in dem ich ganz mich sehen muss. **A** (1) Ich will nicht

35 KNABE
Mein Herr und König, grässlich übermaß →

(2)

[1] *Stufe (3) graphisch kaum realisiert. Von Stufe (2) nur eine Halbzeile gestrichen:* die Unkraft sich gebiert. *Von dieser für sich sinnlosen Streichung wurde auf Intention des*
40 *Ganzen geschlossen.*
[2] erwürgen *graphisch nicht restituiert.*
[3] *Diese Zeile wohl versehentlich mit gestrichen.*

KNABE Mein König
grässlichst | versuchst du *(1)* deine Treuen →
(2)[S] meine Treue.
(3) meine Seele. |

KREON Wirst du *(1)* fahl 5
und schaust durch einen Spalt nur in mein Innres. →
(2)[S 1]
schon fahl und schaust doch nur durch einen Spalt in mich. |
Wie könntest du's ertragen wenn ich ganz
zu Thaten würde. *(1)* 10

KNABE Herr du bist ein König
vor dem ich knie. Ist es dass du zweifelst
an mir, so sprich. Willst du mich ganz erkennen
befiehl, so mach ich meine Adern auf
und lass mein Blut vor deine Füße rinnen. 15

KREON
Man kann sich auch mit Taten schminken Knabe.

(2)[2] Dank den Göttern
es wird nicht sein: *(1)* denn Kreon wird nicht König →
(2)[S] aus Kreon wird kein König 20
wirft sich hin |

KNABE die Hände ausgestreckt
(1) Sprich was du willst aus krankem Herzen sprich →
(2) ¦ →
(3)[S] Du bist ein Herr und ⌈ein geborner⌉ König | 25
du kannst mir meine Seele nicht versehren
(1) mit deines Mundes Rede.
(2) mit deinem Mund. Ich sehe o ich sehe →
(3) |[3]

B[S] 30

KNABE mein König!
du kannst mir meine Seele nicht versehren

C

KNABE Mein König!

[1] *Nur Streichung von* fahl *mit Tinte, wohl nachträglich.* 35
[2] *Streichung mit Stift, neuer Text mit Tinte.*
[3] *Folgetext in 8 H (s. S. 337, 5ff.); 12 H geht selbständig weiter.*

KREON

Ja[1] wirst du fahl? wird alles fahl worauf
mein Auge fällt. Muss ich mit j⟨edem⟩ Blick
die Leichen sehn in übertünchten Gräbern
5 tritt ab!

KNABE

Herr fürchterlich versuchst du mich
(1) und
(2) doch du versehrst (1) mich nicht
10 (2) mir nicht die Seele.
(3) mir meine Seele nicht.
Hör ich dich reden, (1) was →
(2)^{S} dass | das Blut mir friert
so denk ich (1) (a) →
15 (b) immer | Träumen musst du (a) von
(b) niedrig
so wie das Niedrige vom Hohen träumt,
(2) Träumend musst du (a) hinab →
(b) nieder | wie
20 das Niedrige (a) im Traum sich aufschwingt, →
(b) empor sich träumt, | und säh ich
dich thun mit deinen Händen eine That
des Grausens, (1) →
(2) säh ich ⌈dich⌉ in Schmach und Leiden
25 dich wälzen | dann noch schrie es in mir
So müssen Könige ihr Diadem aufwiegen
(1) sei still und
(2) und würf⟨e⟩ mich vor d⟨eine⟩ Füß⟨e⟩ hin

KREON (1) Und wenn →
30 (2)^{S} Wie klug | du lügst
(1) wie alles in mir um mich neben mir! →
(2) ¦

KNABE

Veracht mich nur. Was hab⟨e⟩ ich bis heut
35 vor dir gethan

KREON Ach schminkst du dich mit Thränen
Man kann sich auch mit Thaten schminken also

[1] *Bis hierhin Stift.*

warum mit Thränen nicht. Sag mir womit
hab ich denn dich gekauft? wars mit dem Glanz
des Königsschwertes das du vor mir her
willst tragen? mit dem Platz an meiner Seite
in meinem Wagen? füllen die die Seele dir 5
bis an den Rand

KNABE Du hast mich nicht gekauft.
es sei denn damit dass du *(1)* König
(2) Kreon [^{S} bist]
und *(1)* der gebor⟨ne⟩ → 10
(2)^S ein gebor⟨ner⟩ | König. Sieh das kann ich
beweisen Herr mit einer Schrift die hier
auf meiner Brust geschrieben ist

KREON Die Narbe
(1) die tiefe lange Narbe über⟨m⟩ Herzen 15

KNABE
Die ist aus einer *(a)* Nacht, einer mondlo⟨sen⟩
(b) mondlosen Nacht
(c) mond und sternenlosen Nacht →

(2)^S über deinem Herzen 20

KNABE *(a)* Die
(b) Ja! die ist aus einer Nacht |
Da lagen wir auf unsern Knien in Theben
und heilge Lichter waren angezündet
[^{S}und heilge Barken schwammen auf dem Fluss] 25
und in das Dunkel sangen zu den Göttern
die Priester. Trug der Nachtwind dirs hinauf
denn alles dieses war um deinetwillen
(1) der du in dieser Nacht den Berg hinan
gestiegen bist 30
(2) der du gegangen warst den Berg hinauf
(1) die Sphinx, du einziger
(2) die Sphinx in einem grässlichen Gespräch
(3) ⟨zu⟩ einem grässlichen Gespräch →
(4)^S | 35

KREON Die Nacht
da ich die Sphinx bestehen ging

KNABE Die Nacht.
Und einmal erloschen alle Lichter

und alles Singen wurde still und alle ***A*** *(1)*
die tausende *(a)* im Dunkel auf den →
(b) auf ihren | Knien ließen →
(2)^{S} ließen |
5 die Kraft, die stumme ihres Herzens strömen
ins Dunkel: dich zu stärken *(1)* Herr auf d⟨einem⟩ →
(2)^{S} auf d⟨em⟩[1] | Weg. →
B^{S} beteten |
Mir aber schien mein Beten zu gering
10 denn es bestand nur aus Gedanken zwar
aus glühenden doch haftet auch Gedanken
noch von der Nichtigkeit von Worten an
so griff ich nach dem kleinen Messer das ich
im Gürtel trug und ließ mein Blut hinfließen
15 *(1)* und bot *(a)* →
(b)^{P} es
(c) | der Erde und der Finsternis *(a)*
es an →
(b)^{P}
20 *(c)* es an
(2)^{S} | für dich

KREON *(1)* Allein ich hab sie nicht
(2) Und hab ich d⟨ann⟩ die Sphinx
(3) Und *(1)* h⟨ab⟩
25 *(2)* ich, bevor der Morgen graute
bin ich zurückgekehrt, unfruchtbar war *(1)* mein
(2)
mein Gang und dein Geopfertes vergeblich
ekelt dich nicht?

30 KNABE Die Götter wolltens nicht
in jener Nacht Sie gaben dir ein Zeichen.
Sie ließen dein⟨es⟩ Fackelträger⟨s⟩ Fuß
ausgleiten und er stürzte in den Abgrund
So musstest du zurück. Doch siehe ich
35 *(1)* als ich mein Blut ließ strömen in der Nacht
da wusste ich →
(2)^{S} ich wusste | nicht dass ich den nächsten Morgen
die Augen würde aufthun. Und ich wusste nicht
dass dein Schwertt⟨räger⟩ lag wo nur die Geier
40 Ihn fänden!

[1] d⟨einem⟩ – d⟨em⟩ *graphisch unverändert.*

KREON Midas bin ich Midas
(1) der alles in verfluchtes Gold →
(2) dem alles unter[1] den Händen sich
(3) dem was er anrührt *(a)* sich scheußlich
(b) scheußlich sich | verwandelt.[2] 5
Ich hab auch dich gekauft. Schwachsin⟨nger⟩ Knabe
es waren nicht die Götter die den Mann
der mir die Fackel trug in Abgrund stürzten

KNABE
Auf einem solchen Wege strauchelt keiner 10
(1) ohne die Götter.

KREON Ich! in seinem Rücken
dort wo er lieg⟨t⟩ und Schlangen ihm
im Bauch und Vögel lösen Fleisch von ihm
in seinem Rücken steckt mein Dolch → 15
(2)[S] von ungefähr.

KREON in seinem Rücken ⌊steckt⌋ mein Dolch |

KNABE Sag nein!
Sag dass du mich nur prüfst!

A KREON In seinem *(1)* Rücken. 20
(2) Rücken
mein Dolch.

KNABE Wenn du ⟨ihn⟩ *(1)* so gehasst, Entsetzlicher
(2) hasstest warum durft er
das Schwert dir tragen 25

KREON Knabe du bist schnell →
B[S] Wenn du ⟨ihn⟩ hasstest
warum dein Schwert ihn tragen lassen?

KREON Knabe! |
(1) Ich 30
(2) ⟨Ich⟩ weiß nicht ob ich ⟨ihn⟩ gehasst hab oder
geliebt. *(1)* Ich will dir etwas sagen[3]
er und kein andrer wars um dessen willen
ich damals in der finstern Nacht den Weg ging

[1] in *aus Stufe (1) ungestrichen, vielleicht ursprünglich* in den Händen *geplant – paßt rhythmisch besser –, dann das gebräuchlichere* unter den Händen *geschrieben.* 35
[2] *S. 403,39–404,5: Ausfüllung einer Lücke mit Stift.*
[3] Ich ... sagen *versehentlich (Seitenende) nicht mit gestrichen.*

den ganz vergeblichen. Doch wie er →
(2)[S] Doch wie er damals | vor ⟨mir⟩ herging
so fühlte ich dass er in s⟨einem⟩ Herzen
nicht glaubte dass ich siegen würde. Hörst du.
5 Ich fühlte es an s⟨einem⟩ Schritt ich konnte
es seinem Rücken ansehn. Da erstach ich ihn.

Pause Knabe verhüllt sich

Wenn er als Fackelträger vor mir herging
und mich im Innern preisgab war er da
10 nicht ein Verräther. Und wenn ich sein Herr
ihn hab gerichtet wie die Götter richten
in einem Blitz, ist dann ein Grund zu schaudern
vor mir

Knabe zittert

15 Du weißt es nicht. Du meinst entscheiden
darüber könnte einer nur, der wüsste
ob er im Herzen ein Verräther war
an mir. Vielleicht in seinem Herzen litt er
an s⟨einem⟩ Zweifel. Seis. Ich sage dir
20 wer so ist dem ist besser nicht zu leben.
Nun Knabe willst du noch K⟨reons⟩ Schw⟨ertträger⟩ sein?

KNABE schweigt liegt am Boden.
Lass mich.

KREON über ihm
25 Hab ich dich Furcht gelehrt und gingest immer
wie einer den vom Rücken nichts bedroht
Beneidenswerter!

Pause

⌈[S]KNABE Lass mich

30 ⟨KREON⟩⌉ Also doch gekauft
gekauft um⟨s⟩ Leben dessen der vor dir[1]
mein Schwert trug.

Pause

Und mir ist als hätte etwas mir
35 die Hand geführt bei dem lautlosen Stoß
Vielleicht war das dein Dämon Knabe Knabe
hast du nicht ein begehrlich Spiel gespielt
die Nacht mit deinem Blut

geht weg, zur Thür

40 [1] mir *Hs.*

KNABE aufrichtend Mein Herr u⟨nd⟩ König hab Erbarmen
warum hast du's gethan . . .
(1) ⌈[S] Kreon⌉ Sag mir warum dus thatest
sag er hat schlimm an dir gehandelt sag
du hast ihn richten müssen. *(a)* Kreon! Kreon! ⇢ 5
(b) ¦
Herr du zerreißest mich, denn[1] bleib ich nun →
(2)[S] Weh, bleib ich nun bei dir |
so denkt dein Herz du habest mich gekauft
mit deines Schwertes Glanz und mit dem Platz (1) auf d⟨einem⟩ W⟨a- 10
gen⟩ →
(2)
an deiner Seite auf dem Königswagen
(3)[S] |[2]

KREON an der Thür 15
Hörst du wie die uralten Todtenlieder (1) um
(2)
um Lahios aus allen Mauern dringen
Die Königin ist stark. Verlass mich Knabe
wer klug ist lässt ⟨ein⟩ Schiff das sinken soll 20

KNABE ⌈[S] steht auf gebrochen⌉
Dein Blick ist traurig Herr wie ich ihn nie
gesehen habe. über einen Abgrund
von Qualen kommt er mir herüber Herr
wie wenig kenn⟨e⟩ ich dein Herz. Ich fühl⟨e⟩ 25
du kannst hier sein und anderswo. Mein (1) Herr ⇢
(2) König ¦
wo bist du?

KREON Immer wo ich nicht sein will
einfache Seele du. Was gäb[3] ich drum 30
bei dir zu sein, den ich erkauft mir hab.
Und bin, ich glaub, bei dem der todt ist, der
↑vor dir (1) Schwerttr⟨äger⟩
(2) mein Schwert mir trug
≈[S] im Abgrund dort verwest↓ und möchte lesen 35
in sei⟨nen⟩ starr⟨en⟩ Auge⟨n⟩

[1] denn *beim Übergang zu Stufe (2) nicht gestrichen.*
[2] *Ersatztext fehlt; im Druck wurde Stufe (1) wieder eingesetzt.*
[3] geb *Hs.*

KNABE Deine Seele
ist krank mein König

KREON Und doch könnt ich dich
mehr lieben als ich jemals ihn geliebt
5 Allein ⸌ich glaub⸍ er gab mir größre Kraft [^{S}als du],
wenn er bei mir war. *(1)* Manchmal
(2) Wär er jetzt bei mir
mir ist ich stünde nicht von meiner Unkraft
geschüttelt hier, mir ist, wär er bei mir
10 ich läg und schliefe jetzt und aus dem Schlaf
mich wecken kämen sie und *(1)* bräc⟨hten⟩
(2) legten mir
die Krone auf mein *(1)* Bette. Manchmal ist mir
als muss ich ihn aufwecken oder dich
15 hingeben irgendwie für ihn

KNABE Mein →

(2)^S Bett.[1]

KNABE Mein Herr ⟨und⟩ | König
in deiner ersten Schlacht will ich auf deinem W⟨agen⟩ stehen
20 mit offnem Hals und unb⟨edecktem⟩ H⟨aupt⟩
und mich für dich dem ersten Pfeil hingeben
Nur komm zu dir.

KREON Ich bin *(1)* ↑bei mir
≈^{S} zu sehr bei mir ↓ →
25 *(2)* bei mir | *(1)* so →
(2)^S doch
(3) | sag mir
ist das die Luft in der ich siegen kann
(1) die unheimlich ⟨den⟩ Raum hier angefüllt
30 mit Todtenliedern.[2]

KNABE Herr *(a)* um Lah⟨ios⟩
(b) die Todtenlieder →

(2)^S wie sie die Todtenlieder mir
herüberjagt zum Hohn

35 KNABE Die Lieder sind |
um Lahios der König war vor dir

[1] *Graphisch unverändert:* Bette
[2] *Beim Übergang zu Stufe (2) blieb Z. 29f. ungestrichen.*

KREON
(1) vor mir. →
(2)[S] Ganz recht. | Warum zog Lahios hinaus
(1) Kein Mensch der mir es sagt . . alles
ausgesogen . .[1]
(2) Und ließ *(1)* se⟨ine⟩
(2) die Lanzenträger hinter sich?
wem hält das Weib die Burg? für wen bewahrt sie
Stirnreif und Schwert

KNABE Das Volk von Theben pocht
ans Thor für dich

KREON Verdammter Widerhall
kraftloser Wünsche. Nirgends aus der Luft
schwingt sich ein *(1)* Dämon *(a)* nieder. →
(b) mir.
(2)[S] Helfer mir. | *(1)* alles leer
wie aus⟨gesogen⟩
(2) Wie →
(3) und wär es nur
ein Fächeln nur ein Hauch. Wie | ausgesogen
das Weltall! Zog er nicht hinaus wie einer
der Platz zu machen geht? *(1)* wie einer der
sich opfern will? →
(2)[S] | für wen? Ich muss sie fragen
(1) →
(2)[S] Ich muss
(3) |
will fort

KNABE
In einer Stunde ⸜Kreon⸝ bist du König.
Dann *(1)* frage sie
(2) frag!

KREON Jetzt muss ichs wissen blöder Knabe
Jetzt oder nie. Sie sitzt und *(1)* hat Dämonen
um sich →
(2)[S] ist ein Dämon
voll Kraft | und höhnt mich mit den Todtenliedern.
Sie hält mein nacktes Schicksal in den Händen

[1] *Streichung zunächst offenbar vergessen; mit Stift nachgeholt.*

KNABE
In deinen Händen ist dein Schicksal Kreon
allein in deinen Händen ***A*** Hörst du Kreon
die Stadt sie kommt gezogen vor die Burg

5 KREON
Das Volk ist *(1)* tückisch wie das Meer. →
(2) wie ein Wasser voller Tücken. | *(1)* wer *(a)* steuert →
(b) fährt |
um eine Krone muss die[1]
10 *(2)*
Warum zog Lahios hinaus. Es giebt

B

KREON Schweig. Warum
zog Lahios hinaus? es giebt
15 keinen Gedanken auf der Welt als diesen[2]

KNABE
Weil Lahios in seinen Tod hinauszog
um dessen willen kannst du König sein
eh diese Sonne sinkt

20 KREON Blödsichtger Knabe, eben
weil dies *(1)* so lächelt
(2) auf ⌈meinem⌉ Weg so lächelt, darum
(1) brütet
(2) weiß ich dass es nur mein Verderben brütet
25 *(3)* weiß ich es brütet mein Verderben nur[3]
(4) athmet es mein Verderben *(1)* →
(2)[S] irgendw⟨ie⟩
(3) |
stürzt ⟨fort⟩

30 KNABE *(1)* Fort
(2) Kreon!
(3) Kreon Kreon!
Er hört mich nicht. Ich bin ihm nichts. Das Weltall
stockt rings um ihn. *(1)* Die ausgesogne Luft
35 von seiner Seele.
(2) Er glaubt an keinen Menschen.

[1] *Dieser Ansatz noch einmal wiederholt, jedoch sofort erneut verworfen.*
[2] *Am linken Rand mit Stift Notiz, graphisch am ebesten:* sagt den Todten
[3] *Diese Variante graphisch nur angedeutet durch Streichung von* dass *und Schlinge um*
40 brütet

(1) Das saugt ihm seine Seele aus.
(2) Kein Weg in seine Seele. Ausgesogen
die Luft? Was bin ich, wenn ich ihn verlasse. →
(3)^{S} |
Kein Weg zu ihm. Ein Weg ist immer.
vor dem mich schaudert dieser ist der meine
der einzige. Sonst bin ich nichts, verworfen
ein Scherben. Schrecklich dass ich jung bin. Ah
es wär nicht leichter wär ich älter
zieht das Messer bl⟨eibt⟩ stehen
(1) Er soll →
(2)^{P} Kreon
Du sollst | den Dämon haben der sich *(1)* ihm →
(2)^{P} dir |
herniederschwingt aus leerer Luft und Kraft
in deine Seele fächelt. O mein König.
Man kann sich auch mit Thaten schminken. Grässlich
dass dies mir einfällt. *(1)* Wie ein Wirbel wird mich dies
einfangen wollen
(2) Dies ist nur ein Wirbel
er reißt mich nicht in sich. →
(3)^{S} Fort aus diesem Wirbel
der m⟨ich⟩ nich⟨t⟩ packen darf. | *(1)* Ich hab mich wieder →
(2)^{S} Ich bin schon draußen.
(3) Ich muss mich haben. |
jetzt darf ich schnell mich geben.
h⟨inter⟩ Vorha⟨ng⟩

4ter BOTE Kreon Kreon

5ter BOTE schnell nachher
Die Schiffervorstadt brennt. Zehntausend schreien
nach *(1)* ih⟨rem⟩
(2) einem König. Wo ist Kreon

4ter Kreon!

5ter
Ins Haus. *(1)* Wie
(2) Dies hat nicht Zeit

4ter in der Thür Hier liegt ein Mensch.

5ter dazuk⟨ommend⟩
Sein Knabe? schläft der hier.

4ter Ich bin voll Blut

5ter
Der (1) Knabe →
(2) Knab ¦ ist todt

5 4ter Er ist noch warm. (1) Ich lauf
um Kreon.
(2)S Doch jetzt
ist nicht die Zeit um dies zu melden

6ter Kreon!

10 *2 H*

2. Akt, 1. Fassung
(Jokaste-Szene)

IIter Aufzug.

links das Thor, darauf Terasse. rechts Erhöhung. rückwärts Altar
15 Die Königin mit ihren Frauen kommt:
Die Königin schreitet starr, auf den Boden blickend, in der Mitte vor. Bleibt stehen.
Die Frauen, gegen das Haus gewendet:

1te
O Haus des Todten! o verwaistes Haus!
20 wir (1) J
(2) füllen dich mit (1) jed
(2) Jammer! unser Stöhnen
hallt vom Gewölbe wieder, vom Gewölbe
hallt wie wir unsre (1) Brust zerschlagen →
25 (2) Brüste schlagen ¦

(1) 2te
(2) ALLE[1] Ah!

2te
(1) Verwaiste
30 (2) Weh! unglückselige ⌊Schwelle⌋ wir allein!
wir kehren wiederum allein zurück

[1] alle! *Hs.*

(1) wir Frauen, wie ohnmächtige,
(2) ohnmächtige, wir Frauen, der Herr
kehrt nicht zurück der Herr liegt draussen, weh
in seinem Grab liegt Laios und wir kehren
ins Haus zurück! 5

3te gegen die Stadt
Weh Theben über Dich
um Deinetwillen zog er hin, Dein Herr *(1)* au⟨f⟩
(2)
auf seinem Wagen. Deiner Qual zu setzen 10
ein Ende und *(1)* ein Ende →
(2) eine Grenze | Deiner Schmach.
er wollte für Dich bitten vor dem Thron
(1) Apollon.
(2) Apollon und mit deinem Heil in Händen 15
wär er zurückgekehrt

4te ↑[T]Auch ihn *(1)* verschlan⟨g⟩
(2) erwürgte
die Spinx. Sie tödtet mit dem Blick sie tödtet
von *(1)* ferne → 20
(2) weitem | mit dem Hauch, sie tödtet den
der vor ihr steht und tödtet den der ferne
von ihr auf seinem Wagen fährt die Hände
erhoben zu den Göttern!↑

ALLE Ah! 25

1te *(1)* Er fuhr hin →
(2) Hin fuhr er
(3)[T] Er fuhr |
um unsertwillen! da sprang aus dem Dickicht
der missgestalte Sclave des Geschicks 30
(1) der sieben mal verfluchte
(2) und hob die Keule wider[1] ihn.
(3) verflucht! verflucht *(a)* sei seine Seele, sein Geschle⟨cht⟩
(b) und wieder⟨um⟩ sei seine Seele,
(4) der Räuber ohne Namen, der dreimal 35
verfluchte hob die Keule *(1)* auf und
(2) wider[1] ihn

[1] Wieder *Hs.*

und *(1)* schlug auf unsern *(a)* He⟨rrn⟩
(b) König
(2) schlug ihn nieder

ALLE *(1)* Ah!

5 1te
(2) Laios! Laios! Laios!

(1) DIE KÖNIGIN vor sich.[1]

(2) JOKASTE
Althaea! Rhodope! Kallirrhoe
10 Oenone! Atalanta! Pannychis!
wo soll ich hin?

(1) ALTHÄA

(2) MEHRERE (die jüngeren)
Die Herrin fragt.

15 ALTHAEA[2] Die Herrin
weiss wohl: es ziemt sich dass die Königswitwe
vom Grab des Königs heimgekehrt sich berge
in dem *(1)* →
(2) verfinst⟨erten⟩ | Gemach

20 JOKASTE *(1)* im Haus? →
(2)^P^ ins Haus.
thut 2 Schritte. |
in welchem
verfinstertem Gemach?

25 ⌈^P^ steht⌉
(1) ALTHAEA Die Herrin fragt?
(2) MEHRERE Die Herrin fragt.
Pause

ALTHAEA
30 *(1)* im Schlafgemach.
(2) dort wo das königliche Lager
(3) im Schlafgemach dort wo das Lager ist
(4) im Ehgemach dort wo das Lager ist
das Du getheilt hast, Herrin, mit dem Todten,
35 mit Lahios dem Herrn.

[1] *Ungestrichen am Ende der Seite. Auf neuer Seite (neuer Tag – links oben:* R⟨odaun⟩ 4. X.*) verändert aufgenommen.*

[2] *Neben Rede Althaeas am Rand in Klammern die Namen:* Althaea Panychis *sowie eine gepunktete Bogenlinie, die eine Bewegung der Althaea, ein Vortreten (?), anzeigt.*

JOKASTE Dort kann ich mich
nicht bergen. Dort ist *(1)* Dunkel
(2) Nacht und Nacht *(1)* ist
(2) gebiert
(1) und aus dem Dunkel
(2) gebiert *(1)* und lässt sich nicht versteinen
(2) das Leben, hört nicht auf das Leben
rings lautlos zu gebären, dort kann ich
dem Tod nicht dienen, dem zu dienen mir
geziemt.

MEHRERE
Die Herrin will nicht in das Haus.

JOKASTE
Ich will die Götter anschaun und verlangen
dass sie mein Innres ruhig machen, *(1)* fromm
und ruhig wie ihr A⟨ntlitz⟩
(2) wie
A ihr Antlitz ist und ihre Augen *(1)* sind
(2) und
das *(1)* Anschaun
(2) Ebenmass von Stirn und Mund an ihnen

MEHRERE
Die Königin will vor die Götter treten.

B ihr eignes Antlitz ist.

MEHRERE
(1) Die Königin
will vor die Götter treten. *(a)* Doch wir bleiben
(b) Sie ist selbst
(2) Die Königin will vor die Götter treten.
Sie ist vom Stamm der Götter. Sie *(1)* trit⟨t⟩
(2) geht hin
wie zu verwandtem Blut.

JOKASTE[1] vor dem Eingang des Haines, an dessen Seiten je ein erhöhter Stein
Ich will nicht *(1)* ins Gesicht der Götter sehen: ⇢
(2) vor den Götterbildern *(a)* stehen
(b) liegen ¦
sie tragen eine *(1)* namenlose →
(2) unerhörte | Lockung

[1] *Links am Rand:* 5. X.

in ihren stummen Mienen. Wie sie schauen
und schweigen sind sie nur wie Masken die
das Leben vor sein fieberndes Gesicht
genommen hat aus ihren Augenhöhlen
5 auf mich zu starren. ↑Ich will mir die Augen
verschliessen. Weh wie Purpur *(1)* blinkt →
(2) scheint | die Hand
(1) und lässt des Lebens Blume
(2) des[1] Lebens innre Blume *(1)* blinkt →
10 *(2)* glüht | hindurch.
(1) verräth mich meine eigne Hand
(2) sie streckt die Hand hinab↑[2]

DIE FRAUEN
Die Herrin spricht und *(1)* es[3] ist niemand
15 *(2)* niemand ist bei ihr
zu dem sie spricht. ***A*** Ein Etwas *(1)* hat Gewalt
(2) thut Gewalt
ihr an, so wie der Sturm den →
(3) wühlt an ihr
20 so rastlos wie der Sturm in | blassen →
B Der Hauch des Todten wühlt
an ihr *(1)* wie der Sturmwind in blassen →
(2) ⟨so⟩ wie der Sturm in blassen
(3)[S] ⟨so⟩ wie ein Sturmwind in den | Zweigen
25 des Ölbaums. Ihre *(1)* bleiche Farbe
(2) bleichen Wangen *(1)* sind
(2) schimmern
wie *(1)* bleiches →
(2) solches | Laub im starken Wind.

30 EINE Die Herrin
befehle dass wir *(1)* im
(2) in den Staub uns werfen →
(3)[4] *(a)* neu →
(b) noch | im Staub⟨e⟩ liegen ¦
35 und klagen um den Todten, unsern Herrn.

[1] *Versehentlich mit gestrichen.*
[2] *Erwogene Tilgung, graphisch bis* hindurch *annonciert, sinngemäß aber bis* hinab *auszudehnen.*
[3] es *bleibt beim Übergang zu Stufe (2) versehentlich stehen.*
40 [4] *Variation flüchtig und unklar:* in den Staub *unverändert, Einfügung von* neu *bzw.* noch *graphisch zwischen* in *und* den

JOKASTE [über die Schulter zurück.]
(1) In Schweigen harret.
(2) In Schweigen!
vor sich
Welche war's die sprach? was sprach sie?
A Sie sprachen alle. *(1)* Alle sprachen sie
vom todten König. →
(2) | *(1)* Eine Klage wollen
sie um den Todten
(2) Klage wollen sie
erheben um den Todten. →
$\boldsymbol{B}^{S}$ |
Die Worte aus der Menschen Mund sind Lust
Lust und Verlangen. *(1)* Ihre Rede dreht sich
(2) Zwar sie reden von
den Todten aber aus dem Mund⟨e⟩ stürzt
(1) ein ⇢
(2) der ¦ Hauch *(1)* der Lust. Sie reden von den Todten
allein ihr Hauch schwillt an und ab
(2) der Sehnsucht nach dem Leben. Alles
was Menschen reden
(3) der Lust. Sie wollen *(a)* Klagelieder ⇢
(b) Todtenlieder
(c) ↑Todtenklagen
≈ Klagelieder↓ ¦
erheben aber ein
(4) des Lebens jedes Wort ist voll
sehnsüchtigen Schwellens, alle Worte sind
wie Wellen die nach vorwärts *(1)* wollen, ⇢
(2) rollen, ¦ alle
sind voller Fieber, alle jagen, alle
ergreifen ihre Beute, alle fassen
ein Lebendes um seinen Hals, sie *(1)* schlagen →
(2) fa
(3) schlagen |
die *(1)* Zähne in →
(2) Arme ⟨um⟩
(3) Zähne in | *(1)* de⟨n⟩
(2) ein Lebendes das *(1)* flüchtet
und ihnen schon erliegt – –
(2) flieht
⟨und⟩ fliehend doch sich giebt sie schweigen alle
Oenone.

OENONE zu ihr

JOKASTE
(1) Fort. Du hast zu viel Trau⟨m⟩
(2) Geh. Dein Aug ist nichts als Frage
5 Dein Mund ist nichts als Fieber, in den Schläfen
die Schatten wissen nicht wie sie dies Beben
des ⌈trunknen⌉ Bluts nur einen Augenblick
verbergen sollen – Pannychis.

PANNYCHIS zu ihr geschmiegt

10 JOKASTE sieht ihr in⟨s⟩ (1) K⟨indergesicht⟩
(2) Gesicht
Dein[1] Athem
geht wie bei einem Kind. (1) Doch ⟨dein⟩ erschrocknes
gespanntes kindisches →
15 (2) (a) Doch ⟨dein⟩ →
(b) Dein | unberührtes
erschrockenes | Gesicht ist (1) ganz →
(2) so | beladen
beladen (1) mit dem ungelebten →
20 (2) so! mit ungelebtem | Leben
wein' nicht Du weinst es nicht hinweg, du weinst es
herbei. Geh fort. ⌈Wein nicht.⌉ Althäa.

ALTHAEA zu ihr.

JOKASTE den Arm vor dem Gesicht⌉ Dich
25 will ich nicht ansehn. (1) Still. →
(2) Denn | Ich will nicht wissen
mit (1) welchen →
(2) was für | Zeichen (1) das erbarmungslose →
(2) es in dein Gesicht ¦
30 seinen Triumph geschrieben hat, das Leben.
Ich wills nicht wissen, denn Du bist so alt.
(1) so alt wie ich. Hör zu. Du gehst ins Haus
(2) wie ich, Du Tochter meiner Amme. Geh[2]
ins Haus: befiehl der Schaffnerin von mir
35 sie soll die Kammern aufthun die (1) gefüllt sind
mit den Gewändern.
(2) mit meinen
Gewändern angefüllt sind. Heute abend
will ich die Kammern leer.

40 [1] *Versehentlich gestrichen.*
[2] *Am linken Rand:* 6. X.

ALTHAEA Die Königin
befiehlt dass die Gewänder aus den Kammern
ans Licht getragen werden?

(1) KÖNIGIN
(2) JOKASTE *(1)* Heiss
(2) Manche sind 5
so schwer von edlen Steinen und von Perlen
dass sie von selber stehn. Die sollen sie
als Weihgeschenke vor die Füsse legen
den Göttinnen. *(1)* Und manche → 10
(2) Die andern | sind so leicht
wie Schleier diese sollen sie zuoberst
ins Feuer werfen auf den Scheiterhaufen
der brennt für Lahios. Geh. Für mich *(1)* *(a)* ist →
(b) taugt | dies 15
Gewand. →
(2) ist ein
Gewand genug. | Kallirrhoe.[1]

KALLIRRHOE zu ihr

JOKASTE 20
(1) Sie sollen die
(2) Sie sollen die Gewebe
(3) Sie sollen *(a)* die →
(b)
(c) die | 25
Gewebe von den Wänden abthun und →
(4) Sie sollen
von allen Wänden die Gewebe abthun
(5)[2] Sie sollen die
Gewebe von den Wänden abthun und | 30
sie in das grosse Feuer werfen das
für Lahios brennt. Sie sollen von dem Flur
die schönen Matten reissen und verbrennen
sie sollen alle silbernen Geräthe
⌈und die *(1)* getr⟨iebnen⟩ 35
(2) Dreifüsse aus getriebnem Erz⌉

[1] *Am linken Rand:* 7 X.

[2] *Stufe (3) flüchtig (nur einige Wörter) gestrichen, Stufe (4) deutlich. Da keine abschließende Version vorhanden, Stufe (3) vom Hrsg. restituiert.*

(1) in dieses →
(2) mitten in[1] dieses | grosse Feuer werfen
(1) dass sie (a) zerrinnen
(b) sich biegen schmelzen und zerrinnen.
(2) dass sie zergehen.

⸌Kallirrhoe geht.⸍[2]

Pannychis.

Pannychis zu ihr

Sie sollen
die Thiere die mir lieb sind ⸌, tödten⸍. Geh

PANNYCHIS steht

JOKASTE immer vor sich
Die Rehe sollen sie mit Pfeilen tödten.
(1) Die Vögel in den Zweigen meiner Bäume
(2) Die Tauben sollen sie im Netz erschlagen
(1) und Chtonia die Hündin die zur Nacht
vor meiner Thür
(2) die Hunde alle ⸌[p] tödten⸍. (1) Alle. →
(2)[p] | Chtonia
die (1) →
(2)[p] schwarze | Hündin die zur Nacht seitdem (1) sie lebt →
(2)[p]
sie lebt
(3)[3] |
vor meiner Thüre schlief – die auch. Und alle
die todten Thiere sollen sie verbrennen
in einem neuen grossen Feuer auf
dem Hügel dort (1) für Lahios
(2) zu Lahios
(3) um Lahios
(4) zu Ehren Lahios
des Todten. Geh.

Pannychis geht

Mein Mann ich will mein Haus
gleich machen Deinem Haus. Wer von mir kommt
und zu dir geht der soll nicht wissen wo
das Leben wohnt und wo der Tod.

[1] in mitten *Hs.*
[2] *Am Rand.*
[3] *Vielleicht ursprüngliche Version zu restituieren.*

6 H

2. Akt, 2. Szene
(Jokaste-Szene, 2. Fassung)

II B.

Verhangenes Gemach im Palast. 5

Jokaste tritt herein. *(1)* In diesem →
(2)[S] Im nächsten | Augenblick wird auch das weiße
(1) fast leuchtende →
(2) blutlose | Gesicht der Antiope sichtbar, links, erhöht: sie scheint aus einem höher gelegenen Nebengemach hervorzutreten. Ihr dunkles Gewand verfließt 10
(1) mit →
(2) in | der Dämmerung des Raumes. Sie stützt sich auf einen Stab.

⌈Im Augenblick wo Jokaste hereintritt hört man den Gesang der Todtenklägerinnen sehr stark. Dann dämpft er sich *(1)* →
(2) sogleich | , als wären Thüren zugefallen.⌉ 15

JOKASTE
Schläfst du Mutter

ANTIOPE von oben, wo sie bleibt
Meine Augen schlafen, aber mein Herz ist wach. 20
Was singen die *(1)* immer[1]
(2)

JOKASTE Die Todtenlieder, Mutter
um Lahios, deinen Sohn.

ANTIOPE Und du klagst nicht 25
du liegst nicht an der Erde dein Gewand
ist nicht zerrissen?

JOKASTE Meine Frauen haben
die Brüste sich zerschlagen, hörst du nicht
wie das Gewölbe schallt von ihrem *(1)* Weinen → 30
(2) Klagen
(3) Stöhnen[2] ¦
⌈Sie wälzen für mich ihren *(1)* →
(2) traurigen | Leib auf der Erde⌉
in mir ist alles auf Tod und Trauer gestellt 35
was brauch ich die Zeichen
was frommt mir die Geberde?

[1] immer *bleibt zunächst versehentlich stehen; Tilgung mit Stift nachgeholt.*
[2] *Vielleicht auch gestrichen.*

ANTIOPE ⌈böse⌉
So große Kräfte sind in deinem Blut
du *(1)* große Königin →
(2)
5 *(3)*[S] Königin | , du ⌈hohe⌉ Priesterin
wer ergründet deinen ⌈königlichen⌉ Sinn
was brauchst du die Todten zu ehren!

JOKASTE
Was willst du, Mutter, von mir?

10 ANTIOPE
Wehe denen die unfruchtbar sind.

JOKASTE
(1) Mutter, wir sind einander gleich geworden. →
(2)[S] | Mutter du hast zulange gelebt –
15 so warst du fruchtbar und bist es nicht mehr
die ⌈gesegneten⌉ Hände *(1)* hast du →
(2) sind heute | wieder leer
⌈Kinderlos ist wieder dein Schooß⌉
und der Wind geht um dich herum
20 so wie um mich.
(1) →
(2)[S] Den letzten von den Söhnen die du geboren
hast du vor d⟨iesem⟩ Tag verloren.
(3) |

25 ANTIOPE
Weh über dich, dass es so ist.
Dein Wort kehrt sich wider dich
indem es aus deinem Munde geht

JOKASTE
30 *(1)* Was willst du Mutter von mir. →
(2)[S] Mutter was willst du von mir? |

ANTIOPE
Lahios meinen Sohn will ich von dir
Gieb *(1)* ihn mir →
35 *(2)*[S] mir ihn | wieder
(1) →
(2)[S] den Lebendigen nicht den *(a)* Erstorbenen ⇢
(b) Kalt⟨en⟩
(c) ⟨der⟩ kalt ist ¦
40 den Prangenden nicht den der traurig und alt ist |

JOKASTE
Mutter, er war mein Mann. Wer hilft mir?

ANTIOPE
Ich stand aufrecht als sie aus Königsschlacht⟨en⟩
meinen Mann und m⟨einen⟩ Bruder brachten[1] 5
so wie Lahios *(1)* →
(2) starb
(3) starb so | dürfen Könige nicht sterben
und du bist schuld
(1) du bleichtest vor der Zeit → 10
(2) Vor der Zeit bleichte | sein Haar
mit Netzen umstellte ihn *(1)* Jahr um Jahr →
(2)[T] vor meinen Augen
(3) dass ich's sah |
ein langsames Verderben 15
gieb mir ihn wieder

JOKASTE
Mutter komm zu dir ich bin seine Frau

ANTIOPE
Wer die Unfruchtbare zu sich nimmt 20
(1) auf den sind die Götter ergrimmt →
(2)[T] zornig *(a)* sind →
(b)[S] blicken | auf den die Götter |
(1) er schläft mit ihr, →
(2) | er theilt mit ihr sein Brot 25
so isst er sich den langsamen Tod
er athmet den Fluch *(1)* in sich hinein
(2) in sein eigen Blut
er wird des Leben⟨s⟩ ni⟨mmer⟩ froh
Wehe! 30

JOKASTE
Mutter von wem redest du so?

ANTIOPE
Du warst seine Frau? So höre mich an
die ich auch eine Königin *(1)* war → 35
(2) bin
(3)[T] war |
ich weiß die Gesetze und die Gebräuche und ihren Sinn.

[1] *Getilgt und sofort restituiert.*

Königen sind ihre Frauen gegeben
damit das was königlich war *(1)* in ihnen →
(2)[P] an ihnen, *(a)* in →
(b) an | ihren Seel⟨en⟩ und ihr⟨en⟩ Mienen |
(1) und ihre →
(2)[p] an ihren
(3) und ihre | ↑Gedanken[1] und *(1)* ihre →
(2)[p] ihren
(3) ihre[2] | Geberden
≈ Königsgedanken und Königsgeberden↓
unter den Völkern weiterleben:
Wo ist das Ebenbild, geprägt in deinem Schooß
darin ich königlich und groß
meinen[3] Sohn wiedersehe
(1) Wehe! →
(2)[S] Bring ihn doch: *(a)* ich will mich freuen seiner Nähe[4]
(b) dass ich mich freue seiner Nähe |

JOKASTE
Mutter lass uns jede in eine Kammer gehen
und um die Todten weinen
aber es sind nicht all⟨e⟩ Ding⟨e⟩ auf Erden *(1)* so[5]
(2)
so wie sie scheinen.

ANTIOPE schweigt hassvoll *(1)* →
(2) wendet sich, aufgestützt, halb ab |

JOKASTE \die Hände hebend/
O Mutter meines *(1)* Mannes →
(2) Königs | *(1)* und →
(2) du
(3) und | erlauchte
wie glich mein Gatte dir an Stirn und *(1)* Auge. →
(2)[S] Aug. |
ich neige mich vor dir die du ihn mir
geboren hast.

[1] *Flüchtig gestrichen. Alternative ursprünglich als Ersatz geplant?*
[2] *Graphisch unverändert.*
[3] *Im Ms. irrtümlich* seinen
[4] *Nur* mich *gestrichen.*
[5] so *bleibt zunächst irrtümlich stehen; Tilgung wird mit Stift nachgeholt.*

ANTIOPE ⌈Ich weiß du kannst nicht lügen.
So sag es mir.⌉[1] Warum zog Lahios
mein Sohn hinaus? Ertrug er nicht das Haus
das ohne Kinder war und widerte
(1) das →
(2) dein | unfruchtbares Bette seinem Herzen 5
dass er *(1)* hinauszog unbewaffnet →
(2) hinzog mit wenig *(a)* Wa⟨ffen⟩
(b) Knechten | so
wie einer der den Tod *(1)* sucht 10
(2) nicht meiden will

JOKASTE
Wer meidet seinen Tod? Nach *(1)* Delphoi →
(2) Delphi ¦ zog
dein Sohn, zum Gott 15

ANTIOPE Im Herzen welche Bitte
die eh⟨e⟩ sie ans Licht kam ungesprochen
ermordet ist mit ihm zugleich

JOKASTE Du fragst
Die Sphinx. Erträgt ein König das? 20

ANTIOPE
Du theilst sein *(1)* Bette.
(2) Bett. Du *(1)* weißt →
(2) sagst | das war der Grund?

JOKASTE 25
(1) Er
(2) Seitdem der Dämon sich *(1)* sein Nest gebaut
(2) zum Nest gewählt
die Höhle dort und singend Männer würgte
(1) kam Schlaf nicht über uns, bevor die Sonne 30
aufging
(2) kam Nacht für Nacht kein Schlaf in unsre Augen
wir saßen *(1)* in dem
(2) aufrecht da und *(1)* lauschten
(2) lauerten 35
und grässlich *(1)* war der Klang und →
(2) war's zu hören | grässlicher
die Stille. Unsre Blicke mieden sich

[1] *Am rechten Rand, etwas oberhalb von* Warum ... ?, *ohne Schleife. Sinngemäß auch hinter diesem Satz einzuweisen.* 40

und unsre Lippen blieben zu allein
wir dachten ↑an das Gleiche.
≈ nur das eine.↓

ANTIOPE Warum zog
5 der König *(1)* nicht →
(2) nie | hinaus – und brachte Opfer
und übte heilge Bräuche vor der Höhle
darin ***A*** der Dämon haust

JOKASTE *(1)* Vielleicht hat
10 *(2)* Mich
(3) Dies ist – vielleicht
geschehn – vielleicht hat Lahios ein
sehr königliches Opfer dargebracht

ANTIOPE *(1)* An welchem Ort

15 JOKASTE
Den Ort erwähl⟨en⟩

(2)

An welchem Ort

JOKASTE Die →
20 ***B*** sie haust

JOKASTE Dies ist vielleicht geschehen
– vielleicht hat Lahios ein sehr großes Opfer
(1) im Dunklen dargebracht in einer Nacht →
(2) gebracht in einer finstern *(a)* Nacht
25 *(b)* Opfernacht |

ANTIOPE
An welchem Ort

JOKASTE Die | Götter selber wählen
den Ort.

30 ANTIOPE
Allein *(1)* die Sphinx
(2) der Dämon ist nicht gewichen.
(3) der Dämon[1] lebt und mordet.
So war dies Opfer nicht genug.

35 JOKASTE So scheints.
[S So scheints]

[1] *Versehentlich gestrichen.*

A[1] *(1)* wie vor sich
O Mutter ahnt dir nichts? Leb wohl. ⌊Leb wohl⌋ →
(2) Ich sag mir's selbst. Nun sagt sie's auch. Leb wohl |
sie sieht sich nochmals um.

[ANTIOPE 5
Was sagst du

JOKASTE Acht es nicht. mir *(1)* war →
(2) ist | ich sähe
(1) den König Lahios vor mir und rief ihm nach Lebwohl
(2) Lahios vor mir[2] und rede ich, so ists 10
zu ihm.]

ANTIOPE

B[3] vor sich
Ich sag mirs selbst. Nun sagt sie's auch. Leb wohl.
wendet sich zum gehen. bleibt wieder stehen 15

ANTIOPE
(1) Sagst du zu mir Lebwohl.
(2) Leb wohl? Du *(1)* lebst und bleibst ja hier Nur er ist
(2) bleibst ja hier Und ich – *(1)* ich lebe →
(2) auch ich ¦ 20
meinst du ich stürbe *(1)* meinem Sohn⟨e⟩ →
(2) meinem Sohn schnell
(3) schnell dem Sohn⟨e⟩ | nach
und sagst mir Lebewohl. Allein ich lebe
und wenn mich dies nicht in die Grube warf 25
so steh ich fest. Uralte Götter nähren
mein altes Blut: die Nacht und andere
zu denen ihr zu wenig betet. *(1)* Nein
(2)
N⟨ein⟩ 30
(3) Ich
bedarf nicht Schlafes. Meine Augen sehen[4]
die Nacht auch wenn es tagt so wie wer tief

[1] *Stufe A am Ende einer Tagesarbeit – vielleicht nur als Notiz gemeint für Weiterarbeit.*
[2] vor mir *versehentlich gestrichen.* 35
[3] *Am linken Rand:* 15 IX.
[4] *Rechts am Rand mit Stift:* (Hand am Stab.

genug *(1)* *(a)* in einen alten →
(b) hinab in einen
(c) ↑in einen | Brunnen
≈[S] ins Eingeweid der Erde↓ →
(2)[S] in einen Brunnen | stieg
die Sterne auch am hellen Mittag ↑sieht ≈ schaut.↓
Ich lebe halb im Leben halb im Tod.
Die ich geboren habe sind dahin
Der erste war ein schönes Kind ihn *(1)* riß ⇢
(2) zog ¦
ein *(1)* *(a)* unschuldsvolles →
(b) murm⟨elndes⟩
(c) | Wasser
(2) glitzernd helles *(1)* unschuldsvolles Wasser
(2) Wasser
ein liebliches hinab, da war er todt.
Der zweite war ein *(1)* kühnes *(a)* F⟨euer⟩
(b) wild⟨es⟩ Feuer
und Feur verbrannte ihn
(2) kühner wilder Knabe
und legte Feu'r an sein⟨er⟩ Feind⟨e⟩ Stadt
und Feur verbrannte seinen Leib Der dritte
denkt nach
der dritte war *(1)* ein König
(2) dein Mann er fuhr die Straße
durch fremdes Berggeklüft bei Nacht und Wind
und kam nicht mehr zurück Ich aber lebe.
Was ich *(1)* dahingegeben hab⟨e⟩ *(a)* kam
auf tief geheimen Wegen mir zurück.
(b) offen
ist mir geheim zurückgekommen. ⇢
(2) dahingab an den offnen Tag
ist mir zur Nacht geheim zurückgekommen. ¦
Mir ist ich *(1)* überleb auch dich

JOKASTE Das kann
(a) leicht →
(b) wohl | sein

ANTIOPE Obwohl du
(2) überleb⟨e⟩ auch noch dich

JOKASTE
Das kann wohl sein

ANTIOPE Obwohl du dastehst funkeln⟨d⟩
von *(1)* Leben und bezeichnet bist mit Zeichen
und Kräften →
(2)^S innen und *(a)* ↑bezeichnet
≈^{S} behangen↓ → 5
(b)^T bezeichnet | bist mit Zeichen
des Lebens | *(1)* – aber was mich hält ist gleich
geheimnisvoll wie das was lebt und glüht →
(2)^T so wie Lahios für mein Aug
die Todeszeichen trug[1] - doch was mich hält 10
ist gleich geheimnisvoll wie das was lebt[2] |
in dem Rubin dem einzigen, der mitten
im königlichen Stirnreif sitzt und nachts
viel stärker als am Tag⟨e⟩ *(1)* glüht →
(2) l⟨euchtet⟩ 15
(3) bren⟨nt⟩
(4)^T glüht |, *(1)* was mich
(2) und stoß ich
einmal die Nahrung *(1)* weg
(2) und den Trunk zurück 20
so *(1)* lebt mein Blut →
(2) leb ich dann | ⌈vielleicht⌉ noch Jahr und Tag
(1) vom
(2) im Dunkel kauernd, von dem matten Blitzen
des Königsschwerts, das dort am Nagel hängt 25
wie andere von Brot und Wein. Mir ist
von diesem Stab löst meine Hände nicht
der Tod es *(1)* ⟨muss⟩ ein Größeres daher
(2) muss ein Gott und ein Geschick
des Weges kommen und mir aus den Händen 30
ihn winden.

JOKASTE Ja du redest *(1)* mit →
(2)^S zu | den Göttern
wie *(1)* mit →
(2)^S zu | verwandtem Blut. Du ringst mit ihnen. 35

[1] *Diese Ergänzung am Rand links. Am Rand rechts, weiter oben, ein Entwurf, wahrscheinlich früher und für dieselbe Textstelle bestimmt:* denn *(1)* dass du leben
(2) mein Auge sieht
wie ich erkannt

[2] *Zunächst versehentlich* was lebt *anstelle von* und glüht *gestrichen.* 40

(1) Ich bren⟨ne⟩
(2) wie ⟨eine⟩ Flamme mit dem Sturmwind ringt. ⇢
(3) wie ⟨eine⟩ (a) Riesenflamme →
(b)[S] Riesenfackel | mit dem Sturm ¦

⌈[S] für sich⌉

Ich (1) brenne (a) mit so schwacher →
(b) nur mit ↑einer schwachen | Flamme
≈ einem schwachen Flackern,↓
ein Kind das irgendwo aus (a) Schattenkreisen →
(b) einem Schatten |
(a) vortretend
(b) vorträte könnte sie ausathmen. Mutter – →
(2)[S] (a) aber brenne mit so schwacher Flamme →
(b) brenne mit so schwacher Flamme, käme |
ein Kind das irgendwo im[1] Schatten steht
es könnte sie ausathmen. Mutter – Mutter, |
wie gleichen deine Hände wenn sie so
den Stab (1) umklammern →
(2)[S] umfassen
(3)[T] umklammern | Lahios Händen – Mutter
Er war fürwahr dein Sohn. Mit solchen Händen
(1) umfasste er das Königsschwert mit solchen
griff er das Diadem umschlang er mich →
(2) (a) griff[2] →
(b) fasste
(c) hielt | er das Königsschwert mit solchen (a) griff →
(b) fasst
(c)[S] griff
(d) fasst | er
das Diadem umschlang er meinen Leib |
vor sich
mit (1) diesen →
(2) solchen | Händen griff er nach dem Kind
weh! Mutter (1) hast du mich gehört –
(2) hörst du mich –

ANTIOPE Ich höre dich
du sprichst von Lahios meinem (1) Sohn.
(2) Kind.

[1] aus einem *(vgl. Z. 9f.) graphisch unverändert.*
[2] *Ungestrichen.*

JOKASTE Ich sprach
von Lahios und von einem Kind

ANTIOPE Du hast ihm
kein Kind geboren. Weh den Unfruchtbaren
Sie tragen einen Fluch.

JOKASTE Dich schaudert nicht
wenn du bedenkst was du geboren hast?

ANTIOPE ⌈[S] zornig⌉
Ich trug *(1)* aus →
(2) von | einem König Könige.
⌈Fort mit der Kinderlosen, aus dem *(1)* Haus. →
(2) Bette! |⌉

JOKASTE
Mich würde schaudern *(1)* fort und fort[1] →
(2) bis ins Mark | zu denken
dass ich die Mutter eines Menschen bin.
(1) Weh →
(2)[S] Weh! | Mutter von Dämonen *(1)* Qual *(a)* und →
(b) um ¦ Qual →
(2) Schuld um Schuld
(3) Qual und Schuld[2]
(4) Schuld und Qual |
(1) mass⟨los⟩
(2) aufhäufend masslos – wo sind Grenzen wie
entsühnst du dich wie legst du an die Kette
das *(1)* Unheil das nie schläft! wie löschest du
den →
(2) rasende Begehren! *(a)* lösche doch
den
(b)[S] wann erlischt
der[3] | Brand der springt und springt und *(1)* eine Welt →
(2) was er anfällt |
verzehren will – *(1)* *(a)* wie flehst du je →
(b) fleh doch[4] | ein Ende herab
(2) so fleh doch um ein Ende!

[1] *Ungestrichen – wie mehrfach bei Variationen in diesem Umkreis.*
[2] *Stufen (2) und (3) nicht völlig gesichert.*
[3] *Graphisch unverändert gegenüber Vorstufen.*
[4] *(b) nur andeutungsweise realisiert, weil gleich durch (2) ersetzt.*

A So segne doch die Götter dass sie gnädig
(1) mit ihren Pfeilen dich mir gleich gemacht
(2) den Sam⟨en⟩ *(a)* aus
(b) der wie fressendes Feuer war
mit ihr⟨en⟩ Füß⟨en⟩ ausgetreten[1]
B Was[2] einer leiden kann ist ohne Maß!
So segne doch die Götter dass sie gnädig
mit ihren Füßen ausgetreten haben
das Feuer *(1)* deines Bluts das fressende
rings um dich her
(2) rings um dich, das fressende
aus deinem *(1)* Blut
(2) Leib und dich mir gleich gemacht
Nun *(1)* geht die reine →
(2) athmet eine reiner⟨e⟩
(3) athmet reine | Luft um dich herum
und stirbst du nun so *(1)* stirbst du ganz, wie ich ⇢
(2) kommst du ganz zur Ruh ¦
Wohl dir und mir

ANTIOPE Fluch über d⟨eine⟩ Zunge
(1) dass du dich freuest unfruchtbar zu sein ⇢
(2) ¦ Auf, meine Söhne! auf du aus dem Wasser
du aus dem Feuer! *(1)* Her, ⇢
(2) ¦ du aus frischem Grab!
(1) stellt Euch um mich →
(2) stellt Euch zu mir!
(3) auf her zu mir! | und treibt das Weib *(1)* von hier →
(2) hinaus |
sie *(1)* freut sich
(2) höhnt mich dass ich fruchtbar war und *(1)* hat
(2) prahlt
die nichts geboren hat

JOKASTE Ich hab geboren

[1] *Es folgen am Ende der Seite Zeilen, die nicht in Text integriert – Notizen für Wiederaufnahme am nächsten Tag:*
denn was die Menschen leiden ist ohne maß
wohl uns die wir unfruchtbar sind
Sie ging⟨en⟩ *(graphisch eher* häng⟨en⟩*)* von dir: ich bin leicht frei ... nun sind wir beide so wie der der seinen eigenen Wald verbrannt nun fällt es ihn nicht mehr an . . .
[2] *Am linken Rand:* 16/IX.

ANTIOPE
Beinah⟨e⟩ hättest du *(1)* allein ->
(2) . Allein ¦ den Athem
ihm mitzugeben *(1)* ward vergessen
(2) das hast du vergessen 5
so kam es todt zur Welt und tauschte nur
ein Grab mit einem Grab

JOKASTE finster Es hat gelebt

ANTIOPE
Das stolze *(1)* Königskind wie viele Stunden 10
(2) Kind wie viele Augenblicke?
denn Stunden warens nicht

JOKASTE es hat gelebt
so lang[1] als diese Hände da zu leben
ihm gönnen wollten 15

ANTIOPE Diese?

JOKASTE Oder die
des Sohnes. Denn es sind die gleichen.

ANTIOPE Was
für Reden sind das – dunkle jedenfalls 20

JOKASTE
Die That war mehr als dunkel. Sie hat Nacht
(1) geschüttet über
(2) und Dunkel ausgeschüttet hinter sich
(3) für immer ausgeschüttet über mich 25
und über ihn.

ANTIOPE Ich höre *(1)* oder aber →
(2) wenn du willst
oder | ich lasse dich und gehe fort
für *(1)* Rätselspiele → 30
(2) Rätselreden | ist mein Kopf zu ↑alt ≈[S] müde↓

JOKASTE
Stammutter alles dieses Unheils, *(1)* so
hast du denn →
(2) *(a)* weh → 35
(b) du
(c) weh |

[1] lange *Hs.*

so hast du | nicht zur Grube fahren dürfen
bevor auch dieses letzte (1) noch heraus
aus
(2) Tiefverborgene
5 noch wo es lag und über ihm, gewälzt,
die Qual von Jahren (1) sich geheimnisvoll →
(2) unaufhaltsam sich |
(1) ins
(2) ans Freie windet und hinüber (1) wälzt →
10 (2) will.
(3) zieht[1]
(4)[S] kriecht |
in deinen Leib wie wenn es Abend wird
die Schlangen zu der alten Höhle kehren.
15 Denn ohne dass ich mich bezwingen kann
tritt ⌜es⌝ aus mir hervor – ***A*** als stiege unten
in meiner Seele unaufhaltsam (1) eingedrung⟨en⟩ ⇢
(2) lautlos ¦
wie (1) Wasser schon der Tod hinan →
20 (2) dunkles Wasser schon der Tod | und jagte
ans Freie was da wohnt: →
B
C als stiege unten
in meiner Seele unaufhaltsam lautlos
25 wie dunkles Wasser schon der Tod und jagte
ans Freie was da wohnt: |

ANTIOPE Ich steh und höre.

JOKASTE
Aus meinem Schooß das Kind, das schöne Kind
30 mit Augen (1) wie die Sterne[1] →
(2) tief u⟨nd⟩ strahlend | mit dem (1) Glanz →
(2) Hauch
(3) Glanz |
des Lebens (1) über seiner Haut →
35 (2) rings um seinen Leib | das starke
lebendige Kind – mit seinen beiden Händen
hat Lahios es (1) getödtet
(2) erwürgt

[1] *Ungestrichen.*

ANTIOPE Sie ist von Sinnen
Jokaste komm zu dir

JOKASTE Ich bin bei mir.
Erwürgt *(1)* oder getödtet[1] →
(2) mit eignen Händen | oder fort
getragen *(1)* um
(2) und *(1)* einem →
(2) an
(3) dem | Knecht gegeben *(1)* dann
damit ers tödte →
(2) der[2]
es *(a)* tödte
(b)[S] tödten musste | ist *(1)* das alles nicht
das gleiche. Wie er's nahm →
(2) nicht dies wie jenes
(a) Weh mir. Wie er's ergriff
(b) Wie er es griff | das sahen noch
die Augen da dann wurde *(1)* schw⟨arz⟩
(2) dunkel, dunkel
und als ich zu mir kam da stand er da
an meinem Bette Lahios – da wars
vorbei. *(1)*

ANTIOPE
(2) →
(3)

ANTIOPE schweigt.

⟨JOKASTE⟩ |
Hörst du mich Mutter todt
war mein lebendiges Kind.

ANTIOPE schweigt

JOKASTE Wirst du zu Stein?

[Nach einer Stille]

ANTIOPE
Warum hat Lahios mein Sohn der König
das Kind aus deinem Schooß mit eigner Hand

5 10 15 20 25 30 35

[1] *Ungestrichen.*
[2] *Graphisch identisch mit Stufe (1)* dann

hinrichten müssen? *(1)* Wär es nicht *(a)* sein
(b)
sein Kind gewesen hätt er dich gerichtet. →
(2) War[1] es nicht sein *(a)* Kind[2] →
5 *(b)*[S] Blut, |
er hätte dich gerichtet *(a)* vor[2] →
(b)[S] mit | dem Kinde. |
Ich kann nicht sehn *(1)* in diesem Dunkelen. →
(2) *(a)* im Dunklen. →
10 *(b)* im ↑Finstern.
≈ Dunklen.↓
(c) im Finstern. | Rede du.
(3)[S] in diesem Dunkel. Rede. |

JOKASTE
15 Willst du es bis zur Neige trinken? Du
bist stark. *(1)* Doch dann verweigerst du vielleicht
(2) Als ich vermählt mit Lahios war
drei Monde *(1)* und →
(2) , ward | mein Leib gesegnet oder
20 vielmehr verflucht mit einem Kind da sandte
der König ⌈diese⌉ Botschaft an die Priester
sie sollten kommen und die Bräuche üben
und weihn in meinem Leib das Ungeborene.
Sie kamen nicht. Sie sandten eine Botschaft
25 zurück und *(1)* legten
(2) nicht durch einen Herold nein
Kreon dem Kinde, meinem Bruder legten
(1) sie ihre Botsch⟨aft⟩
(2) die Grässlichen in seinen Mund zu melden
30 was grässlich war: Der König hüte sich
und stehe an dem Bette seiner Frau
gewappnet und mit einem nackten Schwert
wie vor der Höhle draus sein schlimmster Feind
hervorzubrechen lauert. Ists ein Knabe

35 [1] *Versehentlich zunächst* Wär *bewahrt, dann mit Stift korrigiert.*
[2] *Ungestrichen.*

den ihm die Königin gebiert, und *(1)* wird
der Knabe Mann
(2) wächst
der Knabe auf zum Manne so erschlägt
er seinen Vater *(a)* und vermählt
(b)
(3) wird
der Knabe Mann erschlägt er seinen Vater
und setzt sich auf den Thron.

ANTIOPE Du standest nah
als Kreon, der ein Kind war, deinem Mann
die Botschaft brachte?

JOKASTE Nein. Ich war so selig
in dem was mich erwartete, ich lebte
und wusch mich in den heiligen Gewässern
und dass der König bleich und finster wurde
ich sah es kaum. Bis einmal eine Nacht
da trat er an mein Bette und sein Athem
ging wie der Athem eines fremden *(1)* Menschen →
(2)[S] Mannes |
dass ich erschreckt ihn *(1)* dunkel »Lahios« rief
dass er mir s⟨agte⟩
(2) rief bei seinem Namen:
da – sagte er es mir.

ANTIOPE Was dann?

JOKASTE Ich betete
dass es ein Mädchen würde.[1] Tag und Nacht
rang ich in mir mit dem was dunkel ist
mit dem was keinen Namen hat. Es waren
die Qualen alle ganz vergeblich. Einsam
im Berggeklüfte steht ein Thurm. Dort bracht ich
(1) zur Welt →
(2) ans Licht[2]
(3) zur Welt | was nicht im *(1)* Leben[2] →
(2) Lichte | bleiben durfte.

[1] *Es folgen Notizen für nächsten Arbeitstag:*
ich rang mit dem Dunkel.
Vergebliche Qualen.
Nicht hier in einsamem Thurm am Berg gebar ich das Kind
(1) du warst *(2)* Da wurde das grausige Opfer gebracht
Fortsetzung auf neuem Blatt, am linken Rand: 17 IX.

[2] *Ungestrichen.*

ANTIOPE
Du sagst zu tödten gab er's einem Knecht.
Mitwisser war der Knecht Er durfte *(1)* nicht
(2) sc⟨hwerlich⟩
5 *(3)* kaum →
(4)^{S} schwerlich |
am Leben bleiben. Was geschah mit ihm?

JOKASTE
Das weiß ich nicht. *(1)* Das weiß ich nicht. Doch hätt ich
10 gehört er habe diesem einen →
(2) Doch hätte ich gehört
er habe diesem einen andern | nach
geschickt, der stärker war *(1)* als
(2) ihn zu erwürgen, *(1)* und →
15 *(2)*^{P} |
A dem zweiten *(1)* wieder
(2) Mörder wieder zwei[1] an ihm
zu thun wie er am ersten und ihn heimlich
(1) wo →
20 *(2)* sti⟨ll⟩
(3) verborgen | zu verscharren wie den ersten er →
B^{p} und irgendwo *(1)* verborgen →
(2) geheim ihn | zu verscharren
C^{S} |
25 ich glaubte es – wer dieses eine *(1)* thut →
(2)^{S} that |
thut vieles, und schreckt nicht zurück vor Blut

ANTIOPE
Recht war und klug *(1)* wenn er so tat[2] und war
30 wie es geziem⟨t⟩
(2) und so wie *(1)* es →
(2) sichs | geziemt
für einen König *(1)* wärs wenn er so →
(2) wars wie Lahios | that.
35 Auch mit dem Schicksal ringt ein König noch
↑Faust gegen Faust
≈^{S} Brust gegen Brust↓

[1] 2 *Hs.*
[2] todt *Hs., wohl Verschreibung.*

JOKASTE *(1)* Nein, nein, *(a)* nein!
(b) und dre⟨imal⟩
(c) nein
(d) und
(2) Nein! nein! nein! Ihr – Ihr wohl 5
ihr thuts – mit fürchterlichen Händen greift
ihr in die Welt – allein was frommt es denn
Nützt denn das ↑grause
≈^{S} blutge↑ *(1)* Opfer – ah die Götter
betrügen nicht und werden nicht betrogen. 10
(2) Opfer? Haben wir
wir zwei er der mein Herr und König war
und ich ein halbes Kind, und[1] alle beide
vom Blut der Götter *(1)* stammend, →
(2) , | haben wir nicht da 15
dem Leben so geopfert wie niemals
⌈zuvor⌉ geopfert wurde – und dafür
hat uns das Leben angeschaut als wäre
es *(1)* sel⟨ber⟩
(2) über unsrer That erstarrt und müsste 20
mit *(1)* Todesblicken
(2) Blicken unter denen unser Mark
gefror uns zahlen dass wir ihm zu wild
gedient. O *(1)* hätten
(2) hätte Lahios mich gehört 25
und mich und sich dem Tod geweiht: *(1)* o hätten
wir ihm
(2) ich hätte
(a) nun →
(b) jetzt | weiß ich es – → 30
(3)^{S} anstatt
des Kindes – o | ich hätt ihm geben können
(1) was keine Frau *(a)* der Welt noch gab.
(b) noch ihrem Manne gab.
(2) was nun *(a)* verschlossen → 35
(b) vergraben | blieb *(a)* bis diesen Tag.
(b) und ungefühlt. →
(3)^{S} was nun vergraben blieb und ungefühlt
und keine Frau noch ihrem Manne gab.[2] |

[1] und *wohl versehentlich gestrichen.* 40
[2] *Stufe (3), d. i. Kombination von (2) und (1), nur im Ansatz realisiert: Keine graphische Restitution des gestrichenen Texts von (1); nur Ersatz von* was *durch* und *sowie Umstellung der Zeilen durch* 1 *und* 2 *gekennzeichnet.*

Wir hätten eine kurze Frist gelebt
wie aber, wie! Armselig sind die Götter
sie leben immerfort, sie kennen nicht
die *(1)* Trunkenheit, →
5 *(2)*^{S} Seligkeit,
(3)^T Trunkenheit,[1] | *(1)* in
(2) von dem was ewig ist
zu *(1)* schlürfen →
(2) ↑schöpfen
10 ≈^{S} trinken↓
(3)^T schöpfen | ↑im Gefühl des nahen Todes
≈ und zu wissen dass man stirbt↓
(1) so hätten wir die Tage und die Nächte
(a) geschlürft
15 *(b)* wie Becher ausgetrunken,
(c) mit tiefen Zügen ausgetrunken, wären
geschritten auf der Erde wie die Götter →
(2)^S |
Wir hätten zitternd eine Lust genossen[2]
20 die ohne Namen ist – *(1)* wie hätte ich
mich geben können –
(2) die Sterne hätten
(1) mit →
(2) in | uns *(1)* gez⟨ittert⟩
25 *(2)* gebebt die dunklen heilgen Flüsse
(1) für uns allein →
(2) in uns hinein | gerauscht wir wären ganz
A *(1)* allein *(a)* gewesen,
(b) gewesen auf der →
30 *(2)* allein
gewesen auf der stummen | Welt wie hätt ich
mich geben können, *(1)* Lahios, Lahios, →
(2) Lahios, hörst du mich |
wie eine Göttin einem[3] Gott
35 ***B*** allein gewesen auf der stummen Welt
(1) wie hätte ich mich geben können, *(a)* Lahios, →
(b) wohl
(c) o, |
wie eine Göttin einem Gott
40 *(2)* *(a)* Lahios, →
(b) allein, – | wie hätte ich mich geben können!

[1] *Graphisch nicht restituiert, nur* Seligkeit *getilgt.*
[2] *Am linken Rand:* 18 IX.
[3] *Über* einem *undeutbarer Schreibansatz – etwa* nur –, *vielleicht zur vorausgehenden Zeile*
45 *gehörig.*

(1) wie hätte
(2) wie eine Göttin einem Gott – ***A***
Er aber war dein Sohn und rang und rang
(1) der Finstere
(2) *(a)* der Einzelne, →
(b) mit ⟨dem Geschick⟩[1] | mit dem was *(1)* tausend Arme
(2) tausendarm⟨ig⟩
die tausend Netze stellt. Ich sah ihn bleicher
und finstrer werden
B Er aber
er war dein Sohn und rang mit seinem Leben
\und rang und rang/ ich sah ihn bleicher werden
und finster, sah ihn leiden, – litt ich denn
nicht auch? ich weiß es kaum, ich zog mich so
so aus dem Leben wie man seinen Leib
aus einem Bade zieht kaum dass *(1)* die Sohle
des Fußes
(2) der Fuß
noch drinnen ist – ich war ganz abgelöst
(1) ich konnte meine eignen Leiden *(a)* fühlen
(b) denken →
(c) anschaun
(2)[T] | und in mir dacht es nicht: Dies *(1)* musst
(2) muss ich leiden
nein: solche Leiden giebt es in der Welt
so leiden Königinnen, dachte ich
als *(1)* hört⟨e⟩ ichs in Liedern.
(2) käm's in Liedern vor und ich
(3) säng es einer und ich hörte zu.

ANTIOPE an der Schwelle oben
Dies ist ein Zeichen dass die Götter dich
umgeben haben wie mit einer Wolke
und aufgespart für was noch kommen soll.
(1)
JOKASTE
Nun kommt mir nichts mehr. Weißt du, →
(2)[T] Jokaste wie ich nie dich sah so seh ich
dich nun

JOKASTE Nun kommt nichts mehr. Nein, | Mutter, sie
betrügen nicht, die Götter. Nun ists doch

[1] *Ergänzt in Anlehnung an S. 437, 35.*

das Kind, das *(1)* sein⟨en⟩ Vater in den Tod
getrieben hat.
(2) sein⟨em⟩ Vater hat den Tod
gegeben. Freilich nicht mit eigner Hand
5 das arme Kind es wohnt ja nicht im Licht.
Doch einen Herold hats zuerst geschickt
der nistete sich ein, von wo sein Singen
zum Vater und zur Mutter drang sooft
sie *(1)* sich zu schlafen legten.
10 *(2)* schlafen gingen.
(3) schlafen gehen wollten.

ANTIOPE Redest du
dies von der Sphinx

JOKASTE Ich rede von der Sphinx.
15 *(1)* Sei still mein Kind die Mutter kennt
(2) Die Mutter kennt die Boten die das Kind
heraufschickt aus der finstern Welt da drunten.

ANTIOPE
Es waren Räuber die den König schlugen
20 und nicht die Sphinx

JOKASTE Doch wars die Sphinx die trieb
ihn hin dort in das fremde Berggeklüft
(1) da sprang der Räuber aus dem Dickicht
(2) und dort sprang sein Geschick ihn an. Der Räuber
25 war nur der missgestalte ⌈niedre⌉ Sclave
(1) des unerbittlichen Geschicks. →
(2) für einen der im Dunkel stand. | So schlug
das Kind den Vater. Doch sein Bote wartet
noch immer dort. *(1)* Er hat noch immer nicht
30 die ganze →
(2) Ihm fehlt noch immer etwas
zu seiner | Botschaft die er melden soll
dort drunten. ***A*** →
B^S Mutter hörst du mich? *(1)* wie ist dir
35 *(2)* wo bist du
mit deinem Denken?
(3) wo bist du
C

ANTIOPE Wie sie alle Zeichen deutet
40 Wie *(1)* falsch und richtig →
(2)^T richtig und wie falsch |

JOKASTE (1) Mutter hörst du mich →
(2) |
Wo bist du? |

ANTIOPE Wie das Dämmernde erglüht
von (1) deinem →
(2) ihrem | Blut. Wie (1) deine →
(2) stark die
(3) ihre
(4)[1] stark die | Lebensflamme
sich (1) →
(2) lodernd
(3) | hebt.

JOKASTE Was sagst du, Mutter?

ANTIOPE Wie du strahlst.
Wie du den Gott herbeiziehst

JOKASTE welchen Gott
wen siehst du Mutter aus dem Dunkel treten?

ANTIOPE
Den Gott der sich mit dir vermälen soll
und Lahios dem Todten einen Erben
erwecken (1) soll →
(2) wird | aus deinem Schooß

JOKASTE Schweig Mutter
Du stehst nicht dort wo Menschen athmen dürfen
ich höre (1) dich
(2) nicht auf dich

ANTIOPE Ich fühl ihn nahen
aus einem Wald⟨e⟩ windet er sich los
trägt ihn ein Adlerfittich, jagt ein dunkles
Gewölk mit ihm daher, ich hör (1) das Rausch⟨en⟩
(2) das Rauschen des Mantels →
(3) ein Rauschen
ist das sein Mantel |

[1] ihre *gestrichen,* stark die *nicht restituiert.*

JOKASTE Mutter was *(1)* du fühlst
wie eine Kerz⟨e)
(2) ⟨dich⟩ schüttelt
wie *(1)* Sturmwind eine →
(2) Sturm die | Flamme ist mein naher Tod

ANTIOPE
A Dein Leben ist's es *(1)* haucht →
(2) weht
(3) haucht | mein Leben an
wie *(1)* Wassersturz
(2) feuchter *(1)* *(a)* Riesenhauch →
(b) Lebenshauch | von Wasserfällen
(2) Hauch von einem Wassersturz
B Dein Leben ist⟨s⟩ dein kommendes, es haucht
mein Leben *(1)* \riesig/ an, wie feuchter Hauch →
(2) an, wie feuchter Riesenathem |
von *(1)* einem Wassersturz
(2) stürzendem Gewässer
C Dein Leben ists dein kommendes es haucht
herüber grenzenlos wie feuchter Athem
von stürzendem Gewässer auf mein altes
(1) erzitte⟨rndes⟩
(2) Gebein.

JOKASTE *(1)* Du irrst es sind die Zeichen rings
um mich des Todes.
(2) Des Todes Zeichen sind um mich.
Meinst du ich fühl es nicht? Mein Leben starrt
nicht mehr versteinert auf mich her, *(1)* es zeigt
mir ein
(2) ich sehe
die Dinge alle so als *(1)* müsst⟨e⟩ ich
sie lieben können oder um sie weinen →
(2) hätte ich
sie lieb gehabt und müsste um sie weinen |
mir ist als wäre hinter ihnen allen
mein todtes Kind versteckt

ANTIOPE Die ungeborenen
verbergen sich im Busch und *(1)* Bach, →
(2) Strauch, | sie winken
aus Luft und Wasser

JOKASTE Lahios mein Mann
wo bist du denn? ich kann dich ja nicht finden
nicht hier in meiner Brust und nicht im Haus
ich kann den Klang von deiner Stimme nicht
mehr finden, geh mir nicht so schnell voraus 5
(1) erwarte mich
(2) so warte doch auf mich – hilf mir doch Mutter
ich kann seit drei⟨en⟩ Tagen meinen Mann
nicht denken wie ein fahler fremder Schatten
sinkt er *(1)* hinab → 10
(2) zurück | so tief hinab, er lässt mich
so ganz allein

ANTIOPE *(1)* Die Todten lass den →
(2)[T] Den Todten lass die | Todten
A Freu dich dass du lebendig bist. *(1)* Geh hin → 15
(2) Komm mit ¦
es leuchten die Geräthe, *(1)* *(a)* seine →
(b) tiefe | Lust
die Lebens⟨lust⟩
(2) Lust des Lebens 20
das Haus kann sie nicht halten überall
tritt sie hervor
B du Selige die du lebendig bist.
Sieh die Geräthe leuchten und das Haus
kann seine Lust nicht halten und die Luft 25
ist voll davon

JOKASTE Nein nein, so grüßt *(1)* das
(2) der Tod
Bald kommt ein Zeichen. So wie nie im Leben
so fühl ich meinen Leib nicht schwer noch leicht 30
ich fühl⟨e⟩ ihn als wär ich selbst die Luft
die ihn umfließt und von ihm Abschied nimmt

ANTIOPE kommt herunter
Vergieb dem Mund der dich unfruchtbar nannte
er hat gefrevelt: sieh die Hände machen 35
es gut und weihen dich. Leib meiner Tochter
gesegnet sei!

JOKASTE Was thust du Mutter! Mutter
ich bin des todten Lahios Weib. Für wen
segnest du mich 40

ANTIOPE Für den der kommen wird

JOKASTE
Der Tod! der Tod!

ANTIOPE Du Blut vom Blut der Götter
ich hab⟨e⟩ dich geweiht für Lahios Bette

JOKASTE[1]
Weh \!/ Mutter fürchterlich sind deine Weihen

ANTIOPE weihend
Nun weih ich dich für *(1)* den um dessen willen →
(2) ihn, dem Platz *(a)* m⟨achen⟩
(b) zu machen |
Lahios hat sterben müssen

JOKASTE *(1)* Mutter! schweig!
(2) Auf die Thür!
Ihr Todtenlieder hüllt mich ein!

ANTIOPE weihend Die Götter
vergessen nicht ihr Blut, sie senden einen
er schwingt sich aus der Luft, er tritt aus Flammen
hervor, das Wasser giebt ihn her er kommt
sein ist das Schwert sein ist der *(1)* Reif, →
(2) Stirnreif, | sein
ist König Lahios Bette

JOKASTE *(1)* Ant⟨iope⟩
(2) Schweig und steh
steh fern von mir und schweig. sonst öffne ich *(1)*
vor deinen Augen mir die Adern.
(2) *(a)* gleich →
(b) hier ¦
die Adern \mir/, damit mein fließen⟨d⟩ Blut
den Dämon \in dir/ bändigt

SCLAVIN Königin[2]
dein Bruder Kreon steht im Vorgemach

[1] JOKASTE *gestrichen, Fortsetzung der Rede der Antiope kurz erwogen, gleich wieder verworfen.*

[2] *Die folgenden Zeilen fast unverändert auf zwei verschiedenen Blättern: Zum ersten Mal auf einer alten pag.* 23. *(Rückseite später als pag.* 25. *benutzt), zum zweiten Mal auf der endgültigen, nur zu einem Drittel beschriebenen pag.* 23. *Der Punkt nach* rufen *und* Sclavin ab *fehlen auf pag.* 23. *(neu). Text auf pag.* 23. *(alt) bricht ab mit* Antiope: verschwin⟨dend⟩. *Dann folgt links am Rand* 19. IX., *das Datum für geplante Fortsetzung. Weiter unten Entwurf für Worte der Antiope:* Ant⟨iope:⟩ Jetzt geh ich rüste alles. Setze mich. Kommt er fällt meine Stelle. *Der Dichter kopierte und vollendete die Stelle auf neuem Blatt.*

JOKASTE
(1) Ruf →
(2) Führ | ihn herein. Ich wollte ihn nicht rufen.
Nun kann ich Abschied nehmen auch von ihm.

Sclavin ab.

ANTIOPE *(1)* verschwin⟨dend⟩
(2) hinaufgehend
Ich muss das Haus bereiten und das Kleid.
Die Fackeln muss ich rüsten und das Bette.

(1) KREON[1]

(2) Kreon tritt ein. Die Sclavin, die ihn eingelassen hat, verschwindet wieder. Die Todtenlieder waren einen Augenblick viel stärker.

KREON
Schwester ich grüße dich.

JOKASTE Du bist im Haus
des Todten. Hier gibts keinen Gruß für einen
der noch im *(1)* Leben, →
(2) Licht ist, | wärs auch nur für kurz.
Vergisst du das?

KREON Ich war sehr lange nicht
allein mit dir. *(1)* Nimm es denn so als hätte
entschwundne Jugend dein entschwundnes Leben
gegrüßt.
(2) Nimm meinen Gruß als *(1)* klänge er →
(2) käm er
(3)[T] dräng' er |
aus einer Zeit die längst hinabgestürzt
zu dir herauf.

JOKASTE schweigt

KREON Jokaste, meine Schwester
warum bin ich so weit von dir?

JOKASTE Nicht weiter
mein Bruder, als die ganze Welt mir ist.

(1) KREON

(2) Zum Schein ganz nah und was dazwischen liegt
ein solcher Abgrund

[1] *Am linken Rand:* Lueg: 19 IX

KREON Zwischen mir und dir?
Nicht ich hab ihn gegraben.

JOKASTE Etwas steht
im Dunklen wenn es ↑mit der Wimper zuckt
5 ≈ seine Wimper regt↓
so stürzen Mauern *(1)* ein. Wenn →
(2) ein, und wenn | es haucht
(1) hebt sich ein Schleier →
(2) verfliegt ein Nebel | und *(1)* der →
10 *(2)*^{T} ein | Abgrund gähnt
von Mensch zu Mensch.

KREON Ihr warts, du und der König –

JOKASTE
Du bist *(1)* der
15 *(2)* im Haus des[1] Todten sprich kein Wort
das seinen Frieden *(1)* stört

KREON *(a)* Meine →
(b)^{T}Ha, meine
(2) störte

20 KREON Meine | Schwester
wie hast du immer das verstanden mich
mit Fesseln zu *(1)* umschnüren
(2) umwinden →
(3)^S umschnüren |

25 JOKASTE Über mich
mein Bruder darfst du klagen. Thu es heut
sonst ist's ⌊vielleicht⌋ zu spät

KREON Hüllst du dich *(1)* schon →
(2) wieder |
30 schon wieder in Geheimnis?

JOKASTE *(1)* Ist Geheimnis *(a)* n⟨icht⟩
(b)
nicht überall? →
(2)
35 *(3)*^{S} Ist Geheimnis
nicht überall? | ↑^{T}auf Schritt und Tritt und ist
nicht Tag und Nacht↑ und Leben so wie Tod

[1] *Graphisch eher:* der

gewoben aus Geheimnis. Ist e i n Ding
(1) in dir
(2) um dich, *(1)* dess du versichert bist?
(2) vor deinem Aug, in deinem Herzen
das nicht unsagbar unbegreiflich wäre 5
und starrend von Geheimnis? *(1)*
Dass wir hier
(2) Dass wir hier
einander Aug in Aug⟨e⟩ stehen, du
und ich, Geschwister aus dem gleichen Leib 10
und fremd einander in dem tiefsten Kern
und Lahios dessen Hände lebend waren
im Dunkel wie die deinen da und meine
der ist nun todt – und ich leb heute noch
und du vielleicht noch viele viele Tage 15
ist *(1)* dies umhangen nicht von solchen →
(2) alles dies umhangen nicht von | Schaudern
(1) des Ewigen
(2) unnennbaren

KREON Dein Sinn ist eingetaucht 20
in Denken an den Tod. Warum *(1)* hat →
(2) ist | Lahios
hinausgezogen, mit *(1)* geringen *(a)* Knechten, →
(b) Kräften,
(2) zu wenig Knechten, ¦ 25
er hätte leben können

JOKASTE Hätte er?

KREON
Er hätte Boten schicken können. mich
Warum vertraute er nicht deinem Bruder 30
die Botschaft an den Gott. *(1)*

JOKASTE schweigt

(2) Ich bin ein Fürst
war ich zu schlecht zum Boten. Oder war ich

⌈*T* näher tretend⌉ 35

(1) der →
(2) seit ich | einmal *(1)* zu ihm →
(2) vor ihn | als Bote trat
zum Boten ihm verhasst? Hat Lahios mich

sag mir's doch meine Schwester nicht gehasst
sein Leben *(1)* lang aus seiner tiefsten Seele.
(2) lang?

JOKASTE Ich weiß es nicht. Ich weiß
5 dass dir der[1] todte König *(1)* Län⟨der⟩
(2) Heerden schenkte
und Häuser, →
(3)[T] Häuser schenkte
und Heerden, | Berge voller Öl und Berge
10 voll Wein bis dass du reicher warst als er
und ich.

KREON So gieb mir seine Lanzenträger
die lagern hier in diesen Mauern gieb mir
das Königsschwert und ich will Lahios rächen
15 der mein Wohlthäter war. Ich ziehe hin
und fang⟨e⟩ die ihn schlugen und verwüste
das Land das ihn verdarb und räche ihn
wie noch kein König ist gerächet worden.

JOKASTE
20 Dies thu ich nicht denn Lahios hieß mich nicht
es thuen eh er *(1)* starb
(2) fortzog.

KREON knirschend Hieß er nicht
es thuen? über seinen Tod hinaus
25 *(1)* hat er mich
(2) mich knebeln, einen Schatten aus mir machen
für \nun und/ immer mich entkönigen?
Hör mich nur todter *(1)* König! →
(2) Lahios! | Hör mich du
30 lebendige Königin! was ihr mir schenktet
Land, Herden, *(1)* Häuser, Gärten, Wälder, *(a)* Teiche
(b) Seen →
(c) Knechte
(2) Knechte Häuser, Gärten, Wälder, |
35 *(1)* *(a)* war nur wie →
(b) das war nur | ein Gewand getaucht in Gift →
(2)[T] das war nur ⟨wie⟩ ein Festgewand getaucht[2]
(3) das war nur ein Gewand getaucht |

[1] der *zunächst versehentlich ausgelassen.*
40 [2] getaucht *versehentlich mit* in Gift *gestrichen.*

in Feuergift mit dem umhüllt mein Leben
mir Stück für Stück zerfressen und verbrannt
herabfiel Hätte er mich ausgetrieben
zum Dank für jene Botschaft und mir nichts
gelassen als mein nacktes Schwert und mich, 5
mich selbst, – er hätt es dürfen denn er wusste
er musste wissen dass vo⟨m⟩ Tag⟨e⟩ an
da ich die Botschaft brachte *(1)* dass sein Kind
(2) dass er
(3) König Lahios 10
du stirbst und *(1)* lässt
(2) lässest keinen Sohn zurück
oder du stirbst *(1)* an deinem Sohn
(2) von deines Sohnes Hand
von dem Tag an zerfrass mein Herz und Hirn 15
(1) doch dieses Wissen: du kannst König werden →
(2)[S] dies Wissen: du kannst König werden kannst! |
wenn Lahios nicht zu alt wird und das hat
er wissen müssen Hätt er mich getrieben
aus seinem Land, ich wär ein Räuber worden 20
ein König wär ich heut und wärs der König
der letzten Insel im *(1)* erstarrten
(2) erstorbnen →
(3) erfrornen[1]
(4) erstarrten | Meer 25
So aber blieb ich da und lebte lebte – –
und nahm ein Weib und zeugte Kinder – Schwester
wenn ich dich dachte konnt ich die nicht ansehn
die mit mir schlief, sie war ein Weib und du
bist eine Königin – nun aber bist du's 30
nicht mehr fort ist der Alp von meiner Brust
[[T] Nein wenn ich dich seh bindest du mich nicht mehr][2]
gebt mir mein Leben wieder Ihr, *(1)* ihr beiden
Jokaste Lahios
(2) Jokaste 35
(3) ihr beiden[3]

[1] *Ungestrichen.*

[2] *Irrtümlich vor der vorausgehenden Zeile eingeschoben. – Links am Rand Notiz für das Folgende:*
Jokaste: Wer schlug *(1)* Lahios → 40
(2)[S] Lahios? wer zahlte die Mörder |

[3] ihr beiden *graphisch nicht mit restituiert.*

Jokaste Lahios, gebt mir heraus[1]
was ihr \mir/ schuldig seid, gebt mir den Reif
gebt mir das Schwert, gebt mir die Königskleider –

ANTIOPE von oben
5 Was heulst du Schakal Kreon *(1)* hier →
(2) da | voll Gier
im Duft der frischen Leiche? Willst du dem
den du erschlugst vom Kopf den Goldreif stehlen
nimm dich in acht er brennt *(1)* sich →
10 *(2)* dir | in die Stirn
ein Königsbrandmal

KREON Wahnsinniges Weib
was willst du? Räuber schlugen deinen Sohn
im Walde todt

15 ANTIOPE Das weiß ich Schlange Kreon
aus wessen Händen aber kam das Gold
A mit dem der Mord bezahlt *(1)* ward, sag mir's Kreon

KREON
Antiope!

20 *(2)* ward?

(a) JOKASTE Mut⟨ter⟩

(b) KREON
Antiope!

(3) ward? ah!

25 KREON Antiope! →

B[S] für den bezahlten Mord?

KREON Antiope! |

Antiope verschwindet

JOKASTE vor sich
30 Was für ein Aufenthalt ist diese Welt
Hier muss man eilig fort.

KREON Sie lügt! sie lügt!
bei Hämon meinem Kind, das noch nicht spricht[2]

[1] *Am linken Rand:* Rodaun. 21. IX.
35 [2] *Zunächst verschrieben:* stirbt

stumm soll das Kind (1) sein und sein rechter →
(2) mir bleiben und sein | Arm
verdorren, wenn der Schatten einer Schuld
von diesem Mord mich trifft.

JOKASTE
Sie hört dich nicht 5
Und ich (1) hab deinen →
(2) brauch keinen | Schwur. Ich weiß zu gut
wer (1) Lahios Mörder
(2) hinter Lahios Mördern stand.

KREON
Wen meinst du 10

JOKASTE
Nicht (1) du, nicht du. →
(2)[p] dich, nicht dich. |

KREON
A Wenn du das weißt, Jokaste
bei (1) allem[1] Weib 15
(2) allen Göttern, Weib, so gieb mir doch
geliebte Schwester, gieb mir Schwert und Krone
und die dreihundert Lanzenträger, gieb mir
um was ich flehend bitte Schwester ich,
der ich doch drohen könnte 20

JOKASTE
Könntest du
(1) Womit?
(2) Leb wohl.
will gehen

KREON 25
So weiß ich denn →
B Nicht (1) ich →
(2)[p] mich[2] | und dennoch mir
(1) die Krone nicht, und nicht das Schwert So weiß ich
(2) die Lanzenträger nicht So weiß ich auch | 30
so weiß ich endlich denn du hältst dies Haus
(1) dies
(2) und Schwert und Reif und königlich Gewand
mit voller Absicht tief verschlagnem Sinn
zurück 35

[1] *Möglicherweise intentional schon hier* allen ⟨Göttern⟩
[2] *Graphisch unverändert.*

JOKASTE
(1) Und für wen hielt
(2) Für wen denn hielt ich es zurück?
Vielleicht nur spür ich dass (1) es dein Geschick
5 (2) dein Schicksal es[1]
nicht ist, →
(3) ⟨es⟩ nicht dein Schicksal
spür ich, | zu (1) tragen →
(2) führen ¦ dieses Königsschwert
10 und diesen Reif um deine Stirn zu tragen

A KREON
Spürst du? Steh ich vor deinem Aug wie einer
der keinen Schatten wirft? Das (1) liebe →
(2) meine | Schwester,
15 kommt (1) daher nur
(2) ⌈aber⌉ daher dass sich immer jemand
zu stellen (a) wusste
(b) hat gewusst
(3) daher dass mir immer jemand vor
20 gegangen
(4) daher dass ⟨sich⟩ immer etwas vor
die Sonne mir gestellt hat. Aber nun
bin ich nicht mehr gewillt den Platz zu lassen
auf den der volle Glanz hinbricht. Jokaste
25 gieb mir die Lanzenträger und die Schlüssel
zu diesem Königshaus, das übrige
nehm ich mir selber. Hörst du mich

JOKASTE Mein Bruder
mir droht kein Mensch

30 KREON Stehst du so sicher

JOKASTE Nein
so weit am Rande draußen.

KREON (1) Hör mich an
(2) Königin
35 Für wen bewahrst du (1) diese Königsgüter?
(2) dieses Königsgut? →

[1] es *beim Übergang zu Stufe (3) nicht umgestellt.*

B (*1*) und darum (*a*) sollst du
(*b*) weig⟨r'⟩ ich meine Hand dazu.[1]
(*2*) und darum weigre ich die Hand dazu

⟨KREON⟩
Du lügst für wen bewahrst du Königsgut? | 5

JOKASTE
Ich weiß es nicht

KREON So will \denn/ ich (*1*) dir →
(*2*) dir's | sagen
(*1*) ẹin 10
(*2*) du (*1*) f
(*2*) wahrst sie für dein Kind

JOKASTE Ich hab kein Kind

KREON
Noch nicht 15

JOKASTE zurücktretend
Schickt mir das Leben einen Dämon
(*1*) zu⟨m⟩ →
(*2*) als | Boten nach dem (*1*) anderen und jeder
(*2*) andern und hat jeder 20
(*1*) die gleiche Botschaft auf der Zunge?

KREON Schwester.
betrüg mich nicht. Es ist ja schön. Man möchte
ihn ja beneiden, deinen todten Mann. Wenn einer dich
so sieht 25

(*2*) das gleiche Wort im Mund.

KREON Betrüg mich nicht!
(*1*) Wer (*a*) dich je sah
(*b*) immer →
(*2*)[S] Wenn[2] einer | dich so sieht wie ich dich seh 30
– und bin dein Bruder – wie begriffe der
es nicht sogleich? Du bist so schön
um so viel mehr als schön so wundervoll
ein Weib und eine Königin zugleich
in dir wird alles fürchterliche Wissen 35

[1] *Nur* weig⟨r'⟩ *gestrichen.*
[2] *Graphisch unverändert* Wer

des bittern Lebens süß und jeder Reiz
der wenn du gehst und stehst aus deinem Leib
und deiner Seele in die Luft herüber
wie Glanz von Perlen trieft, ein jeder Reiz
5 ist *(1)* innerlich
(2) schicksalsmächtge Drohung, wer dich hatte
in seinem Haus und hielt *(1)* zehnmal *(a)* des Schicksals
(b) die Hand
die schwarze Riesenhand des Schicksals dich →
10 *(2)* dich zehnmal
die schwarze *(a)* Schattenhand →
(b) Riesenhand | des Schicksals |
umklammert, lag zehnmal das Schwert des Todes
(1) auf
15 *(2)* vor deinem Bette – einmal musste er
den Göttern trotzen und er hats gethan
und wissend dass er *(1)* seinen Tod
(2) mit dem Tod bezahlte
hat er dich ⌈einmal endlich⌉ doch besessen Lahios!
20 *(1)* und einmal schlug des Lebens dunkelste
wildeste
(2) Und dann ist er hinausgegangen sterben
und ließ das Kind in deinem Schooß zurück
nun brauchts des Vaters Mörder nicht mehr werden
25 es hat ihn schon gemordet eh es kam –
(1)

JOKASTE

(2) Dies ist so wundervoll nicht aus *(a)* dem Innern
des Lahios aus deiner Seele →
30 *(b)* der Seele
des Lahios aus deinem Innern | trat
dies in die *(a)* stillste →
(b) geheimnisvolle
(c) b | Mitternacht einmal
35 heraus und ohne Worte nur durch Zeichen
wie eine heilige fürchterliche Handlung
vollzog es sich . . .

JOKASTE Mein Bruder →

(3)[S] JOKASTE
40 Du träumst. Mein Bruder alle | diese Dinge

sind nie gewesen. *(1)*

KREON

(2) Ohne einen Erben
starb Lahios:

(3)

KREON Leugne nicht es ist
zuviel Geheimnis und zuviel Triumph
in deinem Dastehn.

JOKASTE [wendet]

Nun Lebwohl mein Bruder

KREON
↑[T] Wir sind noch nicht zu Ende meine Schwester.↑
Um deines Lebens willen Königin
gieb mir die Lanzenträger *(1)*

JOKASTE Bruder Kreon →

(2) und das Schwert

JOKASTE |
um meines Lebens willen thu ich nichts
auf Erden mehr.

KREON Willst du mich nicht verstehen?
Hörst du wie deine Klageweiber schweigen
und kannst du hören was sie schweigen macht.

[Mächtiges dumpfes Getöse außen.][1]

JOKASTE
Ich *(1)* hörs
(2) hör ein Brausen. Schwillt der *(1)* Strom →
(2) Fluss ¦ herauf
der alte heilige über diesen Berg
und spült dies Haus hinweg und mich mit ihm
dann segne ich den *(1)* Fluss.

KREON Nicht unser Ahnherr ist⟨s⟩
der alte, hörst du's nicht

(2) *(a)* Fluss, er ist mein Ahn
und kommt mich holen. →

(b) Fluss. |

KREON Nicht der Ahnherr ist⟨s⟩

[1] *Am linken Rand, neben den folgenden Worten der Jokaste.*

JOKASTE horcht
Was denn?

KREON Das Volk von Theben

JOKASTE Hier herauf

5 KREON
(1) Zu Tausenden →
(2)^T Vor de⟨iner⟩ Thür |

JOKASTE Was wollen sie?

KREON *(1)* Erbleichst du
10 *(2)* Nun wirst du
doch bleicher

JOKASTE ich?

KREON Wenn nicht um deiner Selbst
um dessen willen denn was ohne Schutz
15 in deinem Schooß⟨e⟩ schläft

JOKASTE Was wollen sie
von mir?

KREON Gieb mir den Ring an deiner Hand
und heiß die Lanzenträger zu mir stehen
20 *(1)* so wie zu L⟨ahios⟩
(2) wie wenn *(1)* ⟨ich⟩ Lahios →
(2)^T ich König | wäre und \ich/ öffne *(1)* das Th⟨or⟩
(2)
das Thor und frage was sie wollen

25 JOKASTE Ich
ich trete vor sie hin, ich frage sie
ich bin die Königin

KREON Du hüte dich

JOKASTE
30 Vor wem

KREON Das Volk ist *(1)* stark
(2) stumm
(3) ↑wechselnd ≈ grausam↓
und tückisch wie das Meer.

35 JOKASTE Gleichviel

KREON
(1) Was hast du vor? →
(2)[S] |
vertritt ihr den Weg
(1) Hör mich 5
(2) Ich warne dich.
A[1] Gieb dich in meinen Schutz. Dich und das Pfand →
B Gieb dich in meinen Schutz. Dich und *(1)* das Pfand
(a) d
(b) in deinem Schooß. → 10
(2) die andern
in diesem Haus. | Ich schütze dich und rette
C Ich schütze dich und schütze

(1) dies Haus – nur schnell das Schwert mir und den Reif
(2) 15
(3)[S] die deinen.
(4) dies Haus – nur schnell das Schwert mir ⟨–und⟩ die deinen,
D[S] |

↑[P] JOKASTE
Kreon mein Bruder wen verräth⟨st⟩ du nun 20

KREON
Du stößest mich zurück. So weiß ich auch
du trägst ein Pfand in deinem Schooß *(1)* von Lahios
um dessenwillen spielst du muthig
(2) und spielst 25
um dessenwillen das gewagte Spiel↑[2]
(1) Noch
(2) Ich frag⟨e⟩ dich zum letzten Mal Jokaste →
(3)[S] | eh sich vollzieht was ich nicht wehren kann
willst du *(1)* mich 30
(2) dich geben und was in dir lebt
in meinen Schutz, dass ich der König bin

↓[P] JOKASTE
Kreon mein Bruder wen verräth⟨st⟩ du nun

KREON 35
Du stößest mich zurück. So weiß ich auch
du trägst ein Pfand in deinem Schooß und spielst
um dessenwillen das gewagte Spiel↓

[1] *Intention und genetischer Prozeß der Variation im Folgenden (Z. 7–18) nicht eindeutig erschließbar.* 40
[2] *Erwogene Umstellung von Z. 19–26 (vgl. Z. 33–38) – ob und wie? – nicht eindeutig.*

JOKASTE
Ich hab kein Kind und werde kein⟨es⟩ haben.

KREON
Du lügst! *(1)* Hab denn das Schicksal seinen Lauf.
5 *(2)* so hüte dich. →
(3) |

JOKASTE *(1)* Leb →
(2) Fahr | wohl mein Bruder.

Kreon wendet ihr den Rücken und ist jäh verschwunden[1]

10 ANTIOPE oben
Das Volk ist auf.

JOKASTE Ich weiß sie sind gekommen

ANTIOPE
Stein ist das Haus Erz ist das Thor was will
15 die Heerde uns?

JOKASTE vor sich
Mich wollen *(1)* xx
(2) sie.

ANTIOPE Was sagst du?

20 JOKASTE
Nun werden alle Träume wahr. Das ist
das Ende.

ANTIOPE Was für Träume

JOKASTE Wenn ich lag
25 und schlief nur halb, da kamen sie gezogen
die Tritte schlürften viele waren sie
mit nackten Händen schlugen sie die Mauern
(1) des
(2)

30 ANTIOPE
Wer kam? wer schlug ans Haus

JOKASTE Die Mütter

ANTIOPE Mütter?

[1] *Am linken Rand:* 22 IX 05.

JOKASTE
Die deren Kinder todt und unbegraben
da drüben liegen

ANTIOPE Bei der Sphinx

JOKASTE nickt 5

ANTIOPE Die Todten
(1) sind
(2) lass todt sein.

JOKASTE Doch die Mütter – zu der Mutter
und *(1)* Männer auch das ganze Theben, aber 10
die Mütter zogen alles hinter sich
hinter sich drein, das Blut ist stark die Welt
hängt an den Müttern
(2) hinter ihnen drein das ganze Theben,
die Mütter zogen alles hinter sich 15
das Blut ist stark die Welt hängt an den Müttern

Dumpfe Schläge an⟨s⟩ Thor.

ANTIOPE
Was haben wir zu schaffen mit dem Volk

JOKASTE 20
Der Tod kam über sie aus meinem Leib

ANTIOPE
aus *(1)* meinem →
(2) deinem | Leib?

JOKASTE angstvoll Die Sphinx – ich weiß es Mutter 25
ich weiß es. Lahios hat es auch gewusst
Er zog hinaus. Doch an dem einen Opfer
war nicht genug.

Schläge.
Ich will hinaus. 30

ANTIOPE hinausrufend *(1)* Verriegelt
(2) Verrammelt
das Thor mit Steinen

JOKASTE Nein ich will hinaus.

ANTIOPE 35
Wer wirft sich einem Wildbach in den Weg
ihn bändigt eine Mauer nicht ein Mensch.

JOKASTE
Sie wollen mich

ANTIOPE Wer *(1)* ist das Volk dass es →
(2) sind sie dass sie dürfen. |
5 die Hände recken und dein Blut begehren
Du bist die Königin.

Schläge:

JOKASTE Sie fordern mich.

ANTIOPE
10 Ihr Schreien ist wie Wasser wenn es brüllt
sie sind im Dunkel ewig unverwüstet
der dumpfe Grund der Dinge. Doch die leben
sind wir.

JOKASTE
15 Sie leben auch. Ihr Leben ist
mit unserem verbunden. Wir sind ihr
Geschick und sie das *(1)* unsre. Ich kann immer
(a) sie leben →
(b) ⟨ihr⟩ dumpfes Leben | fühlen. Mutter so
20 wie meinen eignen Leib. →
(2) unsre. Hätten si⟨e⟩
(3) unsere. Ich fühle
ihr Leben so wie meinen eignen Leib
(a) Sie wollen
25 *(b)* Ich will *(a)* vor sie hingehn.
(b) zu ihnen gehn. |

Stärkere Schläge Die Mägde schreien auf

ANTIOPE Schreit zu den Göttern!
So hat es kommen müssen, mit dem Blitz
30 in *(1)* seiner Faust so fährt ein Gott hernieder →
(2) Fäust⟨en⟩ fährt ein Gott in Flammen nieder |
und mit der einen Hand umschlingt er dich
und mit der andern *(1)* streut
(2) schleudert er den Tod
35 Bacchos wir schreien zu dir auf wir sind
von deinem goldnen Blut!

Schläge:

Jokaste her

(1) herunter dieses Trauerkleid, wer hüllt
(2) herab dies Kleid, wer hüllt[1] den Leib in Jammer
wenn sich ein Gott mit *(1)* ihm →
(2) dir | vermälen *(1)* will →
(2) kommt. | 5

JOKASTE
Ja Mutter einem Gott vermäl ich mich
nun bald. Her mit dem Kleid. Her mit der Binde
der königlichen Priesterin.
sie geht hinauf. bleibt oben stehen. ruft zurück. 10
Wer hieß
die Todtenlieder schweigen. ↑Nun erst recht
nun *(1)* doppelt
(2) gilt es doppelt, *(1)* hört ihr, doppelt sag ich
sie anzustimmen. Denn was an *(a)* die Thür 15
(b) dies Thor
auch schlägt das Fest des Todes *(a)* stört es nicht.
(b) darfs nicht stör⟨n⟩
(c) stört es nicht.
(2) welche anzustimmen. 20
≈ Hier im Haus
ist noch das Fest des Todes nicht am Ende.↓

7 H

2. Akt, 3. Szene
(Volksszene) 25

II C.

Vor dem Palast wie früher. Volk erfüllt den Raum, drängt gegen das Thor. Im heiligen Hain Priester. Hinter ihnen, verborgen, Kreon.

DAS VOLK
(1) → 30
(2)[S] (viele) |
Auf das Thor! heraus das Schwert! heraus die Krone!

(1) DIE PRIESTER →
(2)[S] (andere) |
Kreon ist König! öffnet dem König! öffnet das Haus! 35

[1] hüllt *gestrichen, wohl Versehen.*

(1) DAS VOLK →
(2)^{S} (alle) |
Kreon! Kreon!

(1) DIE PRIESTER →
5 *(2)*^{S} DIE FRAUEN |
Auf das Thor! seid wie der Blitz! Söhne der Stadt!
auf das Thor!

DAS VOLK
Für Kreon! für Kreon!
10 sie drängen stärker

DIE VORDERSTEN
Sie kommen von drinnen. Sie heben die Riegel.

DIE RÜCKWÄRTIGEN
(1) Vorwärts! ⇢
15 *(2)* ¦ hinauf! hinein! Kreon Kreon!

DIE VORDERSTEN
Lanzen und Schwerter! sie brechen hervor!
weichen zurück. Alle schreien *(1)* hera⟨uf⟩
(2) auf.

20 *(1)* *(a)* DIE PRIESTER →
(b)^{S} DIE FRAUEN |
Hinauf! hinein! mit Euch sind die Götter! →
(2)^{S} |

Das Thor öffnet sich langsam. Die vordersten sind zurückgewichen so dass die
25 Platform frei ist. Aus dem Thor tritt Jokaste, hinter ihr Antiope. Das Todtenlied
erschallt einen Augenblick sehr stark, dann *(1)* schwächer. ⇢
(2) gedämpft. ¦

DAS VOLK ↑leise ≈ scheu↓
Die Königinnen!

30 ANTIOPE
Was willst du Volk was schnaubst *(1)* und heulst du so →
(2) du so und heulst |
(1) im
(2) vor diesem Königshaus.

A DAS VOLK scheu
(1) Antiope! die alte Königin! →
(2)[S] Die alte Königin! *(a)* Weh!
(b) Antiope | furchtbar ist ihr Aug.

ANTIOPE → 5
B[S]

C DAS VOLK scheu[1]
Antiope! die alte Königin!

ANTIOPE[1] | ⌈etwas⌉ vortretend

Gieb Antwort, Volk. 10

A DIE PRIESTER
Sie wollen einen König. Lahios ist todt, sie wollen
einen König – sie wollen Kreon zum König!

DAS VOLK
ein⟨en⟩ König, die Bräuche zu üben. Ein⟨en⟩ geweihte⟨n⟩ 15
König. Ein⟨en⟩ der Macht hat gegen die Sphinx.

DIE FRAUEN
Die Sphinx! die Sphinx! wer rettet unsre Kinder!
wer schützt unsre Häuser! wer giebt die Männer
uns wieder. 20

DAS VOLK
Gieb uns Kreon zum König

DIE PRIESTER
Das Schwert für Kreon! für Kreon die Krone!
Die Götter wollen es. → 25

B[2] DAS VOLK
(1) Ich ehre dich Antiope und fürchte
dein Auge: wärest du ein Mann du zögest
hin zu der Höhle und vor d⟨einem⟩ Blick

[1] *Graphisch nicht restituiert.* 30
[2] *Streichung von Stufe* **A** *mit Stift, scheinbar ohne Ersatztext. Stufe* **B** *mit Tinte, auf 2 Zusatzblättern, nicht ausdrücklich hier eingewiesen. – Auf Rückseite von 2. Zusatzblatt mit Tinte (gestrichen mit Stift):*
Antiope: Gieb Antwort Volk!
Das Volk: 35
Vielleicht ist dies ein erster Ersatz für **A**. *Dann wäre es* **B**, *und* **B** *wäre* **C**.

nach rückwärts wie ein Thier vor seinem Herrn
(a) kröche →
(b) verzöge sich | das Unheil, doch du bist ein Weib
Ich will nicht ohne einen König sein →
(2)^{S} |
Ich will nicht länger ohne König sein.
Die Erde giebt das Schwert. Die Götter geben
das Königsblut. Ich will das Königsschwert
in *(1)* ein⟨er⟩ Königshand
(2) ein⟨es⟩ Königs Händ⟨en⟩ ⌈wieder⌉ blitzen sehen
Lahios ist todt. So gieb das Schwert dem Kreon
Kreon sei König. Ich will einen König
der hingeht und die Bräuche übt und mir
abwehrt das Grausen. Ein geweihter König
soll zwischen mir sein und der Sphinx. Ich will nicht
nackt sein und bloß und ohne einen Schutz
wenn von dem Berg in⟨s⟩ platte Land der Dämon
herniederhängt gleich ein⟨er⟩ dunkl⟨en⟩ Wolke.
Kreon soll König sein!

ANTIOPE Den willst du haben
den Schattenmann, den Unhold ohne Kraft
der hingeht und *(1)* sich →
(2) groß | prahlt und *(1)* wieder⟨um⟩ zurück
(2) wieder⟨um⟩
(3) in den eignen
Fußspuren *(1)* wiederum nach rückwärts
(2) flieht und kläglich wiederkommt
Schmach über dich, dein *(1)* Wunsch bespeit dich wie →
(2) eigner Wunsch bespeit dich
so wie | ein missgeboren krankes Kind

VOLK
Nicht böse Worte gieb mir, gieb mir einen König
um dessen willen steh ich hier.

ANTIOPE
(1) Weib wenn der alte Stamm verdorrt ist, da
(2) Aus diesem *(1)* Leib,
(2) Leib da er ist zu alt

VOLK
Die junge die bei dir steht frag doch die
warum sie keinen König *(1)* uns gebiert. →
(2) mir gebiert!

(1) Bist du verflucht   versprich *(a)* uns →
(b) mir | einen König
aus deinem Schooß und Kreon sei Verweser
bis deine Frucht gereift ist. Gieb mir Antwort. →
(2) |

JOKASTE
⌈Schweig⌉ Volk! mich rührt nichts sterbliches mehr an

VOLK
Dann her die Kron⟨e⟩ her d⟨as⟩ Schwert! und Kreon
ist König! *(1)* Den →
(2) Den die | Götter *(1)* dr⟨oben⟩
(2) wollen!

ANTIOPE
Den?

VOLK
Ja Weib   die Priester haben's mir gesagt. |

ANTIOPE
Die Götter! was sind Priester dass sie mir
von Göttern reden! Hockt ihr an der Erde
und athmet Dämpfe bis die Glieder zucken
Horcht in die Wipfel was sie *(1)* rauschen, →
(2) rascheln, | lauert
die *(1)* Nächte →
(2) Nebelnächte
(3) Nächte | durch ob Sterne fallen wollen
A *(1)* und →
(2) Im Vogelflug
(3) Im Krächzen von Vögeln | lallt die Botschaft nach.[1]
(1) Was ist sie mehr als raschelnder Wind?
Wir, die wir Könige sind →
(2) | jeder von uns den sie gemordet, jede
die[2] sie verlassen   ist in ihrem Blut.
Ihr Leben wäre öde ohne uns →

[1] *Daneben, rechts unten auf Seite, kurze Zeilen, erste und zweite gestrichen, wohl nicht in diese Rede zu integrieren, sondern Notizen für das Folgende:*
Die Götter wollen es!
Zu Euch reden sie
Seit wann *(1)* zu →
(2) an | Euch?
die *(1)* Bo⟨tschaft⟩
(2)

[2] *Am linken Rand:* R⟨odaun⟩ 25 IX.

B^T wenn Vögel krächzen, lallt die Botschaft nach. |
(1) Und →
(2) Doch | redet nicht zu einer Königin (1) von
(2)
5 von Göttern. *A* Denn wir (1) sinds an deren Tisch
die Götter essen, wir mit denen Götter
das Lager theilen.
(2) sind zu Tisch (1) zu →
(2) und | Bett
10 (1) ihre
(2) Genossen (1) derer →
(2) ihrer | , ⟨die⟩ zu Euch nicht reden
als aus der Sturmfluth oder in dem Blitz. →
B^S
15 *C* Denn wir sind zu Tisch und Bett
Genossen ihrer, ⟨die⟩ zu Euch nicht reden
als aus der Sturmfluth oder in dem Blitz. |
A Wir sind's mit denen Götter Liebesnächte
zu feiern aus des Meeres Klüften auf
20 sich schwingen dass die Fest⟨e⟩ Eur⟨es⟩ Landes
erzittert und wir sind um derentwillen
wenn sie uns hassen ganze Königreiche
in einer Nacht vor ihrer eisigen Wuth
zu Stein (1) g⟨efrieren⟩
25 (2) erstarren. (1) Ungeheure Wollust
(2)
Und so in ungeheurer Wollust so
in ungeheurem Hass verflicht (a) sie
ihr Sein in →
30 (b) ihr Sein
mit | unsrem Sein. Ihr Blut ist (a) unseres. (aa) Uns,
(bb) →
(b) unser Blut.
(3) Ungeheurer Hass
35 ⟨und⟩ ungeheure Wollust flicht ihr Sein
mit unserem zusammen und ist unser Blut.[1]
Mit uns zu buhlen und uns zu verderben
uns zu bege⟨hren⟩ und uns zu verlieren
(a) Uns zu umarmen und uns wegzustoßen →
40 (b) an sich zu reißen [uns] (aa) und uns wegzustoßen
(bb) und zu morden wieder |

[1] Ihr Blut *aus Stufe (2) ungestrichen, vielleicht zu erhalten vor* ist

(a) wir sind →
(b) das ist | das einzig Schicksal das sie haben
Verlöschten wir *(a)* so wären sie →
(b) ⟨sie⟩ wären auch | dahin.

B[S]
Habt ihr ein Lied von Tantalos gehört
von Niobe?

(1) DAS VOLK →
(2)[S] DIE FRAUEN
(3) DIE GREISE |
Sie redet Zauberworte
weh uns! die Frau ist stark!

ANTIOPE
Wie Hunde seid ihr *(1)* allesamt so kriecht
hinab →
(2) niedrig und vo⟨ll⟩ Furcht!
Kriecht hin | wo Eure Häuser stehn und macht
das Land voll Kinder, dass sie über Meer
so wimmeln wie auf festem Grund, *(1)* nichts andres
wird ja von Euch begehrt. →
(2) es wird
nichts anderes von Euch begehrt! |

(1) RÜCKWÄRTIGE[1] →
(2)[S] VOLK |
Was *(1)* schmäht sie mich?
sie ist →
(2)[S] schmähst du mich?
du bist | ein Weib! *(1)* *(a)* wir wollen →
(b)[S] doch ich will | einen König! →
(2)[T] und ich will einen König |

ANTIOPE
Den *(1)* wollt ihr →
(2)[S] willst du | den zum König, der sich dort
hinter den Zeichendeutern drückt ins Dunkel?
(1)[1] Hast du dir →
(2)[T] Hat er sich | eine Königsprophezeiung
gekauft, denn feil ist alles wie der Mord

[1] *Ungestrichen.*

KREON
(1) Euch schmäht sie so wie mich

VOLK
(a) →
(b)[S] Ich hör⟨e⟩ was sie spricht.
(2)[T] Dich schmäht sie so wie mich Hörst du sie Volk

VOLK
Ich hör⟨e⟩ was sie spricht. | Sie spricht von Mord
von wessen Mord?

KREON Wahnsinnig ist das Weib
ich hätte Lahios ermordet schreit sie

ANTIOPE
Ermordet nicht du warst ja immer hier
nicht dort im Wald allein vielleicht *(1)* erkauft →
(2) wer weiß
gekauft | die Hände die ihn würgten

KREON Weib
du lügst bei *(1)* allen Göttern der →
(2) den[1] | drei Welten
(1) du lügst! →
(2) sie lügt! |

(1) ANTIOPE
Bei wem ist Wahrheit.

DAS VOLK dumpf Weh, bei wem →

(2)[2] DAS VOLK dumpf
(a) Bei wem
(b)[T]
Bei wem | ist Wahrheit?
wild zu Kreon
(1) Wir wollen →
(2)[T] Ich will | einen König
mit reinen Händen! – *(1)* rechtfertige dich! Kreon! Kreon! →
(2)[T] auf! rechtfertige dich!
auf Kreon! Kreon! |

[1] *Graphisch unverändert.*
[2] *Im folgenden ist die ausschließliche Benutzung des Blankverses aufgegeben. Teilweise wurden fortlaufend geschriebene Zeilen nachträglich zu Verszeilen abgeteilt.*

(1) ANTIOPE
(2) STIMMEN auf dem flachen Dach
Dort! dort! er tritt aus dem Walde heraus!
– ihn führt ein Kind – er kommt! er kommt!

VOLK 5
Wen *(1)* sehen sie? was ist? →
*(2)*ᵀ sehet ihr dort droben. *(a)* Gebt mir Antwort!
(b) Sagt es mir! |

STIMMEN oben
Teiresias! Teiresias! 10
[ᵀ wie Trompeten schmetternd]

A ANTIOPE
Teiresias.

JOKASTE
Bei ihm ist Wahrheit Mutter. → 15

Bˢ DAS VOLK
Teiresias!

JOKASTE
(1) Bei ihm ist Wahrheit. Nieder! in Staub vor ihm →
(2) In seinem Leib⟨e⟩ wohnt *(a)* die W⟨ahrheit⟩ 20
(b)
die Wahrheit. *(a)* Heil – →
(b) | Nieder! in Staub vor ihm |

DAS VOLK
Eine Gasse dem Seher! Werft Euch nieder vor ihm! 25

Teiresias von rechts herein, geführt von dem Kinde. Das Volk weicht in Ehrfurcht zurück.

TEIRESIAS
Wo steh ich?

DAS KIND 30
(1) Wo
(2) Wohin du wolltest geführt sein.
Ich weiß nicht wer die sind.
Ein großes Haus ist hier.

DAS VOLK 35
Das Haus des Lahios. Lahios ist todt. Auf der Schwelle stehen zwei Königinnen.

TEIRESIAS
Um mich sind viele.

DAS VOLK Alle sind wir hier.
Die Kinder der Stadt.

5 (1) JOKASTE
(2) ANTIOPE
Wir grüßen dich Teiresias.

DAS VOLK
Die Königinnen grüßen dich.

10 (1) TEIRESIAS
(2) ANTIOPE
Um wessen willen bist du gekommen Seher. →
(3)
(4) ANTIOPE
15 Um wessen willen bist du gekommen Seher. |

TEIRESIAS schweigt.

DAS VOLK
Er hört sie nicht. Er achtet nicht die Rede.

(1) TEIRESIAS
20 (2) DAS KIND
Er ist in einem Schlaf und schläft doch nicht. Er hat nichts gegessen ⌈nichts getrunken⌉ seit dem letzten Mond. Er sitzt vor der Höhle und sieht was nicht da ist. Vögel (1) sitzen auf seinem Haupt, →
(2) nisten in seinem Haar,
25 (3) nisten auf seinem Haupt, | die Schlange schläft in seinem Schooß: er achtet es nicht. Heute stand er auf und sagte führ mich hinunter. Da führte ich ihn. Er wies mir den Weg.

(1) DIE
(2) DAS VOLK ⌈^S alle Stimmen⌉
30 Heilig ist sein Schlafen. Er schaut ins Innere der Welt.

(1) TEIRESIAS
(2) KREON
Teiresias ⌈!⌉ hier steht ein unschuldig (1) verkl⟨agter⟩
(2)
35 verklagter hilf mir großer Seher. (1) Hilf mir! →
(2) Hilf! |

TEIRESIAS
Hier schreit *(1)* eine Angst.

VOLK →

(2) ein großes Leiden auf zum Himmel

VOLK murmelnd 5
Er wendet sich. | Er hat *(1)* ihn →
(2)[S] den Mann | gehört.

DER KNABE
Dort rief es ⌈um⌉ dich.

TEIRESIAS Nein, hier, nicht dort. 10
auf Jokaste deutend ⌈[T] neigt sich vor als müsste ers erfahren⌉

VOLK
(1) Die Königin
(2) Da steht die Königin.

TEIRESIAS 15
Zu tief der Schlaf. Zu weit vom Schläfer
die äußere Thür an der sie rufen.
Ist's eine? sinds viele? »Königin«
Einst hatte es Sinn. Nun ists ohne Wesen.

VOLK 20
er spricht zu sich selber.

TEIRESIAS sich quälend
So helft mir doch, wenn ihr mich braucht!
Eure Angst zog mich her.
So helft mir *(1)* doch herauf! 25
(2) doch : herauf aus der Tiefe!

ANTIOPE
Bringt das Gewand des Todten!

JOKASTE
Mutter was willst du von ihm? 30

(1) ANTIOPE
(a) Wahrheit?
(b) Wahrheit. →
(c) ¦ Sühne. →
(2) ¦ Das Gewand wird gebracht. 35
Antiope geht mit denen die das Gewand tragen an den Rand der Platform vor.

ANTIOPE
Ehrwürdiger Seher wer erschlug den Mann
der dies am Leibe trug

(1)[1] TEIRESIAS berührt das Gewand
5 (2) TEIRESIAS wendet sich ab
Was halten sie
den Duft \von Blut/ mir vor? vergießen sie
nur Blut \und Blut/, erschlägt der Sohn den Vater
(1) der Bruder seinen Bruder
10 (2) erwürgen sie das Leben wie es frisch
aus ihrem Leib hervorgekrochen (1) ist? ->
(2) kommt! ¦

JOKASTE
(1) Weh →
15 (2)[S] Oh, | Mutter lass mich fort

TEIRESIAS Sie können nicht
mit ihrem Blut in ihrem Leib⟨e⟩ hausen
Es wühlt in ihnen, ihre Adern schwellen
wie Schlangen um den Leib, sie sind sich nicht
20 genug gewaltig, ihre Hände sind (1) nicht stark
genug zu wühlen in der Welt, ihr Mund
kann nicht in alle Früchte beißen, sterbend
noch buhlt ihr Aug umher und (a) ist →
(b) wird | nicht satt →
25 (2)
nicht stark genug zu wühlen in der Welt,
ihr Mund kann nicht in alle Früchte beißen,
noch sterbend buhlt ihr Aug umher und wird
nicht satt. | so zeugen sie die Kinder, zeugen (1) neu →
30 (2)
(3) neu⟨e⟩ |
begierige Lippen neue wilde Hände
und neue (1) wilde
(2) Glieder die umklammern können
35 aus ihrem Blut heraus, bis dass sich Blut
und Blut im dunkeln Wald begegnet, Hass
und Hass die Augen schief (1) verkr⟨ampft⟩
(2) verschränkt und Glied
in Glied sich krampft

40 ANTIOPE Nun (1) spricht er von dem →
(2) kündet er den | Mord!

[1] *Ungestrichen.*

TEIRESIAS
Sie schaffen sich aus ihrem eignen Blut
den Dämon der mit ihnen ringt und einmal
erwürgt der Dämon sie[1]. O heilges Blut
sie wissen nicht was für ein Strom du bist 5
sie tauchen nie in deine Lebenstiefen
wo Weh und Wahn erstorben sind, wo *(1)* Hunger
und Durst nicht wohnen, Alter nicht und Tod.
(2) Hass[2]
und Hass nicht wohnen, Hunger nicht und Durst, 10
nicht *(1)* Altern →
(2) Alter | und nicht Tod.

ANTIOPE Wir warten Seher
dass du den Mörder uns enthüllst

(1) TEIRESIAS 15
(2) FRAUEN Nein! nein!
die Todten sind *(1)* todt! →
(2) dahin! | wir wollen leben!
ein ungeheures Grausen liegt auf uns
die Sphinx! die Sphinx 20

TEIRESIAS Du sollst nicht zittern Kind
es ist das Leid der Menschen das von außen
mit dumpfem Anhauch meinen Leib erschüttert
in meinem Blute drinnen blüht die Welt
und Ster⟨ne⟩ gehen auf und nieder. Steh 25
Bald führst du mich nachhaus.

ANTIOPE Den Mörder will ich.

VOLK
Den Retter zeig uns! zeig uns *(1)* un⟨sern⟩
(2) einen König! 30
Hilf unsrer Noth!

ANTIOPE mit dem Gewand
Wer schlug den Lahios? steht er etwa nahe
hier nahe uns?

[1] sie *versehentlich vergessen, dann nachgetragen.* 35
[2] Hass *ist offenbar Versehen. In Bühnenmanuskripten und Erstdruck statt dessen* Liebe. *Ursprünglich vielleicht aber eher* Zorn *o.ä. gemeint.*

TEIRESIAS weicht zurück

Der todte König liegt.

(1) Der junge König kommt.

(2) Die Knechte liegen todt mit offnen Augen.

5 Die Pferde schnauben. Auf dem Wag⟨en⟩ funkeln

die goldenen Geschenke für den Gott.

ANTIOPE

Der Mörder – und die andern die *(1)* ↑Gesellen

≈ die Mör⟨der⟩↓ →

10 *(2)* Gesellen |

wer steht im Dunkel hinter ihnen

VOLK Schweig!

der Seher achtet *(1)* nicht auf dich ⇢

(2) deiner nicht ¦

15 *(1)* A⟨NTIOPE⟩

(2) TEIRESIAS Der Knabe

ist königlich

VOLK ⌈^{S} jubelnd⌉

Er sieht mit seinem Aug⟨e⟩

20 den der uns retten wird!

ANTIOPE Wer ist der Knabe

(1) sind Knaben Mörder? →

(2)^{P} auch Knaben können morden. |

VOLK Schweig und *(1)* hör auf ihn. ⇢

25 *(2)*^{p} horch. ¦

Zeig uns den Retter.

ANTIOPE Lass den Mörder nicht

aus d⟨einem⟩ *(1)* Auge.

(2) Aug.

30 TEIRESIAS Nun tritt er aus dem Wald

die Sonne ist auf ihm

ANTIOPE Und Blut?

DIE RÜCKWÄRTIGEN Er sieht

den der uns retten kommt

35 *(1)* ANDERE ist es ein Gott →

(2)^{S} ANTIOPE Sieht er den *(a)* Gott

den ich schon *(aa)* sah →
(bb) fü⟨hlt⟩ | – sieht er den Mörder?

V⟨OLK⟩ Heil
(b) Gott? |

ANDERE
ein Halbgott ists die Sonne blitzt auf ihn

DIE *(1)* VORDEREN →
(2) NÄCHSTEN |
er sieht ihn immer kommt er *(1)* näher →
(2)[S] näher? |

ANDERE weh
wenn er nicht weiß von uns wenn er die Stadt
nicht kennt die auf ihn wartet

ANTIOPE lass den *(1)* Mörder →
(2) Knaben |
nicht aus dem Aug

VOLK erbarm dich! wo ist er
wo ist der Retter hin! ***A*** wir *(1)* leben ja
von deinem Wort! →
(2) hängen ja
an deinem Mund! |

TEIRESIAS[1] Und wär sein Ruhesitz
ein nackter Stein im Feld er ist ein König

VOLK
(1) Nein
(2) Ein Halbgott

B

TEIRESIAS So geht ein König

C

TEIRESIAS schweigt →

D[S]

TEIRESIAS achtet ihrer nicht, sein blind⟨es⟩ Auge starrt in ⟨die⟩ Ferne |

[1] *Am linken Rand:* 26 IX.

FRAUEN Er stößt uns *(1)* weh ⇢
(2) wieder ¦
zurück in Nacht und Tod. Wir werfen dir
zu Füß⟨en⟩ unsre Kinder! *(1)* →
5 *(2)*[S] Welchen Weg?
Kommt unser Retter? |

TEIRESIAS ***A*** lässt den Knaben los. Er geht auf Jokaste zu
Fort mit dem *(1)* Todten! →
(2) todten Mann¦ | fort mit dem Volk!
10 Hier blüht ein *(1)* ungeheures
(2) Leiden ohne Maß, hier ist *(1)* der
(2)
der Altar und das Opfer, hier *(1)* vollzieht
(2) aus Qualen
15 erhebt ein Halbgott sich. Um deinetwillen
(1) er wirft sich nieder. ⇢
(2) ¦
bin ich gekommen. →[1]

B[T] *(1)* lässt den Knaben los. Er geht auf Jokaste zu[2] →
20 *(2)*[S]
Dies alles ist nicht was es scheint
dies alles gebiert das Unvergleichliche
er hebt den Arm geht auf Jok⟨aste⟩ zu |
Ah! was sich da gebiert, *(1)* die Nacht, die Höhle
25 *(a)* aus Qualen aufgebaut,
(b) gethürmt zum Himmel Qual, in grauenvoller Inzucht
aus einem Leib geboren
(c) aus Qualen aufgebaut,[3]
(2) der Qualenabgrund
30 die *(1)* finstere
(2) Höhle weltengroß gethürmt aus Jammer
↑und Nacht, aus Leibern aufgebaut, gebor⟨en⟩
aus einem Leib in grausenvoller Inzucht↑
du letzte Nacht, du *(1)* Höhlenin⟨neres⟩
35 *(2)* Höhle ah und jenseits
ist neuer Tag und eine andre Welt

[1] *Folgetext s. S. 478, 35.*

[2] *Stufe (1) ungestrichen. Stufe (2) auf der Rückseite desselben Blattes, gegenüber dem eingeschobenen Blatt, das die folgende Rede des Teiresias enthält; versmäßig nicht inte-*
40 *griert; zur Verdeutlichung eingeführt durch:* Teiresias (sein letztes Wort war: die Sonne ist auf ihm)

[3] *Ungestrichen beim Übergang zu Stufe (2).*

ein Ungeheures *(1)* weht mich an, →
(2)[S] fällt mich an,
(3) brandet hier:
(4) fällt herein
(5) ↑bricht herein: 5
≈ mündet hier↓
(6) bricht herein: | ich *(1)* hätte
(2) habe
nicht sterben *(1)* dürfen →
(2)[S] können 10
(3) dürfen | ohne dies zu schauen
(1) gesegnet der Altar auf dem das Opfer
(2) darunter ist noch eine Welt *(1)* , wir stürzen
und leben noch einmal, aus Qual⟨en⟩ ohne Maß
(2) verborgen 15
(a) →
(b)[S] Und aus der Leidenshöhle blüht *(aa)* das →
(bb) ihr | Licht hervor[1]
(c) sie mündet in der Leidenshöhle.
(d) unter 20
dem Schlund des Graus⟨ens⟩ *(aa)* blüht ihr Licht →
(bb) bricht ihr Glanz | hervor.
(e) sie mündet in der Leidenshöhle. unter
dem Schlund des Grausens bricht ihr Glanz hervor. |
aus Qualen ohne Maß erhebt ein Halbgott sich 25
(1) Hier blüht was ohne Nam⟨en⟩ ist →
(2)[S] Hier blüht die Welt hervor
(3) aus d⟨einem⟩ Leib⟨e⟩ blüht die Welt:
(4) Hier blüht was *(a)* keinen Namen trägt
(b) keine Zunge nennt 30
(5) o xxxxxx einer Welt
(6)[T] o schönes xxxxxx einer Qualenwelt
(7) Schweig Zunge, neig dich Leib! | – um deinetwillen
bin ich gekommen |
er wirft sich vor Jokaste nieder. 35

JOKASTE Weihst du mich?

TEIRESIAS Nein Mutter
⌊du bist es die mich weiht.⌋

[1] *Stufe (b) ungestrichen.*

DAS VOLK
(1) Er betet,
(2) Der Seher liegt vor der Frau. Nicht vor der Alten
die junge ehrt er wie eine Göttin.

5 TEIRESIAS
Fort Knabe, führ mich nachhaus

KNABE
Zur Höhle

TEIRESIAS Zur Höhle

10 DAS VOLK entgegen Wir lassen dich nicht
Den Retter! welche Straße kommt er? wann? (1) wann?

TEIRESIAS
Er ist (a) zu →
(b) ga⟨nz⟩ | nahe schon. (a) Ich will ihm nicht →
15 (b) Was brauch ich ihm |
begegnen.

DAS VOLK
er ist nah![1] →
(2)S

20 TEIRESIAS
(a) Er tritt schon in die Stadt! Was brauch ich ihm begegnen
(b) Nun schreitet ⟨er⟩ durchs Thor nun ist er in der Stadt.
Fort Knabe! fort, mit uns.

DAS VOLK
25 Er ist schon in der Stadt! | weh wenn er (1) wieder →
(2) uns ¦
vorüberwandert! wenn er uns nicht hört!
wie schreien wir dass er uns hören muss!
Seher! wie rufen wir ihn

30 TEIRESIAS
Das fragt die Mutter.

DAS VOLK
Die Mutter? wen meint er? Jokaste meint er,
die Königin vor der er gekniet. Jokaste! Mutter!

35 [1] *Ungestrichen.*

ANTIOPE
Um ihretwillen kommt der Gott. Mit ihr *(1)* verm⟨ält⟩
(2)
vermält er sich.

(1) DAS VOLK 5
(2) JOKASTE Wer sprach von einem Gott?

DAS VOLK
Um deinetwillen kommt *(1)* er.

KREON'S STIMME Ansteckend Gift
(2) er, dem die Krone 10
gehört

KREON'S STIMME
Ansteckend Gift des Wahnsinns. Wer
soll kommen? Wollt ihr einem *(1)* We⟨gelagerer⟩
(2) fremden Räuber 15
nachwerfen Kron und Reich?

DAS VOLK Und wärs ein Räuber
wenn er uns rettet ist's ein Gott und er
soll König sein. Jokaste ruf ihn her.
(1) 20

JOKASTE
Wie kann →

(2) *(a)* →
(b)^{S} alle
(c) gewaltig | 25

Jokaste ruf ihn her ⌈^{S} !⌉

JOKASTE *(a)* Kann
(b) Wie[1] kann | ich rufen
den ich nicht kenne.

DAS VOLK Schwör⟨e⟩ bei der Luft 30
beim Feuer *(1)* un⟨d⟩
(2) bei der Erde dass der Stirnreif
sein ist und sein das Schwert

JOKASTE *(1)* aus meiner Hand →
(2) Hier drin im Haus | 35
empfängt er beides.

[1] *Restitution nicht eindeutig.*

DAS VOLK Schwör!

JOKASTE Das schwöre ich.

DAS VOLK
Und du

5 JOKASTE
Was noch?

DAS VOLK Die Königin gehört
dem Retter. Schwör du wirst sein Weib.

JOKASTE
10 Des fremden Mannes Weib. *(1)* U⟨nd⟩
(2)

DAS VOLK Und wärs ⟨ein⟩ Räuber
wärs ein ↑entlauf⟨ner⟩
≈ verlaufner↓ *(1)* ↑Knecht,
15 ≈ Ackerknecht,↓ →
(2) Knecht, | *(1)* ein Ungeheuer →
(2) wär es ein Mörder |
schwör dass du ihm gehörst wenn er uns rettet
(1) dröh⟨nend⟩
20 *(2)* drohend
(3)[S] alle Arme drohend
Weib! schwör!

FRAUEN Geliebte! schwör!

(1) KREON
25 Ihr Bette ist noch warm von Lahios Leib!

(2) JOKASTE Ich *(1)* schwöre Euch →
(2) schwor in mir. ¦

KREON
Ihr Bette ist noch warm von Lahios Leib.

30 VOLK
(1) Sag laut den Schwur.
(2) Schwör laut.

JOKASTE Ich schwöre wenn der fremde Mann
Euch von der Sphinx erlöst so wird das Haus
35 ihm offen stehen, offen seiner Hand
das Schwert der Stirnreif und des Lahios Bette

A →

B VOLK
Und du.

JOKASTE
und ich werd *(1)* im Haus
(2) sein ⟨im⟩ Haus

C und mich dann findet er in ⟨dem⟩ Gemach |

KREON
So wahr⟨en⟩ Königin⟨nen⟩ ihre Treue.

JOKASTE
(1) Doch dass ich leben werde →
(2) Dass er mich lebend findet | schwor ich nicht.

ANTIOPE
Nun schreit es aus in die vier Winde. Nahe
war ⟨er⟩ im Spiegel den der Seher schaut.
Er athmet eine Luft mit uns. So wird
ein Ruf ihn treffen.

[JOKASTE] Mutter komm ins Haus.

KREON vorkommend
Was willst ⟨du⟩ Volk noch hier? was soll der *(1)* Unsinn? →
(2) Wahnsinn? |

DAS VOLK zurückweichend
Wir warten auf den Retter lass uns Kreon
wir wissen nichts von dir. Der Seher hat
nicht dich gezeigt. Geh fort!

A[1] KREON O Volk! das Wasser
ist stetiger als du
er verschwindet in der Menge
(1) rückwärts →
(2)^S BOTE rückwärts |
Den Fremden seht!
er kommt heraufgestiegen! seht den Fremden!
sein Gang ist eines Königs Gang! er trägt
in seiner Hand den Stab der Wanderer
er kommt weit her! →

[1] *Ungestrichen, aber auf drei ausdrücklich hierher verwiesenen Blättern wesentlich erweitert (**B**).*

B[T] KREON Du Volk das Wasser
ist stetiger als du. Wer einen Haufen Koth
da von der Erd aufnimmt, der hält in sein⟨en⟩ Händ⟨en⟩
doch etwas, wer dich hält, *(1)* hält nichts in Hän⟨den⟩
5 *(2)* der hält *(a)* auch →
(b) ja | nichts!
(1) nichts nichts! →
(2)[S] |
Geil bist du auf das neue wie ⟨ein⟩ Widder!
10 mit einem Wort aus seinem alten Maul
hervorgespr⟨ungen⟩ macht ein Gaukler dich
da hüpfen oder dorthin wer *(1)* h⟨ätte⟩
(2) dich hätte
und schlüg dich nicht m⟨it⟩ Skorpionen, Schmach
15 und Schande über den! werd ich d⟨ein⟩ König
d⟨ir⟩ tret ich auf den Nacken!
fort

(1) BOTE von rückwärts

(2) RÜCKWÄRTIGE Seht den Fremden
20 um den sich alle drängen! seht den Fremden!

(3) BOTE[1] von rückwärts
Ein Held ist unter uns! er kam herein
sein Gang ist eines Königs Gang er trägt
in seiner Hand den Stab *(1)* der Wanderer
25 *(2)* , er kam weit her!
(1) Er kommt heraufgestiegen
(2) Ein Held!

VOLK Nach welch⟨en⟩ Zeichen! läuft ein Einhorn
mit ihm! *(1)* ist →
30 *(2)* schw⟨ebt⟩
(3) steht | über seinem *(1)* K⟨opf⟩
(2) Haupt ein *(1)* Stern! →
(2) Funkelstern! ¦

BOTE
35 In *(1)* seinem Aug sind Sterne! und die →
(2) seiner Augenhöhl sind Sterne! | Kraft
des Einhorns ist ihm selber um die Lenden
gegürtet. Wo ein Haus in Flammen stand

[1] *Z. 18–21 (*BOTE . . . BOTE*) mit Stift.*

dort sprang er hin, *(1)* riss *(a)* m⟨it⟩
(b) bren
(c) die Lebendigen
aus brennendem Gebälk
(2) *(a)* trat →
(b) riss
(c) ⟨trat⟩ | mit gewaltig⟨em⟩ Fuß
(1) Thürpfosten
(2) eher⟨ne⟩ Thür⟨en⟩ ein, riss aus dem
(3) die Thür ein, riss aus bren⟨nendem⟩ Gebälk
lebendige hervor und achtete
nicht mehr darauf als hätt ⟨er⟩ wild⟨e⟩ Taub⟨en⟩
aus einem Busch gerissen, vor die Füße
fällt ihm die halbe Stadt er stößt sie weg
er kommt heraufgestiegen, hier herauf
ihr heiligen Thebaner!

(1) VO⟨LK⟩
(2) SCH⟨REIEN⟩ Seht den *(a)* Fremd⟨en⟩! →
(b) Held⟨en⟩!
(3)[S] SCHREIEN Heil dem Held⟨en⟩!
Den Held⟨en⟩ seht. |
Gasse öffnet sich:

OEDIPUS[1] heraufsteigend, durch die Gasse die sich bildet.
Du Volk aus dieser Stadt
was *(1)* tobst →
(2) schnaubst | du *(1)* wie ein reiterloses Pferd
das sich verlaufen hat
(2) hier vor dem verschlossen⟨en⟩ Thor
und bäumst dich wie ein reiterloses Ross.
Wo ist dein König? dass er nicht d⟨en⟩ Zaum
dir auflegt?

VOLK Todt ist unser König, Fremdling.

OEDIPUS
Und warum bren⟨nen⟩ Häuser in der Stadt
und warum *(1)* lieg⟨en⟩ →
(2) starren | Eure Felder wüst.
Was heult das Volk *(1)* und warum liegen[2] sie
da drunten vor den Tempeln →
(2)[S] in Jammer? |

[1] *Unterstrichen; am linken Rand:* 27 IX
[2] liegen *getilgt und sofort wieder in Kraft gesetzt.*

(1) VOLK →
(2)^{S} FRAUEN | Weißt du (1) nicht?
(2) nicht

dass du in Theben bist. So kommst du denn
5 herunter aus der Luft, so bist du Perseus.
bist du denn Perseus.

(1) FREMDL⟨ING⟩ →
(2) OEDIPUS | Eine Straß⟨e⟩ kam ich
vom Berg herab. Und habe keinen Namen.
10 (1) →
(2)^{S} für Euch
(3) für dich |

VOLK Kommst (1) aus dem Berg?
(2) vom Gebirg? und hast die Flüchtigen
15 nicht lagern seh⟨n⟩ und (1) nicht die Luft erfüllt →
(2) war die Luft nicht voll |
mit Wehgeschrei.

(1) FREMDLING →
(2) OEDIPUS | Ich achte nicht die Stimmen
20 die in der Luft sind.

VOLK Also bist du nicht
der Retter der uns kommt?

(1) FREMD⟨LING⟩
(2) OEDIPUS Wovor ein Retter

25 VOLK
So bist du der Erlöser nicht: So willst du
nicht unser König sein. Wer bist du dann.

OEDIPUS
Volk rede nicht verwirrt. In welcher Noth
30 schreist du zum Himmel. Denn du dauerst mich
Volk, weil du keinen König hast.

VOLK alle Die Sphinx!
er weiß nichts von der Sphinx

OEDIPUS Was soll das Wort?

35 VOLK
Das Wort ist Qual und Tod. Dort drüben wohnt's
es horstet im (1) Geklüft.
(2) Geklüft, so wie ein Geier

und äugt herab wo Theben liegt und Theben (1) liegt
(2)
gleicht dem gefallnen Vieh und zuckt vor Angst
und seine Flanken fliegen und die Augen
sind (1) blutig. →   5
(2) blutig,[1] ¦

OEDIPUS Ging denn keiner hin und schlug
(1) den Dämon →
(2)[S] das Wesen? |

DIE FRAUEN schreien auf wehklagend   10

DAS VOLK vor der Höhle (1) liegt →
(2) ist | ein Abgrund
(1) den (a) füllt's →
(b) füllt | mit Todten
(2) da wirst du   15
(3) da liegen unsre Todte⟨n⟩.

A DIE FRAUEN wehklagen.
(1) →
(2)[SP] Ai Ai! ai! ai!
(3) | 20

OEDIPUS sieht zu Boden. (1) Sind die Hände
denn rein genug? →
(2)[Sp] |

DAS VOLK
Er senkt den Blick – er spricht nicht mehr mit uns –   25
er ist noch fast ein Knabe

OEDIPUS wendet sich zu gehen

DAS VOLK ⌈[S] murmelnd⌉
er will fortgehen – Knabe deine Augen
sind ein⟨es⟩ Königs Augen – willst du nicht König sein –   30
willst du nicht König sein in Theben

OEDIPUS
(1) Ich?
(2) (a) Ich? →
(b) ¦   35
Ich werde nirgends König. →
(3)[S] Ich werde nicht König.
(4) Ich? |

[1] *Geplante Fortsetzung nicht realisiert.*

DAS VOLK[1]
Es ist als ob ihn etwas bände – doch
es ist nicht Furcht.

(1) →
(2) DIE FRAUEN Perseus! verlass uns nicht. |

OEDIPUS ermannt Zeigt mir den Weg dorthin
wo dieser Dämon haust. *(1)*

DAS VOLK o Herakles!
(2)^{T} Doch →

B^{T} FRAUEN Weh!

ÖDIPUS ⌈^{S} vor sich⌉ Ihr guten Götter!

DAS VOLK[2] *(1)*
Er senkt den Blick →
(2)^{S} während s⟨eines⟩ Monologs
Er spricht mit sich | er spricht nicht mehr mit uns –
er ist noch fast ein *(1)* Knabe → |
(2)^{S} Kind |

⟨ÖDIPUS⟩
Welch eine That *(1)* darin zu wohnen →
(2)^{P} ihr Seligen! | baut ihr
dem Heimatlosen *(1)* funkelnd⟨e⟩ Paläste
(2)^{p} solche Thaten auf
so funkelnde Paläste drin zu *(1)* wohnen
wohin sein Fuß ihn trägt.
(2) hausen
für eine Nacht und wieder⟨um⟩ für eine
wohin sein Fuß ihn *(1)* trägt, ⇢
(2) trägt? ¦ so habt ihr mich
mit Eur⟨em⟩ Fluch *(1)* gesegnet!
(2) gesegnet? *(1)* oder muss ich
dorthin geh⟨n⟩ und dort sterben heute nacht
von grausenvollen Gliedern *(a)* einge⟨schnürt⟩
(b) rings umschnürt
(c) , wie Polyp⟨en⟩
nach ih⟨rem⟩ Opfe⟨r⟩ recken, eingeschnürt.

[1] *Das Folgende bis Ende Stufe* **A** *ungestrichen.*
[2] *Die Worte des Volks sind das einzige, was – zumindest teilweise – für* **B** *übernommen wurde. Da* **B** *jedoch auf einem eingeschobenen, fortlaufend geschriebenen Blatt überliefert ist, sind die Worte des Volks nicht genau in die neue Stufe integriert.*

(2) denn ich fühl
von *(1)* grausigen Pol⟨ypen⟩
(2) grausen Gliedern von Polypenarmen
umschlungen sterb ich heute nicht, ich darfs
vollbringen und da⟨nn⟩ weiterziehn 5

VOLK o Perseus
verlass uns nicht

OEDIPUS Auf zeigt mir doch ⟨den⟩ Weg
wo haus⟨t⟩ d⟨er⟩ Dämon. Aber | lasst mich dann
allein hinaufgehn und fragt nicht nach mir 10

DAS VOLK
bist du nicht Herakles! bist du nicht Orpheus!
du junger Gott!

OEDIPUS Den Weg.

DAS VOLK *(1)* Er soll 15
(2) Die Königin
er soll sie sehn bevor er hinzieht

OEDIPUS Sehn
wen sehen?

DAS VOLK Deine Königin, du Gott, 20
du junger Gott! Jokaste!
stark.
Auf
das Thor! Jokaste!

JOKASTE allein hervor 25
(1) Was ruft ihr mich?

D⟨AS VOLK⟩
Den Retter sieh den Retter

(2)
Was ruft ihr mich? 30

D⟨AS VOLK⟩ Den Retter sieh den Retter
da! da den jungen!

JOKASTE Lahios!

VOLK was sagt sie

JOKASTE
Nein nein ein Traum
sie fährt sich üb⟨er⟩ die Stirn.

OEDIPUS Wer ist die Frau?

JOKASTE Wer ist
der Jüngling

DAS VOLK jauchzend
(1) Herakles
(2) Perseus! Orpheus! Herakles!

OEDIPUS entgeistert ⌊trinkt ihr Gesicht⌋
Wer ist die Frau.

DAS VOLK Die Königin

OEDIPUS Was will
die Königin?

DAS VOLK Dein ist sie dein
Wenn du der Sieger bist. – Er glaubt uns nicht.
Du hast geschworen. Künde du's

JOKASTE Du darfst nicht
Es ist dein Tod. Um deiner Mutter willen
thus nicht.

OEDIPUS Um meiner Mutter willen Frau?
(1) Die weint nicht mehr um mich ob ich es thu
ob ich es lasse
(2) Ich will es thuen.
(3) O, wohl will ich es thun

(1) JOKASTE
(2) VOLK Den Helden seht
den Helden! *(1)* bitte →
(2) flehe | zu den Göttern Frau
so wird er dein Gemal

OEDIPUS Die Königin!
Es ist in meinem Blut es ist nicht wahr

DAS VOLK
Sie hat geschworen!

OEDIPUS Ja!
thut einen starken Schritt

Ich bin von Sinnen
der König ist ihr *(1)* Mann.

JOKASTE *(a)* Nein
(b) Der König,
(2) Gatte. 5

JOKASTE Mein Gemal
ist todt.

OEDIPUS
Und ich! ihr Götter steht mir bei
dass ich jetzt nicht vergehe. 10

JOKASTE Willst du mich
noch etwas fragen, Jüngling?

OEDIPUS Ich – mich *(1)* nicht
(2) nimmst
du 15
(3) nimmst du
zum Mann

JOKASTE Ich bin nur wie *(1)* der Stirnreif →
(2) das Diadem |
und wie das Schwert: wer diese Stadt erlöst 20
der greift nach uns

OEDIPUS Nicht fortgehn! Nicht – noch nicht.
flehend

Der König der dein Gatte war *(1)* erwarb er
nicht Kinder sich aus d i e s e m Leib! Ich will 25
sie schützen *(a)* heilig sind
(b) und Verweser sein für sie
Die Rechtgeborenen sind *(a)* heilig. Rede. →
(b) unantastbar.
(2) gewann er 30
der Todte Kinder sich aus diesem Leib?
Ich will sie schützen und Verweser sein
für sie. Die Rechtgeborenen sind heilig.[1] |

JOKASTE mit schwacher Stimme
Ein Kind war da und war gleich nicht mehr da 35

[1] heilig *graphisch nicht restituiert.*

KREON von rückwärts
Wie sich der Landstreicher geberdet! wie *(1)* er
(2)
er *(1)* den gebor⟨nen⟩ →
5 *(2)* schon den | König spielt!

OEDIPUS königlich Wenn einer ist
der von dem frühern König *(1)* Haus und Hof →
(2) Geld und Gut |
und Vieh und Land empfing der fürchte nichts.
10 Ich fordre nichts zurück.

DAS VOLK ⌊^{S} Spr⟨echer⟩⌋
Du bist ein König
du *(1)* warst von je ein König! →
(2) warst⟨s⟩ von je
15 *(3)*^{S} warst von je ein König! |

KREON zerreißt sein Gewand *(1)* Schmach und Tod! →
(2) Sei verflucht!
(3) *(a)* Du →
(b)^{S} | Gaukler sei verflucht! |
20 verschwindet
⌊es dämmert stark⌋

OEDIPUS
Ich möchte opfern und ich habe nichts
zu opfern eh ich gehe.

25 JOKASTE zurückrufend ⌊mit einem Ton[1]⌋
Sie sollen opfern
was lebt im Haus. Die Thiere die mir lieb ⌊^{S} sind⌋
sollen sie tödten schnell. Die *(1)* Rehe →
(2) Vö⟨gel⟩
30 *(3)* Pfer⟨de⟩ | ⌊alle⌋ tödten
die ⌊heilgen⌋ Vögel sollen sie mit Pfeilen schießen
und all⟨e⟩ m⟨eine⟩ Hunde auch die Hündin
die seit sie lebt vor meiner Kammer schlief
die auch. Schnell schnell. Nichts *(1)* soll →
35 *(2)* braucht | am Leben bleiben
wenn dieser sterben geht.
Mägde fort

[1] *Unvollständig.*

OEDIPUS Hab ich denn gar nichts
Bin ich *(1)* →
(2) denn gar
(3)[S] | so *(1)* arm. →
(2)[S] arm? | Doch da den *(1)* Stock →
(2) Wanderstecken. |
ich muss ja *(1)* waffenlos hinaufgehn
(2) ohne Waffen *(a)* hingehn
(b) zu dem Dämon
hingehen. Waffen nützen dort ja nichts. →
(3)[S] ohne Waffen zu dem Dämon. |
Dort brennt *(1)* d⟨as⟩
(2) ein Opferfeuer. *(1)* wie der Qualm
die arme Flamme drückt.[1] Da nehmt →
(2) Da nehmt
(3)[S] wie der Qualm
die arme Flamme drückt. Nehmt[2] | den Stab
und bringt ihn dar.

Die Flamme schlägt auf.

Getöse im Palast.

(1) Mägde heraus, Glut, ⇢
(2) ¦ Jokaste, die sich nicht umwendet, mit dem Blick Oedipus in sich saugt, der jetzt auf der Stufe zu⟨m⟩ heilig⟨en⟩ Hain steht plötzlich vom Widerschein starker Flamm⟨en⟩ übergossen.

DAS VOLK drängt hin
Die Flamm⟨e⟩ seht die Flamm⟨e⟩
wie sich die Götter freun an seinem Opfer
der Stock liegt vor dem Altar wie die Flamme
zum Himmel schlägt.

MÄGDE heraus Die Königin Antiope
die Königin Antiope

JOKASTE wendet nur den Kopf
Was ist *(1)* es
(2)
mit ihr

MÄGDE Sie *(1)* sitzt im Dunkel und sie hat →
(2) rührt sich nicht sie sitzt und hat |
den Stab aus ihren Händen fallen lassen

[1] *Diese Halbzeile versehentlich ungestrichen.*

[2] *Die Veränderung von* Da nehmt *zu* Nehmt *weist möglicherweise darauf hin, daß der vorausgehende Text von Stufe (3) als intentional getilgt zu betrachten ist.*

ANDERE
A *(1)* Unter
(2) Sie sitzt und rührt sich nicht dort wo das Schwert
(a) des Königs →
(b) im Dunkel | hängt. *(1)* Der Stab aus ihrer Hand
(2) Der Stab aus ihrer Hand
ist dröhnend
(3) Wir wissen nicht
(4) Sie spricht nicht. Niemand weiß
ob sie noch lebt. Der Stab liegt auf dem Boden
Hörst du uns König⟨in⟩
B *(1)* Wir fürchten uns. Wir glauben sie ist todt →
(2)[S] |
Hörst du uns Königin

ÖDIPUS Nun betet alle
mit *(1)* mir.
(2) mir um Sieg.

(1) VOLK
(2) JOKASTE Ich *(1)* hab noch nicht →
(2) habe nie | gelebt!
sinkt hin

(1) ÖDIPUS
(2) Mägde *(1)* fassen sie, heb⟨en⟩
(2) fangen sie in den Armen. heben sie auf.

DAS VOLK
Die Königin fällt hin.

ÖDIPUS sicher Sie ist nicht todt!

Mägde tragen die Königin hinein. Das Thor schließt sich. Kein Licht mehr als der Widerschein der großen Flamme aus dem Hain.

A OEDIPUS[1]
Ich weiß sie ist nicht todt. Gar nichts ist todt
alles strömt seine Kraft in mich
Die ich nie sehen werde sind bei mir.
Der dunkle Wald in dem ich dunkle That
beging ist bei mir, die Kraft *(1)* der
(2) aller
Ding⟨e⟩ ist in mir[2]

[1] *Z. 30–37 mit Stift.*
[2] *In geringem Abstand folgen zwei Zeilen, ebenfalls mit Stift, die offensichtlich Entwurfscharakter haben:*
Vo⟨lk:⟩ Gieb ⟨ei⟩n Zeich⟨en⟩
Oed⟨ipus:⟩ Wenn ich sterb⟨e⟩ e⟨in⟩ Todtenkleid

B ÖDIPUS[1]
Ich weiß sie ist nicht todt. In m⟨einen⟩ Adern
halt ich die Welt, es stürzt kein Stern es taumelt
kein Vogel von der Nestbrut *(1)* , den
(2) ohne mich.[2]
und all⟨e⟩ m⟨eine⟩ Todten ⌈liegen⌉ gut
der Vater und die Mutter gut daheim
die ich nie wiederseh⟨e⟩, gut der *(1)* stille
(2) Mann
(1) im stillen Engpass
(2) am stillen Kreuzweg, gut das wundervolle Weib
im todtengleich⟨en⟩ Schlaf: um meinetwillen
ist alles dies geschehn damit die Kräf⟨te⟩[3]
die Schlafen⟨den⟩ in mir aufsteig⟨en⟩ sollen
wie Wasser in dem Springquell,[4] **A**
(1) Wo nicht
(2) Weist mir den Weg hinauf. Wo nicht so wird
(1) *(a)* der Berg den →
*(b)*ᴾ vom Berg der | Wipfel eines Riesenbaumes *(a)* mir
*(b)*ᴾ
sich zu mir neigen, *(a)* den ich küssend
(b)
(2) vom Berg *(1)* ein Riesenbaum sich zu mir neigen
(2) herab die riesige Cypresse
sich zu mir neig⟨en⟩ dass *(1)* ich ihr⟨en⟩ Wipfel
mich ihr an
(2) um ihr⟨en⟩ Wipfel
ich küssend mein⟨e⟩ Glied⟨er⟩ schlinge, auf
wird sie mich reißen zu der Höhle *(1)* hin →
(2) dort ¦
(1) wo's wartet →
(2) wo etwas lechzt
(3) wo's lauert | unter meiner Hand zu sterben.

[1] *Darüber, am oberen Rand, gestrichen:* Der Bote: *Paßt nicht in vorliegenden Zusammenhang, wohl Versehen.*

[2] *Danach ursprünglich größere Lücke, die erst später gefüllt wurde. Der neue Text paßte nicht in freien Raum. Hofmannsthal setzte ihn auf neuem Blatt fort. Da der ursprüngliche Text hinter Lücke nicht genau zum neuen paßte, wurde er ebenfalls neu geschrieben.*

[3] *Erste Zeile der nächsten Seite, gestrichen:* D⟨enn⟩ Eur⟨er⟩ Herz⟨en⟩ Kraft, ihr heiligen, *wahrscheinlich nicht in Kontext gehörig.*

[4] *Ende des Nachtrags. Die folgende Stufe* **A** *vor Füllung der Lücke,* **B** *danach.*

B *(1)* Nun *(a)* ihr heiligen Thebaner
(b) du Volk, du heiliges,
(2) Nun
(3) Auf! nun weist mir
5 den *(1)* Weg. Wo nicht so wird vom Berg herab
die *(a)* st
(b) riesige Cypresse sich mir neigen
(2) *(a)* →
(b) steilen | Weg. Wo nicht so wird *(a)* von jenem →
10 *(b)* vom nächtgen
(c) vom | Berg
die riesige Cypresse sich ↑hernieder ≈[S] herab↓
mir neigen dass ich ihren Wipfel küsse
und meine Glieder *(1)* in
15 *(2)* ihm verschling⟨e⟩, auf
wird sie mich reißen zu der Höhle hin
(1) wos lauert
(2) dort lauert's unter meiner Hand zu sterben
denn meine Hand ist schwer *(1)* a⟨n⟩
20 *(2)* wie ⟨eine⟩ Welt
(1) und
(2) geflügelt -→
(3) beflügelt ¦ ist mein Blut und meine Seele
steigt wie ein reiner Springquell *(1)* voll mit Kräften
25 *(2)*

DAS VOLK *(1)* Seht den Helden! →
(2) Perseus bist du Perseus! |
[[S] ihm nach! den Helden sehn! den Helden sehn!]

13 H

3. Akt, 1. Fassung[1]

III.[2]

Felswand. ⌈Spärliche⌉ Bäume, ins Gestein gewurzelt. Ein Vorsprung, darauf Menschen stehen und sich bewegen können. Links gehts in den Abgrund hinab. Da mündet zwischen Felsen ein eingehauener Pfad. Nacht.

Von unten Schein einer Fackel. Kreon kommt heraufgeklommen, vermummt in einen *(1)* schwarzen →
(2)[S] dunklen | Sclavenmantel. Er trägt eine Fackel, leuchtet Ödipus voran.

KREON
Wir sind am Ziel.

ÖDIPUS heroben Wo ist's?

KREON Von hier musst du *(1)* allein
(2)
allein hinauf. Hier windet sich der Pfad
zur Höhle.

Stöhnen. Kreon hebt die Fackel

ÖDIPUS Ists der Dämon. Tritt zurück
lass mich zu ihm.

KREON Du irrst er schickt dir erst
den Kämmrer dich zu grüßen.

Aus dem *(1)* Gebüsch →
(2) Gestein | schleppt sich auf Händen ein Mann hervor. Halbnackt den Tod im Gesicht. Er gleicht kaum mehr einem Menschen, aber m⟨an⟩ sieht k⟨eine⟩ Wunde an ihm.

A DER MENSCH *(1)* aus dem Gebüsch →
(2) |
(1) Menschenbruder! →
(2) Kind von Menschen!
(3)[S] Seid ihr Mensch⟨en⟩? |
Den Tod!

[1] *Das Manuskript ist ein Fragment, weil zahlreiche Blätter des 2. Teils in eine Neufassung dieses Teils (15 H) eingegangen sind (vgl. S. 216, 1–40 u. S. 217, 29–43). Der neue Zusammenhang der fehlenden Blätter ist in den Fußnoten nachgewiesen.*

[2] *Am linken Rand mit Stift:* Hab ich umsonst m⟨ein⟩ L⟨eben⟩ hingegeben

ÖDIPUS Wer bist du!

(1) DER MENSCH einen Stein vom Boden
und mir aufs Haupt geschmettert, [^{p} bist du alt
hast du die Kraft nicht] →
5 (2)^{S} |

ÖDIPUS Mensch (1) ich steh vor dir[1]
was fragst du mich

DER ⟨MENSCH⟩ →

(2)^{p} du schauderst mich.
10 was willst du.

DER ⟨MENSCH⟩ Mensch

B ÖDIPUS Mensch du schauderst mich.
was willst du.

DER ⟨MENSCH⟩
15 Mensch. | Ich seh dich nicht. Ich bin
vor (1) Qualen
(2) Todesqual erblindet. Schlag mich nieder
mit einem Stein! Erwürg mich! Hab Erbarmen
erwürg mich! Wirf mich in den Abgrund Mensch!
20 (1) ich finde nicht den Rand. Wirf mich hinunter →
(2)^{S} |

KREON
(1) Er reißt
(2) Nimm dich in acht. Er reißt dich mit.

25 ÖDIPUS Wer ist das.

KREON
(1) Dein →
(2)^{P} Der[2] letzte deiner
(3) Dein | Vorgänger.

30 ÖDIPUS hebt den Arm Hinauf.

DER MENSCH (1) Den Tod! den Tod!
(2)^{p}
Den Tod! den Tod!

[1] dich *Hs.*
35 [2] *Graphisch unverändert* Dein

ÖDIPUS Tritt hinter dich der Abgrund
ist hinter dir!
(3) ⟨Den Tod! den Tod!⟩
Die[1] anderen sind alle todt, die Seligen,
auf ihn⟨en⟩ sitzen Geier, war⟨um⟩ kann ich
nicht sterben? über lauter Leichen bin ich
herabgekrochen, und ich lebe noch
ist Nacht? ist Tag? ist Sturm? ist grausenhafte Nacht
für immer, hat *(1)* sie mit
(2) die Mörderin das Dach
(1) des Himmels
(2) der Welt hereingerissen und liegt Nacht
auf allem? Redet oder seid ihr nichts
ist nichts mehr in der ***A*** Welt als meine Qual
bin ich die Sphinx? *(1)* ist eine Mörderin
in mich hineingekrochen, schlagt mich nieder
(a) es lebt nichts mehr als sie ihr
(b) in mir ist nichts als sie
(c) in mir nur mehr und nirgends sonst
(d) in mir in mir
(2) ist sie mein Tod und ich
B eingestürzten Welt
als meine Qual? *(1)* bin ich die Sphinx? ist sie
in mir und nirgends sonst. →
(2) Lebt ihr? | So schlagt mich nieder!
(1) Allein? wo bist du Abgrund! Ich will mich
zermalmen! →
(2) wo bist du Abgrund! Ich will mich zerm⟨almen⟩
(3) Allein? wo bist du Abgrund! Ich will mich
⟨zermalmen!⟩
(4)[S] wo bist du Abgrund! Ich will mich zermalmen!
o meine
(5) o meine | Mutter warum hast du mich
geboren![2]

KREON Wirst du schwach! Hör Abenteurer
noch ist es Zeit, zur Heimat zu verziehen
wo Vater lebt und Mutter *(1)* , graust dir nicht?
(2)

[1] *Links am Rand mit Stift:* 6./XI
[2] *Am linken Rand Notiz für eine andere Konzeption der Begegnung mit dem Sterbenden:*
Öd⟨ipus⟩ wirft den St⟨erbenden⟩ hinab
(Mich reißt k⟨einer⟩ hinab)

ÖDIPUS \schon steigend/ Mann aus Theben
(1) sei still und geh zurück. *(a)* Hörst du mi⟨ch⟩
(b) Steh
(c) \Nur/ hör noch ei⟨ns⟩ →
(d)[S] Steh hör mich noch
(2)

KREON
Was willst du Abenteurer

ÖDIPUS Lasst mich nicht *(1)* so liegen
wie
(2)
so liegen wie dort den. Verbrennt die Leiche,
wenn *(1)* ich
(2) ihr mich findet. Mensch ich bin ein Königssohn.
weiter oben
Hörst du mich noch. Bleib in der Nähe. Schnell
ist dies entschieden. Leb ich aber dann –
dann brauch⟨e⟩ deine Fackel dass sie mir *(1)* ein
(2)
↑ein *(1)* Feu⟨er⟩
(2) Siegesfeuer →
(3) Feuerzeichen |
≈[S] den Baum da droben↓[1] *(1)* anzündet. →
(2) zündet. ¦ Hörst du mich.
(1) Drum wahr
(2) Da⟨nn⟩ wacht die König⟨in⟩ vom Schlaf⟨e⟩ auf
da⟨nn⟩ bring⟨en⟩ sie die Kron⟨e⟩ und d⟨as⟩ Schwert
dann lohn ich dir d⟨en⟩ Weg, du *(1)* *(a)* fre⟨mder⟩ →
(b) dunkler | Mann. →
(2) Mann aus Theben. |
(1) Wa⟨hr⟩
(2) Drum wa⟨hr⟩
(3) Wahr deine Fackel gut!

KREON Das will ich thun
er *(1)* kehrt →
(2) dr⟨ückt⟩ | die Fackel gegen den Boden dass sie verlischt.

(1) DER STERBENDE
Ich finde nicht den Rand! Wirf mich *(a)* hinunter →
(b) kein Geier
(2) ¦

[1] *Position dieser Variante graphisch nicht eindeutig.*

ÖDIPUS ⌈oben unsichtbar⌉
Was *(1)* thu⟨st⟩
(2) machst *(1)* du?

KREON Weh dein →
(2) du *(a)* Mensch, 5
(b) Mensch!

KREON Dein | Geier ist so gierig, *(1)* Königssohn,
er schlägt mir mit dem Flügel 's Licht aus.

ÖDIPUS Weh
und Schmach! treuloser Führer. Nimm den Stein → 10
(2)
(a) ↑du Königssohn
≈ auf↓ →
(b) du Königssohn | er schlägt mir mit *(a)* dem Flügel →
(b)[S] den Schwingen | 15
das Licht aus.

ÖDIPUS Weh und Schmach! Treuloser Führer
Da nimm den *(a)* Stein →
(b)[S] Lohn |

[[SP] Der Stein fällt.] 20

DER STERBENDE Auf mich den Stein! auf mich!

⌈[Sp] Der Stein fällt. Stille⌉

⌈Die beiden allein im Dunkel⌉

KREON
Wie tödtet sie? 25

DER STERBENDE
Ich finde nicht den Rand
wirf mich hinab![1]

KREON Wie stirbt man wenn man hingeht
(1) zur Sphinx 30
(2) →
(3)[S] es heißt sie fragt was keiner wissen kann? |

[1] *Am linken Rand Notiz mit Stift – wohl Konzept für Erweiterung dieser Stelle:* Kreon: Der Tod! Ich hab ihn gegeben aber noch nicht empfangen er geht ihm entgegen wie in Wollust. Der Tod steckt hinter allem. 35

DER STERBENDE *(1)* stö⟨hnt⟩
(2) Den Tod! →
(3)^{S} Hinab!
(4) *(a)* Wirf →
5 *(b)* Stoß | mich hinab! |

KREON Wie tödtet sie. Ich helfe dir
zum Abgrund hin, wenn du mirs sagst.

DER STERBENDE Bist du
ein Mensch aus Theben? bist du *(1)* Agathon →
10 *(2)* Laṃxxx |
(1) des Töpfers Lamon Sohn? nach deiner Stimme
bist dus! erbarm dich doch! Stoß mich hinunter. →
(2)^{S} nach deiner Stimme bist dus
erbarm⟨e⟩ dich! Stoß mich hinunter. Mensch! |
15 *(1)* Ich bin Doren der Rinderhirt
(2) Erkennst du mich denn nicht, hab ich denn nicht mehr
Gestalt von Menschen, bin ich selber schon
ein Dämon, *(1)* sind die Qualen m⟨eines⟩ Innern
durch m⟨eine⟩ Haut gewachsen hab ich Krallen
20 und
(2) hab ich ***A*** *(1)* Krallen an den Fingern
Kann ich *(a)* mit d⟨iesem⟩ Gift in meinen Adern
die ganze Welt vergiften
(b) der Welt auf ihren Rücken sprin⟨gen⟩
25 und ihr Genick durchbeißen, →
(2) Krallen? | kann ich rasen
durch *(1)* Theben⟨s⟩ Gassen
(2) dies Gebirg⟨e⟩, →
(3) dies Geklüfte, | *(1)* wie der Höllenschmerz
30 durch meine Adern rast ↑ – bin ich ein Qualendämon
was brauch ich mich *(a)* zu spüren
(b) in meines Wesens →
(c) in meiner ¦ Qual zu wälzen
statt dass ich dir auf d⟨einen⟩ Rück⟨en⟩ spring
35 und d⟨ein⟩ Genick durchbeiße . . .↑
(2) *(a)* steh. →
(b) ai. | damit ich dir
(3) ⟨wie der Höllenschmerz

durch meine Adern rast⟩ *(a)* Her dass ich dir
auf d⟨einen⟩ Rücken springe Mensch und dein
Genick durchbeiße . . . ⇢
(b) so spring
(c) so will ich dir 5
auf d⟨einen⟩ Rücken springen Mensch und dein
Genick durchbeißen . . . ¦

Ist er fort. Erbarm dich! →
B Krallen? rase ich
durch dies Geklüfte hin und bild mir ein 10
(1) ich w⟨är⟩
(2) dass ich am Boden lieg⟨e⟩ und die Qual
durch meine Adern rast? *(1)* So will ich dir
(2) Bist
(3) Wo athmest du 15
Lebendiges, ich will dir auf ⌊d⟨en⟩⌋ Nacken
und dir den Hals durchbeißen.
Ist er fort |
(1) Sie hat mich
(2) Ich bin *(1)* ein blinder Sterbender. 20
(2) vor Qualen blind. Ich kriech⟨e⟩ wie ein Thier.
Ich weiß nicht wiev⟨iel⟩ Tag und Nächte sie
mich *(1)* liegen lässt
(2) winseln lässt um meinen Tod. Die Flügel
der Raben waren schon auf mir, *(1)* der *(a)* Athem → 25
(b) Mund |
des Schakals schon an meinem Mund.
(2) die Schnauze
d⟨er⟩ Leichenthier⟨e⟩ *(1)* war an meiner ⇢
(2) stieß an meine ¦ Wange 30
und ungeduldig kroch⟨en⟩ sie zurück.
Mein Inners kann nicht sterben vor Entsetzen
(1) es siedet in
(2) das Grausen lebt und lässt die Leiche nicht *(1)* zerfallen
(2) 35
zerfallen: *(1)* und sie singt mir meine Qual
die Mörderin!
(2) das Gesicht der Mörderin
gebiert sich immerfort in meinem Leib.
Wenn du hineinkommst in die Höhle, Mensch, 40

kommt's dir ***A*** entgegen. →
B^{S} entgegen *(1)* riesig und →
(2) riesenhaft | *(1)* doch so
von Ansehn wie ein Weib
(2) und doch *(a)* du meinst
ein Weib zu sehen.
(b)
es gleicht dem Weibe. | Und es winkt – vergehst du
vor Grausen – winkt dir nah zu kommen, nah
(1) ganz
(2) zu →
(3) ⟨ganz⟩ | nah. Und dann enthüllt sich dir, da⟨nn⟩ sticht dir
du Todgeweihter, das Gesicht entgegen
ganz wie aus Fleisch gebildet Mensch und dennoch
es ist ja nicht aus Fleisch, *(1)* es fasst dich wie m⟨it⟩ Zangen →
(2)^{S} da fasst dich Todesgrausen |
du willst zurück da hat sich dir ein Arm
von Stahl um d⟨einen⟩ Leib gelegt, und das Gesicht
vor dem dich schaudert dass die Augen weit
↑vortreten
≈^{S} vorquellen↓ aus den armen Höhlen, dass dir
das Haar zu Berg *(1)* dir →
(2) | steht,[1] das Gesicht setzt dir
(1) dxxx
(2) auf deine Brust die Höllenlast d⟨ie⟩ Wucht[2]
(a) von einer →
(b) von einer
versteinten
(3)^{S} versteinten Blicks auf deine Brust die Höllenlast
von einer | ungeheuren antwortlosen Frage.
(1) Dein inneres →
(2)^{S} Deine Seele
(3) Dein Eingeweide | hebt sich dir, *(1)* als
(2) du willst vor Angst
d⟨as⟩ Innerst⟨e⟩ nach außen speien,
(3) als wollte es
was auf der Seele tiefstem Grunde liegt
das innerste nach außen speien, da fällt
auch schon ⌈^{S} von⌉ des Gesichtes fahlen Lippen

[1] *Gestrichen, wohl irrtümlich anstelle des überschüssigen* dir
[2] *Gestrichen und sofort wieder eingesetzt.*

das Höllenwort: *(1)* Du bist es nicht auf den
ich warte →
(2)[S] »Du bist es nicht auf den
ich warte« | , und mit diesem Wort zerbricht's
das Rückgrat dir, gräbt se⟨ine⟩ Pantherarm⟨e⟩ 5
von rückwärts in den Sitz des Lebens, lässt
dich fallen, *(1)* streift
(2) hebt sich fort und streift im Geh⟨n⟩
dich noch lebendige Leiche, *(1)* zuckende →
(2) frische,[1] offne, 10
(3)[S] zuckende, |
mit dem Gewand, \und/ das ist mehr als Tod,
das ist ein zweiter Tod der in die Todeswunde tritt
ich halt's nicht aus es kommt nun wieder, ah
wenn dein Gewand mich streift, *(1)* das Gewand 15
(2) stoß m⟨ich⟩ hinunter!
Hilf
(3) ⟨so⟩ wie die Hölle
mich streifte, die erbarmungslose ungeheuere *(1)* Hölle! 20
(2) Hölle in dem Saum ihres Gewands!
Hilf mir hinab!

KREON Ich hör ihn nicht. Ich muss
ihn *(1)* hören.

STERBENDER Ungeheuer hilf mir sterben! → 25
(2)[S] schreien hören.

STERBENDER Mensch *(a)* so hilf mir sterben!
(b) hilf mir zum Tod! |

KREON
Ihn hören! 30

STERBENDER
(1) Hilf mir sterben!
(2) Sterben!
(3) Ah! den Rand des Abgrunds!
(4) Ah! *(a)* wo → 35
(b)
(c)[S] wo | ist der Tod

[1] *Ungestrichen.*

KREON Der Abgrund
ist hinter deinem Rücken!
⌈[S] er klimmt nach rechts hinüber⌉
STERBENDER wälzt sich stirbt
(1) →
(2)[S] Nimm mich Tod.
(3) |

Der Schauplatz verwandelt nach rechts hin. Nun *(1)* fällt *(a)* von
(b) zur linken die
Bergwand ab, zur recht⟨en⟩ →
(2) steigt zur linken die Bergwand
auf, fällt recht⟨s⟩ | der Abgrund. Es enthüllt sich eine Platform. Auch nach hinten von Abgrund eingeschlossen. Kahles später im Licht glänzendes Gestein wie dunkler Marmor. Kein Baum kein Strauch, nicht e⟨inmal⟩ Moos o⟨der⟩ Flechte⟨n⟩.[1]

KREON links die Gegend unsicher, nur die grossen finstern Formen[2]
(1) Nachthimmel thaue seinen Schrei, ihr Wolken
regnet ihn mir *(a)* herab.
(b) herab, den Todesschrei
(a) des Fremden!
(b)
(2) Den Todesschrei des Fremden will ich *(a)* hören
thau ihn herab, du *(aa)* Himmel, ihr →
(bb) Nacht, | uralte Götter
des Landes, euch gehört sein Schrei und mir →
(b)[S] hören! |
A Hört mich Dämon⟨en⟩ Thebens, *(1)* höret[3] ihr
des Bodens
(2) heilg⟨e⟩ Hüter
des Bodens! Kreon reckt die Arme aus
und schreit zu Euch. *(1)* Du heilg⟨er⟩ →
(2)[S] M⟨ein⟩
(3) Du heilg⟨er⟩ | Fluss mein Ahnherr
heb dich in deinem Bett⟨e⟩ schäumend auf
und reiß den Abenteurer von der Erde →

[1] *Diese Regiebemerkungen mit Stift am Ende einer Seite, vielleicht nachträglich gegenüber den folgenden unpräzisen Angaben.*
[2] *Z. 16 mit Stift.*
[3] hörte *Hs.*

B ↑Bleibt alles still. Und rauscht von fern der Fluss
(1) heb dich in deinem Bett⟨e⟩ schäumend auf
mein Ahn und reiß[1] den Abenteurer hin →
(2)[S] Ahn heb dich schäumend auf *(a)* v⟨on⟩
(b) ⟨in deinem⟩ Bett
und reiß den Abenteurer mit hinunter[2] |
verschling ihn Berg, du alter Thron des Kadmos
(1) willst du den Dieb nun
(2) soll dir ein[3] Dieb nun *(1)* auf
(2) deinen →
(3) knirsch ihn hinab soll dir[4] ein Dieb nun deinen | Nacken treten
und König sein in Theben!↑
Alles still
(1) kein Schrei kein Todesschrei auch nicht einmal →
(2) Auch nicht | ein kleines Stöhnen! *(1)* Götter Götter Götter!
(2) Götter seid ihr todt!
(3) Götter höhnt ihr mich?[5]

STIMME ⟨DES⟩ KNABEN
Mein König, bin ich ganz umsonst gestorben?
Weh mir!

KREON *(1)* Was →
(2)[S] Was? spinnen sich von überall
die Fäden *(1)* *(a)* an →
(b)[S] her | die mich erwürgen sollen!
(2) die mich würgen[6]? Ich bin stark
ich bin jetzt wie das Thier, ihr Götter, *(a)* in
(b) das
im letzten Winkel seiner Höhle standhält
Drängt mich nicht aus der Welt hinaus
(3) her die mich erwürgen sollen!
Ihr Götter, ich bin stark ich bin jetzt wie das Thier
wenn es im letzten Winkel seiner Höhle
standhält, drängt mich nicht aus der Welt hinaus
Noch ist es Zeit noch kön⟨nen⟩ *(1)* ihr und ich
den ungeheuren Bund den ewigen
(2) wir den Bund

[1] und reiß *gestrichen, wohl versehentlich bei Einfügung von* mein Ahn
[2] *Am linken Rand:* Ihr Stätten meiner Jugend,
stoßt ihr mich aus?
[3] *Möglicherweise zunächst* der
[4] soll dir *versehentlich gestrichen, mit Stift restituiert.*
[5] *Z. 17 mit Stift.*
[6] würgen *bis* standhält *mit Stift.*

(1) den ungeheuren schließen, ihr und ich
den ungeheuern Bund! wenn ihr die Luft
jetzt in →
(2)^S errichten zwischen Euch und mir, den ungeheuren,
5 den nie zu brechenden! wenn ihr[1]
die Luft | der Seele mir (1) bethaut
(2) mit seinem Schrei
bethaut –
Stille
10 ihr wollt nicht, ihr verbündet Euch
mit (1) Dieben
(2) Kronendieb⟨en⟩!
(3) einem Kronendieb!
(4) einem Dieb! Verflucht die Opfernächte
15 in denen ich die Blüthe meines Leibes
euch weihte, Fluch dem Wasser das mich (1) wusch
verflucht die Schauder m⟨einer⟩ jungen (a) Nächte – →
(b)^S Seele –
(2) wusch! |
20 Dich ruf (1) du
(2) ich, Mörder⟨in⟩, dich große Sphinx
dich (1) mit dem fahlen Antlitz nicht von Fleisch
gebildet, sieh ich krümme mich vor dir
sieh wie ein Wurm, so soll sich Theben krümmen →
25 (2)^S fahles Antlitz nicht von Fleisch gebildet
↑Sieh wie ein Wurm, so soll sich Theben krümmen
≈^{T} Hier krümmt sich Kreon und so krümmt sich Theben↓ |
vor dir, wenn du den Fremden würgst und mich
(1) lässt
30 (2) zum König machst![2]
Hier[3] steh ich wie noch keiner
je vor dir stand auf (1) seines Lebens nacktem Gipfel →
(2) nacktem Lebensgipfel |

[1] wenn ihr *versehentlich gestrichen, ein Ansatz zur Restitution wieder aufgegeben.*
35 [2] *Es folgen mit Stift am Ende der Seite Skizzen für das Folgende:*
Du m⟨eine⟩ Königin – du mordest ⟨hier⟩ und ich in der Stadt so steht die Wag⟨e⟩ im Gleichgewicht du bist der einzige Gott, ich dien⟨e⟩ dir mit meinem Leib ich bin wie ich muss und kann und ohne Verzicht Gieb mir seinen Schrei: hier stehe ich, dass ich in m⟨ir⟩ des Schicksals Wage banne, ich diene dir von
40 gold⟨enem⟩ Thau der Zauberluft gefeuchtet, d⟨ein⟩ stumm⟨er⟩ Bräutigam: gieb mir den Schrei du ewige!
[3] *Am linken Rand:* 8 XI

vom Zauberthau der Schicksalsnacht befeuchtet
Dir dien ich Göttin! ↑*(1)* wo →
(2)[S] Wo | mich du erhörst
≈ als dein Bräutigam↓
steht einmal m⟨eine⟩ Wag⟨e⟩ recht, *(1)* dann →
(2) da | leb ich
einmal so wie ich muss und kann, ***A*** da *(1)* setzt
die Schlang die Krone →
(2)[1] setz⟨en⟩
die Schlang⟨en⟩ Krone⟨n⟩ ¦ auf d⟨ie⟩ im Geklüft
der Seele *(1)* mir →
(2)
(3) mir | im Dunklen wohnen, *(1)* dann →
(2) da |
(1) ↑bann ich die Welt, dein Bräutigam du Göttin
dein stu⟨mmer⟩
≈ stumm in der Welt bann ich die Welt[2]↓ →
(2) bann ich die Welt, dein Bräutigam du Göttin
dein stu⟨mmer⟩ | jauchzend wenn er einsam ist
vor dir, die Lüfte sind bethaut von Lust
wirf mir den Schrei herab, *(1)* xxx
(2) du Ewige →
B[S] da bann ich
mit Graun die Welt, dein stummer Bräutigam
und jauchze wenn ich einsam bin vor dir
die Lüfte sind bethaut von *(1)* Hochzeitslust →
(2) m⟨einem⟩ Traum
(3) Lust und Grausen |
wirf mir den Schrei herab, *(1)* du meine Göttin! →
(2)[T] du Ewige |
(1) dass meine Seele rauch⟨e⟩ dir hinauf
wie ein Brandopfer steigt *(a)* und steigt und steigt!
(b) und glüht und steigt!
(2) den Schrei des Fremden! dass dir meine Seele
wie ein Brandopfer *(1)* steigt. den Schrei! den Schrei! →
(2)[SP] steigt! |
ein furchtbarer Schrei, zugleich ein dumpfer Sturz[3]

[1] *Nur das zweite* die *gestrichen, sonst keine graphische Veränderung.*
[2] *Nicht vollständig integriert, ungestrichen.*
[3] *Z. 37 mit Stift. S. 508,37-509,17 mit Stift eingeklammert. Möglicherweise Kennzeichnung für Verwendung in 15 H.*

KREON den Schrei mit Entzücken in sich trinkend
(1) Ah! Ah! →
(2)[Sp] |
(1) Vernichtung!
5 *(2)*
nach einer Pause im grauenvollen Anschwellen des Schreies
So schreit kein Sterblicher! *(1)* Vernichtung
(a) so schrei⟨t⟩
(b) ihr
10 *(c)* d⟨as⟩ war nicht eines Menschen Schrei – *(a)* →
(b)[S] verhöhnt
von all⟨en⟩
(c)
verhöhnt von allen Welten
15 *(d)*
(2)[Sp]
Vernichtung! das war nicht des Menschen Schrei – |

ÖDIPUS von links herabstürmend. Kreon birgt sich rechts.
(1) Liegt hier der Mann der schrie um seinen Tod
20 nun werf ich ihn hinab und mich mit ihm!
(2) Hier? Dort? ich weiß nicht mehr?
er wirft sich hin

A KREON Er windet sich
in *(1)*[1] Qualen? Strahl von Silber, Wunderblinken →
25 *(2)* Todesqualen! *(a)* Strahl von schierem →
(b) Erster Strahl von | Silber
(3) Qualen! *(a)* Erster Strahl von Silber mir
(b) Strahl von schierem Silber plötzlich,
(4) Qualen auf der Erde! Strahl von Silber |
30 in m⟨einer⟩ Kerkerhaft

ÖDIPUS →
B[T] Kreon birgt sich |
Nun bin ich fertig.
War⟨um⟩ zerbrach *(1)* mich
35 *(2)* ich nicht in Stücke als
das Weib in Delphoi an mein Bette trat.[2]

[1] *Die Genese der folgenden Variationsvorgänge nicht eindeutig gesichert.*
[2] *Z. 21–36, mit Ausnahme der Variante* **B** *(Z. 32), mit Stift.*

Wozu noch dieser *(1)* letzte Tag
(2) wüste Traum.
(1) Nun bin
(2) Muss ich befleckt hinab?
(3) Warum muss
(4) Nun muss ich auch befleckt hinab. Die Welt
(1) zerbirst mir und *(a)* mit grausig
(b) ich seh sie mit dem Blick
der kalten Wut und grausg verdrehtem Aug.
(2) steht grausig vor dem
(3) *(a)* zerbirst →
(b) zerbricht | vor dem *(a)* verdrehten →
(b) verkra⟨mpften⟩ | Aug.
(4) zerbricht. Mein Aug ist krampfverdreht. Ich hasse
die mich geboren haben. Eltern! Eltern
wohl euch dass ihr's nicht wisst. Nun muss ich fort.
Liegt hier der Mann der schrie um seinen Tod
nun werf ich ihn hinab und mich mit ihm
er richtet sich auf den Knien auf
Das ist ein andrer Ort. *(1)* *(a)* Grausame →
(b) Verfluchte | Götter
zeigt →
(2) Verfluchte Nacht
zeig | mir den Weg. Ich will nichts als den Tod

KREON vorspring⟨end⟩
Der kann dir *(1)* Fr⟨emder⟩
(2) werden!

ÖDIPUS er fasst den Arm Hat das Dunkel Arme!

KREON
In Theben ja! und Dolche auch!

⟨. . .⟩[1]

ÖDIPUS Der Bruder
des wundervollen Weibes das zu Tod
erstarrte als sie mein Gesicht erblickte!
Der Bruder *(1)* ungeheur verkettet →
(2)[S] ungeheuer kettet | ihr

[1] *Das folgende Blatt fehlt hier. Es findet sich in 15 H als pag. ε. (E III 185.122; s. S. 533, 9–33).*

(1)[1] die Todten und die Lebenden ihr Götter
mit ↑Ketten ungeheurer
≈ Wollustketten dumpfer↓ Finsternis! →
(2) die *(a)* Lebenden →
(b) Sterblichen | ihr Götter aneinander
(a) mit Wollust, Nacht und
(b) mit *(a)* Tod
(b) Nacht und Tod und Wollust ungeheuer! |
I Dich nehm ich in den *(1)* Arm →
(2)[S] Arm! | du Leib mit ihr
aus glei⟨chem⟩ Leib geboren *(1)* g
(2) dich umschling ich
und reiß *(1)* mir
(2) dich mit in *(1)* meinem Sturz →
(2) meinen Tod |
da[2] ich mit ihr nicht liegen durfte, ***A*** *(1)* liege
ihr Fleisch und Blut *(a)* mit →
(b) bei | mir *(a)* zers⟨chmettert⟩
(b) im Tod. Hinab →
(2) fließe
(a) ihr Blut zu⟨sammen⟩
(b) ihr Blut mit meinem Blut im *(aa)* Tod.
(bb) Tod⟨e⟩ hin.
(c) ihr Blut zusammen
(d) ihr Blut zu meinem Blut. →
(e)[S] mein Blut zu ihrem Blut.
(f) ihr Blut zu meinem Blut. | ↑In d⟨eine⟩ Knie!
≈ wie eine Flamme! ↓ |
↑wir sterben jetzt zusammen!
≈ wie eine Flamme schlägt↓
Blitz blendend.
(1) Ah! das →
(2)
B[S] fließe
ihr Blut zu meinem Blut.
Blitz blendend
Da→[1]
C lieg⟨e⟩
ihr Fleisch und Blut bei mir im Tode.
Blitz blendend |
Licht der Götter! →

[1] *Ungestrichen.*
[2] der *Hs., ursprünglich vielleicht mit vorausgehendem Satz verbunden, später mit nachfolgendem.*

II

Blitz blendend |

was willst du mir?

KREON

(1) Du bist ein Gott
(2) Du bist ein Gott! Es schwebte
der Blitz aus *(1)* dumpfer wolkenleerer →
(2) schwerer
(3) dumpfer wolkenleerer | Nacht
Herr wie ein goldner Adler hinter dir!
Wer bist du

ÖDIPUS

(1) hält sich nicht
(2) hält sich *(1)* die Hände vors Gesicht →
(2) den Arm vor die Augen |
Nicht die Welt noch einmal zeigen
dem der hinab muss. Ewg⟨e⟩ Nacht *(1)* verschluck →
(2)^{S} verschlinge
(3) erwürge |
das Licht

KREON Der tausendjähr⟨g⟩e Baum der droben
auf kahler Klippe horstet steht in Flammen
Du bist ein Gott ich küsse *(1)* E
(2) das Gestein
vor deinem Fuß, die Götter zünden dir
mit eigner Hand die *(1)* Siegesfackel →
(2) Hochzeitsfackel | an

ÖDIPUS ⸢^{S} ebenso⸣
(1) Ich habe nicht gesiegt! →
(2)^{S} Von Flüch⟨en⟩ trieft mein Haupt
(3)^{P} Ich bin behängt mit Flüchen |

KREON *(1)* Die →
(2)^{Sp} | Adler kreisen[1]
als ⸢deine⸣ Feuerboten über⟨m⟩ Berg!

ÖDIPUS ⸢^{S} ebenso⸣
(1) Ich habe nicht gesiegt. →
(2)^{S} Im Mutterleib verflucht

[1] *Am Rand mit Stift:* Schatten d⟨er⟩ Adler

KREON *(1)* Ich lieg vor dir
mein König
(2) Wer bist du un-
geheurer Fremdling sag mir deinen Namen
5 wie grüß ich meinen König?

⟨. . .⟩[1]

(2)[2] ihn zuzudecken wälze!

KREON
Du bist der Sieger Ödipus du bist
10 der Sieger, König bist du jetzt in Theben!

ÖDIPUS
Still mit dem Märchen hier im *(1)* Hirne schwimmt →
(2)^S Hirn verschwimmt |
die *(1)* Welt und will
15 *(2)* Welt. Ich will das Ende. Bist du nicht
der Führer der mit mir heraufkam. Hast du *(1)* nicht
(a) die Bräuche schon geübt, →
(b) ⟨den⟩ Bräuchen schon gehorcht,
(2)^S
20 *(a)* nicht →
(b) den | Bräuchen schon gehorcht, | gelöscht die Fackel
dem *(1)* Tode →
(2) Tod im voraus | mich geweiht. Bist du nicht auch
der Bruder jener *(1)* Königin →
25 *(2)*^{S} Frau
(3) ⟨Königin⟩ | . . . wie schön du bist
welch ein Geschlecht ihr seid ihr *(1)* selig Lebenden! →
(2)^S Seligen! |
Warum hat mich ein König nicht in Theben
30 gezeugt! Vielleicht wär ich dein *(1)* Bruder du bist schön
und fürstlich!
(2) jüngrer Bruder
der du so schön und fürstlich vor mir stehst
Dir ziemt das Opfermesser⌈^{S}:⌉ nimms von mir.

35 [1] *Die folgenden beiden Blätter sind verloren. Drei weitere sind wieder in 15 H eingegangen: pag.* ι, κ, λ *(E III 185.126–128; s. S. 536, 9–539, 2).*
[2] *Stufe (1) auf pag.* λ

A[1] Tödte mich solang ich selbst mich fessle. Tödte mich als ein König der die Welt von Verfluchten reinigen muss. Tödte mich um deiner Schwester willen. Tödte mich schnell denn wilde Gier fasst mich an. Ich könnte dem Wahn erliegen

⟨. . .⟩[2] 5

Lesetext zu 13 H

3. Akt, 1. Fassung

III.

Felswand. Spärliche Bäume, ins Gestein gewurzelt. Ein Vorsprung, darauf Menschen stehen und sich bewegen können. Links gehts in den Abgrund hinab. 10
Da mündet zwischen Felsen ein eingehauener Pfad. Nacht.

Von unten Schein einer Fackel. Kreon kommt heraufgeklommen, vermummt in einen dunklen Sclavenmantel. Er trägt eine Fackel, leuchtet Ödipus voran.

KREON
Wir sind am Ziel. 15

ÖDIPUS heroben Wo ist's?

KREON Von hier musst du
allein hinauf. Hier windet sich der Pfad
zur Höhle.

Stöhnen. Kreon hebt die Fackel 20

ÖDIPUS Ists der Dämon. Tritt zurück
lass mich zu ihm.

KREON Du irrst er schickt dir erst
den Kämmrer dich zu grüßen.

Aus dem Gestein schleppt sich auf Händen ein Mann hervor. Halbnackt den Tod 25
im Gesicht. Er gleicht kaum mehr einem Menschen, aber man sieht keine Wunde an ihm.

[1] *Ungestrichen, aber auf dem nachfolgenden Blatt, das in 15 H überliefert ist, durch Verse ersetzt.*

[2] *Die Fortsetzung ist ganz in die Neufassung der Szene, 15 H, integriert: pag.* ν, ξ, *27.ff. (E III 185.130f. u. 133–143; s. S. 539,19ff.). Am Ende nicht mehr zu entscheiden, ob die Blätter ursprünglich in 13 H oder unmittelbar zu 15 H gehörig.* 30

ÖDIPUS Mensch du schauderst mich.
was willst du.

DER MENSCH Mensch. Ich seh dich nicht. Ich bin
vor Todesqual erblindet. Schlag mich nieder
5 mit einem Stein! Erwürg mich! Hab Erbarmen
erwürg mich! Wirf mich in den Abgrund Mensch!

KREON
Nimm dich in acht. Er reißt dich mit.

ÖDIPUS Wer ist das.

10 KREON
Dein Vorgänger.

ÖDIPUS hebt den Arm
Hinauf.

DER MENSCH Den Tod! den Tod!
15 Die anderen sind alle todt, die Seligen,
auf ihnen sitzen Geier, warum kann ich
nicht sterben? über lauter Leichen bin ich
herabgekrochen, und ich lebe noch
ist Nacht? ist Tag? ist Sturm? ist grausenhafte Nacht
20 für immer, hat die Mörderin das Dach
der Welt hereingerissen und liegt Nacht
auf allem? Redet oder seid ihr nichts
ist nichts mehr in der eingestürzten Welt
als meine Qual? Lebt ihr? So schlagt mich nieder!
25 o meine Mutter warum hast du mich
geboren!

KREON Wirst du schwach! Hör Abenteurer
noch ist es Zeit, zur Heimat zu verziehen
wo Vater lebt und Mutter

30 ÖDIPUS schon steigend Mann aus Theben

KREON
Was willst du Abenteurer

ÖDIPUS Lasst mich nicht
so liegen wie dort den. Verbrennt die Leiche,
35 wenn ihr mich findet. Mensch ich bin ein Königssohn.

weiter oben

Hörst du mich noch. Bleib in der Nähe. Schnell
ist dies entschieden. Leb ich aber dann –
dann brauche deine Fackel dass sie mir
ein Feuerzeichen zündet. Hörst du mich.
Dann wacht die Königin vom Schlafe auf 5
dann bringen sie die Krone und das Schwert
dann lohn ich dir den Weg, du Mann aus Theben.
Wahr deine Fackel gut!

KREON Das will ich thun

er drückt die Fackel gegen den Boden dass sie verlischt. 10

ÖDIPUS oben unsichtbar
Was machst du Mensch!

KREON Dein Geier ist so gierig,
du Königssohn er schlägt mir mit den Schwingen
das Licht aus. 15

ÖDIPUS Weh und Schmach! Treuloser Führer
Da nimm den Lohn

DER STERBENDE Auf mich den Stein! auf mich!

Der Stein fällt. Stille

Die beiden allein im Dunkel 20

KREON
Wie tödtet sie?

DER STERBENDE
Ich finde nicht den Rand
wirf mich hinab! 25

KREON Wie stirbt man wenn man hingeht
es heißt sie fragt was keiner wissen kann?

DER STERBENDE
Stoß mich hinab!

KREON Wie tödtet sie. Ich helfe dir 30
zum Abgrund hin, wenn du mirs sagst.

DER STERBENDE Bist du
ein Mensch aus Theben? bist du Lamxxx
nach deiner Stimme bist dus
erbarme dich! Stoß mich hinunter. Mensch! 35
Erkennst du mich denn nicht, hab ich denn nicht mehr

Gestalt von Menschen, bin ich selber schon
ein Dämon, hab ich Krallen? rase ich
durch dies Geklüfte hin und bild mir ein
dass ich am Boden liege und die Qual
5 durch meine Adern rast? Wo athmest du
Lebendiges, ich will dir auf den Nacken
und dir den Hals durchbeißen.
Ist er fort
Ich bin vor Qualen blind. Ich krieche wie ein Thier.
10 Ich weiß nicht wieviel Tag und Nächte sie
mich winseln lässt um meinen Tod. Die Flügel
der Raben waren schon auf mir, die Schnauze
der Leichenthiere stieß an meine Wange
und ungeduldig krochen sie zurück.
15 Mein Inners kann nicht sterben vor Entsetzen
das Grausen lebt und lässt die Leiche nicht
zerfallen: das Gesicht der Mörderin
gebiert sich immerfort in meinem Leib.
Wenn du hineinkommst in die Höhle, Mensch,
20 kommt's dir entgegen riesenhaft und doch
es gleicht dem Weibe. Und es winkt – vergehst du
vor Grausen – winkt dir nah zu kommen, nah
ganz nah. Und dann enthüllt sich dir, dann sticht dir
du Todgeweihter, das Gesicht entgegen
25 ganz wie aus Fleisch gebildet Mensch und dennoch
es ist ja nicht aus Fleisch, da fasst dich Todesgrausen
du willst zurück da hat sich dir ein Arm
von Stahl um deinen Leib gelegt, und das Gesicht
vor dem dich schaudert dass die Augen weit
30 vorquellen aus den armen Höhlen, dass dir
das Haar zu Berg steht, das Gesicht setzt dir
versteinten Blicks auf deine Brust die Höllenlast
von einer ungeheuren antwortlosen Frage.
Dein Eingeweide hebt sich dir, als wollte es
35 was auf der Seele tiefstem Grunde liegt
das innerste nach außen speien, da fällt
auch schon von des Gesichtes fahlen Lippen
das Höllenwort: »Du bist es nicht auf den
ich warte«, und mit diesem Wort zerbricht's
40 das Rückgrat dir, gräbt seine Pantherarme
von rückwärts in den Sitz des Lebens, lässt
dich fallen, hebt sich fort und streift im Gehn
dich noch lebendige Leiche, zuckende,

mit dem Gewand, und das ist mehr als Tod,
das ist ein zweiter Tod der in die Todeswunde tritt
ich halt's nicht aus es kommt nun wieder, ah
wenn dein Gewand mich streift, so wie die Hölle
mich streifte, die erbarmungslose un- 5
geheuere Hölle in dem Saum ihres Gewands!
Hilf mir hinab!

KREON Ich hör ihn nicht. Ich muss
ihn schreien hören.

STERBENDER Mensch hilf mir zum Tod! 10

KREON
Ihn hören!

STERBENDER
Ah! wo ist der Tod

KREON Der Abgrund 15
ist hinter deinem Rücken!
er klimmt nach rechts hinüber

STERBENDER wälzt sich stirbt

Der Schauplatz verwandelt nach rechts hin. Nun steigt zur linken die Bergwand auf, fällt rechts der Abgrund. Es enthüllt sich eine Platform. Auch nach hinten von 20 Abgrund eingeschlossen. Kahles später in Licht glänzendes Gestein wie dunkler Marmor. Kein Baum kein Strauch, nicht einmal Moos oder Flechten.

KREON
links die Gegend unsicher, nur die grossen finstern Formen
Den Todesschrei des Fremden will ich hören! 25
Bleibt alles still. Und rauscht von fern der Fluss
Ahn heb dich schäumend auf in deinem Bett
und reiß den Abenteurer mit hinunter
verschling ihn Berg, du alter Thron des Kadmos
knirsch ihn hinab soll dir ein Dieb nun deinen Nacken treten 30
und König sein in Theben!
Alles still
Auch nicht ein kleines Stöhnen! Götter höhnt ihr mich?

STIMME DES KNABEN
Mein König, bin ich ganz umsonst gestorben? 35
Weh mir!

KREON Was? spinnen sich von überall
die Fäden her die mich erwürgen sollen!

Ihr Götter, ich bin stark ich bin jetzt wie das Thier
wenn es im letzten Winkel seiner Höhle
standhält, drängt mich nicht aus der Welt hinaus
Noch ist es Zeit noch können wir den Bund
5 errichten zwischen Euch und mir, den ungeheuren,
den nie zu brechenden! wenn ihr
die Luft der Seele mir mit seinem Schrei
bethaut –

Stille

10 ihr wollt nicht, ihr verbündet Euch
mit einem Dieb! Verflucht die Opfernächte
in denen ich die Blüthe meines Leibes
euch weihte, Fluch dem Wasser das mich wusch!
Dich ruf ich, Mörderin, dich große Sphinx
15 dich fahles Antlitz nicht von Fleisch gebildet
Hier krümmt sich Kreon und so krümmt sich Theben
vor dir, wenn du den Fremden würgst und mich
zum König machst!

Hier steh ich wie noch keiner
20 je vor dir stand auf nacktem Lebensgipfel
vom Zauberthau der Schicksalsnacht befeuchtet
Dir dien ich Göttin! als dein Bräutigam
steht einmal meine Wage recht, da leb ich
einmal so wie ich muss und kann, da bann ich
25 mit Graun die Welt, dein stummer Bräutigam
und jauchze wenn ich einsam bin vor dir
die Lüfte sind bethaut von Lust und Grausen
wirf mir den Schrei herab, du meine Göttin!
den Schrei des Fremden! dass dir meine Seele
30 wie ein Brandopfer steigt!

ein furchtbarer Schrei, zugleich ein dumpfer Sturz

KREON den Schrei mit Entzücken in sich trinkend
nach einer Pause im grauenvollen Anschwellen des Schreies

So schreit kein Sterblicher!
35 Vernichtung! das war nicht des Menschen Schrei –

ÖDIPUS von links herabstürmend. Kreon birgt sich rechts.
Hier? Dort? ich weiß nicht mehr?

er wirft sich hin

Kreon birgt sich

40 Nun bin ich fertig.
Warum zerbrach ich nicht in Stücke als

das Weib in Delphoi an mein Bette trat.
Wozu noch dieser wüste Traum.
Nun muss ich auch befleckt hinab. Die Welt
zerbricht. Mein Aug ist krampfverdreht. Ich hasse
die mich geboren haben. Eltern! Eltern
wohl euch dass ihr's nicht wisst. Nun muss ich fort.
Liegt hier der Mann der schrie um seinen Tod
nun werf ich ihn hinab und mich mit ihm

er richtet sich auf den Knien auf

Das ist ein andrer Ort. Verfluchte Nacht
zeig mir den Weg. Ich will nichts als den Tod

KREON vorspringend
Der kann dir werden!

ÖDIPUS er fasst den Arm
Hat das Dunkel Arme!

KREON
In Theben ja! und Dolche auch!
〈. . .〉

ÖDIPUS Der Bruder
des wundervollen Weibes das zu Tod
erstarrte als sie mein Gesicht erblickte!
Der Bruder ungeheuer kettet ihr
die Sterblichen ihr Götter aneinander
mit Nacht und Tod und Wollust ungeheuer!

Blitz blendend

was willst du mir?

KREON Du bist ein Gott! Es schwebte
der Blitz aus dumpfer wolkenleerer Nacht
Herr wie ein goldner Adler hinter dir!
Wer bist du

ÖDIPUS hält sich den Arm vor die Augen
Nicht die Welt noch einmal zeigen
dem der hinab muss. Ewge Nacht erwürge
das Licht

KREON Der tausendjährge Baum der droben
auf kahler Klippe horstet steht in Flammen
Du bist ein Gott ich küsse das Gestein
vor deinem Fuß, die Götter zünden dir
mit eigner Hand die Hochzeitsfackel an

ÖDIPUS ebenso
Ich bin behängt mit Flüchen

KREON Adler kreisen
als deine Feuerboten überm Berg!

5 ÖDIPUS ebenso
Im Mutterleib verflucht

KREON Wer bist du un-
geheurer Fremdling sag mir deinen Namen
wie grüß ich meinen König?
10 ⟨. . .⟩
ihn zuzudecken wälze!

KREON
Du bist der Sieger Ödipus du bist
der Sieger, König bist du jetzt in Theben!

15 ÖDIPUS
Still mit dem Märchen hier im Hirn verschwimmt
die Welt. Ich will das Ende. Bist du nicht
der Führer der mit mir heraufkam. Hast du
den Bräuchen schon gehorcht, gelöscht die Fackel
20 dem Tod im voraus mich geweiht. Bist du nicht auch
der Bruder jener Königin . . . wie schön du bist
welch ein Geschlecht ihr seid ihr Seligen!
Warum hat mich ein König nicht in Theben
gezeugt! Vielleicht wär ich dein jüngrer Bruder
25 der du so schön und fürstlich vor mir stehst
Dir ziemt das Opfermesser: nimms von mir.
Tödte mich solang ich selbst mich fessle. Tödte mich als ein König der die Welt von Verfluchten reinigen muss. Tödte mich um deiner Schwester willen. Tödte mich schnell denn wilde Gier fasst mich an. Ich könnte dem
30 Wahn erliegen
⟨. . .⟩

16 H

3. Akt, 1. Teil, 2. Fassung

Text.

(1) Felsw⟨and⟩
(2) Steiles Geklüft. Spärliche Bäume, ins Gestein gewurzelt. Ein Vorsprung, darauf Menschen stehen und sich bewegen können. Links fällt's in den Abgrund: da mündet zwischen Felsen ein eingehauener Pfad. Nacht mit \einzelnen/ blinkenden Sternen.

Von unten Schein einer Fackel. Kreon kommt heraufgeklommen, vermummt in einen dunklen Mantel. Er trägt eine Fackel, leuchtet Ödipus voraus.

KREON
Wir sind am Ziel.

ÖDIPUS heroben Wo ists?

KREON Von hier musst du
allein hinauf. Hier windet sich der Pfad
zur Höhle.

Stöhnen aus der Dunkelheit. Kreon hebt die Fackel.

ÖDIPUS Ists der Dämon? Tritt zurück.
Lass mich zu ihm.

KREON Du irrst. Er schickt dir erst
den Kämmerer, dich zu grüßen.

Aus dem Gestein schleppt sich ein Mann hervor. Halbnackt, den Tod im Gesicht. Er gleicht kaum mehr einem Menschen, aber man sieht keine Wunde an ihm.

ÖDIPUS Mensch, wer bist du?
Was willst du?

DER STERBENDE
Mensch, ich seh dich nicht. Ich bin
(1) vor Todesqual erblindet. →
(2) vor Qualen blind geworden. | Schlag mich nieder
mit einem Stein! Erwürg mich. Hab Erbarmen,
erwürg mich! Wirf mich in den Abgrund Mensch.

ÖDIPUS
Er schaudert mich.

KREON *(1)* Die Nacht ist kurz. Vorüber!
(2) Geh deinen Weg, die Nacht ist kurz.

(1) →
(2) ÖDIPUS
Wer ist (a) das? ->
(b) der Mensch? ¦

5 KREON Dein Vorgänger.

ÖDIPUS Hinauf! |

DER STERBENDE
(1) Lebt ihr? – So
(2) Seid ihr nicht Menschen? Gebt mir doch den Tod!
10 Die anderen sind alle todt, die Seligen!
auf ihnen sitzen Geier, warum kann ich
nicht sterben! über lauter Leichen bin ich
herabgekrochen, und ich lebe noch.
Ist Nacht? ist Tag? ist Sturm? ist grausenhafte Nacht
15 für immer? Hat die Mörderin das Dach
der Welt hereingerissen und liegt Nacht
auf (1) allem! ->
(2) allem? ¦ Redet oder seid ihr nichts?
ist nichts mehr in der (1) Welt
20 (2) eingestürzten Welt
als meine Qual! o warum hast du mich
geboren, meine Mutter!

ÖDIPUS Mensch ich helfe dir
(1) zu deinem Tod! →
25 (2) zum Abgrund (a) zu!
(b) Komm.
(3) hinunter Komm.
(4) zum Tode Komm.
(5)[S] zu deinem Tod! | Ich bin vom Weib geboren
30 wie du ich kann nicht hören wie du winselst
(1) um deinen Tod. Umschlinge mich. ich werf dich
hinab. →
(2) Umschlinge mich. ich werf⟨e⟩ dich hinab
(3)[S] um deinen Tod. Umschlinge mich. ich werf dich
35 hinab. |

KREON
Nimm dich in acht er reißt dich mit (1) →
(2) hinunter!
(3) |

ÖDIPUS
Mich nicht.

DER STERBENDE *an Ödipus aufgerichtet*
(1) Gesegnete
(2) Gesegnet \sei/ die Brust an der
ich liege

ÖDIPUS *wirft ihn schnell* *(1)* hinab
(2) hinab ein dumpfer Sturz.
\Bist gelegen!/ *(1)* →
(2) Mann aus Theben
wer war *(a)* das? →
(b) der Mensch |

KREON Dein Vorgänger
(3)[S]
beugt sich über Abgrund |
Weh was ist ein Mensch. *(1)* Hinauf! →
(2) Weh!
(3) |
wer über diesem brütet, *(1)* stirbt von innen.
(2) stirbt und stirbt
befleckt.
(3) stirbt. Ich will *(a)*
hinauf →
(b) hinauf
(4) stirbt. Hinauf! ¦
Mir ist als dräng⟨en⟩ *(1)* tausend Thaten →
(2) Thaten tausendfach |
↑in mich mit diesen
≈ unzählbar mit den↓ Sternen aus der Nacht
↑Das ist die einzig⟨e⟩ Sprach⟨e⟩ die mit uns
die Götter reden und die einzig⟨e⟩ Antwort
die an ihr Ohr dringt, ist die stumme That.↑

ÖDIPUS *schon gestiegen, rechts hin*
Noch eines. Mann aus *(1)* Theben
(2) Theben, hörst du mich?

KREON
Was willst du, Abenteurer?

ÖDIPUS *bleibt stehen, oberhalb.*
Lasst mich nicht
so liegen, wie da drunten den. Verbrennt die Leiche,

wenn ihr mich findet. Mensch, ich bin ein Königssohn.
Hörst du mich noch? Bleib in der Nähe. Schnell
ist dies entschieden – leb ich aber dann: –
Mensch siehst du über uns den Baum der riesig
5 auf *(1)* kahler →
(2) öder | Klippe horstet? \Mensch/ bin ich der Sieger
dann brauch ich deine Fackel dass sie *(1)* den
(2) mir
(1) ein Feuerzeichen zündet: den da droben!
10 *(2)* aus dem ein Feuerzeichen macht: dann *(1)* steht →
(2) hebt sich |
die Königin aus ihrem Schlafe auf,
dann bringen sie die Krone und das Schwert
dann lohn ich dir den Weg, du Mann aus Theben!
15 Wahr mir die Fackel gut!

KREON Das will ich thun.

Er kehrt die Fackel gegen den Felsgrund, dass sie verlischt.

ÖDIPUS höher gestiegen, nicht mehr sichtbar
Was machst du Mensch?

20 KREON Dein Geier ist so gierig
du Königssohn, er schlägt mir mit den Schwingen
das Licht aus.

ÖDIPUS Weh, da nimm den Lohn!

Ein schwerer Stein fällt, ohne Kreon zu treffen

25 KREON Mein *(1)*
L⟨ohn⟩
(2) Lohn
(1) ist
(2) wird mir wenn ich dich schreien hör *(1)*
30 im Tod.
(2) im Tod
Lass mich nicht lange warten, Abenteurer.
Ich spür schon Morgenluft. Nun zeigst du mir
du alter Jäger in der Finsternis
35 du Schicksal wie du \deine/ Netze stellst.
↑So Leib an Leib *(1)* stand →
(2) war | ich noch ⟨nie⟩ mit dir
als hier in dieser Todesdunkelheit.↑

Der geht hinauf und meint er hat *(1)* mit dir gehandelt
(2) dir's ab-
gekauft, sein \freches/ Blut zu Markt getragen
sein gieriges und dir damit die Kron⟨e⟩ 5
von Theben abgehandelt und davon
ist er betrunken legt die *(1)* Todten →
(2) ↑Sterbenden
≈ Todten↓ | sich
an seine *(1)* → 10
(2) heiß⟨e⟩
(3) | Brust *(1)* als könnt er eine Welt
(a) mit Leben
(b) aus sich gebären
(2) als[1] *(a)* hätt er in den Adern → 15
(b)[P] sprudelt da |
(a) das Blut *(aa)* für ⟨eine⟩ Welt
(bb) um ⟨eine⟩ Welt zu tränken
(b)[P] der Lebensquell d
(c) der Quell des Lebens ab⟨er⟩ ich steh hier 20
im Dunklen
(3) und giebt den Tod als gäb er
das Leben
(4) ⟨und⟩ meint er ist ein Gott
der Tod und Leben giebt und lässt sich noch 25
den Hauch des Todes um die Locken triefen
wie ein geweihtes Öl – und ich steh hier
von keinem Öl ↑umtrieft
≈ betrieft↓ *(1)* vom kalten
(2) von keinem *(a)* Thau → 30
(b) Zauberthau
(3)[S] vom kalten Thau |
der *(1)* Nacht →
(2) Gartennacht
(3) Nacht | gefeuchtet, einsam starr und groß 35
und markte nicht mir dir denn ich bin Kreon
(1) der voll von d⟨einem⟩ Wissen ist geölt
(2) mit d⟨einem⟩ dunklen Öl
(3) der weiß von dir und *(1)* wenn
(2) wie der Leib den Leib 40
ein Walten spürt im Dunkeln: Zeig mir jetzt

[1] *Ungestrichen beim Übergang zu Stufe (3).*

dass du noch immer um eines \tiefer/ gräbst
(1) als
(2) uralter Maulwurf
(3) Ich ruf ja nicht den Ahn der unten *(1)* schäumt →
5 *(2)* donnert
(3) tost |
dass er aus seinem Bett sich *(1)* hebt →
(2) schäu⟨mend hebt⟩ |
und mir *(1)* die Kron herunterreißt -→
10 *(2)* den Abenteurer niederreißt ¦
ich spreche nicht zum Berg du alter Thron
des Kadmos knirsche doch den *(1)* Dieb →
(2) Knaben
(3) Dieb | hinab
15 in deine letzte Kluft *(1)* , der frech dich tritt
(2) – zu dir nur rede ich
Schicksal zu dir du hast nicht für den Knaben
den *(1)* abenteuernden, →
(2) Straßenwandrer, nein | du hast für mich
20 die Nacht \da/ aufgebaut *(1)* auf deren Gipfel
der Tod
(2) , die rings in Klüft⟨en⟩
den Tod trägt und den Tod auf nacktem Gipfel
in *(1)* sterngekrönter Einsamkeit: der →
25 *(2)* sterngekröntem Duft: der heiße | Knabe
ich weiß es *(1)* große Gottheit
(2) großes Schicksal *(1)* ist
fast nichts in diesem Spiel – das Spiel geht zwischen
Kreon und dir.
30 *(2)* *(a)* ist fast →
(b) gilt für | nichts
in diesem Spiel: der Knab und seine Thaten!
War *(1)* ich →
(2) Kreon nicht | ein königlicher Knabe
35 und hast du nicht sein Herz ihm in der Brust
in eines Greisen Herz verkehrt und von den Händen
die Thaten abgesengt mit glüher Luft
dass sie wie Zunder an die Erde fielen
die unvollbrachten, *(1)*[1] Thaten sind vor dir
40 wie Zunder, →
(2) | dir ist nichts für Thaten feil

[1] *Ungestrichen, nur eingeklammert.*

die ganze Seele willst du, *(1)* großes Schicksal
                                        (2) Thaten lässest
du fallen und verfaulen auf der Erde
und höhnest *(1)* der mit Thaten um dich wirbt →
                    (2) die mit Thaten um dich buhlen ¦

STIMME DES KNAB⟨EN⟩-SCHWERTTRÄGER
(1) So
(2) Weh mir so bin ich ganz umsonst gestorben
(3) So hab ich ganz umsonst mein junges *(1)* Leben
dahingegeben, weh *(a)* meine Mutter
die mich geboren hat →
                                (b) dass meine Mutter
mich hat geboren. ¦

KREON   *(2)*[1] Blut
(a) hingeben müssen
(b) dahingegeben
(c) hingeben müssen weh!

KREON[2]   *(1)* Ihr Götter höhnt ihr mich
und lasst d⟨ie⟩ Todten reden aus der Nacht
Ich weiß nicht warum dieser starb
                                        (2) Was spinnen sich von überall
die Fäden her die mich erwürgen sollen
(1) Ihr Götter ich bin stark ich bin jetzt wie das Thier
wenn es im letzten Winkel seiner Höhle
standhält, drängt mich nicht aus der Welt hinaus →
(2) |
Ich will den Schrei des Frem⟨den⟩ hören Nacht.
(1) Den Schrei!
(2) thau mir den Schrei herab! wirf mir den Schrei
herunter Nacht! erwürg mir nicht den Schrei
(1) Noch ist es Zeit noch können wir den Bund
errichten zwischen euch und mir den ewigen
den nie zu brechenden wenn ihr die Luft
jetzt in der Seele mir mit seinem Schrei
bethaut

Stille

      ihr wollt nicht
(2)   Dich ruf ich Mörder⟨in⟩

[1] *Stufe (2) bis Ende (b) mit Stift, dann mit Tinte weitergeschrieben.*
[2] KREON *war versehentlich gestrichen, mit Stift restituiert.*

dich groß⟨e⟩ Sphinx
in d⟨einen⟩ Klüften, lass mir in die Seele
ihn fallen! Fort hier redets aus *(1)*
dem Dunkel
(2) dem Dunkel
ich will nichts hören als den Schrei!
Ich will nicht hören was die Lüft⟨e⟩ red⟨en⟩
ich will den ↑Schrei
≈ Tod↓ des Menschen hören
sonst nichts auf d⟨ieser⟩ Welt!

15 H

3. Akt, 2. Teil, 2. Fassung[1]

KREON von links herüber kommend!
Den Todesschrei des Frem⟨den⟩ will ich hören!
(1) Ihr →
(2) Und König sein in Theben | Götter höhnt ihr mich
Ihr Götter ich bin stark ich bin jetzt wie das Thier
wenn es im letzten Winkel seiner Höhle
standhält drängt mich nicht aus der Welt hinaus
Nein alles still! ihr wollt nicht ihr verbündet Euch
(1) dem →
(2) mit einem | Dieb! verflucht die Opfernächte
in denen ich die Blüthe meines Leibes
euch weiht⟨e⟩ Fluch dem Wasser das mich wusch
[verflucht die Schau⟨der⟩ meiner jungen Seele].
Dich ruf ich Mörder⟨in⟩ dich große Sphinx
(1) Hier krümmt sich
(2) Hier krümm ich mich vor dir so wie noch ⟨keiner⟩
je vor dir lag auf nacktem Leben⟨sgipfel⟩
Wirf mir den Schrei herab du Ewige
den Schrei des Frem⟨den⟩ dass dir meine Seel⟨e⟩
wie ein Brandopfer steigt!

⟨ein furchtbarer Schrei⟩

[1] *In die vorliegende Fassung von* III B *wurden zahlreiche Blätter aus 13 H, der ersten Fassung von Akt III, integriert. Die Variantendarstellung behandelt alle Veränderungen als Variationen innerhalb von 15 H. Nur in besonderen Fällen wird darauf hingewiesen, ob eine Veränderung in dem ursprünglichen Manuskript oder im neuen Zusammenhang eingetreten ist.*

KREON *zuerst den Schrei mit Entzücken in sich trinkend, dann – nach einer Weile, im grauenvollen Anschwellen des Schreis*

So schreit kein Sterblicher!
Vernichtung! das war nicht des Menschen Schrei!

ÖDIPUS *kommt von links* *(1)* *herab, wankend* →
(2) *herabgetaumelt* ¦
Es nannte mich beim Namen! Ödipus
sprach es zu mir! sei Ödipus gegrüßt
du der die tiefen Träume träumt! gekannt
(1) Behängt mit Flüchen, *(a)* hei, →
(b) ai,
(c) ah, | gefleckt von Unheil
wie eines Panthers Haut. *(a)* Dies fremde Theben
ist eine Höhle die mich
(b) Ich kann mich
(2) Auch hier gekannt! Die Welt hat keine Schluft
die nicht voll mein⟨er⟩ Flüch⟨e⟩ ist. Ich kann
mich nirgends bergen. Hier dies fremde Theben
ist eine Höhle die mich kennt Der Dämon
der grauenhafte Dämon *(1)* mit dem Antlitz →
(2)[S] |
(1) aus *(a)* Fleisch
(b) einem grauenvollen Stoff[1]
(2) aus gleichem Stoff wie menschlich⟨e⟩ Gesicht⟨er⟩
und doch nicht aus dem gleichen Stoff *(1)* –
(2) der Dämon
(1) dess grauenvolles Antlitz sich in mir
gebiert und
(2) dess Antlitz *(a)* dxxx xxx
(b) mir mein Inneres
weißglühend neu gebiert, →
(3)[2] |
(1) er hat dxx
(2) der hat ⟨mit⟩ mir
(1) Geh
(2) Gemeinschaft, mit dem Todesathem lüftet
er den verschlossnen Deckel meiner Brust
er weiß von meinen Träumen, aus mir selber

[1] *Stufe (1b) ungestrichen.*

[2] *Streichung teilweise mit Stift, evtl. gleichphasig mit Streichung von:* mit dem Antlitz *(Z. 20). Möglicherweise ganzer Zwischentext intentional getilgt, so daß als Schlußtext bleibt:* der grauenhafte Dämon [der] hat ⟨mit⟩ mir Gemeinschaft

wie aus (1) verschlossner Gruft →
(2) ⟨dem⟩ Grab⟨e⟩ | scharrt er Träume
was denn für Träume, ah es giebt nur einen Traum
den (1) Lebenstraum, den Traum (a) von Kind und Vater
5 und Mutter
(b) vom Vater und der Mutter
und ihrem Kind!
(2) Traum von Delphoi ah, den Traum vom Vater
und von der Mutter und dem Kind!
10 (1) er springt auf
Ja, habt es denn ihr Götter!
(2) kauernd
Warum zerbrach ich nicht in Stücke als
das Weib in Delphoi an mein Bett⟨e⟩ trat
15 wozu noch dieser letzten Tage wüster Traum
Die Welt zerbricht. Mein Aug ist krampfverdreht (1)
Ich hasse →
(2) ich hasse |
die mich geboren haben. Eltern! Eltern
20 wohl Euch dass ihrs nicht wisst.
sein Blick fällt auf den Sternenhimmel
Ihr Götter! Götter!
Sitzt ihr auf (1) goldenem Gestühl da droben
über den Sternen
25 (2) goldnen Stühlen in den Sternen
und weidet ⟨Euch⟩, dass ich (1) auf dem
(2) im Netz nun ***A*** liege
(1) und
(2) Ihr großen Jäger!
30 (3) ein todtgehetztes Wild! Die ganze Welt
ist Euer Netz, (1) wir taumeln hin und her
(a) und sind gefangen⟨e⟩ von Anbeginn
(b) dann zieht ihr es um uns zusammen
(2) mit Euren Augen schaut
35 ihr immer durch, was
(3) (a) was wir →
(b)[S] was
(c) weh ⟨was wir⟩ | Leben nennen
ein kurzes Taumeln eh ihr es zusammenzieht.
40 (1) dann
(2) mit Euren Augen schaut ihr immer durch →
(3) und Eure Augen schauen immer durch.

B[1] liege!

Die ganze Welt ist Euer Netz das Leben
ist Euer Netz und unsre Thaten machen
uns nackt vor Euren *(1)* →
(2) schlummer⟨losen⟩ | Augen
die auf uns schauen durch das Netz, da lieg ⟨ich⟩
und wollte Thaten thun und hab⟨e⟩ nichts
⌊gethan⌋ als mich *(1)* verrathen!
(2) verrathen an den Tod! |
Nun macht ein Ende: Habt ihr keinen Blitz?
(1) Ich will nichts als den
(2) Soll ich die Brust dem Fels entgegendrücken
dass er *(1)* die B⟨rust⟩
(2) sie mir *(1)* zerdrückt! →
(2)[S] zermalmt! | Da unten schäumt ein Fluss
herauf mit ihm! Habt ihr so säu⟨mge⟩ Diener?
(1) Ich will nichts als den Tod

KREON Der kann dir werden

ÖDIPUS ohne ihn zu hören[2]

(2) Ganz still ihr grässlichen, wenn Ödipus
um seinen Tod *(1)* in
(2) zu Euch die Hände hebt.
Ich soll *(1)* d
(2) es *(1)* d⟨enn⟩
(2) selber thun der Priester sein
und auch zugleich das Opferthier? Die Adern
mit meinen Zähnen aufthun und mein Leben
hinfließen lassen auf den kahlen Stein
Mich in den Abgrund schmettern, selber mich
vor Euren Augen schlachten!
Mir graut vor Euch ihr Götter, ich will Euch
nicht länger in die Augen schauen werft
die Finsternis auf mich werft mir den Tod
(1) herab
(2) über⟨s⟩ Gesicht wie einen Mantel, Götter!
Ich will nichts als den Tod

[1] *Stufe **A** ungestrichen. **B** auf gegenüberliegender Rückseite, nicht integriert; einzige Anknüpfung an ursprünglichen Text – das Ausrufezeichen nach* liege *Dies ist möglicherweise schon gleichzeitig mit* Ihr großen Jäger! *(S. 531, 29).*

[2] *Z. 19 versehentlich nicht gestrichen.*

KREON
(1) Der kann dir werden!

ÖDIPUS
Hat

5 (2) Der kann dir werden

ÖDIPUS Hat das Dunkel Arme

KREON
In Theben ja und Dolch⟨e⟩ auch!

ÖDIPUS Her mit dem Dolch
10 Ich brauch ihn selber. Doch zuvor stirbst du
das Opfer das ich bringen will, verträgt nicht
dass einer nahe steht. Hinab und melde
mich drunten an

KREON Du weisst nicht, Abenteurer,
15 wen du erschlägst

ÖDIPUS Die Welt ist ausgelöscht
(1) und kein Ding braucht mehr einen Namen

KREON Mensch,
ich bin der Bruder der Königin

20 (2) kein Ding braucht einen Namen

KREON Mensch, (a) ich bin der B⟨ruder⟩
der Königin!

(b)
ich bin der Bruder der Königin!

25 (c) ich bin der Bruder
der Königin!

ÖDIPUS Was redet aus der Nacht,
wer bist du (1) der sich auf
(2) Mensch
30 (3) der mit mir sich auf der Schwell⟨e⟩
des \ewigen/ Todes wälzt

KREON Ich bin der Bruder
der Königin! du Königssohn

ÖDIPUS Der Bruder
35 des wundervollen Weibes, das zu Tod
erstarrte als sie mein Gesicht erblickte

[Der Bruder ungeheuer kettet ihr
die *(1)* To⟨dten⟩
  (2) Sterblichen, ihr Götter aneinander
mit Nacht und Tod und Wollust ungeheuer!] [1]
\führt ihn vor/
Und bist du nicht der Führer auch der durch die Nacht
mit mir heraufstieg hast du nicht die Fackel
gelöscht, im voraus mich dem Tod geweiht!

A *(1)* KREON
Was willst \du/ mir!

ÖDIPUS Da nimm! →
  (2) Das Eisen! Nimms!
  (3)^{S} \Da/ Nimm!
hält ihm den Dolch hin

KREON Was willst du mir!

ÖDIPUS | Du sollst mich tödten →
B^{S} |
Der Bruder ungeheuer kettet ihr
die Sterblichen ihr Götter aneinander
mit Nacht und Tod und Wollust ungeheuer!
Da nimm das *(1)* Messer →
  (2) Opfermesser ¦ tödte mich

(1) KREON
Was willst du mir!
(2) Dir kommt es zu! *(1)* schnell reinige *(a)* das →
  (b) dein | Land
du königlicher Priester! *(a)* reinige
  (b) →
  (2)^{S} |

KREON Wer bist du un-
geheurer Fremdling, der so finst⟨re⟩ Spiel⟨e⟩ spielt
mit sein ụ⟨nd⟩ ṃ⟨einem⟩[2] Leben

ÖDIPUS Der Verfluchte
von Vaters Samen her! da nimm das Messer
und opfre!
  Schnell das fremde fluchbeladne Thier

[1] *Tilgungsklammer gleichphasig mit Niederschrift Z. 18–20.*
[2] *Lesung unsicher, folgt Reinschrift 18 H.*

hat deiner Schwester Bett besteigen wollen
Mensch, reinige die Königin!
drängt ihm den Dolch auf, K⟨reon⟩ zurück

KREON die Hände weigernd zurückgenommen
5 Du bist *(1)* der
(2)
der Sieger! du hast nicht geschrien! es war
der Dämon der im Tode schrie! du bist
der Sieger!

10 *A* ÖDIPUS immer den Dolch vor sich hertragen⟨d⟩
Götter grauenvolle Götter
Da nimm und opfre *(1)* mich! Ich[1]
(2)

KREON Ah was marterst du mich noch
15 verlarvter Gott wenn du der Sieger bist

ÖDIPUS
Der Sieg⟨er⟩ auf mir liegt das Chaos und
zernagt mich! Ich bin ein verfluchter Mensch
der meinte sein Geschick zu überlisten

20 KREON
B[2] ÖDIPUS
(1) *(a)* Bei den grauenvollen Göttern →
(b) Götter! grauenvolle Götter! |
ich habe *(a)* nicht →
25 *(b)* nirgendwo | gesiegt. →
(2)[S] Nein! | Ich bin verflucht
daheim und in der Fremde!

KREON Mensch trägst du den Tod
im Leib was stehst du aufrecht, wälze dich
30 vor mein⟨en⟩ Füß⟨en⟩ hin, lass mich die Hände
in deine Wunden legen! Schnell!

ÖDIPUS Mein Leib ist heil
und starrt von Kräften unverwüsteten
ich habe meine That nicht thuen können
35 Sie floh vor mir.

[1] Ich *ungestrichen.*
[2] *Stufe A etappenweise gestrichen, zunächst das Ende Z. 16–19, dann Z. 14f., schließlich das Ganze.*

KREON Was marterst du mich noch
verlarvter Gott wenn du der Sieger bist!

ÖDIPUS
Der *(1)* Sieger auf mir liegt das Chaos und
zernagt mich! →
(2)^{S} Sieger! Chaos
(3) Sieger! auf mir liegt das Chaos und
zernagt mich! | ich bin ein verfluchter Mensch
A der meinte sein Geschick zu überlisten.
ich floh von Haus und schweifte hin und kam
hierher um nichts als meine That zu thun
(1) →
(2)^{S} m⟨eine⟩ unverbrauchte Seele lechzte mir
(3) danach die unverbrauchte Seele mir
so lechzt und ⸌wieder⸍ fortzuwandern dann.
(4) |
da fiel ich in die *(1)* Grube die sie mir
gegraben hatten,
(2) erste Grube die
sie mir gegraben hatten.[1]
(3)^{S} Grube die ⟨sie mir⟩
gegraben hatten.
(4) erste Grube die
sie mir gegraben hatten.

KREON *(1)* Wer? →
(2) Dir? |

ÖDIPUS Die ⸌^{T} fürchterlichen⸍ Götter! →

B^{S} |
KREON
Was hat die Sphinx an dir gethan, du Mensch
wie Rätsel unbegreiflich!

ÖDIPUS Vor der Höhle
(1) auf stand das Weib, als mich mein Fuß hintrug,
(2)[2] auf stand das Weib und neigte sich zur Erde
vor mir und als ich nahe kam, so trat es
demüthig ⸌hinter⸍ sich und bog sich nieder

[1] *Danach zunächst Lücke bis* KREON *(Z. 29).*
[2] *Stufe (1) erst spät mit Stift gestrichen. Versehen? Möglicherweise zunächst beide Zeilen nebeneinander gültig.*

(1) und nieder bis *(a)* zur E⟨rde⟩
(b)[1] zum *(aa)* →
(bb) steingen
(cc) | Boden, →
5 *(2)*[S] bis an den Boden, | als wär ich der Gast
auf den sie hundert Jahre wartete.
Und *(1)* so →
(2) dann | nach rückwärts *(1)* gleitend, →
(2) tretend, | *(1)* zog es mich
10 *(2)* ohne Laut
zwang's mich, zu folgen. Und aus m⟨einen⟩ Adern
glitt da die *(1)* Welt und ⌈[S]in⌉ der Brust eiskalt
ging mir →
(2)[S] schöne Welt und in der Brust
15 ging mir eiskalt | ein Abgrund auf. Da[2] stand
das Weib am Felsenrand und ich vor ihr:
da hob es sein Gesicht und sah mich an:
da sah ich das Gesicht da traten mir
die Augen aus den Höhlen, von den Knochen
20 wie Zunder *(1)* löste sich vor Todesgrausen
das Fleisch an meinem Leib
(2) fühlte ⟨ich⟩ mein Fleisch sich lösen
vor Graun und Angst mein Herz schlug *(1)*[3] überall →
(2) wie im Tod |
25 die ganze Brust schlug mir *(1)* wie ein⟨em⟩ Vogel
(2) da gab es von den fahlen *(1)* Worten
(2) Lippen
(a) ein Wo⟨rt⟩
(b) mir einen grässlichen
30 *(c)* mir einen Gruß in m⟨eine⟩ schlagende
(3)
grässlichen Lippen einen Gruß in meine
schlagende Brust hinein: Da bist du ja[4]
die Worte *(1)* *(a)* gie⟨bt⟩
35 *(b)* gabs in mich hinein, →
(2) legt es in mich, | auf den ich
gewartet habe. Heil dir Ödipus

[1] *Graphisch unverändert.*
[2] Da ... ihr: *mit Stift.*
40 [3] *Ungestrichen.*
[4] *Am rechten Rand flüchtig mit Stift:* Ich bin unrein Du schöner, aus einem Geschlecht von Seligen, opfre mich, eh das Leben über mich kommt – *Skizze für späteren Teil des Dialogs Ödipus – Kreon.*

(1) du bist am Ort
(2) Heil *(1)* dir der tiefe →
(2) der die tiefen | Träume träumt – und da
A nachdem *(1)* ⟨es⟩ mit dem
(2) ⟨'s⟩ mit seinem Gruß mir so die Brust[1]
zerschnitten hatte, wirft es sich →
B^S zerschnitten meine Brust wirft sich's | nach rückwärts
den Blick auf mir *(1)* mit einer grauenvollen
(2) den schon verendenden
mit einer grauenhaften Zärtlichkeit
durchtränkten, rücklings in den Abgrund den
(1) der Blick →
(2) das Aug | nicht misst, den steinernen und schreit
im Todessturz den namenlosesten
furchtbarsten Schrei, in dem sich ein Triumph
mit einem Todeskampf vermält und stürzt
vor meinem Fuß hinab und schlägt tief unten
dumpf auf. *(1)* So
(2) Wirst du zu Stein. →
(3) Versteinerst du? | Es nannte mich
beim Namen. Opfre mich! ⌈^{P} Den du im Finstern
hast schlachten wollen opfre mich im Licht!⌉

I KREON[2]
A Dass mir das Messer
an deinem Nacken splittert. Dass mein Arm
bis an ⟨die⟩ *(1)* Höhle
(2) Brusthöhl mir erlahmt Du bist
ein Gott und Sohn von Göttern. Die Dämonen
erbeben d⟨einem⟩ Namen →
B^p Dass mir *(1)* an deinem Leib ⟨das Messer⟩ splittert →
(2)^S das Messer an dem Leibe splittert! |
Der Arm bis an ⟨die⟩ Brusthöhl mir erlahmt ⌈^{S} !⌉
Du bist ein Gott und *(1)* ↑Sohn von Göttern.
≈^{S} du strahlst wie Götter↓ →
(2)^T Sohn von Göttern. | *(1)* Die Dämonen
verenden
(2) |

ÖDIPUS Tödte mich!
Ich bin der Sohn des Königs von Korinth
und habe einen Traum geträumt der aufsteht

[1] *Graphisch eher:* dxx Bruch
[2] *Neben Kreons Rede Randbemerkung mit Stift:* stärker Ich rufe dich an

und mich erwürgt wenn ich auch die Gebirge
der halben Welt *(1)* mit meinen Händen auf →[1]

II KREON
A →
5 ***B*** Sie[2] floh vor dir sie warf si⟨ch⟩ in den Abgrund |
Ich hebe meine Hand nicht wider dich
(1) →
(2) Ich
(3) |
10 Du bist ein Gott und Sohn von Göttern

ÖDIPUS Tödt mich
ich bin der Sohn des Königs von Korinth
und habe einen Traum geträumt der aufsteht
und mich erwürgt wenn ich auch die Gebirge
15 der halben Welt ihn zuzudecken wälze!

KREON
Du bist der Sieger Ödipus du bist
der Sieger König bist du jetzt in Theben |

ÖDIPUS
20 So tödte mich spürst du denn nicht wie ich
behängt mit Flüchen bin, gefleckt mit Unheil
wie e⟨ines⟩ Panthers Haut! *(1)* →
(2) Die Welt hat keine Schluft
die nicht voll *(a)* Echo →
25 *(b)*
(c)^S Echo | meiner Flüche ist. | ***A*** *(1)* Dies →
(2)^S
Ich kann mich nirgend bergen *(a)* Dies
(b)^T
30 *(3)*^{T} Ich kann
mich nirgend bergen. Dieses | Euer Theben
ist eine Höhle die mich kennt. Das Messer nimm →
B^S Ich kann
mich nirgend bergen. ⟨Nimm⟩ das Messer! |

35 [1] *Stufe* **I** *auf einem aus 13 H übernommenen Blatt: pag.* λ, *ehemals pag.* 23. *Stufe* **II** *auf einem neu für 15 H geschriebenen Blatt:* μ. *Pag.* 24 *von 13 H verblieb dort. Stufe* **I** *hat deshalb direkt anschließenden Folgetext (sowie Ersatz für die letzte Stufe (1)) nur in 13 H (s. S. 513, 7–514, 4). Stufe* **II** *ersetzt nicht nur Stufe* **I**, *sondern auch diesen auf pag.* 24 *enthaltenen Folgetext, um den Übergang zu der wieder in 15 H*
40 *integrierten pag.* 25. = ν *herzustellen.*

[2] *Versehentlich gestrichen.*

und opfre mich solang ich selbst mich fessle
denn ich will leben ich will König sein
ich will die Königin auf diesem Thron
aus nacktem Stein zu meinem Weibe machen
ich bin ein König *(1)* den ein Dämon würgt 5
erschlag sie beide, um d⟨er⟩ Schwester willen
um Theben⟨s⟩ willen
(2) und ein Ungeheuer
in einem Leib, erwürge beide schnell
kein Gott trennt eins vom andren, tödte mich 10
ich könnte wähnen dass ich diese Nacht
die That gethan hab *(1)* die *(a)* vom Himmelsbogen →
(b) ⟨vom⟩ zucken⟨den⟩ Gefild des Himmels
(c) ⟨vom⟩ zucken⟨den⟩
Gefild des Himmels 15
(d)^{S} vom zuckenden
⟨Gefild des Himmels⟩ | die Lebensblume reißt, →
(2)^{S} die vom zuckenden
⟨Gefild des Himmels⟩ sich mit selger Hand
die Lebensblume reißt, | ich könnte wähnen 20
dass ich der größte aller Menschen bin
der *(1)* Sohn
(2) auserwählte Sohn des Glücks ⌈^{P}, da nimm⌉
A Du kennst das Opferthier, sieh es verhüllt
sich selber reinige die Welt von ihm 25
und sei bedankt!

KREON nimmt das Messer schwingt es über dem Verhüllten: *(1)* dann wirft er das Messer weg dass es klirrend fällt. →
(2)
Ihr Götter! seid bedankt! | Von nirgend her die Kraft 30
Auch jetzt nicht, Sphinx zu Hilfe, ah *(1)* d
(2) er hat
die Sphinx geschlagen, alles schwimmt in meinem Hirn
was →
B^{S} *(1)* → 35
(2) Du kennst das Opferthier, sieh es verhüllt
sich selber reinige die Welt von ihm |
⌈^{P} Schnell tödte mich!⌉ und *(1)* sei gesegnet
(2) was
(3) sei ⌈von mir⌉ gesegnet 40

KREON nimmt das Messer schwingt es über dem Verhüllten:
Ihr Götter! seid bedankt! Ich kann ja nicht!
Was | macht ihn jetzt noch stärker, er ist nichts

mein Traum ists der ihn stärker macht mein Traum
setzt mir den Fuß auf meinen Nacken –
[S wirft das Messer klirrend fort]

A König

5 ich huldige dir

ÖDIPUS enthüllt sich

Wer redet

KREON Ich der Bruder
der König⟨in⟩, dein ist der[1] Reif dein ist
10 das Schwert dein ist *(1)* de⟨s⟩ Lahios Bette dein! →
*(2)*S das königliche Bette! |

ÖDIPUS[2]
Bist du der böse Führer nicht der *(1)* durch die Nacht →
*(2)*S schweigend |
15 mit mir heraufstieg hast *(1)* ↑du nicht im voraus
geübt die *(a)* Todesbräuch⟨e⟩ →
(b) finstern Bräuch⟨e⟩ |↑ nicht die →
(2) du nicht die | Fackel
gelöscht, im voraus mich dem Tod geweiht?
20 Und bist der Bruder auch der Königin
(1) bis zum
(2) bist der im Dunkel stand und sein Gewand zerriß
vor Wuth und Neid, *(1)* als mich das Volk
(2) ich greif d⟨ich⟩ an
25 er greift ihm ins Haar
(3) und hast das Messer weg-
geworfen, *(a)* Mensch →
(b) ah! |

er greift ihm ins Haar

30 fall nieder auf die Erde
(1) und
(2)

KREON thuts
Mein König lass mich dein Gewand anrühren
35 und heb mich auf! →

[1] *Graphisch:* dxx dxx – *wohl Versehen.*

[2] *Das Folgende bis zum Beginn von Stufe* **B** *findet sich zwar in 15 H, ist aber mit der Neufassung von* III B *unvereinbar. Es steht auf einem Blatt, das aus 13 H übernommen wurde, und muß sofort bei der Übernahme gestrichen worden sein.*

B[1] *(1)*^{S} König

ich huldige dir
[^{S} ÖDIPUS enthüllt sich
Wer redet

KREON Ich der Bruder 5
der König⟨in⟩ !] →

(2)^T ah!
(a) ich huldge dir
(b) versuch mich nicht, du Gott
(c) du bist ein Gott *(aa)* ich huldge dir 10
(bb) verschone mich!
(d) verschone mich! |

ÖDIPUS enthüllt sich
Das Licht der Götter
was willst du mir 15

KREON Du bist ein Gott! Es schwebte
der *(1)* Blitz aus *(a)* stiller
(b) wolkenleerer Nacht, du Gott, →
(2) ungeheure Blitz aus blauer Nacht |
hernieder wie ein goldner Adler hinter dir 20

ÖDIPUS
Das Licht!

KREON Der tausendjährge Baum der droben
auf kahler Klippe horstet steht in Flammen
Du bist ein Gott ich küsse das Gestein 25
vor deinem Fuß. die Götter zünden dir
mit eigner Hand die Hochzeitfackel an

ÖDIPUS
mit *(1)* eigner →
(2) ihrer eignen | Hand! 30

KREON Die Adler kreisen
als deine Feuerboten um den Berg
Mein König lass mich dein Gewand anrühren
und heb mich auf |

[1] *Streichung von Stufe A mit Stift, Ersatztext mit Tinte.* 35

ÖDIPUS reckt die Arme in die Luft
o meine Eltern! Phönix![1]
Korinth! Hinab mit Euch! *(1)* →
(2)[2]

Der Baum abgebrannt. Erstes Morgenlicht. ⌈[S] dumpfrollende Pauken *(a)* sehr leise, →
(b) aus
größt⟨er Ferne⟩, | danach näher.⌉ |
Steh auf und sag mir
den Namen

KREON *(1)* Kreon bin ich

ÖDIPUS Wer bist *(a)* du! →
(b)[S] du? |
Wer denkt an dich. Den Namen! *(a)* Mensch
(b) →
(c) Mensch |

KREON Jokaste
so heißt *(a)* die →
(b)
(c)[S] die | Königin!

ÖDIPUS Wie seicht sind Träume: nie →

(2)[S] meinen

ÖDIPUS Pfui wer fragt nach dir

KREON
Jokaste heißt die Königin!

ÖDIPUS Wie seicht
(a) sind Träume: nie
(b) ⟨sind Träume: nie⟩ |
hab ich den Klang geträumt![3] Doch seit ich ihn

[1] *Z. 1f. doppelt: einmal auf der alten pag.* 27, *dann auf der neuen pag.* 0
[2] *Am linken Rand; Ort der Einweisung nicht eindeutig.*
[3] *Danach vier Zeilen Skizzen zum Folgenden. Dann erst Abschluß der begonnenen Verszeile.*
Was ist für ein Lärm: Wird der Berg lebend. Kreon: sie haben dein Siegeszeichen gesehen. Öd⟨ipus⟩ (am Rand) sieht Schwert, sieht Wag⟨en⟩. schreit schneller (Puls und Pauken) schreit herab vom Wagen: es geschieht (hat sie mich gehört)

A gehört hab, liegt der Puls der Welt mir bloß
und *(1)* donnert dumpf in ungeheu⟨rem⟩
(2) *(a)* rollt in dumpfem →
(b) donnert dumpf ⟨in⟩ | Einklang mit dem Schwellen
und Sinken meiner Adern 5
(3) donnert dumpf in meiner Adern Schwellen
und Sinken
B gehört hab ist es mir als ob dumpf donnernd
(1) m⟨ein⟩
(2) der Puls der Welt das *(1)* ungeheuere → 10
(2)^{S} ruhelose | Meer
sich hüb und senkte *(1)* huld⟨i⟩gen⟨d⟩ ⇢
(2) wie vermält
(3) lustvermält ¦ dem Schwellen
und Sinken meiner Adern 15

KREON Ödipus
das sind die heilgen Pauken die du hörst
die dumpf wie Donner rollen von den Priestern
geschlagen dir zu Ehren

ÖDIPUS Wird der Berg 20
lebendig?

KREON Das ist Theben das sich hebt
wie eine Sturmfluth *(1)* von der Klippe sich
(2) seinen König sich
herabzuholen von der Klippe 25

ÖDIPUS am Rand Dort
der ungeheure Zug

KREON am Rand Das Volk die Priester
die Heiligthümer *(1)* schwankend zwischen Nacht
und Tag 30

ÖDIPUS Das Blitzen dort, →
(2)^{S}

ÖDIPUS Dort, | das dumpfe Blitzen
aus eignem Licht von keinem Strahl des Tags
getroffen Mensch *(1)* si 35
(2) was blitzt so aus der *(1)* Nacht →
(2)^{S} Tiefe |

KREON
Das ist das Königsschwert. Das ist das Schwert
des Kadmos

ÖDIPUS ⌈^{S} nach vorn, dann wieder zurück⌉
5 bleib bei mir und sei mein Bruder
den Sturm der durch mich geht kann keine Seele
ertragen ohne einen Bruder! Dort
das auf dem Wagen den sechs Pferde ziehen
das eingehüllt in *(1)* dunkle Schleier,
10 *(2)* Schleier, Kreon Kreon,
ist das ein Götterbild

KREON Das ist Jokaste!

ÖDIPUS ⌈zurück⌉
Gehüllt in dunklen Glanz *(1)* wie eine Flamme
15 in ihren Rauch! und Hände heben dich
(2) so wie ein Stern
in eine Wolke! es sind Schleier meine
(1) ah →
(2)^{S} ja
20 *(3)* ah! | meine Hände heben Euch, dann schlägt
die Flamme in die Flamme.
wieder vor an den Rand
Schneller! schneller!
zurück

25 KREON ⌈auch zurück⌉
Sie haben dich gesehn! sie grüßen dich
wie einen Gott, sie recken heilge Zweige
zu dir empor! *(1)* ah →
(2)^{S} ja, | siehst du ⟨den⟩ Rubin
30 im königlichen Reif er hat das Blut
(1) erschlagener Titanen und Giganten
(2) getrunken von *(1)* Titanen →
(2)^{S} Giganten |

(1) ÖDIPUS reißt ihn an sich
35 *(2)* Ödipus
er wird auf d⟨einer⟩ Stir⟨ne⟩ glühn

(1) ÖDIPUS →
(2) wirft sich zu Boden schlägt d⟨ie⟩ Fing⟨er⟩ ins Gestein

ÖDIPUS reißt ihn an sich | Du Fürst

mein Bruder *(1)* wie du →
(2)[S] wie du fürstlich
(3) Kreon, wie du | vor mir stehst
wie schön du bist! *(1)* Kreon →
(2)[S] was wirst du blass und dunkel 5
wie *(a)* das Olivenlaub im Wind.
(b) Laub im Wind Kreon | wir wollen leben
wie ein Geschlecht von Seligen! *(1)* Soll
(2) Dies Theben
soll blüh⟨n⟩ wie ⟨eine⟩ Feuerblum⟨e⟩. *(1)* Bacchos 10
(2) Kadmos
dein Blut soll blühn[1] in einer Brut von Adler⟨n⟩
aus Feur geboren!

KREON Ödipus sie steigt
vom Wagen 15

ÖDIPUS Kreon, herrsch ich hundert Jahr
zu Theben das vergess ich nicht dass du
der Bote warst der *(1)* mir das →
(2)[S] das mir | zurief

KREON König 20
sie kommt – allein herauf

Pause.

Kreon links, zurücktretend.

Öd⟨ipus⟩ vorn starr in Erwartung.

Jokaste rückwärts herauf. gleich darauf droben: der mit dem Schwert, der mit 25
d⟨em⟩ Diadem und die ander⟨en⟩ Priester

JOKASTE Was *(1)* willst →
(2)[S] suchst | du Kreon
(1) wenn →
(2)[S] wo | ein⟨e⟩ König⟨in⟩ zu *(1)* ihrem → 30
(2)[S] einem | König kommt
tritt hinter dich . . .

KREON weicht aus.

JOKASTE erblickt Ödipus. Sie steht noch nah *(1)* am
(2) dem Rande 35
Zurück auch ihr und trete keiner nah.

Sie geht auf ihn zu, bleibt zehn Schritte vor ihm stehen.

[1] blühen *Hs.*

Du bist ein Gott. Nur Götter schaffen um
was sie berühren. *(1)* Die bis gestern lebte
und sterben wollte, die Jokaste wird
gestorben sein. Doch ich →
5 *(2)*^{S} Ich | bin dein Geschöpf
in einen Schlaf hast du mich wie in Feuer
A *(1)* hinabgetaucht und meine →
(2)^{S} hinabgeworfen und die | Glieder mir
erneuert und mir einen neuen Athem
10 in meine Brust gehaucht. *(1)* Soll d⟨ein⟩ →
(2) Sprich soll dein | Geschöpf
hinknien zwischen deine *(1)* Hände

ÖDIPUS Stimme
du bist das Echo das die Träume aller
15 verlorenen

(2) beiden Hände

ÖDIPUS schweigt. →

B^{S} hinabgeworfen und mich drin erneuert
(1) an Seele und an Glieder⟨n⟩. →
20 *(2)* die Seele und die Glieder. ¦ soll dein
Geschöpf hinknien zwischen deine Hände

ÖDIPUS schweigt. |

JOKASTE
Ich habe nie mit einem Gott geredet
25 *(1)* vordem sag →
(2) sag selber | mir wie ich dich grüßen soll

ÖDIPUS
Ich bin ein Mensch wie du, Jokaste

JOKASTE Selig
30 die dich getragen hat. *(1)* Wenn du mich ehrst
so sagst du mir den Namen deiner Mutter
und wo sie weilt, dass ich sie grüßen kann

ÖDIPUS
(2) Sag mir den Namen
35 der Mutter, die dich trug! *(1)*

ÖDIPUS[1]
(2) Ich will sie ehren
wie keine Göttin

[1] *Z. 34–36 mit Stift.*

ÖDIPUS Nichts von meiner Mutter
dies alles hängt nicht mehr an mir. Ich hab mich
mit *(1)* ein
(2) Schwerterhieben →
(3)[S] Schwerteshieben | losgelöst. Der Ödipus 5
der vor dir steht ist seiner Thaten Kind
und diese Nacht geboren. Kommst du mir
nicht näher *(1)* m⟨eine⟩
(2) Königin?

Jokaste tritt näher 10

Ist dies d⟨ein⟩ Herz
das *(1)* seine →
(2)[S] deine | Hand so glänzen macht?

(1) JOKASTE[1]

(2) *(a)* Ich hab um dich 15
die mir kein Traum gezeigt *(aa)* die Jungfraun
in meiner Jugend Land
(bb) verschmäht die Jungfraun
in meiner Jugend Land

JOKASTE o Knabe Knabe → 20

(b)[S] Um dich
die mir kein Traum gezeigt hab ich die Jungfraun
verschmäht in meiner Jugend Land

JOKASTE o Knabe |
bist dus um den ich sterben wollte, wenns mich 25
hinunter zog zu meinem Kind. Kein Traum
hat mir *(1)* ihn →
(2)[S] di⟨ch⟩
(3)[T] es | zeigen wollen – wars damit
dein Dastehn dein lebendiges in mich 30
(1) so strahlen sollte?
(2) mit solchem Strahl hat stechen sollen?

ÖDIPUS Du
hast sterben wollen du Jokaste

JOKASTE Ich 35
nicht einmal, tausendmal. Mein Leben war
nur mehr ein Schatten. Bin ich denn Jokaste
hab ich nicht ihren Leib geborgt und bin

[1] *Versehentlich zunächst* ÖDIPUS

ein Gast von drunten aus der finstern Welt
und will das Blut aus deiner Brust, *(1)* o →
(2)[S] du | Knabe
nimm dich in *(1)* acht.

5 ÖDIPUS Mit deiner Stimme Klang →

(2) acht vor mir.

ÖDIPUS Mit deiner Stimme |
(1) bewegst
(2) zwischen
10 *(3)* bewegst du in der Schlucht die Nacht und wirfst
(1) Licht auf die Gipfel
(2) auf alle Gipfel Licht

JOKASTE Mach deinen Blick
von *(1)* Händen →
15 *(2)* Armen
(3)[S] meinen ⟨Händen⟩ | los. Den Adern war
das *(1)* Messer allzunah. Das Blut in ihnen →
(2)[S] selbstgeführte Messer allzunah.
Das Blut in ihnen, das du *(a)* schim⟨mern⟩ siehst
20 *(b)* siehst, |
muss finster sein für alle Zeit. Mir ist
als wüsste ich dass *(1)* Qual →
(2) Jammer | und Verzweiflung
das Ende aller Dinge ist. Was will
25 *(1)* der *(a)* →
(b) traur⟨ige⟩
(c) | Schatten bei dem
(2) das traurig Weib beim jungen Knaben? Lass mich
er nimmt ihre Hand

30 ÖDIPUS
Mir ist als wüsst ich Dinge d⟨eren⟩ Namen
das Blut gefrieren machen. Doch Jokaste
ich hab sie nur gelernt, in deinen Armen
sie zu vergessen.

35 JOKASTE kreuzt ihre Arme über der Brust
Jeder Mutterschaft
hab ich geflucht, gepriesen hab ich laut
den kinderlosen Schooß

ÖDIPUS Jokaste, ich
hab mit *(1)* gesträubten Adern
(2) gebäumter Seele in den Tod
verflucht *(1)* die Kindschaft →
(2)^{S} das Leben | 5

JOKASTE \[^{S} lächelnd/ Weh *(1)* wie →
(2)^{S} mir wie
(3) wie | wir einander
im Schlimmen gleichen

ÖDIPUS Wie wir sind und nicht sind 10
Jokaste! Wie dies alles schwankt und zuckt
und vor dem Feuer weicht, das aus der Tiefe
des *(1)* \[seligen/ Leibes →
(2)^{S} seligen Blutes | bricht

JOKASTE *(1)* W⟨ie⟩ 15
(2) Oh wie mir wird
wie schwach und leicht
hält sich an dem Stein[1]
(1) Wir haben allzulang
gelitten um einander 20

ÖDIPUS Nein um →
(2)^{S} ich *(a)* werd →
(b)^{T} müsst' | in deinen Armen
des Todes *(a)* st⟨erben⟩
(b) sein 25

ÖDIPUS Um | dieses Todes willen
durch den du dich getragen hast Jokaste
(1) darf →
(2)^{S} muss | ich dich lieben wie kein Mann auf Erden
sein jungfräuliches Weib Um deinen Gürtel 30
in düsterm Feuer glühend sitzen die
Geheimnisse des Todes. *(1)*
Ich →
(2)^{S} Aber ich[2]
ich | sage dir sowahr der nackte Stein 35

[1] *Am Rand mit Einweisungszeichen, aber noch nicht integriert:*
Jok⟨aste⟩: Sich bewahren, sich erinnern ist alles
Öd⟨ipus⟩: *(1)* sich *(2)* ¦ vergessen ist alles blind werden
[2] *Daneben, in der rechten unteren Ecke, mit Stift:* Du sollst dein Wissen vergessen.
blind machen! 40

der meine Gruft hat werden *(1)* können →
(2)[S] sollen | nun
zum Thron sich baut für mich und dich, ***A*** sowahr →
B und weiß
5 *(1)* von nichts der *(a)* ungeheuere und ist
(b) starrende und ist
(c) ⟨ungeheuere⟩ und starrt
(2) von nichts und *(a)* starrt
(b) ist behängt
10 *(a)* mit →
(b)[S] mit Glanz
und | heiliger Vergessenheit sowahr |
(1) ist →
(2) als | dies was dort von Klippe springt zu Klippe
15 geflügelt *(1)* sich herüberschwingt zu uns →
(2)[S] rasend sich herüberschwingt |

JOKASTE
Das heilge Licht

ÖDIPUS sowahr als dies ein Bote
20 *(1)* →
(2) ein selig funkelnder gewappn⟨eter⟩
(3) |
der ungeheuren Götter ist so wahr[1]
sind du und ich nur Rauch, daraus sich funkelnd
25 *(1)* losringen →
(2) gebären | will *(1)* ein →
(2) ⟨ein⟩ neues | heilig⟨es⟩
lebendiges. *(1)* Ich h⟨abe⟩
(2)

30 JOKASTE Ich habe einem Mann
gehört

ÖDIPUS reißt sie an sich
⌈Vorbei!⌉ Vergessend leben wir
Jokaste!

35 JOKASTE ⌈sinkt an ihm hin⌉
Ah was *(1)* thun
(2) ist es das wir thun ⌈[S] ?⌉

[1] *Darunter, zwischen den Zeilen, mit Stift:* Jokaste einfallend

ÖDIPUS
Die blinde That der Götter

VOLK Heil dem König ⌈S !⌉
Dem unbekannten König Heil.

KREON aufgerichtet Heil König Ödipus

JOKASTE *(1)* →
(2) birgt
(3) sie sieht ihm ins Gesicht, wie seine Züge mit den Blicken liebkosend |
Der Mensch dort weiß den Namen den ⟨du⟩ hast
und ich ich häng an dir und weiß ihn nicht.
sie lacht

Du – ich – nicht blind – was sagst du – nein nicht blind
sehend wir *(1)* beide! →
(2)[S] niemand![1] | Du kein Gott und ich
du Knabe, keine Göttin! Knabe, Knabe
arm sind sie gegen uns die Götter, die
nicht sterben können arm! Doch du und ich –
dein Dastehn *(1)* da[2] auf diesem heiligen Berg →
(2) und d⟨ein⟩ Athmen und dein
(3) ⟨da auf diesem heiligen Berg⟩ |
dein Blut das dich getrieben hat, dein Leiden
das dich gejagt hat, meine Tag und Nächte
mein Blut das leben nicht noch sterben konnte
und heute dieses Heute *(1)* dieses *(a)* Heute
(b) dieses – →
(2)[S] du und ich |
die Tage die nun kommen Tage Tage,
das Ungeheur⟨e⟩ das noch kommt und doch
schon da ist, Tage Tage *(1)* Ta⟨ge⟩
(2) Qualen Qualen
das Dunkel das wir wissen und doch lachen wir –
und du mich weihend ich dich weihend dein Gesicht
bei mir und mein Gesicht bei dir, wo sind
die Götter, wo ist denn der Tod ↑mit dem sie
uns immerfort das Herz zusammendrücken
≈S
mit dem sie immerfort das Herz zerdrücken↓
er war doch *(1)* immerfort i⟨n⟩ m⟨ir⟩ un⟨d⟩ →
(2) immer – immerfort | um mich, *(1)* er hing →
(2) ¦

[1] *Vielleicht intentional:* sehend wie niemand!
[2] *Beim Übergang zu Stufe (2)* da *versehentlich nicht mit gestrichen.*

vor meinem Aug in meinem Haar er hing ja
(1) um mich wie ein Gewölk →
(2)[S] an ⟨mir so⟩ wie ein Rauch | wo ist er hin
er ist in *(1)* *(a)* mir, in mir →
(b)[1] ⟨meinem⟩ Leib | wie i⟨nnre⟩ Fülle →
(2)[S] ⟨meinen⟩ Leib hineingesunken |
wie eine *(1)* ungeheure →
(2) grenzenlose | Lust *(1)* wie
(2) ein un-
geheu⟨eres⟩ Versprechen – das ist nicht *(1)* der Tod
(2)
der Tod *(1)* was jetzt
(2) wir sind mehr als die Götter, wir
(1) wir sind
(2) Priester und Opfer sind wir, unsre Hände
(1)[2] schaffen die Welt →
(2)[S] heiligen alles | wir sind ganz allein
die Welt, der Tod ist todt[3] die Götter sind
vergan⟨gen⟩ wie ein Nebel d⟨enn⟩ sie kön⟨nen⟩ *(1)* n⟨ur⟩
(2)
nur athmen wo der Tod wie ewg⟨er⟩ Rauch
aufsteigt wir sind allein die ganze Welt
ist nichts als du und ich

ÖDIPUS Jokaste stirb[4] mir nie!

A[5] JOKASTE
Trag mich hinab ich glaub es steht ein Haus
dar⟨in⟩ ich diese letzte [halb⟨e⟩] Nacht
schlief und für dich erwachte, es ist *(1)* leicht
(2) schön
und schimmernd aufgebaut wie von Opal
und Bernstein *(1)* dünkt mich
(2) wie mich dünkt verlangt dich nicht
darin zu ruhn

ÖDIPUS Jokaste stirb mir nie!

[1] *Stufe (1a) ungestrichen; nur* Leib *darübergeschrieben.*
[2] *Stufe (1) ungestrichen; Stufe (2) darunter, möglicherweise mit der folgenden Zeile zu verbinden.*
[3] Todt *Hs.*
[4] stirbst *Hs.*
[5] *Versehentlich (Seitenwechsel!) Z. 25f. nicht mit gestrichen.*

JOKASTE
Wie stirbt m⟨an⟩ d⟨enn⟩. ich weiß nicht w⟨ie⟩ m⟨an⟩ stirbt
(1)

ÖDIPUS

(2) mein König →
$\boldsymbol{B}^S$ |

ÖDIPUS Mein⟨e⟩ König⟨in⟩!

(1) →
(2) ein m⟨ächtiger⟩ Zuruf[1]
(3) |

JOKASTE Ja, Volk!
Du schreist nach d⟨einem⟩ König. *(1)* Preis mich selig! →
(2) Heilge mich!
(3) Pr⟨eise⟩ mich![2] |
ich hab ihn dir gefunden! **A**[3] Wo ich *(1)* lieg
ist seines Lebens Sitz! Heil Ödipus!
(2) lag
ich Selige *(a)* ist seines Lebens Sitz!
(b) dort schlägt sein Herz
(c) ⟨ist seines Lebens Sitz!⟩ →
$\boldsymbol{B}^S$ Dieser ists
an dem ich hang⟨e⟩ *(1)* dieser ist dein König!
(2) Kön⟨ig⟩ Ödipus! |

(1) Ö⟨DIPUS⟩

(2) DAS VOLK

Kr⟨eon⟩ Mantel.

[1] *Versehentlich vor Z. 7 eingeschoben.*
[2] mich *versehentlich gestrichen.*
[3] *Ungestrichen.*

NOTIZEN[1]

Zum Ganzen

Oidipus und die Sphinx.
(Venedig \begonnen/ den 16 IX. 1904)
\ᵀ Notizen./[2]

N 1

Ödipus.
(Eindruck u⟨nd⟩ Überlegung)
Der Text. Der Schauspieler. Geist des Regieführers.
Wirkung auf wen? Masse Volk.

N 2

Geberden bei Hebbel
Judith winkt Mirza fortzugehen
Siegfried führt mit geballter Faust einen Schlag
(im Nachspiel)[3]

N 3

Leiden

Das Motiv: wer sah einen König klagen? mehrmals gebracht. (Ödipus, Jokaste öffnen schwer den Mund zu Klagen)
als letztes höchstes womit Lychas die Brust des Ödipus aufbrechen will, sagt er dies: ich sah den König, deinen Vater, weinen. (Könige die weinen sind gleichsam die Verwischung des Begriffes König, denkt Ödipus. Er sieht als das Schicksal der Könige nur die Erstarrung (Niobe) und die Möglichkeit des W e i n e n s n u r in der U n t e r w e l t)

N 4

Thurm. Ach was hilfts grässlich – Leiden Könige so viel?

[1] *Zur Überlieferungssituation s. S. 221,8–230,19.*
[2] *Weitere Beschriftung des Blattes s. S. 221,14–20.*
[3] *Bücherliste auf der Rückseite des Blattes s. S. 222,28–38.*

N 5

Jokaste und Ödipus

Beiden ist dieser Zug gemeinsam: dass sie ihr Leben als ein fortwährendes sich-verzehren im Opferfeuer ansehen, als ein fortwährendes Verbrennen[,] wie die Kerze sich verzehrt, und dass sie zerschmettert sind, wenn ein Qualm sich auf sie wirft und ihre Flamme erstickt.

N 6

D⟨es⟩ Ödipus Ankunft Chor

I einmal der Chor unsichtbar, während Öd⟨ipus⟩ betet ein zweitesmal nach dem Mord. Die Schlussworte des Chores von Donnerrollen verschlungen.

II. wie Teiresias singt: Gewebe alles, Herrschaftsgewebe, Schuldgewebe, alles zertrennt die Seele: \nämlich wie alles von einem sublim lyrischen Standpunkt aus nicht mehr verwoben, verknotet erscheint./ – so paraphrasiert dies der Chor unsichtbar.

N 7

Nebenfigur durchgehend: Kündet sich II an, als unschuldiger Verbrecher. Wie der Preis verheissen wird, stürzt er fort. III wälzt er sich dem Ödipus sterbend entgegen.

Zu Akt I

Da die erste Fassung von Akt I rasch und ohne viele Vorarbeiten niedergeschrieben wurde, beziehen sich fast alle Notizen zu Akt I auf die zweite Fassung = 3 H.

Des Ödipus Ankunft
I.
Notizen.

N 8

I.

Ödipus herb. Phönix Gegenrede. Ödipus nochmals zurückweisend. *(1)* Ödipus *(2)* alle gehen. Öd⟨ipus⟩ Phönix bleib, nein geh! Phönix ihm zu Füßen. –

Ödipus im Tempel.

(Überschrift vor N 11, bezieht sich auf N 9–N 13, die im Ms. in der Reihenfolge N 11, N 12, N 13, N 9, N 10 stehen.)

N 9

Nacht und Abend und Tag verfolgte⟨n⟩ einander im Hain
die schwere Milchstraße bog sich hernieder wie eine Wünschelruthe

N 10

mitten im Tage wird der Mensch aus einem Traum nach dem anderen wach und hat immer vergessen und steht immer verwirrt

N 11

Phönix: entsannest dich *(1)* der *(2)* deiner überpersönlichen | Vergangenheit?
Ödipus: nein sie entsann sich meiner und durchzog mich mit nagender Sehnsucht

N 12

wie Flammen gieng eine Gestalt in die andere hinein

N 13

meinst du es hat nicht Gewalt: und schwämm ich auf einem Strom ⸌das war mein ganzes Leben der Blutstrom von Ahnen her⸍. und oben wäre *(1)* das Meer *(2)* die Burg meinst du der Strom ↑stünde nicht auf ≈ risse sich nicht donnernd auf↓ in seinem Bette wie eine Schlange ⸌mit dem Schiff auf dem Haupt⸍ und *(1)* würfe *(2)* hübe | mich hinauf?

N 14[1]

ch heiligen reinigen
was ich für einen Traum hielt, es ist das Blut meiner Ahnen in mir – sie verschmähen niedrigeres Blut.[2] ⸌[S] Ich weiß nicht was sie mir zu trinken gaben, dass meine tiefsten Dinge so aus mir heraustraten. dass ich die Verwandten fühlte in den Lüften und Bäumen. Dass ich spürte: nun denken Todte an mich⸍

[1] *Notizfragment; Oberteil des Blattes abgerissen.*

[2] *Neben* was . . . Blut. *senkrechter Doppelstrich und Bemerkung:* noch ⟨zu verwenden⟩ (?)

N 15

Ödipus
er hört einmal die Schreie der Priesterin, ihr Ringen mit dem Gott.

N 16

Ödipus zu Lichas: begreifst Du, dass ich nun wusste dass sie meine Eltern sind: bei der Angst welche mich durchzuckte.

N 17

Phönix: Und nun fragtest du nicht, wer sie sind
Ödipus: Welch ein Mensch du bist – mit zuckenden Ketten hingen wir nun zusammen was brauchte ich nun zu fragen. Was gingen mich die andern Menschen noch an. Da fühlte ich, am Herzen, im tiefsten Mark, was Könige sind. Und nun begriff ich, dass ich nie hatte ein Weib berühren können. Was waren mir Menschen wie du? schlief ich nicht oft in Euren Häusern. Ließet ihr mir nicht die Thüren offen – und lag mein Schicksal nicht dazwischen wie ein Schwert – und als ich – die Priesterin erwartend, aufgelöst gelegen war, die Thüren meines Leibes aufgegangen ↑die Sterne vertraulich wie mein Haus, als ich von Gebäude zu Gebäude geführt wurde↑ und meine Ahnen in mich hineintraten wie Wasser in einen See durch unterirdische Gänge, und meine Ahnen *(1)* d *(2)* in mir redeten – nun begriff ich es: werth dagegen zu wüthen, werth es wüthend zu begehren ist nur das eigene Selbst: wo kann ein anderer Blick mich ganz umschlingen – läge ich Euer einer im Schooß ich könnte zugleich an anderes denken – hier fühlte ich zum ersten Mal den ganzen Menschen gebannt

N 18

I.

zu Lichas: Ich habe nie ein Weib berührt. Ich kann dies nur mit einer Königin thuen.

N 19

Weißt ⟨du⟩ was noch für Mitternächte über uns hereinbrechen – wo wir aneinander vorübertaumeln und ich erkenn dich nicht – Schlachten heben an aus einem Gastmahl und von Haus zu Haus ist es dunkel von Pfeilen, und *(1)* wieder *(2)* ¦ in einem Garten treten meine Pferde über Leichen – und der Gott lässt Berge sich aufbäumen als wäre die Welt noch nicht alt .... denn dem Geschick ist ein Berg wie eine Wolke, es trifft die Todten in den Lebendigen, macht aus den Lebendigen das Schlachtfeld der Todten, es hat lautlose langsame Gewalten unheimlicher als Blitze die das Bestehende spalten – in eines Weibes zerbrechlichem Leib, die leise schreitet, wohnt die Gewalt zusammengeballt von einem feuerspeienden Berg in dessen Leib eine Stadt brüllend verbrennen kann, nirgends ist eine Schranke für die unsagbaren Mächte *(1)* durch unsere Tage und Nächte greifen sie wie durch Dunst *(2)* unsere Tage und Nächte sind wie ein *(1)* Schleier *(2)* Tuch mit dem unsere Augen umwunden sind, bis wir auf einmal losgebunden sind: wie ich.

N 20

Ödipus I.

Öd⟨ipus⟩ \zu Lichas/: Das Leiden, das grässliche Leiden – ich muss es vermeiden. Müsste ich mich ihm beugen – ginge mir mein Königthum und mein Priesterthum verloren. \S Ich ginge darin verloren./

Lichas: Wir denken Euch gefeit vor Leiden. Wir denken, Euch werden die Schmerzen zu Purpurmänteln und die Qualen zu Diademen.

Ödipus: Ihr seid die Weide, darauf Schmerz und Schmach sich satt frisst.

Lichas: Ja, wir können nicht trennen unser Ich von unseren Schmerzen und unser Dasein von unserer Demüthigung. Wahrlich, ich fühle mich kaum durch meine Haut begrenzt. Was einem anderen widerfahren kann, das widerfährt auch mir.

Ödipus: Darum warst du, mein Pfleger, mir nicht mehr als mein Hund, und ich hätte mit deinem Weib, deiner Tochter oder deiner Schwester nie liegen können.

Lichas: Nun, da ich dich in Angst sehe, liebe ich dich zärtlicher als je.

↑Ödipus: Ich aber stoße dich von mir, denn du bist meine Versuchung zur Niedrigkeit

≈ Öd⟨ipus:⟩ Und ich erkenne, abschiednehmend erst dein Gesicht. Und die andern, die Treuen. Und die guten Pferde, sie wiehern her, Nyssia Keryx.↓

N 21

Ödipus: Du hast gute Augen, treue. Wie gute starke Hunde haben. *(1)* Es lodert *(2)* So lodert es ¦ in ihn⟨en⟩. O Gott, solche hat⟨te⟩ ich mir zu dienen! Sei still.

N 22

später Ödipus: sag meinen Eltern: Ich bete jetzt nicht mehr mit ausgebreiteten Armen, als könnten mir die Lüfte eine Wollust brechen aus dem Sternengewölbe wie aus dem Gezweig eines Fruchtbaumes – sondern ich bete, den Kopf zur Erde geneigt.

N 23
I.

o Königsmantel meines reinen Willens
die Abgründe sind dein Saum die Sterne in dich verwebt

N 24 5

wie wiegt gethane That so leicht!
Mond! rührst mit schmalem Schwanenflügel *(1)* dies an →
(2)^T diese Leiche an? |

N 25

Geschick betastest Du mich *(1)* nur. *(2)*^{T} nur? 10

N 26

I einmal der Chor unsichtbar, während Öd⟨ipus⟩ betet
ein zweitesmal nach dem Mord. Die Schlussworte des Chores von Donnerrollen verschlungen.

Zu Akt II, 1. Szene 15

(Kreon-Szene)

Des Ödipus Ankunft II.
Neue Fassung.
(1) Text. →
(2) Notizen zu II A | 20
⌈^{S} auch Notizen zur 3ten Fassung.⌉

N 27

Disposition

es vollzieht sich schon unten: Agenten treiben die Menge herauf. Die Menge giebt sich das Wort weiter: Kreon soll König sein. Wir wollen einen 25
König der die Sphinx bestehe – mit den Priestern . . .
Kreon: Wie soll dies gelingen da doch ich es ausgesonnen
Knabe: Herr warum versuchst du mich so . . . (läuft hin) es regt sich schon.
Kreon: Warum fühlt es meine Schwester nicht – warum lässt ⟨sie die⟩
Thür zu – warum bewahrt sie das Schwert 30

Knabe: das Volk verlangt für dich das Schwert. es will einen König der die Sphinx vertreibe.
Kreon: Lahios war König warum bestand er nicht die Sphinx
Knabe: Die Götter hassten ihn
Kreon: Werd ich sie bestehen – der ich sie einmal nicht bestand
Knabe: Herr Du wolltest sie bestehen. in mondloser Nacht. Priester sangen. ich lag auf den Knien. Du kamst zurück. Der Schwertträger war gestürzt.
Kreon: weisst du das. Er hatte ein Messer im Rücken.
Knabe: Wer sagt das
Kreon: Mein Messer. Der Ziegenhirte brachte mirs. Du sollst alles wissen. Das Ganze und dann urtheilen. *(1)* Denn *(2)* Aber merk immer: | dadurch ward ja der Platz frei wo du nun stehen und das Königsschwert tragen wirst
Knabe: Herr mir schaudert
Kreon: Mein Schwertträger: \(nicht deutlich)/ Ich stich ihm das Messer in den Rücken. Hatte ich nicht recht ihn zu richten. Aber gieb acht auf deine Antwort. Wie immer sie klingen wird, sie wird verdächtig klingen. Merk du sprichst zu einem der weiß dass man sich mit Thaten schminken kann. Ich will deine einfache Seele verwirrt sehen. Siehst du: meine Seele war von Kind auf zwiespältig. \Ich war immer Partei: Ich war nie »whole man at once« ich liebte meine Schwester: dachte: mein Wohl ihr Weh./
Knabe: Herr du bist ein erwählter König.
Kreon: Jener war mir furchtbar weil er an sein⟨em⟩ Zweifel zweifelte. Wie, wenn du an deinem Glauben zweifelst.
Knabe: o ich glaube an deine Königsseele nur weiss ich *(1)* |sie muss in alle Niedrigkeiten untertauchen *(2)* manchmal nicht, wo sie ist.
(1)
Kreon: Vielleicht →
(2) Du versuchst mich grässlich willst du mich kennen lernen.
Kreon: Vielleicht mich selber! Vielleicht | bin ich in dem Messer das in jenen Rücken fiel. Jedenfalls bin ich nicht in den Armen meiner Freunde. Denn dort war jede Umarmung ein kleiner Meuchelmord. Mir ist als hätte ich mit jedem Unzucht getrieben, um jeden mich selbst verrathen. *(1)* Mir war *(2)* Manchmal beneidete ich sie dabei um ihre *(1)* nie⟨drigen⟩ *(2)* feigen Seele⟨n⟩.. dass sie schon das wirklich reizt. Und das sonderbarste war, je mehr sie schworen, je sicherer alles schien \(das Productive in ihnen/ desto hohler kam es mir vor. Woran glaubst du dachte ich, als K. mir huldigte, als X. mir die Geiseln gab...: ich dachte an Lahios. Ich grübelte warum Lahios fort ist. Ich fühlte gleichsam die negative Form dessen was ich betrieb. Und dabei umstrickte ich meine Freunde. O es sind Pestbeulen an meinem Leib. Ich

werde mich gesund baden. Ich bändige sie so. Denn ich werde der reichste König weit und breit sein: *(1)* ich *(2)* wär ich noch Kreon wenn ich arm wäre. Würde ich mich nicht erniedrigen wie eine Buhlerin . . . .

Knabe: o es ist ein *(1)* mystisches *(2)* mystischer Zwang, der dich heißt untertauchen – bald taucht Kreon wieder auf . . . 5

Kreon: Aber auch *(1)* mein *(2)* ¦ Reichthum ist eigentlich nichts. er verkündet nur vor . . – Herrschaft . . . die scheint auch keine Ruhe zu geben warum zog sonst Lahios fort. Oder – er musste Jokaste einmal genießen . . . . und zog er darum fort. (geht hinüber) 10

Knabe: Kreon mein König wo willst du hin!

Kreon (wie erwachend) Freilich. Was kümmert mich dies. Ist nicht mein Thron nackter Stein – und deine Treue. Ich will mich schlafen legen – sie werden kommen.

N 28 15

II

Die Revolution: einer ameutiert das Viertel der Schiffer – einer das der Feueranbeter sie schicken *(1)* eine *(2)* Leiche eines Kindes umher \[P] ein Umzug staut die Strassen. Wahnsinn simulierende werden losgelassen *(1)* *(2)* Kreon: das ist gefährlich, wer bürgt mir, dass sie sich nicht gegen 20 mich wenden? die Priester sind Schwarzmagier |/ einer wird Brand legen (welche‹n› Ödipus *(1)* rettet, *(2)* löscht: | er kommt gelaufen, demoliert ein Dach)

[[p] ein Umzug staut die Straßen. Wahnsinn simulierende werden losgelassen Kreon: das ist gefährlich, wer bürgt mir, dass sie sich nicht gegen 25 mich wenden? die Priester sind Schwarzmagier]

Ödipus

N 29

II.

Kreon und der Knabe 30

Der Knabe: Lysis, Laches, Komas sind unter die Leute gegangen, die Lügen aussäen: dass . . . dass . . .

Kreon: Wie ist es möglich dass so glatte Lügen geglaubt werden? Wir wollen flüchten bevor die Folgen sich gegen uns wenden.

N 30 35

Kreon (tiefst \zweifelnd/) Wie kann das alles nützen. Hab ich es doch selber ausgesonnen. Meine Schwester ruft die Lanzenträger und – sie ist es imstande – für ein ungebornes Kind –

Knabe: wie denkst du daran?
Kr⟨eon:⟩ Meine Angst kann nicht ohne Grund sein. Mein tiefster Zweifel, mein innerstes Nicht-glauben – wie aber wenn mein Zweifel eine Täuschung wäre: niemand trägt das Göttliche in sich

N 31

Knabe sagt dem Kreon warum er nicht vor die Sphinx tritt.
Kreon: wenn ich König bin, werde ich mit den Priestern vor sie hintreten.
Kn⟨abe⟩: Laios trat nicht vor sie
Kr⟨eon:⟩ er muss seine Gründe gehabt haben.

N 32

Kreon und der Knabe

Knabe: Herr ich weiss Du blickst auf den Palast wie der, welcher Herr davon sein wird. Ich weiss Herr, was in dir vorgeht. Du wirst hingehen die Sphinx besiegen.
Kreon ⸌(grübelnd)⸍: warum gieng Laios nicht hin?
Knabe: Laios war vor der Zeit gealtert. Du wirst hingehen. Du kannst nicht wieder der Zweite bleiben. Wer nicht der Herr ist, ist der Diener. Ich liebe Dich, ich liebe Dein Schwert. Ich will auf deiner Schwelle lieber liegen, wo Du König bist, als dein Lager mit dir theilen, wo du ein Diener bist.
Kreon: Tiresias.
Knabe: Du brauchst keinen Seher.
Kreon: Tiresias wird mich bezeichnen. Er wird den gebornen König in mir bezeichnen als Vertreiber der Sphinx

N 33

warum ging Lahios. Von dieser Thatsache weht die Todesluft mich an. Gerade dies Ding, das meinen Wünschen so entgegenzukommen schien, athmet irgendwie meinen Untergang aus, fühl ich. Von dort saug ich mir das Verderben ein.

N 34

Knabe warum denkst du über dies nach.
Kreon: Weil meine Seele immer an 2 Orten zugleich sein muss.

N 35

Was weißt du Knabe warum ich dies wissen muss
mein Königsschiff segelt mit vielen Winden

N 36

Knabe: ich weiss Du giengest mit dem Schildträger zur Sphinx

N 37

Seltsam ich sehne mich manchmal nach m⟨einem⟩ früheren Schwertträger (Er war aus dem gleichen Geschlecht wie Etzel[1])

N 38

Kreon: aber mich dünkt, jener andere machte mich stärker \deine Süsse zerrüttet mich. Ich streue mich aus vor dir. Wer sammelt mich wieder.
Knabe: Herr was hast Du mit mir vor dass Du mich so prüfst/
⟨Kreon:⟩ Manchmal ist mir, als müsste ich ihn aufwecken oder dich für ihn hingeben

N 39

mir ist wie dem Kranken, der nicht liegen kann

N 40

so k⟨ann⟩ man sich m⟨it⟩ That⟨en⟩ sch⟨minken⟩

N 41

Kreon (zum Knaben) seit ich dich habe ist es mir eine Lust mich selbst zu enthüllen, schamlos – mein früherer Schwertträger war wortkarg und finster – er glaubte nicht an mich \[T]um seinetwillen musste ich mich *(1)* nicht *(2)* | mit Thaten schminken. Du verlockst mich sehr, mich abzuschminken./ – wie wenn ich ihm das Messer darum in den Rücken gestossen hätte – war das nicht mein Recht – war er nicht ein Verräther ein Seelenmörder wenn er vor mir hergieng und mich im Innern preisgab – wenn also ich ihn getödtet hätte wäre es ein Grund *(1)* an mir *(2)* vor mir zu schaudern, mich zu verwerfen
Knabe: das könnte nur der entscheiden der wüsste – ob er im Herzen ein Verräther an dir war – vielleicht litt er an seinem Zweifel an dir und zweifelte an seinem Zweifel . . .
⟨Kreon:⟩ \[T]*(1)* Solche Leute dürfen nicht leben.
(2) Solchen Leuten ist besser sie leben nicht./
Ich wollte die Sphinx bestehen – – oder wollte ich nicht? giebt es ein Schminken mit Thaten? Kenne ich mich selbst??

[1] aus . . . Etzel *Kurzschrift, entziffert von Frau Dr. Isolde Emich, Wien.*

N 42

Kreon:[1] So hab ich dich gekauft. Vielleicht war es dein Dämon der mir die Hand führte.
Knabe: *(1)* Herr wa *(2)* schweigt
Kreon: Und was immer du nun sagest, wird es rein sein. Hab ich dich schon vergiftet Knabe. So arbeitet das Schicksal. So macht es uns schielen.
Knabe: Herr wo bist du.
Kreon:

N 43

Mein König. Nun kenn ich dich so wenig als das Berggeklüft. Wo bist du? -- Ich bin immer dort wo ich nicht sein will. Jetzt *(1)* bin ich *(2)* möcht ich bei dir sein und bin bei der Leiche im Finstern -- Knabe. Mein König ich höre das Brausen: wo bist du nun! Kreon: Ich möchte in meinem Haus sein bin aber bei Lahios. Knabe: König Kreon, rette dich. Kreon: Wohl ich will mich mit Thaten schminken.

N 44

Knabe: Du willst mich grässlich versuchen. Willst du mich kennen lernen

N 45

im Dialog Kreon-Knabe: Knabe: Herr, du willst mich grässlich versuchen. Wo bist Du? Kreon: Ja wo bin ich. In dem Dolch der in meines Schildträgers Rücken steckte, da vielleicht. Sicher nicht in meinen Freunden: mir ist als hätte ich mit ihnen Unzucht getrieben, jedem zu liebe mich selbst verrathen. Manchmal beneide ich sie, dass sie so ohne Rest in ihren niedrigen Begierden aufgehen: dass d a s sie schon reizt, wirklich d a s: wenn andere sich bücken müssen – oder ein Stadtviertel durch den Wasserthurm zu beherrschen. Jeder meiner Freunde ist eine Pestbeule an meinem Leib – ich muss mich gesund baden. – Waren meine Umarmungen heute nacht nicht lauter kleine Meuchelmorde?

[1] *Darüber, am Kopf der Seite:* 13 IX. fortsetzen.

N 46

Kreon.

Grässlichster Gedanke: ich werde einmal ganz befriedigt sagen: Herr ich bin der zweite im Lande, \Bote zu gehen für den Herrn/ was sollte ich mehr wünschen.

Der Schwertträger auffahrend: Nie! nie! wer sollte dich so erniedrigen.

Kreon: Mir ist oft, die Jahre können vieles. Bin ich noch jung? Meiner Schwester, seltsam, haben sie nichts an. \Sie wird immer schöner/

N 47

II

wie Kreon etwas bis ins Mark Zweiflerisches ausspricht, sagt der Knabe: Du willst mich prüfen: denn ich weiss Du hast das eine in dir, das anzubeten mein Amt auf Erden ist

N 48

Knabe: Deine Seele ist wie ein Schwan der nicht schmutzig werden kann –
wenn ich dich solche Dinge reden höre – mir ist als hätten königliche Seelen wie die Deine dies als Busse manchmal zu ertragen dass sie es ahnen müssen wie gemeinen Menschen zu muth ist \und dann zehnmal mehr/

N 49

Kreon: Midas! jeder Mensch wird gleich seinem Werk. – dieser Gedanke befällt ihn furchtbar, weil er fühlt: der Knabe rechnet ihm sein Verlangen, seine Verachtung des Gemeinen, seine Gier nach Grösse als Grösse an.

Der Knabe lebt ahnungslos sein selbst: er *(1)* will *(2)* wird ¦ die Fackel und das Schwert tragen

er sagt: ich werde das Königsschwert tragen.

N 50

II

\Kr⟨eon:⟩/ glaubst du dass einer der kein König war je einen *(1)* Schil⟨dträger⟩ *(2)* Schwerttr⟨äger⟩ hatte wie Du bist

N 51

Knabe-Schwertträger: seine Gedanken gehen immer tiefer als die Kreons, sind unterwölbt

N 52

⌈Anschließend an: Heute nacht besuchte ich die Freunde⌉

Kreon: Aber meinen Besitz behalt ich in meinen Händen. Der ist doch mein wahrstes Ich. Wär ich noch Kreon wenn ich arm wäre. Würde ich mich da nicht erniedrigen

Knabe (ekstatisch)

Kr⟨eon:⟩ Meinen Besitz brauch ich als König. König ohne Besitz ist nichts.[1] Ich werde der reichste König sein. Reichthum ist alles. (deshalb trifft es ihn ins Herz wie Öd⟨ipus⟩ den Besitz verschmäht.)

Nach einer Weile und dein Reichthum ist nichts: Könige und Buhlerinnen sind schattenhafte Besitzer.

N 53

Ödipus Ankunft II.

A. Kreon und der Knabe den Palast umlauernd.
im Palast das Weinen der Klageweiber.

N 54

II A. Disposition

Kreon (vor sich) ⌈Ihn tödten damit sie rufen Kreon und Theben Knab⟨e⟩ dxx will ich sterben dabei⌉ Auch dies: des Knaben Vormund werden und ihn verderben Knabe: Mich schaudert im voraus, Tereisias zu sehen: aus seiner Höhle kommt er her – Kreon: wie wenn sich alles anders wendet. Knabe: König! König! Kreon⟨:⟩ wir wollen nach Hause gehen – als ob nichts wäre. Ich lasse die grosse Cisterne reinigen – sie sollen mich schlafend finden.

N 55

Kreon: ob das *(1)* folg *(2)* Volk kommt? wer kann es berechnen? ich hasse es. Meine Freunde werden es leiten. Ich hasse die *(1)* Stun⟨den⟩ *(2)* Erniedrigungen die mich das Erwerben meiner Freunde gekostet hat. Ich werde nicht hineingehen in den Palast. Hier aussen werde ich stehen und alle Fäden in der Hand haben (gleich nachher geht er hinein)

[1] O. *Hs.; gestrichen, möglicherweise, um die Null verbal zu ersetzen.*

N 56

⌈vor⌉ Schluss

Kreon (hypnotisiert durch die geschlossenen Thürflügel des Palastes, zum Knaben) Kraft steht gegen Kraft. Du wirst mich nicht hineingehen sehen.

⌈Knabe: ja Herr, betritt nicht diese Schwelle es sei denn als Herrscher. Deine Seele ist so edel, dass sie da drin sich beugen musste, hat sie auf lange verdüstert⌉

(später II C fragt der Knabe angstvoll: wo warst du, Herr? warst du im Palast?)

N 57

Späher Thürhüter
Nacht
Boten. ⌈(Jokaste)⌉
Angstanfall.
Verzweiflung

N 58

(1) Arg⟨antiphontidas⟩ *(2)* Thürhüter Rossk⟨necht⟩ Knabe Rossk. grüsst ihn schon König!
Amphitryon Argantiph. Thürhüter
Arg. stellt sich extra.
Kreon tritt auf.
Arg. stürzt vor: Gute Träume Herr an deinem Schicksalsmorgen – sei nicht zu bekümmert
Kreon spricht mit Amphitryon
Argant.

N 59

Auftreten:
Argantiphontidas der Zeichendeuter, melde mich Mensch!

N 60

Arg⟨antiphontidas⟩ auftretend (Schaum vor dem Mund)
schnell schnell ich hab nicht lange Zeit

(am Schluss der Unterredung dreht er sich wild und schlägt hin)

N 61

Amph⟨itryon⟩ der Hund
Th⟨ürhüter:⟩ wo kommst du her?
Amph. aus den Gemächern der Königin
Th. wie macht man das
Amph. Zuvorderst muss man ein Weib sein. Dann stellt man sich auf den Markt und *(1)* wagt *(2)* sagt zu einem Gärtnergehilfen: ... und sagt zum alten Koch ... und zum Priester ...
(Amph. guckt dann fortwährend herein)
später, gerufen
Kreon: wie lebt die Königin
A. Sie steht wegen eines Vogels auf und bleibt *(1)* ein⟨er⟩ *(2)* wegen einer Katze sitzen.

N 62

Kreonscene IIIte Fassung.

Thürhüter. Rossknecht. Knabe schlafend: Mein König ich will schwelgen.
R. wer spricht?
Th. der Knabe. der träumt wie ein Jagdhund.
R. wird unser Herr König in Theben? Es läuft eine böse Rede wider ihn. [Unsere Leute sagen ihm gebührt das Schwert. Was ist ihm so um die Krone. Geht es ihm um ein Gefühl? gehts ihm nicht gut genug.]
Arg.⟨antiphontidas⟩: Argant. der Zeichendeuter. Schnell melde mich. Wecke Kreon.
(er misshandelt den Thürhüter.) Kreon tritt heraus.
Arg: Heil deinen Morgenträumen an deinem Schicksalstag
Kr. Hund, siehst du mir böse Träume an.
Arg. Dein Gesicht flackert wie des gemarterten. Was fehlt deiner Seele Kreon. (blickt ihn durchdringend an)
K. was willst du mir Argantiph.
A. Ich bin dein Werkzeug nicht. Was schickst du mich mit dem zu reden den du gemordet hast.
K. Ich hab ihn nicht gemordet. Räuber erschlugen ihn.
A. Geschenke unberührt
K. *(1)* bei m⟨einem⟩ Kind. *(2)* ich schwör. | ich weiss nichts von dem Mord.
(1) A. →
(2) A. Dann ist es gut. Ich verzeihe dir.
(3) Argant: ich habe das Weltall dir ausgesogen bei was schwörst du vor mir.
K. Ich erwürge dich

A Ich weiss du bist es nicht Dann ist es gut. Ich verzeihe dir.| Ich schwang mich hinab auf der Seele des Thiers. Wollust! Grausen! eine starke Seele bedroht dich. eine Seele von der Farbe deines Blutes. sie sass im Königslicht wer ist es wenn es nicht Lahios ist, muss es deine Schwester gewesen sein

K. . . .

A. war deine Seele dir heute nacht nicht mehrmals entfremdet

K. Fremd! so als läge ich wie der Fisch verzuckend auf ⟨dem⟩ trocknen ausgesogen das Weltall. Ich fühle mich aus mir selbst gedrängt. Ein fremdes Athmen zieht mich ein. Unbekanntes zieht hin durch mich. –

A. was war zwischen der Schwester und dir.

N 63

Kreon zu Arg⟨antiphontidas:⟩ gib mir die Kraft meiner Seele wieder, jemand hat sie mir ausgesogen. Ich freue mich nicht der Freude, heiss macht mir nicht heiss und kalt nicht kalt
Besitz ist mir alles und den geb ich hin
werd ich ein reicher König sein?
Reichthum ist das Wühlen in Möglichkeiten

N 64

Kreon: Also in Erfahrung bringen wem meine Schwester Diadem und Schwert bewahrt. Ob einem ungebornen. auch das musst du erfahren können. hinab dorthin wo du das erfährst. ich schaff dir ein Haar von ihr. dann hinab mit dir. eher hab ich nicht Ruhe.
(lässt Amphytrion den Hund rufen Gerücht über die Schwester)

Amph. und Arg⟨antiphontidas⟩ zusammen ab:

N 65

Kreon hat Auftrag gegeben Seele des Lahios auszuspionieren. Z⟨eichendeuter⟩ findet Seele des Lahios ist nicht gegen ihn. aber sage mir Herr ob du sein Mörder bist. Du wirst dann nie König denn kaufen lässt es sich nicht

K. dennoch muss es sich um Lahios handeln. Hör meinen Traum.

Z.: bist du der Königin verkettet

Kreon: ich spür immer ihre Kraft

A⟨rgantiphontidas:⟩ sag wie es brach zwischen euch

K. was gehts dich an

Z. ich muss es wissen war es Blutschuld so muss es durch Blut gesühnt werden, Schlag durch Schlag.

K. Es war Botschaft furchtbare Botschaft. Ich habe meine Seele verkauft.
  [Schielend ist sie geworden. Ausser sich wohnend]
A. So musst du opfern was du nie gekauft hast
Zwerg: Kreon hat alles gekauft
K. Ich peitsche dich
Zwerg: Kauf dir einen neuen Kreon
alle ab.
Kreon: grässliches Haus. überall ich. nirgends ich. Möglichkeiten überall
  flackernd. nirgends Thatsache
Knabe erwacht.
Kreon: (allmählich) wer bist du Knabe mir?
(Kreon und der Knabe glühend in einander hineinwachsend: auf meinem Wagen Du – auf deinem Wagen ich

N 66

Herrin Hekate zeig mir die Seele Kreons: da sah ich d⟨eine⟩ Seele sie glich dir wie ein blutendes Gebild mit dem Schwert aus dem Mutterleib der Natur herausgeschnitten Men⟨schen⟩ gleicht und doch erkannt ich dich

N 67

Zeichendeuter
meine Seele fuhr mit der Seele des Thieres im Tanz aus mir heraus: Herr eine Seele die die Farbe deines Blutes trägt ringt mit der Deinen sag mir ob deine Seele heute nacht nicht dir entfremdet war ich will nicht wissen was du triebest heute nacht – Lahios ist es nicht *(1)* der *(2)* es ist eine Seele von der Farbe deines Blutes:
K⟨reon:⟩ meine Schwester. Arg⟨antiphontidas:⟩ Du sagst es.[1]

N 68

Kreons Bekenntnis

Dann hat Lahios sie zum Weib genommen. und dann *(1)* kam *(2)* sandten die Priester mich um Lahios die Botschaft zu bringen eine fürchterliche Botschaft die Botschaft dass er kein Kind haben dürfe dürfe seltsam das einem Kind auf die Seele zu binden Hörst du mich. jede Kleinigkeit ist mir in Erinn⟨erung⟩ die Fackeln. und dann ging er hin⟨ein⟩ Ist nicht Hekate im⟨mer⟩ dabei d⟨ie⟩ Her⟨rin⟩ wenn ein Mensch gezeugt werden soll? da war ich ein grässlicher Eindringling. Aber es rächte sich an mir. *(1)* Ich *(2)* Die Salbe zerfraß das Salbgefäß! Verstehst du mich

[1] *Weitere Beschriftung des Blattes s. S. 226, 1–6.*

N 69

K⟨reon:⟩ ganz kleine Dinge kann ich nicht vergessen: wie das Fackellicht stärker wurde

N 70

Kreons Bekenntniss⟨e⟩

a.) das Kind begriff da war ich in mir schon König wehe
b.) Jokaste feite mich gegens Leben. ich lag wie der Fisch auf dem Trockenen
c.) nun ist Lahios todt. aber nun entgleitet mirs wieder sie macht meinen Traum voll Unkraft

N 71

Kreons Bekenntnis: von der Stund an war mir das Leben verloren abgelebt im voraus die Möglichkeiten: denn ich konnte ja König werden. ich starrte aufs Meer da war das Meer erschöpft die Leiber der Weiber zu voraus abgeweidet. Auch Mord so als hätte ich's gegessen und w⟨ieder⟩ ausgespien die Götter verglühten mir wie alte Fackeln

Mach dass ich lieben oder hassen kann

Furchtbares Gefühl: ich könnte blühen! – *(1)* Ich *(2)* und dabei faule ich vielleicht innerlich schon. Ich floh zu meinen Träumen vor dem Volke[1]

N 72

Hör ich träu⟨me⟩ von[2] xxx

N 73

Kreon Sie \(Jokaste)/ feit mich gegen's Erleben[3]

N 74

Ich bin es müde so viel zu träu⟨men⟩ Ich will König werden[4] weil dann alle meine Träume Thaten werden.

[1] *Ursprünglich* Wolke – *wohl Verschreibung, mit Stift verbessert.*
[2] *Graphisch eher:* Träu⟨me⟩ vor
[3] *Kreons Worte mit Stift unterstrichen.*
[4] *Bis hierhin mit Stift durchbrochen unterstrichen.*

N 75

Zu Arg⟨antiphontidas:⟩ ⌈Ich glaub an dich⌉ An *(1)* meinem *(2)* meiner Seele | Leben erkenn ich deine Kunst *(1)* *(2)* beschneide meine Träume, mach dass ich leben kann *(a)* *(b)* Schlag doch die Augen auf | Ich hab die Götter in mir.

N 76

Kreons Bekenntnis: Nur ein Ding gieb mir. Freude die Fr⟨eude⟩ ist, Qual die Qual ist. Gieb mir soviel als der Würfelspieler an dem Würfel hat, soviel als der Vogel in seinem Zweig hat

N 77

(1)[1] *(2)*[S] Arg⟨antiphontidas⟩ kämpft | mit der Ohnmacht[2]
Kr⟨eon:⟩ Mach meine Seele ganz
Arg. lallend. Du musst etwas opfern was du nicht gekauft hast ⌈[S]etwas nicht erbetenes, erlistetes, fleckenlos muss es sein⌉.
Zwerg Kreon kauft alles. Mich den schönen Paris hat er gekauft! *(1)* . . . *(2)* K. ist der reichste |
(1) Arg.
(2) Kreon. Was muss ich opfern.
Arg. Verfluchter auch mich kaufend meintest du es nachher wieder gut machen zu können. Nichts kann zurückgenommen werden!
Kreon: Schwinde mir nicht. Heute brauch ich Hilfe heute! m⟨eine⟩ Träum⟨e⟩ sind voll Unkraft hilf mir
Arg. (stürzend) *(1)* Tr⟨au⟩ *(2)* Glaub d⟨einen⟩ Träu⟨men⟩ nur soweit sie wahr sind

N 78

wie Arg⟨antiphontidas⟩ hinfällt: nun fällt das hin, ist schon vorbei . . mir ist es gleich auch wenn er todt ist, darum bin ich nicht einsamer[3]

N 79

Kreon: wo kam die hübsche Leiche her
Diener: der Mann den du befahlst zu holen

[1] *Beginn auf frühzeitig verlorenem Blatt. Der Dichter ergänzt nachträglich den fragmentarischen Anfangssatz.*
[2] *Hs. durchgehender Text.*
[3] *Ganze Notiz mit Stift in eckigen Klammern – zur Heraushebung?*

Zu Akt II, 2. Szene
(Jokaste-Szene)

N 80

II b.

Scenen im verhangenen Gemach.

a. Antiope Jokaste.
b. Jokaste die skythische Sclavin
c. Jokaste die Vertraute (todesbereit)
d. Jokaste – Kreon (Kreon: Du hast doch nichts mehr, und doch ist, als hättest Du noch was. was bleibt dir. Jokaste: ich selbst. (und der Tod.)
e. Jokaste das Gesicht der Antiope. (Jokaste auf dem Ruhebett) (Jokaste erschrickt, will sich bergen. Wessen Gesicht? wessen Stimme. endlich schweig! schweig! *(1)*)
(2) Antiope ausbrechend in einen Päan des Lebens. Licht eindringend. Botin: das Volk will dich sehen.)

N 81

B. Antiope kaum sichtbar an der Schwelle, zu der Stufen führen. Jokaste, unter ihr stehend, selbstanklagend, ihr eigenes Schicksal auf die Spitze treibend. Antiope, wild, sie weihend für ein zweites Ehebett. bei der Scene mit Kreon auf einmal Antiopes Haupt in der Thür.

N 82

II b. \Anf⟨an⟩g./

Das verhangene Gemach.

Antiope sitzt da. Jokaste tritt herein.

(1) Ant
(2) Jokaste: Mutter schläfst du?
Antiope: Meine Augen schlafen doch mein Herz ist wach.
Jokaste:[1] Mutter warum wehrest du mir das Opfer für den Todten.
Ant Lass die Todten ihre Todten begraben. Wir leben.

N 83

Jokaste: Um meinetwillen oder des[2] Königs willen kam die Sphinx. Die Könige sind es die das Schicksal haben.

[1] *Das Folgende bis Ende in eckigen Klammern.*
[2] oder des *Kurzschrift.*

N 84

Jokaste: Wie? (muss sie sich fragen) wenn ich bestimmt wäre *(1)* ein *(2)* das Tragische mit mir selbst zu erleben? Wenn mir doch Selbstmord auferlegt wäre und das wären die stummen Schriftzüge von Götterhand leuch-
5 tend an die Wand gemalt: dieses Abreisen und Sterben des Königs ↑(dieses rätselhafte finstere Abreisen, nicht den Kreon als Boten schicken wollen! misstraute er ihm? mit Recht? *(1) (2)* fühlte er dass Kreon die Stimme der Götter verfälscht | dieser finstere Abschied? was sprach er zu mir, als er gieng?↑[1]
10 dieses Dasitzen der Sphinx, diese Ohnmacht der Stadt? und ich verstünde sie nicht? Meine Grossmutter war eine Skythin. ⌊(oder sie hat eine skythische Sclavin Tamora und ruft diese)⌋ Dort sagen sie alle Männer und auch regierende Frauen, die nicht in der *(1)* Stadt *(2)* Schlacht | fallen kommen in eine grässliche Hölle. Und ich vielleicht versäume es in der Schlacht zu
15 fallen! Ich verstehe es nicht, vergeude es, dass dies mir auferlegt ist: mich dort, wo die Sphinx liegt, zu tödten, langsam dem Ungeheuer ins Auge blickend, mein Blut fliessen zu lassen . . .

Aber sie sagen, es gilt eine Frage zu beantworten.[2] ⌊*S* Freilich kam keiner zurück. (Monolog)⌋ Beantwortet Blut nicht die tiefsten Fragen! Beantworte
20 ich, mich tödten⟨d⟩, nicht die tiefste Frage: die nach dem Kern meines Schicksals; jedes tiefste wie konntest Du? warum musstest Du? ⌊*S* wenn ich mein Leben ausgiesse wie eine Opferschale –⌋

N 85

Jokaste und die Schaffnerin: sie sagt sich, ich muss meine Flamme dem
25 Qualm entwinden, der sich auf sie gelegt hat – aber welches ist der Qualm. Es ist ihre Unfruchtbarkeit. Wo liegt die Ursache? furchtbare, sterile Jahre mit Lahios verlebt. Warum diese? eigentlich waren es nur die letzten drei (alles andre ist verwischt) – aber die Ursache. die Ursache muss tiefer liegen! jenes Opfern des Kindes. Das war tiefstes Verkennen des Schicksals,
30 des göttlichsten Willens. Da hörte das Blut des Kadmos zu blühen auf.

Der Schaffnerin wird Angst vor ihren Folgerungen, sie lässt heimlich den Bruder herein (den sie durch ein Fenster erblickte)

[1] *Daneben in eckigen Klammern, mit Stift kräftig unterstrichen:* Kreonscene *d.h., daß die gekennzeichneten Teile aus Jokastes Monolog (↑ . . . ↑, teilweise mit Stift unter-*
35 *strichen) in Szene Jokaste – Kreon verschoben werden sollten.*

[2] *Satz mit Stift durchbrochen unterstrichen – verdeutlichender Hinweis auf die unter dem Text stehende Ergänzung dieser Stelle?*

N 86

Schaffnerin hat ihr den Bruder ans Thor des Palastes kommen lassen, um sie zum Leben zurückzuführen.

N 87

Jokaste und Kreon: 5

sie steht starr, Königin und unnahbare Frau, wie jene Mariamne. Ihre Fragen schneiden ihm die Rede ab.

Mit der Alten spricht sie fast im Ton eines Kindes.

N 88

Kreon (zu Jokaste) wie konnten wir auseinanderkommen? Sie: ich blieb 10 wo ich war

N 89

Jokaste zu Kreon: warum kann ich dich nicht mehr lieben? ⌊(sie liebte in ihm die eigene Hoheit, bis sie reif *(1)* war *(2)* wurde und ihn von sich zu trennen lernte; er fiel ab wie eine Schale)⌋ 15

warum weiss ich, dass von dir nicht das kommen kann was mir Tod oder Leben bringt. Es muss von wo anders her kommen.

N 90

Jokaste: Wozu lebe ich

N 91 20

Kreon: Ich träume von Schlachten in denen der Ruf erdröhnt: Kreon und Theben.

N 92

er will von seiner Schwester das Königsschwert verlangen, das die Räuber seltsamerweise nicht geraubt haben. 25

N 93

In meinen Vorstellungen ist es immer ein Theben mit der Sphinx.

N 94

Kreon – Jokaste

Kreon (sich montierend): Ich glaube an Dein Wesen
Jokaste: Was ist mein Wesen?
5 Kr dann fällt mir die Welt zusammen dann musst Du mir Bundesgenossin sein

N 95

Jokaste: es wird ein Zeichen kommen denn ich fühle meine eigne Schwere als unerträglich, wie reife Frucht: es wird eine Hand sich ausstrecken und
10 mich nehmen

Zu Akt II, 3. Szene
(Volksszene)

N 96

II.

15 über dem Palasttor eine Terasse. mitten *(1)* in *(2)* an ¦ der Strasse ein Altar dessen Flamme blutroth furchtbar brütet, beim Schluss des Aufzugs rein emporsteigt. Rechts ein kahler kleiner Hügel, Trümmer eines angefangenen Baues. eine furchtbare Wolke lastet über der Stadt.

Anfang: der Palast schweigend. Klagende, Verwünschende ringsum.[1] der
20 König Laius kommt getragen. einer wirft sich ihm in den Weg verfluchend. die Königin oben, erwartend: ihrer selbst unsicher. sie sagt zur Amme: beflecke dich nicht an mir. (wie der Sarg kommt geht sie *(1)* hinab.) *(2)* hinab. vor dem Sarg wird das blutige Kleid getragen. (?) *(1)* die *(2)* Teiresias wird herbeigezerrt.)[2]

25 Die Königin will wissen wo der Mörder weilt, das Volk will vom Retter hören. Zuerst erklärt er ihnen die Natur der Sphinx. Dann folgt er eigensinnig seiner Vision: man weiss nicht ob er vom Mörder oder vom Retter redet. ⌈»jetzt betritt er die Stadt.«⌉ Volk zwingt die Königin, sich als Preis verheissen zu lassen. Oidipus. die Königin, gezwungen, auf der Schwelle.
30 Sie wird ohnmächtig. Die Amme oben, erfleht das Siegeszeichen.

[1] Ringsum. *Hs.*
[2] *Abschlußklammer vergessen; hier ergänzt.*

N 97

[^s II C]

das Volk will, die Königin soll auf der Schwelle stehen, die Arme aufgehoben den Fremden zu umfangen bereit, wer immer er sei: entlaufener Sclave, Verbrecher, *(1)* Knecht *(2)* Ackerknecht 5

N 98

II C. Disposition

Das Volk tobend. Die Priester: Kreon!
Thür auf. Die Königinnen hervor. Stille:
Antiope: Was willst du Volk, von uns die wir *(1)* im *(2)* zu den Göttern 10
gehören
Die Priester: Kreon soll König sein
Antiope: Weh ihr Priester. Wir sind Priester. Ein Opfer ist zu vollstrecken. Ich habe nach Teiresias gesandt. Vielleicht ist Kreon der Mörder.
Teiresias steht plötzlich da. (wo kam er her.) ihm dünkt alles ohne Zusam- 15
menhang.
Antiope: Den Mörder
Volk: den Retter!
Teiresias: er kommt
Volk wo? wie nahen wir ihm. Jokaste! 20
Jokaste schwört: Antiope zürnt. Jokaste: Still Mutter. Antiope hinein. [Jokaste hinein.]
Teiresias schwindet. Bange Stille. Es dämmert. Ödipus von unten.
Volk: wer ist der fremde Mann?
Ödipus: *(1)* → 25
(2) wo ist euer König
(3) | Was tobst du Volk wie ein reiterloses Pferd. *(1)*
Volk: →
(2) Wo
ist euer König 30
Volk: Unser König ist todt. | hörtest Du nicht schreiende Frauen? sahest nicht Tempel voll Flehender?
Ödipus: was wird begehrt
(1) Volk: →
(2)^s Volk: Rettung! 35
Ödipus: Wovon. [Du armes Volk ohne König]
Volk: vom Ungethüm | Keiner kam zurück. es heisst sie fragt ... Wer sie erschlägt bekommt die Königin
Öd⟨ipus:⟩ *(1)* Ich will sie sehn. *(2)* (senkt den Kopf) |

Volk: er glaubt uns nicht. er will sie sehen. Jokaste!
⌈(1)[S] (sehet den Helden!)
(2)[T] (Volk sehet den Helden!
Frauen: fast noch ein Knabe! Perseus! Perseus!)⌉

5 *N 99*

Volk (Stimmführer)

Antiope gegenredend

(V Hugo)

Sphinx Ungeheuer légende des siècles

10 *N 100*

Das Volk: was schreien sie rückwärts? Kreon heil? was?

N 101

II C.

Gruppe der Priester

15 Volk: Was schreien die hinten:

sie schreien Heil Kreon.

vordere: Hat Kreon die Sphinx besiegt?

N 102

Volk: ich bedarf des Helden. Das Ungeheuer muss er von mir abwehren.
20 Ant⟨iope:⟩ Diesen willst du, den Unkönig, der hingeht und in seinen Fußstapfen wieder zurückflieht, den Mann ohne Schatten
Volk: So zeige mir einen neuen du alter Stamm! ⌈Da steht die Form⌉
Jok⟨aste:⟩ Mich rührt nichts Sterbliches mehr an!
⌈[S]Volk: D⟨ann⟩ gieb uns Kreon die Priester sagen.⌉

25 *N 103*

A⟨ntiope⟩: Was willst du Volk dir einen König machen

N 104

IIc

Teiresias auftret⟨end⟩. Kreon (wüthend) wer holte den?

N 105

in der Tiresiasscene Kreon ausbrechend:

N 106

II

zum Fackelträger: nun geh und sage, sie sollen meines Königs Sterbekleid heraufschicken

N 107

Teiresias (schwarzmagisch) gegen das Wesen der Welt intrigierend: Alles ist Stückwerk

N 108

II.

wie Teiresias singt: Gewebe alles, Herrschaftsgewebe, Schuldgewebe, alles zertrennt die Seele: [nämlich wie alles von einem sublim lyrischen Standpunkt aus nicht mehr verwoben, verknotet erscheint.] – so paraphrasiert dies der Chor unsichtbar.

N 109

Teiresias: Knabe fast männlich. er stürzt sich in Gefahren.

N 110

Tiresias fällt vor Jokaste nieder
J. zurücktretend: Mich rührt nichts *(1)* Sterblich⟨es⟩ *(2)* mehr an was sterblich ist.

N 111

II C.

Bote aus der Stadt:
ein Tempel fing Feuer: ein junger Fremder kam des Weges sprang hinauf, riss brennende Sparren weg es war als wäre das Feuer sein Element. Das Volk fiel vor ihm nieder, er schlug um sich, um sich Bahn zu machen. Schreien draussen.

N 112

II C.

Jokaste: Hört mich. ich selber will –
Das Volk schreit: als Preis setzt sie sich aus! Jokaste Heil!

N 113

Ödipus auftretend: von dem furchtbaren Anblick der Stadt erschreckt; leere Häuser, Leichen von Menschen und Vieh an den Rändern des Flusses; [Kinder hohläugig in Gruppen]

N 114

II. Ödipus auftreten⟨d⟩

Du Volk? warum läufst Du ohne Zaum wie ein losgerissenes Pferd? warum umlagerst Du die Königsburg?

N 115

II.

Ödipus fragt: wer sah zuerst die Sphinx?

Alter Mann antwortet: Jene Männer die vom Vernichtungszuge gegen Chalkis heimkamen. Ich war darunter. Wir hatten dort die Stadt ausgemordet. Als wir an der Höhle von Harma vorbeikamen, da lags und sah uns an. Wir stießen *(1)*, *(2)* mit unsern Spießen, an denen das Blut herabrann nach ihm, aber die Spieße brachen ab und wir flohen. Es sang uns nach. Den nächsten Morgen starben die Kinder.

N 116

Jokaste: – Um deiner Mutter willen thus nicht!

Chor (nicht zu langsam) Weib! Weib! was redest du? – Hör nicht auf sie und geh![1]

Oed⟨ipus⟩: o wohl will ich es thun

N 117

II.

fragt Jokaste ob sie Kinder habe.

antwortet: eines und dieses starb.

er sagt: aus diesem schön⟨en⟩ Leib müsste er mehr Kinder erwecken

N 118

Jok⟨aste⟩: Ein Kind war da und war gleich nicht mehr da

[1] *Z. 20f. unterstrichen.*

N 119

II ⸌^{S} C⸍

Ödipus: fragt Jokaste ob Kinder aus ihrem Schooss ans Licht gekommen sind. Wenn ja, die wolle er schützen und für sie das Land verwalten. Denn unantastbar sind die Rechtgeborenen.

N 120

Jokaste: ein Kind war da und war gleich nicht mehr da.

N 121

II

Die Hymne des Ödipus – (opfert den Wanderstab)
alles will ich zum Guten wenden: denn ich ⸌bin der⸍ Bringer des Lebens.
Den Tod dieses Todten, und Eure Klagen, und die Verwüstung des Landes,
(1) und *(2)* ¦ alles alles.
Ich ziehe alle Kräfte aus dieser Wolke, aus dem Feuer, aus der Erde und aus jener drinnen die reif ist und noch *(1)* nie *(2)* zu wenig | geboren hat

N 122

sogleich von rechts aus dem Hain Licht. die Altarflamme schlägt empor
aus dem Palast ein Schrei: Antiope ist der Stab aus der Hand gefallen
Jokaste sinkt hin.
Ödipus Gebet.

N 123

Oed⟨ipus⟩: Ich hab⟨e⟩ nichts zu opfern
Jokaste: ⸌(in einem Ton den sie nie gehabt hat)⸍ Werft all meine Geräthe in⟨s⟩ Opferfeuer all meine Kleider schlachtet alle meine Thiere
Oed. Hab ich denn nichts. M⟨einen⟩ Stab. Bringt den den Göttern
von rechts: Flamme
Volk Seht die Flamme
vom Haus. Die Königin Antiope
Jokaste (entzückt lächelnd) Ich hab⟨e⟩ nie gelebt. ⸌(greift zum Herzen sinkt hin)⸍
Volk: Die Königin stürzt! Die Mutter fällt!
Oedipus: Sie ist nicht todt

N 124

II C.

Öd⟨ipus⟩ läuft hin: sie ist nicht todt so sehen Todte nicht. Giebts in Eurem Land solche Geheimnisse der Wollust

Zu Akt III

N 125–128 gehen auf ein frühes, in den Niederschriften nicht mehr dokumentiertes Konzept des Akts zurück. Die übrigen Notizen stehen in engem Zusammenhang mit 13 H und 15 H.

N 125

III.

Ödipus und die Sterbenden: sagt: was verlangt das Wesen da drinnen. einer: es schaut dich an. zweiter: es fragt. »Ihr Brüder ich gehe sterben wie ihr. Nur dass mei⟨n⟩[1]

N 126

III

Kreon (mit dem Knaben versteckt, vor dem Blitz) Er windet sich, – er hat den Tod im Leibe

N 127

III.

Der Knabe, Ödipus huldigend. Ödipus, abweisend. Der Knabe, trunken, stürzt hinab, die Königin holen. Kreon, wirft ihm den Dolch in den Rücken. Ödipus, fasst den Kreon: wer bist du Kreon. Der Bruder der Königin. Ödipus lässt ihn sogleich aus: betastet ihn mit den Blicken, nennt ihn Bruder.
Von unten Trompeten und Rufe. Kreon: sie meinen dich! Ödipus (will flüchten) Rufe näher. Kreon wirft sich vor ihn, huldigt ihm.

N 128

III

(1) Schildträger →
(2) Knabe Schwertträger | huldigend } alternierend
Oedipus sich selbst verfluchend

N 129

Kreon: Der Tod! ich hab ihn gegeben aber noch nicht empfangen er geht ihm entgegen wie in Wollust. Der Tod steckt hinter allem.

[1] *Notiz bricht hier ab.*

N 130

Öd⟨ipus⟩ wirft den St⟨erbenden⟩ hinab
(Mich reißt k⟨einer⟩ hinab)

N 131

⟨Kreon:⟩ Ihr Stätten meiner Jugend, stoßt ihr mich aus?

N 132

⟨Schwertträger:⟩ Hab ich umsonst m⟨ein⟩ L⟨eben⟩ hingegeben

N 133

III

Kreon die Sphinx anbetend. Das Grausen vor dir ist die einzige Thatsache die noch in der Welt ist – behalte du den Berg ich will \ein/ reicher König unten wohnen.

N 134

in III. Priester bringen: Königin, Königsschwert, Diadem

N 135

III
K⟨reon:⟩ Es sind heilige Pauken
Oed⟨ipus:⟩ Nein es ist mein Blut

N 136

Oed⟨ipus:⟩ Und was ist das was blitzt
K⟨reon:⟩ Das ist das Schwert

N 137

Jok⟨aste:⟩ ↑Fetzen Todes häng⟨en⟩ um mich↑ bei meinem todten Kinde wohnte ich in der Gruft
Öd⟨ipus:⟩ Du bist Echo, das die Töne aller verlor⟨enen⟩ Musik wiedersammelt

N 138

Jok⟨aste:⟩ Mir ist schwach aber leicht
Jok wir haben so lange miteinander gelitten
Oed⟨ipus⟩: Mitein⟨ander⟩
Jok: Ja. umeinander

N 139

Jokaste:

5 – die blinde Tat der Götter . . .

Jokaste zurücktretend: Nicht blind! sehend – durch sehen schaffend – du kein Gott – ich keine Göttin und mehr als Götter. Dein Kommen – dein Dastehen dein Blut das dich trieb, deine Leiden die dich jagten mein todtenhaftes Leben – meine Nächte meine Tage – mein Blut das leben und sterben wollte – heute dies heute und die Tage die kommen, die Qualen die kommen, die Welt die wir kennen – das Dunkle das wir wissen – ich dich weihend – du mich weihend – dein Gesicht dein Blick mein Gesicht mein Blick – alles dies was noch nie war nie wieder sein wird einzig einzig – heil uns wir vollziehen, Priester und Opfer, das ungeheure Mysterium schwer ist nicht schwer, Tod nicht Tod in uns überwunden

N 140

⌈(Etwas will sein!⌉
(sie lacht einmal über das Ganze: auch darüber dass alle stehen und ihr zuschauen)

N 141

Ödipus umzuarbeiten: vielleicht dass er mit der Sphinx etwas phantastisches erlebt[1] in ihrer Höhle bei ihr liegt,[1] die einem weiblichen Dämon gleicht ⌈die Höhle. beim Aufgehen des Vorhanges Ödipus finster, nach vollzogenem Beischlaf.⌉

nachher die Kreonscene . . . unten der Zug lagert nimmt Weihen vor. die Königin badet – nur Bote herauf.

abend. Fackeln . . ein herrliches Beilager.

N 142

Oedipus. neuer Schluss

Oedipus begehrt sogleich königlich die Aufrichtung des ehelichen Zeltes.

Kreon priesterlich eifrig, geisselschwingend treibt die Männer an zur Einpflanzung der Zeltpfosten. Rückwärts wird ein Stier geopfert. Frauen entkleiden die Jokaste: sie entreisst sich ihnen, zerreisst ihr Gewand. Indessen umgeben Männer den Oedipus, ihn Geheimnisse fragend: sie fragen (erster:) warum darfst du nicht selber die Zeltstangen in die Erde treiben? (es sind lauter *(1)* sexu⟨ell⟩ *(2)* erotisch doppeldeutige Worte und Symbole)

[1] *Hinter* erlebt *und* liegt, *senkrechter Strich mit Stift.*

REINSCHRIFTEN UND TYPOSKRIPTE BIS ZUM ERSTDRUCK

Personenverzeichnis

10, 2: *9 T (immer)* OEDIPUS **10, 7:** *9 T (immer)* LAHIOS **10, 18:** *9, 1 T fehlt* *9, 2 T* *9, 4 T* Der Magier **10, 19:** *9, 1 T* Ein Jüngling. *9, 2 T* Ein Mann. **10, 21:** *9, 1 T fehlt* *9, 2 T* Ein Sterbender. Kreon's Zwerg Kreons Thürhüter. Kreon's Hundewärter. *9, 4 T* Der Thürhüter Der Wärter der Hunde 5

Erster Aufzug

11, 3 herauf, *9 T* herauf **11, 14** Der Erstling *9 T* Das erste

12, 2 Weg, *9 T* Weg! **12, 19** dann *9 T* denn **12, 21–27** PHÖNIX … ÖDIPUS *9, 3 T gestrichen* 10

13, 2–4 stets warst du … doch *9, 3 T gestrichen* **13, 4** von der Stund *9 T* von Stund **13, 16–18** Er kam. Und … neigten wir uns. *9, 4 T* Er trat zu uns. **13, 19** kam *9, 4 T (1)* trat *(2)* kam

14, 10 ich, Ödipus, ich, euer *9, 1 T* Oedipus, ich eu'r *9, 3 T* ich Oedipus, ich euer **14, 11–13** und was … lagert, *9, 3 T* ↑und was … lagert↑ *9, 4 T* 15 *gestrichen* **14, 12** niedrem *9, 1 T* anderm *9, 3 T* niederem **14, 13** dem *9 T* den **14, 19** hinab denn *9, 1 T* hinab, dann *9, 4 T* hinab dann **14, 22–25** wer hieß … mich stellen? Sei's! *9, 3 T* Sei's drum!

15, 3–11: *9, 3 T gestrichen* **15, 13** Wer *9, 4 T* Herr, wer **15, 13** tuen *9 T* tun **15, 21** steinige *9 T* stein'ge **15, 31** sind! Wie *9 T* sind, 20 wie

16, 3–5 Laß … die Deinigen. *9, 4 T gestrichen* **16, 5** Deinigen *9 T* Dein'gen **16, 6–8** Wär' nicht … gekommen: denn *9, 3 T* ↑Wär' nicht … gekommen;↑ Kind **16, 8** gekommen: *9 T* gekommen; **16, 17** mit. *9 T* mit … **16, 25–17, 17:** *9, 3 T gestrichen* 25

18, 20 Stein. *9 T* Stein!

19, 9–17: *9, 4 T gestrichen* **19, 29** Mund! *9 T* Mund?

20, 12 zürnen? *9 T* zürnen! **20, 28** Du selber, *9, 1 T fehlt* *9, 3 T* Du selber

21, 13 auf: *9 T* auf, **21, 22–31** Und dann … PHÖNIX Da 30
9, 3 T PHÖNIX *(1)* Ja, →
(2) JA? | und da
21, 38–22, 4: *9, 4 T gestrichen*

22, 12–16: *9,4 T* ÖDIPUS schweigt **22, 24** Fragen *9,4 T* fragen **22, 26–29** Was war … trug! Da *9,3 T* So **22, 32–23, 2:** *9,4 T gestrichen*[1]

23, 4 heilige *9 T* heil'ge **23, 9** heiligem *9 T* heil'gem **23, 10** lebendiger *9 T* lebend'ger **23, 15f.** sie, / die Seele, *9 T* sie / die Seele **23, 24–24, 35:**[2]

24, 25f. das war ich! Ich war / ein *9,1 T* das war ich! / Ich war ein
9,3 T (1) Phönix, das war ich! / Ich war ein
(2) das war ich! Ich war / ein
24, 25–31 Nein, das … Stücke! *9,4 T gestrichen* **24, 33** hub *9,3 T* hob

25, 3–6 und Dunkel war … schweigend, und
9,3 T ↑und Dunkel war und rings
im Dunkel regte sich Lebendiges,
die Priester waren's, um mein Lager standen
sie schweigend,↑ und
9,4 T gestrichen

26, 11–16 Zu dir – … Sag' *9,4 T* Mir sag' **26, 21–24** des Erschlagens … geschehen *9,1 T* des Erschlagens … geschehen. *9,3 T* des Erschlagens … geschehen. **26, 26–27, 27:**[3]

27, 4 Unseliger *9 T* Unsel'ger **27, 8f.** Was war … wert? *9,4 T gestrichen* **27, 14** ewigen *9 T* ew'gen **27, 18–21:** *9,4 T gestrichen* **27, 25f.** welchem Vater und welcher Mutter *9,3 T* welchem Vater und welcher Mutter

28, 2 Nacht *9 T* Nacht, **28, 7** davon *9 T* davon, **28, 26** klein *9 T* kleines

29, 8 einem *9 T* deinem **29, 34:**[4]

30, 11 gehen *9 T* gehn **30, 17–33** und sie trug … nicht? *9,3 T gestrichen 9,4 T restituiert* **30, 18f.** Gefäß, da *9 T* Gefäss. Da **30, 26** heiligem *9,1 T* Heiligen *9,3 T* heiligem **30, 33** noch nicht? *9 T* nicht?

31, 4–10 denn es … Gemächern. *9,2 T gestrichen* **31, 10** Gemächern. *9,4 T* Gemächern! **31, 19–21:** *9,4 T gestrichen*[5] **31, 19** reißenden *9,1 T* reissen *9,2 T* reissenden **31, 22** an *9,1 T* in *9,4 T* an
31, 25–32, 21: *9,2 T (1)* *(alles gestrichen)*
(2) 32, 8–21 *(Restitution)*
(3) 32, 4–21 *(32, 4–7 restituiert)*

[1] *Am Rand mit Rotstift von fremder Hand: »sollte bleiben – Dies müsste bleiben, wenn der Strich S. 22–24 gemacht wird, damit man erfährt, dass Oedipus im Tempel wohnt, liegt und träumt … etc.« Der erwähnte Strich, ebenfalls mit Rotstift: S. 23, 24–24, 35.*

[2] *In Kopie mit Rotstift gestrichen. Vgl. vorausgehende Fußnote.*

[3] *In Kopie von fremder Hand mit Rotstift gestrichen.*

[4] *Im Original neben* an eine Brust *mit Stift:* { 3 √ *Hand nicht identifizierbar.*

[5] *In Kopie mit Rotstift am linken Rand: »sollte bleiben!«*

9,3 T (1) 31, 25f.
↑31, 27–32, 3↑
32, 4–21
(2) 32, 14–21 *(31, 25–32, 13 gestrichen)*
9,4 T (1) 32, 4–21 *(32, 4–13 restituiert)* 5
(2) *(alles gestrichen)*

32, 33 Leib *9 T* Leibe

33, 13 inneres *9,2 T* tiefes ***33, 18*** Tod. *9,1 T* Tod.
PHÖNIX
Wie kannst du einsam sein? 10
Das kann ich oder einer von den Knechten;
unser Gesicht kann werden wie der Tiere Gesicht,
wir können eins werden mit einem Stein,
unsere Haare wie Flechten und Moos,
unsere Hände können werden wie Klauen, 15
wir können, behangen mit Niedrigkeit,
uns in der weiten Welt verlieren
und schweifen mit den Tieren.
Aber du, der du ein König bist,
wo du des Weges fährst, erdröhnt die Erde, 20
sie drängen sich um deine Pferde,
alle wissen sie deinen Namen
und deine Väter, wohin du ziehest, wandeln neben dir,
und aus den Flüssen heben die Götter, deine Verwandten, Haupt und Hände, –
steigst du zu Schiffe, rauschen die Wellen und drängen sich üppig, dein Schiff zu tragen. 25
Du kannst nicht schweifen auf ödem Meer,
dein Segel bläht ein Wind und läuft als Herold vor dir her,
Sterne funkeln dir vertraulich wie dein Haus,
und die Länder heben die Brüste dir entgegen – 30
nicht Wildnis ist, wo du ziehst auf unbetretnen Wegen,
und der Strand, wo du landest, nicht öde: weil du ein König bist!

OEDIPUS
Recht sagst du das: dies alles werf' ich hin!
Wär' es weniger, wie käm' es mir in den Sinn, 35
dass es könnte das Andere aufwiegen?
So aber wird es vielleicht genügen.

9,2 T 9,4 T Tod.

33, 23f.: *9,2 T 9,4 T* Phönix! Nie hab' ich dich vor mir stehen sehn,
wie du jetzt stehst vor meinem *9,2 T* Blick! 40
9,4 T Blick.
33, 26 tief lesen *9 T* tiefer lesen als

34, 35–35, 1: *9, 2 T* und mit den lebendigen Kronen
selig sind, dass sie hier wohnen
↑seit unzähligen Tagen,
die Wurzeln tief in den Felsen schlagen,
5 sie breiten die zackigen Aeste –↑
9, 4 T wie sie breiten die zackigen Aeste –[1]

35, 7 Mutter *9 T* Mutter, **35, 16** ein Etwas im *9, 1 T* etwas im *9, 2 T* ein Etwas wie *9, 3 T* ein etwas im **35, 16** Wind, *9, 1 T* Wind und doch anders, *9, 4 T* Wind, **35, 19–23:** *9, 2 T Tilgung erwogen* *9, 4 T gestri-*
10 *chen*[2] **35, 25** dem *9 T* den **35, 32:**[3]

36, 21 schmerzlich *9 T* schmerzvoll **36, 25–30:**[4] **36, 30** dieser *9, 1 T* dies *9, 2 T* *9, 3 T* dieser **36, 32** mußt nun *9, 1 T* musst *9, 2 T* musst nun

37, 25 Weg. *9, 3 T* Weg!

38, 33 Stock – *9, 3 T* Stock? –

15 **39, 19** wir: *9 T* wir;

40, 5 wir *9, 1 T* dir *9, 4 T* wir **40, 11** Ich will *9 T* Will **40, 22** hebt *9 T fehlt*

41, 3 dich Gebundnen *9, 1 T* dich, Gebundnen, *9, 3 T* dich Gebundnen **41, 14:**[5] **41, 26:**[6] **41, 29** sein *9, 1 T* mein *9, 4 T* sein

20 **42, 21** Königsgrab *9, 1 T* alten Grab *9, 3 T* Königsgrab **42, 34** fremder, *9 T* fremder

Zweiter Aufzug

44, 5: *14 T* Mein Herr und König, / ich will dich sehn in deiner ersten Schlacht. **44, 13** fest *14 T* fest, **44, 24** dich! *14 T* dich? **44, 27** herum
25 *14 T* ’rum

45, 25 Kron *14 T* Krone **45, 32f.:** *14 T einzeilig*

46, 1 Der Magier Anagyrotidas, *14 T* Argatiphontidas ; verstörtes, *14 T* verstörtes **46, 8–11:** *14 T Keine Versabteilung* **46, 35** hilfst! *14 T* hilfst:

47, 2 ist’s, *14 T* ist’s **47, 5** Anagyrotidas *14 T (1)* Argatiphontidas
30 *(2)* Anagyrotidas

[1] *Neben der gestrichenen Partie am Rand rechts mit Rotstift: »sollte bleiben!«*
[2] *Neben der gestrichenen Partie am Rand links mit Rotstift: »sollte bleiben!«*
[3] *Im Original* Sag’ ihnen *mit Stift unterstrichen. Hinter* Haus. *findet sich ein Kreuz mit Stift; auf gegenüberliegender Rückseite der Vermerk »2 D. L.«, ebenfalls mit Stift. Sämtliche Ein-*
35 *griffe von fremder Hand.*
[4] *Im Original vor* STIMMEN aus dem Sturm *ein Pausenzeichen mit Stift; nach den Versen der Stimmen eine Art Abschlußklammer mit Stift. Wohl von fremder Hand.*
[5] *Im Original vor dieser Zeile eine Art Auslassungszeichen √ mit Stift.*
[6] *Im Original hinter dieser Zeile eine Art Auslassungszeichen √ mit Stift.*

47,12f. Du hast ... lag, *14 T* Du hast mich aus dem heiligen Schlaf gerissen, / dein Herz ist wild, ***47,23*** aus. *14 T* aus?

48,6 schweifst *14 T* schweigst ***48,7*** Krongewalt der Seele, *14 T* Kerngewalt der Seele ***48,8*** eigenen, *14 T* eigenen ; entwendet, *14 T* entwendet ***48,13f.*** kennt / und *14 T* kennt. / Und ***48,21*** Anagyrotidas! *14 T* Argatiphontidas; ***48,23*** Versöhne *14 T* Bezähme ***48,24*** läßt! *14 T* lässt. ***48,25*** mich, *14 T* mich ***48,27*** saugt: *14 T* saugt, ***48,29*** zahlt *14 T* zahlts ***48,31*** am *14 T* dem ; Laïos *14 T* Lahios

49,7 soll *14 T* sollt ***49,15*** Seele *14 T* Seel'
49,16 fassest *14 T (1)* fasst
(2) fassest
49,22 Durchdringen *14 T* Durchdringen Magier, / durchdringen ***49,27*** Wissen: Du *14 T* Wissen, du ***49,31*** tuen *14 T* tun

50,8 mich? *14 T* mich! ***50,15*** Messer: *14 T* Messer ***50,17*** meine *14 T* alle meine ***50,26*** viel, *14 T* viel ***50,29*** lächelt! *14 T* lächelt; ***50,32*** fordre *14 T* fordere ***50,33*** mir! *14 T* mir.

51,1 Opfre Kreon, opfre *14 T* Opf're Kreon! opfere, ***51,9*** opfre *14 T* opfere ***51,15*** könnte: *14 T* könnte;
51,30 haben! *14 T (1)* haben.
(2) haben!

52,14 holten: *14 T* holten;
52,17 befohlen: *14 T (1)* befohlen
(2) befohlen:
52,17 Morgen! *14 T (1)* Morgen:
(2) Morgen
52,24 Leiche *14 T* Leich' ***52,27*** schliefest *14 T* schliefst ***52,31–33*** Nur kaum ... kaum zugetan. *14 T* Geruhet hast du nach dem Bad. Nur kaum die Augen zugetan.

53,13 angerührt. Verfluchter *14 T* angerührt, verfluchter

Von 14 T fehlt ein Blatt (S. 53,23–54,15); 14 T hier durch das Zensurexemplar vertreten.

53,32 Nein doch, ... hier: *14 T* Nein, doch ... hier; ***53,35*** Stehen *14 T* steh'n

54,6 Schlafs *14 T* Schlafes ***54,7f.*** können / nach *14 T* können. / Nach
54,9 Nacht! *14 T (1)* Nacht!
(2) Nacht?
54,17 Mähne, *14 T* Mähne ***54,32*** Männer, fürstliche, *14 T* Männer fürstlich

55,27 binden *14 T* winden ***55,33*** mir? *14 T* mir.

56,13 brennt, *14 T* brennt ***56,17*** geben! *14 T* geben. ***56,19*** soll! *14 T* soll. ***56,22*** Löwentor *14 T* Lebenstor ***56,28*** warten: *14 T* warten ***56,33*** keuchend: *14 T* keuchend,

57, 7 dröhnend! *14 T* *(1)* drohend:
(2) dröhnend:
57, 13 geschehen *14 T* gescheh'n ***57, 22f.*** unwohl. / Im *14 T* unwohl, / im
57, 26 geredet *14 T* *(1)* gesagt
5 *(2)* geredet
57, 28 zweifelt! *14 T* zweifelt?

58, 11 ist! *14 T* ist. ***58, 13*** sehen *14 T* seh'n
58, 14 fahlen *14 T* *(1)* vielen
(2) fahlen
10 ***58, 16*** Verlangens: *14 T* Verlangens, ***58, 17*** hinaufschleppt: *14 T* hinaufschleppt! ***58, 31*** Niedrige ... träumt, *14 T* Niedrigste ... träumt

59, 4 getan! *14 T* getan. ***59, 26*** bestehen *14 T* besteh'n

60, 2 unfruchtbar *14 T* *(1)* und furchtbar
(2) unfruchtbar
15 ***60, 6*** Zeichen: *14 T* Zeichen; ***60, 13*** fänden *14 T* finden ***60, 15*** verwandelt! *14 T* verwandelt. ***60, 16*** Knabe *14 T* Knab' ***60, 24*** prüfst! Wenn du ihn haßtest *14 T* prüfst, wenn du ihn hassest ***60, 26*** Knabe, *14 T* Knabe?

61, 5 wüßte, *14 T* wüsst ***61, 7*** mir – *14 T* mir; ***61, 10*** Knabe
20 *14 T* Knab'
61, 11 Nun, *14 T* *(1)* Mein
(2) Nun
61, 21 Schwert trug *14 T* *(1)* Schwertträger
(2) Schwert trug
25 ***61, 24*** Stoß: *14 T* Stoß; ***61, 25*** Knabe. Knabe, *14 T* Knabe; Knabe;

62, 5 Herz! *14 T* Herz; ***62, 13*** Seele *14 T* Seel'
62, 19 meiner *14 T* *(1)* einer
(2) meiner
62, 21 jetzt, *14 T* jetzt ***62, 31*** Hohn! *14 T* Hohn.

30 ***63, 8*** wär' es *14 T* wär's ***63, 9*** Hauch. Wie *14 T* Hauch; wie ***63, 23f.*** Schweig mir! ... Welt *14 T* Warum zog Lahios in seinen Tod? Es gibt / keinen Gedanken, auf der Welt, ***63, 30*** darum *14 T* d'rum ***63, 31*** Verderben! *14 T* Verderben.

64, 1 keinen *14 T* keine ***64, 2*** ihm. Ein Weg ist immer: einer – *14 T*
35 ihm, ein Weg ist immer – ***64, 5*** Scherben. *14 T* Scherben. Schrecklich dass ich jung bin. Ah, es wär' / nicht leichter, wär' ich älter ***64, 11*** schminken *14 T* schmücken ***64, 18*** schreien *14 T* schrei'n ***64, 19*** König. Wo *14 T* König, wo ***64, 20*** Kreon! *14 T* Kreon.

65, 27 du *10 T* die ***65, 28*** Sinn! *10 T* Sinn, ***65, 29*** ehren! *10 T*
40 ehren? ***65, 33*** Wehe *10 T* Weh

66, 14–23: *10,2 T Tilgung erwogen* ***66, 19*** sterben: *10 T* sterben, / und du bist schuld: ***66, 22*** langsames *10 T* langsam ***66, 31*** eigenes *10 T* eigen

67,36 ungesprochen, *10 T* ungesprochen

69,2 fest: *10 T* fest, ***69,14*** kühner, *10 T* kühner ***69,14 f.*** Knabe: / er *10 T* Knabe / und ***69,18*** der dritte war *10 T* war ***69,26f.*** dastehst funkelnd / von *10 T* dastehst / funkelnd von ***69,36*** den *10 T* dem ***69,37f.*** hängt. / Von *10,1 T* hängt. Mir ist, / von 5
10,2 T hängt. / Mir ist von

70,14 Königsschwert, *10 T* Königsschwert, –

71,5 Maß! *10 T* Maass. ***71,20*** böse *10 T fehlt*

72,10 JOKASTE *10,2 T* JOKASTE zurück-tretend ***72,11*** alles dieses Unheils du *10 T* alles dieses und[1] ***72,15*** Jahren, *10 T* Jahren 10

73,2 sahen *10 T* sehen ***73,10*** lebendiges *10 T* lebendig ***73,22f.*** war, / des Tages *10 T* war / drei Monde, ***73,34*** gewappnet und *10 T* gewappnet

74,6–10 Nein. Ich war … Bis einmal *10,2 T* Nein. Doch einmal

75,19 blieb! – *10 T* blieb und ungefühlt! / Wir hätten zitternd eine Lust genossen, / die ohne Namen ist – 15

76,25 Sklav' *10 T* Sklave

77,17 Adlerfittig? Jagt *10 T* Adlerfittig, jagt
77,21 Sturm die Flamme, *10,1 T* Sturm, die Flamme
10,2 T Sturm die Flamme, 20

78,14 du Selige *10 T* Unselige ***78,20*** Leib: *10 T* Leib ***78,27*** sei! *10 T* sei.

79,13–20: *10,1 T 10,2 T Zusätzliche Szene Jokaste – Kreon:*

〈JOKASTE〉
Steh' fern von mir und schweig', sonst öffn' ich hier 25
die Adern mir, damit mein fliessend Blut
den Dämon in dir bändigt.

EINE DIENERIN tritt ein Königin,
dein Bruder Kreon steht im Vorgemach.

JOKASTE 30
Führ' ihn herein.
vor sich Ich wollte ihn nicht rufen –
nun kann ich Abschied nehmen auch von ihm.
Die Dienerin ist gegangen.

ANTIOPE hinaufgehend ins andere Gemach. Geheimnisvoll, feierlich 35
Ich muss das Haus bereiten und das Kleid –
die Fackeln muss ich rüsten und das Bette.

[1] *Lesefehler der Typistin? Vom Dichter nicht korrigiert, trotz Eingriff in vorausgehender Zeile.*

KREON tritt ein
Schwester, ich grüsse dich.

JOKASTE Du bist im Haus
des Toten. Hier giebt's keinen Gruss für einen,
5 der noch im Licht ist, wär's auch nur für kurz.
Vergisst du das?

10,1 T KREON Ich war sehr lange nicht
allein mit dir. Nimm meinen Gruss, als dräng' er
aus einer Zeit, die längst hinabgestürzt,
10 zu dir herauf.

JOKASTE schweigt[1]
10,2 T gestrichen

KREON Jokaste, meine Schwester,
warum bin ich so weit von dir?

15 JOKASTE Nicht weiter,
mein Bruder, als die ganze Welt mir ist.
Zum Schein ganz nah, und was dazwischen liegt,
ein solcher Abgrund.

KREON Zwischen dir und mir?
20 Nicht ich hab' ihn gegraben?

JOKASTE Etwas steht
im Dunklen – wenn es seine Wimper regt,
so stürzen Mauern ein, und wenn es haucht,
verfliegt ein Nebel, und ein Abgrund gähnt
25 von Mensch zu Mensch.

KREON Ihr wart's – du und der König!

JOKASTE
Du bist im Haus des Toten, sprich kein Wort,
das seinen Frieden störe.

30 *10,1 T* KREON Meine Schwester,
wie hast du immer das verstanden, mich
mit Fesseln zu umschnüren.

JOKASTE
10,2 T gestrichen Ueber mich,
35 mein Bruder, darfst du klagen. Tu' es heut',
sonst ist's vielleicht zu spät.

KREON Hüllst du dich *10,1 T* wieder – →
10,2 T wieder –, |

schon wieder in Geheimnis?

40 [1] JOKASTE schweigt *ungestrichen.*

JOKASTE Ist Geheimnis
nicht überall, und Leben so wie Tod
gewoben aus Geheimnis? *10, 1 T* Ist ein Ding
um dich, vor deinem Aug ⟨,⟩ in deinem Herzen,
das nicht unsagbar unbegreiflich wäre 5
und starrend von Geheimnis?
10, 2 T gestrichen
Dass wir hier
einander Aug in Auge stehen, du
und ich, Geschwister aus dem gleichen Leib 10
und fremd einander in dem tiefsten Kern –
und Lahios, dessen Hände lebend waren
wie deine da und meine, ist nun tot –
und ich leb' heute noch – und du vielleicht
noch viele Tage ... ist dies alles nicht 15
voll Schauder?

KREON Schwester, du bist eingetaucht
in Denken an den Tod. Warum ist Lahios
hinausgezogen mit zu wenig Knechten?
Er hätte leben können. 20

JOKASTE Hätte er?

KREON
Er hätte Boten schicken können: mich!
Warum vertraute er nicht deinem Bruder
die Botschaft an den Gott? Ich bin ein Fürst – 25
war ich zu schlecht zum Boten? Oder war ich,
nähertretend
seit ich einmal vor ihn als Bote trat,
zum Boten ihm verhasst? Hat Lahios mich
– sag' mir's doch, meine Schwester – nicht gehasst 30
sein Leben lang?

JOKASTE Ich weiss es nicht. Ich weiss,
dass dir der tote König Häuser schenkte
und Herden, Berge voller Oel und Berge
voll Wein, bis dass du reicher warst als er 35
und ich.

KREON So gieb mir seine Lanzenträger,
die lagern hier in diesen Mauern, gieb mir
das Königsschwert und ich will Lahios *10, 1 T* rächen!
Ich fange, die ihn schlugen, und verwüste 40
das Land, das ihn verdarb, und räche ihn, →
10, 2 T rächen, |
wie noch kein König ist gerächet worden!

JOKASTE
Dies tu' ich nicht, denn Lahios hiess mich nicht
es tuen, eh' er fortzog.

KREON Hiess *10, 1 T* er →
5 *10, 2 T* er, | nicht
es tuen? Ueber seinen Tod hinaus
mich knebeln, einen Schatten aus mir machen,
für nun und immer mich entkönigen?
10, 1 T Hör' mich nur, toter Lahios, hör' mich du,
10 lebend'ge Königin! Was ihr mir schenktet,
war nur ein Festgewand, getaucht in Gift,
in Feuergift, mit dem umhüllt, mein Leib
mir Stück für Stück, zerfressen und verbrannt,
herabfiel. Hätte er mich ausgetrieben
15 zum Dank für meine Botschaft und mir nichts
gelassen als mein nacktes Schwert und mich,
mich selbst – er hätt' es dürfen, denn er wusste,
er musste wissen, dass vom Tage an,
da ich die Botschaft brachte: König Lahios,
20 du stirbst und lässest keinen Sohn zurück,
oder du stirbst von deines Sohnes Hand –
von dem Tag an zerfrass mein Herz und Hirn
dies Wissen: du kannst König werden, kannst,
wenn Lahios nicht zu alt wird. Und das hat
25 er wissen müssen. Hätt' er mich vertrieben!
So aber blieb ich da und lebte – lebte –
und nahm ein Weib und zeugte Kinder. Schwester,
wenn ich dich dachte, konn't ich die nicht ansehn,
die mit mir schlief; sie war ein Weib, und du
30 bist eine Königin. Nun aber bist du's
nicht mehr, fort ist der Alb von meiner Brust.
10, 2 T gestrichen[1]
Gebt mir mein Leben wieder – ihr – ihr beiden –
Jokaste – Lahios – gebt mir heraus,
35 was ihr mir schuldig seid – gebt mir den Reif –
gebt mir das Schwert – gebt mir die Königskleider!

ANTIOPE von oben
Was heulst du, Schakal Kreon, da voll Gier
im Duft der frischen Leiche? Willst du dem,
40 den du erschlugst, vom Kopf den Goldreif stehlen?
Nimm dich in acht, er brennt dir in die Stirn
ein Königsbrandmal.

KREON Wahnsinniges Weib,
was willst du? Räuber schlugen deinen Sohn
45 im Walde tot.

[1] *Teile des gestrichenen Texts in Szene Kreon – Magier eingegangen (Ende Oktober 1905).*

ANTIOPE Das weiss ich, Schlange Kreon.
Aus wessen Händen aber kam das Gold
für den bezahlten Mord?

KREON Antiope!

ANTIOPE verschwindet 5

JOKASTE vor sich
Was für ein Aufenthalt ist diese Welt!
Hier muss man eilig fort.

KREON Sie lügt! sie lügt!
Bei Haemon, meinem Kind, das noch nicht spricht, 10
stumm soll das Kind mir bleiben und sein Arm
verdorren, wenn der Schatten einer Schuld
von diesem Mord mich trifft.

JOKASTE Sie hört dich nicht,
und ich brauch' keinen Schwur. Ich weiss zu gut, 15
wer hinter Lahios' Mördern stand.

KREON Wen meinst du?

JOKASTE
Nicht dich, nicht dich.

KREON Nicht mich – und dennoch mir 20
die Lanzenträger nicht? So weiss ich auch –
so weiss ich endlich denn, du hältst dies Haus
und Schwert und Reif mit tiefverschlagnem Sinn
zurück.

JOKASTE 25
Für wen denn hielt' ich es zurück?
Vielleicht nur, dass es nicht dein Schicksal ist,
spür' ich, zu führen dieses Königsschwert,[1]
und darum weigre ich die Hand dazu.

KREON 30
Du lügst! Für wen bewahrst du Königsgüter?

JOKASTE
Ich weiss es nicht.

KREON So will denn ich dir's sagen:
du wahrst sie für dein Kind! 35

JOKASTE Ich hab' kein Kind.

KREON
Noch nicht.

[1] Königs Schwert *Ts.*

JOKASTE zurücktretend
Schickt mir das Leben einen Dämon
als Boten nach dem andern, und hat jeder
das gleiche Wort im Mund?

5 KREON Betrüg' mich nicht!
Wenn einer dich so sieht, wie ich dich sehe –
und bin dein Bruder – wie begriffe der
es nicht sogleich? Du bist so schön –
um soviel mehr als schön – *10, 1 T* so wundervoll –
10 ein Weib und eine Königin zugleich,
in dir wird alles fürchterliche Wissen
des bittern Lebens süss, und jeder Reiz,
der, wenn du gehst und stehst, aus deinem Leib
und deiner Seele in die Luft hinüber
15 wie Glanz von Perlen trieft ... ein jeder Reiz
ist schicksalsmächt'ge Drohung – →
10, 2 T ah, | wer dich hatte
im Haus und lag zehnmal das Schwert des Todes
vor deinem Bette, einmal musste er
20 den Göttern trotzen, und er hat's getan,
und wissend, dass er mit dem Tod bezahlte,
hat er dich einmal, endlich dich besessen!
Und dann ist er hinausgezogen sterben
und liess das Kind in deinem Schooss zurück.
25 Nun braucht's des Vaters Mörder nicht mehr werden,
es hat ihn schon gemordet, eh' es kam.

JOKASTE
Du träumst, mein Bruder. Alle diese Dinge
sind nie gewesen.

30 KREON Leugne nicht! es ist
zu viel Geheimnis und zu viel Triumph
in deinem Dastehn.

JOKASTE wendet sich
Nun leb' wohl, mein Bruder.

35 KREON
Wir sind noch nicht am Ende, meine Schwester.
Um deines Lebens willen, Königin,
gieb mir die Lanzenträger und das Schwert!

JOKASTE
40 Um meines Lebens willen tu' ich nichts
auf Erden mehr.

KREON Willst du mich nicht verstehen?
Hörst du, wie deine Klageweiber schweigen,
und kannst du hören, was sie schweigen macht?
45 Mächtiges, dumpfes Getöse aussen.

JOKASTE
Ich hör' ein Brausen. Schwillt der Fluss herauf,
der alte heil'ge, über diesen Berg
und spült dies Haus hinweg und mich mit ihm?
Dann segne ich den Fluss; er ist mein Ahn 5
und kommt mich holen.

KREON Nicht der Ahnherr ist's!

JOKASTE horcht
Was denn?

KREON Das Volk von Theben. 10

JOKASTE Hier herauf?

KREON
Vor deine Tür.

JOKASTE Was wollen sie?

KREON Nun wirst du 15
doch bleicher.

JOKASTE Ich?

KREON Wenn nicht um deiner selbst,
um dessen willen denn, was ohne Schutz
in deinem Schoosse schläft. 20

JOKASTE Was wollen sie
von mir?

KREON Gieb mir den Ring an deiner Hand
und heiss' die Lanzenträger zu mir stehn,
wie wenn ich König wäre, und ich öffne 25
das Tor und frage, was sie wollen.

JOKASTE Ich!
ich bin die Königin!

KREON Du hüte dich!

JOKASTE 30
Vor wem?

KREON Das Volk ist wechselnd
und tückisch wie das Meer.

JOKASTE Gleichviel!

KREON vertritt ihr den Weg Ich warne dich! 35

JOKASTE
Kreon, mein Bruder, wen verrätst du nun?

KREON
10,1 T Du stössest mich zurück? So weiss ich auch,
du trägst ein Pfand in deinem Schooss und spielst 40
um dessenwillen dies gewagte Spiel.

Ich frage dich zum letzten Mal, Jokaste,
eh' sich vollzieht, was ich nicht wehren kann:
willst →
10,2 T Willst | du dich geben und was in dir lebt,
5 in meinen Schutz, dass ich dein König bin?

JOKASTE
Ich hab' kein Kind und werde keines haben.

KREON
Du lügst! So hüte dich!

10 JOKASTE Leb' wohl, mein Bruder.

KREON wendet ihr den Rücken und geht hinaus

ANTIOPE oben
Das Volk ist auf!

JOKASTE Ich weiss, sie sind gekommen.

15 ANTIOPE
Stein ist das Haus, Erz ist das Tor – was will
die Herde uns?

JOKASTE vor sich
Mich wollen sie.

20 ANTIOPE Was sagst du?

Ende der zusätzlichen Szene.

79,21 wahr: *10 T* wahr;

80,15 Leib *10 T* Leibe

81,6f.:
25 *10,1 T* ⟨ANTIOPE⟩
Sie sind im Dunkel ewig und verwüstet,
der dumpfe Grund der Dinge. Doch die leben,
sind wir.

JOKASTE Sie leben auch. Ihr Leben ist
30 mit unserem verbunden. Ach, ich fühle
ihr Leben so wie meinen eignen Leib.
Ich will zu ihnen gehn!

10,2 T JOKASTE
Ich will zu ihnen gehn!

35 ***82,9*** schreien *11 T* schrein ***82,33*** gib, gib *11 T* gieb mir, gieb mir
82,34–83,2 hier.
ANTIOPE
Aus diesem Leib? Er ist zu alt.
11 T hier.
40 ANTIOPE Aus diesem Leib? Er ist zu alt.

83,9 Schwert, *11 T* Schwert *83,18* krächzen, *11 T* jauchzen[1] *83,29* stehen *11 T* stehn

84,14 Wald *11 T* Walde ; weiß? *11 T* weiss, *84,19* Auf, *11 T* Auf
84,24–36:
11 T DAS VOLK
Bei wem ist Wahrheit?

DIE STIMMEN oben Teiresias! Teiresias!

DAS VOLK
Teiresias! In seinem Leibe wohnt
die Wahrheit. Nieder in den Staub vor ihm!

85,25–30: 11 T ohne Versabteilung

86,1–10: 11 T fehlt *86,14* Schrei *11 T* Mann

87,17 hausen: *11 T* hausen;

88,7 uns: *11 T* uns *88,11* dumpfem Anhauch *11 T* Dämpfen anhaucht,[2] *88,12* innen *11 T* ihnen[3] *88,13* Steh', *11 T* Steh' *88,15* ich! *11 T* ich. *88,28* andern, *11 T* and'ren *88,28f.* Gesellen! / Wer *11 T* Gesellen, / wer

89,32–90,1: 11 T Ah, ... gebiert! / Der Qualen Abgrund, die Höhle ... Jammer!

90,20 Höhle? *11 T* Höhle.

91,7 Gott? *11 T* Gott. *91,9* deinetwillen *11 T* meinetwillen *91,12* Ansteckend *11 T* Ein stärkend[4] *91,21* kenne? *11 T* kenne. *91,27* du! *11 T* du.

92,1 verlauf'ner *11 T* verlaufener *92,4* Geliebte, schwör'! *11 T* Geliebte schwör'. *92,5* schwor *11 T* schwör' *92,12* stehen *11 T* stehn *92,14* dann *11 T* d'rin *92,16* Treu'! *11 T* Treu'. *92,21* im *11 T* dem

93,7 nicht *11 T fehlt*[5] *93,11* MANN *11 T* BOTE *93,24–27* achtete ... herauf, *11 T* achtete ... für nichts: / vor seine Füsse ... Stadt, / er stösst sie weg, ... herauf,

94,1f. dir den Zaum / nicht *11 T* mir den Zaum / dir[6]

95,2 Tod. Dort *11 T* Tod, dort *95,20–22* trägt? ... fühl's, / von *11 T* trägt? / So ... gesegnet? / Denn ich fühl's von *95,23* nicht: *11 T* nicht; *95,24* weiterziehen *11 T* weiterziehn

[1] *Wohl Abschreibfehler. Blieb in Reinhardts Regiebuch und im Zensurexemplar.*
[2] *Höchstwahrscheinlich Abschreibfehler. Blieb in Reinhardts Regiebuch und im Zensurexemplar.*
[3] *Wahrscheinlich Abschreibfehler aus* drinnen
[4] *Wohl Abschreibfehler. In Reinhardts Regiebuch handschriftlich verbessert.*
[5] *In Reinhardts Regiebuch handschriftlich ergänzt.*
[6] *Wohl Lesefehler aus:* nicht den Zaum dir

96,1 hingeht! *11 T* hingeht. ***96,2*** Sehen, *11 T* Sehn, ***96,10*** Retter da, den jungen *11 T* Retter, da, den Jungen ***96,14*** die Frau *11 T* sie ***96,16*** Anblick *11 T* Anblick, ***96,28*** bist! *11 T* bist. ***96,30*** geschworen: *11 T* geschworen;

5 ***97,9*** ungeheuer Ja? *11 T* Ungeheuer ja? ***97,10*** Sinnen: *11 T* Sinnen; ***97,22*** Schwert: *11 T* Schwert; ***97,24f.*** noch nicht! / Der *11 T* noch nicht; / der

98,5 frühern *11 T* früheren ***98,7*** fordre *11 T* fordere ***98,10*** Gaukler *11 T* Du Gaukler ***98,21*** vor *11 T* in ***98,27*** Doch, da,
10 *11 T* Doch da ***98,28*** Dämon: *11 T* Dämon;

99,10f. lassen. / Wir *11 T* lassen, / wir ***99,25*** weiß, *11 T* weiss ***99,26*** Welt: *11 T* Welt;

100,6 hin: *11 T* hinein: ***100,9*** Blut, *11 T* Blut

Dritter Aufzug

15 ***101,19*** wer bist du? *17 H* *(1)* was willst du?
(2) wer bist du?
101,26 Ödipus und Kreon stehen dicht beisammen.
17 H *(1)*→
(2) Ödipus und Kreon stehen dicht beisammen. |
20 ***101,32*** mit triumphierendem Hohn
17 H *(1)* →
(2) mit triumphierendem Hohn. |

102,1 ÖDIPUS *17 H* *(1)* ÖDIPUS sich jäh
(2) ÖDIPUS
25 ***102,5*** Auf *17 H* auf
102,13 Qual! *17 H* *(1)* Qual?
(2) Qual!
102,14 Mutter! *17 H* Mutter.
102,15 ÖDIPUS *17 H* *(1)* ÖDIPUS →
30 *(2)* ÖDIPUS ruhig – kraftvoll – gütig |
102,16 geboren, *17 H* geboren ***102,30*** Hinauf! *17 H* Hinauf!
Mir ist, als *(1)* tra
(2) drängen Thaten, tausendfach,
unzählbar, mit den Sternen aus der Nacht!
35 ***102,35*** etwas *17 H* etwa[1]

103,1 liegen *17 H* liegen, ***103,4*** aber dann: *17 H* ⌈aber⌉ dann: – ***103,8*** dem *17 H* d e m ***103,13*** tun *17 H* thuen ***103,14*** stößt *17 H* kehrt

[1] *Evtl. Verschreibung.*

103, 20 oben, *17 H* (1) →
(2) oben, |
103, 21 Weh, *17 H* Weh!
103, 25 lange *17 H* (1) länger →
(2) lange | 5
103, 29 Der *17 H* Der **103, 32** abgehandelt, *17 H* abgehandelt **103, 34** Gott, *17 H* Gott **103, 35** gibt, *17 H* gibt **103, 36** triefen, *17 H* triefen

104, 12 hinab *17 H* (1) herab
(2) hinab 10
104, 13 red' *17 H* (1) rede
(2) red
104, 18 Duft. *17 H* Duft. ⌊Er redet mit dem Schicksal schmeichelnd, werbend.⌋[1]

105, 16 ihr wollt *18 H* (1) ich
(2) ihr wollt 15
105, 23 krümm' *18 H* (1) knie
(2) krümm
105, 24 lag, *18 H* lag
105, 30 Kreon … dann
18 H (1) Kreon zuerst den Schrei mit Wollust in sich trinkend Ah! ah! dann → 20
(2)[S] Kreon trinkt zuerst den Schrei mit Wollust in sich dann |
105, 31 Schreies – *18 H* Schreies, **105, 33** Fremden *18 H* Menschen **105, 34** den *18 H fehlt* **105, 36** verstörten *18 H* zerstörten **105, 38–106, 2** »Ödipus«, … träumst!« *18 H* Ödipus / sprach es zu mir! sei, Ödipus, gegrüßt / du der die tiefen Träume träumt! 25

106, 3 Schluft, *18 H* Schluft **106, 5** dies *18 H* das **106, 11** einen, *18 H* einen!
106, 14–17 Warum … letzten
18 H (1) Warum zerbrach ich nicht in Stücke als
das Weib in Delphoi an mein Bette trat? 30
Wozu noch dieser →
(2) Warum
zerbrach ich nicht in Stücke als das Weib
in Delphoi an mein Bette trat? Wozu
noch dieser letzten | 35
106, 29 Augen, *18 H* (1) Augen!
(2) Augen,
106, 35 mich *18 H* mir die Brust ; Fluß: *18 H* Fluss

107, 29 unter *18 H* [immer] unter
107, 30 Königin. *18 H* (1) Königin! 40
(2) Königin.

[1] *Ergänzung am Rand – Ort der Einfügung nicht gesichert.*

107, 32f. Was ... / Wer *18 H* Was ... / Wer[1] ***107, 33*** du, *18 H* du

108, 1 KREON
18 H *(1)* K⟨REON⟩ mit der Anstrengung des Ertrinkenden der sich an den Strohhalm klammert
5 *(2)* K⟨REON⟩
108, 2 Königin, *18 H* Königin!
108, 7 erzeugt. Er ... Gesicht. *18 H* *(1)* erzeugt.
(2) erzeugt. Er sieht ihm ins Gesicht.
108, 15 Wollust, *18 H* Wollust
10 ***108, 19*** den Dolch *18 H* *(1)* das M⟨esser⟩
(2) den Dolch
108, 22 sein *18 H* sein –
108, 27 Schnell! *18 H* *(1)* Schnell, →
(2) Schnell! |
15 ***108, 33*** geschrie'n, *18 H* *(1)* geschrie'n!
(2) geschrie'n,

109, 1 unfähig *18 H* unfähig,
109, 9 das Wesen *18 H* *(1)* sie →
(2) das Wesen |
20 ***109, 24*** da hob
18 H zwangs mich, zu folgen, und aus meinen Adern
glitt mir die schöne Welt und in der Brust
gieng ein eiskalter Abgrund auf. *(1)* →
(2)
25 langsamer werdend im Grauen
(3) | Da stand es,
da hob
109, 34 da *18 H* da, ***109, 35*** rückwärts, *18 H* rückwärts ***109, 36*** verendenden, *18 H* verendenden

30 ***110, 4*** namenlosesten, *18 H* namenlosesten ***110, 8*** Den du *18 H* Es nannte mich / beim Namen. Opfre mich! Den du ***110, 14*** dringend *18 H* dringender ***110, 29:***[2] ***110, 31:***[3] ***110, 35:***[4]

111, 3 Da nimm! *18 H* *(1)* er ist zu
(2) hier ist er zuende mit seiner Kraft gegen sich selber, dringt
35 ihm nochmals den Dolch auf →
(3) | Da nimm!
111, 9 will, *18 H* will –

[1] *Unter Zeile 34 Anmerkung:* [Der Ton liegt auf dem was? und wer?]
[2] *Danach in eckigen Klammern, nachträglich mit Stift gestrichen:* der ganze Ton des mühsam
40 gebändigten hervorbrechenden Lebensverlangens auf dem: ich will
[3] *Danach in eckigen Klammern, mit Stift gestrichen:* mit fliegender Hast, flehend, in Angst vor sich selber und dem Schicksal
[4] *Daneben am Rand in eckigen Klammern, mit Stift gestrichen:* immer stärker auflodernd

111, 25 mir? *18 H* mir? *(1)* dies sagt er zu dem Blitz, zu dem Flammenschein, zu dem Wunder, das ihn umgiebt. →
(2)^S |

112, 10 hinab *18 H* herab
112, 10 ... Steh' auf *18 H* *(1)* Bebender Lust, in einer neuen Welle von Gedanken, die ihm kommt →
(2) | Steh auf
112, 14–17: *18 H* KREON
Jokaste heißt die Königin.
112, 22 hab' *18 H* *(1)* im
(2) hab
112, 24 auch *18 H* auch, ***112, 25*** nahend *18 H* allmählich nahend

113, 4 des Felsens *18 H* der Felsen ***113, 6*** Dort, *18 H* Dort ***113, 17*** warten *18 H* warten ***113, 20*** ertragen, *18 H* ertragen ***113, 24:***[1] ***113, 28*** Glanz, *18 H* Glanz ***113, 32*** Trunken *18 H* Trunken,
113, 32f. Rand, beugt ... ungeduldig *18 H* *(1)* Rand
(2) Rand, beugt ... ungeduldig

114, 4 Rubin *18 H* Rubin *(1)* abermals an den Rand gebeugt →
(2)^S |
114, 5 Reif? *18 H* Reif.
114, 9 Gestein, ... Schmerz. *18 H* *(1)* Gestein.
(2) Gestein, voll Wut und Schmerz.
114, 10f. achtend, ... an sich *18 H* *(1)* achtend.
(2) achtend, reißt ihn ... an sich
114, 15 leben, *18 H* leben ***114, 17*** Feuerblume! *18 H* Feuerblume. ***114, 28*** kommt *18 H* steigt ***114, 30*** vorne *19 T* vorn ; starrend *19 T* harrend ***114, 31*** herauf, eine *19 T* herauf, gekleidet in prangendes Gelb, eine

115, 5 um, *19 T* neu ***115, 7*** einen *19 T* meinen ***115, 8*** drin *19 T* wie ***115, 10*** deine *19 T* diese[2] ***115, 32*** leiser *19 T* leise ***115, 33*** Jungfraun *19 T* Jungfrau[2] ***115, 36*** Knabe, *19 T* Knab

116, 13 Knabe *19 T* Knab

117, 11 den *19 T* dem ***117, 11*** müßt' *19 T* möcht[2] ***117, 18*** glühend, *19 T* glühend ***117, 23*** um *19 T* von

118, 8 DAS VOLK *19 T* DAS VOLK unsichtbar, nicht übermässig viele Stimmen, ein klarer Ruf wie Trompeten

609, 28[3] trunkenem *19 T* trunknem ***610, 1*** dein Dastehn *19 T* die dastehn ***610, 16*** wo ist *19 T* was ist[2] ***610, 18f.*** un-/geheueres *19 T* ungeheures ***610, 31f.*** Ruf, gewaltig herauf, donnernd wie eine brandende Woge *19 T* Ruf gewaltig heraufdonnernd wie eine Woge

118, 12 im purpurnen *19 T* in purpurnem

[1] *Danach in Klammern, mit Stift gestrichen:* der Ton ungeheuer auf dem »das«
[2] *In einigen anderen Berliner Typoskripten (Inspizierbuch u. dgl.) verbessert.*
[3] *Die Lemmata Z. 36–39 beziehen sich auf den ersten Druck (s. S. 609, 27–610, 39).*

DRUCKE

1. Gesamtübersicht

Erster Aufzug

11,2 Gebirge *21D 22D 24D* Gebirg ***11,3*** herauf, *21D 22D 24D 27D*
5 herauf ***11,14*** Der Erstling *21D* Das erste ***11,15*** Phönix – *21D*
Phönix! –

12,11 ein *27D* dein ***12,13*** hieß *27D* ließ ***12,19*** dann *22D*
denn

13,4 von der Stund *21D 22D 24D 27D* von Stund

10 ***14,10*** ich, Ödipus, ich, *21D* ich Ödipus, ich; euer *22D* eu'r ***14,12***
niedrem *21D* niederm *22D* anderm ***14,15*** Wagen, *21D 22D 24D*
27D Wagen ***14,19*** hinab denn *21D* hinab dann *22D* hinab, dann
14,34 Nein, *21D* Nein!

15,9 andres *21D* anders ***15,13*** tuen *22D* tun ***15,21*** steinige
15 *22D* stein'ge ***15,31*** sind! Wie *21D* sind. Wie *22D* sind, wie

16,5 Deinigen *21D* Dein'gen ***16,8*** gekommen: *21D* gekommen,
16,13 schrieest *21D* schriest ***16,17*** mit. *21D* mit. –

17,14*: 21D fehlt* ***17,36*** zu gehen *21D* zum Gehen

18,20 Stein. *21D* Stein!

20 ***19,4–6*** Geredet – ... mit mir! *21D* Geredet / durch seine Priesterin,
geredet hat / der Gott mit mir. ***19,5*** Priesterin *22D* Priesterin,
19,29 Mund! *21D* Mund?

20,12 zürnen? *21D* zürnen! ***20,25*** Nein, *21D 22D* Nein; ***20,30***
Polybos? *21D* Polybos? –

25 ***21,13*** auf: *21D 22D* auf, ***21,36*** indess' *21D* indes ***21,37*** indess' *21D* indes

22,15 drunten *21D* unten ***22,29*** trug! *21D* trug.

23,4 heilige *21D* heilge ***23,9*** heiligem *21D* heilgem ***23,10***
lebendiger *21D* lebendger ***23,15f.*** sie, die Seele, *21D 22D 24D 27D*
30 sie die Seele

24,16 Nein – *21D* Nein, – ***24,25f.*** das war ich! Ich war / ein *21D*
Phönix, das war ich! / Ich war ein

25,14 Zornes. *21D* Zornes

26,11 dir – zu dir – *21D* dir? – zu dir? – ***26,21–24*** des Erschlagens
35 ... geschehen *21D* des Erschlagens ... geschehen

27,4 Unseliger *21D* Unsel'ger ***27,14*** ewigen *21D 22D* ew'gen
27,24 Grausensabgrund *21D* Grausens Abgrund

29,21 Land? *22D* Land.

30,11 gehen *21D* gehn *30,18f.* Gefäß, da *21D* Gefäß. Da *30,32* Des Gottes Wort *22D 24D* Das Gottes Wort *27D* Das Gotteswort *30,33* noch *21D fehlt*

31,16 Bluts *21D* Blut *31,21* da sie *21D* sie da *31,22* an *21D* in 5

32,33 Leib *21D* Leibe

33,9 Kind *21D* mein Kind

33,18: Danach in 21D 22D 27D

PHÖNIX 10

Wie kannst du einsam sein?
Das kann ich oder einer von den Knechten:
unser Gesicht kann werden wie der Tiere Gesicht,
wir können eins werden mit einem Stein,
unsere Haare wie Flechten und Moos, 15
unsere Hände können werden wie Klauen,
wir können, behangen mit Niedrigkeit,
uns in der weiten Welt verlieren
und schweifen mit den Tieren.
Aber du, der du ein König bist, 20
wo du des Weges fährst, erdröhnt die Erde,
sie drängen sich um deine Pferde,
alle wissen sie deinen Namen
und deine Väter, wohin du ziehest *(21D* kommst*)*, wandeln neben dir
und aus den Flüssen heben die Götter, deine Verwandten, Haupt und Hände, — 25
steigst du zu Schiffe, rauschen die Wellen und drängen sich üppig, dein Schiff zu tragen. *(21D* Wellen / und drängen ... tragen.*)*
Du kannst nicht schweifen auf ödem Meer,
dein Segel bläht ein Wind und läuft als Herold vor dir her,
Sterne funkeln dir vertraulich wie dein Haus, 30
und die Länder heben die Brüste dir entgegen —
nicht Wildnis ist, wo du ziehst auf unbetretnen Wegen,
und der Strand, wo du landest, nicht öde, weil du ein König bist!

ÖDIPUS

Recht sagst du das: dies alles werf' ich hin! 35
Wär' es weniger, wie käm' es mir in den Sinn,
daß es könnte das Andere aufwiegen?
So aber wird es vielleicht genügen.

33,22 grausames *21D* grausiges *33,26* Ich kann tief *21D* Wie kann ich

34,24 zu *21D* zur; und, *21D* und 40

35,1 sie breiten *21D* ausbreiten *35,4* ruht *21D* ruht nicht *35,7* Mutter *21D 22D 24D 27D* Mutter,

37,20 Laïos *21D* Lahios *(durchgehend, im folgenden nicht nachgewiesen)*
37,22 Füßen! *22D* Füßen ***37,34*** heilen. *21D* heilen!

38,20f. da! / Vorwärts *21D* da! Vorwärts

39,19 wir: *21D* wir;

5 ***40,5*** wir *21D* dir ***40,8*** flüsternd, *21D* flüsternd

41,9 hinein? Wer *21D* hinein? / Wer

42,34 fremder, *21D* fremder

Zweiter Aufzug

46,18 zuckenden *22D 24D 27D* Zuckenden; Kehle *27D* Seele

10 ***48,7*** Seele, *22D 24D 27D* Seele

49,27 Wissen: *22D* Wissen. ***49,32*** rissen *22D 24D* rissen,

50,26 viel, *22D 24D 27D* viel

51,15 könnte: *22D* könnte; *27D* könnte!

53,11 entgegnete, ... ein *22D* entgegnete, ein *27D* entgegnete. Ein
15 ***53,32*** Nein doch, *22D 24D 27D* Nein, doch

54,17 Mähne, *22D 24D 27D* Mähne ***54,31*** Häusern *27D* Häusern,

56,13 brennt, *22D 24D 27D* brennt

57,13 geschehen *22D 24D* geschehn

58,31 träumt, *22D 24D 27D* träumt ***58,32*** deinen *22D 24D 27D*
20 den

59,26 bestehen *22D 24D 27D* bestehn

60,15 dem was er anrührt *27D* dem, was er anrührt, ***60,24*** haßtest *27D* hassest

62,21 jetzt, *22D 24D 27D* jetzt

25 ***63,24*** Welt *22D 24D 27D* Welt,

65,14 Laïos *20D* Lahios *(im folgenden nicht mehr nachgewiesen)* ***65,27*** du *20D 22D 24D 27D* die ***65,29*** was *20D* Was ***65,33*** Wehe *20D* Weh

66,19 sterben: *20D* sterben, / und du bist schuld: ***66,22*** langsames
30 *20D* langsam ***66,31*** eigenes *20D* eigen

67,36 ungesprochen, *20D* ungesprochen

69,6 auch, *22D 24D 27D* auch ***69,12*** unschuldsvolles *20D 27D* unschuldvolles ***69,13*** liebliches hinab, *20D* liebliches, hinab ***69,14f.*** Knabe: / er *20D* Knabe / und ***69,33*** Tage *27D* Tag; glüht *20D* brennt

69,36 den *20D* dem ***69,37f.*** hängt. / Von *20D* hängt. Mir ist, / von

70,1 Tod: *20D* Tod; ***70,12*** Mutter – *27D* Mutter! – ***70,14*** Königsschwert, *20D* Königsschwert –

71,5 Maß! *20D* Maß. ***71,20*** böse *20D fehlt*

72,11f. du / so *20D* du! / So

73,1 mußte. Ist *20D* mußte, ist ***73,2*** sahen *20D 22D 24D 27D* sehen ***73,22f.*** war, / des Tages *22D 24D 27D* war / des Tages,

74,6–10 Nein. Ich war … sah es kaum. Bis einmal *20D* Nein. Doch einmal

75,3 Nein! nein! nein! *20D* Nein, nein, nein! ***75,17*** geweiht, *20D* geweiht
75,19 blieb! – die Sterne
20D blieb und ungefühlt!
Wir hätten zitternd eine Lust genossen,
die ohne Namen ist – die Sterne

76,18 heraufschickt *20D 27D* heraufgeschickt ***76,25*** Sklav' *20D* Sklave

77,1 wie *20D* Wie ***77,5*** wie *20D* Wie ***77,17*** Adlerfittig? Jagt *20D* Adlerfittich, jagt ***77,26*** Gebein! *20D* Gebein.

78,5 Haus! *20D* Haus? ***78,7f.:*** *20D* mehr finden! Hilf mir doch, Antiope! ***78,11f.*** zurück, so … allein! *20D* zurück! ***78,16*** halten *20D* halten, ***78,19*** wie nie *20D* wie ***78,20*** Leib: *20D* Leib ***78,27*** sei! *20D* sei.

79,12 Schweig' und steh'!
20D Schweig und steh!
Steh fern von mir und schweig, sonst öffn' ich hier
die Adern mir, damit mein fließend Blut
den Dämon in dir bändigt.
(Ende des Fragmentes.)

82,30 dich! *27D* dich?

83,9 Schwert, *22D 24D 27D* Schwert ***83,29*** stehen *22D 24D 27D* stehn

85,17 dich *27D* dich, ***85,26*** sieht *27D* sieht,

86,23 Tür *27D* Tür,

88,13 Steh', *22D 24D* Steh'

91,31 schwör' *27D* schwör,

92,1 verlauf'ner *22D 24D 27D* verlaufener ***92,12*** stehen *22D 24D 27D* stehn

95,4 herab *27D* herab, ***95,19*** Nacht *27D* Nacht, ***95,21*** fühl's, *22D 24D 27D* fühl's

96,10 jungen *22D 24D 27D* Jungen

99,11 glauben *27D* glauben,

5 ***100,9*** Blut, *22D 24D 27D* Blut

Dritter Aufzug

102,8 grausenhafte *27D* grauenhafte
102,30: *Danach in 22D und 27D zusätzlich:*
Mir ist, als drängen Taten, tausendfach,
10 unzählbar, mit den Sternen aus der Nacht!

103,1 liegen *22D 24D 27D* liegen, ; Leiche, *27D* Leiche ***103,18*** Schwingen *22D 24D 27D* Schwingen, ***103,32*** abgehandelt, *22D 24D 27D* abgehandelt ***103,34*** Gott, *22D 24D 27D* Gott ***103,35*** gibt, *22D 24D 27D* gibt

15 ***104,5*** dir *27D* dir,

105,16 ihr wollt *22D* o, ihr wollt *27D* oh, ihr wollt

106,10 er *22D 24D 27D* es ***106,18*** hasse *27D* hasse, ***106,35*** zermalmt – da *27D* zermalmt? Da

108,31 Weigerns *22D 24D 27D* Schweigens

20 ***109,26*** Knochen *22D 24D 27D* Knochen, ***109,35*** rückwärts, *22D 24D 27D* rückwärts ***109,36*** verendenden, *22D 24D 27D* verendenden

112,10 hinab *27D* herab

113,23 dem *22D 24D* den ***113,32*** Trunken *22D 24D 27D* Trunken,

115,7 mich *22D 24D 27D* mich, ***115,10*** hinknieen *27D* hinknien

25 ***116,4*** lebendiges *24D* Lebendiges

117,5 schwankt *22D* schnaubt ***117,29*** Bote *22D 24D 27D* Bote,

118,11: *Danach in 22D und 27D zusätzlich:*

JOKASTE leicht sich entwindend, mit trunkenem Blick
Der Mensch dort weiß den Namen, den du hast –
30 und ich – ich häng' an dir und weiß ihn nicht.
Sie lacht ein kurzes unbeschreiblich leichtes, flüchtiges Lachen.
Du – ich – nicht blind! – was sagst du – nein, nicht blind!
sehend wir beide! du kein Gott und ich,
du Knabe, keine Göttin! Knabe, Knabe,
35 arm sind sie gegen uns, die Götter, die
nicht sterben können, arm! Doch du – und ich:

dein Dastehn, da auf diesem heiligen Berg,
dein Blut, das dich getrieben hat, dein Leid,
das dich gejagt hat – meine Tag und Nächte,
mein Blut, das leben nicht noch sterben konnte:
und heute, dieses heute, du und ich! 5
Die Tage, die nun kommen, Tage, Tage,
das Namenlose, das noch kommt und doch
schon da ist, Tag und Nächte, Nächt' und Tage,
das Dunkel, das wir wissen, und doch lachen wir –
und du mich weihend, ich dich weihend, dein 10
Gesicht bei mir und mein Gesicht bei dir!
Wo sind die Götter, wo ist denn der Tod,
mit dem sie immer unser Herz zerdrücken?
er war doch immerfort um mich, er war
vor meinem Aug', in meinem Haar, er hing ja 15
an mir so wie ein Rauch, wo ist er hin?
er ist in meinem Leib hineingesunken,
wie eine namenlose Lust, ein ungeheueres Versprechen: o mein König,
o du: wir sind mehr als die Götter, wir, 20
Priester und Opfer sind wir, unsre Hände
heiligen alles, wir sind ganz allein
die Welt!

Sie hängt an seiner Brust.

ÖDIPUS 25

Jokaste, stirb mir nie!

JOKASTE schwach

Trag mich hinab; ich glaub' es steht ein Haus,
darin zu ruhen.

ÖDIPUS Meine Königin! 30

DAS VOLK unsichtbar, schreit den gleichen Ruf, gewaltig herauf, donnernd wie eine brandende Woge.

JOKASTE indem sie beide schon zum Hinabsteigen gewandt sind, er sie führend, fast tragend, löst sie sich von ihm, hält nun seine Hand in ihrer Hand

Ja Volk! 35
Du schreist nach deinem König. Dieser ist's,
an dem ich hange.

DAS VOLK mächtig

König Ödipus!

2. Die Abweichungen des kritischen Texts vom Bezugstext

11,2 Gebirge *24D* Gebirg ***11,3*** herauf, *24D* herauf

13,4 von der Stund *24D* von Stund

14,15 Wagen, *24D* Wagen

5 ***23,15f.*** sie, / die Seele, *24D* sie / die Seele

30,32 Des *24D* Das

35,7 Mutter *24D* Mutter,

46,18 zuckenden *24D* Zuckenden

48,7 Seele, *24D* Seele

10 ***49,32*** rissen *24D* rissen,

50,26 viel, *24D* viel

53,32 Nein doch, *24D* Nein, doch

54,17 Mähne, *24D* Mähne

56,13 brennt, *24D* brennt

15 ***57,13*** geschehen *24D* geschehn

58,31 träumt, *24D* träumt ***58,32*** deinen *24D* den

59,26 bestehen *24D* bestehn

62,21 jetzt, *24D* jetzt

63,24 Welt *24D* Welt,

20 ***65,27*** du *24D* die

69,6 auch, *24D* auch

73,2 sahen *24D* sehen ***73,22f.*** war, / des Tages *24D* war / des Tages,

83,9 Schwert, *24D* Schwert ***83,29*** stehen *24D* stehn

88,13 Steh', *24D* Steh'

25 ***92,1*** verlauf'ner *24D* verlaufener ***92,12*** stehen *24D* stehn

95,21 fühl's, *24D* fühl's

96,10 jungen *24D* Jungen

100,9 Blut, *24D* Blut

103,1 liegen *24D* liegen, ***103,18*** Schwingen *24D* Schwingen,
30 ***103,32*** abgehandelt, *24D* abgehandelt ***103,34*** Gott, *24D* Gott
103,35 gibt, *24D* gibt

106,10 er *24D* es

108,31 Weigerns *24D* Schweigens

109, 26 Knochen *24D* Knochen, ***109, 35*** rückwärts, *24D* rückwärts ***109, 36*** verendenden, *24D* verendenden

113, 23 dem *24D* den ***113, 32*** Trunken *24D* Trunken,

115, 7 mich *24D* mich,

116, 4 lebendiges *24D* Lebendiges 5

117, 29 Bote *24D* Bote,

BEARBEITUNGEN

7: 26DH (1) ÖDIPUS UND DIE SPHINX
VON
HUGO VON HOFMANNSTHAL 10
(a) (Erste Fassung)
(b) In zwei Aufzügen.
(2) Der Weg des Ödipus.
(Ein Schauspiel)
In zwei Aufzügen. 15
VON
HUGO VON HOFMANNSTHAL[1]

9:[2]

Personenverzeichnis

10, 5*: 26DH fehlt*[3] ***10, 20****: 26DH Daneben:* Ein Zwerg ***10, 21****: 26DH* 20 *fehlt*[4]

[1] *Titelblatt oben rechts:* Handexemplar, *unten rechts:* H⟨ofmannsthal⟩

[2] *26DH Darunter:*
Die damalige Besetzung (1906)

Oedipus	– Kayssler	Laïos	– Steinrück
Jokaste	– Sorma	Tiresias	– Royards
Antiope	– Sandrock	Knabe	– Eysoldt
Kreon	– Moissi	(Schwertträger)	

25

[3] *Versehentlich auch* ERMOS *gestrichen, der aber im Text vorkommt.*

[4] *Neben den wichtigeren Rollen mögliche Darstellernamen notiert.* 30

ÖDIPUS – Aslan	KREON, ihr Bruder – Romberg? Schmöle? Paulsen
PHÖNIX – Reimers	Die Königin ANTIOPE, des Laïos Mutter – Bleibtreu
LAÏOS – Siebert?	TEIRESIAS – Reimers?
Der Herold – Danegger(?)	Der Schwertträger des Kreon – Hans Thimig
Die Königin JOKASTE – Wolgemut	Ein Zwerg: Moser

35

Über dem Personenverzeichnis:
Regie: Paulsen
Decoration: Roller (– die Skizzen sind vorhanden)

Erster Aufzug

11, 5 Ermos, Elatos; *26 DH* Ermos; ***11, 11*** ELATOS *26 DH fehlt (Ermos spricht weiter.)* ***11, 13–16:*** *26 DH fehlt* ***11, 17*** Nicht *26 DH* O, nicht ***11, 17–22:*** *25 DH fehlt*

12, 6–9: *26 DH Am Rand:* schnelle Repliken ***12, 12:*** *26 DH* ÖDIPUS hart, schnell ***12, 16*** PHÖNIX *26 DH* PHÖNIX schnell ***12, 17f.*** Meer, ... Bogens. *25 DH* Meer. ***12, 19*** ÖDIPUS *26 DH* ÖDIPUS schnell
12, 21–13, 20 PHÖNIX ... Die wir
25 DH PHÖNIX neigt sich
Dein Bote kam. Und hiess uns die wir
12, 22–27: *26 DH* Herr, suchten wir nach dir!
ÖDIPUS schnell Ei! Schlechte Diener,
12, 29 PHÖNIX *26 DH* PHÖNIX langsamer

13, 2–8 auf uns gelegt. ... wie Feu'r im Wind und *26 DH* auf uns gelegt, und ***13, 9*** war. *26 DH* war. – – ***13, 14*** ÖDIPUS *26 DH* ÖDIPUS sofort einfallen⟨d⟩ ***13, 15*** neigt sich *26 DH* neigt sich – sein Tempo: un poco adagio[1] ***13, 26:*** *26 DH* ÖDIPUS sehr fest ***13, 29*** neigt sich *26 DH* neigt sich – sein Tempo ***13, 29–14, 3*** Darum ... nicht mehr[2]

14, 4f.: *25 DH fehlt* ***14, 6*** ÖDIPUS *26 DH* ÖDIPUS schnell, fest, scharf ***14, 8*** PHÖNIX *26 DH* PHÖNIX sucht seinen Blick ***14, 9*** ÖDIPUS *26 DH* ÖDIPUS meidet den Blick – fest, scharf ***14, 8–26*** PHÖNIX ... nun sucht euch euren Weg! / Und wahret *25 DH* Auf! und wahret[3] ***14, 16–25:*** *26 DH* fliegt nach Korinth! ***14, 28*** PHÖNIX *26 DH* PHÖNIX fast aufschluchzend ***14, 29–34:*** *26 DH fehlt* ***14, 29–15, 1*** Leg' Hand an, ... ÖDIPUS *25 DH* Da Phönix ihn am Kleide faßt –

15, 3–9: *25 DH* PHÖNIX verhüllt sein Gesicht und weint ***15, 5–9:*** *26 DH fehlt*
15, 13–27: *25 DH*
So tödte mich, eh dass du mich hinabschickst
mich alten Mann zum alten Mann den Knecht zum König
mit einer Botschaft, die ihn tödten wird!
15, 17–24: *26 DH* zum Lohne nimmt! ***15, 26*** aufstehend *26 DH* erst halb aufstehend ***15, 31f.:*** *25 DH* Willst du, sein Kind

16, 1–11: *26 DH* ÖDIPUS zum ersten Mal nicht mehr hart O Phönix! Phönix! ***16, 3–17, 17:*** *25 DH* er versinkt in Brüten Grosse Pause
PHÖNIX angstvoll
Mein Ödipus!
16, 17 mit. Daß *26 DH* mit. – mit Staunen Daß ***16, 28–31*** Ich zu dir? ... Ewige Götter! *26 DH* Ich zu dir? O ewige Götter

[1] *Die Ergänzung in Klammern hinter dem Namen. Vom Hrsg. durch Gedankenstrich in ursprüngliche Regiebemerkung integriert. Im folgenden mehrfach so ohne Kennzeichnung.*
[2] *25 DH Am Rand:* doit être gardé comme point central de l'exposition
[3] *Über* nun sucht euch euren Weg! *Punktreihe. Daneben Ausrufezeichen. Versehentlich falsche Plazierung der Punkte über dem Text? Erwogene Restitution?*

17,19: 26 DH fehlt *17,24* Trinkschale *25 DH* Trinkschale, mit freudig aufgehelltem Gesicht *17,25–32* sieht links hin, ... Erstarrt *25 DH* will trinken – erstarrt *17,34* Gaul! *25 DH* Mensch![1]

18,3f. Was kümmert's dich. Ich geh ihn / allein. *25 DH* ohne zu antworten
18,8–14: 26 DH ÖDIPUS wieder ganz hart
Ei fort! und frei den Weg!
er geht aufwärts
18,17f. Herzen. Weicht ihm aus, / ihr *25 DH* Herzen! / Ihr *18,20* Stein. *25 DH* Stein! *18,22f.* starr, betender Haltung im Gehen. *26 DH* starr. *18,24* wendet sich *26 DH* schon etwas oberhalb zwischen Bäumen – wendet sich *18,27* mit *26 DH (1)* fast *(2)* herabtaumelnd – mit *18,29* taumelt *26 DH* wankt und sinkt *18,32* bei ihm *26 DH* bei ihm – jubelnd

19,1: 26 DH ÖDIPUS mit Angst und Grauen *19,4* Geredet – *26 DH* Geredet – mit Qual *19,9–14: 26 DH fehlt* *19,10f.: 25 DH fehlt* *19,13f.: 25 DH fehlt* *19,17* ich. *26 DH* ich. Geh nur. *19,19* trinkt *26 DH* trinkt – dann, matt. *19,23* Lykos? *26 DH* Lykos? deinem Spielgefährten? *19,24: 26 DH* ÖDIPUS nickt *19,26–28: 25 DH fehlt*

20,1 faßt ihn *26 DH* in wahrer Beängstigung über das Versagen seines Gedächtnisses – faßt ihn *20,2* will, daß du mir's wiederholst. *25 DH* will! *20,3* Verschon' mich! *25 DH fehlt* *20,10–22: 25 DH* hält angstvoll inne *20,23* ÖDIPUS *26 DH* ÖDIPUS selber staunend ; Und da *25 DH* Da *20,27f.* seine ... geheftet, *25 DH fehlt* *20,33: 26 DH fehlt*

21,2–5: 25 DH leise
(1) Ich hab' dich so gesehn! / Mich schauderts in mein Mark.[2]
(2) Mich schauderts in mein Mark, wenn ich es denke!
21,4f. Ich hab' ... Mark. *26 DH fehlt* *21,10–12* es war nicht ... Kaum, *25 DH* und kaum, *21,13–17* der Vater, ... sie sehn! – *25 DH* schaudernd *21,15–19* die Mutter – ... vor Zorn, *26 DH* er muss schlucken *21,22–33* Und dann ... ÖDIPUS *25 DH* Pause. *21,33* ÖDIPUS *26 DH* ÖDIPUS mit Angst wie vor etwas ihm selber unbegreiflichen

22,2–4: 25 DH fehlt *22,5–7: 26 DH* erregt
So mußte ich dorthin, wo aus dem Schoß[3]
der Erde Wahrheit bricht in Feuerströmen! –
stark, fest
22,10–16: 25 DH 26 DH fehlt

[1] *Ersatz wegen vorausgehender Streichung von S. 17,26–31. Am Rand links und rechts mit Fragezeichen verunsichert.*
[2] *Daneben am Rand:* (ça suffit) *Wieder gestrichen, wahrscheinlich gleichzeitig mit dem Übergang von (1) zu (2).*
[3] *Zeile durchbrochen unterstrichen.*

22,17–31: *26 DH (1)* PHÖNIX
Geliebter, welche Antwort gab der Gott
auf deine Frage, Ödipus?
ÖDIPUS *(a)* Die Götter
5 antworten weise, wo wir töricht fragen.
Die Frage, die aus unsrem Munde geht,
verschmähen sie, und was im tiefsten Grund
des Wesens schläft und noch zu Fragen nicht
erwachte, dem mit ungeheurem Mund
10 antworten sie zuvor. So faßte mich
der Gott am Haar und riß mich über'n Abgrund
zu sich.
(b) schweigt
(2) gestrichen
15 ***22,20–31*** Die Götter … zu sich. *25 DH* schweigt ***22,35–23,19:*** *25 DH* schweigt

23,3: *26 DH* PHÖNIX ehrfürchtig nickend ***23,6:*** *26 DH* ÖDIPUS fast fiebernd ***23,12–19*** umschlingen, … ihr nicht – *26 DH* umschlingen, – ***23,20*** PHÖNIX *26 DH* PHÖNIX unterbricht ihn aus Furcht vor seiner Erregung ***23,22***
20 ÖDIPUS *25 DH* ÖDIPUS mit finsterem Stolz *26 DH* ÖDIPUS mit einem fremden Blick ***23,26*** ÖDIPUS *26 DH* ÖDIPUS wie nachdenkend, in sich suchend ***23,33–24,21:*** *25 DH fehlt*

24,1: *26 DH fehlt* ***24,3*** PHÖNIX *26 DH* PHÖNIX ängstlichst ***24,13*** PHÖNIX *26 DH* PHÖNIX angstvoll bemüht zu verstehen ***24,17*** mich, und *26 DH*
25 mich, – sich hebend, fast wie im Fieber und ***24,22–31*** Bluts, das war … in Stücke! *26 DH* Bluts! fieberisch, stark ***24,23*** war *25 DH* ist ***24,25–31:*** *25 DH fehlt* ***24,34*** Gott. *26 DH* Gott. – er fällt zurück ***24,36*** PHÖNIX *26 DH* PHÖNIX schnell

25,5–8: *25 DH fehlt* ***25,9*** PHÖNIX *26 DH* PHÖNIX einwerfend ***25,10***
30 ÖDIPUS *26 DH* ÖDIPUS ungeduldig wie ein Kranker
25,10–25 Frag' nichts! … Da war ich
26 DH Ich träumte nicht
(1) Mein Leben jagte in mir hin, – … weckte mich. Da war ich
(2) Ich war da[1]
35 *(3)* Mein Leben jagte in mir hin, – … weckte mich. Da war ich
25,12–22:[2] ***25,14:*** *25 DH fehlt* ***25,23f.*** von der Erinnrung … hereinschoß, *25 DH fehlt* ***25,25f.*** Da war … und schlug. Da, in *25 DH* Da, Phönix! in ***25,26–34:*** *26 DH Am Rand:* er erzählt und hat Angst vor der eigenen Erzählung ***25,31–34*** so wie die Mutter … heran. *25 DH fehlt*

40 [1] *Lesung unsicher:* Da war ich *wahrscheinlich unmittelbar nach Streichung der vorausgehenden Partie ersatzlos gestrichen, später mit dieser Partie restituiert. Über dem gestrichenen* Da war ich *jedoch Schlingen, die eine Umstellung andeuten könnten:* Ich war da *schlösse sich besser an* Ich träumte nicht! *an. – Am Rand eine Bemerkung dazu (?), durchgestrichen und unlesbar.*
45 [2] *25 DH Am linken Rand:* indispensable *(= der Lebenstraum).*

26, 3–27, 5: *26 DH Am Rand:* schnell, ineinander ***26, 5–15*** Weib und Mann ... hineinschnitt! *25 DH fehlt* ***26, 7f.*** aus den verzerrten Zügen schaute / der Gott, *26 DH fehlt* ***26, 16*** Sag' es! sag' es! *25 DH* Sag' es! ***26, 19*** heraus: *26 DH* heraus: die Erregung reisst ihn auf die Knie auf ***26, 27:*** *26 DH* ÖDIPUS wieder hingesunken – versteht ihn kaum ***26, 27–27, 4:*** *25 DH fehlt* 5

27, 2f. Berg, / ein Berg auf jedem Glied! *26 DH* Berg! ***27, 4*** PHÖNIX *26 DH* PHÖNIX stark, deutlichst ***27, 5:*** *26 DH* Sie gab die Antwort nicht auf deine Frage! ***27, 7:*** *25 DH 26 DH fehlt* ***27, 10f.*** Vom Lallen dieser Zung' hinunter- / geschlungen! *25 DH* Weh! ***27, 16–34:*** *25 DH* er schliesst die Augen – angstvoll zu ihm gebeugt, zärtlich 10
27, 18–23 die meinige. ... noch nicht wissen
26 DH die meinige.
fast schreiend, sich hebend
Sollt ich nicht wissen
27, 27–33:[1] *26 DH* er sinkt wieder matt zusammen. Pause. ***27, 34:*** *26 DH* PHÖNIX 15 sanft, lieb ***27, 36*** davon *25 DH* Böses

28, 4f.: *25 DH fehlt* ***28, 6:*** *26 DH* ÖDIPUS liegend, \minder/ fieberisch ***28, 7–9*** Was wußte ... nahm? *25 DH fehlt* ***28, 12–20*** PHÖNIX ... ich habe *26 DH* leise Ich habe ***28, 23–29, 3:*** *25 DH fehlt* ***28, 33*** wollte – *26 DH* wollte – Einschnitt, Tonwechsel 20

29, 4: *26 DH* ÖDIPUS fast kindlich-feierlich ***29, 5*** ist *26 DH* ist. ***29, 8–30, 9:*** *25 DH* Weh! Was redest du da! ***29, 14f.:*** *26 DH* wendet den Blick ab, dann nach einer Pause, sieht er ihn wieder an ***29, 20:*** *26 DH* PHÖNIX ehrlich erstaunt ***29, 30–30, 5:*** *26 DH* immer kindlich bemüht, dass der Andere ihn auch verstehe, begreife

30, 9 sieht ihn an. *26 DH* sieht ihn an ohne wahres Verstehen. ***30, 10:*** *26 DH* 25 ÖDIPUS fast belehrend ***30, 28:*** *26 DH* PHÖNIX beglückt, ihn endlich zu verstehen ***30, 31:*** *25 DH* ÖDIPUS angstvoll ***30, 32f.*** Ist deine ... noch nicht? *26 DH fehlt* ***30, 34–31, 14:*** *25 DH* heftiger ***30, 36:*** *26 DH* ÖDIPUS in tiefer Angst

31, 13: *26 DH* ÖDIPUS leise ***31, 16–21:*** *26 DH fehlt* ***31, 17:*** *25 DH* 30 *fehlt* ***31, 27:*** *25 DH* ÖDIPUS geheimnisvoll *26 DH* ÖDIPUS geisterhaft ***31, 31:*** *26 DH* PHÖNIX entschlossen ***31, 33–32, 5*** Grausen, / ... in deinem Bette! *25 DH 26 DH* Grausen!

32, 6: *26 DH* ÖDIPUS aufschreiend ***32, 8:*** *26 DH* PHÖNIX umschlingt ihn ***32, 8–21:*** *25 DH fehlt* ***32, 10:*** *26 DH* ÖDIPUS befreit sich, kniet ***32, 13*** ret- 35 ten? *26 DH* retten? wie ein geisterhaftes Märchen – aber doch drohende Wirklichkeit! ***32, 22–33, 6***[2] ***32, 23–25*** Wach doch auf – wie ... davor zurück! *25 DH* Wach auf! – wach auf! ***32, 24f.*** Gedanken, deine Seele schaudert davor zurück! *26 DH* Gedanken! ***32, 27f.:*** *25 DH fehlt* ***32, 30f.:*** *26 DH* *fehlt* 40

[1] *In 26 DH neben Zeile 32 Hinweis (offensichtlich vor Streichung der Verse):* Rhythmuswechsel – *sinngemäß gültig ab Zeile 28.*
[2] *= S. 43 in 26 DH; darüber:* crescendo

33,1: 26 DH PHÖNIX schnell angstvoll *33,3: 26 DH* ÖDIPUS auf den Knieen *33,7: 25 DH fehlt* *33,17f.: 26 DH fehlt* *33,18:*[1] *33,21: 26 DH* ÖDIPUS aufstehend *33,22–31: 25 DH* wie sein Blick nach links hin fällt, aus seinem neuerlichen Brüten mit wilder Heftigkeit auffahrend *33,28–34,3* Mit angstvollen Herzen ... aber nun *26 DH* sehr hart Aber nun

34,3 gekommen. *26 DH* gekommen. er hat seinen Stock ergriffen *34,7–9* dem so hängen, / ... genug! *25 DH* mir so hängen! / Hinweg! hinweg! *34,9* Nun aber fort, *26 DH* Und fort mit euch!
34,13: 25 DH ÖDIPUS *(1)* zart
(2) zartleise
34,17f.: 26 DH fehlt *34,17–21: 25 DH fehlt* *34,29–31: 25 DH 26 DH fehlt* *34,34–35,2: 26 DH* mit vollem Schmerz

35,6: 26 DH ÖDIPUS bezwingt sich *35,7–23: 25 DH fehlt* *35,12–14* und, wenn ... da *26 DH* und da *35,17: 26 DH fehlt* *35,24: 26 DH* Eine Pause dann ein Windstoß. *35,26: 26 DH fehlt* *35,26f.: 25 DH fehlt* *35,29: 26 DH* PHÖNIX schnell *35,29–32: 25 DH fehlt* *35,31–34: 26 DH fehlt* *35,34* sie! *25 DH* meinen König!

36,5: 26 DH Nun geh! er tuts *36,10–19: 26 DH fehlt* *36,14–17: 25 DH fehlt* *36,24* ab. *26 DH* ab. Ödipus betet zuerst mit verhülltem Gesicht. *36,31* ÖDIPUS das Haupt *26 DH* ÖDIPUS enthüllt sein Gesicht und betet das Haupt

37,1: 26 DH DIE STIMMEN Mit schweifendem Licht: Scheinwerfer[2] *37,12: 26 DH* ÖDIPUS ohne sie zu hören *37,12–18: 25 DH fehlt* *37,23–25: 25 DH fehlt*
37,28 Ein Mensch! *26 DH (1)* Du da!
(2) Ein Mensch!
37,29: 25 DH fehlt *37,31–38,8: 25 DH fehlt*

38,18 nah! *26 DH* nah! Windstösse

39,7:[3]

40,1–5: 25 DH fehlt *40,25–33: 25 DH fehlt* *40,35–41,4* Ich will ... hinrichten *26 DH* Hinrichten

41,8–17: 25 DH fehlt *41,9* Mit was für ... hinein? *26 DH* ↑Mit was für ... hinein?↑ *41,15f.* Ich will ... und *26 DH* Und *41,26–32* Er will ... schleppt ihn *26 DH* Faßt ihn doch, schleppt ihn doch *41,28* Wenn du wüßtest, *25 DH* Wüßtest du, *41,33–35: 25 DH* ↑Ich will ihm ... in einem Zug!↑

[1] *Danach in der 1.–4. Auflage längere Rede des Phönix und Gegenrede des Ödipus, die in der Textgrundlage der SW fehlen (s. S. 606,10–38). 25 DH, die Bearbeitung für Varèse, erfolgte in einem Exemplar der 3. Auflage. Rede und Gegenrede wurden – wie in der 5. Auflage – gestrichen.*
[2] *Regieanweisung über der Seite. Durch Schleife mit den Versen der Stimmen verbunden.*
[3] *25 DH* Wütender Sturm. *gestrichen. Von Varèses Hand stattdessen: »Schwarze Wolken ziehen vorüber!«*

42,19–23:[1] *42,24f.* hat von ... fliehend *26 DH* vorne flüchtend[2] *42,26* Ah! ein *26 DH* Ein *42,26f.: 25 DH fehlt*

43,2: 25 DH fehlt *43,4–6: 25 DH fehlt*

Zweiter Aufzug

44,28–45,6: 26 DH fehlt 5

45,8–15: 26 DH fehlt *45,25f.* Ist er nicht ... Königin? *26 DH fehlt* *45,34* sie bringen ihn *26 DH* da bringen sie ihn

46,24 leg' dir Turmalin *26 DH* lege dir Smaragd *46,35* wenn *26 DH* woferne

47,28f.: 26 DH fehlt 10

48,2–6 Er stiehlt ... stets *26 DH* Stets *48,7f.* Seele, / ... und der Welt *26 DH* Seele / ist dir entwendet
48,23–26 Versöhne mir ... Sie ist
26 DH DER MAGIER nickt
Jokaste! 15
⟨KREON⟩
Ja. Sie ist

49,22–25: 26 DH fehlt *49,31* tuen? *26 DH* tun? *49,34–50,2: 26 DH fehlt*

50,4 so *26 DH* war *50,24–30* wenn du ... nur einen solchen *26 DH* 20 Nur einen *50,38f.* Womit bezwing ich / die Schwester? *26 DH* Womit bezwing ich / die Schwester?

51,11 hinzuspringend *26 DH* hinzuspringend – hinter einem Vorhang hervor – zischend oder krähend
51,20–23: 26 DH (1) KREON jagt ihn – zum Magier 25
(2) KREON
Die Peitsche her!
jagt ihn – zum Magier
51,25: 26 DH MAGIER taumelt
51,26–28 Verflucht ... kam. 30
26 DH (1) Verflucht die Hände!
Verflucht die Gier in meinem Herzen, daß ich kam!
(2) fehlt
51,30: 26 DH Die Antwort mir! *51,33: 26 DH fehlt*

52,1f.: 26 DH fehlt *52,3* Antwort. *26 DH* Antwort, Magier! *52,8* 35 stürzt zu Boden. *26 DH* stürzt zu Boden und bleibt wie todt liegen. *52,9: 26 DH* KREON mit Ekel *52,12* fort. *26 DH* fort. er weist mit dem Fuss auf den Ohnmächtigen *52,13–18: 26 DH fehlt* *52,20* Ins Haus ... Augen. *26 DH fehlt*

[1] *25 DH Am Rand:* à garder plutôt 40
[2] *In Klammern, gleich wieder gestrichen:* (Ermos). *Ermos war Diener des Ödipus.*

53,2 kaum. *26 DH* kaum! *53,3–19* Mich alt geträumt, ... Träumen bin? *26 DH fehlt* *53,27f.* Schlaf' fort, ... Schlaf. *26 DH* Schlaf' fort! *53,29* Heut nicht. ... nicht. *26 DH* Ich schlief doch nicht!

54,8f. Herr, ... Nacht! *26 DH fehlt* *54,16–19* Und wo ... Geheimnis 5 zu. *26 DH fehlt* *54,21–23* Ich lag ... in Fieber. *26 DH fehlt* *54,24* Knabe, wenn *26 DH* Schweig Knabe! aber wenn *54,28–55,9: 26 DH fehlt*

55,12–14: 26 DH fehlt *55,22: 26 DH fehlt*

56,1–5: 26 DH Sie rufen: Waffnet euch, ihr Männer alle! / für Kreon! *56,8f.* 10 ich bin ... und bring' *26 DH* ich bring' *56,22–25* Löwentor ... Herr! *26 DH* Löwentor – *56,26* auftretend *26 DH* auftretend – wie der Wind *56,27* König Kreon, *26 DH* schreiend König Kreon,

57,1:[1] *57,4: 26 DH* KNABE auf den Knieen *57,4–7* O mein König, ... dröhnend! *26 DH* O mein König! *57,11* KNABE *26 DH* KNABE aufsprin-15 gend *57,13* KREON *26 DH* KREON leise, dicht bei ihm, ihn zu sich ziehend *57,23: 26 DH fehlt* *57,29–58,4 26 DH fehlt*

58,6 ins Haus *26 DH* hinaus *58,10f.* da du ja ... gebildet ist! *26 DH fehlt* *58,17–20: 26 DH fehlt* *58,24f.* Muß ich ... Gräbern? *26 DH fehlt*

20 *59,3f.* Veracht' mich ... getan! *26 DH* weint *59,17* ist. *26 DH* ist. tut sein Gewand auseinander *59,18* KREON *26 DH* KREON sieht hin *59,23f.* Trug ... Denn alles *26 DH* Und
59,25 War's *26 DH* *(1)* War das
(2) War's
25 *59,30–33* gering, ... Worte an. *26 DH* gering – schamhaft und doch stark

60,5 KNABE *26 DH* KNABE treuherzig *60,14f.* Midas ... verwandelt! *26 DH fehlt* *60,19: 26 DH* KNABE fest im Glauben *60,31f.* Ich fühlte ... ich konnte / es *26 DH* Ich konnte das *60,33–61,3: 26 DH* DER KNABE zittert und verhüllt sich.

30 *61,4* KREON *26 DH* KREON beugt sich über ihn *61,4–10* Schweigst du ... Knabe. *26 DH fehlt* *61,15–17: 26 DH fehlt* *61,19: 26 DH* Hab ich dich also doch gekauft? *61,29–31: 26 DH* KNABE weint und geht seitwärts. Entschiedene Pause. Eine Stille. Gesang. *61,36* soll. *26 DH* soll. setzt sich

62,1–13 gebrochen ... KNABE *26 DH* gebrochen – näher bei ihm *62,16* 35 geliebt. *26 DH* geliebt. steht jäh auf *62,24–63,1* König, ... zum Hohn! ... hinter sich?
26 DH *(1)* König, ... zum Hohn! Gesang stärker, fast drohend. ... hinter sich?
(2) König!
KREON

40 [1] *26 DH Darunter, am Ende der Seite:* KNABE kniet vor Kreon *Keine genaue Zuordnung zu einer Stelle des Botenberichts. Sinngemäß ersetzt durch die folgende Regieanweisung:* KNABE auf den Knieen

63, 8f. mir und ... Hauch. *26 DH* mir! *63, 12–19* Will fort. ... sie hält *26 DH* Sie hält *63, 20: 26 DH* KNABE stark, erregt und in Angst um ihn *63, 22–25: 26 DH fehlt* *63, 32: 26 DH* reisst einen Vorhang auf und ist verschwunden *63, 33–64, 5* Kreon! Kreon! ... ein Scherben. *26 DH fehlt*

64, 7: 26 DH Kreon, Kreon! *64, 11–14: 26 DH fehlt* *64, 15: 26 DH* Geht ins Haus und ersticht sich nächst der Tür. *64, 29* Er ist ... doch *26 DH* Ei, 5

65, 21f.: 26 DH In mir ist alles Tod und Trauer –

66, 16–35: 26 DH fehlt

67, 2–10 Du warst ... wo ist *26 DH* Wo ist *67, 14–24: 26 DH* JOKASTE schweigt *67, 25* Warum *26 DH* Antworte mir! Warum *67, 26–30* hinaus? ... hinzog *26 DH* hinaus 10

68, 3–5: 26 DH leiser *68, 10–13* und gräßlich ... wir dachten *26 DH* und dachten *68, 18* JOKASTE *26 DH* JOKASTE zögernd *68, 18f.* Dies ist – vielleicht geschehn – / vielleicht *26 DH* Vielleicht *68, 28–30* So scheint's. ... auch. *26 DH* So scheint's. – wendet sich 15

69, 4–8 betet. Ich ... schaut. *26 DH* betet, Ihr! *69, 9* Tod. *26 DH* Tod. – *69, 21f.: 26 DH fehlt* *69, 23* dich. *26 DH* dich! *69, 26* ANTIOPE *26 DH* ANTIOPE hebt sich, am Stab *69, 29–70, 3* Doch was ... ihn winden. *26 DH fehlt*

70, 4–6 Ja, du ... Sturm. *26 DH fehlt* *70, 8–10* Ich brenne ... ausatmen. Mutter *26 DH* O Mutter *70, 28–33: 26 DH fehlt* 20

71, 10f.: 26 DH fehlt *71, 23f.* Welt und ... Grab. *26 DH* Welt. *71, 25–29* Es hat ... JOKASTE *26 DH fehlt* *71, 29* gelebt, *26 DH* gelebt, –

72, 5f. mich / und über ihn. *26 DH* uns! *72, 7f.* Ich höre ... fort. *26 DH fehlt* *72, 19–25: 26 DH* einen Schritt näher, leiser 25

73, 2–8 Wie er es griff ... JOKASTE *26 DH fehlt* *73, 19: 26 DH* Jetzt rede du! *73, 21f.* Willst du ... stark. *26 DH fehlt*

74, 20 vergeblich. *26 DH* vergeblich. – Pause fast tonlos *74, 23–76, 1: 26 DH* ANTIOPE nach einer langen Stille

76, 5 Nun kommt nichts mehr. *26 DH fehlt* *76, 24–26* Der Räuber ... Dunkel stand. *26 DH fehlt* *76, 27–30* Doch sein Bote ... drunten. *26 DH fehlt* *76, 31* alle *26 DH fehlt* 30

77, 7: 26 DH fehlt *77, 16: 26 DH fehlt* *77, 22–29* ANTIOPE ... meinst du *26 DH* Meinst du

78, 8–12 Hilf mir ... allein! *26 DH fehlt* *78, 15–23* Sieh, die ... ANTIOPE *26 DH fehlt* 35

79, 4 JOKASTE *26 DH* JOKASTE angstvoll zurückweichend *79, 21* Nun *26 DH* Hörst du? Nun

80, 27–30: 26 DH fehlt

81,9–13 Schreit … den Tod. *26 DH* ↑Schreit … den Tod.↑[1] ***81,23f.*** Wer hieß … schweigen? Hier *26 DH* Denn hier

82,22–26: *26 DH fehlt*

83,21–26 Genossen derer, … Weh' uns, die
5 *26 DH* ihre Genossen!
DIE GREISE Weh! die

84,13f. du warst … im Wald. Allein *26 DH* allein ***84,18f.*** Ich will … Händen. *26 DH fehlt* ***84,22f.*** Dort! Dort! … ein Kind, er *26 DH* O er ***84,28–30*** er reißt … Opferstier: *26 DH fehlt* ***84,33f.*** er sagt mir …
10 wählen! *26 DH fehlt*

86,28–31: *26 DH fehlt*

87,16–31 TEIRESIAS … ANTIOPE
26 DH (1) Text wie oben, außer Streichung von Z. 23f.: noch sterbend … satt:
(2) ANTIOPE hält sie
15 ***87,35–88,2*** Lebenstiefen … Tod. *26 DH* Lebenstiefen!

88,12–14 in meinem Blute … bald *26 DH* Bald

89,17f. ist's, die Sonne … immer. *26 DH* ist es! ***89,27f.*** Er stößt … Tod, wir *26 DH* Wir

90,14 weiht. *26 DH* weiht. er steht auf ***90,29:*** *26 DH fehlt*

20 ***91,11*** von rückwärts *26 DH* unter sie tretend ***91,12:***[2]
91,24 Schwert.
26 DH Schwert.
KREON
Verflucht dein Mund –
25 tust du ihn auf!

92,7 Ihr Bette *26 DH* Dein Bette Hündin!
92,16 Treu'! *26 DH* Treu'! Peitscht doch *(1)* die Gauklerin!
(2) das Weib!
92,26 nach vorne kommend *26 DH fehlt* ***92,31*** fort. *26 DH* fort. sie
30 scheuchen ihn wie einen Hund ***92,32–93,9:***[3]

93,11f. auftretend … unter uns!
26 DH auftretend – gewaltig rufend!
E i n H e l d i s t u n t e r u n s !
93,15: *26 DH* ANDERE STIMMEN
35 Ein Held!

[1] *In Klammern. Rechts daneben kleines Ausrufezeichen. Vielleicht, um anzudeuten, daß Text bewahrt werden sollte.*
[2] *26 DH Darunter, am Ende der Seite:* Geliebtes Volk! *Vielleicht erwogene Variante zu Kreons Worten?*
40 [3] *26 DH Am Rand:* Diese Stelle wäre durch neuen stärkeren Text zu ersetzen. H

93,16–21 Läuft ... gegürtet! Wo
26 DH Berichte!
DER MANN
In den Brand der Schiffervorstadt
sprang er, und wo 5

94,14–19: 26 DH fehlt *94,20* DAS VOLK *26 DH* DAS VOLK nach einer Stille *94,30* DAS VOLK *26 DH* DAS VOLK unter sich, leise *94,30f.* Die Sphinx, / er *26 DH* Er

95,1: 26 DH DAS VOLK leise, vor Furcht
95,5–8 Angst ... Ging 10
26 DH Angst!
ÖDIPUS
So ging
95,21–23 ich fühl's, ... ich darf's *26 DH* ich fühl': ich d a r f ' s

96,2f.: 26 DH Am Rand: Tempo! und sempre crescendo! *96,25f.:* 15 *26 DH Am Rand:* crescendo!

97,3 DAS VOLK *26 DH* DAS VOLK jauchzend *97,9* ungeheuer *26 DH fehlt* *97,23* uns. *26 DH* uns. will gehen

98,11: 26 DH er fällt zusammen, seine Diener tragen ihn weg *98,17–22* Die Tiere ... schnell, nichts *26 DH* Nichts *98,26* ÖDIPUS *26 DH* ÖDIPUS immer mit 20 Jubel in der Stimme *98,28: 26 DH fehlt*

99,2f.: 26 DH fehlt *99,4* hervorstürzend *26 DH* hervorstürzend – Eine hohe junge Stimme *99,8: 26 DH* DIE MÄGDE Die gleiche Stimme – nicht laut *99,12* Königin? *26 DH* Königin? Beklommene Stille.

100,1–7 weist mir ... sterben! *26 DH* weist mich![1] *100,14: 26 DH Danach:* Schluss der Tragödie 25

101–118: 26 DH Dritter Aufzug fehlt

SEPARATDRUCK OEDIPUS

119,2 älteren, *4 H* älteren *5 D* ältern,
119,10 Geschicks, die 30
4 H *(1)* Geschicks sind
(2) Geschicks, die
119,14 Ich sehe
4 H *(1)* Der Mann ist nicht geboren, der sich mir
und meinem Zorn entgegenstellt! entspringe! 35
Ich sehe →
(2) Ich sehe |

[1] *Vor Tilgung der Zeilen wurde eine verkürzte Fassung der Stelle begonnen, aber nicht konsequent durchgeführt. Darin hieß es (wahrscheinlich anschließend an* mir neigen *in Z. 4):* und auf mich reißen zu der Höhle hin: 40

119, 22 Meer, *4 H* Meer

120, 1 Wie *4 H* wie ***120, 3*** flößest *5 D* flößtest
120, 8f. Steuermann, / ich tu, ich
4 H *(1)* Steuermann. / Ich thue und ich →
5 *(2)* Steuermann, / ich thu' ich |
120, 12 kühn *5 D* kühn, ***120, 26*** sind: *4 H* sind – : ***120, 31*** befruchte, der mich trug, *4 H* befruchte der mich trug
120, 35f. du, die Seele / aufschäumt
4 H *(1)* du, / die Seele auf
10 *(2)* du, die Seele / aufschäumt
120, 37 den *5 D* dem

121, 9f.: *4 H* *(1)* anstatt des Scepters von Korinth
(2) für diese Hand anstatt des Szepters von / Korinth.
121, 17 Freunde, der, *4 H* Freunde, der

15 ## *SEPARATDRUCK* DIE KÖNIGIN JOKASTE

122, 10 wider *23 D* nieder ***122, 12*** Ah! *23 D* Ach!

123, 9 Ah! *23 D* Ach! ***123, 33*** Herrin, *23 D* Herrin

125, 3 Den *23 D* Dem ***125, 18*** Beben *23 D* Leben ***125, 38*** Kammern *23 D* Kammer

ZEUGNISSE · ERLÄUTERUNGEN

ZEUGNISSE

Zur Entstehung, zur Inszenierung und zur Deutung des Dramas[1]

Hermann Bahr: Hofmannsthals Vorlesung von Ödipus und die Sphinx, *Akt I, 1. Fassung, am 28. September 1904.* 5

Nach Rodaun: H. liest mir den ersten Akt seines »Oedipus und die Sphinx« die Scene am Dreiweg, mit der Ermordung des Lajos. Er hat recht, die beiden scheinbar widersprechenden Züge des Mythos, daß Oe. zuerst erfährt, er sei vielleicht gar nicht der Sohn des Polybos, dann aber als ihm das Orakel wirklich auf diese Frage über die er Sicherheit will gar keine Antwort gibt, dafür aber den Mord 10 *seines Vaters usw. prophezeiht, keinen Augenblick mehr zweifelt, mit diesem Vater sei nur Polybos gemeint (offenbar aus der Intensität, mit der ihm im ersten Schrecken beim Wort: »Vater« nur der Polybos mit einer etwas anderes*[2] *so sehr ausschließenden Realität einfällt, daß er eben dadurch innerlich seiner Sache ganz gewiß wird), beide zu nehmen, weil sie zur tragischen Verblendung notwendig* 15 *sind, aber es ist ihm noch nicht gelungen, sie so zu gestalten, daß man eben diese Verblendung fühlt; vorderhand wirkt es nur als Unklarheit. Auch schlägt Oedipus unmotiviert rasch auf den Herold des Lajos zu mehr als ein feudaler Ritter oder Graf was ganz ungriechisch ist.*

(Meister und Meisterbriefe um Hermann Bahr. Ausgewählt und ein- 20 *geleitet von Joseph Gregor. Wien 1947, S. 186.)*

Kreons Schwertträger

(Aus zwei Briefen Hofmannsthals an die Schauspielerin Gertrud Eysoldt)[3]

Ich glaube, die Knabenrolle ist ganz so, wie Sie sie wollen. Es ist eine Episode von 20 Minuten, aber es ist, glaub' ich, ein Schicksal darin, das Schicksal der 25 Jugend. Er verliert den Glauben an den Menschen, den er liebt. Das schauspielerisch Starke und Schwere daran, weswegen nur Sie die Rolle spielen können, ist, daß man f ü h l e n muß, wie seine einfache Seele einen Sprung bekommt. Aber, wer wird diesen Kreon spielen, dessen Schwertträger Sie sind?? *(B II 211)*

[1] *Weitere Zeugnisse sind abgedruckt in der Entstehungsgeschichte (S. 187–208).* 30

[2] *In der Vorlage »andern«.*

[3] *Der erste Absatz stammt aus einem Brief vom 21. September 1905, die Fortsetzung aus einem Brief vom 22. Dezember 1905 (datiert: 22.; in B II fälschlich eingeordnet unter dem 22. September).*

Kreon ist ja das, was mir am unsichersten erscheint in der ganzen Aufführung, und wo am meisten meine Kraft und Reinhardts Kraft zuhilfe kommen muß. Und dabei ist Kreon für das Ganze so ungeheuer wichtig, ohne ihn fällt es so zusammen, wird um so viel ärmer an Farbe, an Beziehung. Und doch muß ja Moissi, wie ich ihn mir hervorrufe, vieles für die Rolle haben, sehr vieles, weniger es »haben« vielleicht, als den Ton davon haben, in der Stimme und Gebärde.

Über den Knaben soll ich Ihnen was sagen? Sie finden die Linie nicht ganz? Ach, gewiß haben Sie sie schon. Der Ton ist schwer, glaub' ich. Ich höre ihn freilich ganz deutlich. Aber wie soll ich das sagen?

Ich schlage mir die Szene auf. Das schnelle Aufstehen aus dem Schlaf. Das haben ganz junge, sehr gesunde Menschen, junge Soldaten, Hirten. Stehen auf, zwinkern vielleicht einmal mit den Augen, werfen den Schlaf fort wie eine Schale und können ihn sogleich verleugnen. Er glaubt wirklich, daß er nicht geschlafen hat, nur im Stehen eingenickt war. So fragt er ganz naiv triumphierend: Schlief ich also etwa im Stehen? Jetzt die große Stelle über die Nacht ganz knabenhaft laut. Er ist kein Schwätzer, aber wenn er einmal redet, dann fließt vom Munde, wessen das Herz voll ist. Er redet herzhaft, läßt dem Kreon kaum den Raum, dies hineinzuseufzen (»Knabe, wenn ich König bin ...«), redet herzhaft laut weiter, in diesem Knabeneifer, seine Seele ganz eines mit seiner Rede (während bei Kreon so viel dazwischen Raum hat).

Dann die Botenszene: der Ausbruch »O mein König, ich fühle, wie die Züge sich begegnen« ist ganz Temperament, ohne alle Mystik und Verzückung. Er schreit es bubenhaft heraus, ballt dabei die Fäuste in der Luft vor Eifer. Dann versteht er den Kreon blitzschnell (er ist ebenso klug als einfach) und ergreift blitzschnell die Führung der Situation: das Hinausdrängen der Boten macht er sehr überlegen, befehlend, so daß man gegen ihn nicht aufkommen kann. Er drängt den letzten hinaus, obwohl noch Kreon mit ihm redet. In diesem Augenblick ist Kreon der Kranke, er der Gesunde, der dominiert. Jetzt stehen sie sich Aug in Aug. Jetzt hat er einen Blick furchtbar aufgeregter Angst. Das »mein König« (worauf Kreon: »Ja, wirst du fahl?«) ist sehr stark zu bringen. Die Stelle: »Herr, fürchterlich versuchst du mich«, wieder einfach, denn hier ist seine Seele noch nicht versehrt. Die Tränen gleich nachher sind noch Tränen der Empfindlichkeit, noch warme, jugendliche Tränen.

Die Stelle: »Du hast mich nicht gekauft«, sehr schnell, wie im Anlauf; mit verhaltenem Triumph: »Ich kann's beweisen!« Bei der Schilderung der Opfernacht damals, sitzt sein Blick immer auf Kreons Gesicht, voll Spannung. Das Ganze verschleiert eine seelische Schamhaftigkeit. »So griff ich nach dem Messer ...« sagt er aus Schamhaftigkeit fast in wegwerfendem Ton.

»Sag' nein, sag', daß du mich nur prüfst ... wenn du ihn haßtest« noch nicht schreien, er glaubt wirklich, es wird sich noch zum Guten aufklären. Die Stelle, wo er aufschreien würde, erstickt er: verhüllt sich.

»Weh, bleib' ich nun bei dir!«, jetzt ist er in Schmerzen mündig geworden: er versteht die Welt. Er sagt diese Stelle sehr bitter, hier müssen Sie sich Raum schaffen für Ihre Worte: Kreon ist seitwärts, der Knabe und sein Schicksal sind in der Mitte. Sein gebrochenes Aufstehen. Dann ein Sich-besinnen, Sich-verhärten.

»Mein Herr und König, in deiner ersten Schlacht will ich auf deinem Wagen stehen!« ist ganz anders als die früheren ähnlichen Stellen. Es flackert in düsterem Feuer. Es ist die Todesverkündigung für sich selber. In dem drei- oder viermaligen Widersprechen etwas Hartes, Ungeduldiges. Er leidet so, den andern nicht zu begreifen.

Von dem letzten Monolog sage ich nichts. Den will ich mir von Ihnen schenken lassen. *(B II 212–215)*

Kreon und der Schwertträger

ÖDIPUS In meinen Adern halt ich die Welt.

(Aus einem Brief an Georg Brandes)[1]

Nun der Knabe Schwertträger. Ich weiß nicht. Ich habe öfter gelesen, das Verhältnis Kreon–Ödipus erinnere an Skule–Hakon.[2] Ich finde: äußerlich ja, innerlich nicht sehr. Es ist alles aus einem Kern geboren: aus der Idee des eingeborenen Schicksals und hier verhält sich Kreon zu Ödipus wie er sich eben verhalten muss, wie der Mensch, der glaubt, wählen zu können, zu dem, der muss; wie der Unfromme zum Frommen u.s.f. Und der Knabe tritt neben den Kreon ganz natürlich, er ist wie ein Schatten, den Kreon im Lichte des Ödipus werfen muss – dagegen das Verhältnis des Skule zu seinem Sohn ist wieder dort in dem anderen Drama aus allen Wurzeln heraus getrieben – es hat dort viel mehr dramatischen Wert, steht wundervoll in der Steigerung, aber ich glaube wirklich (so wenig ängstlich und empfindlich ich in solchen Sachen bin) dass die eine Sache mit der anderen nichts zu thuen hat.

Was nun die Stelle S 147 betrifft,[3] verzeihen Sie, dass ich da widerspreche, aber absolut. Dies zweimalige Wort »die Welt« dort, ist gar kein Gleichnis, keine Metapher. Es ist einfach ein großes Wort, ein Superlativ. Und er braucht es zweimal, wie er das Gleichnis vom Springquell zweimal gebraucht – nicht weil dem Dichter nichts anderes eingefallen ist – sondern weil er ein Mensch in einer ganz ungeheueren Ergriffenheit ist, und solchen Menschen kommen wie Zornigen dieselben Worte mit immer neuer Wucht gewissermaßen rhytmisch zurück. So sagt er: »in meinen Adern halt ich die Welt« und will sagen: »mit dem Rhytmus meines Blutes, wie ich ihn jetzt in meinen Adern spüre, mit der Gewalt, die in meinen Adern lebt, halte und regier ich alles alles, die ganze Welt – und wie-

[1] *Der Brief vom 29. 12. ⟨1906⟩ bezieht sich auf ein Schreiben von Georg Brandes vom 25. 12., in dem dieser Hofmannsthals Griechendramen kritisch würdigt. Hofmannsthal sucht den bekannten Schriftsteller und Publizisten dafür zu gewinnen, daß er seine Wertschätzung der Griechenstücke in einer Besprechung publiziert. (Beide Briefe in: Klaus Bohnen, Georg Brandes im Briefwechsel mit Gerhart Hauptmann und Hugo von Hofmannsthal, JDSG 23 (1979), S. 72–79.) Brandes veröffentlicht im April 1908 einen Aufsatz ›Griechische Gestalten in neuerer Poesie‹. (In: Nord und Süd XXXII, 373 [April 1908], S. 3–24.) Die Hälfte der Arbeit ist Hofmannsthal gewidmet.*

[2] *Hakon Hakonsson und Jarl Skule sind Charaktere aus Ibsens Drama ›Die Kronprätendenten‹.*

[3] *Es handelt sich um die enge Nachbarschaft (18 Zeilen) der beiden Stellen* In meinen Adern halt ich die Welt ⟨...⟩ *und* Denn meine Hand ist schwer, wie eine Welt ⟨...⟩ *in der Rede des Ödipus am Ende des zweiten Akts. (In der 1.–4. Auflage des Dramas S. 147 und 148, in der 5. und 6. Auflage S. 146 und 147.)*

der: meine Hand ist schwer, so schwer wie das Ungeheuerste, schwer wie eine Welt –
das Wort Welt ist das einzige, in das hier sein Inneres sich ergießen kann, es ist ein so kurzes Wort und so voll dumpfer Wucht, so gepresster Gewalt, es wirkt durchs Ohr auf die Seele des Hörers (nicht durchs innere Auge, als ob es ein Gleichnis wäre, es ist einfach ein stärkstes Wort, ein Superlativ) und, so kläglich dieses Commentieren von Versen ist, so weiß ich doch dass ich recht habe, und wenn man es von einem jungen, selbst ergriffenen Schauspieler sprechen hört (der kein Comödiant ist) so spürt man, dass da jedes Wort sitzt.

(FDH / Dauerleihgabe Stiftung Volkswagenwerk)

Anweisungen Hofmannsthals zur Inszenierung des Dramas[1]

Instructionen über Tonstärke und Tempo.

Act I. drei Haupttöne: 1.) bis nach der Erzählung vom delphischen Orakel. 2.) vom Anfang der gereimten Reden bis nach dem Gebet des Ödipus. 3.) Mordscene.

1.) Phönix trägt den ruhig-starken Ton dieser einen Expositionsscene. Jede Replik fällt eindringlich, mit beherrschtem Pathos. Nirgends ist zu schreien. Der Ton des Ödipus ist von krampfhafter Härte, unter der Wucht des qualvollen Geheimnisses. Man muss fühlen dass diese Härte ihm durch die Qual aufgezwungen ist.

2.) Ödipus' Krampf löst sich. Er geht aus sich heraus, wie ein plauderndes Kind. (Nicht umsonst ist der Rhythmus hier den naiven Gretchenscenen des Faust angenähert.) Immerfort bleibt der Ton gleich zutraulich; immerfort parlando, auch in der Abschiedsscene. Ödipus Gebet kindlich einfach. Die ersten Wechselreden mit dem Herold noch in diesem Ton, leise abwehrend.

3.) Der Herold hart, undurchdringlich hart im Ton. Nicht schreiend. Sehr stark im Ton nur die letzten Zeilen (beider Figuren) knapp vor dem Todtschlag. Dann sogleich Stille. (Ödipus Jähzorn ist völlig verraucht.) Laios schreit niemals, an keiner Stelle. Je böser er wird, je grauenvoller er droht, desto leiser muss er werden. Ödipus darf um so mehr laut werden, je mehr er in verzweifelte Angst und Noth geräth. Die ganze Scene steht auf diesem Gegensatz. Wenn beide schreien, steht die Scene auf

[1] *Das Manuskript dieses Texts ist Eigentum der Stefan George-Stiftung und wird im Stefan George Archiv in der Württembergischen Landesbibliothek, Stuttgart, aufbewahrt. Ich danke Herrn Professor Wilhelm Hoffmann für die Überlassung von Photokopien. Das Original besteht aus 5 Blättern, die in der Mitte zusammengefaltet sind, so daß die Rückseite des letzten Blatts gleichzeitig als Deckblatt fungiert. Sie trägt vorn mit Stift von Hofmannsthals Hand die Überschrift:* Instructionen über Tonstärke und Tempo; *hinten enthält sie mit Tinte den Vermerk:* Bitte diese Instructionen sofort copieren zu lassen und mir eine Copie umgehend zurückzusenden. Hofmannsthal. *(Erstveröffentlichung in: Wolfgang Nehring, Szenische Bemerkungen zu Hofmannsthals Griechendramen, Euphorion 71 (1977), S. 169–179.) Der Text war für Reinhardts Deutsches Theater bestimmt. Da er sich nur auf den ersten und zweiten Akt des Dramas bezieht, kann man schließen, daß er Anfang Dezember 1905 verfaßt wurde, zu einer Zeit, als Akt I und II abgeschlossen waren und in Berlin bereits geprobt wurden, während der dritte Akt noch nicht in der endgültigen Fassung vorlag.*

dem Kopf. Laïos leise, die Diener schleichend wie Katzen, den Ödipus zu umzingeln, der Sturm tobend, Ödipus abwechselnd leise wie ein ratloses Kind, dann schreiend in seiner Angst, aus diesen Tönen ist die Scene aufzubauen.

Kreonscene.

Hier setzt ein Ton ein, den der erste Act nicht kannte: fliegende, nervöse fieberhafte Hast. Kreon schreit nie (er ist ein Prinz): aber er spricht manchmal laut. Bis zum Hinstürzen des Magiers ist ein sehr schnelles Tempo zu halten. Dann giebt der naive, seelenhafte, niemals hastende Ton des Knaben die Grundlage. Die Scene der Boten hastet abermals fieberhaft hin und von da an steht die Scene auf der Feinheit der seelischen Töne im Dialog, der Verwebung des offenen Knabentones (der Ton des Ödipus gleichsam, auf einem anderen Instrument gespielt) mit dem nervösen, an sich selbst nagenden Ton des Kreon. Die ganze Scene wird um so stärker herauskommen, je weniger laut sie gespielt wird. (Der lauteste Moment ist die Botenscene.)

Scene im verhangenen Gemach.

Die Scene der Königinnen ist die getragenste, besser gesagt die einzige getragene des Stückes. Sie verlangt eine feierlich große Behandlung des Verses (besonders bei Antiope die durchaus lauter spricht als Jokaste), sparsame große Geberden. Innere Steigerung äußert sich bei Antiope durch mächtiges, markiges Anschwellen des Tones, bei Jokaste im Gegentheil durch Leiser-werden, Beben, Verhauchen der Stimme. Die Steigerung continuierlich vom Anfang zum Ende. (relativer Ruhepunkt die Erzählung der Jokaste vom Kindesmord.)

Volksscene.

Das Volk durchaus zu behandeln wie eine Orgel. Im übrigen Festhalten der relativ ruhigen Töne (Grundtöne.) Diese sind: die Wechselreden der Antiope mit dem Sprecher, dann der Antiope mit Teiresias. (Wenn diese Stellen zu aufgeregt gehalten werden, bleibt keine Steigerung übrig.)

Der Bote (Mann aus der Stadt) welcher dem Kommen des Ödipus unmittelbar voraufgeht, hat den hellsten Ton in der Scene. Sein Kommen veranlasst eine Frontveränderung für alle Gruppen auf der Scene, ebenso setzt hier ein Tonwechsel ein. (von da an immer stärkeres Hervorbrechen eines jubelnden Tones.)

Die große Schlussrede des Ödipus würde an innerer Kraft leiden, wenn er gezwungen wäre zu schreien: daher muss ein sehr markiertes Todten-stillwerden aller den Einsatz der Rede vorbereiten und erleichtern.

(Stefan George Archiv, Württembergische Landesbibliothek, Stuttgart)

Bericht von den Proben im Deutschen Theater

(Aus einem Brief von Gertrud Eysoldt an Hofmannsthal)[1]

Die Proben gehen intensiv weiter. Gestern haben wir das 2. Bild studiert. Moissi hat eine tiefe Freude am Kreon und mich macht meine Arbeit ebenso glücklich.

[1] *Brief vom 5. Januar 1906.*

Ihr Brief über den Knaben hat mich rasch in den Kern der Rolle geführt. Dieser Akt muss gelingen. Sie werden sich daran freuen. Und Sie kommen nicht gar zu spät – nicht wahr? Sie sollen doch auch hie und da noch eine Beleuchtung dieser oder jener Stelle uns mitgeben auf den Weg.

Moissis Kreon baut sich sehr schön auf.[1] *Reinhardt regt prachtvolle Töne in ihm an und füllt seine Seele. Bitter leise – und kalte nüchterne gequälte Stimmungen steigen da auf und qualvollste fieberhafte Laute einer mit sich zerfallenen, ruhelosen, gepeitschten königlichen Seele. Sehr schön ist die hoffnungslose Traurigkeit, die in den Augenblicken starker Erschöpfung – über Kreons Worte und Geberden sich breitet und wundervoll das welke Lächeln der Güte, das auf seine Lippen sich schleppt – wenn er den Knaben um seinen Schlaf befragt. Fast wie ein Weinen sieht es aus – so krank ist diese Seele. Es erschüttert mich jedesmal. – Mit den Boten ist Kreons Ton von unerbittlicher leiser Selbst- und Menschenverachtung – so kalt fallen da die Worte von seinem Munde, so nüchtern schaut dieser Blick dabei weit hinaus in das Getriebe einer kleinlichen Welt. Jeder Mittelpunkt ist im Wesen dieses Menschen gelöst.*

Ganz prachtvoll ist die Einführung des Zwergs in diesen Scenen – das entzückt mich dichterisch – da spüre ich wonnig eine Symbolik für die ich keine Worte recht weiss, die mich aber ganz stark bezwingt.

Der Magier ist noch nicht, wie ich ihn mir denke. Pagay wird ausgezeichnet aussehen – und er hat Augen, die ein Loch in die Schöpfung brennen – aber das Gemisch von Mystik, List und Besessenheit kommt für mich nicht heraus – das Anziehende dieser Gestalt für unsere Begriffe von solchen Menschen erscheint mir noch nicht in Pagay. Reinhardt wird es schon holen. Und schliesslich – ich bin besonders für solche Figuren eingenommen und vertiefe mich darein u. vielleicht zu kritisch. – Die kleineren Rollen in diesem Akt – die Diener bekommen alle eine sehr feine unterschiedliche Nuance.

Die 3 Boten wirken sehr stürmisch – eine Hochflut – sie steigern stark für Kreon. –

Den ersten Akt sah ich zweimal ganz. Jedes Wort ist darin voll Glanz der Dichtung, und Kayssler hat etwas tief Einsames in seiner Darstellung, einen starken reinen Ernst, aus dem sich die blühenden Reden wunderbar emporheben.

Winterstein gefiel mir nicht besonders als Phönix – er hat keinen schlichten Ton. Reinhardt arbeitet an ihm, um ihm das Temperament eines unruhigen Alten beizubringen. Es wird schon werden unter seinen Händen. Winterstein braucht stets viel Arbeit an sich und leistet dann oft sehr Gutes. –

Von den Frauenakten habe ich noch nicht viel gesehen. Die Sorma wächst von Tag zu Tag in die Rolle hinein – die Sandrock soll noch ganz umherirren. Die Sandrock ist nun eben auch als Mensch so vorsichtig zu behandeln.

Der Akt mit Kreon und Ödipus, den ich sah – ohne Ihre Abänderung – (die glaube ich da ist jetzt.) – gefiel mir nicht. Da setzt für mein Empfinden etwas ab – da läuft mir das Temperament nicht mit. Dichterisch bleibe ich hier nicht

[1] *Hofmannsthal war nach seinem Erscheinen in Berlin von der Darstellung des Kreon durch Moissi sehr enttäuscht und suchte nach einem anderen Darsteller für die Rolle (unveröffentlichter Brief von G. Eysoldt an Hofmannsthal, 18. Januar 1906). Nach kurzer gemeinsamer Arbeit fand Moissi jedoch den Ton, den sich der Dichter wünschte.*

im Schwung. Der Kreon setzt hier für mich aus. Die menschliche Steigerung von ihm reisst mich nicht mit. – Es war ganz im Anfang freilich, als ich diese Scene sah. Ich habe den Kreon des II. Bildes so sehr im Blut und in allen Sinnen – dass ich unerhörte Überraschungen der inneren Entfaltung mir wünschte für ihn. – Die Symbolik der Sphinx ist vielleicht für mich nicht zwingend – kurz – ich weiss nicht – wo es da bei mir fehlt.

Rollers Skizzen sah ich. Der Palast in Theben ist prachtvoll – diese Strenge darin – und düstere Hoheit der Bäume links. – Der Hohlweg auch begeistert mich. Da ist der Baum hinten – vom Sturm verpeitscht – die verwirrten Aeste niedergezwungen in unendlichen Kämpfen des Trotzes mit dem Sturm und ein Stück Himmel reisst sich da hinein – in gelben grellen Fetzen von Helligkeit – das hat sich hier verschworen mit dem Schicksal der Menschen! Auch das letzte Bild mit dem unendlich hohen – Fernen umspannenden Himmel – klar und kalt in seiner Bläue über die kleinen bunten Menschen sich wölbend – Unendlichkeiten verkündend.

Dieser Roller imponiert mir sehr. –

(FDH / Dauerleihgabe Stiftung Volkswagenwerk)

Uraufführung des Dramas – die Besetzung:

Regie	*Max Reinhardt*
Bühnenbild, Kostüme	*Alfred Roller*
Musik	*Oscar Fried*
Ödipus	*Friedrich Kayssler*
Phönix	*Eduard v. Winterstein*
Ermos	*Ludwig Landsberg*
Elatos	*Wilhelm Techel*
Laios	*Albert Steinrück*
Herold	*Max Schütz*
Wagenlenker	*Richard von Bischoff*
der eine } *Diener*	*Fritz Richard*
der andere } *Diener*	*Max Scholz*
der dritte } *Diener*	*Hans Ludolff*
Kreon	*Alexander Moissi*
Schwertträger	*Gertrud Eysoldt*
Magier	*Hans Pagay*
Zwerg	*Richard Grossmann*
Diener	*Willi Reimann*
Türhüter	*Julius Nollet*
Hundewärter	*Jakob Tiedtke*
1. Bote	*Georg Henrich*
2. Bote	*Roderich Arndt*
3. Bote	*Bernhard von Jacobi*
4. Bote	*Ludwig Sillé*
5. Bote	*Alfred Gorowicz*

Jokaste	*Agnes Sorma*
Antiope	*Adele Sandrock*
Teiresias	*Wilhelm Royaards*
Kind	*Elly Rothe*
Sprecher des Volkes	*Ludwig Hartau*
Mann aus der Stadt	*Jakob Feldhammer*
Sterbender	*Rudolf Schildkraut*

(zusammengestellt nach den Unterlagen im Archiv des Deutschen Theaters, Berlin)

ERLÄUTERUNGEN

ÖDIPUS UND DIE SPHINX

9: Das Zitat aus dem ›Hyperion‹ ist in Hofmannsthals Ausgabe (Friedrich Hölderlin's sämmtliche Werke. Hrsg. von Christoph Theodor Schwab. Erster Band. Stuttgart und Tübingen: Cotta 1846. Zweite Abteilung, S. 37) doppelt angestrichen (dort: »empor,« sowie »entgegen stände«).

10,3: In Hofmannsthals Quelle (Joséphin Péladan, Œdipe et le Sphinx. Tragédie en trois actes. Paris: Société du Mercure de France 1903) heißt der Diener des Ödipus Lychas. Hofmannsthal hat den Namen Phönix *wahrscheinlich in Anlehnung an den Erzieher und Freund des Achill gewählt; vgl. ›Ilias‹, Buch IX.*

10,4f.: Die Diener Ermos *und* Elatos *kommen in Péladans Drama nicht vor. Für den Namen Ermos findet sich kein gleichlautendes Vorbild in der griechischen Geschichte oder Mythologie. Doch begegnet verschiedentlich die aspirierte Form* Ἕρμος*: als Fluß in Mysien oder auch als Personenname. Der Name Elatos ist mehrfach überliefert: als Name eines Kentauren, eines Freiers der Penelope u. ö.*

11,2 Phokis *Landschaft zwischen dem korinthischen und dem euböischen Meerbusen; im Süden der Region liegt Delphi; im Osten schließt sich die Landschaft Böotien mit Theben an. Vgl. den Brief an die Fürstin Marie Thurn und Taxis vom 11. Mai 1908 aus Athen:* Dies Land, mit allen seinen sublimen, zerbrochenen Steinen und den Mythen und Legenden, die an jedem Baum und jeder Höhle hängen (der Weg, den wir gestern nachmittags geritten sind, führte genau von dem Kreuzweg des Ödipus bis zur Höhle des Trophonius), – dieses Land ist zu alledem kein Land der Vergangenheit wie Italien, dazu ist es zu geheimnisvoll gegenwärtig, zu leer (denn es ist fast leer, Tage um Tage wandert man an keinem Gehöft vorüber), zu vierge – man ist wie außerhalb aller Zeit. Manch kleiner

Ritt von Tagen kann aufgebaut sein wie eine Symphonie: ein Ankommen in einer stillen, zauberhaften, lyraförmigen Bucht, abends; ein Hinauffahren nach Delphi, wo man den Sternen wirklich näher ist als irgendwo auf der Welt; 〈...〉 *(B II 322)*

12, 16–18 Den ... Bogens. *Später (14, 15–17) wird das Bild variiert: Der geradeste Weg folgt nicht mehr der Sehne des Bogens, sondern dem Pfeil, der vom Bogen fliegt.*

15, 17–24 der darf ... gräbt. *Das Bild vom steinernen Mantel geht zurück auf das dritte Buch der ›Ilias‹, Vers 55 f. Hektor wirft Paris das Unheil vor, das er über die Trojaner gebracht habe:*

> *Ach, gar feig sind die Troer; denn wahrlich, längst schon umhüllte*
> *Sonst dich ein steinerner Rock für das Unheil, das du gehäuft hast!*

Die Kommentatoren der ›Ilias‹ betonen, daß die Steinigung des Übeltäters die Bestattung unter dem Steinhaufen einschließt.

15, 31–34 Wie ... greift? *Die Stelle erinnert an zwei Passagen aus Kleists ›Penthesilea‹. Penthesilea will*

> *〈...〉 den ganzen Griechenstamm*
> *Bis auf den Grund, die Wütende, zerspalten.*
> *Der Krone ganze Blüte liegt 〈...〉*
> *〈...〉 vom Sturm herabgerüttelt, (V. 146–149)*

Am Ende des Dramas wird ihr Untergang metaphorisch ausgedeutet:

> *Die abgestorbne Eiche steht im Sturm,*
> *Doch die gesunde stürzt er schmetternd nieder,*
> *Weil er in ihre Krone greifen kann. (V. 3041–3043)*

(H. v. Kleists Werke. Im Verein mit Georg Minde-Pouet und Reinhold Steig herausgegeben von Erich Schmidt. 2. Band. Leipzig und Wien: Bibliographisches Institut o. J. Das Buch befindet sich in Hofmannsthals nachgelassener Bibliothek.)

19, 8 u. 12 Mich dürstet. *Möglicherweise Nachklang der Worte Christi am Kreuz (Johannes 19, 28).*

20, 8 f. Daß ... Adern – *Vgl. Péladan, S. 11: »que plusieurs ignoraient leur vrai sang;«*[1]

21, 6: *Die ungewöhnliche Wendung scheint bestimmt durch Georges Gedicht »Er liess sich einsam hin auf hohem steine ...« aus dem ›Buch der hängenden Gärten‹. (Die Bücher der Hirten- und Preisgedichte · Der Sagen und Sänge · Und der hängenden Gärten. Berlin: Verlag der Blätter für die Kunst 1895, S. 109. Widmungsexemplar in Hofmannsthals nachgelassener Bibliothek.)*

[1] *Da die erste Fassung des ersten Akts (1 H) Péladan viel näher steht als der endgültige Text, sind die meisten Übereinstimmungen mit Péladan in den Erläuterungen zu dieser frühen Fassung nachgewiesen (S. 648, 26–653, 44). Im folgenden werden Parallelstellen zwischen Akt I und Péladan nur erwähnt, wenn sie in 1 H noch nicht enthalten sind.*

Hofmannsthal hebt die zitierte Zeile am Ende seines Aufsatzes Gedichte von Stefan George *ausdrücklich hervor (P I 250) als Beispiel für* Königlichkeit *und* Berufung *im* verlassensten, traurigsten Zustand. *Auch für Ödipus wird der* nackte Stein *später zum Thron. Vgl. S. 37,10 und öfter. Es handelt sich also um mehr als eine sprachliche George-Reminiszenz.*

22,5f. dorthin, … Feuerströmen *Die delphische Priesterin sitzt während ihrer Prophezeiungen auf einem Dreifuß über einem rauchenden Erdspalt. Hofmannsthal läßt sie später freilich an das Lager des seinen Lebenstraum träumenden Ödipus treten. Vgl. S. 25,28–26,32.*

22,29–31 Da … sich. *Möglicherweise geht diese Stelle auf V. 35 im apokryphen Zusatz zu dem Buch Daniel des Alten Testaments ›Vom Drachen zu Babel‹ zurück: »Da faßte ihn der Engel oben bei dem Schopf und führte ihn wie ein starker Wind gen Babel ⟨…⟩« Vermittler des Motivs könnte Goethe sein. Wolfgang Herwig (Eine Bibelstelle als Bildsymbol bei Goethe. In: Goethe-Jahrbuch, N.F. 22 [1960], S. 64–85) hat nachgewiesen, daß die Anekdote eine Lieblingsgeschichte Goethes ist.*

Vielleicht klingt hier auch Kleists ›Penthesilea‹ nach, wo es in verschiedenen Variationen heißt, daß Achill und Penthesilea einander am Haar vom Pferde reißen, zu sich herabziehen wollen oder daß Penthesilea gar den Ruhm bei seinem »Lockenhaar fassen« möchte (V. 224f., 677f., 1384f.).

23,1f. ein Gemach, … Flammen. *Ähnliches wird von Sigismunds Gefängnis im* Turm *gesagt. Der Prinz ist von der Außenwelt abgeschlossen, aber er sieht den Sternenschein. – Ödipus und Sigismund sind in verschiedenster Hinsicht Schicksalsgefährten: durch die unheilvolle Prophezeiung, durch den Vater-Sohn-Konflikt, als Erlösergestalten u.a.*

23,7–11 Nicht … hebt, *Diese Beschreibung ist beeinflußt von Hölderlins ›Patmos‹, V. 27–32 u. 43–46 (nach dem Druck der Ausgabe von Christoph Theodor Schwab):*

> *Geheimnißvoll*
> *Im goldnen Rauche blühte,*
> *Schnell aufgewachsen*
> *Mit Schritten der Sonne,*
> *Mit tausend Gipfeln duftend,*
> *Mir Asia auf ⟨…⟩*
> *⟨…⟩*
> *⟨…⟩ und getragen sind*
> *Von lebenden Cedern und Lorbeern Säulen,*
> *Die feierlichen,*
> *Die göttlich gebauten Paläste.* *(a.a.O., Bd. 2, S. 223, s. Erl. zu S. 9)*

23,13–15 wo … biegt, *Das Bild stammt aus Jean Pauls ›Titan‹: »Albano berührte bebend Lianens blumenlippe ⟨…⟩ und die schwere milchstraße bog sich wie eine wünschelrute hernieder zu seinem goldnen glück.« Hofmannsthal las Jean Paul in der von George besorgten Auswahl, die sich in seiner Bibliothek erhalten hat: Jean Paul. Ein Stundenbuch fuer seine Verehrer. Berlin: Blätter für die Kunst 1900 (= Deutsche Dichtung. Hrsg. und eingeleitet von Stefan George und Karl Wolfskehl. [Bd. 1]), S. 60. Auf derselben Seite zwei Anstreichungen.*

23,16–19: Vgl. das Fragment 45 des Heraklit: »Der Seele Grenzen kannst du im Gehen nicht ausfindig machen, und ob du jegliche Straße abschrittest; so tiefen Sinn hat sie.« (Die Fragmente der Vorsokratiker. Griechisch und Deutsch von Hermann Diels. 1. Aufl. Berlin 1903; zuvor schon erschienen: Herakleitos. Hrsg. von Hermann Diels. Berlin 1901.)

24,16f. Nein – ... mich, *In dem Vortrag von 1906* Der Dichter und diese Zeit *heißt es über den Dichter:* Er gleicht dem Seismographen, den jedes Beben, und wäre es auf Tausende von Meilen, in Vibrationen versetzt. Es ist nicht, daß er unaufhörlich an alle Dinge der Welt dächte. Aber sie denken an ihn. Sie sind in ihm, so beherrschen sie ihn. *(P II 248)*

Der Dichter, wie er hier charakterisiert wird, und der schicksalhaft berufene Täter und König sind nahe Verwandte. Noch in der Erniedrigung stehen sie im Zentrum allen Geschehens, und beanspruchen das Zutrauen der lebendigen Menchen *(P II 236)*

24,26f.: Vgl. dazu die Verbindung von Eros und Feuer im Geretteten Venedig, *zu Anfang des 5. Aktes (D II 248–250). Das leidenschaftliche Erlebnis zwischen Aquilina und Pierre hat kein Vorbild bei Otway.*

24,29f.: Vgl. auch S. 107,1f. der Priester sein / und auch zugleich das Opfertier *und ferner S. 610,21* Priester und Opfer sind wir

Diese Stellen zeigen den Einfluß von Rudolf Kassners Aufsatz ›Charles Baudelaire (Poeta christianissimus)‹, der im Jahre 1904 in der ›Neuen Rundschau‹ erschienen war (jetzt in: Sämtliche Werke. Hrsg. von Ernst Zinn. Bd. 2. Pfullingen 1974, S. 137–152) und den Hofmannsthal in Teilen schon vor dem Abdruck kannte (vgl. seinen Brief an Oscar Bie; S. Fischer Almanach 87, S. 83). Kassner zitiert aus Kapitel IX, »Le dandy«, von Baudelaires ›Le peintre de la vie moderne‹: »Der Dandy ist ⟨...⟩ ›Priester und Opfer zugleich!‹«. (Bei Baudelaire heißt es: »⟨...⟩ à la fois les prêtres et les victimes ⟨...⟩« In: Œuvres complètes de Charles Baudelaire. Bd. III. L'art romantique. Paris: Lévy o. J., S. 93. Exemplar in Hofmannsthals nachgelassener Bibliothek.) Eine Stelle aus Baudelaires Gedicht ›L'Héautontimorouménos‹ (= ›Les Fleurs du Mal‹ LXXXIII), die ebenfalls in Hofmannsthals Wendung S. 24, 29f. nachklingt, erscheint am Ende des Essays (S. 151):

> *Je suis la plaie et le couteau*
> ⟨...⟩
> *Et la victime et le bourreau!*

Der Gedanke der Einheit von Priester und Opfer, von Handeln und Leiden in der Opferzeremonie war dem Dichter auch vertraut aus: Rudolf Kassner, Der indi-

sche Idealismus. München: Bruckmann 1903. Das Buch, das Kassner dem Dichter mit einer Widmung Ostern 1903 schenkte, befindet sich in Hofmannsthals nachgelassener Bibliothek. Es enthält, neben sehr vielen Anstreichungen im Text, auf S. ⟨6⟩ die Eintragung: gelesen zum 3ten und 4ten Mal December (18–21) 1904. 5ten Ragusa März 1905. *Beleg für eine Beschäftigung mit diesem Werk bereits im Jahr 1903 ist ein Brief Hofmannsthals an Harry Graf Kessler vom 6. 10. ⟨1903⟩. Er übersendet Kessler* einzelne Arbeiten *Kassners, darunter auch das obengenannte Buch, und bittet den Freund, ihm seinen Eindruck über das Werk mitzuteilen (BW 55). Im Jahr 1903 entstand auch* Das Gespräch über Gedichte, *in dem Hofmannsthal das Mysterium des Opfers als Einsfühlen zwischen Mensch und Opfertier erklärt (P II 88–90). Parallelen auch in* Augenblicke in Griechenland *(P III 37).*

25,11–13 Wie ... Mann: *Rilke schreibt, nachdem er den ersten Akt von* Ödipus und die Sphinx *in der ›Neuen Rundschau‹ gelesen hatte, am 18. Januar 1906 an Clara Rilke: »Gestern nachmittag, in einer freien Stunde vor Dämmerung, hatte ich Hofmannsthals Kreuzweg im Lande Phokis gelesen; es sind wunderschöne Verse drin von einer anwachsenden und wieder abfallenden Bewegtheit, die mich manchmal an den Gang meines Requiems[1] denken ließ. Und so schön verwoben, unzerreißbar an vielen Stellen, – das:*

> *... wie ein gepeitschtes Wasser*
> *jagte mein Leben in mir hin, – auf einmal*
> *erschlugen meine Hände einen Mann:*

wie das kommt, so unerwartet und wirklich, wie ein von diesem gepeitschten Wasser tatsächlich herbeigerissener Gegenstand, – und die andere Rede des Ödipus, anhebend:

> *Bist du gefeit gegen die Mächte?*
> *Weißt du, was für Mitternächte über uns*
> *noch hereinbrechen,*
> *wo wir einander vorübertaumeln*
> *und erkennen einander nicht!*

und fortsetzend mit dem Bild der Schlacht, die aus dem Gastmahl geworden ist, und in sich zurückfallend, riesig aufgebäumt, mit jenem: ›Das alles ist in meinem Blut. Waren nicht Rasende unter meinen Ahnen?‹« (Rainer Maria Rilke, Briefe aus den Jahren 1902 bis 1906. Hrsg. von Ruth Sieber-Rilke und Carl Sieber. Leipzig 1930, S. 292. Ebenfalls enthalten in: Hugo von Hofmannsthal – Rainer Maria Rilke, Briefwechsel 1899–1925. Hrsg. von Rudolf Hirsch und Ingeborg Schnack. Frankfurt a. M. 1978, S. 168f.)

Ähnlich heißt es in einem Brief vom 21. Februar 1906 an Lou Andreas-Salomé: »Ich freue mich auf Hofmannsthals ›Oedipus‹, dessen ersten Aufzug ich von herrlicher Bewegung erfüllt finde und stellenweise fast in meinem Klang aufgebaut.« (Rainer Maria Rilke – Lou Andreas-Salomé, Briefwechsel. Hrsg. von Ernst Pfeiffer. Zürich und Wiesbaden 1952, S. 222.) Eine klangliche Verwandtschaft mit den Schlußgedichten des ›Buchs der Bilder‹ (außer ›Requiem‹ auch ›Die Blinde‹ und ›Aus einer Sturmnacht‹) läßt sich vor allem in der rhythmischen

[1] *Im ›Buch der Bilder‹.*

Prosa und in den gereimten unregelmäßigen Versen der zweiten Hälfte von Akt I feststellen.

25,18f. ich ... Gott. *Vgl. die bekannte Liebeselegie des Properz II, 15,39f.:*
si dabit et multas[1]*, fiam immortalis in illis:*
nocte una quivis vel deus esse potest. 5
Ähnlich auch Properz II, 14,10:
immortalis ero, si altera talis erit.

26,5–9 Weib ... Gott! *Vgl. auch S. 32,32f.* ein Weib und doch kein Weib, / und das furchtbare Wohnen des Gottes in ihrem Leib – *Von der Pythia sind androgyne Züge aus der Antike nicht überliefert. Daß die delphische Priesterin in der* 10 *Verzückung weissagte, fand Hofmannsthal möglicherweise bei Rohde: »Der Gott, so war der Glaube, fährt in den irdischen Leib, oder die Seele der Priesterin, von ihrem Leibe ›gelöst‹, vernimmt mit Geistersinn die göttlichen Offenbarungen. Was sie dann ›mit rasendem Munde‹ verkündigt, das spricht aus ihr der Gott; wo sie ›ich‹ sagt, da redet Apollo von sich und dem was ihn betrifft. Was in ihr* 15 *lebt, denkt und redet, so lange sie rast, das ist der Gott selbst.« (Erwin Rohde, Psyche, Seelencult und Unsterblichkeitsglaube der Griechen. Bd. 2. Freiburg i. Br. 1894, S. 60f.)*

27,19f. Den ... begriffen. *Zitat aus Rudolf Kassner, Der indische Idealismus, München 1903 (jetzt in: Sämtliche Werke. Hrsg. von Ernst Zinn. Bd. I. Pfullin-* 20 *gen 1969, S. 429–490). Das Buch trägt das Motto: »Nur wen er wählt, von dem wird er begriffen. Kâthaka-Upanishad.« Kassners Quelle war: Sechzig Upanishads des Veda. Aus dem Sanskrit übersetzt ... von Paul Deussen. Leipzig 1897, S. 275. Zum Einfluß von Kassners Buch auf* Ödipus und die Sphinx *vgl. auch die Erläuterung zu S. 24,29f., S. 634,24–635,12.* 25

32,11–21*: Das Motiv vom Turm erinnert an Calderons ›Das Leben ein Traum‹. Sigismund und Ödipus sind nahe Verwandte. Beide werden aufgrund einer unheilvollen Prophezeiung von ihrem Vater verstoßen, ohne daß dadurch die Erfüllung der Prophezeiung verhindert würde. Hofmannsthal arbeitete seit dem Herbst 1901 an einer Neufassung von Calderons Drama. Möglicherweise erledigte* 30 *das Ödipus-Stück für ihn den Stoff zunächst. Erst im* Turm *nahm er ihn wieder auf (1918).*

32,32f. ein Weib ... Leib – *Vgl. Erläuterung zu S. 26,5–9.*

36,32*: Die Stelle erinnert an den Anfang des Gedichts ›Abschied des Einsiedlers‹, das Herder aus einer indischen Quelle übersetzt hat: »Erde, du meine Mutter,* 35 *und du mein Vater, der Lufthauch ...« (Johann Gottfried Herder, Sämmtliche Werke. Hrsg. von Bernhard Suphan. Bd. 26 = Poetische Werke. Hrsg. von Carl Redlich. Bd. 2. Berlin 1882, S. 416.)*

[1] *Sc. »noctes«.*

37,10: Vgl. Péladan, S.66: »Ce rocher est mon trône à moi ⟨...⟩«

43,15f. Warum ... geschehn? *Ein Nachklang von Claudios Reflexion über sein verfehltes Leben in* Der Tor und der Tod: Warum geschah mir das? *(SW III 78, 38) Ähnlich Klytämnestra in* Elektra: Warum geschieht mir das, ihr ewigen 5 Götter? *(D II 25) Daß eine Gestalt ihre Tat nicht tut, sondern sie eher erleidet, begegnet verschiedentlich bei Hofmannsthal.*

46,8f. mit Schwerterhieben ... herausgehaun *Vgl. zu diesem Bild Shakespeares ›Macbeth‹, wo in V, 7 Macduff den schaudernden Macbeth aufklärt, er sei der Mann, der nicht vom Weib geboren, da »⟨...⟩ vor der Zeit/Macduff geschnitten 10 ward aus Mutterleib.« (Schlegel/Tieck) Hofmannsthal verwendet die Shakespeare-Stelle noch einmal S. 102,16.*

46,30 Byssos *Ein sehr feines leinenartiges Gewebe von hohem Wert.*

46,34 Ambra *Ein wohlriechender, kostbarer Stoff, der, aus dem Körper des Pottwals gewonnen, zuerst von den spanischen Mauren in der Parfümherstellung 15 gebraucht wurde.*

46,35 Myrrhen *Das wohlriechende Harz bestimmter Sträucher. Wegen ihres Duftes wurden Myrrhen in verschiedenen Salbölen verwendet. Sie werden sowohl in der Bibel (Hohelied, Matthäus 2,11) als auch in der Literatur des klassischen Altertums häufig als große Kostbarkeiten erwähnt.*

20 *48,36–49,10* »Nimm ... Lebenssaat! *Dieser Bericht steht im Widerspruch zu Jokastes Version (S. 73,22–74,2), daß sie bereits mit einem Kind gesegnet war, als Laïos die unglückliche Prophezeiung erhielt. Nach Kreons Version, die der Überlieferung der antiken Tragödie näher steht (vgl. Erläuterung zu S. 76,5–18, S. 641,13–37), hatte der König die Möglichkeit, sich vor dem bedrohlichen 25 Schicksal zu bewahren, nach Jokastes Version nicht. Jokaste betont aber ausdrücklich, daß das Verhängnis erst in entfernter Zukunft drohe, nachdem der Sohn zum Mann aufgewachsen sei. – Das Motiv, daß die Priester Kreon als Unglücksboten gebrauchten, ist in der Antike nicht vorgebildet. Es dient der engeren Verknüpfung der Hauptgestalten.*

30 *49,6* Herrin Hekate *Hekate ist die Göttin des Zaubers und der Dämonen, eine chthonische Göttin, oft mit der Herrscherin der Unterwelt gleichgesetzt. Die Herrin über die Gespenster kann auch böse Dämonen abwehren bei besonders gefährlichen Gelegenheiten. So ist Hekate auch Hochzeitsgöttin und Geburtsgöttin.*

49,10–13 Da ... Salbgefäß. *Im Mythos schickt die von Jason verstoßene Medea 35 der korinthischen Königstochter Kreusa, die jener heiraten will, vergiftete Hochzeitsgewänder und tötet damit die verhaßte Konkurrentin und ihren Vater. Nach einer anderen Version zündet Medea die Königsburg an, wobei der König und seine Tochter verbrennen. Das Motiv von dem Gift im Salbgefäß ist aus der Antike nicht überliefert.*

49, 35f.: Vgl. den Lebensekel bei Elis Fröbom im Bergwerk zu Falun*:* Die Landluft widert mir, mir widert Seeluft. *(GLD 337)*

50, 36f. Becher ... sind? *Das Motiv geht auf Plinius (nat. hist. 9, 35, 58) zurück: um einer Wette mit Antonius willen habe Kleopatra kostbare Perlen in Weinessig aufgelöst und getrunken. Hofmannsthal erinnerte sich daran möglicherweise aus der Lektüre des ›Hyperion‹: »⟨...⟩ eine solche Verschwendung ist königlicher, als der Muthwille der Kleopatra, da sie die geschmolzenen Perlen trank ⟨...⟩« (a.a.O., S. 80, s. Erl. zu S. 9)*

51, 3–10: Wahres Opfer ist bei Hofmannsthal stets das Selbstopfer; vgl. Das Gespräch über Gedichte *(P II 88–90). Eine ähnliche Situation wie die zwischen Kreon und dem Magier findet sich in* Elektra *zwischen Klytämnestra und Elektra: Wie Kreon sich durch große Opfer zu erlösen hofft und nicht begreift, daß er sich selbst hingeben muß, trachtet Klytämnestra, sich durch alle Arten von Opfern von ihren Träumen loszukaufen, ohne zu erkennen, daß Elektra ihre eigene Opferung verlangt.*

52, 21 Die ... übertüncht. *Vgl. Erläuterung zu S. 58,25.*

53, 11–13 ich ... angerührt. *Vgl.* König Ödipus, *S. 152. Als Ödipus Kreon beschuldigt, den Teiresias gekauft zu haben, um sich die Herrschaft zu erschleichen, heißt es von jenem:*

KREON hebt die Hände Du sollst es prüfen – *(Z. 11)*
⟨...⟩
Er rührt sein Gewand an.
Laß doch die Zeit mich prüfen. *(Z. 28f.)*

Die neutestamentliche Geste des Gewand-Anrührens auch in Wir gingen einen Weg*:*

> ⟨...⟩ da wurde es mir so,
> Als dürft ich jenen letzten, die noch nah
> Der Erde schienen, freundlich ihr Gewand
> Anrühren, wie ein Gastfreund tuen darf
> Von gleichem Rang und ähnlichem Geschick: *(GLD 84)*

53, 18f. Wer ... bin? *Vgl. Shakespeare, ›The Tempest‹, IV, 1, V. 156f.: »⟨...⟩ We are such stuff / As dreams are made on ⟨...⟩« In* Terzinen III *hatte Hofmannsthal die Shakespeare-Verse bereits verwendet, und zwar in enger Anlehnung an die Schlegel/Tiecksche Übersetzung:* Wir sind aus solchem Zeug wie das zu Träumen *(GLD 18) Später folgt Friedrich Gundolf dieser Gedichtzeile in seiner Übersetzung der Shakespeare-Stelle. Vgl. auch* Der weiße Fächer, *SW III 176, 13–16 und zugehörige Variante ebenda, S. 657,23–26 nebst Erläuterung S. 676, 34–677, 6.*

53, 27f.: Der Beginn der Szene Kreon–Knabe Schwertträger erinnert an den Dialog Brutus–Lucius in Shakespeares ›Julius Caesar‹. Hofmannsthal hebt ihn hervor in seinem Essay Shakespeares Könige und große Herren: Wie er sich entschuldigt, daß er ihm den Schlaf verkürzt, auf den seine Jugend so viel Anrecht hat. *(P II 145) Vgl. ›Julius Caesar‹, IV, 3: »Ich weiß, daß junges Blut auf Schlafen hält.«*

54,25f.: *Nach Georges Gedicht »Wenn um der zinnen ...« aus ›Algabal‹, V. 18–20:*

Worauf er doch am selben tag befahl
Dass in den abendlichen weinpokal
Des knechtes name eingegraben werde.

(Stefan George, Hymnen · Pilgerfahrten · Algabal. Zweite Ausgabe. Berlin: Georg Bondi 1899, S. 99. Exemplar in Hofmannsthals nachgelassener Bibliothek.)

57,2 Kluft zu Harma *Harma ist eine Ortschaft in Böotien auf dem Weg von Theben nach Chalkis. Die Lokalisierung der Sphinx in einer Kluft oder einer Felshöhle bei Harma fand Hofmannsthal bei Péladan. In den antiken Quellen wird die Ortschaft nicht ausdrücklich erwähnt.*

57,20 Klüfte des Kythäronbergs *Der Kithairon südlich von Theben trennt die Landschaften Böotien und Attika. Er galt als Sitz der Erinnyen.*

58,15–18 Dies ... bescheint. *Diese Stelle erinnert an die Tat des Laios, von dem es heißt, er habe Jokastes neugeborenes Kind,* das nicht im Lichte bleiben durfte *(S. 74,22)* mit seinen beiden Händen 〈...〉 erwürgt *(S. 72,29f.)*

58,25 Leichen ... Gräbern *Vgl. Matthäus 23,27: »〈...〉 ihr Heuchler, die ihr gleich seid wie die übertünchten Gräber 〈...〉«*

59,6f. Man ... nicht? *Vgl. Hebbels ›Genoveva‹:*

Und nicht mit Worten bloß, mit Thaten auch
Kann man sich schminken.

(Friedrich Hebbel's sämmtliche Werke. Erster Band. Hamburg: Hoffmann und Campe 1891, S. 189 〈V. 2957f.〉. Die vollständige Ausgabe [Bd. 1/2 bis 11/12] befindet sich in Hofmannsthals nachgelassener Bibliothek.)

Derselbe Gedanke auch in Hebbels Tagebuch aus der Entstehungszeit der ›Genoveva‹, Anfang Mai 1840: »Auch mit Thaten kann man sich schminken. Wenn der wahre Mensch manches Einzelne durch die Totalität seines Lebens und Wesens zu entschuldigen glaubt, so wähnt der falsche umgekehrt, durch ein löbliches Einzelnes die Schlechtigkeit des Ganzen zu rechtfertigen.« (In der von Hofmannsthal seit 1890 vermutlich benutzten Ausgabe: Friedrich Hebbels Tagebücher. Hrsg. von Felix Bamberg. Erster Band. Berlin 1885, S. 214.[1])

60,14 Midas *Dem phrygischen König Midas war vom Gott Dionysos die Erfüllung eines Wunsches zugesagt worden. Er begehrte, daß alles, was er berührte,*

[1] *Hofmannsthal besaß die Tagebücher in der 3. Auflage der hist.-krit. Ausgabe von Richard Maria Werner, die erst 1905 erschien.*

zu Gold würde. Die Erfüllung brachte ihn an den Rand des Verderbens, als er merkte, daß auch seine Speisen in Gold verwandelt wurden.

61,15f. und ... bedroht, *Vgl.* Lebenslied, *V. 9f.:*
Er geht wie den kein Walten
Vom Rücken her bedroht. *(GLD 12)* 5

64,2f. Ein Weg ... meine, *Vgl.* Inschrift, *V. 1f.:*
Entzieh dich nicht dem einzigen Geschäfte!
Vor dem dich schaudert, dieses ist das deine: *(GLD 78)*

65,11: Vgl. Hohelied 5,2: »Ich schlafe, aber mein Herz wacht.«

66,27: Vgl. Psalm 113,9: »Der die Unfruchtbare im Hause wohnen macht 10
⟨...⟩« Unfruchtbarkeit als Schande ist ein häufiges Motiv im Alten Testament, und Rehabilitierung von dieser Schmach ist eine besondere göttliche Gnade. – Hofmannsthal schrieb an Ernst Hladny: Ich halte den Ton des Alten Testaments für eine der Brücken – vielleicht die stärkste – um dem Stil antiker Sujets beizukommen. *(B II 384)* 15

67,17f: Nachklang der bekannten Stelle aus Shakespeares ›Hamlet‹: »Es gibt mehr Ding' im Himmel und auf Erden / Als eure Schulweisheit sich träumt ⟨...⟩« (I,5)

67,21: Im Anklang an den Eingangsvers von Georges Gedicht »O mutter meiner mutter und Erlauchte ...« aus ›Algabal‹ (a.a.O., S. 102, s. Erl. zu S. 54,25f.). 20
Hofmannsthal bezog sich in dem Exemplar von Ödipus und die Sphinx, *das er George übersandte, auf diese Zeile mit der Eintragung:* O Mutter meiner Mutter und Erlauchte ... *Es folgt die Widmung:* Stefan George mit der herzlichen Bitte diesem Gedicht freundlich zu nahen sein Hofmannsthal, im März 1906. *Vgl. BW 269, Anm. zu S. 228.* 25

69,11–13: Diese Erzählung erinnert an die Sage von dem schönen Jüngling Hylas. Hylas war der Freund des Herakles. Auf der Insel Kios wollte er aus einer Quelle Wasser schöpfen, aber die Quellnymphe verliebte sich in ihn, umschlang ihn und zog ihn in die Tiefe hinab. Vgl. die Erzählung der Großmutter in Das Bergwerk zu Falun*:* 30
Mein erster Sohn hebt seinen Kinderkopf
Auf aus dem stillen Bach, drin er ertrank:
Den zog ein Wasser mit gelassner Unschuld
In seinen frühen Tod *(GLD 459)*

70,24 Weh den Unfruchtbaren! *Möglicherweise direkter Nachklang von Hebbels* 35
›Judith‹, mit der Hofmannsthal sich während der Entstehungszeit von Ödipus und die Sphinx *beschäftigt hat (vgl. N 2). Vgl. Judiths Worte in II: »Unselig sind die Unfruchtbaren,« (a.a.O., S. 23, s. Erl. zu S. 59,6f.). Die Fortsetzung ihrer Rede, »doppelt unselig bin ich, die ich nicht Jungfrau bin und auch nicht Weib!«, scheint bereits in* Elektra *nachzuleben.* 40

71,6–18: *Wieder Nachklang eines biblischen Tons. Vgl. Jesaja 54,1: »Rühme, du Unfruchtbare, die du nicht gebierst; freue dich mit Rühmen und jauchze, die du nicht schwanger bist!« Ferner Lukas 23,29: »Denn siehe, es wird die Zeit kommen, in welcher man sagen wird: Selig sind die Unfruchtbaren und die Weiber, die nicht geboren haben ⟨...⟩«*

73,22–74,2: *Vgl. Erläuterung zu S. 48,36–49,10, S. 637,20–29.*

75,4f. Mit ... Welt. *Vgl. die Anklage des Ödipus gegen Laios, S. 41,9f.*

75,16–24 Oh, ... Gott! *Jokastes Erwägung, Laios und sie hätten das verheißene Schicksal auf sich nehmen sollen, indem sie den Sohn am Leben ließen, ist nicht in der Antike vorgebildet.*

Im ›König Ödipus‹ des Sophokles empfing der Hirt den neugeborenen Knaben, den er aussetzen sollte, aus der Hand der Mutter.

76,5–18: *Die Deutung, daß das Erscheinen der Sphinx durch Laios' Beseitigung des Ödipus ausgelöst wurde, ist weder in der antiken Überlieferung noch bei Péladan vorgebildet.*

Bei Péladan ist die Sphinx zugleich Symbol und Strafe für die Schlechtigkeit der Thebaner; sie hatten die von der Pest befallenen Chalkider grausam verhungern lassen.

In der Antike gibt es im wesentlichen zwei Erklärungen für die Heimsuchung Thebens durch die Sphinx:

Nach der ›Oidipodie‹, dem nur in wenigen Fragmenten auf uns gekommenen Ödipus-Epos der Antike, war die Erscheinung der Sphinx eine Strafe der Ehe-Göttin Hera an Laios wegen seiner sträflichen Liebe zu Chrysippos, dem Sohn des Pelops, den er aus dem Vaterhaus entführte. Auch Hades oder Ares werden gelegentlich für die Heimsuchung verantwortlich gemacht.

Bei den Tragikern bleibt die Herkunft der Sphinx ungeklärt oder sie wird unmittelbar mit dem Ödipus-Geschehen in Verbindung gebracht: Apollon hatte den Laios davor gewarnt – dreimal, wie Aischylos in seinem ›Laios‹ überlieferte –, ein Kind zu zeugen, wenn er sein Heil und das der Stadt Theben bewahren wolle. Aus Leichtsinn oder Trunkenheit hat der König das Verbot ignoriert und damit schuldhaft das Unheil auf sich und sein Geschlecht gezogen.

Das Motiv, daß Laios sich, als er erschlagen wurde, gerade auf dem Weg nach Delphi befand, um wegen der Sphinx um Rat zu fragen, hat Hofmannsthal von Péladan übernommen. Es entspricht der antiken ›Oidipodie‹, ist aber bei den Tragikern nicht überliefert. Sophokles schweigt über den Grund der Reise. Euripides läßt in seinen ›Phoinissen‹ die Sphinx erst nach dem Tod des Laios in Theben erscheinen.

76,24 dort ... an. *In seinem Essay* Sebastian Melmoth *aus dem Jahr 1905, dem Entstehungsjahr von* Ödipus und die Sphinx, *reflektiert der Autor mit ähnlichen Wendungen über das Schicksal:* Es hat gar keinen Sinn so zu sprechen, als ob Oscar Wildes Schicksal und Oscar Wildes Wesen zweierlei gewesen wären und als ob das Schicksal ihn so angefallen hätte wie ein bissiger Köter ein ahnungsloses Bauernkind 〈...〉

Oscar Wildes Wesen und Oscar Wildes Schicksal sind ganz und gar dasselbe. *(P II 117f.)*

78,13 u. 80,6f.: *Vgl. Matthäus 8,22: »〈...〉 laß die Toten ihre Toten begraben!« Vgl. auch* Der weiße Fächer *(SW III 158,7), wo ebenfalls die Großmutter zum Leben mahnt mit den Worten:* Laßt die Toten ihre Toten begraben.

78,18: *Eine ähnliche Situation in* Ariadne auf Naxos. *Auch Ariadne erwartet den Tod, als der Lebensbringer Bacchus naht:* O Todesbote! süß ist deine Stimme! *(L III 59)*

79,17 Fluß: ... Ahn *Vgl. S. 104,8. Das Geschlecht des Kadmos leitet sich in einer Linie von dem Flußgott Inachos her. Freilich fließt in der Nähe von Theben nicht der Inachos, sondern der Asopos, der als Bruder des Inachos gilt.*

81,10–15 Mit ... Blut! *Die Bildsprache dieser Stelle weist auf die Geburtsgeschichte des Gottes Dionysos zurück. Semele, die Tochter des Kadmos, erwartete ein Kind von Zeus. Sie verlangte von dem Geliebten, daß er ihr in seiner göttlichen Gestalt erscheine. Da offenbarte er sich ihr mit Blitz und Donner. Semele wurde vom Feuer zerstört, der ungeborene Dionysos wurde jedoch gerettet.*

Da Dionysos (Bacchos) mütterlicherseits also aus dem Geschlecht des Kadmos stammt, sind die thebanischen Fürsten, die denselben Ahnherrn haben, von seinem goldnen Blut *Die Verwandtschaft zwischen Ödipus und dem Erlösergott Dionysos wird besonders am Ende des Dramas betont.*

81,19f. Ja ... bald. *Antiope beschwört den Gott Bacchos, Jokaste den Todesgott. Eine ähnliche Situation findet sich in* Ariadne auf Naxos, *wenn Ariadne den Gott Bacchus für den Tod hält.*

83,23f.: *Tantalos, der König von Lydien, wurde von den Göttern zu Gast geladen. Aber er gilt in der Mythologie weniger als ein Ausgezeichneter denn als ein Mensch, der sein Glück nicht ertragen konnte, sich frevelnd gegen die Unsterblichen verging und dafür in der Unterwelt von ihnen streng bestraft wurde. Auch Niobe, seine Tochter, die sich rühmte, sechs Söhne und sechs Töchter geboren zu haben, während die Göttin Leto nur zwei Kindern das Leben geschenkt habe, ist im Mythos vornehmlich Beispiel dafür, wie die Götter die Hybris bestrafen: ihre Söhne und Töchter wurden von Apollo und Artemis getötet.*

88,25f. auf ... Gott. *Vgl. Péladan, S. 25:*

> *On a retrouvé sur le char les objets précieux à Delphes destinés.*
> *Quel dessein animait donc les meurtriers?*

Diese Form der Argumentation ist bei Hofmannsthal in den Entwürfen der Kreonszene 8 H und 12 H deutlicher ausgeführt: Räuber sagt man Herr / erschlugen ihn, 〈...〉 Allein 〈...〉 auf dem Wagen waren goldene / Geschenke für den Gott, die waren alle unberührt. *(8 H, S. 340,4–9)*

90,1: *Das Bild begegnet wieder als* Leidenshöhle, *S.90,5. In* Ad me ipsum *verwendet Hofmannsthal es im Zusammenhang anderer Werke:* Die Wiedergeburt eines neuen genießen aus der Höhle der Schmerzen Ariadne – Elektra *(A 225)*

90,5 Leidenshöhle *Vgl. Erläuterung zu S.90,1.*

91,34–92,2 Und ... gehörst, *Vgl. Péladan, S.37:*

⟨...⟩ quel qu'il soit – artisan, affranchi, esclave ou étranger,
couvert de haillons ou de crimes,
⟨...⟩ Pour époux, je l'accepte!

92,7: *Vgl. Péladan, S.35: »⟨...⟩ ma couche, encore chaude du mort ⟨...⟩«*

93,16f. Läuft ... Funkelstern? *Das Einhorn ist ein Fabeltier, das in Indien, Afrika, Südfrankreich gelebt haben soll. In der Antike wird es bei Aristoteles, Plinius u.a. erwähnt. Später ist es hauptsächlich durch den ›Physiologus‹ bekannt geworden.*

Ihm wird besonders Wildheit und Kraft zugeschrieben. Wegen seiner Kraft wird es bisweilen als Symbol für Christus gedeutet. Im Mittelalter gilt es auch als Zeichen der Keuschheit.

Hofmannsthal läßt in einer frühen Fassung der Kreonszene (8 H) Jokaste unter ihren Tieren ein heilige⟨s⟩ *Einhorn besitzen (s. S. 342,5f. mit Erläuterung S.656,20–24).*

Der Funkelstern erinnert an den Stern von Bethlehem. Gleichzeitig ist an die astrale Herrschersymbolik der Antike zu denken: bei Geburt, Herrschaftsantritt oder Tod eines Fürsten sollen Sterne aufgegangen oder erloschen sein.

94,9f. So ... Perseus? *Perseus trägt in der griechischen Mythologie Flügelschuhe, die ihn befähigen, über das Meer zu fliegen. Das Land Äthiopien wurde von einer Überschwemmung und einem Seeungeheuer heimgesucht. Andromeda, die Tochter des Königs, sollte dem Ungeheuer zum Fraß vorgeworfen werden, damit die Götter versöhnt würden. Perseus befreite das Mädchen und tötete das Untier. – Ödipus wird als Perseus begrüßt, weil das Volk einen Erlöser wie diesen erwartet. Ein weiteres gemeinsames Motiv der Perseus- und Ödipus-Sage ist, daß beiden Helden prophezeit wird, sie würden ihren Großvater bzw. Vater töten, und daß trotz aller Vorkehrungen der Betroffenen die Weissagungen sich erfüllen.*

94,15 Kommst ... her? *Hier klingt möglicherweise die Eingangszeile des populären Liedes ›Der Wanderer‹ von Franz Schubert nach: »Ich komme vom Gebirge her ...« (Text von Georg Philipp Schmidt, ursprünglich unter dem Titel ›Des Fremdlings Abschied‹ vertont von Karl Friedrich Zelter.)*

95,8f. Ging ... Wesen? *Der Gedanke ist entwickelt aus Péladan, S. 39: »Nul de vous n'a tenté d'en purger le pays!«*

***95,31f.**: Herakles, ein Sohn des Zeus, hatte im Auftrag des Königs von Tiryns mehrere Taten vollbracht, die sich mit der Erlösung von der Sphinx vergleichen lassen: z.B. hatte er die lernäische Hydra, eine verderbenbringende Wasserschlange, erschlagen und den unheilvollen erymantischen Eber gefangen. – Orpheus, der vielfach als Sohn des Apollon gilt, bezauberte selbst die wilden Tiere mit seinem Gesang. Außerdem hatte er als Heilkundiger und Weiser den Ruf eines großen Helfers.*

***102,8–11**: Vgl. Rainer Maria Rilkes Gedicht ›Die Blinde‹ aus dem ›Buch der Bilder‹, wo es heißt:*

> *Aber sprech ich zu dir, Mutter!*
> *⟨...⟩*
> *Wer ist denn hinter dem Vorhang? – Winter?*
> *Mutter: Sturm? Mutter? Nacht? Sag!*
> *Oder Tag? ⟨...⟩ Tag!*

(Das Buch der Bilder. Berlin ⟨1902⟩, S. ⟨73⟩ mit dem Druckfehler »Mutter?« statt »Mutter:«)

An Rilke, der ihm die 1. Ausgabe im Jahre 1902 geschenkt hatte, schreibt Hofmannsthal am 7. März 1906: Einige Verszeilen im letzten Aufzug, die überaus sehr an Zeilen aus Ihrem nicht zu vergessenden Gedicht »auf eine Blinde« anklingen, ließ ich, als ich es bemerkte, trotzdem stehen: nehmen Sie's wie einen Gruß. *(BW 46) Vgl. aber bereits die Figur des blinden Greises in* Der Kaiser und die Hexe *(1897):*

> War es Sturm, der meine Türe
> Aufriß? Weh, es ist nicht Nacht! *(SW III 198,22f.)*

102,13f. O warum ... Mutter! *Vgl. Hebbels ›Nibelungen‹ (Teil 2: ›Siegfrieds Tod‹): »⟨...⟩ O Mutter, Mutter, / Warum gebarst du mich! ⟨...⟩« (a.a.O., 5. Bd., S. 125, ⟨V. 2523f.⟩, s. Erl. zu S. 59, 6f.) Da Hofmannsthal, wie N 2 (vgl. S. 555, 11–15) nahelegt, in der Zeit der Entstehung von* Ödipus und die Sphinx *Hebbel gelesen hat, darf man an einen Nachklang denken.*

102,16 Ich ... geboren, *Vgl. Shakespeare, ›Macbeth‹, V, 7: »Wo ist er, der nicht ward vom Weib geboren?«*

102,29f. Weh, ... stirbt. *Diese Stelle ist wie eine Zusammenfassung der Begegnung mit der Sphinx. Sie fragte im Mythos den vorbeiziehenden Wanderer nach der Lösung eines Rätsels: »Es ist vierfüßig und zweifüßig und dreifüßig, und hat nur einen Namen; allein von allen Lebewesen auf der Erde, in der Luft und im Wasser wechselt es sein Aussehen; aber wenn es mit den meisten Füßen geht, kommt es am langsamsten vorwärts.« Es ist die Frage nach dem Menschen. Wer sie nicht beantworten konnte, wurde von dem Ungeheuer zerrissen.*

***102,30**: Hierzu die Variante S. 609,9f. (s. auch S. 601,32–34):*

> Mir ist, als drängen Taten, tausendfach,
> unzählbar, mit den Sternen aus der Nacht!

Vgl. Goethe, ›Iphigenie auf Tauris‹, V. 678f.:

> *Und künft'ge Taten drangen wie die Sterne*
> *Rings um uns her unzählig aus der Nacht.*

103, 8 ein Feuerzeichen *Das Motiv ist entwickelt aus Péladan, S. 45:*
si vous voyez briller des flammes, venez!
Ce seront les flammes de la victoire.

103, 26 Ich ... Morgenluft. *Vgl. Shakespeare, ›Hamlet‹, I, 5: »⟨...⟩ mich dünkt, ich wittre Morgenluft«*

106, 22f.*: Hier klingen Motive und Verse aus Goethes ›Iphigenie‹ nach (V. 1721 u. 1734–36):*
Als Tantalus vom goldnen Stuhle fiel:
⟨...⟩
Auf Klippen und Wolken
Sind Stühle bereitet
Um goldene Tische.

107, 1f. der Priester ... Opfertier? *Vgl. Erläuterung zu S. 24, 29f., S. 634, 24–635, 12.*

109, 4f. Laß ... legen! *Nachklang von Johannes 20, 25: Der ungläubige Thomas will nicht an die Auferstehung Christi glauben, wenn er nicht die Hand in dessen Wunden gelegt hat: »Wenn ich nicht in seinen Händen sehe die Nägelmale und lege meinen Finger in die Nägelmale und lege meine Hand in seine Seite ⟨...⟩«*

109, 8–110, 2 Ich ... Abgrund, *Nach der am meisten verbreiteten antiken Überlieferung überwand Ödipus die Sphinx, indem er ihr Rätsel löste, welches Wesen sowohl vierbeinig als auch zweibeinig und dreibeinig sich fortbewege. Auf die kürzeste Formel bringt Apollodor 3, 5, 8 die Frage: τί ἐστιν ὃ μίαν ἔχον φωνὴν τετράπουν καὶ δίπουν καὶ τοίπουν γίνεται. Die Antwort heißt: der Mensch auf seinen verschiedenen Altersstufen. Apollodor berichtet ebenfalls, daß die Sphinx sich nach der Lösung des Rätsels selbst in den Abgrund gestürzt habe. Neben dieser Version finden sich in der Antike aber auch verschiedene literarische Belege und Abbildungen, nach denen Ödipus das Ungeheuer erschlug. Da das Erscheinen der Sphinx bei Hofmannsthal mit der frevelhaften Beseitigung des Ödipus durch Laios zusammenhängt, bedarf es bei seiner Rückkehr keiner Auseinandersetzung mit ihr.*

113, 19f.*: Möglicherweise klingt hier Rilkes Gedicht ›Der Schauende‹ aus dem ›Buch der Bilder‹ nach, das beginnt:*
Ich sehe den Bäumen die Stürme an,
⟨...⟩
und höre die Fernen Dinge sagen,
die ich nicht ohne Freund ertragen,
nicht ohne Schwester lieben kann. *(a.a.O., S. ⟨54⟩)*

114, 5f. Er ... Giganten. *Die Giganten konnten von den olympischen Göttern nur mit Hilfe des Herakles besiegt werden. Eine Beteiligung des thebanischen*

Königshauses an der Gigantenschlacht ist nicht überliefert. Die Farbe des Rubins allein scheint das Bild vom Gigantenblut provoziert zu haben.

115, 5f. Du … berühren. *Zu der schicksalhaften Begegnung zwischen Ödipus und Jokaste, zu der Verwandlung aus Erstarrung und Todeserwartung vgl. die Erlösung Ariadnes durch Bacchus in* Ariadne auf Naxos

115, 23f. Der Ödipus … Kind *Die Stelle erinnert an Grillparzers ›Der Traum ein Leben‹, wo in Akt II der Held Rustan seine Herkunft verleugnet und seine Zukunft auf seine Taten gründen will: »Wir sind Kinder unsrer Thaten ⟨…⟩« (Grillparzers Sämmtliche Werke. Sechster Band. Stuttgart: Cotta 1887, S. 152.) Hofmannsthal war sich der Verwandtschaft mit Grillparzer in der Behandlung des Problems der Tat bewußt, wenn er in seiner* Rede auf Grillparzer *sagt:* Die Ideen der Tat und der Nicht-Tat treten im Traumstück einander gegenüber ⟨…⟩ *(P IV 128)*

117, 30–33 so wahr … Lebendiges! *Vgl.* Dichter und Leben: Das Wirkliche ist nicht viel mehr als der feurige Rauch, aus dem die Erscheinungen hervortreten sollen; doch sind die Erscheinungen Kinder dieses Rauches. *(P I 287)*

118, 11: *Hierzu die Variante S. 609, 28–610, 39. Hofmannsthal hat die hier ursprünglich anschließende Rede der Jokaste, die durch ihre Hybris auf den zweiten Teil der geplanten Trilogie, den* König Ödipus, *vorbereitete, noch im Satz gestrichen, weil sein Drama sich von der Fortsetzung emanzipiert hatte.*

OEDIPUS

119, 2: *Auszug aus der ersten Fassung des ersten Akts von* Ödipus und die Sphinx, *im Herbst 1904 im Anschluß an Péladan niedergeschrieben (= 1 H). Zur Zeit der Publikation arbeitete Hofmannsthal an der Neufassung des Dramas.*

119, 4f. Was … ansagen, *Vgl. Péladan, S. 13: »Que dirai-je à ton père, à mon roi?«*

119, 10f. die Hunde … Fersen. *Vgl. Péladan, S. 14: »les chiennes de Thémis ⟨…⟩« Vgl. auch S. 120, 15f.:* Ihr Hunde des Geschicks, ob eure Augen sich schließen oder nicht –

Die Hunde des Geschicks, die sich an die Fersen des Gejagten heften, sind die Erinnyen. In den ›Eumeniden‹ des Aischylos wird die Verfolgung des Orest im Bild einer Jagd dargestellt. Die Erinnyen bellen im Schlaf. Auch sonst begegnet das Bild; z. B. ist in Sophokles' ›Elektra‹ von den »unentrinnbaren Hunden« die Rede.

Daß die Erinnyen ihre Augen nie schließen, ist nicht überliefert. Hofmannsthal hat es wohl von dem Höllenhund Kerberos auf die Hunde des Geschicks übertragen.

Im achten Gesang der ›Ilias‹, V. 527, heißen die vor Troja lagernden Griechen die »Hunde des Schicksals« (Übersetzung von Voß)

120,13: *Zu der Kombination* Abgründe – Gärten *vgl.* Lebenslied, *V. 30–32:*
Die schwebend unbeschwerten
5 Abgründe und die Gärten
Des Lebens tragen ihn. *(GLD 13)*

120,22 mein Wille. *Mit der Betonung des freien Willens in der ersten Fassung von* Ödipus und die Sphinx *schließt sich Hofmannsthal an Péladan an, bei dem »volonté« und »justice« zentrale Begriffe sind. Vgl. Péladan, S. 10 u.ö.*

10 **120,23–25**: *Nach der Theogonie Hesiods ging die Nacht direkt aus dem Chaos hervor. Nur Gaia, die Erde, und Eros entstanden vor ihr.*

120,26–32 niemals ... sind. *Vgl. Péladan, S. 14:*
Je serai, moi, Œdipe, l'assassin de mon père,
le frère de mes fils; oui, l'époux de ma mère.
15 ⟨...⟩
Moi, je tuerais, de ces mains, celui qui m'a donné la vie
et je féconderais le ventre d'où je sors! ⟨...⟩
⟨...⟩
je mourrai pur de ton sang, ô Polybe,
20 ⟨...⟩
Et toi, douce et chaste Mérope, tu ne sentiras pas
l'impureté surgir dans mes baisers de fils.

120,37 Kimmeriens *Das Land der Kimmerier gilt in der Antike als weit entfernt und abgelegen. Bei Homer wohnen die Kimmerier im fernen Westen, am Okeanos,* 25 *nahe beim Eingang zum Hades, wo die Sonne nie scheint. Die historischen Kimmerier wohnten dagegen im Osten, nördlich vom Schwarzen Meer, und man erzählte von ihnen, sie lebten im Dunkeln, weil hohe Gebirge die Sonne abhielten.*

121,1f. von ... hingeworfen, *Vgl. hierzu ›Hyperions Schicksalslied‹, V. 22f.:*
Wie Wasser von Klippe
30 *Zu Klippe geworfen,* *(a.a.O., S. 133, s. Erl. zu S. 9)*

121,2–4 müßte ... Fürchterlichen, *Vgl. Péladan, S. 14:*
Dussé-je, aux sombres bords, descendre comme Orphée
et cacher ma vertu jusqu'au fond des enfers;

121,8–10: *Vgl. Péladan, S. 15:*
35 *Au lieu du sceptre que je devais tenir un jour*
il faut prendre un bâton à l'arbre du chemin.

121,15 Daulis *Stadt in der Landschaft Phokis.*

121,19 Dort ... hin, *Vgl. Péladan, S. 15: »J'entends au loin rouler un char ...«*

DIE KÖNIGIN JOKASTE

122,2*: Es handelt sich bei dieser* Studie *um den für den Druck ein wenig überarbeiteten Text der ersten Fassung des zweiten Akts von* Ödipus und die Sphinx, *den Hofmannsthal im Oktober 1904 niedergeschrieben hatte. Vgl. S. 411,10–419,40. Die erste Fassung des ersten Akts war zur Zeit dieser Niederschrift abgeschlossen.* 5

123,11f. Da sprang ... Geschicks, *Vgl. S. 76,24–26 und Erläuterung S. 641,38–642,4.*

123,18f.*: Die Namen der Mägde sind mythologischen Ursprungs. Rhodope heißt auch die weibliche Hauptfigur in Hebbels ›Gyges und sein Ring‹ sowie eines der Mädchen in Grillparzers ›Sappho‹.* 10

126,26–127,6 Sie sollen ... Haus. *Das große Totenopfer, die Schlachtung sämtlicher Tiere des Hauses, geschieht hier zu Ehren des Laios. Im vollendeten Drama (S. 98,16–23) wird das Motiv in einen ganz anderen Zusammenhang versetzt: Jokaste bringt das Opfer für Ödipus, der die Sphinx besiegen will. Untergründig hängen freilich beide Stellen zusammen. Beide Opfer sind durch das starke innere Leben motiviert, das sich plötzlich in Jokaste regt. Im ersten Fall sucht sie es, ihrer selbst nicht bewußt, gewaltsam zu unterdrücken. Im vollendeten Drama ist das Opfer spontaner Ausdruck ihres intensiven Gefühls.* 15

126,32 Chtonia *Der Name in Hofmannsthals Schreibung (so schon 2 H) nicht überliefert. Müßte wohl heißen: Chthonia, das ist: die »Irdische« oder »Erdgeborene« oder »Unterirdische«. Beiwort für Hades oder die Göttinnen der Unterwelt, Persephone und Demeter. Als Frauenname mehrfach in der griechischen Mythologie.* 20

NIEDERSCHRIFTEN 25

1 H

233,4 Oidipus *Diese Namensform mit dem Diphthong begegnet durchweg in der ersten Entstehungsphase des Dramas im Herbst 1904.*

233,6 Lychas *Der Name von Ödipus' Diener ist aus der französischen Quelle übernommen. Vgl. S. 631,16–19.* 30

233,10*: Vgl. Péladan, S. ⟨9⟩: »Les Trois-Chemins (Triodos), en Phocide, ⟨...⟩«*

234,10 Gerechtigkeit *Mit dem an dieser Stelle überraschenden Begriff der Gerechtigkeit schließt sich Hofmannsthal an Péladan (S. 10) an, wo die Götter erinnert werden: »⟨...⟩ obéissez à la justice!«*

***234,13f.**: Vgl. Péladan, S. ⟨9⟩: »Mon cerveau ne le conçoit pas; ma main l'accomplira!«*

236,2 magern Pantherarmen *Vgl. Goethes ›Drei Oden an meinen Freund Behrisch‹, Dritte Ode, V. 21f.:*

Stark sind die magern Arme
wie Panther-Arme

(Sämmtliche Werke in vierzig Bänden. 2. Bd. Stuttgart und Tübingen: Cotta 1840, S. 38.)

***236,32–35**: Vgl. Péladan, S. 10:*

LYCHAS *Reviens à Corinthe, ô Prince!*
ŒDIPE *Jamais, jamais!*

237,16 ein ... betrunkner Narr, *Vgl. Péladan, S. 11: »⟨...⟩ un buveur stupide ⟨...⟩«*

***238,31f.**: Vgl. Péladan, S. 11: »Je veux l'entendre encor!«*

239,5f. Dass ... Adern *Vgl. Péladan, S. 11: »que plusieurs ignoraient leur vrai sang;«*

239,24–26 dass ... begegnen *Vgl. Péladan, S. 11: »qu'on voyait des enfants trouvés, au pied du trône;«*

239,36–38 bist ... Polybos – *Vgl. Péladan, S. 11: » ›Toi-même, Œdipe,‹ cria-t-il, ›es-tu fils de Polybe?‹«*

240,1f. Da ... Stein *Vgl. Péladan, S. 11: »Je saisis une amphore ...«*

240,11f. Es ... weckte. *Vgl. Péladan, S. 11: »Dès l'aube, j'éveillai mes parents ⟨...⟩«*

240,22f. schworen ... bin. *Vgl. Péladan, S. 11: »⟨...⟩ jurant que j'étais bien leur fils,«*

241,11–27 aber ... Ding. *Vgl. Péladan, S. 12: »Il est dans ma nature d'aller au fond des choses,«*

241,28 So ... Delphi *Vgl. Péladan, S. 12: »Je m'elançai sur la route Delphes.«*

241,32f. Finstre ... Weg *Vgl. Péladan, S. 12:*

Je trouvai de sombres pontifes
qui voulurent d'abord m'écarter.

242,3 die fürchterliche Antwort *Vgl. Péladan, S. 12: »⟨...⟩ une réponse épouvantable ⟨...⟩«*

***242,11f.**: Vgl. Péladan, S. 12: »C'est un secret terrible entre moi et les Dieux.«*

242,13–16: *Vgl. Péladan, S. 12:*
⟨LYCHAS⟩ Tu reviendras ensuite?
ŒDIPE Jamais, jamais, ⟨...⟩

242,28: *Vgl. Péladan, S. 13: »⟨...⟩ Pourquoi m'as-tu suivi?«*

243,20f. Was ... ansagen *Vgl. S. 119,4f. und Erläuterung S. 646,25f.*

243,32f. mit ... Philoktet *Vgl. Péladan, S. 14: »l'inguérissable plaie de Philoctète,« Philoktet wurde auf der Fahrt nach Troja von einer Wasserschlange gebissen. Die Wunde heilte nicht, und die Griechen mußten den Philoktet auf der Insel Lemnos zurücklassen.*

244,1 die Hunde des Geschicks *Ähnlich S. 245,26. Vgl. S. 119,10f. und Erläuterung S. 646,27–647,2.*

244,10–14: *Vgl. Péladan, S. 13:*
⟨...⟩ Ma colère est terrible!
Malheur à qui voudrait me barrer le chemin.
Obéis, disparais, si tu tiens à la vie,
car je suis furieux, et je te frapperais.

245,23: *Vgl. S. 120,13 und Erläuterung S. 647,3–6.*

246,2 er heißt mein Wille *Vgl. S. 120,22 und Erläuterung S. 647,7–9.*

246,4–7 Uralte ... Göttern *Vgl. S. 120,23–25 und Erläuterung S. 647,10f.*

246,8–29 niemals ... sind. *Vgl. S. 120,26–32 und Erläuterung S. 647,12–22.*

247,12 Kimmeriens *Vgl. S. 120,37 und Erläuterung S. 647,23–27.*

247,15–18 von ... hingeworfen, *Vgl. S. 121,1f. und Erläuterung S. 647,28–30.*

247,21–23 müsste ... Fürchterlichen *Vgl. S. 121,2–4 und Erläuterung S. 647, 31–33.*

247,36–248,2 reckt ... zu. *Vgl. Péladan, S. 15:*
⟨...⟩ vous me maudirez, peut-être en me pleurant;
et des mains étrangères vous fermeront les yeux.

248,3–5: *Vgl. S. 121,8–10 und Erläuterung S. 647,34–36.*

248,10 Daulis *Vgl. S. 121,15 und Erläuterung S. 647,37.*

248,18 Dort ... hin *Vgl. S. 121,19 und Erläuterung S. 647,38.*

248, 27–253, 24: *in enger Anlehnung an Péladan, Akt I, 3.–5. Szene, S. 15–20:*

SCÈNE III

ŒDIPE, assis au milieu de la route, LE HÉRAUT

LA VOIX DU HÉRAUT
5 *Holà, l'homme, fais place!*

ŒDIPE, à demi absorbé
Je fais place au destin! Qu'il passe. Oh! loin de moi!

LE HÉRAUT
Hé, l'homme, lève-toi! Débarrasse la route! …
10 *En scène. Vite, debout!*
Celui que je précède n'a cédé le pas à aucun. …
Debout! Au large! ou sinon, par Hercule …

ŒDIPE
Par Hercule, si je me lève,
15 *toi, tu te coucheras pour un très long sommeil!*
⟨…⟩

LE HÉRAUT
Te lèves-tu? Je frappe …

ŒDIPE
20 *Veux-tu périr? Frappe!*
Le héraut lève son bâton.
Tu viens de prononcer toi-même ton arrêt:
porte donc mon salut à Pluton,
et rejoins les ombres des téméraires!
25 *Le Héraut tombe.*

SCÈNE IV

LAIUS, ŒDIPE

LA VOIX DE LAIUS
Vous tenez l'attelage. En scène. Mon héraut!

30 *ŒDIPE*
Le voici!

LAIUS
Tu l'as tué? … Misérable!

ŒDIPE
Je me suis défendu!
Le serviteur toujours incarne les vices de son maître
Ton aspect te révèle, irascible, dur et hautain!
Tu as déjà fourni ta plus longue carrière; 5
ne risque pas des jours déjà comptés.
Passons chacun notre chemin.

LAIUS
Je n'ai jamais laissé un outrage impuni.

ŒDIPE 10
Ni moi! L'homme au char, regarde-moi bien:
je ne suis pas un mortel ordinaire.
Les Dieux ont des desseins sur moi.
Continuons tous deux notre route?

SCÈNE V 15

ŒDIPE, LAIUS, LE CONDUCTEUR, PREMIER SERVITEUR, DEUXIÈME SERVITEUR

LAIUS
Eh! là, vous autres, saisissez-le, car il veut fuir.
Tous ensemble, accablez le brigand!

ŒDIPE 20
Mais c'est toi, le brigand,
qui lances quatre chiens contre le voyageur.
Il se trouve qu'il est de taille à se défendre;
débile, il subirait ton odieuse loi.

LAIUS 25
Lâches! vous laissez insulter votre maître

Le conducteur s'avance et attaque Œdipe.

ŒDIPE
Toi, conduis ton char dans le séjour des ombres!

Le conducteur tombe et les autres reculent. 30

La rage brille dans tes yeux, elle agite ta barbe déjà blanche.
⟨...⟩
Une secrète voix me crie de t'épargner.
Au nom de la sage Athéné,
l'homme au char, laisse-moi passer! 35

LAIUS
Maudit, si tu savais mon nom ...

ŒDIPE
Tu t'appelles l'affront!

LAIUS
Toi, le meurtre et le vol!
Sois maudit dans tes fils, si tu engendres;
du foyer qu'ils te chassent et qu'entre eux ils s'égorgent.

5 *ŒDIPE*
Sois maudit dans ta couche, si tu as une épouse;
que le malheur sur ton seuil s'accroupisse …
Ta main, sur l'aiguillon se crispe! Prends garde!
Qui me frappe, jeune ou vieillard, esclave ou roi,
10 *ferme ses yeux aux rayons du soleil.*

LAIUS
Cesse de l'offenser, la divine lumière!

ŒDIPE
Ah! forcené, tu m'as touché au front!
15 *Eh bien! Rejoins ta race, obscure ou éclatante!*

LAIUS
A moi! Je meurs! Immortels, vengez-moi!

Il tombe.

PREMIER SERVITEUR
20 *Fuyons! Le roi est mort.*

DEUXIÈME SERVITEUR
Ensemble, vengeons-le!

ŒDIPE
⟨…⟩ *Au Styx! au Styx!*
25 *Le maître vous appelle: allez! – Toi, tu le joins déjà!*

Le premier serviteur tombe.

Et toi, tu tardes!
Au sombre bord, le maître s'impatiente;
va le servir, parmi les morts.

30 *Le deuxième serviteur tombe. Œdipe regarde autour de lui et jette son bâton.*

Contemple ton ouvrage, Dieu des vengeances,
car je n'ai rien voulu de tout ce que j'ai fait
⟨…⟩
mon bras servit d'épée à ta rancune obscure.
35 *Oui, j'ai versé du sang, mais Polybe, mon père est vivant.*
Ces morts ne sont pas mes parents!
⟨…⟩
Trois routes là se croisent, mornes et fatidiques?
Le bâton, en tombant, vers Thèbes s'est tourné.
40 *Pourquoi pas ce chemin? De Corinthe, il m'éloigne!*
⟨…⟩
et je sortirai pur de l'effroyable épreuve.
⟨…⟩
Salut ……… A Thèbes!

3 H

266, 4 Phönix *Vgl. S. 10, 3 und Erläuterung S. 631, 16–19.*

266, Anm. 1 Marpessa *Marpessa ist in der griechischen Mythologie die Gattin des Helden Idas, die als Braut von Apollon entführt, von Idas aber zurückgewonnen wurde. Ob und wie Hofmannsthal den Namen in* Ödipus und die Sphinx *gebrauchen wollte, ist nicht festzustellen.*

266, 5 f. Ermos Elatos *Vgl. S. 10, 4 f. und Erläuterung S. 631, 20–24.*

266, 14 f. Jokaste die Königin Kreon *Das Personenverzeichnis auf der Rückseite des Konvolutdeckblattes wurde wahrscheinlich während der Arbeit am ersten Akt geschrieben, zu einer Zeit, als der Dichter sich über die Anlage des zweiten Akts noch nicht völlig klar war. Aus der Anordnung der Figuren darf man schließen, daß Hofmannsthal für den Anfang von Akt II ursprünglich die Auseinandersetzung zwischen Jokaste und Kreon vorgesehen hatte, die später einen großen Teil der zweiten Szene ausmachte, bevor sie endgültig gestrichen wurde (vgl. S. 592, 23–599, 21). Obwohl das Konzept des Dramas durch die Einführung der langen Kreonszene am Anfang von II noch wesentlich geändert wurde, folgt die Personenanordnung bis zum Druck im wesentlichen diesem frühen Entwurf.*

269, 1–4 Den ... Bogens. *Vgl. S. 12, 16–18 und Erläuterung S. 632, 4–6.*

270, 16 Olympia *Versehentlich für* Delphoi *(das später im Typoskript und im Druck erscheint). Olympia liegt in Elis auf der Peloponnes, durch den Golf von Korinth und mehrere Gebirgszüge von Delphi getrennt.*

275, 16–28: *Vgl. S. 15, 17–24 und Erläuterung S. 632, 7–13.*

276, 8–19: *Vgl. S. 15, 31–34 und Erläuterung S. 632, 14–26.*

282, 28 u. 34 Mich dürstet. *Vgl. S. 19, 8 u. 12 und Erläuterung S. 632, 27 f.*

283, 37 heftig *Die Stelle ist aufschlußreich für Hofmannsthals Arbeitsweise. Die Regieanweisung* heftig *paßt eigentlich nur zu Stufe (1)* Ich will es hören. *Mit dem Eintritt von Stufe (2)* Mir ist's entfallen *müßte die Regieanweisung eigentlich angeglichen oder gestrichen werden. Aber der Dichter ersetzt nur die Rede des Ödipus und beachtet die Regiebemerkung nicht. Diese bleibt bis in den Druck erhalten.*

284, 10 f. Dass ... Adern- *Vgl. S. 20, 8 f. und Erläuterung S. 632, 29 f.*

285, 14: *Vgl. S. 21, 6 und Erläuterung S. 632, 31–633, 5.*

286, 20 f. dorthin ... Feuerströmen *Vgl. S. 22, 5 f. und Erläuterung S. 633, 6–9.*

287, 20 f. ein Gemach ... Flammen. *Vgl. S. 23, 1 f. und Erläuterung S. 633, 21–25.*

287, 29–38 Nicht ... hebt, *Vgl. S. 23, 7–11 und Erläuterung S. 633, 26–39.*

287, 38–288, 11 wo ... biegt *Vgl. S. 23, 13–15 und Erläuterung S. 633, 40–634, 6.*

288, 12–18: *Vgl. S. 23, 16–19 und Erläuterung S. 634, 7–11.*

5 **290, 4 f.** Nein, ... mich *Vgl. S. 24, 16 f. und Erläuterung S. 634, 12–20.*

290, 22 f.: *Vgl. S. 24, 26 f. und Erläuterung S. 634, 21–23.*

290, 28–30: *Vgl. S. 24, 29 f. und Erläuterung S. 634, 24–635, 12.*

291, 35–292, 11 Wie ... Mann *Vgl. S. 25, 11–13 und Erläuterung S. 635, 13–636, 2.*

10 **292, 20 f.** ich ... Gott *Vgl. S. 25, 18 f. und Erläuterung S. 636, 3–7.*

293, 11–20 Weib ... Gott *Vgl. S. 26, 5–9 und Erläuterung S. 636, 8–18.*

294, 21 f. du ... wirft *Das Motiv der* Frau ohne Schatten *klingt hier bereits an. Der Schatten ist Symbol für wahre Menschlichkeit. Hofmannsthal variiert die alte volkstümliche Tradition (vgl. auch Chamissos ›Peter Schlemihl‹), nach wel-*
15 *cher der Verlust des Schattens ein Teufelsbündnis oder verbrecherische zauberische Umtriebe anzeigt.*

297, 17 f. Den ... begriffen. *Vgl. S. 27, 19 f. und Erläuterung S. 636, 19–25.*

301, 27–30 vor ... Götter *Vgl. S. 233, 17–23. Die Ähnlichkeit dieser beiden Stellen gibt Einblick in Hofmannsthals Arbeitsweise. Derselbe Wortlaut erscheint*
20 *an völlig verschiedenen Orten. Bilder und Wendungen sind manchmal wie Versatzstücke. Sie können, wenn sie an einer Stelle getilgt sind, in einem ganz anderen Zusammenhang wiederkehren.*

304, 33 f. sie ... Wurm *Gedacht ist vielleicht an den Höllenhund Kerberos, der einen Drachenschwanz und zahlreiche Köpfe gehabt haben soll. »Hundertköpfig«*
25 *heißt er bei Pindar (Frg. 249 b zu Dithyrambi II) und bei Horaz (Carm. 2, 13, 34). Der Hund wurde von Herakles eingefangen, der freilich nicht zu den Ahnen des Ödipus gehört. Hofmannsthal überträgt verschiedene Motive aus der griechischen Mythologie (besonders aus der Geschichte des Herakles) frei auf das Geschlecht des Ödipus.*
30 *Mit dem wilden Wurm können verschiedene Ungeheuer des Mythos gemeint sein: etwa die lernäische Schlange, die ebenfalls von Herakles besiegt wurde, oder der Drache, den Kadmos – dieser ist wirklich ein Vorfahr des Ödipus – erschlagen hat.*

304, 34–36 Stier ... Menschenhaupt *Wahrscheinlich ist der Flußgott Acheloos gemeint, mit dem Herakles um Deianeira kämpfte. Dieser wird in der Kunst als Meerdrache oder (häufiger) als Stier mit einem Menschenkopf dargestellt. Der Minotaurus hat dagegen nach der Überlieferung einen Menschenleib und einen Stierkopf.* 5

304, 37–39: *Bei dem Raub der Gattin des Nachtgotts könnte Hofmannsthal an das Unternehmen des Theseus und des Peirithoos gedacht haben, die versuchten, Persephone, die Gattin des Hades, aus der Unterwelt zu entführen, dabei jedoch scheiterten.*

Der Raub an den Flußgöttern könnte sich auf Herakles' Kampf mit dem Fluß- 10 *gott Acheloos beziehen, bei dem er jenem die von ihm begehrte Deianeira abgewann. Vgl. vorangehende Erläuterung.*

307, 10–22 Ich ... weiden *Vgl. S. 32, 11–21 und Erläuterung S. 636, 26–32.*

308, 30f. ein Weib ... Leib *Vgl. S. 32, 32f. und Erläuterung S. 636, 33.*

317, 16 Erde ... sein *Vgl. S. 36, 32 und Erläuterung S. 636, 34–38.* 15

317, 35: *Vgl. S. 37, 10 und Erläuterung S. 637, 1.*

329, 32–35 Warum ... geschehen? *Vgl. S. 43, 15f. und Erläuterung S. 637, 2–6.*

8 H

331, 10–18: *Vgl. S. 53, 27f. und Erläuterung S. 638, 39–639, 4.*

342, 5f. das Einhorn/das heilige Thier *Vgl. S. 93, 16f. und Erläuterung S. 643, 10* 20 *–22. Möglicherweise hat Hofmannsthal mit der Beziehung zu diesem Tier die Unberührtheit Jokastes betonen wollen, da sie sich nach dem Verlust ihres Kindes innerlich von ihrem Mann getrennt und ganz aus dem Leben zurückgezogen hat. Vgl. auch S. 344, 5f.*

343, 4–14: *Vgl. Georges Gedicht ›O mutter meiner mutter und Erlauchte ...‹* 25 *aus ›Algabal‹, wo es in der letzten Strophe heißt:*

> *Hernieder steig ich eine marmortreppe ·*
> *Ein leichnam ohne haupt inmitten ruht ·*
> *Dort sickert meines teuren bruders blut ·*
> *Ich raffe leise nur die purpurschleppe. (a.a.O., S. 103, s. Erl. zu S. 54, 25f.)* 30

348, 16–18 Und ... bedroht *Vgl. S. 61, 15f. und Erläuterung S. 640, 3–5.*

12 H

359, 25 f. Die molossische Dogge *Die Molosser sind ein Volk von Viehzüchtern in der Landschaft Epirus im nördlichen Griechenland. Ihre Hunde sind berühmt als Hirtenhunde.*

5 ***360, 9*** Baubo *In der Walpurgisnacht von Goethes ›Faust‹ Name einer alten Hexe auf einem Schwein reitend. Ursprünglich im griechischen Mythos eine alte Dienerin in Eleusis, welche die um ihre entführte Tochter trauernde Demeter durch derbe Späße aufheiterte.*

362, 14 Amphytrion zubenannt der Hund Amphytrion *trotz der abweichen-*
10 *den Schreibweise wahrscheinlich nach Molières oder Kleists ›Amphitryon‹ (vgl. auch Erläuterung zu S. 363, 6).*
»Der Hund« ist ein von dem kynischen Philosophen Diogenes stolz geführter Beiname.

363, 6 Argantiphontidas *Der Name, geschrieben: »Argatiphontidas«, stammt aus*
15 *Molières und Kleists ›Amphitryon‹. Er gehört dort einem der thebanischen Feldherrn. Bei Molière erscheint er bereits im Personenverzeichnis, bei Kleist wird er nur einmal im Dialog erwähnt (V. 2297).*

368, 25 Byssos *Vgl. S. 46, 30 und Erläuterung S. 637, 12.*

368, 33 Ambra *Vgl. S. 46, 34 und Erläuterung S. 637, 13–15.*

20 ***368, 34*** Myrrhen *Vgl. S. 46, 35 und Erläuterung S. 637, 16–19.*

374, 22–375, 26: *Vgl. S. 48, 36–49, 10 und Erläuterung S. 637, 20–29.*

375, 36–376, 1 Da ... Salbgefäß. *Vgl. S. 49, 10–13 und Erläuterung S. 637, 34–39.*

378, 6–8 bei ... sitzt *Die Beschreibung verweist auf Hades (= Pluton), den Herr-*
25 *scher über die Schatten in der Unterwelt.*

379, 19–22: *Vgl. S. 49, 35 f. und Erläuterung S. 638, 1 f.*

383, 15 f. Becher ... sind? *Vgl. S. 50, 36 f. und Erläuterung S. 638, 3–8.*

383, 24–384, 12: *Vgl. S. 51, 3–10 und Erläuterung S. 638, 9–15.*

386, 25 Die ... übertüncht. *Vgl. S. 52, 21 u. S. 58, 25 und Erläuterung S. 639, 21*
30 *–22.*

387, 23–25 Ich ... angerührt. *Vgl. S. 53, 11–13 und Erläuterung S. 638, 17–30.*

387,37f. wer ... bin *Vgl. S. 53,18f. und Erläuterung S. 638,31–38.*

388,13–15: *Vgl. S. 53,27f. und Erläuterung S. 638,39–639,4.*

390,23–25: *Vgl. S. 54,25f. und Erläuterung S. 639,5–11.*

395,31f. Höhle zu Harma *Vgl. S. 57,2 und Erläuterung S. 639,12–15.*

399,11–32 Dies ... bescheint *Vgl. S. 58,15–18 und Erläuterung S. 639,18–20.*

401,4 Leichen ... Gräbern *Vgl. S. 52,21 u. 58,25 und Erläuterung S. 639,21f.*

401,37–402,1 Man ... nicht. *Vgl. S. 59,6f. und Erläuterung S. 639,23–35.*

405,25f. und ... bedroht *Vgl. S. 61,15f. und Erläuterung S. 640,3–5.*

410,5f. Ein Weg ... meine *Vgl. S. 64,2f. und Erläuterung S. 640,6–8.*

2 H

412,29f. da sprang ... Geschicks *Vgl. S. 76,24–26 u. 123,11f. und Erläuterung S. 641,38–642,4.*

418,14 Lahios *Diese Namensform weiterhin bis zum Ende des Manuskripts; ebenso in allen späteren Manuskripten, Typoskripten sowie in den Separatdrukken 20 D und 21 D. Das h soll wohl verhindern, daß a und i als Diphthong gelesen werden.*

Die Schreibung Lahios *ist nicht aus der Antike überliefert. Hofmannsthal scheint sie aus der Übersetzung des ›König Ödipus‹ von J. A. Hartung übernommen zu haben (Sophokles' Werke. Griechisch mit metrischer Übersetzung und prüfenden und erklärenden Anmerkungen von J. A. Hartung. Bd. 5: König Ödipus. Leipzig: Engelmann 1851. Exemplar in Hofmannsthals nachgelassener Bibliothek). Dieser Übersetzung ist seine eigene Verdeutschung von Sophokles' Drama verpflichtet. Man darf also annehmen, daß Hofmannsthal im Oktober 1904, als er am 2. Akt seines* Ödipus und die Sphinx *arbeitete, Hartungs Übersetzung im Hinblick auf die geplante Trilogie las.*

419,9–35 Sie ... Haus. *Vgl. S. 126,26–127,6 und Erläuterung S. 648,12–19.*

419,19 Chtonia *Vgl. S. 126,32 und Erläuterung S. 648,20–24.*

6 H

420, 20: *Vgl. S. 65, 11 und Erläuterung S. 640, 9.*

423, 28–31: *Vgl. S. 67, 21 und Erläuterung S. 640, 19–25.*

427, 9–16: *Vgl. S. 69, 11–13 und Erläuterung S. 640, 26–34.*

435, 17–436, 9: *Vgl. S. 73, 22–74, 2 u. 48, 36–49, 10 und Erläuterung S. 637, 20 –29.*

438, 6 f. – mit ... Welt – *Vgl. S. 75, 4 f. und Erläuterung S. 641, 7.*

438, 24–440, 2 O hätte ... Gott – *Vgl. S. 75, 16–24 und Erläuterung S. 641, 8 –12.*

439, 2–12 Armselig ... stirbt *Diese Erhebung über die Götter in der Verbindung von Seligkeit und Todesbewußtsein folgt später der Begegnung von Jokaste mit Ödipus. Sie ist Ausdruck der tragischen Verblendung der Jokaste (in der letzten Phase der Entstehungsgeschichte freilich wieder getilgt):* arm sind sie gegen uns, die Götter, die / nicht sterben können, arm! ⟨...⟩ *(s. S. 609, 35 f.)*

440, 36–441, 17: *Vgl. S. 76, 5–18 und Erläuterung S. 641, 13–37.*

441, 24 dort ... an. *Vgl. S. 76, 24 und Erläuterung S. 641, 38–642, 4.*

444, 13 f. u. 460, 6–8: *Vgl. S. 78, 13 u. 80, 6 f. und Erläuterung S. 642, 5–7.*

444, 27 f.: *Vgl. S. 78, 18 und Erläuterung S. 642, 8–10.*

449, 38–450, 3 das ... herabfiel *Diese Stelle erinnert an den Mythos von Medea. Medea schickte, als Jason sie verlassen wollte, um die korinthische Königstochter Kreusa zu heiraten, der Braut vergiftete Hochzeitsgewänder; die Gewänder gingen in Flammen auf, als jene sie anziehen wollte.*

In der (später entstandenen) Szene zwischen Kreon und dem Magier wird die Untat der Medea an Kreusa namentlich erwähnt, freilich in einer vom Mythos abweichenden Form (vgl. S. 49, 10–13 und Erläuterung S. 637, 34–39).

453, 12 f. einer ... wirft? *Vgl. S. 294, 21 f. und Erläuterung S. 655, 12–16.*

460, 6–8 Die ... sein. *Vgl. S. 78, 13, S. 80, 6 f. u. 444, 13 f. und Erläuterung S. 642, 5–7.*

461, 15–23: *In diesen Versen leben Gedanken des jungen Hofmannsthal von der Verknüpfung des scheinbar Getrennten und Entgegengesetzten nach. Jokastes*

Rede erinnert an das Gedicht Manche freilich ... *Vgl. besonders die dritte Strophe:*

Doch ein Schatten fällt von jenen Leben
In die anderen Leben hinüber,
Und die leichten sind an die schweren 5
Wie an Luft und Erde gebunden: *(GLD 19)*

461, 29–36 mit ... Blut! *Vgl. S. 81, 10–15 und Erläuterung S. 642, 14–23.*

462, 7f. Ja ... bald. *Vgl. S. 81, 19f. und Erläuterung S. 642, 24–26.*

7 H

468, 6f.: *Vgl. S. 83, 23f. und Erläuterung S. 642, 27–34.* 10

469, 18f. bei ... Welten *Die Welt der griechischen Götter gliedert sich in drei Bereiche: den Himmelsraum, das Meer und die Unterwelt. Ihre Beherrscher sind Zeus, Poseidon und Hades. Die Erde gehört allen Göttern gemeinsam. – Möglicherweise steht hinter den Worten aber auch die vertikale Dreigliederung der Welt: Himmel, Erde, Unterwelt.* 15

475, 5f. Auf ... Gott. *Vgl. S. 88, 25f. und Erläuterung S. 642, 35–41.*

477, 30f.: *Vgl. S. 90, 1 und Erläuterung S. 643, 1–3.*

478, 23 Leidenshöhle *Vgl. S. 90, 5 und Erläuterung S. 643, 4.*

481, 12–18 Und ... gehörst *Vgl. S. 91, 34–92, 2 und Erläuterung S. 643, 5–8.*

481, 25: *Vgl. S. 92, 7 und Erläuterung S. 643, 9.* 20

483, 28–33 läuft ... Funkelstern! *Vgl. S. 93, 16f. und Erläuterung S. 643, 10–22.*

485, 5f. so ... Perseus. *Vgl. S. 94, 9f. und Erläuterung S. 643, 23–32.*

486, 7–9 Ging ... Wesen? *Vgl. S. 95, 8f. und Erläuterung S. 643, 37f.*

488, 12f.: *Vgl. S. 95, 31f. und Erläuterung S. 644, 1–7.* 25

13 H

498, 8–13: *Vgl. S. 102, 8–11 und Erläuterung S. 644, 8–24.*

498, 32–34: *Vgl. S. 102, 13f. und Erläuterung S. 644, 25–29.*

499, 20–22 ein Feuerzeichen *Vgl. S. 103, 8 und Erläuterung S. 645, 1–3.*

505, 17f.: *Der Wortlaut ist beeinflußt von dem populären katholischen Kirchenlied »Tauet Himmel, den Gerechten; Wolken, regnet ihn herab ...«, das eine Verdeutschung des lateinischen Hymnus »Rorate coeli desuper, et nubes pluant iustum ...« (Paris 1634) darstellt. Der Text des Hymnus geht zurück auf Jesajah 45, 8: »Tauet, Himmel, von oben! Ihr Wolken, regnet den Gerechten.«*

13 H Lesetext

515, 19–22: *Vgl. S. 102, 8–11 und Erläuterung S. 644, 8–24.*

515, 25f.: *Vgl. S. 102, 13f. und Erläuterung S. 644, 25–29.*

516, 4 ein Feuerzeichen *Vgl. S. 103, 8 und Erläuterung S. 645, 1–3.*

16 H

523, 14–18: *Vgl. S. 102, 8–11 und Erläuterung S. 644, 8–24.*

523, 21f. o warum ... Mutter! *Vgl. S. 102, 13f. und Erläuterung S. 644, 25–29.*

523, 29 Ich ... geboren *Vgl. S. 102, 16 und Erläuterung S. 644, 30f.*

524, 16–25 Weh, ... stirbt. *Vgl. S. 102, 29f. und Erläuterung S. 644, 32–38.*

525, 10 ein Feuerzeichen *Vgl. S. 103, 8 und Erläuterung S. 645, 1–3.*

525, 33 Ich ... Morgenluft. *Vgl. S. 103, 26 und Erläuterung S. 645, 4f.*

15 H

531, 22–25: *Vgl. S. 106, 22f. und Erläuterung S. 645, 6–12.*

532, 25f. der Priester ... Opferthier? *Vgl. S. 107, 1f. u. 24, 29f. und Erläuterung S. 634, 24–635, 12.*

535, 34–538, 11 ich ... Abgrund *Vgl. S. 109, 8–110, 2 und Erläuterung S. 645, 19–30.*

545, 6f. den Sturm ... Bruder! *Vgl. S. 113, 19f. und Erläuterung S. 645, 31–37.*

546, 10f. Bacchos Kadmos *Vgl. S. 81, 10–15 und Erläuterung S. 642, 14–23.*

551, 23–28 so wahr ... lebendiges. *Vgl. S. 117, 30–33 und Erläuterung S. 646, 14–16.*

NOTIZEN

***555,3–5:** Die Aufschrift auf dem Konvolutumschlag ist der früheste Beleg für Hofmannsthals Arbeit an* Ödipus und die Sphinx.

***555, Anm. 2:** Siehe S. 221,14. Es ist nicht zu entscheiden, ob mit* Merlin *der Zauberer und Prophet des Artus-Kreises gemeint ist oder auf einen der französischen Staatsmänner Merlin de Douai (1754–1838) oder Merlin de Thionville (1762–1833) Bezug genommen wird.* 5

***555, Anm. 2:** Siehe S. 221,16–20. Eine Quelle für die Parabel* Stoff und Form *konnte nicht ermittelt werden. Die Korrekturen im Text lassen darauf schließen, daß zumindest kein genaues literarisches Vorbild vorliegt.* 10

N 2 ***555,13:** Vgl. Hebbels ›Judith‹, 3. Akt, 1. Szene: »Judith (winkt ihr mit der Hand fortzugehen).« (a.a.O., S.27, s. Erl. zu S.59,6f.)*

***555,14f.:** Vgl. das Nachspiel zu Hebbels ›Genoveva‹: Graf Siegfried beschließt, sich an dem verräterischen Golo zu rächen: »Er führt mit geballter Hand einen Schlag.« (a.a.O., S.228)* 15

***555, Anm. 3:** Siehe S.222,28–38. Ob die auf der Rückseite des Blattes verzeichneten Buchtitel mit Beziehung auf* Ödipus und die Sphinx *notiert wurden, ist zweifelhaft. Eine Tagebuchnotiz belegt jedoch, daß Hofmannsthal sich 1905 mit einigen der in der Liste genannten Autoren beschäftigt hat:* Grundlsee 17 August – 3. September lese hier ⟨...⟩ 20 zum ersten Mal: Buch der Bilder von Rilke. Ferner von Mirabeau: lettres écrites du donjon de Vincennes. ferner: die Biographie des Choderlos de Laclos (wovon später vieles in die Gestalt des Kreon übergeht). ferner Emerson Essays, Kassner Indischer Idealismus u. anderes. *(H VII 16.22; vgl. S. 194, 21–25; zu Kassner siehe die Erläuterungen zu S. 24, 29f.* 25 *u. 27,19f., S. 634, 24–635, 12 u. 636, 19–25.)*

Mirkhond *d.i. Muhammad Ibn Khāvand Shāh, genannt Mir Khāvand. Mirkhond hat keine* History of the Assassins *geschrieben, sondern eine ›History of Persia‹, eine ›History of the Early Kings of Persia‹ und eine wohl nicht ins Englische, sondern nur ins Französische übersetzte ›Histoire des rois de Perse, de la dynastie des Sassanides‹, traduit du persan par A.I. Silvestre de Sacy, Paris 1793.* 30

Kern *The Saddharma-Pundarika or the Lotus of the True Law. Translated by H. Kern. Oxford 1884 (= Sacred Books of the East, Vol. XXI). – Vielleicht hat Hofmannsthal, als er die Anmerkung* (unerschwinglich) 35 *schrieb, an die ganze Reihe der ›Sacred Books of the East‹ gedacht. Aber nur das ›Saddharma-Pundarika‹ ist von Kern übersetzt. Es ist eines von neun Dharmas, den heiligen Büchern des Buddhismus, ein Werk erzählen-*

den und spruchhaften Charakters. Eine Beziehung zu Ödipus und die Sphinx *und Hofmannsthal ist nicht erkennbar.*

Spencer *Herbert Spencer, Education. Intellectual, Moral, And Physical. London 1861 (u. ö.). Eine Beziehung von Spencers pädagogischen Essays zu Hofmannsthals* Ödipus und die Sphinx *ist nicht erkennbar.*

Mirabeau *Honoré Gabriel Mirabeau. Œuvres. Vol. 1–8. Paris 1834–1835. Dies ist die letzte Gesamtausgabe von Mirabeaus Werken vor Hofmannsthals Notiz. – Correspondance entre le comte de Mirabeau et le comte de La Marck pendant les années 1789, 1790 et 1791. Ed. par Adolphe de Bacourt. Tom. 1–3. Paris et Bruxelles 1851.*

Hearn *Lafcadio Hearn, Out of the East. Reveries and Studies in New Japan. London: Paul, Trench, Trübner 1903. – In Hofmannsthals nachgelassener Bibliothek befinden sich neben diesem Titel, der mehrere Lesedaten aus dem Jahr 1905 enthält, noch eine Reihe weiterer Werke desselben Autors, u.a. auch das 1905 erschienene Buch ›Japan‹ (New York: Macmillan). Die Schriften Hearns gehörten zu den von Hofmannsthal bevorzugt gelesenen. Vgl. seinen Nachruf auf Lafcadio Hearn aus dem Jahre 1904 (P II 104–107).*

Keats *The Poetical Works of John Keats. Edited with introduction and memoir by Walter S. Scott. (The »Hampstead« Edition) London 1902. – In Hofmannsthals nachgelassener Bibliothek befindet sich eine frühere Ausgabe (London and New York: Warne 1892).*

Emerson *Ralph Waldo Emerson, Essays. London: Macmillan 1903. – Exemplar in Hofmannsthals Bibliothek erhalten.*

Recht und Sprache *Ludwig Günther, Recht und Sprache. Ein Beitrag zum Thema vom Juristendeutsch. Berlin 1898. Keine Beziehung zu* Ödipus und die Sphinx *erkennbar.*

Achelis *Werner Achelis, Die Ekstase in ihrer kulturellen Bedeutung. Berlin: Rade 1902 (= Kulturprobleme der Gegenwart. Hrsg. von Leo Berg. Bd. 1). – In dieser volkstümlichen Abhandlung über Phänomene wie Magie, Religion, Hypnose, Halluzination usw. finden sich verschieden Beobachtungen, die eine Beziehung zur Gestalt des Magiers in* Ödipus und die Sphinx *haben, ohne daß sich ein Einfluß nachweisen ließe.*

Leuss *Hans Leuss, Aus dem Zuchthause. 2. Auflage. Berlin: Rade 1903 (= Kulturprobleme der Gegenwart. Hrsg. von Leo Berg. Bd. 7). Das Buch ist in Hofmannsthals nachgelassener Bibliothek enthalten. Der Verfasser tritt für eine Humanisierung des Strafvollzugs ein. Eine Beziehung zu* Ödipus und die Sphinx *ist zumindest an einer Stelle möglich: Es ist die Rede von einem Mörder, der sich nach der Tat fragt: »Bist du es denn wirklich gewesen? Hast du das vermocht? Hat diese deine Hand gewürgt, getötet?« (S. 21) Vgl. dazu Ödipus' Erwägungen nach der Tötung des Laios.*

N 3 **555,17–24:** *Die Notiz stammt aus einer frühen Arbeitsphase. Für das spätere Drama gilt das Motiv kaum: Ödipus weint zwar nicht, aber er beklagt doch sein schmerzliches Schicksal, besonders im Gespräch mit Phönix und in der Begegnung mit Laios.*

555,21 ich ... weinen. *Das Motiv erinnert an Schillers ›Don Carlos‹ (IV, 23): »Der König hat geweint!«* 5

N 6 **556,8** Chor *Gemeint sind die Stimmen der Ahnen. Auf die Verwendung im 2. Akt hat der Dichter verzichtet.*

N 7 **556,17–19:** *Die in der Notiz skizzierte* Nebenfigur *ist nur in der Gestalt des Sterbenden in Akt III ausgeführt worden.* 10

N 16 **558,5.:** *Vor Beginn der Niederschrift 3 H, d.h. Mitte März 1905.*

N 18 **558,26–28:** *Vor Beginn der Niederschrift 3 H, d.h. Mitte März 1905.*

N 20 **559,11–30:** *Vor Beginn der Niederschrift 3 H, d.h. Mitte März 1905.*

560,17–21: *Aufschrift auf dem ursprünglichen Titelblatt zu 8 H, begonnen Mitte Oktober 1905.* 15

N 27 **560,23–562,14:** *Diese* Disposition *entstand um den 10. September 1905. Sie muß der verlorengegangenen Fassung in Prosa von Akt* II A *zugrunde gelegen haben.*

561,22 »whole man at once« *Das Zitat geht zurück auf Sir Richard Steele, der im ›Spectator‹, einer von ihm zusammen mit Joseph Addison* 20 *1711/12 und 1714 in London herausgegebenen moralischen Wochenschrift, schrieb: »I lay it down therefore as a Rule, That the whole Man is to move together.« (Nr. 6, 7. März 1711; zitiert nach der Buchausgabe, London 1749, Bd. I, S. 32.) Hofmannsthal verwendet das Wort, meist leicht abgewandelt, häufig, so etwa in der Einleitung zu* Deutsche Erzähler*:* Der tiefsinnige Lichtenberg schrieb sich aus seinem Addison ein Wort heraus: The whole man must move together – der ganze Mensch muß sich auf eins regen – ⟨...⟩ *(P III 111) Neben vielen weiteren Stellen ist das Wort eingegangen in die* Briefe des Zurückgekehrten *(P II 281), die Erzählung* Siebenbrüder *(SW XXIX 195, 14), eine Notiz zu* Andreas *(SW XXX 193,21).* 25 30

N 29 **562,31** Lysis, Laches *Die Namen sind wahrscheinlich nach den gleichnamigen platonischen Dialogen gewählt.*

N 67 **571, Anm. 1:** *Bei den auf S. 226,5f. genannten Autoren und Werken handelt es sich um:* 35

Jacques Joseph Moreau, Du Hachisch et de l'aliénation mentale. Etudes psychologiques. Paris 1845.

Dr. Wilhelm Radloff, Aus Sibirien. Lose Blätter aus dem Tagebuche eines reisenden Linguisten. 2 Bde. Leipzig 1884. (2. Ausgabe mit verändertem Untertitel: Lose Blätter aus meinem Tagebuche. Leipzig 1893.) – Keine Beziehung zu Ödipus und die Sphinx *erkennbar. Eher könnte die Beschreibung von Kosaken, Tartaren usw. auf Hofmannsthals* Turm *gewirkt haben.*

N 71 **572,19** Ich ... Volke *Nach einem Gedichtanfang aus Stefan Georges ›Das Jahr der Seele – Überschriften und Widmungen‹: »Zu meinen träumen floh ich vor dem volke ...« (Stefan George, Das Jahr der Seele. Zweite Ausgabe. Berlin: Georg Bondi 1899, S. 50. Exemplar in Hofmannsthals nachgelassener Bibliothek.)*

N 80 **574,4–16**: *Diese Disposition wurde bei der Niederschrift 6 H zugunsten einer verkürzten Szenenführung aufgegeben.*

574,15 Päan *Feierlicher Gesang, Preislied.*

N 84 **575,4f.** von ... gemalt: *Vgl. Heinrich Heines Gedicht ›Belsatzar‹, V. 31–34:*

Und sieh! und sieh! an weißer Wand,
Da kam's hervor, wie Menschenhand;

Und schrieb, und schrieb an weißer Wand
Buchstaben von Feuer, und schrieb und schwand.

(Heines Sämtliche Werke. Erster Band. Leipzig: Tempel o.J. [Tempel-Klassiker], S. 53. Die zehnbändige Ausgabe befindet sich in Hofmannsthals nachgelassener Bibliothek.)

N 87 **576,6** Mariamne *Vgl. Hebbels Drama ›Herodes und Mariamne‹, V, 5.*

N 99 **579,8f.**: *Victor Hugo, La légende des siècles (1859–1883). – Hofmannsthal nimmt in seiner Abhandlung über Victor Hugo oft Bezug auf dieses Werk. Im Zusammenhang dieser Notiz scheinen zunächst Rede und Gegenrede zwischen Volk und Antiope den Dichter an Victor Hugo erinnert zu haben; denn für Hofmannsthal ist die Grundform von Hugos Talent das Rhetorische (vgl. P I 326ff.). Anschließend muß sich die assoziative Erinnerung eingestellt haben, daß die ›Légende des siècles‹ Sphinx-Gestalten enthält. Deshalb der zweite Teil der Notiz. Die Sphinxe bei Hugo in dem Gedicht ›Zim-Zizimi‹ aus dem Zyklus ›Les Trônes d'Orient‹ zeigen jedoch keine nähere Verwandtschaft mit Hofmannsthals Sphinx.*

N 115 ***581,13*** Chalkis *Stadt und Landschaft auf Euböa östlich von Theben. Von einem Vernichtungszug der Thebaner gegen Chalkis weiß der Laios-Ödipus-Mythos nichts.*

N 141 ***585,19–25****: Die erwogene Umarbeitung von Ödipus' Begegnung mit der Sphinx ins Erotische könnte beeinflußt sein durch ein Bild von Fernand Khnopff, auf das der Herausgeber durch Rudolf Hirsch aufmerksam gemacht wurde. Das Bild ›L'Art, les Caresses ou le Sphinx‹ vom Jahr 1896 (jetzt im Königlichen Museum Brüssel) zeigt einen halbbekleideten Jüngling im tête à tête mit einer tigerhaften Katze mit dem Kopf einer Frau. Es ist durchaus denkbar, daß ein Autor, der ein Drama* Ödipus und die Sphinx *schrieb, den Jüngling mit Ödipus identifizierte. Das Bild hing, wie Nachforschungen ergaben, in einem Wiener Haus, Alleegasse 4, wo Hofmannsthal es gesehen haben könnte. Wer es von 1896–1905 besaß, und ob Hofmannsthal es wirklich gekannt hat, ließ sich nicht ermitteln. Jedenfalls interessierte sich der Dichter sehr für Khnopff. Der Name wird in seinen Briefen und Essays mehrfach erwähnt. Am 2. Juni 1894 bittet der Autor Beer-Hofmann und Hermann Bahr, ihm Reproduktionen von Khnopff zu verschaffen. Im gleichen Jahr spricht er in seinem Bericht über die* Internationale Kunst-Ausstellung 1894 *von den* unergründlichen sphinxhaften Frauen *Khnopffs (P I 178). Freilich wäre die Anregung durch das Gemälde, selbst wenn sie sich verifizieren ließe, nicht die einzige Quelle für den Dichter; denn bereits das Drama Péladans, das Hofmannsthals Vorbild gewesen ist, spielt mit der Möglichkeit einer erotischen Beziehung zwischen Ödipus und der Sphinx.*
Khnopff, der schon 1884 eine ›Sphinx‹ gemalt hatte, gehörte übrigens zu den ›Getreuen Péladan's‹ (Thieme-Becker) in seiner Pariser Zeit.

DRUCKE

22 D und 27 D

609,29f.*: Widerspruch zu S. 115,23f.:* ⟨...⟩ Der Ödipus, / der vor dir steht ⟨...⟩

609,32f. Du ... beide! *In Hofmannsthals Essay* Sebastian Melmoth *(1905) heißt Ödipus ausdrücklich »sehend-blind«:* *Oscar Wilde* ging auf seine Katastrophe zu wie Ödipus, der Sehend-Blinde. *(P II 118) Auch mehrere andere Stellen des Essays spielen auf den Ödipus-Mythos an.*

610,21 Priester und Opfer sind wir *Vgl. S. 24,29f. und Erläuterung S. 634,24–635,12.*

KÖNIG ÖDIPUS

ENTSTEHUNG

Die Übertragung des Sophokleischen ›Oedipus Rex‹ gehört in den weiten Zusammenhang der Auseinandersetzung Hofmannsthals mit der Antike im allgemeinen und der Beschäftigung mit dem griechischen Drama im besonderen.

Die Bekanntschaft mit dem Ödipus-Mythos ist mindestens seit der Zeit der kanonischen Schullektüre des Sophokles vorauszusetzen: In Hofmannsthals Bibliothek steht ein broschiertes Exemplar des ›Sophokles, König Oidipus. Für den Schulgebrauch erklärt von Gustav Wolff. 3. Aufl. überarbeitet von Ludwig Bellermann.‹ (Leipzig, Teubner: 1855). Es enthält vereinzelte Marginalien als Übersetzungs- und Metrikhilfen und weist starke Gebrauchsspuren auf. Es darf wohl als Schulbuch Hofmannsthals gelten; als Grundlage für die spätere Übersetzung hat es jedoch nicht gedient. Das läßt sich anhand textkritischer Entscheidungen erschließen, die Hofmannsthals Bearbeitung zugrunde liegen.[1]

Das Ödipus-Drama und die Ödipus-Gestalt bleiben Hofmannsthal immer als ein Bestandteil des tradierten Bildungsgutes gegenwärtig: Als er im September 1892 auf der Reise durch Südfrankreich, die er im Anschluß an die Reifeprüfung unternommen hatte, nach Orange kommt, erinnert er sich, daß hier die Comédie française vor ein paar Jahren auf dem steinernen Gerüst einer antiken Bühne den König Ödipus *gespielt habe (P I 82), mit, wie er im Tagebuch am 16. September (H VB 4.34) erwähnt, dem Schauspieler Mounet-Sully in der Titelrolle.*[2] *Er fühlt sich von der provençalischen Landschaft an den Engpaß gemahnt, wo* Ödipus dem Vater begegnete *(P I 82) – einen Ort, den er Jahre später, nämlich 1908, selber in Griechenland betreten sollte (B II 322f.; P III 17). In seinem ebenfalls von 1892 stammenden Aufsatz* Die Menschen in Ibsens Dramen *zitiert er einen griechischen Vers aus einem antiken Ödipus-Drama (P I 92), auf den er in Renans ›Antichrist‹ in französischer Form gestoßen war, dessen Urtext er aber den alten Quellen entnommen und selbständig übersetzt haben muß.*[3] *Und daß er bereits im Mai 1887 die*

[1] *Vgl. unten S. 725, 36 zu* V. 1207–1210. [2] *Siehe auch S. 670, 15.*

[3] *Œuvres complètes de Ernest Renan, Tome IV, édition définitive établie par Henriette Psichari, Paris 1949, S. 1311. Renan gibt in einer Anmerkung die Fundstellen bei Dio Cassius LXIII, 28 und Sueton, Nero 46 an, die im Originaltext geringfügig voneinander abweichen. Hofmannsthal geht bei seinem Zitat auf die von Sueton gebotene Form zurück. Die ›autorisierte deutsche Übersetzung‹ des ›Antichrist‹, die 1873 bei Brockhaus in*

Burgtheater-Aufführung des sophokleischen ›Ödipus‹ in der Übersetzung von Adolf Wilbrandt gesehen hat, die in den Jahren 1886 bis 1889 ein rechtes »Zug- und Kassenstück«[1] war, ist durch einen Brief an Gabriele Sobotka vom 7. Mai 1887 belegt.[2]

An eine eigene Bearbeitung des Ödipus-Stoffes scheint Hofmannsthal jedoch damals nicht zu denken, obwohl die Auseinandersetzung mit anderen griechischen Dramen bezeugt ist. Notizen aus dem Jahr 1892 zum unvollendet gebliebenen Renaissancestück Ascanio und Gioconda bieten ein frühes Beispiel für das Bestreben, Partien aus der ›Elektra‹ des Sophokles zu übersetzen, einzelne Motive aufzunehmen und dem eigenen Stück einzugliedern.[3] Überhaupt schlägt sich die intensive Beschäftigung mit Sophokles und mit antiken mythischen oder geschichtlichen Figuren wie Antigone, Pentheus, Alkibiades im Tagebuch dieses Jahres nieder.

Im März 1893 taucht dann der Plan auf, die ›Bacchen‹ des Euripides zu erneuern (A 100) – ein Plan, der freilich erst 1904 im Ansatz verwirklicht wird – während – einer Datierung zufolge, auf die der Dichter 1908 anläßlich der Drucklegung des Werks hinweist – gleichzeitig die Übersetzung der ›Alkestis‹ in den Vordergrund tritt. Sie wird 1894 abgeschlossen (B I 96; HvH-LvA 23, 25; HvH-RBH 33), begleitet vom Besuch der Vorlesung ›Dramaturgie der antiken Tragiker‹,

Leipzig erschien, bringt eine andere Version, die in der zweizeiligen Anordnung des Textes dem französischen Original folgt, nicht aber dem griechischen Zitat in den antiken Quellen (Tragicorum Graecorum Fragmenta, rec. A. Nauck, Supplementum adi. Bruno Snell, Hildesheim 1964, S. 839, Adespota 8). Während Welcker diesen Vers dem Euripides zuschreibt, betont Wilamowitz, Griechische Verskunst, 2. Aufl., Darmstadt 1958, S. 130, Anm. 3, daß er nicht in die Fragmenta tragicorum gehöre, sondern vielmehr zu einem in Neros Zeit entstandenen »Libretto« einer Kitharodie, das freilich »aus der Tragödie und sonst woher zurechtgeschnitten« worden sein könne.

[1] Sophokles' ausgewählte Tragödien. König Oedipus – Oedipus in Kolonos – Antigone – Elektra. Mit Rücksicht auf die Bühne übertragen von Adolf Wilbrandt. Zweite Aufl. München 1903, Vorwort S. IV. Wilbrandt (1837–1911) hatte seine Ödipus-Bearbeitung bereits 1866 durch die Meininger Bühne aufführen lassen, ehe sie seit dem 29. Dezember 1886 in Wien mit großem Erfolg bis zum 5. März 1899 wiederholt gegeben wurde; vgl. Richard Specht, Reinhardts Ödipus-Festspiel. In: Der Merker, 2. Jahrg. Heft 16, Wien, Mai 1911, S. 692.

[2] Abschrift (FDH/Dauerleihgabe Stiftung Volkswagenwerk).

[3] Vgl. dazu HvH-RBH 8; ähnlich die Äußerung im Brief an Gustav Schwarzkopf vom ⟨17. Juli 1892⟩: Ich benütze die viele leere Zeit um ein schönes Trauerspiel zu verfertigen. Dazu benütze ich die Shakespearestudien von Otto Ludwig für die Technik, Montaigne für Gedanken und Psychologie, während ich die einzelnen Verse einigen mitgebrachten Theaterstücken hauptsächlich von Sophokles aus Athen entlehne (B I 48). Zu Sophokles als Lektüre dieser Tage siehe auch Hofmannsthals Brief an Marie Herzfeld vom 21. Juli 1892 (BW 28).

[4] Vgl. den Brief an Anton Kippenberg vom 28. 10. 1908 (zit. bei Eva-Maria Nüchtern, Hofmannsthals ›Alkestis‹, Frankfurter Beiträge zur Germanistik, Band 6, 1968, S. 9).

die Alfred von Berger im Wintersemester 1893/94 hält[1]*, und liefert damit das erste vollendete Ergebnis der Versuche,* Antik-Mythisches neu zu gestalten *(A 370).*

In der Folgezeit verringert sich für Hofmannsthals unmittelbares Schaffen der vordergründige Einfluß antiker Elemente und Motive. Erst später wieder dokumentiert er sich in der Arbeit am Vorspiel zur ›Antigone‹ des Sophokles, *das für eine Berliner Vorstellung entsteht. Bereits 1898 während des Aufenthaltes in Berlin oder im März des folgenden Jahres anläßlich der Premiere von* Die Hochzeit der Sobeide *(hier spielte Max Reinhardt den Teppichhändler) und* Der Abenteurer und die Sängerin *mag Hofmannsthal mit Angehörigen des ›Akademischen Vereins für Kunst und Litteratur‹ zusammengetroffen sein; eines studentischen Kreises, der sich, angeregt durch die Übertragungen von Wilamowitz, um die Darstellung antiker Dramen auf der neueren Bühne bemühte und für die Hauptrollen hervorragende Schauspieler des Königlichen Schauspielhauses, des Neuen und des Deutschen Theaters (einer von ihnen war Max Reinhardt) und für die Regie Hans Oberländer gewonnen hatte.*[2] *Aufgrund dieser Bekanntschaft wurden möglicherweise damals Verbindungen geknüpft und der Plan gefaßt, solchen Aufführungen jeweils dichterische Prologe voranzustellen. In diesen Zusammenhang gehört neben dem ›Antigone‹-Vorspiel zweifellos auch das im Nachlaß erhaltene Einzelblatt (VIII 13.44) mit der dreizeiligen Titelaufschrift* Prolog zu König Oedipus Jänner 1900, *die mit einer späteren schräg von oben nach unten verlaufenden Wellenlinie durchstrichen ist. Die Annahme liegt nahe, dieser Prolog sei für die Ödipus-Vorstellung am 28. 2. 1900 bestimmt gewesen, bei welcher Albert Heine den König, Max Reinhardt den Teiresias, Friedrich Kayssler den Kreon spielten.*[3] *Ob der Plan über dieses Titelblatt hinausgediehen ist und man daher, wenn schon nicht den Prolog, so doch seine Vorstudien für verloren zu halten hat, läßt sich nicht eindeutig entscheiden. Immerhin heißt es in einem Brief an Edgar Karg von Bebenburg am 31. 1. 1900 (BW 157):* Der Monat Jänner war häßlich und lichtlos und so hab ich eine ziemlich phantasielose Stimmung und arbeite mit unverhältnismäßig großer Anstrengung an einem kleinen Vorspiel für die Aufführung eines antiken Trauerspiels in Berlin. *Die Übereinstimmung der Daten auf dem Titelblatt und im Brief könnte mindestens zur Annahme von Vorstudien berechtigen, die dann nicht weiter verfolgt wurden aus eben den inneren Gründen, die der Brief andeutet.*

[1] *Vgl. Günther Erken, Hofmannsthal-Chronik. Beitrag zu einer Biographie. In: Literaturwissenschaftliches Jahrbuch III, 1962, 250, Anm. 1; HvH-RBH 29.*

[2] *Vgl. Ulrich von Wilamowitz-Moellendorff, Erinnerungen 1848–1914, Leipzig o.J. (1928), S. 253, 254. Vgl. ferner die Notiz in der Vossischen Zeitung vom 29. 3. 1900, in der Rubrik ›Theater und Musik‹.*

[3] *Hinweis von Dr. Rudolf Hirsch, Frankfurt am Main; vgl. dazu die mit »A. E.« gezeichnete Rezension der Aufführung in der Vossischen Zeitung vom 1. März 1900 sowie die Rezension und den ›offenen Brief‹ von Fritz Mauthner im Berliner Tageblatt vom 1. und 8. März 1900 (aufgenommen in: Fritz Mauthner, Prager Jugendjahre. Erinnerungen, S. Fischer Verlag, Frankfurt am Main 1969, S. 268–272 und 272–278).*

Wenig wahrscheinlich ist die Vermutung, mit dem kleinen Vorspiel *sei dasjenige zur ›Antigone‹ gemeint,*[1] *da von diesem immer erst im März die Rede ist. Es wurde dann auch während der fruchtbaren Pariser Wochen in der ersten Märzhälfte vollendet und ging der Aufführung der ›Antigone‹ am 28. 3. 1900 in Berlin voran.*[2] *Es nimmt deutlich Bezug auf ›König Ödipus‹ als das zuvor gespielte Stück (D I 280–283), was freilich auch der mythischen Chronologie entspricht.*

Der Gedanke an den Ödipus-Prolog ist wohl nur aus der konkreten Situation einer Aufführung heraus zu verstehen, ebenso wie z.B. Jahre später der Prolog zur ›Lysistrata‹ des Aristophanes, *und hat mit dem eigentlichen Ödipus-Stoff, wie er sich vor Hofmannsthal in der Folge ausbreitete, wenig oder nichts zu tun;*[3] *er bleibt aber dennoch bedeutsam für Hofmannsthals stete Berührung mit antiken Themen- und Mythenkreisen. Dazu gehört auch – während des Aufenthaltes in Paris – seine erste persönliche Begegnung mit der französischen Antiken-Rezeption in Gestalt der ›Andromaque‹ und vor allem des ›Oedipe roi‹ auf der Bühne der Comédie française – wieder mit Mounet-Sully in der Titelrolle, von dem er stark beeindruckt ist (B II 10–12) – die seinen gleichzeitigen Entwürfen zu anderen antiken Themen neue Impulse gegeben haben dürfte.*

Anfang September 1901 liest Hofmannsthal während der Arbeit an Pompilia *erneut die ›Elektra‹ des Sophokles und hat den* ersten Einfall *zu einer Bearbeitung des Stückes (B II 383; A 131). Er hält das Datum dieses ersten Einfalls* (6. IX. 1901) *auf einem Titelblatt (E III 78.1) fest, das die Tinten-Aufschrift* Elektra / Tragödie von Sophokles frei bearbeitet *trägt. Zu einem späteren Zeitpunkt, wie aus geändertem Schriftduktus und Schreibmaterial (jetzt Bleistift) eindeutig hervorgeht, setzt er hinzu:* sowie Notizen zur Inscenierung von / König Oidipus / Oidipus auf Kolonos. *Und später, als das Entwurfs- und Notizenkonvolut anwächst, notiert er, abermals mit Stift, auf dem Titelblatt:* ferner: Orest in Delphi. *Da die Kriterien von Schrift und Schreibmaterial eine zeitliche Differenz zwischen den drei Aufschriften deutlich machen, geht es nicht an, aus diesem Konvolutdeckel und dem allein zum Elektra-Entwurf gehörigen Datum auf eine erste Beschäftigung mit dem Ödipus-Stoff an eben dem gleichen 6. September 1901 zu schließen, wie Horst Weber es in der Hofmannsthal-Bibliographie tut.*[4] *Der Elektra-Plan bleibt ganz im Vordergrund. Er hat sich im Sommer 1902 gar zu*

[1] *So Mary E. Gilbert in der Anmerkung zu diesem Brief (HvH-EKvB 242).*

[2] *Vgl. die mit »P. M-n.« unterzeichnete Theaterrezension in der Vossischen Zeitung vom 29. 3. 1900, in der Max Reinhardts Leistung als Teiresias »vortrefflich« genannt wird.*

[3] *Zu beachten ist, daß Hofmannsthal hier den Titel* König Ödipus *wählt, während er später bei der Arbeit an der Übertragung stets von* Ödipus, der König *oder* Ödipus-König *spricht, unter welchem Titel (der in Analogie zu ›Oedipus rex‹, bzw. ›Oidipus Tyrannos‹ gewählt ist) ja auch die ersten Drucke bis zum Buchdruck erschienen sind.*

[4] *Horst Weber, Hugo von Hofmannsthal. Bibliographie. Berlin und New York 1972, S. 296, Nr. VIII 35. – Rudolf Borchardt berichtet, daß Hofmannsthal sich 1902 mit »Ödipusvorarbeiten« befaßt habe (Prosa I, Stuttgart 1957, S. 138).*

einer Orestie in 2 Teilen *ausgeweitet, deren erster Teil* Orest-Elektra mit dem Muttermord *und deren zweiter* Orest in Delphi *behandeln soll (B II 74). Doch wird das Vorhaben, das sich der Phantasie Hofmannsthals in Rodaun noch* in gewissen Stunden fast fieberhaft bemächtigt *hatte (B II 74), vom Stoff des* Geretteten Venedig *nach und nach zurückgedrängt, vor allem während der Wochen in Rom (HvH-AS 162). Es taucht erst Anfang Mai 1903 wieder auf, als Hofmannsthal anläßlich eines Gastspiels des Berliner Kleinen Theaters in Wien Gertrud Eysoldt*[1] *in Gorkis ›Nachtasyl‹ sieht. Er ist von ihrer schauspielerischen Persönlichkeit derart beeindruckt, daß er beschließt, für sie eine ›Elektra‹ zu schreiben, in dem er an seine ehemaligen Vorstellungen wieder anknüpfen will (B II 124–126; A 131). Max Reinhardt, der sich an Stelle der verfügbaren Bearbeitungen mit ihrem* gipsernen Charakter *ein neues bühnenwirksames Antiken-Stück verspricht, bestärkt ihn eindringlich in dieser Absicht (B II 383f.).*

Vom 16. bis 27. Juni hält sich Hofmannsthal in Cortina auf und beginnt mit der Arbeit. Wenn auch fast nichts zustande *kommt (A 132), so werden doch wahrscheinlich die* Szenischen Vorschriften *zum Stück konzipiert, die am 5. November im Druck erscheinen (P II 68–71). Vermutlich gleichzeitig mit diesen Vorschriften entstehen in Cortina zwei Blätter mit Anweisungen zur Inszenierung des ›Ödipus‹, die innerhalb des oben erwähnten Konvoluts erhalten sind (E III 78.18 und E III 78.19). Das erste Blatt bietet folgenden Text:*

Cortina. Inscenierung des Oidipus.

Die Bühne hier so groß und weit als in der Elektra eng und drückend, da hier ein ungeheueres Fortwandern das Ende ist, und auch vorher ein Kommen von draußen her so unendlich viel bedeutet. es ist die Terrasse der Königsburg, unten liegt das Land drüben liegen die Berge. Ein Opferfeuer manchmal grässlich schwälend zum Schluss rein aufflammend. Die Greise-Zuseher ziehen von unten rückwärts auf die Bühne, weihen sie, nehmen rechts und links über dem Orchester ihre Plätze ein bei Musik. Es kommt das Volk heraufgedrängt, mit dumpfem Stöhnen. Alle bergen das Gesicht in den Händen beim Anblick der niedergebeugten Flamme. Oidipus tritt hastig hervor. Alle Arme recken sich ihm entgegen mit einem dumpfen: O!

Die Greise-Zuseher stellen durch ihre Zwischenreden einen idealen Verlauf der Zeit her. – So ist es bei der Scene des Hirten finster, Oidipus hält eine Fackel an sein Gesicht. – Vor der letzten Scene bricht eine fahle Dämmerung an, eine wesenlose Zeit zwischen Nacht und Tag, Wolken hängen herein. Nach der Sühne geht alles Licht von den Flammen aus. *(Es folgen zwei weitere Zeilen mit Anmerkungen zur Bühne von* Oidipus auf Kolonos.)

[1] *Gertrud Eysoldt (1870–1955) spielte in der Nachtasyl-Aufführung die Rolle der Nastja. Hofmannsthals Wertschätzung äußert sich vor allem in den Briefen, in denen er ihr die Rolle des Knaben Schwertträger in* Ödipus und die Sphinx *erläutert (B II 210–215, 218; s. dort auch 160f. und die übrigen an sie gerichteten Briefe).*

Das nächste Blatt trägt am linken oberen Rand die Ziffer 2 und markiert auf diese Weise die Zusammengehörigkeit mit dem eben zitierten Text. Es lautet:

König Oidipus
Anfang.

Die Heraufgedrungenen, stöhnen flüstern untereinander, Palastthür fliegt auf Oidipus tritt jäh heraus: alle recken ihm die Hände entgegen Ah. eine Stimme: von Angst getrieben Herr! Stimmen Herr! Herr! ein Alter: sieh die Flamme ein Weib: wie auf einem Schiff geht es uns ... Oidipus: Was? Was? Kreon steht auf einmal da:

Gewaltig die ehernen Thüren des Palastes: sie enthalten die Gemächer des furchtbaren, das blutschänderische Bett, die Kammern der Kinder: Hier hinein stürmt er, den Tod seiner Augen zu suchen.

In der linken oberen Ecke des ersten Blattes (E III 78.18) hat Hofmannsthal den Entstehungsort Cortina vermerkt. Reisen nach Cortina und Aufenthalte dort sind – außer für 1912 und 1922 – nur für die Zeit vom 16. bis 27. Juni 1903 und vom 6. bis 14. Juli 1907 belegt. Wenn man sich vor Augen hält, daß der Dichter 1907 von anderen Plänen und Einfällen völlig überschwemmt *ist (B II 281–284) und daß die Annahme des plötzlich erneut auftretenden Gedankens an eine mögliche Inszenierung des ›König Ödipus‹ und des ›Ödipus in Kolonos‹ von daher als wenig wahrscheinlich zu gelten hat, kommt für die Datierung des Blattes allein der Juni 1903 in Betracht. Die Überlegungen fügen sich auch nur dann folgerichtig in den Zusammenhang des intensiven, von der ›Elektra‹ angeregten Sophokles-Studiums ein: denn wie bei der ›Elektra‹ entwickelt Hofmannsthal auch hier seine Gedanken zur Inszenierung gleichsam als erste Keimzelle der Arbeit. Auch Einzelheiten der in diesen Blättern vorliegenden Konzeption, die später fehlen (Kreon steht auf einmal da; Ödipus ruft: Was, was; das Weib vergleicht die Situation mit der Lage auf einem Schiff; es ist von* König Oidipus *und* Oidipus *die Rede, der spätere Werktitel* Ödipus, der König *taucht nicht auf), auch solche Einzelheiten zeigen, daß diese Bemerkungen in die Zeit vor der eigentlichen Ausführung des Vorhabens fallen müssen. Sie sind deshalb, vor allem aber aufgrund der Ortsangabe, eindeutig auf die Tage vom 16. bis 27. Juni 1903 zu datieren und gehören eng mit den Gedanken zur Elektra-Inszenierung zusammen, auf die der Beginn des ersten Blattes ausdrücklich antithetischen Bezug nimmt. Im ganzen lassen sie trotz der Abweichungen im einzelnen schon die spätere Konzeption des* König Ödipus *hervortreten, wobei sie bereits die Elemente der so wesentlichen Ausgestaltung des Atmosphärischen enthalten, das – im Hinblick auf den* Ödipus *– ebenfalls am Ende des gleichzeitig entstandenen Aufsatzes* Die Bühne als Traumbild *seinen Niederschlag findet (P II 66f.) und auch in dem 1905 geschriebenen Vortrag* Shakespeares Könige und große Herren *eine deutliche Parallele besitzt (P II 147–174).*

Alle diese Bemerkungen setzen eine eingehende Beschäftigung mit den genannten Dramen des Sophokles voraus. Und so kann Hofmannsthal am 21. Juli dieses Jahres Hermann Bahr zum ersten Male neben seinen Gedanken zu Elektra *auch die zum*

König Ödipus *vortragen (Bahr 185). Ein Zeugnis für die in dieser Zeit fortdauernde kritische Auseinandersetzung mit beiden Stücken bietet eine – wahrscheinlich 1904 zu datierende – Titelliste, die Hofmannsthal auf der hinteren Innenseite des als Konvolutumschlag dienenden Doppelblattes (E III 78.1) festgehalten hat. Sie umfaßt Überschriften von geplanten und bereits ausgeführten essayistischen Arbeiten, die er zu einem* Kl⟨einen⟩ B⟨uch⟩ *zusammenzustellen gedachte.*[1] *Unter die Essays, die dem Drama und dem Theater gewidmet waren, wollte er Betrachtungen über ›Elektra‹ und ›König Oidipus‹ aufnehmen; der Elektra-Aufsatz mit dem vorgesehenen Titel* Verth⟨eidigung⟩ der Elektra *sollte dabei dem eigenen Drama gelten.*[2]

Zu Beginn des Jahres 1904 taucht dann der Gedanke an den Ödipus auf Kolonos *erneut auf, freilich ohne in einen inneren Zusammenhang mit* König Ödipus *gestellt zu werden (B II 136), sondern nur im Verein mit anderen Entwürfen wie den Bacchen* (Pentheus) *und dem* Orest in Delphi *(A 133f.), der Fortsetzung und Ergänzung der* Elektra *bringen sollte.*

Da fällt dem Dichter im September 1904 während eines Aufenthaltes in Venedig das 1903 erschienene Stück ›Oedipe et le sphinx‹ von J. Péladan als ein modernes Beispiel französischer Antiken-Bearbeitung in die Hände.[3] *Er ist von ihm in solchem Maße begeistert, daß er weitere Vorhaben beiseite schiebt und sofort mit einer gleichen Arbeit beginnt. Wenn er zunächst auch nur* ein sehr kurzes Stück in drei Aufzügen *ankündigt, so ist mit dessen Charakterisierung als* Vorspiel zum Oidipus rex *(HvH-RBH 124) doch offenbar sogleich die Idee einer Ödipus-*Trilogie *geboren. Hofmannsthal vertieft sich so sehr in diesen Gedanken, daß er, im Bestreben, stets die konkreten sachlichen und personellen Bedingungen in sein Planen mit einzubeziehen und sich von ihnen leiten zu lassen, weit vorausblickend an mögliche Aufführungen durch Reinhardt denkt und der Sorge um eine geeignete Besetzung Ausdruck verleiht (HvH-RBH 124f.; HvH-EvB 55).*

Ende September 1904 ist der erste Akt von Ödipus und die Sphinx *in seiner ursprünglichen Gestalt mit rund 350 Versen fertig (HvH-RBH 125; Bahr 186). Das neue Thema hat aber den Dichter so überwältigt, es ist so stark in ihm (HvH-EvB 50; StG-HvH 218), daß er vorerst nur die Vorstellung der Trilogie in sich wahren kann, ohne bereits mit dem als Nachspiel vorgesehenen* Ödipus-Greis *– der Stoff des ›Ödipus auf Kolonos‹ war ja, wie gezeigt, schon zuvor als Möglichkeit in sein Blickfeld getreten – begonnen zu haben. An eine eigene Bearbeitung des ›König Ödipus‹ scheint, ungeachtet der oben genannten Erwähnung gegenüber Hermann Bahr, in diesem*

[1] *In diesen Zusammenhang ordnet sich auch die Notiz zu geplanten* Betrachtungen über dichterische Gegenstände *ein, in denen neben anderem (*Meeres u⟨nd der⟩ L⟨iebe⟩ Wellen, Märchen *[?]) der* Oidipus *behandelt werden sollte (H IV B 67.2).*

[2] *Hinweis von Dr. Rudolf Hirsch, Frankfurt am Main.*

[3] *Joseph (gen. Joséphin) Péladan (1859–1918) hatte sein Drama schon 1897 geschrieben, zur Uraufführung kam es jedoch erst 1903: ›Oedipe et le sphinx, tragédie en trois actes, texte conforme à la représentation du 1er août 1903 au théâtre antique d'Orange‹, Société du Mercure de France, Paris 1903.*

Stadium nicht gedacht worden zu sein. Im Brief vom 21. 9. 1904 fordert Hofmannsthal nämlich Richard Beer-Hofmann auf, ... den Reinhardt sofort wissen zu lassen, daß er ja nicht den König Ödipus aufführt weil ich ihm sicher einen Ödipus und die Sphinx und wahrscheinlich auch einen einactigen Ödipus-Greis mache so daß es eine Trilogie, an 2 Abenden zu spielen wird. *Die Bearbeitung wird wohl erst als Ergebnis einer Verständigung mit Reinhardt aktuell, die 1905 zu der Verabredung führt, daß der Dichter* die ganze, zwei Abende füllende Trilogie so fertig bekomme, daß wir sie im November spielen können *(B II 211; HvH-EvB 61; HvH-OB 92).*

Hofmannsthal konzentriert sich zunächst auf Ödipus und die Sphinx, *wobei das Drama im Laufe der Märzwochen des Jahres 1905 in Ragusa (B II 201–203; HvH-HGK 80) und in den anschließenden Sommer- und Herbstmonaten neue, von der Vorlage weit abweichende Dimensionen annimmt (B II 211–216; HvH-EvB 70). Gebunden durch die Terminabsprache mit Reinhardt und andere Verpflichtungen, gestaltet sich die Arbeit für Hofmannsthal als* furchtbar aufzehrend *(HvH-HGK 108). Dennoch hält er bis zuletzt an dem Plan einer Trilogie fest. Die Arbeit an ihren drei Teilen im Herbst 1905 wird von den in den Manuskripten eingetragenen Daten bestätigt: In der Handschrift zu* Ödipus, der König *(E III 183.28) findet sich die Notiz* (Rodaun 24 IX.)*; im Entwurf zu* Des Ödipus Ende *(H III 184.2) die Angabe* R⟨odaun⟩ 28 IX*; die Entstehungsdaten zu* Ödipus und die Sphinx *sind im einzelnen oben S. 187–208 mitgeteilt. Oscar Bie, dem Herausgeber der ›Neuen Rundschau‹, stellt Hofmannsthal am 26. September* einen Theil *seiner* dreiteiligen dramatischen Arbeit *in Aussicht (HvH-OB 92); und obwohl er an der Einhaltung des Reinhardt gegebenen Terminversprechens im Rahmen der gesetzten Fristen schon bald zweifelt (B II 211; 216–218), schreibt er am 28. September in spürbarem Zweckoptimismus an Gertrud Eysoldt (B II 218):* Ich halte noch immer aber an einer Art Hoffnung fest, daß ich zirka 10. Oktober hinkommen und mitbringen könnte: das dreiaktige Vorspiel ›Ödipus und die Sphinx‹, mit zwei fertigen, einem unfertigen Akt (dieser müßte eventuell während der Proben eingefügt werden), dann ›Ödipus, der König‹ von Sophokles, neu übersetzt, fertig, und mein einaktiges Nachspiel, fertig. *Diese Hoffnung wird sich dann freilich im Hinblick auf das Nachspiel, zu dem sich im Nachlaß nur mehr oder minder ausgeführte Studien befinden, als trügerisch erweisen. Der aus der Rückschau geschriebene Tagebucheintrag (H VII 16.22):* gegen 20ten ⟨IX. 05⟩ fahren wir nach Rodaun, ich arbeite weiter: Öd. u. d. Sphinx II, später III. Zugleich die Übersetzung von Sophokles König Ödipus *macht nun deutlich, daß die Arbeit – wie es auch die obengenannten Daten gezeigt hatten – streckenweise gleichzeitig vorangetrieben wird. Doch nicht nur die Beschäftigung mit den angeführten Stücken und Akten soll durch diese Notiz festgehalten werden, sondern offenbar auch deren Vollendung; eine Annahme, die gerade dadurch eine Stütze erhält, daß das unfertig gebliebene Nachspiel in diesem Zusammenhang nicht erwähnt wird. Daraus wäre zu folgern, daß Hofmannsthal nach seiner Rückkehr von Lueg nach Rodaun, möglicherweise am 23. September (denn am 21.*

und 22. arbeitet er an der Scene der Königinnen *in* Ödipus und die Sphinx*), die Niederschrift der Übersetzung in Angriff genommen hat, von der am 24. bereits mehr als ein Drittel vorliegt. Wann sie endgültig abgeschlossen wurde – erst am 7. 3. 1906 bietet Hofmannsthal sie der ›Neuen Rundschau‹ an (s. S. 678, 26)–, ist aus Mangel an weiteren Daten im Manuskript des* König Ödipus *oder im Tagebuch des Dichters nicht mit letzter Sicherheit zu bestimmen. Immerhin könnten die Tage zwischen Ende September und Mitte Oktober 1905, an denen Hofmannsthal seine Beschäftigung mit* Ödipus und die Sphinx *nicht ausdrücklich durch Datierungen in Selbstzeugnissen belegt hat (vgl. S. 192–194), den Zeitraum umfassen, innerhalb welchem die Weiterarbeit am* König Ödipus *stattgefunden haben mag.*

Am 20. November fährt Hofmannsthal nach Berlin und liest Reinhardt und seinem Ensemble die fertigen Akte I und II von Ödipus und die Sphinx *vor. Erst jetzt stellt er, angesichts der Zeitnot, den Gedanken an die Trilogie zurück und schreibt, noch vor seiner Ankunft in Berlin, am 13. 11. 1905 an die Eysoldt (B II 221), man werde zunächst nur* ›Ödipus und die Sphinx‹ *spielen,* später dann den ›König Ödipus‹ und das Nachspiel. *Doch auch als* Ödipus und die Sphinx *am 2. 2. 1906 in Reinhardts Regie seine Uraufführung am Deutschen Theater in Berlin erlebt hat, bleibt die Beschränkung auf das* eine *Stück weiter bestehen. Die freie Übertragung des* König Ödipus *und das Nachspiel* Des Ödipus Ende *werden als Teile einer Trilogie nicht mehr erwähnt.*

Bei diesem Verzicht auf die Trilogie, der zunächst allein von äußeren Terminen erzwungen scheint, dürfte wohl letztlich die Erkenntnis den Ausschlag gegeben haben, daß Ödipus und die Sphinx *den Rahmen eines Vorspiels zum ›König Ödipus‹ gesprengt hatte. Als die Arbeit, abweichend von der ursprünglichen Konzeption, im zweiten und dritten Akt entscheidend neue Gestalt annahm, muß der Dichter gesehen haben, daß eine Fortsetzung im Sinne der sophokleischen Tragödie nicht mehr möglich war, wenn das Stück nicht ins Ironische umschlagen sollte. Indirekt gesteht sich Hofmannsthal diesen Umstand ein: Jahre später, als er am 15. November 1920 in einem Brief an Alexander Moissi,*[1] *den er* für den stärksten König Ödipus der neueren Bühne *hielt (A 320), eine Wiederaufnahme von* Ödipus und die Sphinx *als Vorabend zum* König Ödipus *erwägt, will er nur die beiden ersten Akte von* Ödipus und die Sphinx *berücksichtigt wissen. Er beruft sich dabei ausdrücklich auf seinen Plan, nach welchem das Drama – ohne den dritten Akt – eben nur* Des Ödipus Ankunft *hätte behandeln sollen, gemäß dem Titel, der ihm anfänglich zugedacht gewesen sei.*

Während der Arbeit am König Ödipus *hatte der Dichter für die Dialog-Partien die ältere Übertragung von Johann Adam Hartung herangezogen,*[2] *die er*

[1] *Siehe oben S. 206, 4. Moissi (1879–1935) war einer der bekanntesten Schauspieler aus Max Reinhardts Ensemble; vgl. Hofmannsthals Würdigung in P IV, 512.*

[2] *Johann Adam Hartung (1802–1867) war Gymnasial-Professor in Erlangen, seit 1837 Direktor des Gymnasiums in Schleusingen, seit 1864 in Erfurt. Seine Übersetzung der sophokleischen Dramen erschien in den Jahren 1850/1851.*

stellenweise wörtlich – bis zur Übernahme von Übersetzungsmißverständnissen hin – auswertet. Auch solche Teile, die von Hartung abweichen, vor allem die Chorlieder in der Hofmannsthalschen Fassung, zeigen bisweilen eine Beeinflussung durch Hartung in der Wortwahl; im Formalen jedoch schließen sich diese Partien an die für ihre Zeit bahnbrechende Übersetzung Adolf Wilbrandts an. Andere Übertragungen scheint Hofmannsthal nicht durchgehend berücksichtigt zu haben; allenfalls ließe sich an manchen Stellen ein Rückgriff auf Donner[1] *oder Thudichum*[2] *vermuten, doch dürften Ähnlichkeiten in den Versionen wohl eher durch Anlehnung Hartungs an diese Übersetzungen bedingt sein.*

Die bei Walter Ritzer und Horst Weber vertretene Ansicht, Hofmannsthal habe vornehmlich die letztgenannte Übersetzung benutzt,[3] *ist unhaltbar, da die Abhängigkeit von Wilbrandt und vor allem von Hartung in Stil, Wortwahl, Satzbau und textkritischen Entscheidungen ganz eindeutig ist. Gerade die textkritischen Entscheidungen beweisen ferner, daß auch der der Übertragung beigegebene griechische Text Hartungs als Grundlage der Bearbeitung Hofmannsthals gedient hat. Ein Exemplar dieser zweisprachigen Ausgabe, die als fünftes Bändchen in der Reihe von Hartungs Sophokles-Übersetzung erschien, befindet sich in Hofmannsthals Bibliothek: ›Sophokles' König Ödipus. Griechisch mit metrischer Übersetzung und prüfenden und erklärenden Anmerkungen von J. A. Hartung. Leipzig. Verlag von Wilhelm Engelmann. 1851‹. Es enthält außer auf den Seiten 99 und 143 keine Lesespuren oder Marginalien: auf S. 99 hat Hofmannsthal neben V. 754 (den er in* V. 669 *wörtlich übernimmt) ein Kreuzchen gesetzt; auf dem oberen Rand von S. 143 steht die Notiz* alte Männer, grausig zu dreien *(vgl. S. 720, 38).*

So stark Hofmannsthal dieser Übersetzung auch verpflichtet ist, in der Wiedergabe der Versmaße weicht er von Hartung und damit auch von Sophokles ab, der, wie meist in der antiken Tragödie, als dramatischen Sprechvers vornehmlich den iambischen Trimeter verwendet hatte, mit all den Freiheiten und Feinheiten, die ihm im Griechischen gegeben sind. Der iambische Trimeter hat im deutschen Drama nie einen eigenständigen Platz gewinnen können, von wenigen Ausnahmen etwa im Helena-Akt von ›Faust II‹, in der ›Pandora‹, in manchen Szenen der ›Jungfrau von Orleans‹ oder der ›Braut von Messina‹ abgesehen. Er blieb in seinem starren Schema als 6hebiger, reimloser Vers mit steigender alternierender Betonung den Übersetzungen aus der klassischen Antike vorbehalten, die sich befleißigten, den Text »im Versmaß der Urschrift« zu verdeutschen. Das Ungenügende solcher Versuche in deutscher

[1] *Johann Jacob Christian Donners (1799–1875) Übersetzung des Sophokles erschien zuerst in Heidelberg 1839; sie erlebte zahlreiche Auflagen, die 9. Aufl. erschien 1880.*

[2] *Georg Thudichum (1800–1875), Sophokles, übersetzt, 3. neu durchgesehene Auflage, Leipzig o.J.; diese Übersetzung fand weite Verbreitung, da sie in Reclams Universalbibliothek herauskam; die 1. Auflage war 1827 (Erster Teil), bzw. 1838 (Zweiter Teil) erschienen.*

[3] *Walter Ritzer, Hofmannsthals Bearbeitung griechischer Dramen. Alkestis und König Ödipus. Diss. Wien 1935 (masch.), S. 113; Horst Weber, Hugo von Hofmannsthal. Bibliographie, Berlin, New York 1972, S. 296 Anm. zu Nr. VIII 35.*

Sprache blieb immer evident. Und so griffen schon ältere Übersetzer zum 5hebigen Jambus, dem Blankvers also. In ihren Ödipus-Übersetzungen hatten ihn u.a. Christian Graf zu Stolberg (Sofokles, übersetzt. Erster Band, Leipzig 1780, S. 118), Oswald Marbach (Sophokles, deutsch, Leipzig 1860), Franz Fritze (Sämmtliche Tragödien des Sophokles, metrisch übertragen, Berlin 1845), Wilhelm Jordan (Die Tragödien des Sophokles, deutsch, Erster Theil, Berlin 1862), ja auch Adolf Wilbrandt (Sophokles' Ausgewählte Tragödien. Mit Rücksicht auf die Bühne übertragen, 2. Auflage, München 1903, S. 12ff.) und sogar Ulrich von Wilamowitz-Moellendorff (Griechische Tragödien I, Sophokles Ödipus, Berlin 1899) angewendet und damit das Formelement des vorgegebenen Metrums der Praxis und den Möglichkeiten der deutschen Bühne angeglichen. Das große Vorbild dieser Blankvers-Übersetzungen dürfte, trotz dem früheren Beispiel Stolbergs, Schillers 1789 erschienene Übertragung der ›Iphigenie in Aulis‹ von Euripides gewesen sein, wo die Dialog-Partien in fünffüßigen Jamben wiedergegeben sind.

Dieser Übung schließt sich Hofmannsthal an. Er gestaltet seinen Blankvers äußerst frei – ähnlich wie Hölderlin den Vers in seinen Übersetzungen aus dem Griechischen gehandhabt hatte. Er läßt neben Sechshebern auch unvollständige Verse zu und setzt sogar an Stelle des Blankverses bisweilen freie Versgebilde unterschiedlicher Rhythmisierungen. Diese schwebende Behandlung des Verses zeigt sich als formales Stilmittel auch in Ödipus und die Sphinx. *Dort sind neben reinen Blankversen freie trochäische oder anapästische Partien aufgenommen. In beiden Fällen erinnern sie an ähnlich frei gestaltete Versreihen in Grillparzers Argonauten-Drama, die dort von einer bewußten Anlehnung an das Chorlied bestimmt zu sein scheinen. Wie ja überhaupt die Einwirkung chorischer Elemente aus dem Monodrama und des mit ihnen verbundenen Libretto-Stils für die Entwicklung des Dramen-Verses bei Hofmannsthal nicht unterschätzt werden darf.*

*Noch freier als mit dem Dialog-Vers schaltet Hofmannsthal mit den Chorpartien. Sie sind von den genannten Elementen in ihrer Gesamtheit beeinflußt. Denn bei der Gestaltung der Chorlieder hatte der unvoreingenommene Betrachter seit jeher die Unmöglichkeit erkennen müssen, die griechischen lyrischen Metren adäquat ins Deutsche zu übertragen. Daher wagte bereits Schiller bei der ›Iphigenie in Aulis‹ den Versuch, die Chöre in einer gereimten Übersetzung wiederzugeben, weil er »die in der Übersetzung verloren gehende Harmonie der griechischen Verse« im Deutschen durch ein vergleichbares Element »ersetzen zu müssen« glaubte (›Sämtliche Werke‹, hrsg. von Gerhard Fricke und Herbert G. Göpfert, 3. Bd., 3. Aufl., München: Hanser, 1962, S. 351). Hierin sind ihm unter anderen Marbach und Theodor Kayser (›Sophokles, König Oedipus, deutsch‹, Tübingen 1879) gefolgt. Auch Hofmannsthal selbst formt das Chorlied V. 863ff. in ein gereimtes, rhythmisch freies System um (*V. 734ff.*). Seine Behandlung der Chorpartien spiegelt aber vor allem die Grundsätze Wilbrandts wider, der die »theatralische Lebendigkeit« (a.a.O. S. 18) als sein Leitprinzip hervorgekehrt hatte; ein Prinzip, dem er sich als kundiger Theatermann der Praxis verpflichtet fühlte, als der Direktor des Wiener Burgtheaters in den Jahren 1881 bis 1887 ebenso wie als der Dichter formal und dramentechnisch fehlerlos* und kräftig gebauter historischer Tragödien in der Nachfolge Schillers. Im Ringen um die Wirkung auf den modernen Zuschauer bemüht sich Wilbrandt aufrichtig um den Urtext und der ihm gegenüber angemessenen Treue. Dabei glaubt er, alles, was mit dem Kultischen der Tragödie, mit dem griechischen Götterapparat und der Göttersymbolik zusammenhängt, abstreifen zu müssen. Auch zum Chor kann er keinen Zugang mehr finden; dessen Form ist ihm »versteinert«, und er stellt sich vor die Frage, »wie ... man seinen Inhalt für das Leben retten« solle. Wilbrandt sieht die einzige Möglichkeit darin, den Chor »seiner abgestorbenen Symbole zu entkleiden, seiner allgemeinen Gestalt eine schickliche Individualität zu verleihen und durch diese scheinbare Vergewaltigung sein lebendiges Verhältnis zur Handlung zu erneuern« (a.a.O. S. 9); ja er scheut bisweilen nicht davor zurück, den Chor ganz zu beseitigen und »nur durch ein rasches Wort den notwendigen Übergang im Dialog« herzustellen (a.a.O. S. 17). Aus dem Greisenchor wird bei ihm »eine Gesellschaft thebanischer Bürger« (a.a.O. S. 10); die Chorlieder werden zum gesprochenen Dialog; die antiken Metren mit Bedacht vermieden; der Inhalt in »uns vertrauten Rhythmen« (a.a.O. S. 14) wiedergegeben. Diesem Bemühen fühlt sich Hofmannsthal verpflichtet. Er geht dabei jedoch noch einen Schritt weiter als Wilbrandt, wenn er sämtliche Chöre auf wenige Zeilen und Gedanken reduziert und sie dramatisierend umgestaltet; wenn er die straffe sophokleische Form radikal lockert, indem er sie in frei rhythmisierte Partien auflöst; und wenn er das chorische Element nur noch auf Einzelnes, auf Worte, auf Ausrufe der Masse beschränkt.

Im ganzen aber bleibt, abgesehen von Hofmannsthals reicher Kenntnis der bei anderen Übersetzern und Bearbeitern vorgegebenen Lösungen und Möglichkeiten, die Beeinflussung durch Wilbrandt im Formalen deutlich. Sie wirkt sich sogar bis auf die Übernahme von Redeteilen und Wendungen innerhalb dieser Chor-Stücke aus.

Am 7. März 1906 bietet Hofmannsthal die fertige Übersetzung Oscar Bie für die ›Neue Rundschau‹ an (HvH-OB 95). Obwohl Bie ohne Kenntnis der Übertragung, die als mit einiger discreter Freiheit angekündigt wurde, um Zusendung bittet (ebd., 96), erscheint das Stück nicht in der ›Neuen Rundschau‹ – auch von ›Westermanns Monatsheften‹ kam ein ablehnender Bescheid[1] –, sondern zu Beginn des Jahres 1907 im 1. und 2. Heft des X. Bandes der ›Österreichischen Rundschau‹ unter dem Titel Ödipus, der König. Tragödie von Sophokles mit einiger Freiheit übertragen und für die neuere Bühne eingerichtet. Der S. Fischer Verlag bringt dann im Jahre 1910 (mit dem Copyright 1909) die Tragödie in überarbeiteter Gestalt als Buch heraus. Dieser Buchdruck steht zweifellos im Zusammenhang mit den Bemühungen, das Stück durch Max Reinhardt aufführen zu lassen. Die zahlreichen Auflagen, die es in den folgenden Jahren erlebte, spiegeln den großen Erfolg dieser Aufführungen wider.

Bei kaum einem anderen Stück hat sich Hofmannsthal so intensiv und unter so

[1] Vgl. die Briefregeste im Auktionskatalog: Hauswedell & Nolte, Auktion 209. Am 28. November 1975. Handschriften. Autographen, S. 21, Nr. 116.

großen persönlichen und sachlichen Schwierigkeiten wie hier um die Verwirklichung seiner eigenen Vorstellungen auf der Bühne bemüht.

Zur Uraufführung der Oper Elektra *am 25. Januar 1909 reist Hofmannsthal nach Dresden und anschließend nach Berlin, wo er zeitweilig an den Vorbereitungen zur dortigen* Elektra-*Aufführung teilnimmt. In diesen Wochen bis zur Berliner Premiere, die nur von einem kurzen Aufenthalt in Weimar bei Harry Graf Kessler unterbrochen sind, trifft er auch mit Max Reinhardt zusammen. Angeregt durch den Erfolg der Oper in Dresden – auch das Schauspiel* Elektra *wird in dieser Spielzeit in Reinhardts Kammerspielen an sieben Abenden gegeben – scheinen sie den Plan, antike Tragödien in neuer Bearbeitung auf die Bühne zu bringen, wieder aufgegriffen zu haben; wobei Reinhardt von vornherein an seine für den Sommer übernommene Verpflichtung bei den Festspielen in München denkt. Hofmannsthal schreibt am 3. Februar 1909 an die Eltern definitiv:* Reinhardt spielt meine Übersetzung des König Oedipus im Sommer in München in glänzender Besetzung, was mir große Freude macht[1]*; und wenig später, am 14. Februar, begründet er den Eltern gegenüber seinen längeren Aufenthalt in Berlin u.a. damit, daß er* ferner mit Reinhardt alles wegen Ödipus-König zu fixieren *habe (B II 353). Die Überlegungen zielen denn auch sogleich auf die konkreten Probleme der Aufführung. Am 18. Februar richtet Hofmannsthal die Bitte an Elsa Bruckmann, sie möge sich bei dem berühmten Münchner Bildhauer Adolf von Hildebrand für eine Dekoration zum* König Ödipus *einsetzen (B II 354). Gleichzeitig wendet er sich in Fragen des Szenenbildes und des Kostüms an den Maler Benno Becker in München, der schon an den Kostümen für die Aufführung von* Der Tod des Tizian *mitgearbeitet hatte.*[2] *Im Brief vom 6. März, der auf vorangehende Kontakte Bezug nimmt, legt er seine Gedanken zur Inszenierung dar:* ... ich hoffe, daß Sie sich meine Übertragung des König Ödipus indessen durchzusehen die Zeit gefunden haben und im Stillen hoffe ich sogar, daß Sie Reinhart schon durch eine Zeile verständigt haben ... Die den König um Hilfe anflehenden Jünglinge und Knaben ... brauchen nicht mit ganzer Figur heranzukommen, sondern sie steigen nur so weit empor, daß man ihre Oberkörper sieht: infolgedessen könnte man sie fast nackt halten, das wäre schön. Von den Mägden die am Schluß die gräßliche Botschaft melden und dem entsprechend Gewänder in starken aber unheimlichen Farben tragen müssen – vielleicht ein dunkles ziegelrot einige, andere ein finsteres grau?? – ist eine kleine Gruppe von Mägden zu sondern (etwa 5) die untereinander gleich, aber schön und feierlich gekleidet sein müssen, vielleicht mit Kränzen oder Binden im Haar ... Drei von ihnen können Schalen mit blau lodernden Flammen tragen, eine

[1] *Deutsches Literaturarchiv, Marbach a.N.*

[2] *Vgl. den Briefauszug an Benno Becker, ohne Ort und Datum, abgedruckt im Auktionskatalog: J.A. Stargardt, Autographen. Auktion am 24. und 25. Mai 1966, Katalog 576, Marburg 1966, S. 34, Nr. 155.*

vielleicht ein verschlossenes Kästchen (mit heiliger Gerste fürs Opfer) ...'[1] *Noch am 26. März wird in einem Brief an Alfred Heymel*[2] *die Aufführung in München als fester Faktor im Zeitplan vorgemerkt. Doch kommt sie 1909 nicht mehr zustande.*

Das Vorhaben nimmt erst dann wieder feste Formen an, als Hofmannsthal, während seines Berlin-Aufenthaltes zur Uraufführung von Cristinas Heimreise *am 11. 2. 1910, mit Max Reinhardt die Angelegenheit aufs neue durchspricht und die Aufführung endlich für den Sommer in München vorbereitet. Dabei einigt man sich darauf, für die Ausstattung und Dekoration durch Vermittlung Kesslers Edward Gordon Craig*[3] *zu gewinnen. An die noch im Jahr zuvor von Hildebrand erwartete* konventionelle Dekoration der griechischen Tragödie *(B II 354) wird nicht mehr gedacht, sondern in der Zusammenarbeit mit Reinhardt und Craig sieht Hofmannsthal die Möglichkeit, daß* etwas sehr Schönes, ganz Neues entstehen könnte dem in keiner Weise der Staub antiquarischer Gelehrsamkeit anhaftet *(HvH-HGK 284). Auch Kessler, um dessen Mithilfe Hofmannsthal bittet, nimmt fördernd Anteil an den Überlegungen zur Gesamtkonzeption. Im schriftlichen Austausch mit ihm, dem Hofmannsthal nach der Unterredung bei Reinhardt von Rodaun aus am 7. März ein Exemplar des* König Ödipus *geschickt hatte (HvH-HGK 283), entwickelt der Dichter nach und nach seine Vorstellungen und Hinweise zur Inszenierung, deren Grundgedanken schon in den Anweisungen von 1903 und im oben zitierten Brief an Benno Becker zum Ausdruck gekommen waren: Die Bedeutung der Gebärde für den Chor (ebd. 284), die Bedeutung des Rhythmischen wird erkannt (ebd. 291), Kostüm- und Beleuchtungsfragen werden erörtert und entschieden (ebd. 290), eine Bühnenmusik wird bei Bruno Walter in Auftrag gegeben (ebd.*

[1] *Abgedruckt im Auktionskatalog: J. A. Stargardt, a. a. O., S. 32, Nr. 152. Dort wird als Jahr »1910 oder 1911« vermutet. Der Brief ist aber wahrscheinlich schon auf 1909 zu datieren und in den Zusammenhang der ersten Überlegungen zur Aufführung für 1909 einzuordnen, zu denen auch die Bemühung um von Hildebrand als Mitarbeiter gehört. Am 6. März 1910 – und das bedeutet im besten Fall unmittelbar nach der Rückkehr aus Berlin, wo der Gedanke an Craig als Ausstatter lebhaft begrüßt worden war – dürfte Hofmannsthal wohl kaum sogleich einen anderen Kostüm- und Bühnenbildner zur Zusammenarbeit aufgefordert haben. Auch das Datum des in Rodaun geschriebenen Briefes und die in ihm erwähnten vorangegangenen Kontakte machen seine Datierung auf 1910 unwahrscheinlich, da Hofmannsthal am 5. März noch in Berlin mit Max Reinhardt zusammengetroffen war und seine Rückkehr nach Rodaun für den 7. März angekündigt hatte (HvH-AS 248), an welchem Tage er auch neben anderen Büchern ein Exemplar seines* König Ödipus *an Kessler sendet (vgl. HvH-HGK 283, 537), ohne im weiteren Verlauf dieser Korrespondenz den Namen Beckers zu erwähnen.*

[2] *Deutsches Literaturarchiv, Marbach a. N.*

[3] *Craig (1872–1866), einer der bedeutendsten Bühnenbildner seiner Zeit, trat auch als Buchillustrator hervor; er stattete Hofmannsthals* Der weiße Fächer *mit vier großen Holzschnitten aus.*

285)[1] – ja, in diesem Briefwechsel klingen die Ideen, die der Dichter später zur Inszenierung beisteuerte, sämtlich an und machen die entscheidende Rolle deutlich, die der atmosphärischen Ausgestaltung zugeteilt wird.

Allein die Pläne der großen Zusammenarbeit werden zunichte, als Craig unannehmbare, überhöhte finanzielle Forderungen erhebt, die Reinhardt zwingen, auf seine Mitarbeit zu verzichten (HvH-HGK 292). Die Absage führt, neben anderen Gründen, zu einer vorübergehend tiefen Verstimmung zwischen Hofmannsthal und Kessler und beschwert die Vorarbeiten erheblich.

Während die grundsätzliche Entscheidung, das Stück auf dem circusartig⟨en⟩ Schauplatz der Münchner Musikfesthalle aufzuführen, schon in Berlin gefallen war (HvH-HGK 291), hat Reinhardt den eigentlichen Inszenierungsplan, mit dem er augenscheinlich an die Erfahrungen in der Massenregie anknüpfen wollte, die er bei den Volksszenen in Ödipus und die Sphinx erworben hatte,[2] wohl erst bei der im Juli in Maidenhead einsetzenden Arbeit am Regiebuch entwickelt. Er schreibt in einem Brief an Berthold Held kurz vor seiner Rückkehr nach Deutschland am 24. 7. 1910: »Ich habe einen merkwürdigen Inscenierungsplan für die Halle-Oedipus im Kopf, von dem ich Dir erzählen werde, ... Es kann etwas ganz Besonderes, Neues werden, ich bitte Dich, aber nicht davon zu sprechen, weil wir mit der Halle noch keinerlei Abmachung haben. Es würde mich freilich sehr reizen, da es sich hier um bahnbrechende, wichtige Dinge handelt. Beschaffe Dir nur rechtzeitig Chorpersonal Sprecher Schauspieler (am Ort) und viele junge schöngewachsene Männer, die fast ganz nackt gehen müssen. Das kann unter Umständen eine trouvaille werden!«[3] Er will die Möglichkeiten, die ihm die Festhalle bietet, für seinen Versuch nutzen, »die Tragödie des Sophokles aus dem Geiste unserer Zeit wieder aufleben zu lassen, sie den Bedingungen und Verhältnissen der heutigen Zeit anzupassen.«[4]

Die Arbeit am Regiebuch wird gemeinsam mit Hofmannsthal vorangetrieben. Viele Marginalien und Vorschläge, die von der intensiven Mitarbeit Hofmannsthals zeugen, gehen in die Regiekonzeption Reinhardts ein; und so kann Hofmannsthal mit Recht von seiner Übersetzung, Bühneneinrichtung, seiner nicht unwesentlichen

[1] Vgl. auch Bruno Walter, Briefe 1894–1962, hrsg. von Lotte Walter-Lindt, Frankfurt am Main 1969, S. 109–110: Brief an Hofmannsthal vom 12. 4. 1910.

[2] Vgl. den Brief von Alfred Roller an seine Frau Mileva vom 30. 1. 1906, in dem die Wirkung der Volksszenen geschildert wird (wiedergegeben bei: Liselotte Kitzwegerer, Alfred Roller als Bühnenbildner, Diss. Wien [masch.] 1959, S. 112).

[3] Max Reinhardt, Ausgewählte Briefe, Reden, Schriften und Szenen aus Regiebüchern ..., hrsg. von Franz Hadamowsky, Wien 1963 (Museion, Veröffentlichungen der Österreichischen Nationalbibliothek in Wien, Neue Folge, Erste Reihe, Dritter Band), S. 48. Den Anteil, den Berthold Held an der Einstudierung der Massen hatte, beschreibt Tilla Durieux, Eine Tür steht offen, 4. Auflage, Berlin. München. Wien 1964, S. 110; s. auch die Charakteristik, die Fritz Kortner von Held gibt (Aller Tage Abend, 2. Aufl., München 1959, S. 202ff.).

[4] Das literarische Echo, 13. Jahrgang, Heft 17, 1. Juni 1911, 1242.

Teilnahme an der Vorarbeit der Regie sowie an den Proben *sprechen (HvH-HGK 310), denn auch zu diesen reist er schließlich an.*

Die Premiere war zunächst für Ende August vorgesehen (HvH-OGD 20, 23). Doch die Aufführung verzögert sich; im August scheint sie sogar ernsthaft in Frage gestellt zu sein (HvH-EvB 120f.), so daß Hofmannsthal Anfang September überrascht ist, daß Reinhardt das Stück wider Erwarten nun ... doch noch am 21ten September *spielen wird (HvH-OGD 29).*

Es geht dann schließlich am 25. September in der Münchner Musikfesthalle über die Bühne, und zwar in eben der glänzenden Besetzung, die Reinhardt bereits im Jahr 1909 zugesagt hatte.[1] *Für die Dekorationen zeichnet laut Theaterzettel Franz Geiger, für die Kostüme Ernst Stern verantwortlich; die musikalische Leitung liegt bei Einar Nilson.*

Der Erfolg ist unerwartet stark*; es kommt zu mehreren Vorstellungen, die schließlich eine Übernahme nach Berlin ermöglichen (HvH-HGK 309; vgl. auch HvH-RSt, 105). Und erst diese Vorstellung am 7. November 1910 im Zirkus Schumann, für die Alfred Roller die Dekorationen schuf, bringt den ganz großen Durchbruch. Sie begründet den Weltruhm Max Reinhardts als Meister der theatralischen Massenregie. Die Premiere wird zum gesellschaftlichen Ereignis, an dem Mitglieder der kaiserlichen Familie ebenso teilnehmen wie die Großen der Wissenschaft – unter ihnen auch Wilamowitz.*[2] *Die Kritik ist gespalten. Sie reicht von enthusiastischem Lob bis zur schroffen Verdammung des Experiments im Zirkus; das Publikum aber ist begeistert.*[3] *30 Vorstellungen werden in der Spielzeit 1910/11 gegeben, die sämtlich ausverkauft sind; die Übersetzungsrechte gehen nach Holland;*[4] *Gastspiele im Leipziger Kristallpalast und im Wiener Zirkus Busch werden arrangiert; 1912 folgt eine große Tournee, die Reinhardts Truppe nach Petersburg, Moskau, Riga, Warschau, Kiew, Odessa und Stockholm führt; in London und Budapest studiert Reinhardt das Stück mit Schauspielern der dortigen Bühnen ein. Der* König

[1] *Den Ödipus spielte Paul Wegener, die Jokaste Tilla Durieux, den Kreon Eduard von Winterstein (vgl. E. v. Winterstein, Mein Leben und meine Zeit, Band II: Max Reinhardt, Berlin 947, S. 319ff.), den Teiresias Alexander Moissi. Bei späteren Aufführungen (so im Zirkus Busch in Wien, am 5. 5. 1911, bei der Reinhardt selbst den Teiresias gab) wurde Alexander Moissi mit der Titelrolle betraut; zur unterschiedlichen Verkörperung des Ödipus durch Wegener und Moissi vgl. Fritz Kortner, Aller Tage Abend, S. 182–185.*

[2] *Vgl. die Rezension der Aufführung im Berliner Börsen Courier vom 8. November 1910.*

[3] *Den Eindruck der Massenregie schildert Alfred Roller in einem Brief an seine Frau vom 18. 1. 1911 (Auszüge des Briefes bei: Liselotte Kitzwegerer, Alfred Roller als Bühnenbildner, Diss. Wien [masch.] 1959, S. 122–124).*

[4] *Mitteilung in einem ungedruckten Brief an die Eltern vom 18. Juli 1913 (FDH/Dauerleihgabe Stiftung Volkswagenwerk). Über den großen Erfolg des* Oedipus *in den russischen Städten berichtet Hofmannsthal seinem Vater am 25. 5. 1912 (Deutsches Literaturarchiv, Marbach a.N.).*

Ödipus *wird für Hofmannsthal zu einem* einmalig sensationellen, geschäftlichen Erfolg.[1]

Doch die anfängliche Wertschätzung der eigenen Bearbeitung, die ungewöhnlich direkt im Brief an Elsa Bruckmann im Selbstvergleich mit Hildebrand zum Ausdruck kam (B II 354), sowie die Wertschätzung der Regie Max Reinhardts weicht schon bald vor einer kritischeren Einstellung zurück. Während eines Besuchs bei Helene von Nostiz im Januar 1911 distanziert sich Hofmannsthal von der ins Grandiose reichenden Regiekonzeption Reinhardts mit den Worten: Die fluktuierende Massenbewegung muß wieder zur Vereinfachung führen *(HvH-HvN 179). In einem Brief an Elsa Bruckmann vom 31. August desselben Jahres spricht er gar von dem* stilistischen Chaos im Oedipusexperiment.[2] *Auch an seiner Übersetzung übt er Kritik und äußert gegenüber der Nostiz, daß er sie* jetzt strenger halten würde *(HvH-HvN 179). Dennoch glaubt er sich, bei allem Vorbehalt, zu seiner freien Übertragung berechtigt, weil er mit ihr den Anforderungen der modernen Bühne entgegengekommen sei. Als apologetisches Zeugnis ist der Aufsatz* Das Spiel vor der Menge *zu werten, der am 16. 12. 1911 erscheint und in dem es heißt:* Den sophokleischen ›Ödipus‹ durch eine Übertragung, welche sich einige geringe Freiheiten herausnahm, zur Grundlage einer höchst phantasie- und eindrucksvollen Darstellung gemacht und dadurch für eine große Zahl von Zeitgenossen, auch der einfacheren Schichten, existent gemacht zu haben, vermag ich keineswegs zu bedauern *(P III 61). Ähnliches klingt in dem Vorwort an, das Hofmannsthal 1912 in ein Exemplar des* König Ödipus *hineinschreibt:* Diese Copie eines unvergänglichen Werkes weist einige geringe Freiheiten auf, durch welche man den Bedürfnissen der neueren Bühne entgegenzukommen glaubte. Mögen sie verziehen werden.[3] *Und im Gespräch mit Hermann Menkes, das im selben Jahr stattfand, antwortet er auf die Frage nach der »künstlerischen Absicht ... seiner Bearbeitung«:* Bei meiner Übersetzung ging ich auf das Differenzierende und nicht auf das Monumentale aus. Als sie entstand, dachte ich für die Aufführung an ein normales Theater, nicht an eine Arena. Für eine solche und etwa auch für eine musikalische Fassung hätten die Chöre von mir anders behandelt werden müssen ... Eine Übersetzung ist Sache einer Inspiration wie ein originales Kunstwerk. Sie ist kein Gipsabguß, sondern eine freie Kopie. Dem Künstler, der sie herstellt, muß die Verantwortung überlassen werden, wie er die einzelnen Teile gegeneinander abwiegt und in Harmonie setzt. Eine Identi-

[1] *Hofmannsthal in einem ungedruckten Brief an den Vater, Berlin, 6. Dezember 1911 (Deutsches Literaturarchiv, Marbach a. N.).*

[2] *Abgedruckt in: Hofmannsthal-Blätter Heft 4, Frühjahr 1974, S. 292.*

[3] *Hinweis von Dr. Rudolf Hirsch, Frankfurt am Main. Das eigenhändige Vorwort ist abgedruckt in: Dr. Ernst Hauswedell, Auktion 44, Antiquariatskatalog 92, Freitag, den 29., und Sonnabend, den 30. Juni 1951, unter der Nummer 1479.*

tät mit dem Originalwerk, das ja weiter in seiner eigenen Form und Art besteht, wird von dem künstlerischen Übersetzer nicht angestrebt.[1]

Dem Dichter ist gleichwohl bewußt, daß es sich bei seinem König Ödipus *nur um ein unter Zeitdruck geschaffenes Werk handelt, das allein dank Reinhardts neuem Regieplan Weltruhm erlangte, letztlich aber eine* bloße Übersetzung *bleibt, die er keinesfalls für wert befindet, in eine Ausgabe seiner Gesammelten Werke aufgenommen zu werden.*[2]

Äußerungen späterer Jahre, die den Ödipus *betreffen, meiden eine Auseinandersetzung mit Art und Stil der Übertragung. Sie gelten, abgesehen von den Gedanken zur Reinhardtschen Inszenierung (A 333, 339, 343), im Grunde mehr den Hauptfiguren des Dramas, wobei deren Gestaltung in* Ödipus und die Sphinx *ganz im Vordergrund steht. Sie beziehen sich auf deren innere und äußere Konstellation im Rahmen des Gesamtschaffens sowie auf die von Anfang an intendierte oder erst im nachhinein erkannte Aussagekraft ihrer Handlungen und Haltungen. Die Analogie von Elektra und Ödipus wird dabei stets ebenso betont wie die Bedeutung des Opfers, des Sich-Opferns im Zusammenhang mit der Alkestis (vgl. A 215, 217, 221, 222, 226; ferner 158, 173).*

[1] *Hermann Menkes, Mein Wiedersehen mit Hugo v. Hofmannsthal; in: Neues Wiener Journal, Nr. 14473, 8. März 1934, S. 3. Die Unterredung, die sich im literarischen Nachlaß von Menkes fand, hat, laut redaktioneller Vornotiz, im Frühjahr 1912 stattgefunden.*

[2] *Vgl. den Brief an S. Fischer vom 12. März 1922:* Die Weglassung des ›König Ödipus‹, einer bloßen Übersetzung, ist schon von jeher in meinem Plan *(sc. einer Gesamtausgabe)* vorgesehen *(Fischer-Almanach 87, 1973, S. 136).*

ÜBERLIEFERUNG

H *E III 183.1–72 – Einzige erhaltene, vermutlich endgültige Handschrift des Werkes aus den Herbstmonaten des Jahres 1905. 71 aus zerteilten Doppelblättern entstandene Blätter, einseitig beschrieben und fortlaufend paginiert, sowie ein Doppelblatt, das als Konvolutumschlag dient, mit der Titelaufschrift* Ödipus der König / von Sophokles / übersetzt und für die deutsche Bühne eingerichtet. *Pag.* 27 *datiert:* (Rodaun 24 IX.).

Arbeitshandschrift, überwiegend sorgfältig und deutlich, allerdings mit charakteristischen Kürzeln und Verschleifungen geschrieben; wahrscheinlich als Satzvorlage für den Druck angelegt und als solche auch benutzt.

1 D Hugo von Hofmannsthal.
Oedipus, der König.
(Aus einer unveröffentlichten Übersetzung der sophokleischen Tragödie.)
In: Aus dem Reich der Schminke und Tinte. Aphorismen und Karikaturen. Zum Besten der Pensions-Anstalt des Deutschen Volkstheaters und für den Oesterreichischen Bühnenverein herausgegeben von Dr. Richard Fellner, Hans Homma, Heinrich Kadelburg. Im Selbstverlage. Wien, Deutsches Volkstheater. Druck der Firma Franz Kreisel jun. in Wien. 1907, S. 40.

Enthält die Verse 37b*:* Oedipus: Ihr armen Kinder *bis* 67*:* wie er dem Aug' entgegenstrahlt. *Mit faksimilierter Unterschrift:* Hofmannsthal / Rodaun

2 D Ödipus, der König.
Tragödie von Sophokles mit einiger Freiheit übertragen und für die neuere Bühne eingerichtet
von Hugo v. Hofmannsthal.
In: Österreichische Rundschau. Herausgegeben von Dr. Alfred Freiherrn von Berger und Dr. Karl Glossy. Brünn, Wien, Leipzig: Verlagsbuchhandlung Friedr. Irrgang. Band X. Heft 1. 1. Jänner 1907, S. 21–41 (enthält S. 132–162, 13) und Band X. Heft 2. 15. Jänner 1907, S. 94–110 (enthält S. 162, 14–184, 19).

3 D König Ödipus
Tragödie von Sophokles
neu übersetzt von Hugo von Hofmannsthal
S. Fischer Verlag, Berlin 1910.
104 Seiten, kl. 8°

3 DHb *Regiebuch Max Reinhardts*

Dem Regiebuch Max Reinhardts, das in der Theatersammlung der Österreichischen Nationalbibliothek in Wien aufbewahrt wird, liegt eine Ausgabe von 3 D zugrunde. Es handelt sich um ein mit weißen Blättern durchschossenes Exemplar, das auf dem Vorsatz von Reinhardt beschriftet ist: (verschlungene Initialen:) »MR Regiebuch, begonnen in Maidenhead Juli 1910 beendet 10. September, München, 10.« Zu einem späteren Zeitpunkt ist mit abweichender Tinte hinzugefügt: »aufgef.: September 1910. Große Musikfesthalle, München«.

Das Regiebuch enthält neben den Eintragungen Reinhardts auch Marginalien und Notizen von Hofmannsthals Hand, die sich auf die Praxis der Inszenierung beziehen.

4 D König Ödipus
Tragödie von Sophokles
Übersetzt und für die neuere Bühne eingerichtet
von Hugo von Hofmannsthal
S. Fischer Verlag, Berlin 1911.
104 Seiten, kl. 8⁰

Der neue Untertitel sowie die Klärung des zuvor mißverständlich übersetzten Verses 822a *zeigen, daß der genetische Prozeß erst mit diesem Druck abgeschlossen ist. Er wird deshalb der Edition zugrunde gelegt.*

VARIANTEN[1]

Für die Arbeit am König Ödipus *sind außer den beiden frühen Überlegungen zur Inszenierung keine schriftlichen Vorarbeiten, Entwürfe oder Notizen erhalten. Der genetische Prozeß, der wohl seinen ersten Ansatz in den genannten Inszenierungsanweisungen von 1903 haben mag (s. S. 671 f.), setzt für unsere Kenntnis erst mit der Handschrift H ein, die bei allem Bestreben des Autors, sie als Reinschrift behandeln zu wollen, doch mit ihren Sofort- und Spätvarianten, ihren Tilgungen und Zusätzen den Vorgang der Entstehung deutlich werden läßt. Eine an manchen Stellen nachträglich mit Bleistift vorgenommene Überarbeitung hat offenbar, mindestens zum Teil, erst vor der Drucklegung und zu deren Zweck stattgefunden. Denn auf dieser Stufe wurden Partien gestrichen, die in 2 D nicht mehr berücksichtigt sind. H enthält demgegenüber aber auch Varianten, die erst im weiteren Verlauf der Genese getilgt worden sind. Ein Teil von ihnen ist noch in 2 D eingegangen, wurde dann aber im Buchdruck 3 D ersatzlos gestrichen. Es handelt sich dabei sowohl um Einzelverse als auch um längere Passagen. Von diesen seien die folgenden zitiert:*

Nach V. 1042a geboren hatte, ihn – *folgt auf pag.* 59/60 *der Handschrift eine Versreihe, die bis auf die letzten Zeilen mit Bleistift durchstrichen ist:*

mit denen ist sie
zugleich: die Todten sind für sie nicht todt,
der Mann ist wieder Kind und doch zugleich
ihr Mann, die Zeit speit ihr erbarmungslos
entgegen was sie längst hinabgeschlungen:
sie hält dem todten Lahios sein Kind
entgegen, da entgleitets ihr und wächst
und würgt den Vater und vom Mord auf greift's
nach ihr und will sie niederziehn ins Bett
neben den Todten hin und hüpft zugleich
um sie herum, das Mörderkind, und zieht
die Kinder hinter sich hervor und hüpft
mit ihnen, das Geschwister mit den andern
denen es Vater ist – mit ihren Händen
greift sie mit den gekrallten zarten Fingern
rings in die Luft das Grausen wegzustoßen –
es drängt nur näher – nun mit Kinderhänden
oder mit andern Händen drängts ganz dicht
an ihren Leib, an ihren Schoß, sie greift

[1] *Bericht; vgl. S. 735, Anm. 1*

Ab mit Kinderhänden *sind die Verse ungetilgt geblieben und in 2 D aufgenommen worden. 3 D hingegen berücksichtigt sie nicht, setzt statt dessen aber, um den Halbvers* 1042b *metrisch aufzufüllen,* sie greift – sie greift. *Der Folgetext schließt sich dann in allen drei Überlieferungsträgern invariant an.*

Nach V. 1112 büßt Erhängen nicht. *folgt in H auf pag.* 64/65 *eine Textpartie, die in 2 D aufgenommen ist und auch von Steiner im Anhang zum* König Ödipus *wiederabgedruckt wurde (D II 544):*

Könnt ich den Quell
des Hörens stopfen, meinst du dass ich es nicht thäte?
Taub sein und blind zugleich, absperren ganz
und wandeln in dem zugesperrten Grab!
Hab ich nicht meine Qualenwelt herinnen?
Kithäron du verfluchter Berg, der du den Wurm
das eingeschnürte Bündel blutiger Qualen
am Leben ließest! Du verfluchter Kreuzweg
im Lande Phokis, stille Schlucht und Engpass
und Wasser drunten, Bäume, stumme Felsen
denen die Hand da meines Vaters Blut
zu trinken gab, herinnen hab ich Euch,
und kann auf euch die Flüche speien, Tag
und Nacht im Kerker hier, wie Marteröfen
eherne kann ich euch aufglühen machen
und meine Seele in euch wälzen, denkt
ihr meiner noch? – und denkt ihr dessen auch
was dann geschah, als Ödipus die Reise
nach Theben that und Hochzeit hielt zu Theben

Bei V. 1161 *folgen in H auf pag.* 68 *nach* welchen Gang es will. O Kreon *anstelle des in 3 D gebotenen Textes* erbarm' dich meiner Kinder! *vier Verse, die auch in 2 D gedruckt sind:*

nimm mich *(lies:* dich, *so auch richtig in 2 D)*
um meiner Kinder an! Die Knaben
die werden Männer und die Erde trägt sie
und muss sie nähren, aber um die Mädchen
die Armen, Jammervollen:

Der Folgetext ist dann in allen drei Überlieferungsträgern invariant bis V. 1167a anrühren noch einmal, *wo H auf pag.* 68 *den auch in 2 D gedruckten Einschub bietet:*

, noch einmal weinen
in sie hinein. Thu 's Kreon! Du bist edel,
und Edle haben dich geboren, Kreon,
bei deinem Blute thus!

Ohne Bedeutung für den genetischen Prozeß ist der einspaltige Teildruck 1 D, der gegenüber H und 2 D nur unwesentliche Abweichungen aufweist. Obwohl er erst nach 2 D erschien, muß er doch als erster gedruckter Überlieferungsträger gelten. Das geht eindeutig aus dem Untertitel Aus einer unveröffentlichten Übersetzung ... *hervor. Das Erscheinungsdatum des Bandes, der diesen Teildruck enthält, läßt sich nicht genau ermitteln. Als sicher ist anzunehmen, daß die Sammelarbeiten für den Band bereits 1906 einsetzten, sich dann aber bis ins Jahr 1907 erstreckten: Unter den datierten Beiträgen hat der früheste das Datum vom »19. April 1906« (S. 24), der späteste das vom »Juli 1907« (S. 21). Man kann also ohne Zwang davon ausgehen, daß Hofmannsthal seinen Beitrag bereits 1906 – und d.h. vor der Drucklegung des Dramas in der Österreichischen Rundschau – den Herausgebern des Wohltätigkeits-Bandes überlassen hat.*

In den beiden aufeinanderfolgenden Januarheften der Österreichischen Rundschau erschien im Jahre 1907 2 D. Dieser Druck stellt die Erstveröffentlichung des ganzen Werkes dar. Er folgt im allgemeinen H; H aber enthält über die oben genannten Partien hinaus Varianten und Textteile, welche, falls H als Druckvorlage gedient hat, erst im Zuge der Fahnenkorrektur beseitigt worden sein können. Der jeweils geringe Umfang des Mehrtextes von H und die meist unbedeutenden Eingriffe in den Wortlaut, den 2 D gegenüber H bietet, machen diesen Vorgang aber wahrscheinlich. Die Abhängigkeit des Druckes 2 D von H zeigt sich in orthographischen und stilistischen Besonderheiten, die bewahrt wurden, obwohl die Redaktion eine weitgehende Normalisierung durchgeführt hatte. Als Beispiele für solche Besonderheiten, die dann im Buchdruck 3 D aufgegeben sind, seien angeführt (in Klammern die Form in 3 D): die Schreibung Lahios V. 93 *u.ö. (*Laios*; vgl. unten S. 698 zu* V. 93*);* Gräuel V. 132 *(*Greuel*); die grammatischen bzw. stilistischen Nuancen* im Dunklen V. 125 *(*im Dunkel*);* des Lahios, Sohn des Labdakos V. 219 *(*Laios, Sohns des Labdakos*); die Personenangabe* Alle V. 159 *(*Greise*);* Greise (Erster) *bei* V. 226 *(*Erster Greis*); die vermiedene Sperrung* ferner V. 131 *(*f e r n e r*); das beibehaltene* frech V. 297, *das in 3 D fehlt.*

Solche Anzeichen, vor allem aber der Umstand, daß 2 D am Schluß des Dramas nach V. 1042a, 1112, 1161 *und* 1167a *die oben zitierten Versfolgen aus H übernimmt, die dann in 3 D fehlen werden, machen deutlich, daß der genetische Prozeß hier noch nicht zum Abschluß gekommen ist.*

Das gilt auch – wie die Änderungen in 4 D zeigen – für den Buchdruck 3 D. Er dürfte auf 2 D zurückgehen, ist aber gegenüber diesem um die genannte Reihe von Textpartien gekürzt. Außer diesen Streichungen weist 3 D keine bedeutenden Varianten auf. Das Stück trägt hier zum ersten Mal den neuen Titel König Ödipus *anstelle der zuvor in Analogie zur Wortstellung von ›Oedipus rex‹ gewählten Überschrift* Ödipus, der König.

Die zahlreichen Notizen Hofmannsthals im Regiebuch Max Reinhardts, 3 DHh, haben auf einen weiteren Entstehungsprozeß des Dramas keinen Einfluß ausgeübt. Die dortigen Anmerkungen Hofmannsthals beziehen sich auf die Inszenierung allgemein, auf Bühnenbild und Beleuchtungseffekte, auf die Musik und die Gestik. Sie enthalten Besetzungsvorschläge und kleine Textänderungen und sind im ganzen der Praxis der Aufführung angepaßt, indem sie sich an deren Problemen orientieren. So findet sich auf S. 7 von 3 DHh ein Besetzungsvorschlag, der weitgehend der tatsächlichen Besetzung in München entspricht. Hier bereits zieht Hofmannsthal die Doppelbesetzung der Rolle des Ödipus durch Paul Wegener und Alexander Moissi (vgl. unten S. 682, Anm. 1) in Betracht, die Max Reinhardt bei späteren Aufführungen vornahm. Das auf die Personenliste folgende eingeschossene Blatt macht erneut Hofmannsthals Vorstellung vom Beginn der Tragödie deutlich (vgl. S. 672,5; 679,28). Es zeigt sein Bestreben, die wortlose Aktion, das Pantomimisch-Rhythmische der Bewegung hervorzuheben. Er schreibt: Es wäre schön, wenn man den Haufen der Heranlaufenden (fast nackt) schon lang bevor er das Podium erreicht, sehen könnte. Wirklich Laufende! *(bei Hofmannsthal unterstrichen)* Der Aufzug des Chors *(S. 18)* müsste in München schon zu aller Anfang erfolgen. Er markiert den Beginn des Stückes. Sie stehen dann ruhig harrend. *Die Verdeutlichung seiner Intentionen bei Bewegung und Standart der Spieler sowie bei der Atmosphäre schaffenden Musik und Beleuchtung stehen überhaupt im Vordergrund der Notizen in 3 DHh. Hinweise wie* gedämpft, stark *(V. 224/5);* Gong geschlagen stärker u. stärker *(am Beginn des Stücks);* Wechsel der Beleuchtung – ein Ton (Gong) solange die Greise reden *(zu Anfang der ersten Chorpartie nach* V. 143 *und ähnlich bei allen weiteren Auftritten der Greise im Sinne des Chors);* war schon im Gehen, wendet sich wieder *(nach* V. 377 *zur Klärung der gedruckten Anweisung* Er geht.*);* hier könnten sie sich in der Orchestra lagern *(zu* V. 551 ff.*);* verhüllen sich völlig, schreiten hinaus, nach beiden Seiten *(am Schluß des Stückes) und andere Bemerkungen machen seine Absichten und Bilder klar.*

Auch scheinen vereinzelte Striche im Text von ihm selbst herzurühren; so jener bei V. 210, *wo er die Fortsetzung des Satzes* und hab' sein Weib *von* V. 211 *bis* V. 214 *streicht und zu* V. 210 *nur das aus* V. 211 *entnommene* zum Weibe *hinzufügt und durch einen Doppelpunkt den Anschluß an* V. 215 *zu schaffen sucht.*

Einzelne Varianten zum Text werden teils von Reinhardt, teils von Hofmannsthal notiert. Sie dürften in der Regel sämtlich auf Reinhardts Anregung zurückgehen, der ja als Darsteller des Teiresias die Übersetzung von Wilamowitz kannte, welcher er an einigen Stellen den Vorzug gab. So nahm er begründeten Anstoß am V. 822a, *der die Worte* τῷ 'μῷ πόθῳ κατέφθιθ' *in der allzu wörtlichen Wendung wiedergab:* er müßte denn an meinem Wunsch gestorben sein*; eine Wendung, die freilich schon bei Hartung (S. 115, V. 969; vgl. unten S. 717, 9 zu* V. 822*) vorgeprägt war. Reinhardt korrigierte diese Stelle im Regiebuch nach der Wilamowitz-Übersetzung und ließ seinen Schauspieler bei der Aufführung sprechen: »er müßte denn aus Sehnsucht nach mir gestorben sein.« Diese Korrektur fand dann, obwohl sie sich metrisch mit dem spondeisch zu lesenden Element »Sehnsucht« nicht in den Blankvers fügt, in 4 D Eingang. Andere Varianten blieben dem gegenüber ohne Auswirkung. So auch die Änderung von* V. 459. *Der Vers lautet in 2 D und 3 D:* Und hat er damals immer so gedacht?, *was offenbar auf eine Verlesung des Setzers zurückgeht, der* meiner *zu »immer« und* je *zu »so« entstellte. Hofmannsthal verbesserte demgemäß im Regiebuch »immer« zu* meiner, *was dem sophokleischen Wortlaut entspricht (V. 564), ließ allerdings das seit 2 D eingedrungene »so« stehen. Diese Korrektur wurde ebensowenig in die neue Auflage 4 D hinübergenommen wie die Variante zu* V. 1049. *Dort hatte Hofmannsthal den im Sprechverlauf seltsam klingenden Satz* Er fand sie dann erhängt, er! *zu* Er fand sie drinnen, die Erhängte, er! *geändert.*

Andere Varianten sind durch Striche bedingt, die Max Reinhardt im Text vornimmt. Sie dienen sämtlich, ebenso wie die von Hofmannsthal selbst anläßlich des Buchdrucks für nötig befundenen Kürzungen, der Straffung und dem dramatischen Tempo der Aufführung. Reinhardts Anweisungen im Regiebuch verraten ein gründliches und schöpferisches Studium des gesprochenen Wortes; ein Studium, auf dem dann die bis ins Kleinste durchgearbeitete Umsetzung des Wortes in Aktion, in wortloses Spiel beruht, das so Ausdruck der Emotion und der im Wort angelegten Bewegung wird. Dabei gehen seine detaillierten choreographischen Szenenangaben und Bühnenskizzen weit über das bei Hofmannsthal Gefundene hinaus; sie verselbständigen bisweilen gar die Regie der Bewegungsabläufe in Zeit und Raum dem vorgegebenen Text gegenüber, scheinen aber stets den Intentionen des Dichters gemäß zu sein, indem sie innere Stimmung zu spiegeln und äußere Atmosphäre zu schaffen suchen. Hofmannsthal gewann jedenfalls von den Aufführungen keine Eindrücke, die ihn hätten veranlassen können, sein Stück einer erneuten kritischen Prüfung zu unterziehen.

Die in 4 D vorgenommenen Änderungen, so geringfügig sie aufs Ganze gesehen sein mögen, zeigen, daß der Text erst hier sein Endstadium erreicht hat: Der Untertitel ist neu gefaßt worden; der Vers 822a *wurde korrigiert; in* V. 1034 *wurde das den Rhythmus brechende* Ehebett *zu* Ehebette *geändert. Der Druck behandelt Fragen der Orthographie und Zeichensetzung mit einer gewissen Inkonsequenz. Besonders stark schwankt er bei Apostrophen und bei der Gestaltung des Doppel-S am Wortschluß, vornehmlich bei Imperativformen. So finden sich z.B. – oft in unmittelbarer Nähe – die Schreibungen* geh *neben* geh' *(*V. 522*) oder* lass' *(*V. 699 *u.ö.) und* laß' *(*V. 547 *u.ö.) neben* laß *(*V. 1166 *u.ö.) und* zugelassner *(*V. 396*) oder* Genoß' *(*V. 403*) neben* stoß' *(*V. 539*) und* stoß *(*V. 1138b*). Der oben gebotene Text bewahrt – den Editionsprinzipien gemäß – diese Inkonsequenzen der Druckvorlage. Stillschweigend eingegriffen wurde nur bei offensichtlichen Druckfehlern und Satzzeichen, deren Konjektur durch den handschriftlichen Befund autorisiert war. So wurde, um nur einiges zu nennen, der Apostroph bei* lag' *in* V. 1034 *getilgt, ebenso wie das Komma hinter* Wald *in* V. 569*; eingesetzt wurde das Komma hinter* Der Alte *in* V. 994b, *und in* V. 777 *wurde statt* find' *das vom Rhythmus erforderte* finde *aus der Handschrift restituiert. Darüber hinaus wurden durchgehend die verschiedentlich bei Schluß-ß von Wörtern mit kurzer Stammsilbe gesetzten Apostrophe getilgt, vgl. z.B.* faß *in* V. 306 *u.ö.*

Die auf 4 D folgenden Drucke erweisen sich bis einschließlich zur 9.–12. Auflage (1911) als Tausender-Auflagen dieser Ausgabe. Ab dem 13.–16. Tausend (1911) wird dann – sicher ohne Zutun des Dichters, dem man kaum zutrauen dürfte, einen einmal korrigierten Fehler vom 13. Tausend an wieder in den Text zu setzen – die Korrektur des Verses 822a *rückgängig gemacht, während der neue Untertitel und die Besserung in Vers* 1034 *beibehalten sind.*

ERLÄUTERUNGEN

Aufrecht gedruckte Versangaben beziehen sich auf Hofmannsthals, kursiv gedruckte auf Sophokles' ›Ödipus‹. 5

131, 3: *Der Untertitel, den das Werk seit dem 2. bis 3. Tausend des Buchdruckes trägt, hebt auf* Übersetzung *und* Einrichtung für die neuere Bühne *ab. Er scheint damit ausdrücklich auf den Unterschied zu anderen, philologisch getreuen Übertragungen hinweisen und den Gesichtspunkt des Theaters betonen zu wollen, unter welchem die Bearbeitung ja erfolgt war. Der Wortlaut lehnt sich an Adolf Wilbrandt an, der seine Fassung auch als »Mit Rücksicht auf die Bühne übertragen« auf dem Titelblatt eingeführt hatte. Ein Vergleich beider Arbeiten, der Hofmannsthals und der Wilbrandts, zeigt dann auch im einzelnen die Ähnlichkeiten beim Versuch, die antiken Form-Elemente des Stückes in moderner Gestalt zu präsentieren, vgl. oben S. 677, 40ff.* 10 15

132: *In der Anordnung der Personen folgt Hofmannsthal nicht der antiken Überlieferung, die Schauspieler in der Reihenfolge ihres Auftretens zu nennen, sondern führt die Rollen, moderner Praxis gemäß, in der Reihenfolge ihrer Bedeutung auf. Er verfährt damit, abweichend von Hartung, wie Stolberg, Wilbrandt oder auch Thudichum, dessen erläuternde Zusätze, die der Personenliste beigegeben sind, ebenfalls an diejenigen bei Hofmannsthal erinnern.* 20

Der Chor der thebanischen Greise (Χορὸς ἐκ γερόντων Θηβαίων*) wird bei Hofmannsthal zu* Die Greise. *Ihre Zahl, die in der antiken Tragödie auf 12, seit Sophokles auf 15 festgesetzt war, bleibt hier unbestimmt. Bei ihrem ersten Auftreten (vor* V. 144*) ist die Zahl, wie auch schon im Personenverzeichnis in 2 D, mit* sieben *angegeben; in Reinhardts Regiebuch werden dann freilich »10 von rechts und links« gefordert.* 25

133, 3 *Szenenanweisungen: In Umkehrung der antiken Praxis, daß die Tragödie in der Helligkeit des Morgens anhebt und abends ihr Ende findet, läßt Hofmannsthal das Stück in fahler Dunkelheit beginnen. Die weiteren Anweisungen auf S. 138, 25ff.; 147, 32; 148, 24; 162, 12f.; 163, 25ff.; 174, 25; 183, 29 (*V. 1198*) zeigen, daß diese Dunkelheit sich bis zur Finsternis der Nacht steigern und daß sich erst mit* 30 *der zunehmenden Erkenntnis, die Ödipus über sein Schicksal gewinnt, eine allmähliche Erhellung bis zum Morgengrauen und Sonnenaufgang hin einstellen soll. Wie in allen seinen Bearbeitungen antiker Stücke sucht Hofmannsthal auch hier, durch die detaillierten Szenenvorschriften eine eigene, vom antiken Original nicht intendierte Atmosphäre hervorzurufen und dabei durch eine Art von Vorspiel Zeit und Raum zu gewinnen, um den Protagonisten gleichsam indirekt einführen zu können. Bevor Ödipus auftritt und mit seiner Rede einsetzt – d.h. vor dem eigentlichen Beginn der antiken Tragödie – wird er durch die Masse angerufen und als König und Helfer apostrophiert und auf der Höhe seines Ruhmes dargestellt.*

133, 11 V. 1 *Aus der Masse dringt* eine Stimme *hervor; wie schon in der* Alkestis, *dort allerdings ausdrücklich als* Prolog *gestaltet, eröffnet eine anonyme Stimme das Stück und erhellt im Umriß die Situation, in welcher das Geschehen beginnt.*

133, 15–16 V. 2–3 *Mit dieser Rede hebt bei Sophokles das dramatische Geschehen an. Der erste Anruf* ὦ τέκνα *wird von Hofmannsthal wörtlich übersetzt, aber schon der Verzicht auf den folgenden Halbvers* Κάδμου τοῦ πάλαι νέα τροφή *(neuer Sproß vom alten Kadmos) offenbart seine Intention, mythische Titel und Anspielungen weitgehend zu vermeiden. Der Vers schließt sich im übrigen eng an Hartung an, der die seltene Übersetzung bietet: »Was soll mir Euer Sitzen, Euer Knieen hier«, eine Übersetzung, die er in seinem Commentar (S. 179f.) ausführlich begründet und textkritisch zu fundieren versucht – gefolgt von Franz Ritter in seinem exegetischen Kommentar (Leipzig, Teubner: 1870, S. 128f.), den Hofmannsthal aber wohl schwerlich eingesehen hat. Diese von anderen Übersetzungen abweichende Auffassung der Stelle sowie der wörtlich übernommene eigenwillige Satzbeginn:* was soll mir ... *können genügen, um die Benutzung der Hartungschen Übertragung evident zu machen. Ziel dieser Erläuterungen kann es nun nicht sein, überall die im einzelnen ähnlich starke Abhängigkeit von Hartung aufzuzeigen; man wird sich vielmehr dort auf Hinweise beschränken müssen, wo diese Abhängigkeit besonders deutlich zutage tritt.*

133, 16–17 V. 3–4 *Hofmannsthal unterdrückt – in dem Bestreben, auf jegliche antikisierende Gelehrsamkeit zu verzichten – das bei Sophokles hervorgehobene kultische Motiv, daß die Bittenden Olivenzweige, mit Wollfäden umwickelt, in Händen halten. Er beschränkt sich statt dessen auf die dem modernen Verständnis entgegenkommende Geste des flehenden Hände- und Armeausstreckens.*

133, 18–19 V. 5–6 *Die bei Sophokles objektive Feststellung, die Stadt sei von Opferrauch, von Päanen (Bittgesängen) und von Klageliedern erfüllt, wird bei Hofmannsthal ins Subjektive gehoben und durch die Wortwahl* dumpf, stöhnt *(dabei hat Hofmannsthal offenbar das griechische* γέμω, *›voll sein, angefüllt sein‹ mit dem lautgleichen und verwandten lateinischen Wort ›gemo‹ verbunden, das ›stöhnen‹ bedeutet, und ist von dieser Verwechslung her zu seiner Übersetzung gelangt)*, schreit *und durch Wortwiederholungen ins Dunkle gesteigert. Diese Ausgestaltung des ›Atmosphärischen‹ ins Unheimlich-Drohende läßt sich als ein Grundzug der Hofmannsthalschen*

Bearbeitung allenthalben beobachten, sowohl bei den Szenenanweisungen (vgl. S. 133, 24; 138, 25ff.; 163, 25ff.; 171, 6.27; 172, 31f.; 173, 14ff.) als auch bei den sprachlichen Mitteln, die zu diesem Zweck eingesetzt werden (vgl. dazu etwa V. 11–17, 27–34, 80–91, 144–159, 255ff., 284–330, 519ff. *u.ö.).*

133, 22 V. 9 *Das bestimmte* αὐτός *in V. 7b setzt Hofmannsthal prägnant an den Versanfang. Durch die anaphorische Betonung von* ich *mit dem Zusatz* Ödipus *gewinnt er eine vergleichbar starke Aussage, wie sie Sophokles mit V. 8 angestrebt hatte, wo sich Ödipus als »der, der allen der Berühmte heißt« einführt; vgl. auch* Ödipus und die Sphinx *S. 14, 10.*

133, 23 V. 10 *Um den über Sophokles hinausgehenden Einschub der in* V. 11 *folgenden* Stimmen *rechtfertigen zu können, muß Hofmannsthal hier den V. 9 des Sophokles, der sich nur an den Priester wendet, zunächst allgemein an die Menge richten.*

133, 25–134, 2 V. 11–17 *Hier wie später beschränkt Hofmannsthal den sophokleischen Katalog der vier Übel von Mißwachs, Viehsterben, Fehlgeburten der Frauen und Pest auf diese letztere allein. Die Motive sind z.T. im Anklang an die folgende Antwort des Priesters, z.T. an Partien aus dem ersten Chorlied bei Sophokles (V. 151ff.) gestaltet, wobei sie durch griechische Wörter, die aus ihrem Zusammenhang gelöst sind, assoziativ angeregt worden zu sein scheinen.*

133, 26 V. 12 *der* schwarze gräßliche Tod *erinnert an die Worte* ἔχθιστος *und* μέλας *in V. 28/29 bei Sophokles; das wiederholt beschwörend gesetzte* sterben *nimmt das anaphorische* φθίνουσα *aus V. 25/26 auf.*

133, 28 V. 14a *ist assoziativ an die Wortstämme* κενόω *(leer) und* δῶμα *(Haus) aus V. 29 angelehnt.*

133, 28–29 V. 14b–15 *nimmt Elemente aus V. 179–181 auf, wo es heißt, die Toten, die den Tod verbreiten, lägen unbetrauert am Boden.*

134, 1 V. 16 *greift auf V. 22f. zurück:* πόλις . . . σαλεύει, *»die Stadt schwankt (wie ein Schiff im Meer)«, ist hier vom Bild weg konkret ins Persönliche gewendet; in den ersten Bemerkungen zur Inszenierung war es noch eigens als gesondertes Bild behandelt worden (s. S. 672, 8).*

134, 4–5 V. 18–19 *schließen an die erste Frage in* V. 10 *an und folgen nunmehr dem sophokleischen Text von V. 9. Der nächste Vers löst mit* begehrt, erhofft, erwartet *das griechische* δείσαντες ἢ στέρξαντες *(fürchtend oder begehrend; V. 11) aus dem Partizipialbezug und fügt es parataktisch an.*

134, 6–7 V. 20b–21 *ist wörtlich bei Hartung entlehnt, nur daß es jetzt dem Blankvers gemäß statt »solch vereinigt Knieen«* euer Knien *heißt.*

134, 9–25 V. 22–37 *Auch hier soll die Szenenanweisung das Außerordentliche der Situation beschwören. Die Rede des Priesters ist frei aus den sophokleischen Motiven komponiert. Die zuvor schon in den* V. 11–17 *angeführten Elemente werden naturgemäß nicht mehr berücksichtigt.*

134, 10 V. 22b *Der Beginn der Rede mit* Nun denn *als Übersetzung von* ἀλλ' *aus V. 14, das dem englischen »well« vergleichbar ist, hat Hofmannsthal Hartung entnommen.*

134, 11 V. 23 Kadmos-Stadt *(= Theben, dessen Gründer Kadmos ist) ist wörtliche Übersetzung von* ἄστυ Καδμεῖον *aus V. 35 (vgl. zu* V. 2–3*). Mit dem Wort* einst schon Erlöser *ist, ebenso wie in* V. 35/36, *auf die Befreiung der Stadt von der Sphinx durch Ödipus angespielt, was bei Sophokles in den anschließenden Versen auch ausgeführt wird, bei Hofmannsthal aber aufgrund seines Vorspiels* Ödipus und die Sphinx *als bekannt vorausgesetzt werden durfte.*

134, 14–16 V. 26–28 *Hofmannsthal trennt den sophokleischen Bezug von* ἀλκήν τιν' εὑρεῖν *in ein unbestimmtes,* τιν' *(»irgend« bei Hartung, V. 42) entnommenes Element, das er mit* Etwas *wiedergibt, und die konkrete* Abwehr *(so auch bei Hartung), der er eine eigene Erweiterung anfügt. Dazwischen sind die Verse* 26b–27a *geschoben, die ganz ins subjektiv Tätige des Ödipus umgemünzt werden, während bei Sophokles in den vergleichbaren Versen 42b–43 der von außen, von Gott oder Mensch, kommende Rat angesprochen ist.*

134, 17–22 V. 29–34 *Zunächst wörtlich bis in die Wiederholung des doppelten* ἴθ' *(V. 46/47)* geh' *hinein übersetzt, weiten sich diese Verse bildhaft aus, indem sie von den bei Sophokles vorhandenen Ansätzen ausgehen und die Stadt, viel stärker anthropomorphisierend als in den sophokleischen Versen 23–24, als lebendiges Individuum darstellen.*

134, 23–25 V. 35–37a *sind wörtlich von Hartung übernommen. Die davorliegenden und folgenden Verse, in denen der Sprecher in rationalistischer Weise die Motive nennt, die den König bestimmen sollen, die Hilfe zu gewähren – daß Ödipus nur im Fall der Hilfe seinen Ruhm als Retter werde bewahren (V. 46–50), bzw. daß er sich nur so die Vorteile des Regierens werde sichern können (V. 52–57) – fehlen bei Hofmannsthal.*

134, 26–135, 16 V. 37b–64 *Wie schon beim Übergang der Rede in* V. 22 *zeigt sich auch hier das Bestreben Hofmannsthals, die im Griechischen geschlossenen Dialog-Verse aufzubrechen und Personenwechsel im Versinnern vorzunehmen. Der Beginn ist wiederum bis* V. 38a*:* unbekannt *wörtliches Zitat aus Hartung, der sich, ebenfalls wörtlich, hier mit Thudichums Übersetzung trifft. Auch sind im folgenden seltene Worte wie* Schlummerruh *(*V. 45*) und ganze Sätze (*V. 53–56, 58, 63*) Prägungen Hartungs. Die Rede des Ödipus wird gefühlsträchtiger und erregter, als sie es schon bei Sophokles war (vgl. dort die Steigerung der Anrede im Vergleich zu*

V. 2). Sie gestaltet im einzelnen die subjektiven psychischen und physischen Regungen in breiter Auffächerung aus, im Sprachlichen durch drängende Wortwiederholung V. 39/40, 46/48/49, *im Inhaltlichen durch die Schilderung der inneren Vorgänge der Sorge (*V. 50/51, 57ff.*) oder des Leidens (*V. 40ff.*). Darin spiegelt sich neben der Bemühung um das »Atmosphärische« ein weiterer Grundzug wider, der sich durch die ganze Bearbeitung verfolgen läßt.*

135, 5–7 V. 53–55 *Der* pythische Palast und geheimnisvolle Thron des Phöbos *ist eine abundante Übersetzung Hartungs, für die der Urtext keine Grundlage bietet. Dort ist lediglich von den »pythischen Häusern des Phoibos« die Rede (V. 70/71). Gemeint ist das delphische Orakel des Apollon, bei welchem Kreon Weisung holen soll.* Phöbos = *der Glänzende, Leuchtende ist Beiname des Apoll in seiner Eigenschaft als Sonnengott.*

135, 8 V. 56 *Kreon, bei Sophokles V. 69/70 noch in der Fülle des Geschlechternamens als Sohn des Menoikos eingeführt, ist Bruder der Jokaste. Hier von Ödipus als ›durch Heirat Verwandter‹ (= γαμβρός), mithin als* Schwager *bezeichnet.*

135, 16 V. 64 *Während Sophokles den Priester Kreons Kommen indirekt ankündigen läßt (V. 79), wendet Hofmannsthal den Vorgang ins Konkrete, indem er ein direktes Rufen voraussetzt, das freilich dann erst in* V. 65 b *laut wird.*

135, 21 V. 66 *Hofmannsthal nimmt hier* ὄμματι *aus dem Halbvers 81 b als Objekts-Dativ (dem Auge entgegenstrahlend), obwohl es sich grammatisch um einen instrumentalen Dativ handelt (mit dem Auge leuchtend). Er erreicht damit eine stärkere sprachliche Intensität der Aussage; wie ja das Strahlende, Glückverheißende in Kreons Erscheinung von Hofmannsthal ohnedies deutlicher hervorgehoben wird als bei Sophokles, indem er dreimal das Wortfeld mit* umfunkelt, entgegenstrahlt, Glanz *berührt.*

135, 25 V. 69 *Wer frohe Kunde brachte, ging bekränzt. Wer vom Orakel kam, schmückte sich mit dem Laub, das dem befragten Gotte geweiht war, hier also mit dem Lorbeer des Apoll, als Zeichen der guten Nachricht.*

135, 28 V. 70 *Der Vers 84 des Sophokles, welcher die Aufgabe hatte, Kreon einzuführen, geht bei Hofmannsthal in die Szenenanweisung ein. Ödipus kann daher unvermittelt Kreon begrüßen, in einer auch bei Sophokles schon feierlich gestalteten Anrede, die im Gegensatz zu* V. 56 *neben der privaten auch die öffentliche Stellung Kreons anspricht. Der Ehrenname* ἄναξ *(*Fürst *bei Hartung und Hofmannsthal) bezeichnet ihn als Teilhaber an der Regierung, die hochpoetische Anrede* κήδευμα *(V. 85) als den Verschwägerten, aus dem Hofmannsthal in Analogie zu Wilbrandt den* Bruder *macht, wodurch die emotionale Verbundenheit zwischen Ödipus und Kreon über Sophokles hinaus vertieft wird. Der Geschlechtername »Sohn des Menoikos« fehlt hier ebenso wie schon in* V. 56. *An beiden Stellen hatte auch Wilbrandt ihn gestrichen.*

135, 29 V. 71 *ist Entlehnung von Hartung, nur gekürzt um das letzte betonte Verselement.*

135, 33 V. 74 *Hier lockert Hofmannsthal das feste Gefüge der in sich geschlossenen Dialog-Verse auf, indem er den Satz des Kreon über die Versgrenze in den nächsten Vers ausschwingen läßt; ein Enjambement, das an gleicher Stelle auch bei Wilbrandt zu beobachten ist, dem Hofmannsthal an dieser Stelle auch teilweise in der Übersetzung folgt.*

135, 34–136, 6 V. 74–79 *Hofmannsthal nimmt den sophokleischen Text ganz wörtlich. Denn während andere Übersetzer nach der »Meldung« (Hartung), dem »Spruch« (Wilbrandt), der »Rede« (Thudichum) fragen lassen, ruft Ödipus hier nach dem* Wort *(*ἔπος *V. 89); und er allein behält auch die verbale Form des folgenden Satzes bei, den die anderen Übersetzer ins Substantivische (mit »Zuversicht und Furcht« o.ä.) wenden. Die drängende Ungeduld des Ödipus wird durch die nervöse Wortwiederholung in* V. 74 *und das leicht abschätzige, zugleich aber fordernde* Dein Reden da! *gesteigert, zumal Kreon auch in den nächsten Versen (*76/77*) umständlich abwägend zögert, die Botschaft zu verkünden (bei Sophokles V. 91/92); so daß Ödipus' Ungeduld noch schroffer wird und sich vehement in* V. 78 *Luft macht. Solche Einzelheiten sind Zeichen eines weiteren konstitutiven Elementes der Hofmannsthalschen Bearbeitung: Die emotionale Ebene, vor allem aber das Maßlose der ungesteuerten Affekte, der Jähzorn und die Leidenschaft im Charakter des Ödipus werden bei Hofmannsthal einseitiger und stärker als bei Sophokles herausgestellt (vgl. etwa* V. 262ff., 273, 284–330, 434ff., 509ff., 641ff., 946–1022*).*

136, 8–15 V. 80–87a *Viel feierlicher, formelhafter und zeremonieller als bei Sophokles (V. 95) beginnt Kreon seine Meldung, indem er sich ganz als Objekt des Gottes und seines Wortes einführt. (Bei Sophokles war er durchaus der Tätige, der spricht, was er vernahm.) Und auch die Weisung des Gottes selbst, bei Sophokles auf drei Verse beschränkt, weitet sich bei Hofmannsthal um der Elemente des Grausigen willen aus.*

136, 16–17 V. 87b–88 *Hier beschränkt sich Hofmannsthal wieder nur auf den Gedanken der* Reinigung, *den er intensiviert. Das von Sophokles V. 99b angesprochene zweite Glied der Doppelfrage, was denn in Theben vorgefallen sei, bleibt beiseite. Doch gibt Kreon auch darauf später (*V. 90*) die Antwort.*

136, 19–21 V. 89–91 *Hofmannsthal benötigt für diese Antwort einen Vers mehr als Sophokles. Er nimmt das griechische* χειμάζω *(V. 101), ›bestürmen, mit Unwetter bedrängen‹, ganz bildhaft und erweitert und vertieft es zu der neuen Wendung, daß der Sturm, hier überdies metaphorisch zur* Nacht *umgeformt, den Tag verdunkle, so wie es die erste Bühnenanweisung konkret gefordert hatte.*

136, 23 V. 92 *Hier unterläuft Hofmannsthal ein Sinnfehler in der Übersetzung. Im griechischen Text heißt es V. 102:* ποίου γὰρ ἀνδρὸς τήνδε μηνύει τύχην; *wel-*

chen Mannes Schicksal bezeichnet er denn (der Gott)? Damit wird zweifellos auf die Verse 100 und 101 zurückgegriffen, wo vom Mord und vom Blut die Rede war; gemeint ist hier also: von der Ermordung welchen Mannes spricht der Gott? – eine Frage, die Hartung mit »Und welchen Mannes Tödtung ist denn hier gemeint?« wiedergegeben hatte. Von dieser Version läßt sich Hofmannsthal offenbar irreleiten und bezieht den Satz nicht auf den Ermordeten, sondern auf den Mörder, dessen Tötung vom Gott verlangt werde; nicht beachtend, daß auf diese Weise weder die Ankündigung des Gottes in den vorausgehenden Versen, die von Sühne durch Ächtung oder Tod sprach, voll berücksichtigt, noch die folgende Antwort des Kreon verständlich wird.

136, 25 V. 93 *Ein wichtiges äußeres Indiz für die Benutzung Hartungs liegt in der Schreibung des Namens Laios. Denn anders als im Buchdruck hat Hofmannsthal in H und in 2 D die Form* Lahios *(in H bisweilen auch* Lahjos*) verwendet, die vom sprachlichen Standpunkt aus ohne Beispiel ist. Er kann zu ihr nur über die Schreibung ›Lahios‹ (z.B. bei V. 852) oder ›Lahjos‹ (z.B. bei V. 906) gelangt sein, die Hartung in seiner Übersetzung bietet, ohne daß eine Begründung für sie ersichtlich wäre. Hofmannsthals Schreibung legt nahe, daß er den eingeschobenen Buchstaben ›H‹ im Sinne eines Trema verstanden wissen wollte, das der griechische Text denn auch bei Hartung setzt (es erscheint übrigens auch im Buchdruck von* Ödipus und die Sphinx*). Dennoch hat Hofmannsthal den Namen nur an wenigen Stellen dreisilbig verwendet (*V. 93, 468, 565, 578, 613, 724*); in der Mehrzahl der Fälle erfordert das Metrum eine Lesung mit vokalischem ›J‹.*

136, 31–33 V. 97–99a *Der Zusatz* χειρὶ, *›mit der Hand‹, zu* τιμωρεῖν, *›Rache nehmen‹, in V. 107 schafft die Grundlage für die Ausgestaltung dieses Motivs bei Hofmannsthal. Daß der Gott, der anonym eingeführt wird, schwerlich von* Mördern *gesprochen hat, daß dieser Plural vielmehr Kreons Zutat aus seiner* V. 115 f. *beschriebenen Kenntnis der Überlieferung heraus sei, haben schon die älteren Sophokles-Kommentatoren angemerkt. Hofmannsthal behält diese Wendung notwendig bei, da sie allein geeignet ist, bei Ödipus einen Gedanken an die eigene Schuld vorderhand nicht aufkommen zu lassen.*

136, 34 V. 99b *Das den Ton der umgebenden Verse sprengende Verb* hausen *mit dem kolloquial nachgestellten* die *hat Hofmannsthal von Wilbrandt übernommen.*

137, 2 V. 101 *Bei Sophokles sind die Verse 110 und 111 gereimt, ein Stilistikum, das Hofmannsthal möglicherweise durch die prägnante Evozierung des biblischen Wortes Matth. 7, 7 »suchet, so werdet ihr finden« umzugestalten suchte.*

137, 5–138, 2 V. 103b–125 *Wie schon* V. 102b/103a *folgt die gesamte anschließende Partie eng der Version Hartungs. So prägnante, eigenwillige Wendungen wie* Pilger *(*V. 105*),* Fahrtgenoss' *(*V. 108*),* nichts ... zu sagen, außer eines *(*V. 112*),* Überzahl *(*V. 116*),* aufs Nächste zu achten *(*V. 125*),* zu lassen, was im Dunkel *(in H noch* Dunklen *wie bei Hartung)* lag *(V. 125), gehören sämtlich Hartung an.*

137, 13 V. 109 *Als Ausdruck der gesteigerten Erregung läßt Hofmannsthal, abweichend von Sophokles, Kreon dem Ödipus in die Rede fallen und sein Wissen vor-*
5 *bringen.*

137, 34–138, 1 V. 123b–124 *Hier wird ebenso wie bei Sophokles (V. 130) zum ersten Male die Sphinx direkt erwähnt, während auf sie in* V. 23 *nur indirekt angespielt worden war.*

138, 4–20 V. 126–142 *Mit Nennung der Sphinx durch Kreon fühlt sich Ödipus*
10 *an die eigene Ruhmes- und Glückstat in stolzem Selbstgefühl erinnert; mit fester Zuversicht spricht er daher die folgenden Sätze, die hier wiederum um zwei Verse länger ausfallen als bei Sophokles, obwohl Hofmannsthal die V. 142–144 beiseite läßt, die u.a. auf das schon zuvor ausgeschiedene Motiv der Ölzweige Bezug nehmen. Statt dessen konzentriert Hofmannsthal sich auf die umfassende Aussage des eigenen*
15 *Tuns und der eigenen zukünftigen Leistung des Ödipus, ehe er in der Schlußwendung wieder auf den sophokleischen Text zurückgreift (V. 141/142).*

138, 9–10 V. 131–132 *Der Greuel wird hier gleichsam personifiziert gefaßt, als eine Art Dämon, der den Ödipus umschwirrt; eine Übertragung, für die der Urtext an dieser Stelle keine Grundlage bietet, die aber nichtsdestoweniger durchaus griechi-*
20 *schem Denken entspricht (vgl. unten* V. 368–369*) und letztlich aus der Vorstellung des Hesiod erwachsen ist, daß alle Übel, die in einem großen Pithos gefangen waren, hatten herausfliegen können, als Pandora den Deckel öffnete. Diese oder ähnliche vom Original abweichende Versionen, die zumeist, wie auch hier, durch Prägungen Hartungs vorbereitet sind, zeigen, wie sehr es Hofmannsthal auf das im Bild Konkrete*
25 *seiner Sprache ankommt, einer Sprache, die über die abstrakten Aussagen des Sophokles hinaus die Einbildungskraft des Zuschauers und Lesers zu wecken und lebendig zu halten sucht. – Zum Bild vgl. auch Schiller, ›Wallensteins Tod‹, III. Akt, 4. Szene, Vers 1472–1474: »Eine solche Stimme brauch / Ich jetzt, den bösen Dämon zu vertreiben, / Der um mein Haupt die schwarzen Flügel schlägt.«*

30 ***138, 15*** V. 137 *Der Vers variiert den sophokleischen Text (V. 144); dort sollte »ein Anderer« (ein Diener oder Herold) das Kadmosvolk zusammenrufen. Hofmannsthal hingegen umschreibt die Mitglieder des thebanischen Senats in dreifacher Weise als die* mit grauen Köpfen, *die* Klugen *und die* Starken *(*V. 137, 138, 139*). Der Vers evoziert dabei den Shakespeare-Vers »*Laßt *wohlbeleibte Männer*
35 um mich sein*« aus Julius Cäsar I, 2.*

138, 21–24: *Die Verse 147–150, die der Priester bei Sophokles spricht und die eine nochmalige Aufforderung an die Menge zum Abzug enthalten, sind in die Bühnenanweisungen Hofmannsthals eingegangen. Der nicht mehr eigens genannte Priester muß ebenfalls abgehen, damit die Bühne für den Aufzug der Greise frei wird. Der*

Vers mit dem gemeinsamen Ausruf der Knaben *nimmt den Beginn der ganzen ersten Szene wörtlich wieder auf und rundet sie auf diese Weise in sich ab.*

138, 30–139, 10 V. 144–159 *Mit diesen 16 knappen Versen faßt Hofmannsthal die Parodos, das Einzugslied des Chores zusammen, das bei Sophokles in drei Strophen und Gegenstrophen 65 Verse einnimmt. Hofmannsthal bewahrt aus ihnen neben dem Hilferuf an die Götter nur die Schilderung der Pest und den Gedanken an die Hoffnung auf Rettung, die er einem einzelnen Sprecher überträgt. Die sieben Greise, als Individuen gesehen, sprechen jeweils gesondert; nur in den Ausrufen der Verse* 146/148 *und* 159b *bleibt der chorische Charakter der Partie erhalten. Freilich dokumentiert sich der Wechsel vom Handlungs-Geschehen zum statischen Moment des Chores auch hier im Wechsel des Metrums. Daktylische und iambische Rhythmen werden, frei gestaltet, neben Trochäen gestellt, welche die Verse* 149ff. *bestimmen, die ihrerseits aber auch wieder von ungebundenen daktylischen und spondeischen Zwischengliedern unterbrochen sind.*

138, 30; 33 V. 144, 147 *Die beiden kurzen, wiederholten Fragen sind an die Stelle der von positiver Hoffnung getragenen Bitten um Abwehr und Hilfe im Gebet der sophokleischen Greise getreten (V. 166, 188, 200, 206), ja sie nehmen gleichzeitig noch auf V. 150 Bezug, wo der Priester von Apollo als »Retter und Leidabwender« (Hartung) spricht.*

138, 31 V. 145 *schließt sich zum Teil an einen Gedanken aus Vers 153 bei Sophokles an (»mein bängliches Herz es erzittert dem Schrecknіß«, so Hartungs Version), der als einziger aus der ersten Strophe des Liedes berücksichtigt wird.*

138, 32; 35 V. 146, 148 *Die lange Anrufung der Götter mit ihrer kultisch begründeten Namens-Symbolik, tradiert in den Formen religiösen Zeremoniells und religiöser Nomenklatur, fehlt bei Hofmannsthal ebenso wie jegliche Übernahme der kultischen Elemente des Chorlieds überhaupt. Von der feierlichen Epiklese der Verse 159 bis 163, die aller mythologischen Symbolik entkleidet wird, bleibt nichts als der Name der Gottheit bestehen. Die zweite Strophe fehlt ganz; denn hier werden die anderen Übel geschildert, die Hofmannsthal auch zuvor schon völlig beiseite gelassen hatte, um durch diese Straffung das eine Übel der Pest besonders betonen zu können. Teile der zweiten Gegenstrophe, die auch der Pest gilt, waren ja bereits in die Verse* 11–17 *eingeflossen.*

138, 37–139, 10 V. 149–159 *Allein die dritte und letzte Strophe des sophokleischen Chorliedes (V. 190–215), welche nach der zweiten Gegenstrophe die Pest weiter beschreibt, wird von Hofmannsthal aufgenommen. Er beschränkt sich aber auch hier, trotz der inhaltlichen Nähe zu Sophokles, auf Einzelzüge in der Schilderung der Pest, die er in nahezu expressionistischer Sprachgebärde mit Anaphern, Wortwiederholungen und Bildern überhöht und sinnlich faßbar zu machen sucht.*

138, 37 V. 149 *Hofmannsthal übersetzt das auch bei Sophokles V. 190 prägnant an den Versbeginn gerückte* Ἄρεα *mit* Mörder *und formt den abhängigen Akkusativ* Ἀρεά, τε τὸν μαλερόν *zum Vokativ um; nicht mehr an die helfenden Götter wendet man sich also, sondern der todbringende Dämon, die personifizierte Pest selbst, ist zunächst Gegenstand des Anrufs. Erst in* V. 154ff. *wird aus diesem Subjekt ein von den Göttern gejagtes Objekt, das nurmehr mit dem Pronomen* ihn *apostrophiert wird. Einen Namen hat dieser* Mörder *bei Hofmannsthal nicht. Er bleibt anonym, im Gegensatz zu Sophokles, wo der Gott Ares Urheber der Seuche ist, die er ohne Waffen verbreitet. Die Bezeichnung* Mörder, *die Hofmannsthal benutzt, war bereits bei Hartung vorgebildet, der zu Beginn (V. 190) einfach von »Mord« gesprochen, dann den Namen Ares aber als erklärende Apposition noch nachgetragen hatte. Den vom realen Geschehen her genommenen, ins Bildliche mythologischer Bezüge übertragenen Zusatz »ohne das Erz der Schilde« (*ἄχαλκος ἀσπίδων*) aus V. 190 (der waffenlose Ares tötet durch die Pest, der bewaffnete in der Schlacht) gestaltet Hofmannsthal zu dem metaphorisch positiven Bild* mit Pantherarmen *um, wobei er sich auf die Vorstellung vom Panther als dem Inbegriff blutgieriger Wildheit und dämonisch-dunkler, lautloser Kraft stützen kann.*

139, 1 V. 150 *In die Wendung ist assoziativ das bei Sophokles V. 192 stehende poetische Wort* παλίσσυτον *(zurückeilend) eingeflossen, das dort in passivischem Sinn auf Ares zu beziehen ist, der ›zurückstürzend‹ aus dem Land vertrieben werden soll. Bei Hofmannsthal schildert es hingegen einen aktiven Vorgang.*

139, 2 V. 151 *Der Inhalt des Adjektivs* περιβόητος *(V. 191) wird von Hofmannsthal in einem ganzen Vers ausgebreitet. Auch hier ist, wie im vorangehenden Vers, das Adjektiv passiver Bedeutung – »der (von den heimgesuchten Thebanern) umschrieene« – ins Aktive gewendet.*

139, 3 V. 152 *Das Verbum* φλέγειν *(brennen, versengen, V. 191) bietet die inhaltliche Grundlage für diesen Vers, der ebenso wie der folgende mit der unverbundenen Anapher von Hofmannsthal hinzugefügt wird.*

139, 6–7 V. 155–156 *Die mythologische Metapher des Meeres, die Sophokles mit »Bett der Amphitrite« (der Gattin des Meer-Gottes Poseidon) in V. 195 benutzt, sowie die abundante Umschreibung des Meeres in V. 196 wird bei Hofmannsthal ganz ins Konkrete gerückt: er beschränkt sich auf die zweite, reale Anführung und spaltet sie selbständig in die Elemente von Meer und Brandung auf. Die mythologische Anspielung fällt ebenso weg wie die gnomische Äußerung, die Sophokles in V. 197 folgen läßt. Gnomen, die in der antiken Tragödie häufig anzutreffen sind, fehlen bei Hofmannsthal fast regelmäßig; vgl. aber* V. 253–254.

139, 8 V. 157 *Die erneute mythologische Epiklese der Götter, diesmal des Zeus, des Apollon, der Artemis und des Bakchos (= Dionysos), in V. 200–215 wird übergangen. Aus ihr wird nur das Motiv des* Strahlens *aufgenommen, das Sophokles* *bei Zeus mit den Blitzen, bei Artemis mit der Fackelglut, bei Bakchos mit Flammen beschworen hatte.*

139, 10 V. 159 *Von den vier bei Sophokles angerufenen Göttern (s. zu* V. 157) *werden hier nur diese beiden mit Namen genannt.*

139, 13–140, 38 V. 160–223 *Die Rede des Ödipus schließt sich in Inhalt und Umfang eng an Sophokles an. Sie umfaßt 64, die bei Sophokles 60 Verse. Dabei sind manche Ausführungen des Sophokles weggefallen, die Hofmannsthal als übergenau und daher überflüssig, bzw. als den Gedankenablauf störend empfunden haben mag: so etwa die Verse 216b/217a, 220b/221 oder 240; V. 254 fehlt, weil er auf den von Hofmannsthal nicht erwähnten Mißwachs Bezug nimmt; in V. 268/269 wird die Ahnenreihe im Geschlechternamen des Laios verkürzt; am Schluß der Rede ist der Fluch, den Sophokles in V. 270–272 weit ausbreitet, nur auf das bloße Wort* dem fluch' ich *(*V. 221*) beschränkt. Im übrigen aber liegt hier eine Passage vor, die durchgehend wörtlich wiedergegeben ist. Die Hartungsche Übersetzung als Basis der eigenen Version tritt in beinahe jedem Vers deutlich hervor, ja, sie zeigt sich im Manuskript H noch klarer, da dort manche später im Druck vermiedene Zitate noch beibehalten sind. Nur wenige Wendungen sind Hofmannsthals eigene Prägung: so in* V. 161 *das Wort* herniederbeten*; in* V. 205 *das Bild vom* Unkraut*; in* V. 217 *das sprichwörtliche* nicht ruhn noch rasten. *Aber auch die über Sophokles hinausgreifenden Formulierungen sind häufig assoziativ von Hartungs Übertragung angeregt. Hofmannsthals Zufügung ist der Gedanke, daß Ödipus König in Theben wurde (*V. 164*) und König ist (*V. 192*); ferner die größere Ausführlichkeit, mit welcher in* V. 178b–181 *der Mann beschrieben wird, der seine Kenntnis des Mörders verschweigt, sowie die erneut die Greuel betonenden Verse* 189/190.

139, 34 V. 181 Kadmäer *Thebaner; vgl. zu* V. 23.

140, 34 V. 219 Labdakos *Nachkomme (Sohn) des Kadmos.*

141, 2–3 V. 224–225 *Die mit diesen Versen einsetzende Partie lehnt sich eng an das Original und dessen Übersetzung durch Hartung an, verkürzt es jedoch, dem raschen dramatischen Ablauf zuliebe, an manchen Stellen nicht unerheblich. So genügen Hofmannsthal diese zwei Verse, um den Inhalt von sechs sophokleischen Zeilen (V. 276–281) wiederzugeben.*

141, 7–11 V. 226–228 *Den Gedanken, den der Chor in V. 284–286 (die vorangehenden Verse 282/283 hat Hofmannsthal übergangen) ausspricht, verteilt Hofmannsthal in sinngemäßer freier Form auf die Greise, indem er die Einheit des Chores bricht und hier wie auch im folgenden jeweils Einzelsprecher reden läßt.*

141, 13–14 V. 229–230 *Diese Aussage berücksichtigt den Hinweis des Sophokles V. 288 nicht, daß Ödipus auf Anraten des Kreon so handelt, obwohl dieser Ratschlag später in* V. 450 *als bekannt vorausgesetzt wird. Das zweimalige* säumen *hat keine Analogie bei Sophokles oder Hartung.*

141, 17–20 V. 231–232 *Die beiden Verse, mit zwei bzw. vier Hebungen im Metrum des Blankverses unvollständig, entsprechen dem einen Vers 290 bei Sophokles. Sie mögen eventuell die Art der Wortverteilung widerspiegeln, in der sich Hofmannsthal das Murmeln der Greise gedacht hat.*

5 ***141, 24*** V. 235 *Auch in diesem Vers folgt Hofmannsthal, wie die textkritische Entscheidung zeigt, dem Urtext, der der Übersetzung Hartungs beigegeben ist: in V. 293 hat ein anonymer Kritiker das überlieferte* τὸν δ'ἰδόντ' *(den, der es sah) in* τὸν δὲ δρῶντ' *(den, der es tat) ändern wollen, was einige Editoren in ihren Text aufgenommen haben. So kann es dann z.B. bei Donner oder Wilbrandt zu der Version*
10 *»den Täter weiß (sieht) man nicht« kommen. Die Mehrzahl der Editoren tastet jedoch den überlieferten Text nicht an und nimmt den harten Gedankensprung zum nächsten Vers, sicher mit Recht, in Kauf. Auch Hartung entscheidet in diesem Sinne. Seine Formulierung »doch den Zeugen weiß man nicht« findet sich dann wörtlich bei Hofmannsthal wieder.*

15 ***141, 26–32*** V. 236–240 *Das strenge Metrum des Dialogs ist erneut unterbrochen. Doppelsenkungen werden innerhalb der Verse zugelassen, die unvollständig oder mit sechs Hebungen (*V. 237f., 239*) gebaut sind. Daß hier nicht der im Vorvers genannte* Zeuge *gemeint ist, sondern der Mörder als der eigentliche Gegenstand des Gespräches, erhellt auch aus der Antwort des Ödipus* V. 239.

20 ***142, 1–16*** V. 241–254 *Die Bühnenanweisung trägt der antiken Tradition Rechnung: Teiresias muß von einem Kind geleitet werden, da er blind ist. Die Rede des Ödipus hält sich eng an das Original und damit zugleich auch an Hartung, dem sie die meisten Versionen verdankt. Eigene Prägungen Hofmannsthals liegen vor in* V. 242*:* was der Himmel brütet*; in der prägnanten Formel* unsehend sehend *(*V. 244*)*
25 *sowie in dem Zusatz* mit innerm Licht *(*V. 243*). In* V. 250 *hat er den alten, nur in der österreichischen Amtssprache noch lebendigen Ausdruck* stellig machen *benutzt. Weggefallen sind die Verse 295/296, wo vom Vogelflug als weiterem Offenbarungsmittel die Rede ist – für Hofmannsthal liegen die seherischen wie auch sonst wissenden Kräfte im Menschen selbst – sowie die Verse 297–299, die die schon wenig*
30 *früher geäußerte Erwartung der Hilfe durch Teiresias erneut vorbringen.*

142, 15–16 V. 253–254 *Hofmannsthal behält hier die Gnome bei, die die Rede abschließt und über ihren Charakter als Merkspruch hinaus ein protreptisches Element enthält.*

142, 18–144, 29 V. 255–308 *Diese Passage ist metrisch frei gebaut. Der konsti-*
35 *tuierende Jambus wird z.T. aufgelöst, die 5-Hebigkeit des Blankverses wird verkürzt oder auf 6, ja 7 (*V. 303*) Hebungen verlängert, Doppelsenkungen werden eingestreut, trochäische und daktylische Elemente treten hinzu. Die Ungebundenheit, der rasche Wechsel und das Offene des Rhythmus werden zum Zeichen der wachsenden Spannung im dramatischen Geschehen. Inhaltlich schreitet Hofmannsthal nahe am Original und*

der Hartungschen Übersetzung entlang, steigert aber die Assoziationen des Grauens und der Qual an jeder ihm geeigneten Stelle.

142, 34–36 V. 266–267 *Bei Sophokles fällt Ödipus vor Teiresias nieder (V. 326f.). Die von den Persern stammende Geste der Proskynese, des Fußfalls, die bei Sophokles wörtlich in V. 327 genannt ist, galt den Griechen als Zeichen barbarischer Unterwürfigkeit, und sie gestatteten sie sich nur als Ausdruck höchster Verehrung vor dem Göttlichen. Hofmannsthal folgt hier allerdings der Lesart Hartungs, der sich einigen jüngeren Sophokles-Handschriften und dem Scholiasten anschließt, welche die Verse 326/327 (=* 266/267*) dem Chor zuteilen, während sie die älteste Handschrift – sicher richtig – dem Ödipus gibt. Denn der Chor, der ja in dieser Wechselrede sonst gar nicht das Wort ergreift, wäre gewiß zu unbedeutend, um dem Seher die Rede abzuschneiden.*

143, 2 V. 268 *Anspielung auf das Bibelwort Luk. 23, 34, das schon Hartung und Wilbrandt an dieser Stelle hatten anklingen lassen.*

143, 10 V. 273 *Daß Teiresias* böse *sei, bekräftigt Hofmannsthal auch in der Regiebemerkung zu* V. 290. *Bei Sophokles V. 334 hatte Ödipus den Seher* ὦ κακῶν κάκιστε, *»den Schlimmsten der Schlimmen«, genannt.*

143, 11 V. 274 *Sophokles spricht davon, daß Teiresias einen »Stein in Wallung bringen« (»reizen« bei Hartung) könne (V. 334/335); Hofmannsthal dagegen läßt den Stein zu* Raserei *getrieben sein.*

143, 14 V. 276 *Der seltsam schwache, verhaltene Vers klingt nur entfernt an das Original an, in welchem Teiresias dem Ödipus dessen eigenes unbedachtes Wesen in einem doppelsinnigen Wortspiel vorhält (V. 337/338). Er ist in der ersten Hälfte wörtliches Selbstzitat aus* Ödipus und die Sphinx *(vgl. S. 28, 7).*

143, 19–21 V. 279–281 *Den einen Vers 341 bei Sophokles (»Es wird von selbst ja kommen, was mein Schweigen deckt«, so Hartung) weitet Hofmannsthal aus, indem er das unabänderliche Kommen des Schicksals in dreifacher Umschreibung beschwört.*

143, 25 V. 283b *Die beiden Verse 343 und 344 werden in diesen Halbvers zusammengedrängt. Um so stärker wirkt der Ausbruch des Ödipus, der sich im folgenden noch steigert.*

143, 27–145, 32 V. 284–330 *Die zunehmende Erregung, bei Sophokles in dem schlagartigen Wortwechsel der formal strengen Stichomythie festgehalten, dokumentiert sich im vers- und formsprengenden Überschäumen der Rede (*V. 294–296, 296–299–301*); im Schwanken des Metrums ebenso wie im gehäuften Enjambement, der Fülle der Gedankenstriche, dem Einwurf bei* V. 294b, *in den Anaphern (*V. 304*) oder dem Anakoluth (*V. 299*) sowie ferner in dem hämischen Vers* 292, *der bei Sophokles kein Gegenstück hat. Bemerkenswert ist erneut die Lust Hofmannsthals an der Häufung von Wörtern aus dem Bereich des Grauens (*V. 294b–296, 311–313*),* *in der er Sophokles weit übertrifft, der in einem Vers (353) ausdrückt, wofür Hofmannsthal zweieinhalb Verse (*V. 294b–296*) benötigt. Wie sich überhaupt in dieser Szene bisweilen ein Hang zu Abundanz über Sophokles hinaus andeutet.*

144, 14–15 V. 300–301 *Der Sophokleische Vers »das Wahre, das stark ist, 5 nähre ich« (V. 356) ist verändert: Das aktive Tun des Teiresias wird zu einem passiven Beschütztwerden, bei dem die* Wahrheit, *die Sophokles ganz abstrakt als »das Wahre« eingeführt hatte, im Bild eines geflügelten Dämons erscheint, das an die ägyptische Isis erinnert, die ihre Schwingen ausbreitet, um Schutz zu gewähren. Diese Wandlung der Aktionsart war schon durch Hartung angebahnt, der seinerseits auch* 10 die Wahrheit *als grammatisches Subjekt des Satzes wiedergegeben hatte und dazu die eigenwillige, von Hofmannsthal nachgeahmte Übersetzung geboten hatte, daß sie des Teiresias* Besitz *sei.*

145, 1 V. 310 *Die erste Hälfte des 6hebigen Verses ist Hartung entlehnt; die zweite hingegen ist der Formulierung Wilbrandts »Wie leere Luft verweht es« 15 (S. 39, 4. Zeile von unten) verpflichtet. Das Bild ist bei Sophokles nicht vorgegeben; dort heißt es nur abstrakt: »umsonst, ohne Erfolg, wird es gesagt sein« (V. 365). – Zur Formulierung* leere Luft *vgl. auch* Die Frau im Fenster *(SW III, S. 97; D I 60).*

145, 14–15 V. 317–318a *versuchen in unbefriedigender Weise den Vers 371 des 20 Sophokles wiederzugeben: »blind bist du an Ohren, an Verstand und Augen«. Der Verstand (*νοῦς*), die Denkkraft fällt zugunsten eines unbestimmten* innen *weg, das beziehungslos im Satz schwebt. Auch die Feinheit der sophokleischen Wortwahl geht verloren: Das betont am Versbeginn stehende* τυφλός *(blind) bietet sich Ödipus als erstes Glied der Beschimpfung an, da es das äußerliche Gebrechen des Teiresias 25 bezeichnet; aber auch, so Ödipus, andere Sinnesorgane des Teiresias seien betroffen. In seiner Erregung kehrt Ödipus bei Sophokles die Reihenfolge der Objekte um, ohne am zu Ohr und Verstand logisch unpassenden Adjektiv »blind« Anstoß zu nehmen.*

145, 16–18 V. 318b–320 *Der Name anstelle des Ausrufs »Unseliger« (V. 372). Die Wiederholung des Verbums* schmähen *ist bei Sophokles vorgeprägt.*

30 ***145, 19–32*** V. 320b–330 *Diese Wechselrede ist von Hofmannsthal in der Weise gelängt, daß jeweils drei bzw. zwei Verse stehen, wo Sophokles zwei bzw. einen Vers bietet.*

145, 31–32 V. 329–330 *Das Bild, das durch die figura etymologica* eine Grube graben *bei Sophokles und Hartung nicht vorgebildet ist, rückt den Vers sprachlich 35 in den Bereich des Sprichwörtlichen. Vgl. auch* V. 602f.

145, 34–146, 26 V. 331–357 *Die Rede schließt sich eng an Sophokles und die Hartungsche Übertragung an. Unberücksichtigt bleiben, wie auch schon zuvor, das Motiv der Vogelschau im Zusammenhang mit der Seherkraft (V. 395, 398) sowie die negativ auf Teiresias und die Sphinx-Situation abgehobenen Verse 392–394;*

statt dessen wird positiv die eigene Leistung des Ödipus doppelt stark herausgestellt, einmal in der V. 342–346 *geschilderten Lage während der Bedrohung durch die Sphinx, die bei Sophokles nur einen Vers (391) füllt, und zum anderen in der von Selbstgefühl gesteigerten Anspielung auf die durch ihn erfolgte Rettung (*V. 347–350*).*

146, 8 V. 339 Taschenspieler *als Übersetzung des sophokleischen* δόλιον ἀγύρτην *(V. 388), »listiger Geldsammler« (ein Wort, das den Priester der Kybele, dann aber den Bettelpriester allgemein bezeichnet, der den Gläubigen die Spenden abschwindelt) ist bei Hartung vorgeprägt. Er hatte vom »verschmitzten Kartenschläger« gesprochen, was er im Commentar S. 204 als unumgängliche Modernisierung verteidigen zu können glaubte.*

146, 14 V. 345 *Hofmannsthal nennt die Sphinx zur Verdeutlichung beim Namen. Bei Sophokles bleibt sie unbenannt und wird nur als die »singende Hündin« (V. 391) apostrophiert. Die Bezeichnung* Hündin *zielt dabei nicht auf die Gestalt der Sphinx, sondern auf die Übung der Griechen, in poetischer Sprache Monstren jeglicher Art, wie auch die Hydra, die Skylla, die Harpyien, Hunde zu nennen.*

146, 17 V. 348 *Auch bei Sophokles nennt sich Ödipus an dieser Stelle den »nichts Wissenden« (V. 397), in subjektiver Ironie gegenüber Teiresias als Replik auf* V. 312/313; *in Wahrheit aber enthüllt das Wort die tragische Ironie der ganzen Szene.*

146, 27–147, 3 V. 357b–371 *Den beschwichtigenden Zwischenruf des Chores bei Sophokles (V. 404–407) hat Hofmannsthal getilgt, um den dramatischen Ablauf des leidenschaftlichen Dialogs nicht unterbrechen zu müssen. Die Antwort des Teiresias, im Rhythmus wieder mit der Aufnahme daktylischer und anapästischer Elemente ganz frei gestaltet, ist um die letzten sieben sophokleischen Verse (422–428) gekürzt, die bereits Gesagtes und mythologische Anspielungen auf die Zukunft des Ödipus enthalten. Im übrigen aber folgt sie streng dem Inhalt und Wortlaut der Vorlage, verstärkt freilich auch hier den Zug zur bildhaft-anschaulichen Sprache, die sich am Ende ins Ekstatische, ins beinahe Apokalyptische erhebt.*

146, 33 V. 363 *Für die Worte* Höhle *und* Lager, *die die Assoziation ›Tier‹ hervorrufen, gibt es bei Sophokles keine Grundlage.*

146, 35–36 V. 365–366 *Im Gegensatz zu Sophokles (Vers 415/416: »du bist, ohne es zu wissen, feind den Deinen da unten und oben auf der Erde«) hat Hofmannsthal den Unterschied zwischen Lebenden und Toten samt dem damit auf Laios zielenden Hinweis nicht gemacht. Statt dessen hat er, wie es scheint, den Inhalt der Zeile auf die Angehörigen in Korinth (*daheim*) und Theben (*hier*) beschränkt, ohne freilich zu beachten, daß er dem Seher damit einen von dessen Standpunkt aus falschen Satz in den Mund legt. Denn der Seher weiß ja, daß es eben keinen Unterschied zwischen* daheim *und* hier *für Ödipus gibt. In* daheim *eine dunkle, an pietistische Glaubensinbrunst gemahnende Anspielung auf das Jenseits verstehen zu wollen, läge wohl allzufern.*

146, 37 V. 367 *Der Vers wurde, wie die Handschrift H zeigt, von Hofmannsthal erst nachträglich hinzugefügt. Er nimmt ein Motiv des drittnächsten Verses bei Sophokles (419: »... der jetzo Tag, dann aber dunkle Nacht erblickt« – Hartung) an dieser Stelle voraus, dessen zweite Hälfte in* V. 370a *folgen wird. Er ist wohl aus der Hartungschen Version weiterentwickelt, welche, ähnlich wie Wilbrandt, den Gegensatz zwischen Tag und Nacht eingeführt hatte. Hofmannsthal greift wörtlich auf seinen Vers 323 zurück, wo auch der Gedanke vom* im Lichte wohnen *aufgetaucht war. An beiden Stellen von Sophokles in abstrakter Formulierung im Hinblick auf die Sehenden im Vergleich zu den Blinden gebraucht; von Hofmannsthal aber durch die metaphorische Aussage ins Allgemein-Gültige der Lebens-Schicksale gehoben, mit dem unverwechselbaren Anklang an Hölderlins »Ihr wandelt droben im Licht ...«.*

146, 38–147, 1 V. 368–369 *Der Fluch ist schon bei Sophokles personifiziert und vertritt so die Rachegöttinnen selbst; vgl. oben* V. 131.

147, 2–3 V. 370–371 *Die Sehersprache reicht hier ins Ekstatische. Die Elemente selbst, die Nacht, die Berge, die Buchten werden in das künftige Geschehen visionär miteinbezogen, ja treten als handelnde Mächte auf, während Sophokles in ihnen nur ein Objekt, allenfalls ein miteinstimmendes (*σύμφωνος, *V. 421) Subjekt gesehen hatte.*

147, 5–7 V. 372–374 *Die Abundanz des Ausdrucks und die Häufung der Ellipsen zeichnen schon bei Sophokles die aufs äußerste erregte Stimmung des Ödipus. Die Stichomythie setzt bei Hofmannsthal bereits hier wieder ein, da er jeweils in einem Vers auszusprechen vermag, wofür Sophokles zunächst noch zwei Verse benötigt.*

147, 7 V. 374 *Von Hartung stammt* zur Hölle *als ›moderne‹ Übersetzung von* εἰς ὄλεθρον *(ins Verderben, V. 430).*

147, 23–29 V. 382–385 *Der ironische Hinweis des Teiresias auf Ödipus als den Rätsellöser (die Umkehrung des Blickwinkels der sophokleischen Aussage auf die* Rätselfrager *hin ist erst in 2 D erfolgt. H hatte noch die von Hartungs Übersetzung beeinflußte Version vom* berühmtesten Rätsellöser*) eröffnet die Wechselrede, welche den Sieg des Ödipus über die Sphinx und dessen Auswirkungen auf sein gegenwärtiges und zukünftiges Schicksal zum Thema hat.*

148, 3 V. 388 *Hier ebenso wie später in* V. 737 *und* 1158 *taucht bei Hofmannsthal das unbestimmte* Etwas *als ein unfaßbares, von außen kommendes Element auf, das jeweils einen anderen Bereich des Dämonischen und Religiös-Mythischen abdeckt.*

148, 6–22 V. 389–405 *Die zusammenfassende Offenbarung des Sehers, ruhiger und feierlicher als die ekstatischen Ausbrüche der vorangehenden Prophezeiungen, auch in der Wortwahl gemäßigter und mit Hilfe biblischer Wendungen (*erfunden werden; des Weibes Sohn*) in den religiösen Bereich gerückt, folgt dem sophokleischen Text und ist der Hartungschen Übersetzung weitgehend verpflichtet. Hier schon wird das Schicksal des Ödipus, wie er es am Ende des Stückes tragen muß, angekündigt.*

148, 25–149, 15 V. 406–422 *Siebzehn kurze Verse genügen Hofmannsthal, um das zweite Chorlied des Sophokles wiederzugeben, wobei er dieselben formalen Intentionen verfolgt wie im ersten Chorlied der Verse* 144–159.

148, 27–31 V. 406–408 *Der geschlossene Vers 465 des Sophokles ist auf drei Verse mit drei Sprechern übertragen worden.* V. 406 *nimmt das betont an den Anfang von V. 464 gesetzte* τίς *auf, während* V. 408 *das Akkusativ-Objekt aus V. 465a (das Unsagbare des Unsagbaren) anklingen läßt.*

148, 33 V. 409 *Die in epischer Breite ausgeführte Aufforderung zur Flucht in V. 466–468 erscheint bei Hofmannsthal ganz ohne jegliches poetische Beiwerk. Auch die ins Mythologisch-Religiöse ausgreifende Begründung für diese Flucht in V. 469–471 fehlt hier.*

148, 36–149, 1 V. 410–411 *Der ersten Gegenstrophe (V. 474–481) entnimmt Hofmannsthal im sofortigen Anschluß nur einige Motive der Flucht, die in den Kurzversen 476–478 vorliegen.*

149, 2–4 V. 412–414 *Die poetische Form der Verse 480f., die vor mythologischem Hintergrund bildhaft die Flucht vor dem Orakelspruch beschreiben, löst Hofmannsthal in den konkreten Vorgang des Nicht-Hören-Wollens auf; den folgenden Vers (481f.) dagegen weitet er über Sophokles hinaus aus und übernimmt dabei das Bild, daß der Spruch den Flüchtigen* umflattert, *ähnlich personifiziert wie der Fluch in* V. 368 *oder der Greuel in* V. 131.

149, 6–15 V. 415–422 *Diese Verse stellen nur eine knappe Inhaltsangabe der zweiten Strophe dar, in welcher der Chor, zwischen Furcht und Hoffnung schwebend, an der erprobten Güte und Klugheit des Ödipus festhalten will, solange sich der schlimme Spruch des Teiresias nicht bewahrheite. Denn nur die Götter seien allwissend, nicht aber der Mensch, und wäre er Seher (V. 482–497).*

149, 6 V. 415 *orientiert sich an V. 510, wo die beiden hier genannten Eigenschaften* klug *und* gut *als* σοφός *und* ἁδύπολις *(»klug« und »der Stadt hold« in Hartungs Version) vorkommen.*

149, 12–13 V. 420–421 *folgen inhaltlich eng V. 499, bringen mit dem Wort* Dunkel *freilich sogleich auch ein neues, in den Versen 482ff. behandeltes Motiv mit hinein.*

149, 19–27 V. 423–428 *Während Kreon bei Sophokles gleich die Greise anredet und sich vor ihnen gegen vernommene Vorwürfe verteidigt, ruft ihn hier, als er hereinkommt, zunächst der Chor an. Kreons Reaktion bleibt jedoch, strenggenommen, bei Hofmannsthal unverständlich, da er ja aus dem Anruf des Chores nicht auf eine Anklage fegen sich schließen kann. Hofmannsthal hat diese Ungenauigkeit im Detail (d.h. die gehlende Angabe, daß Kreon von Beschuldigungen gehört hat, die Sophokles in V. 514 bringt) in Kauf genommen, um das dramatische Element der Wechselrede zwischen*

Kreon und den Greisen stärken zu können: Die eine Rede des Kreon ist, im einzelnen gekürzt, zum Dialog geworden.

149, 29/35 V. 429/433 V. 429 *ist identisch mit* V. 433, *der dem an entsprechender Stelle stehenden sophokleischen Vers V. 530 in Hartungs Version folgt. Am* 5 *vorliegenden Platz hat Sophokles (V. 527) jedoch einen anderen Wortlaut; die Wiederholung desselben Verses an beiden Stellen ist demnach von Sophokles nicht gewollt (vgl. auch unten zu* V. 535 b/536). *Daß in der Unterscheidung der jeweiligen Sprecher (*Erster Greis, V. 429; Zweiter Greis, V. 433*) eine Nachbildung des – phasenverschobenen – chorischen Sprechens intendiert sei, ist wenig wahrscheinlich.*

10 ***150, 5–154, 5*** V. 434–518 *Der Rhythmus dieser Passage ist allenthalben ungebunden und frei; er löst sich nach den noch in Jamben gebauten ersten Versen des Ödipus alsbald auf: Kurzverse, Enjambements, Ausrufe, Wortwiederholungen, Anakoluthe bestimmen als äußeres Zeichen den inneren Verlauf; besonders im letzten Teil der Szene, wo ab* V. 506 *die Verse jeweils zwei- oder dreimal durch Personenwechsel* 15 *gebrochen und nur von Ausrufen geprägt sind. Im ganzen folgt Hofmannsthal dem Urtext und damit meist in wörtlichem Zitat der Übersetzung Hartungs. Im einzelnen aber zeigen sich zahlreiche Umgestaltungen, die über die Hartungsche Version ins Bildhafte der Sprache hinausreichen (*V. 436, 462, 477ff., 489f.*); Kürzungen konzentrieren den Dialog auf wesentliche Inhalte. So werden die Verse 531, 540/41,* 20 *543, 545, 549–550, 551, 553, 571, 601/02, 607–610 sowie die Gnome V. 614/15 und die Verse 624/25, 632/33 ersatzlos gestrichen. Die sophokleischen Umschreibungen werden in einfache, harte Sätze gedrängt; so faßt* V. 444 *die Verse 543 und 547 in konkreter Forderung zusammen und* V. 447 *bringt den Inhalt von V. 551/52. Kurze Halbverse enthalten die Antworten Kreons (*V. 456, 460, 464, 508, 509*) oder* 25 *des Ödipus (*V. 472, 474, 507, 510, 512*).*

150, 13 V. 442 *Anstelle des nun gebotenen Textes hatte Hofmannsthal in der Handschrift H zuerst, in der Nachfolge Hartungs,* Gold und Volk *gesetzt,* Volk *aber durch die Spätvariante* Kraft *beseitigt.* Glück *ist dann erst in den Buchdruck eingegangen.*

30 ***150, 22*** V. 448 *Die affektive Anrede* Bruder *ist hier ebenso wie in* V. 487 *Hofmannsthals Zutat, ähnlich dem wiederholten und dadurch eindringlichen* Ödipus *in* V. 490/492/500.

150, 25–26 V. 450–451 *Hofmannsthal bezieht sich mit diesem Verspaar auf die sophokleischen Verse 70/71, die er allerdings an der ihnen vorbehaltenen Stelle gestri-* 35 *chen hatte, so daß der Gedanke innerhalb des Stücks in seiner Hofmannsthalschen Formung strenggenommen als unlogischer Bruch erscheinen muß.*

151, 10 V. 459 *Vgl. dazu oben S. 690, 42ff.*

152, 14–25 V. 479–490 *Das Bild vom* weichen Mantel *ist ebenso Hofmannsthals Zufügung wie die Bilder in* V. 483, 485–490. *Die ganze Stelle bringt die bei So-*

phokles konkreten und realen Aussagen des Kreon in ein schwebendes Gleichgewicht von sanften, weichen Bildern und verzichtet vornehmlich auf die Erwähnung der negativen Seiten des Herrschens im Amt (V. 587ff., 591, 594ff.).

152, 35 V. 499 *Der Hinweis auf die Affekt-Handlung fehlt bei Sophokles. Dort sind diese Äußerungen als Gnomen völlig im Allgemeinen gehalten. Erst bei Hofmannsthal wird ein direkter Bezug zu Ödipus hergestellt, der dem Charakterbild folgt, das Hofmannsthal von Ödipus hier und in* Ödipus und die Sphinx *entworfen hat; vgl. dazu Erläuterung zu* V. 641–647.

154, 8–10 V. 519–521 *Hofmannsthal versucht hier, das Atmosphärische, das sonst in den Szenenanweisungen seinen Ausdruck findet, auch im Sprechvers zu evozieren, durch die sich im folgenden häufenden Begriffe des* Dunkels *(*V. 528, 533, 553*) ebenso wie durch die doppelte Charakterisierung des Leides als* finster, *wofür es bei Sophokles keine Analogie gibt.*

154, 31–32 V. 535b–536 *Der Chor wiederholt hier die Verse, mit denen Kreon zuvor* V. 497–500 *argumentiert hatte; im Gegensatz zu Sophokles, wo der Chor andere Worte spricht; vgl. Erläuterung zu* V. 429/433.

155, 10 V. 540 *Hofmannsthal verzichtet auf die sachliche Auffächerung des* Verderbens *in »Tod« oder »Verbannung«, die bei Sophokles ausgeführt wird, ebenso in* V. 544/545.

155, 13–15 V. 541–543 *Das dreimalige beschwörende* Nein *und die beiden folgenden Verse versuchen in knapper Vereinfachung den breiten Ausruf der Greise V. 660–667 wiederzugeben.*

155, 21 V. 547b *Der kurze Ausruf steht statt einer dreizeiligen Erwiderung (V. 673–675), die auf das Verhalten des Ödipus hinzielt.*

155, 28–29 V. 550–551 *Anstelle des Zwischenstücks, in welchem der Chor mit Jokaste und Ödipus in Wechselrede tritt (V. 680–697), übernimmt Hofmannsthal nur den V. 680, läßt aber auch ihn von den Greisen untereinander sprechen, ohne die Wendung zu Jokaste hin zu vollziehen. An diesen kurzen Zwischenvers der Greise schließt sich dann sogleich das Zwiegespräch zwischen Jokaste und Ödipus an.*

155, 31–156, 2 V. 552–555 *Der Rhythmus dieser Verse von unterschiedlicher Länge ist frei gestaltet. Doppelsenkungen, trochäische, ja auch spondeische Elemente werden zugelassen. Der Inhalt der zugrunde liegenden Verse 698–702 ist auf wesentliche Bestandteile reduziert, die sich in Einwürfen und asyndetisch gereihten Kurzsätzen darbieten.*

156, 4–5 V. 556–557a *Im Gegensatz zur vorangehenden äußersten Straffung weitet Hofmannsthal in diesen und den folgenden Versen jeweils einzelne Zeilen des Sophokles aus. Dabei offenbaren diese Längungen psychologisches Gespür: Dem Ödipus stockt* *die Zunge angesichts der Ungeheuerlichkeiten des Vorwurfs, den er wiederholen soll. Zweimal setzt er deshalb an und kann die Sache auch nur indirekt in einem abhängigen Nebensatz aussprechen, während sie ihm bei Sophokles anstandslos über die Lippen kommt.*

156, 6–8 V. 557b–559 *Bei Sophokles V. 704 stellt Jokaste eine einfache konkrete Frage; bei Hofmannsthal fällt sie Ödipus ins Wort, ungeduldig häuft sie Frage auf Frage, wie von Wissens-Angst getrieben.*

156, 13–33 V. 562–582 *Jokastes Rede folgt streckenweise nahezu wörtlich der Version Hartungs, mit kleinen Kürzungen (V. 714–724) und Umformungen.*

156, 17 V. 566 *Die Einschränkung, die Jokaste an dieser Stelle bei Sophokles V. 711/712 macht, daß die Weissagung nicht vom Gott selbst, sondern nur von dessen Diener gekommen sei, übergeht Hofmannsthal. Jokaste selbst nimmt ja bei Sophokles später ebenfalls davon Abstand.*

156, 19–21 V. 568–570 *Die direkte Aussage der Jokaste wird bei Hofmannsthal zur Frage. Die Wiederholung des Begriffes* fremd *sowie der Zusatz* eines Nachts *(vgl. dazu* V. 671*) sind bei Sophokles nicht vorgebildet.*

156, 20 V. 569 *Die Wiedergabe der sophokleischen Junktur* ἐν τριπλαῖς ἁμαξιτοῖς *(V. 716) im Deutschen ist schwierig. Es handelt sich, wie aus der späteren Schilderung durch Jokaste (V. 733/734 =* 590/591*) hervorgeht, um eine Wegegabelung: Der Weg von Theben spaltet sich in den nach Delphi und nach Daulia. Alle drei Wege sind mit Wagen befahrbar. Die Übersetzung Thudichums und Wilbrandts mit »Dreiweg« mag anderen Versuchen gegenüber angemessen erscheinen; um einen* Kreuzweg, *wie Hofmannsthal schreibt, handelt es sich hier jedenfalls nicht. Hofmannsthal stimmt bei dieser Übersetzung, die bei Hartung durch »gekreuzte«, bzw. »dreigekreuzte Wagenbahn« (V. 710, 730) vorgeprägt ist, mit einem so versierten Kenner wie Wilamowitz überein. In den Szenenbemerkungen zu Beginn von* Ödipus und die Sphinx *hatte Hofmannsthal den Ort allerdings richtig mit* Dreiweg *benannt (im Text* V. 71 *wird dann aber auch wieder von* Kreuzweg *gesprochen). Aus diesen Bühnenbemerkungen stammt dann auch die hier auftauchende Bezeichnung der Gegend als* im fremden Wald *gelegen, wofür Sophokles selbst keinen Anhaltspunkt gibt.*

156, 22–26 V. 571–575 *Die Schilderung folgt der Darstellung bei Sophokles, wo Jokaste auch den Laios als Allein-Täter hinstellt (V. 717–718). Der Hirt berichtet allerdings später in V. 1173, daß sie selber es gewesen sei, die ihm das Kind übergeben habe. Hofmannsthal ändert an der entsprechenden Stelle (*V. 1009f.*) den sophokleischen Text und paßt die Worte des Hirten denen der Jokaste an. Auch in* Ödipus und die Sphinx *ist Jokaste aktiv nicht an der Tat beteiligt (vgl. S. 72, 50; S. 74, 32).*

156, 33 V. 582 Das Bild vom Schleier, das Hofmannsthal dem Urtext hinzugefügt hat, evoziert den Mythos vom Verschleierten Bilde zu Sais.

156, 35–37 V. 583–585 Die abstrakten Wendungen, die Sophokles (V. 726/727) dem Ödipus in den Mund legt, werden von Hofmannsthal in kühnen Bildern konkret gemacht. Die Anadiplosis des Versbeginns steigert den Eindruck des plötzlichen Schrecks, der Ödipus dazu treibt, von Jokaste Einzelheiten des Mordes zu erfragen.

157, 4 V. 587 Vgl. oben zu V. 569.

157, 10f. V. 590f. Daß der Weg nach Daulia, einer in Phokis am Ostfuß des Parnass auf steilem Bergrücken gelegenen Stadt, ans Meer führe, hat Hofmannsthal ebenso hinzugesetzt wie die Bemerkung, daß es sich um einen nach, bzw. von Delphi führenden Hohlweg handelt. Das letztere ist eine Anspielung auf die erste Szene von Ödipus und die Sphinx; das erstere womöglich ebenfalls dieser genannten Szene angepaßt (vgl. dort S. 11, 8; 12, 6ff.). Im übrigen folgt Hofmannsthal hier allenthalben der Hartungschen Version in der Wahl seiner Ausdrücke und Wendungen.

157, 29–31 V. 602–604 Unter meist wörtlichen Anklängen an Hartung schafft Hofmannsthal eine neue Formung des sophokleischen Inhalts: Der Satzverlauf wird gestaut, und Ausrufe sprengen den syntaktischen Rahmen, zum Zeichen der Angst, die weit über die sophokleischen Aussagen hinweg zum bestimmenden psychologischen Element dieser und der folgenden Verse wird (vgl. V. 604, 605, 608). Zum Bild vgl. V. 329f.

158, 23–30 V. 617–624 Die Worte der Jokaste sind bis auf geringfügige Änderungen, teilweise nur unter Kürzung der 6. Hebung, von Hartung entlehnt. Zugefügt ist die Geste des ans Gewand-Fassens, die ja schon zuvor in einer Regieanweisung zu V. 493 aufgetaucht war (auch in Ödipus und die Sphinx gilt sie als Ausdruck inständigen Bittens; vgl. S. 53, 12f.; 112, 5).

158, 32 V. 625 Dieser syntaktisch dreigeteilte Vers ist Hofmannsthals eigene Version innerhalb der eng an Hartung sich haltenden Partie. Dessen Übersetzung »Und ging' es, daß er käm' in Bälde her zu uns?« war zu behäbig, um den Ablauf der sich überstürzenden Worte zu gewährleisten, den Hofmannsthal anstrebt.

159, 11 V. 633 Hofmannsthal greift, abweichend von Hartung, auf die Grundbedeutung von ἐλπίς zurück (V. 771). Daß Ödipus aber in diesem Zusammenhang von Hoffnungen spricht, erscheint als Mißgriff im Ton der Übersetzung, selbst unter dem Gesichtspunkt der wörtlichen Nähe zu Sophokles an dieser Stelle und bei V. 702/705 (= 835f.); denn Hoffnung hat, im Gegensatz zum Griechischen, wo ἐλπίς ambivalent ist, im Deutschen eindeutig semantisch positiven Wert.

159, 10–161, 4 V. 632–702 Dieser lange Bericht des Ödipus über seine Vorgeschichte folgt im ganzen eng dem Urtext. Auch die Formulierungen der Hartungschen

Übersetzung werden wieder auf weiten Strecken für Stilwert und Wortwahl bestimmend. Allein, Hofmannsthal hatte außerdem auf sein Drama Ödipus und die Sphinx *Rücksicht zu nehmen. Dort auftauchende Elemente, die von der sophokleischen Fassung abweichen, mußten daher hier beachtet werden. Formal ist diese Passage streng gebaut. Bis auf wenige 6-Heber, die auf der wörtlichen Übernahme von (*V. 669*) oder der großen Nähe zu Versen aus Hartungs Version (*V. 652*) beruhen, ist der reine Blankvers eingehalten.*

159, 19–25 V. 641–647 *Bei Sophokles heißt es in V. 781/782 nur, daß Ödipus, schwer betroffen wie er war, sich an diesem Tage, da der Vorwurf gegen ihn laut wurde, kaum habe zügeln können. Der Fortgang in V. 782/783 zeigt, daß damit allein das ungeduldige Verlangen nach Aufklärung gemeint ist, welches Ödipus dennoch bis zum Morgen zu bändigen vermochte. Ganz anders bei Hofmannsthal: Die Entrüstung über den Vorwurf, Findelkind zu sein, wird zur besinnungslosen Tat. Ödipus erschlägt den trunkenen Zechkumpanen, den Sophokles in seine Reaktion gar nicht mehr einbezogen hatte. Auch wartet Ödipus nicht mehr bis zum Morgen; noch in der gleichen Nacht stellt er die Eltern zur Rede. Die Schilderung der Tat und ihre Einführung an dieser Stelle der sophokleischen Tragödie beruht auf* Ödipus und die Sphinx, *wo der Totschlag im 1. Aufzug als Teil der Vorgeschichte von Ödipus berichtet wird (S. 19,25–S. 21,30).*

159, 21 V. 643 *Das hier benutzte Wort* eingeschmuggelt *bringt einen pejorativen Gefühlswert mit. Hofmannsthal hat das Wort von Hartung übernommen, der an dieser Stelle in den griechischen Text eingreift und das in V. 780 überlieferte* καλεῖ παρ' οἴνῳ *(er ruft beim Wein) zu* καλεῖ 'μπολητόν *(=* ἐμπολητόν, *er nennt mich eingekauft, bei Hartung: eingeschmuggelt) ändert (vgl. Hartungs Commentar S. 220).*

159, 25–29 V. 647–651 *Der Hinweis auf die* Wahrheit *bei Hofmannsthal ist ein neues Zugeständnis an* Ödipus und die Sphinx, *wo es heißt:* schworen sie mir's zu, daß ich ihr Sohn bin *(S. 21, 21f.). Auch die folgende (Sophokles übertreffende) Schilderung der elterlichen Liebesbezeugungen nimmt dort vorgegebene Elemente auf.*

159, 32–34 V. 654–656 *Sophokles nennt nur die lapidare Tatsache: Ich zog, ohne Wissen von Vater und Mutter, nach Delphi (V. 787). Hofmannsthals Verse aber nehmen wörtlich Bezug auf* Ödipus und die Sphinx, *wo es heißt (S. 22, 5ff.):* So mußte ich dorthin, wo aus dem Schoß der Erde Wahrheit bricht in Feuerströmen und aus dem Mund der Priest'rin sich ergießt. So fuhr ich gegen Delphoi.

160, 3 V. 663 *Hier liegt ebenfalls ein* Ödipus und die Sphinx *(vgl. S. 13, 20ff; 35ff.) entnommenes Motiv zugrunde.*

160, 11 V. 671 *Der Hinweis auf den* Abend *als Zeit der Tat, die schon in* V. 570 (eines Nachts) *erwähnt worden war, folgt dem Vorgang in* Ödipus und die Sphinx; *dort stößt Ödipus* in tiefer Dunkelheit *(S. 36, 20) auf Laios. Mit* Kreuzweg *(s. oben zu* V. 569) *übernimmt Hofmannsthal an dieser Stelle Hartungs Version (V. 801).*

160, 12–17 V. 672–677 *Die Erzählung der Tat ist auf wenige Motive zusammengedrängt. Sie orientieren sich weniger an der Darstellung bei Sophokles als an der in* Ödipus und die Sphinx. *Von dort werden übernommen die Erinnerung an die Beschimpfungen des Ödipus und der Versuch des Herolds, ihn zu schlagen und zu fesseln (S. 37f.). Hofmannsthal begnügt sich dann mit der einfachen Feststellung des lapidar wiederholten* erschlug ich *samt der bloßen Aufzählung der Erschlagenen. Fast alle bei Sophokles vorgebrachten Details der gegen Ödipus angewendeten Gewalt von seiten des Wagenlenkers und des Laios (V. 805, 807ff.), die eine Notwehr-Situation beschreiben, fehlen hier.*

160, 19–161, 4 V. 678–702 *Diese Verse schließen sich außerordentlich eng an Hartung an. Bis auf wenige Änderungen und Straffungen ist meist nur die Verteilung der Worte innerhalb der Verse geändert, um Blankverse zu erhalten, was freilich in* V. 693 *nicht einmal geschehen ist.*

160, 37–39 V. 696–698 *Hofmannsthal geht teilweise über Hartung, dessen* Spiel *er noch berücksichtigt hatte, auf den Urtext zurück, wenn er vom* Dämon *spricht* (V. 697 = *828). Die im nächsten Vers bei Hartung angerufenen »heil'gen Himmelsmächte« (Sophokles spricht von der »reinen Heiligkeit der Götter« V. 830) formt Hofmannsthal zu einem unbestimmten Element, zu einem ins Mystische weisenden namenlosen Dämonisch-Göttlichen, das zuvor in* V. 388 *oder später in* V. 737 *und* V. 1158 *als das* Etwas *auftaucht, in ebender Funktion und Macht, die ihm auch in* Ödipus und die Sphinx *an entsprechenden Stellen zugewiesen wird (vgl. S. 11, 19; 47, 19; 111, 13f.).*

162, 2–3 V. 728–729 *lehnen sich an die Version Wilbrandts (S. 68) an: »Mich kümmern keine Sehersprüche mehr«.*

162, 5 V. 730a *Den Satz des Sophokles (V. 859): »gut, richtig, denkst du« ändert Hofmannsthal hier ins Ambivalente. In den Worten steckt sowohl Zustimmung als auch ein bei Sophokles fehlendes Moment der Distanz.*

162, 7 V. 731b *Noch einmal versucht Jokaste durch diesen Zwischenruf, den Hofmannsthal in den sophokleischen Vers 800 einschiebt, ihren Gatten von der weiteren Nachforschung abzuhalten.*

162, 16–163, 24 V. 734–768 *Diese Verse geben das 3. Chorlied des Sophokles wieder. Alle schon bei den vorangegangenen Chorpartien erwähnten Merkmale der Hofmannsthalschen Bearbeitung treten auch hier zutage. Nur ist das Lied noch stärker als Dialog gestaltet und in Einzelteile aufgelöst, die von den Greisen gespro-*

chen werden. Als neues und in der gesamten Übersetzung einmaliges Element wird auch der Reim eingeführt, ein Kunstmittel, das die besondere Bedeutung und Stellung des Liedes innerhalb des Ganzen zu betonen geeignet ist. Wie sich ja hier überhaupt eine unter allen anderen Chorpartien hervorragende stilistische Feinarbeit durch Hofmannsthal kundtut, die das Stück zu einem der gelungenen und eigensten Teile der Übertragung im Sinne einer Umdichtung macht. Dabei vernachlässigt Hofmannsthal teilweise die 1. Strophe mit der persönlichen Bitte des Chores, selber die göttlichen Gesetze stets wahren zu können, und beschränkt sich fast ausschließlich auf Aussagen und Motive der 1. Gegenstrophe sowie der ganzen 2. Strophe. Wörtliche Übernahmen aus Sophokles und damit aus Hartung sind spärlich, da Hofmannsthal völlig frei mit den Motiven schaltet, die er neu zusammenstellt.

162, 20–22 V. 737–739 *beziehen sich mit* Etwas *als der unbestimmten dämonischen Macht offenbar auf die Verse, in denen Sophokles vom göttlichen Gesetz spricht (V. 865ff.).*

162, 23–26 V. 740–742 *Mit* Unzucht *übersetzt Hofmannsthal das zweimal betont am Versbeginn stehende sophokleische* ὕβρις *(V. 873/874).*

162, 28 V. 744 *schließt sich an eine Prägung Hartungs (»schwindelnde Anhöh'« V. 876) an, auf die er auch in seinem Commentar S. 225 eingeht.*

162, 29 V. 745 *formt den sophokleischen Vers 878 um (»wo ihm der Fuß zum Gebrauch unbrauchbar ist«).*

162, 30–31 V. 746–747 *nimmt das Element des Absturzes aus V. 877 in der Version Hartungs auf, während die Aufzählung in* V. 747 *auf dessen Wendung von der »schroffen Not« zu beruhen scheint.*

163, 1 V. 751 *enthält in nuce den Gedanken vom Hoffärtigen, der bei Sophokles die Verse 884ff. füllt.*

163, 3–4 V. 753–754 *geht auf »Ruhm und Ehre« zurück, mit dem Hartung* τίμιαι *(V. 895) im Bezug auf die Taten der Überheblichen übersetzt hatte.*

163, 5 V. 755 χορεύειν *(V. 896), den religiösen Chor im Dienste der Götter tanzen, wird in Anlehnung an Hartungs modernisierende Übersetzung zum konkreten und dem heutigen Zuschauer verständlichen* opfern.

163, 7–9 V. 756–758 *greifen auf den Schluß des Liedes V. 906–910 zurück.*

163, 13–17 V. 760–763 *Hier finden Elemente der Verse 896–900 z.T. wörtliche Aufnahme. Mit* Nabel der Erde *ist Delphi gemeint, wo ein Stein in abgestumpfter Kegelform, der von dieser Form her den Namen* ὀμφαλός *(= Nabel) trug, als Mittelpunkt der Erde heilig verehrt wurde. Das* delphische Haus *ist daher nur umschriebene Wiederholung der ersten Ortsangabe; sie steht anstelle des »olympischen Tempels«, den Sophokles in V. 900 anführt. In* Abä *im Lande Phokis befand sich ebenfalls ein berühmtes Orakel des Apollo, das sogar für älter als das delphische gehalten wurde.*

163, 31–33 V. 769 *Bei Sophokles tritt Jokaste, ebenso wie Ödipus oder Kreon im Anschluß an das 1., bzw. 2. Chorlied, ohne vorherige Ankündigung auf. Hier wie dort beseitigt Hofmannsthal diesen ›Mangel‹ mit Hilfe von immer ausführlicher werdenden Bühnenanmerkungen, in welche hier die sachlichen Andeutungen eingehen, die Jokaste in den drei ersten Versen ihrer Rede (V. 911–913) macht. Überdies schiebt Hofmannsthal – wie schon bei Kreons Auftritt in* V. 423 *– einen Vers ein, der das Erscheinen der Protagonistin begleitet.* 5

163, 35–164, 4 V. 770–775 *Der erste Satz der Jokaste faßt den bei Sophokles in V. 914–917 mit äußeren Beispielen geschilderten inneren Zustand des Ödipus prägnant zusammen, wobei Hofmannsthal einen Vers aus* Ödipus und die Sphinx *variiert, den dort der Knabe gegenüber Kreon ausspricht:* Herr, deine Seele ist krank, mein König *(S. 62, 13f.). Auch die Wendung an die Götter – bei Sophokles an Apollon – wird von Hofmannsthal ins Allgemeine gehoben und u.a. um die Elemente gekürzt, die aus den Szenenanmerkungen zu entnehmen sind. Das Bild des Staatsschiffs ohne Steuermann, das Sophokles in einem Verse (923) gegeben hatte, erweitert Hofmannsthal um den Zug des* Sturmes *und der* Nacht. 10 15

164, 6–167, 12 V. 775b–844 *Im Gespräch zwischen dem Boten, Jokaste und Ödipus folgt Hofmannsthal genau dem Urtext, bzw. der Hartungschen Übertragung. Nur einzelne Verse sind gekürzt oder gestrichen; manche Wendungen enthalten eigene Gedanken und Ausformungen: so etwa die um mundart-ähnliches, biederes Kolorit bemühte Anrede des Boten in* V. 775b *(die Wiederholung des Verbums* sagen *in* V. 776 *und* 778 *war, wenn auch nicht bei Sophokles, so doch bei Hartung vorgegeben), zu der auch seine Antwort in* V. 809/810 *paßt, die ebenso verkürzt ist wie die direkte Antwort in* V. 796. *Diese Antworten treten jeweils an die Stelle umständlicher Formulierungen bei Sophokles V. 944 und V. 958/959, der mit ihnen freilich auch einen stilistischen Zug hatte einbringen wollen. Hofmannsthal gehört ferner die in Ton und Stilwert merkwürdig anmutende Aussage der Jokaste in* V. 787b *(*von wo kommt's hergeschwebt?*); der Versschluß von* 807; *die Aufzählung der Mädchennamen als Versuch der Individualisierung im Sinne der späteren Berichte der Mägde und der verknappte Befehl an sie (*V. 797/798*). Vers* 803a *trägt außerdem ein zuvor in der Jokaste-Rede vernachlässigtes Detail (V. 915f.) umschreibend nach. Die Vogelschau (V. 965f.) wird verallgemeinernd zum* Zeichen *(*V. 817*), während in* V. 825, *besonders aber in* V. 833f. *und* 837 *erneut der Zug zu einer Bild-Sprache gerade dort hervortritt, wo Sophokles im Abstrakten verharrt. Eingeschoben werden andererseits auch rein abstrakte, merksatzartige Aussagen in* V. 835 *oder* 838/839a. 20 25 30 35

165, 8 V. 797 *Die Mädchen tragen Namen, die nicht aus dem Bereich der Tragödie, wohl aber aus dem der Komödie oder der Mythologie stammen (vgl. dazu Pape, Wörterbuch der griechischen Eigennamen, s.v.).* Rhodope *(Rosa) heißt im Mythos eine Okeanide; außerdem ist der Name als der einer Hetäre bekannt.* Kalirrhoe *(Schönfluß, Schönbrunn) ist sprechender Name zahlreicher Quell- und Flußnymphen* 40 *(so auch bei Homer und Hesiod). Auch nennt eine Inschrift eine Priesterin der Artemis in Theben mit diesem Namen.* Pannychis *(Nachtfeier) ist, ebenfalls sprechend, Name von Hetären, in welcher Eigenschaft er im Titel mehrerer antiker Komödien auftaucht.*

165, 15: *Die Bühnenanmerkungen bei des Ödipus Auftritt bestimmen das Maß der inzwischen eingetretenen Dunkelheit. Mußten schon bei Jokastes Erscheinen die Opferflammen Licht spenden, kommt jetzt ein Fackelträger mit heraus.*

166, 9 V. 816 *Vgl. zu* V. 53–55.

166, 15 V. 822 *In der ersten Fassung dieses Verses hatte Hofmannsthal Hartungs Wortlaut beibehalten:* er müßte denn an meinem Wunsch gestorben *(»verblichen« bei Hartung)* sein. *Er war damit Hartungs Fehler zum Opfer gefallen, in scheinbar wörtlicher Übersetzung des sophokleischen* τὠμῷ πόθῳ *(V. 969) das possessive Pronomen* ἐμῷ *in subjektiver (durch meine Sehnsucht) anstatt in objektiver Abhängigkeit (durch Sehnsucht nach mir) wiederzugeben; vgl. oben S. 690, 33.*

167, 14–170, 24 V. 845–905 *Das Wechselgespräch zwischen Ödipus und dem Boten aus Korinth hält sich eng an Sophokles und die Hartungsche Übersetzung; manche Anklänge an die Version Wilbrandts sind zu beobachten. Die Abweichungen zeigen sich vor allem im Formalen: Auflösung der strengen Stichomythie durch Halbverse (*872, 893, 900, 903*); Einfügungen mehrzeiliger Gesprächsteile (*V. 859–861, 871/872, 891b–893a, 895–897*) sowie das beinahe überall als Stilmittel benutzte Enjambement beim Wechsel der Sprecher. Der Blankvers ist durchgängig beibehalten.*

167, 10 V. 843 *Hier weicht Hofmannsthal von Hartungs Übersetzung ab, der, wie zahlreiche andere Übersetzer, das griechische* ὀφθαλμός *(Auge) in V. 987 mit »Licht« wiedergibt. Das Griechische scheint diese Bedeutung jedoch nicht zu enthalten; es bietet in übertragenem Gebrauch, für uns seit Pindar greifbar, eher die Begriffskomponente all dessen, was das Auge mit Freude sieht, dessen also, was schön und köstlich, was angenehm ist. An unserer Stelle muß dann die Nuance von Labsal, Trost angesprochen sein, auf die Hofmannsthal – vielleicht in Anlehnung an Wilbrandt (S. 73) – abhebt; »Trost« auch bei Hartung in Vers 986 als Übersetzung von* καλῶς λέγειν.

167, 25 V. 851 *Hofmannsthal meidet den mythischen Beinamen des Apollon ›Loxias‹, mit dem Sophokles den Gott an dieser Stelle (V. 994) belegt, zugunsten einer konkreten Anspielung auf den Sitz des Gottes.*

168, 11 V. 865 *Die Inkonsequenz, hier von den Eltern zu reden, obwohl der Vater tot ist, liegt schon bei Sophokles V. 1007 vor.*

168, 19 V. 869 *Den Satz des Sophokles (V. 1011): »Aus Angst, daß Phoibos mir gegenüber recht behält«, verkürzt Hofmannsthal um die mythologische Komponente; er wiederholt aber das psychologische Element der* Angst *in doppelter Steigerung.*

168, 24 V. 872a *Die Anrede* Vater *stammt von Hartung; bei Sophokles V. 1013 ist »Alter« zu lesen, ähnlich wie in V. 1009, wo Hofmannsthal (*V. 867*) dem Original gefolgt war.*

168, 25–27 V. 872b–874a *ziehen die beiden Dialog-Verse des Boten (V. 1014 und 1016) zusammen; der Zwischenvers des Ödipus (V. 1015) ist getilgt; ebenso die Bekanntes wiederholenden Verse 1017–1019, die die Ungläubigkeit des Ödipus vor der Aussage des Boten beschreiben. Erst V. 1020 wird dann von Hofmannsthal wieder mit* V. 875b/876 *übersetzt.*

169, 14 V. 884 Kithäron *(Kithairon), ein waldiges Grenzgebirge zwischen Böotien und Attika.*

169, 17/22 V. 885/888 *Die eigenwillige Übersetzung* Senne *für den Hirten griechischer Berg-Herden ist von Hartung entlehnt; ebenso die Wendung* lieber Sohn *in* V. 888 *als Version von* ὦ τέκνον *(V. 1030).*

169, 23–26 V. 888b–890 *Die Worte des ersten Verses erinnern an Wilbrandts Übertragung: »Fandest Du mich in Not und Elend?« (S. 76), die folgenden an seine Junktur »die Gelenke deiner Füße« (S. 77).*

169, 29 V. 891b–895 *Anspielung auf den Umstand, daß Laios seinem kleinen Sohn die Knöchel durchbohren und die Füße zusammenbinden ließ, ehe er ihn aussetzte (vgl. oben* V. 573*). Von daher erhielt das Kind seinen Namen ›Ödipus‹, was ›Schwellfuß‹ bedeutet.*

169, 32–170, 3 V. 893b/895 *An dieser Stelle folgt Hofmannsthal der im Vergleich zu Hartung klareren Übersetzung Wilbrandts (S. 77). Im folgenden scheint zeitweilig eine Kontamination beider Übertragungen vorzuliegen.*

171, 1–15 V. 912–921 *Bei der Übersetzung dieser Partie hat sich Hofmannsthal weitgehend eigener Wendungen bedient, obwohl Wilbrandt (S. 78 u. 79) die deutlich erkennbare Grundlage für die Version der Verse* 915–917 *geliefert hat, während die Verse* 918/919a *von Hartungs Worten geprägt sind. Ab Vers* 922 *dominiert dann wieder die Hartungsche Übersetzung.*

171, 22–26 V. 924b–927 *Die Verse* 925b/926 *nehmen den Gedanken des übernächsten Verses bei Sophokles (V. 1069) vorweg, der aber dann in* V. 928/929 *noch einmal angeführt wird.*

171, 32 V. 929b *Diese beiden Worte sind auch bei Sophokles das eigentliche Schlußwort der Jokaste (*ἰοὺ ἰού, δύστηνε*). Was Sophokles sie sonst in den restlichen anderthalb Versen (1071/1072) sagen läßt, ist nur Umschreibung dieser Tatsache.*

172, 2–4 V. 930–932 *Die Worte der Greise formt Hofmannsthal eigenständig um. Bei Sophokles hatten sie die Beobachtung von Jokastes Schmerz und die Befürchtung eines ihr drohenden Unheils enthalten. Diese abstrakten Aussagen werden, wie häufig, auf ein konkretes Motiv hin verlagert, das dann den Gedanken bildhaft vergegenwärtigen muß.*

172, 6–13 V. 933–940 *Hofmannsthal kürzt den sophokleischen Text um die Verse 1081/1082a nach* V. 937a *und 1084b/1085a im Schlußgedanken, hält sich im übrigen aber weitgehend an den Wortlaut des Originals.*

172, 10 V. 937 *Die sophokleische Prägung* Sohn des Glücks *(παῖς τῆς Τύχης V. 1080) findet sich hier wohl zum ersten Mal in der abendländischen Literatur. Sie taucht bei Hofmannsthal auch in* Ödipus und die Sphinx *auf (S. 111, 3).*

172, 15–19 V. 941–945 *Die Verse nehmen das kurze 4. Chorlied der Tragödie (V. 1086–1109) auf. Die bei den drei anderen Liedern auch in der Hofmannsthalschen Fassung erkenntliche Abhebung vom reinen Sprechvers durch lyrische Elemente oder durch den Wechsel des Metrums fehlt hier; allein die Häufung der göttlichen Namen verleiht den Versen ein besonderes Kolorit. Wilbrandt hatte sie völlig gestrichen und nur einen dreizeiligen »notwendigen Übergang hergestellt« (vgl. das Vorwort seiner Übersetzung S. 17). Seiner Argumentation, daß hier, »auf uns widerstrebende Weise, der höchste Moment vor der Peripetie durch eine ans Ironische anklingende Vergötterung des Unglücklichen in die Länge gezogen« werde, scheint sich Hofmannsthal allerdings nicht grundsätzlich angeschlossen zu haben. Denn der »Vergötterung« des Ödipus widmet er diese Verse, die er nahe am Inhalt der Antistrophe des Originals entlangführt.*

172, 16 V. 942 mit einer *beruht auf dem sophokleischen Wort »wer ... von den Langlebenden« (τίς τῶν μακραιώνων, V. 1099), d.h. den Nymphen, die dann in V. 1108 noch einmal namentlich als die vom Helikon stammenden erwähnt werden, was Hofmannsthal beibehält. Da Ödipus im Kithäron-Gebirge von einem Hirten gefunden wurde, zählt der Chor nur solche Götter als möglichen Vater des Ödipus auf, die er in einen Zusammenhang mit Berg und Flur bringen kann. So steht an erster Stelle der typische Wald- und Hirtengott* Pan.

172, 17 V. 943 *Die anderen hier genannten Götter, die bei Sophokles mit Hilfe mythologischer Umschreibungen eingeführt werden, benennt Hofmannsthal nur mit ihren bloßen Haupt-Namen:* Apollon *anstelle von »Loxias« und* Bacchos *anstelle von »der bakchische Gott«. Er läßt in dieser Reihe Hermes, den »Herrn von Kyllene« (so Sophokles V. 1104), fort, und beruft sich statt dessen dreimal auf Bacchos, der ja als Sohn des Zeus und der Kadmos-Tochter Semele gleichsam ein ›einheimischer‹ Gott ist. Auch die Anspielungen auf das Berg-Motiv, das Sophokles jedem der Götter in einer Apposition beigegeben hatte, fehlen bei Hofmannsthal.*

172, 19 V. 945 Helikon, *der Sitz der Musen, ist der höchste Bergzug in Böotien; er gilt als altes Zentrum des Dionysos-(=Bacchos-)Kultes.*

172, 21–176, 31 V. 946–1022 *Die Stichomythie im Dialog zwischen Ödipus und dem Hirten wird von Hofmannsthal aus den formal strengen Bahnen, die sie bei Sophokles hat, gelöst, indem er die Struktur der Verseinheit – bisweilen an mehr als an einer Stelle (*V. 956, 1008*) – aufbricht und im Enjambement den Sprecherwechsel ins Versinnere verlegt, ohne jedoch – wie sonst in Szenen großer Bewegung – die Blankverse in ihrer schematischen Form des 5-Hebers anzutasten. Im Vergleich zu Sophokles zeigt sich auch hier das Bestreben, sich auf wesentliche Inhalte zu beschränken, so daß manche Verse ausgefallen (zwischen* V. 946–951 *die sophokleischen Verse 1110, 1112, 1113, 1115b/1116a, 1117b/1118 oder bei* V. 977 *V. 1143), andere zusammengezogen sind, vor allem bei den Worten des Ödipus, der seine zum Schluß hin atemlos gesteigerten Fragen abrupt in Halbversen hervorstößt und seinen Wissens-Furor dadurch dokumentiert, daß er die Antworten kaum erwartet und mit immer neuen Fragen zur Erhellung weiter vordrängt (vgl.* V. 956b, 958b, 990b/991a, 1009b, 1012b, 1014b*). Allein die Rede des Boten aus Korinth (*V. 963–975*) ist noch über den sophokleischen Text hinaus (V. 1132–1140) um die Verse* 970–972 *erweitert und dient in ihrer breit-behäbigen und übergenauen Ausführung als ein von psychologischer Charakterisierung geleitetes, stark retardierendes Moment. Auch die Bühnenanweisungen werden von Hofmannsthal in diesen Prozeß mit einbezogen. Der Gegensatz zwischen* Licht *und* Dunkel, *das allmähliche* Heraufdämmern *des Morgens stehen zeichenhaft im Dienste der Szene.*

176, 8–12 V. 1008–1010 *Vgl. oben zu* V. 571–575.

176, 28–31 V. 1019b–1022 *Während der Vers* 1020 *von der Übersetzung Hartungs beeinflußt zu sein scheint, lehnt sich Hofmannsthal in den Versen* 1021 *und* 1022 *eng an die Version Wilbrandts an.*

177, 2–13 V. 1023–1030 *Die Worte der Greise stehen anstelle des 5. Chorliedes bei Sophokles, das dort in zwei Strophen und Gegenstrophen die Verse 1186–1222 füllt. Sie entnehmen dem Ganzen nur den einen Gedanken an Glück und Elend des Ödipus, die als Beispiel für das allgültige Geschick des sterblichen Menschen gedeutet werden. Die Elemente des Religiösen, welche die Abhängigkeit des Menschen, sein Gebundensein an göttliche Mächte beschwören, bleiben unerwähnt. Die im Original behandelten Motive (ein wörtlicher Anklang ist nur in* V. 1028 *an V. 1210f. zu verzeichnen) werden frei umspielt und sind von der Darstellung im 2. und 3. Aufzug von* Ödipus und die Sphinx *bestimmt. Formal unterscheidet sich diese Passage dadurch, daß sie schlicht den* Greisen *ohne eine ersichtliche Verteilung der Verse auf Einzelsprecher zugeschrieben ist. Allerdings zeigt die Personenangabe* Alle *bei* V. 1029b, *daß Hofmannsthal auch hier eine Aufspaltung in Einzelrollen intendiert haben mag. In seinem Handexemplar der Hartungschen Übersetzung hatte er zu dieser Stelle (am Kopfrand von S. 143) angemerkt:* alte Männer, grausig zu dreien. *Max Reinhardt gibt demgegenüber in seinem Regiebuch an, daß hier stets »Alle« Greise sprechen sollen, während mit* Alle *bei* V. 1029b *»Masse und Chor« gemeint sind.*

Der Rhythmus, wie schon beim 1. bis 3. Chorlied, aus dem Geleise des Blankverses gelöst, wird von daktylischen, anapästischen und spondeischen Metren frei geprägt.

177, 2/3 V. 1023/1024 *In* Ödipus und die Sphinx *wird Ödipus bei seinem Erscheinen in Theben – noch vor der Rettungstat – als gottgesandter Held begrüßt und* Perseus, Herakles, Orpheus *genannt (S. 96, 21 u. ö.); welche drei Heroen für die Helfer der Menschheit gelten: Perseus als Bezwinger der Medusa, Herakles als Vollbringer seiner vielfachen Taten, Orpheus als der kundige Erfinder und Sänger. Das hier aufgenommene wörtliche Zitat* sie grüßen dich wie einen Gott *findet sich, nach der Tat, als Ausruf des Kreon; auch Jokaste, die mit dem Volk zusammen herbeigekommen war, spricht Ödipus als einen Gott an (s. S. 114, 2f.; 115, 5).*

177, 4/5 V. 1025/1026 *Das Motiv des* Glanzes *ist ebenfalls aus dem Schlußakt von* Ödipus und die Sphinx *übernommen (vgl. S. 117, 28f.); es klingt freilich auch in der Version an, die Hartung von V. 1201 gibt.*

177, 18–179, 16 V. 1031–1081 *Der Botenbericht über das doppelte Geschehen im Palast, der bei Sophokles als zusammenhängende Rede die Verse 1223–1296 umfaßt, nur von drei kurzen Einwürfen des Chores unterbrochen, ist von Hofmannsthal neu gestaltet worden. Er hat die Rolle des Boten in die von vier Mägden aufgelöst. Mit diesem formalen Kunstgriff wird eine Bewegung erreicht, die von den stauenden Einwürfen in die Verse hinein, dem atemlosen Redefluß, der zugleich jeweils vor dem Schrecklichen stockt, den Ausrufen und Wortballungen, den Anakoluthen, Ellipsen und Einschüben zur quälenden Höhe getrieben wird. Die strenge Größe im geschlossenen Formelement des antiken Botenberichtes ist zu einem gehetzten, expressiven Pathos aufgebrochen worden, das an die Stelle der objektiven Distanz des alten Berichtes die Subjektivität gestalteter Individuen rückt. Dem Inhalt des Originals ist Hofmannsthal weitgehend gefolgt. Er hat aber auch hier charakteristische Kürzungen vorgenommen. Dabei sind in erster Linie Eingangsrede und Schlußgnome des Boten (V. 1223–1231; 1280–1285) sowie sämtliche Bemerkungen des Chores gefallen (V. 1232/1233, 1236, 1286). Demgegenüber hat Hofmannsthal zahlreiche Elemente hinzugefügt, welche neben den retardierenden Einwürfen in* V. 1033, 1047b/1048, 1080b, 1081 *die Einzelheiten des grausigen Geschehens, besonders die des Selbstmords der Jokaste, mit einer ebenso großen Lust am sachlichen wie am psychologischen Detail konkret und lebendig vorführen. Alles Indirekte, das Sophokles hier bietet, ist geopfert: die weitläufigen Reflexionen des Boten und Details seiner Schilderung (V. 1234/1235a bei* V. 1031; *V. 1237b–1240 bei* V. 1032; *V. 1262, 1264) ebenso wie bestimmte Einzelzüge, selbst wenn sie das Verhalten Jokastes oder Ödipus' kennzeichnen (V. 1241; 1243 Haare raufen; 1244 Türe schlagen; 1246–1248 Gespräch mit Laios, sämtlich innerhalb der Partie* 1035–1042a. – *V. 1255 Bitte um ein Schwert; 1265 der Aufschrei des Ödipus). Sie sind geopfert im Dienste der dramatischen Spannung; sie sind aber auch geopfert um der Wirkung des direkten Wortes willen, das seine Kraft aus der Wiedergabe des Gesehenen gewinnt. Daher auch läßt Hofmannsthal die Magd das Ende der Jokaste miterleben (*V. 1042–1048*),* *während der Bote darin durch des Ödipus Dazwischentreten gehindert wird, wie er V. 1251–1253 bekennt, um dann mit der Schilderung von dessen Tun fortzufahren. Selbst die bei Sophokles nicht gegebenen Einleitungssätze der Magd* (V. 1033–1035 a), *mit denen sie ihre Anwesenheit begründet, leben in ihrer zerhackten Diktion von Emotion und Erregung.* 5

178, 8 V. 1049 *Wie bei* V. 1031 *wird auch hier das Wesentliche zuerst herausgeschrien, auf dessen Kenntnis man bei Sophokles noch 11 Verse warten muß (V. 1263f.), an welcher Stelle es dann auch bei Hofmannsthal wieder erwähnt wird* (V. 1059–1060).

178, 10–15 V. 1050–1054a *Die von Sophokles angeführten Details im Verhalten des Ödipus werden bei Hofmannsthal von den Mägden in subjektivem Empfinden wiedergegeben: Sie sind es, die ihre Eindrücke in Worte fassen* (V. 1050–1053, 1053–1054a). *Sophokles hingegen läßt den Boten, obschon Augenzeuge, doch in objektiver Berichtshaltung reden.* 10

178, 15–16 V. 1054b–1055 *Die bei Sophokles abhängige Rede wird ins Direkte umgeformt.* 15

178, 18–20 V. 1056–1057a *Die Reihenfolge dieser Verse hat Hofmannsthal im Vergleich zu Sophokles (V. 1258/1259) vertauscht.*

178, 21 V. 1058 *Anstelle des unbestimmten Ausdrucks »wie von jemand geleitet«* (ὡς ὑφηγητοῦ τινος *V. 1260), setzt Hofmannsthal das konkrete Bild, das den Ödipus als in eigener Aktivität und nicht als in Abhängigkeit von dämonischen Mächten handelnd zeigt.* 20

178, 22–26 V. 1060–1062a *Der antike Ödipus ist rasend in seiner Qual, er »brüllt fürchterlich« (V. 1265) seinen Schmerz heraus. Ganz anders der Hofmannsthalsche: So leidenschaftlich, so heftig, so aufbrausend er bisher war – jetzt, da er das Schlimmste weiß und sieht und erlebt, da wird er* sanft (V. 1062), ganz sanft (V. 1063). *Das Übermaß seiner Emotion ist erschöpft; und das letzte Aufbäumen der kommenden Tat vollzieht sich in äußerer Ruhe.* 25

178, 30–179, 1 V. 1065–1071a *Das Schreckliche, was die Mägde gesehen haben, will, anders als bei* V. 1031 *und* 1049, *nicht über ihre Lippen. Im Gegensatz zu Sophokles, bei dem der Bote gleich anläßlich der Erwähnung der Spangen von der Tat des Ödipus spricht, läßt Hofmannsthal die Mägde in* V. 1064 *abbrechen und das Nebenmotiv der Rede, die auch bei Sophokles in direktem Zitat angeführt wird, vorbringen.* 30

179, 1–7 V. 1071b–1077 *Noch jetzt, wo der Bote bei Sophokles zum zweiten Mal ungehemmt das Augenausstoßen beschreibt, stockt den Mägden die Zunge, sie setzen an, schweifen ab, setzen erneut an und berichten erst dann. Hofmannsthal hat dabei die Schilderung um diejenigen sophokleischen Elemente gemildert, die das Schreckliche* 35 *der Tat ins Gräßliche und Abstoßende steigern, indem sie sie in allen physischen Einzelheiten darstellen.*

179, 10 V. 1077b *ist von Hofmannsthal im Sinne eines überleitenden Anschlusses an die folgenden wörtlich von Sophokles übernommenen Verse (1287–1289) hinzugefügt* 5 *worden.*

179, 14/16 V. 1080b/1081 *Diese beiden Aussprüche sind die in direkte Rede gesetzten Worte, welche auf die Ellipse, die auch bei Sophokles vorgegeben ist, folgen: »er nennt unheilige Dinge, nicht auszusprechen mir« (V. 1290). Die folgenden sophokleischen Verse 1292–1294 gehen zum Teil (der gnomische Schlußsatz V.* 10 *1295–1296 bleibt unberücksichtigt) in die Regieanweisungen ein, die in ihren Grundzügen an die Wilbrandts zu dieser Stelle (S. 91) erinnern.*

179, 25–26 V. 1082–1083 *sind inhaltlich dem Schluß der folgenden Chor-Verse entnommen (V. 1305f.), wo die vier hier benutzten Verben vorgegeben sind, freilich in der im Aspekt verschobenen Aussage, daß der Chor eben noch vieles »fragen«,* 15 *»prüfen« (so in der Version Hartungs) und »bedenken« (»erwägen« bei Hartung) möchte. Aber ihn »schaudert«.*

179, 28–181, 2 V. 1084–1120 *Hofmannsthal hat den sophokleischen Text (V. 1308–1415) dieser Partie auf ein Drittel zusammengestrichen. Dabei fallen neben Verdeutlichungen bereits ausgesprochener Inhalte (z.B. bei* V. 1096/1097 *die Verse* 20 *1325/1326; bei* V. 1103b *die Verse 1335, 1337–1339; bei* V. 1110 *der Vers 1347) und allgemeiner Aussagen des Chores (V. 1336, 1356, 1367/1368) vor allem die Verwünschungen weg, die Ödipus gegen seinen Lebensretter (V. 1349–1355) und innerhalb der langen Rede (V. 1369–1415) gegen sich selbst ausstößt. Gerade hier greift Hofmannsthal einschneidend in den Bestand des Textes ein: Den 37 Versen* 25 *entnimmt er nur Einzelmotive, die er in 8 Zeilen zusammenfaßt. Hier wie auch in den weiteren von Sophokles übernommenen Sätzen lehnt er sich eng an Hartung an, was besonders deutlich innerhalb der Verse* 1090–1095 *zum Ausdruck kommt.*

180, 3–5 V. 1093–1095a *Bei Sophokles bleiben diese Verse im sachlich-realen Bereich ohne jeden Zug zum Metaphorischen (V. 1316/1317): »wie sind der Stich* 30 *dieser Stacheln« (d.h. der Spangen, die Ödipus demnach hier noch in Händen halten soll) »und die Erinnerung des Unheils zugleich in mich eingedrungen«. Bereits bei Hartung sind sie ins Metaphorische gerückt: »durchbohren mich die Dolche dieser Schmerzen und die Erinnerung«. Von dort geht Hofmannsthal seinerseits aus und stellt die Leitbegriffe in einer Synallage um.*

35 ***180, 6–7*** V. 1095–1096 *Die bei Sophokles allein auf Ödipus bezogenen Verse (1319–1320) werden von Hofmannsthal, entgegen seiner sonstigen Gepflogenheit, zu einer kurzen, allgemeingültigen Aussage der Greise.*

180, 12–13 V. 1098–1099 *Der hier bei Hofmannsthal ungenannte, in eine religiös-übermenschliche Beziehung gerückte* wer *ist bei Sophokles V. 1328 »ein Dämon«* 40 *(*τίς δαιμόνων*).*

180, 19–22 V. 1104–1107 *Mit diesen Sätzen zieht Hofmannsthal ein Motiv aus dem Beginn der folgenden Rede des Ödipus vor. Die Verse, die er – wie die Handschrift H zeigt – erst als Spätvariante an dieser Stelle eingefügt hat, nehmen auf die Zeilen 1371/1372 (Vater) und 1375/1376 (Kinder) Bezug; eine Begegnung mit der Mutter, die Sophokles in V. 1373 nennt, erwähnt Hofmannsthal nicht.*

180, 23 V. 1108 *Nach dem Einschub setzen diese Verse wieder beim unterbrochenen sophokleischen Gedankengang ein (V. 1340–1346a). Die Anapher des Verbums ist bei Sophokles mit dem doppelten* ἀπάγετ᾽ *vorgebildet (V. 1340f.). Die in Hartungs griechischen Text übernommene Konjektur* τὸν ὄλεθρον *anstelle des in den Sophokles-Handschriften überlieferten* τὸν ὀλέθριον *(den ganz Verderblichen) kommt auch in seiner Übersetzung »dies Große Verderben« zum Tragen. Dem schließt sich Hofmannsthal an.*

180, 24 V. 1109 *Die sophokleische Wendung »der den Göttern verhassteste der Sterblichen« (V. 1345/1346) wird in assoziativer Anlehnung an Hartungs Version, der* θεοῖς *mit »dem Himmel« wiedergegeben hatte, umgestaltet.*

180, 28–29 V. 1111–1112 *Diese Verse entsprechen in wörtlichem Anklang an Hartung den Zeilen 1373b/1374 bei Sophokles.*

180, 30–181, 2 V. 1113–1120 *Die kurze Regieanweisung steht an der Stelle eines Einschubs, den Hofmannsthal aus inhaltlichen Motiven und wörtlichen Zitaten aus der Rede des Ödipus zusammengefügt hatte. Diesen Einschub (s. oben S. 688, 8) hatte er in den Erstdruck noch aufgenommen, für den Buchdruck aber ersatzlos gestrichen. Nach der Tilgung beschränkt sich Hofmannsthal (auch in der gestrichenen Partie waren zahlreiche Elemente der sophokleischen Rede unberücksichtigt geblieben, während andererseits Details der Schilderung aus* Ödipus und die Sphinx *Eingang gefunden hatten) allein auf das Motiv der Inzest-Verbindung mit der Mutter, das Sophokles in den Versen 1403bff. ausgeführt hat, sowie auf den Wunsch der Vertreibung oder Vernichtung (V. 1415b–1420).*

181, 8 V. 1123a *Die Worte entsprechen dem Halbvers 1419a des Sophokles; die dort folgenden zweieinhalb Verse der Reflexion sind übergangen.*

181, 9–184, 16 V. 1123b–1210 *Die Schlußszene folgt weitgehend dem Urtext in seiner Prägung durch Hartung (V. 1422–1530). Nur wenige Partien sind gestrichen: so nach* V. 1161 *in der Bitte für die Kinder der Hinweis auf die Söhne, der in 2 D noch gedruckt war (s. oben S. 688, 30); nach* V. 1167b *die Verse 1468–1471; ferner die erneute Schilderung der eigenen Greuel durch Ödipus im Anschluß an* V. 1176 *(1481–1485); ein Teil der Klage um das weitere Schicksal der Töchter (nach* V. 1177b *die Verse 1488–1492; auch V. 1507/1508 nach* V. 1193b*); die Bekräftigung heischende Wiederholung der Bitte an Kreon (V. 1516/1517 nach* V. 1196*) sowie diejenigen Teile der Wechselrede, die sich in allgemeinen Wendungen bewegen (V. 1516–1517; 1520b–1521a); außerdem ist der Vers 1527 im Schluß-*

wort samt der Endgnome (V. 1529/1530) gefallen. Statt dessen sind nur die Hinweise auf den Aufgang der Sonne in V. 1198/1199 *hinzugetreten. Innerhalb der Umformung vorgegebener inhaltlicher oder syntaktischer Elemente sind allein die Verse* 1158–1160 *bedeutsam. Sie enthalten im Sinne der schon zuvor beobachteten (vgl.* V. 388; V. 737*) Umgestaltung des Religiösen zum Mystisch-Dämonischen hin erneut den Gedanken an das unergründliche* Etwas, *das des Ödipus Schicksal bestimmen wird, und das Sophokles in V. 1458 die* μοῖρα *nennt. Im übrigen sind so anschauliche Bilder wie die bei* V. 1178–1180 *oder der kräftige Ausdruck* welken (V. 1187) *schon bei Hartung vorgeprägt.*

181, 12–14 V. 1126–1128 Helios, *der Sonnengott, darf vom Anblick keines Greuels befleckt werden. Mörder, Verbrecher, alle Täter ruchloser Taten müssen vor ihm sich verhüllen oder von anderen verhüllt werden; eine religiöse Bestimmung, die an zahlreichen Beispielen in der antiken Literatur abzulesen ist (vgl. etwa Euripides, Herakles 1231; Iphigenie in Tauris 1207).*

181, 17 V. 1131 *Bei Sophokles wird in dieser Elementengruppe nur der Regen (hier stellvertretend für das Wasser) »heilig« genannt (V. 1428); doch ist der Gedanke, daß auch die anderen Elemente ›heilig‹ (*ἱερός*) seien, durchaus griechisch: Hesiod nennt das Licht (*φῶς*, Werke und Tage 339), Sophokles die Erde (*γῆ*, Philoktet 707) heilig.*

181, 19 V. 1133 *Nur für Verwandte ist es fromme Pflicht, die Greuel des eigenen Geschlechtes mitanzusehen, während sich ein Fremder aus Furcht vor der Befleckung (vgl. oben* V. 1126ff.*) einem derartigen Anblick entziehen soll.*

182, 17–21 V. 1156–1160 *Mit diesen Versen, die dem Inhalt der Zeilen 1455–1458 des Urtextes entsprechen, hatte Sophokles auf die attische Sage angespielt, daß Ödipus endlich nach langen Jahren im Hain der Eumeniden zu Kolonos Aufnahme gefunden habe und am Ende seiner Tage von der Gottheit entrückt worden sei. Anders als Sophokles, dem damit wohl schwerlich schon sein erst mehr als zwanzig Jahre später geschriebener »Ödipus in Kolonos« vor das geistig-schaffende Auge getreten sein dürfte,- deutet Hofmannsthal hier bewußt auf sein als Nachspiel zum* König Ödipus *geplantes und gleichzeitig in Angriff genommenes, aber unvollendet gebliebenes Stück* Des Ödipus Ende (Ödipus-Greis) *voraus.*

183, 29 V. 1198 *Wie schon zuvor in* V. 1126, *wo Hofmannsthal den allgemeinen Gedanken an die Sonne ganz konkret auf die heraufziehende Sonne bezogen hatte, mahnt Kreon auch hier wieder, angesichts ihres Aufsteigens, den Ödipus ins Haus zu führen.*

184, 13–18 V. 1207–1210 *Die Verse werden von den Sophokles-Handschriften dem Chor zugeteilt, was zahlreiche Editoren und Übersetzer nachvollziehen, unter ihnen auch Thudichum und Wilbrandt. Andere halten die Stelle für den Zusatz eines Interpolatoren. Wieder andere geben die Verse dem Ödipus, womit sie dem Beispiel* *der Scholien folgen. Auch Hartung verteidigt dieses Vorgehen in seinem Commentar (S. 248) mit zahlreichen Argumenten. Jedenfalls hat sich ihm Hofmannsthal angeschlossen und den Inhalt der Worte in verkürzter Form nachgestaltet. Dadurch, daß er die sophokleische Schlußgnome übergeht, klingt die Rede ohne auftrumpfendes Zitat aus. Statt dessen rufen die Greise noch einmal,* in sich erschauernd, *den Namen des Helden und greifen damit auf den Anfang des Stückes zurück. Doch anders als am Beginn ist jetzt der Name seines Attributes* König *beraubt, und so schließt er wie ein Zeichen die ganze Entwicklung der Tragödie in sich ein.*

NACHWORT

Das Manuskript zu Ödipus und die Sphinx *wurde im wesentlichen in den Jahren 1971–73 in der Arbeitsstelle Basel der Kritischen Hofmannsthal-Ausgabe erarbeitet. Ich danke meiner Universität, der University of California Los Angeles, für einen zweijährigen Forschungsurlaub und dem Schweizerischen Nationalfonds für die Finanzierung meines Arbeitsplatzes. Martin Stern, damals noch einer der Hauptherausgeber der KHA, hatte das Basler Unternehmen organisiert und war ein ebenso energischer wie kollegialer Projektleiter. Ihm sei herzlich gedankt. Meine Kollegen in der idyllischen Mansarde am Petersplatz, Jürgen Fackert und Dirk Hoffmann, waren nicht nur passionierte Editoren, sondern auch gute Kameraden, und ich denke heute an sie als an Freunde zurück.*

Nach 1973 ging das Projekt der KHA durch viele Veränderungen. Das ehrgeizige Unternehmen einer vollständigen Variantendarbietung aller Hofmannsthal-Texte erwies sich als zeitlich und ökonomisch zu aufwendig: die Editionsprinzipien wurden vereinfacht. Die Edition von Ödipus und die Sphinx, *die nahezu abgeschlossen war, wurde – ebenso wie* Timon der Redner *– nach den ursprünglichen Prinzipien weitergeführt. Sie kann jetzt als modellhaftes Beispiel für Hofmannsthals Arbeitsweise gelten. Das komplette Manuskript wurde 1975 beendet, und wenn die Herstellung des Bandes länger gedauert hat als irgend jemand erwarten konnte, so spiegelt diese Verzögerung die personellen, finanziellen, organisatorischen und drucktechnischen Schwierigkeiten, denen ein großes editorisches Unternehmen wie die KHA ausgesetzt ist. Es scheint mir ein großes Glück, daß die meisten Probleme aus dem Weg geräumt werden konnten und die Edition wieder bedeutend fortschreitet.*

Ich habe zahlreichen Personen zu danken, die an der Herstellung und der Drucklegung meines Manuskripts Anteil hatten: Ernst-Dietrich Eckhardt, der frühere Leiter der Redaktion, hat mit Akribie meine Lesungen und Darstellungen an dem handschriftlichen Befund überprüft und zahlreiche Verbesserungen vorgeschlagen. Ingeborg Beyer-Ahlert war eine wohltuende Helferin, wenn die Korrespondenzen und Verhandlungen mit der Redaktion schwierig wurden. Ingeborg Haase hat mit bewundernswerter Energie die letzte Phase der Drucklegung befördert und kontrolliert. – Großen Dank schulde ich Ernst Zinn für mündliche und schriftliche Hinweise aus seinem reichen Wissen, die den Erläuterungen zugute gekommen sind. – Schließlich möchte ich besonders herzlich Rudolf Hirsch danken, der als Spiritus rector des Hofmannsthal-Nachlasses jeden meiner Besuche im Freien Deutschen Hochstift zu einer geistigen Bereicherung werden ließ und dessen unermüdliche Anregung, Vermittlung und Ermutigung reichlich für gelegentliche Frustration entschädigten.

Los Angeles, im Juni 1983 *Wolfgang Nehring*

Das Editionsmanuskript zu König Ödipus *wurde im Winter 1976 abgeschlossen.*

Die Unterstützung durch die Mitarbeiter der Redaktion, insbesondere Frau Ingeborg Beyer-Ahlert, sei dankbar hervorgehoben. Mein besonderer Dank gilt den Herren Professor Dr. Ernst Zinn, Tübingen, und Dr. Rudolf Hirsch, Frankfurt am Main, für ihre vielfältigen Hinweise und Anregungen, mit denen sie das Entstehen der Edition begleiteten.

Tübingen, im Juni 1983 *Klaus E. Bohnenkamp*

Die gegenwärtige Redaktion weist darauf hin, daß – bedingt durch die große zeitliche Differenz zwischen Fertigstellung und Redaktionsschluß sowie mehrfach wechselnde Redakteure – formale Ungleichheiten der beiden in diesem Band vereinigten Editionen nicht beseitigt werden konnten.

WIEDERHOLT ZITIERTE LITERATUR

Hugo von Hofmannsthal, Gesammelte Werke in Einzelausgaben. Hrsg. von Herbert Steiner. Frankfurt a. M.:

A	*Aufzeichnungen, 1973*
D I	*Dramen I, 1964*
D II	*Dramen II, 1966*
GLD	*Gedichte und Lyrische Dramen, 1970*
L III	*Lustspiele III, 1968*
P I	*Prosa I, 1956*
P II	*Prosa II, 1959*
P III	*Prosa III, 1964*
P IV	*Prosa IV, 1966*
SW	*Hugo von Hofmannsthal, Sämtliche Werke (vorliegende Ausgabe).*
B I	*Hugo von Hofmannsthal, Briefe 1890–1901. Berlin 1935.*
B II	*Hugo von Hofmannsthal, Briefe 1900–1909. Wien 1937.*

HvH–LvA Hugo von Hofmannsthal – Leopold von Andrian, Briefwechsel. Hrsg. von Walter H. Perl. Frankfurt a.M. 1968.

HvH–EKvB Hugo von Hofmannsthal – Edgar Karg von Bebenburg, Briefwechsel. Hrsg. von Mary E. Gilbert. Frankfurt a.M. 1966.

HvH–RBH Hugo von Hofmannsthal – Richard Beer-Hofmann, Briefwechsel. Hrsg. von Eugene Weber. Frankfurt a.M. 1972.

HvH–OB Hugo von Hofmannsthal, Briefwechsel mit Oscar Bie. In: S. Fischer Almanach 87. Frankfurt a.M. 1973.

HvH–EvB Hugo von Hofmannsthal – Eberhard von Bodenhausen, Briefe der Freundschaft. Hrsg. von Dora von Bodenhausen. Düsseldorf 1953.

HvH–OGD Hugo von Hofmannsthal – Ottonie Gräfin Degenfeld, Briefwechsel. Hrsg. von Therese Miller-Degenfeld unter Mitwirkung von Eugene Weber. Frankfurt a.M. 1972.

StG–HvH Briefwechsel zwischen George und Hofmannsthal. Hrsg. von Robert Boehringer. Zweite ergänzte Auflage, München und Düsseldorf 1953.

HvH–HGK Hugo von Hofmannsthal – Harry Graf Kessler, Briefwechsel 1898–1929. Hrsg. von Hilde Burger. Frankfurt a.M. 1968.

HvH–HvN Hugo von Hofmannsthal – Helene von Nostitz, Briefwechsel. Hrsg. von Oswalt von Nostitz. Frankfurt a.M. 1965.

Hugo von Hofmannsthal – Rainer Maria Rilke, Briefwechsel 1899–1925. Hrsg. von Rudolf Hirsch und Ingeborg Schnack. Frankfurt a.M. 1978.

HvH–AS Hugo von Hofmannsthal – Arthur Schnitzler, Briefwechsel. Hrsg. von Therese Nickl und Heinrich Schnitzler. Frankfurt a.M. 1966.

RSt–HvH Richard Strauss – Hugo von Hofmannsthal, Briefwechsel. Hrsg. von Willi Schuh. Zürich 1978.

Bahr Meister und Meisterbriefe um Hermann Bahr. Ausgewählt und eingeleitet von Joseph Gregor (Museion. Veröffentlichungen der Österreichischen Nationalbibliothek. Neue Folge, Erste Reihe, Erster Band). Wien 1947.

S. Fischer Almanach 87. Hugo von Hofmannsthal, Briefe. Frankfurt a.M. 1973.

ABKÜRZUNGEN

BW	*Briefwechsel*
E	*in Signaturen: Eigentum der Erben Hugo von Hofmannsthals*
FDH	*Freies Deutsches Hochstift*
H	*in Signaturen: Eigentum der Houghton Library, Harvard University*
Hs.	*Handschrift*
JDSG	*Jahrbuch der Deutschen Schillergesellschaft*
pag.	*pagina, paginiert: Seitenzählung Hofmannsthals*
V	*in Signaturen: FDH/Dauerleihgabe Stiftung Volkswagenwerk*

EDITIONSPRINZIPIEN

Im Abschnitt A werden zunächst die für die Kritische Hofmannsthal-Ausgabe allgemein geltenden Prinzipien dargeboten; im Abschnitt B folgen die im vorliegenden Band angewandten, sofern sie von den allgemeinen abweichen (vgl. S. 735, Anm. 1).

A. ALLGEMEINE PRINZIPIEN

I. GLIEDERUNG DER AUSGABE

Die Kritische Ausgabe Sämtlicher Werke Hugo von Hofmannsthals enthält sowohl die von Hofmannsthal veröffentlichten als auch die im Nachlaß überlieferten Werke.

GEDICHTE 1/2

I Gedichte 1
II Gedichte 2 ⟨Nachlaß⟩

DRAMEN 1–20

III Dramen 1
Kleine Dramen: Gestern, Der Tod des Tizian, Idylle, Der Tor und der Tod, Die Frau im Fenster, Das Kleine Welttheater, Der weiße Fächer, Der Kaiser und die Hexe, Vorspiel zur Antigone des Sophokles, Landstraße des Lebens, Gartenspiel, Das Kind und die Gäste, Die treulose Witwe, Die Schwestern u.a.

IV Dramen 2
Das gerettete Venedig

V Dramen 3
Die Hochzeit der Sobeide, Der Abenteurer und die Sängerin

VI Dramen 4
Das Bergwerk zu Falun, Semiramis

VII Dramen 5
Alkestis, Elektra

VIII Dramen 6
Ödipus und die Sphinx, König Ödipus

IX Dramen 7
Jedermann

X Dramen 8
Das Salzburger Große Welttheater – Christianus der Wirt, Gott allein kennt die Herzen ⟨Pantomimen⟩

XI Dramen 9
Florindos Werk, Cristinas Heimreise

XII Dramen 10
Der Schwierige

XIII Dramen 11
Dame Kobold, Der Unbestechliche

XIV Dramen 12
Timon der Redner

XV–XVI Dramen 13/14
Das Leben ein Traum, Der Turm

XVII Dramen 15
Die Heirat wider Willen, Die Lästigen, Die Sirenetta, Fuchs, Der Bürger als Edelmann ⟨1911 und 1917⟩, Die Gräfin von Escarbagnas, Vorspiel für ein Puppentheater, Szenischer Prolog zur Neueröffnung des Josephstädter Theaters, Das Theater des Neuen

XVIII–XIX Dramen 16/17
Trauerspiele aus dem Nachlaß: Ascanio und Gioconda, Dominic Heintls letzte Nacht, Die Gräfin Pompilia, Herbstmondnacht, Xenodoxus, Phokas, Die Kinder des Hauses u.a.

XX Dramen 18
Silvia im ›Stern‹

XXI–XXII Dramen 19/20
Lustspiele aus dem Nachlaß: Der Besuch der Göttin, Der Sohn des Geisterkönigs, Der glückliche Leopold, Das Caféhaus oder der Doppelgänger, Die Freunde, Das Hotel u.a.

OPERNDICHTUNGEN 1–4

XXIII Operndichtungen 1
Der Rosenkavalier

XXIV Operndichtungen 2
Ariadne auf Naxos, Die Ruinen von Athen

XXV Operndichtungen 3
Die Frau ohne Schatten, Danae oder die Vernunftheirat, Die aegyptische Helena

XXVI Operndichtungen 4
Arabella, Lucidor, Der Fiaker als Graf

BALLETTE – PANTOMIMEN – FILMSZENARIEN

XXVII Der Triumph der Zeit, Josephslegende u.a. – Amor und Psyche, Das fremde Mädchen u.a. – Der Rosenkavalier, Daniel Defoe u.a.

ERZÄHLUNGEN 1/2

XXVIII Erzählungen 1
Das Glück am Weg, Das Märchen der 672. Nacht, Das Dorf im Gebirge, Reitergeschichte, Erlebnis des Marschalls von Bassompierre, Erinnerung schöner Tage, Lucidor, Prinz Eugen der edle Ritter, Die Frau ohne Schatten

XXIX Erzählungen 2
Nachlaß: Amgiad und Assad, Der goldene Apfel, Das Märchen von der verschleierten Frau, Knabengeschichte, Die Heilung u.a.

ROMAN – BIOGRAPHIE

XXX Andreas – Der Herzog von Reichstadt, Philipp II. und Don Juan d'Austria

ERFUNDENE GESPRÄCHE UND BRIEFE

XXXI Ein Brief, Über Charaktere im Roman und im Drama, Gespräch über die Novelle von Goethe, Die Briefe des Zurückgekehrten, Monolog eines Revenant, Essex und sein Richter u.a.

REDEN UND AUFSÄTZE 1–5

XXXII–XXXVI Reden und Aufsätze 1/2/3/4/5

AUFZEICHNUNGEN UND TAGEBÜCHER 1/2

XXXVII–XXXVIII Aufzeichnungen und Tagebücher 1/2

II. GRUNDSÄTZE DES TEXTTEILS

Ob der Text einem Druck oder einer Handschrift folgt, ergibt sich aus der Überlieferungssituation. In beiden Fällen wird er grundsätzlich in der Gestalt geboten, die er beim Abschluß des genetischen Prozesses erreicht hat.

Sind im Verlauf der Druckgeschichte wesentliche Eingriffe des Autors nachzuweisen, wird der Druck gewählt, in dem der genetische Prozeß zum Abschluß gelangt ist. Kommt es zu tiefgreifenden Umarbeitungen, werden die entsprechenden Fassungen geboten (hierbei ist die Möglichkeit des Paralleldrucks gegeben).

Dem Text werden Handschriften bzw. Typoskripte zugrunde gelegt, wenn der Druck verschollen, nicht zustande gekommen oder die Werkgenese nicht zum Abschluß gelangt ist. In diesen Fällen erscheint im Textteil die Endphase der (des) spätesten, am weitesten fortgeschrittenen Überlieferungsträger(s); dazu treten ggf. Vorstufen besonderen Gewichts und inhaltlich selbständige Notizen. Um von kleinen unvollendeten Nachlaßwerken – unabhängig von ihrem Rang – eine Vorstellung zu geben, muß das Vorhandene, das in diesen Fällen oft nur aus Notizen besteht, mehr oder minder vollständig geboten werden (vgl. IV).

Im Textteil wird soweit irgend möglich auf Konjekturen und Emendationen verzichtet. Orthographische und grammatische Abweichungen von der heutigen Gewohnheit und Schwankungen in den Werken werden nicht beseitigt. Nur bei Sinnentstellungen und bei eindeutigen Druck- bzw. Schreibfehlern korrigiert der Editor. Handschriftliche Notizen und Entwürfe werden in der Regel typographisch nicht normiert.

III. VARIANTEN UND ERLÄUTERUNGEN (AUFBAU)

1. Entstehung

Unter Berücksichtigung von Zeugnissen und Quellen wird über die Entstehungsgeschichte des jeweiligen Werkes referiert (vgl. III/4).

2. Überlieferung

Die Überlieferungsträger werden (möglichst in chronologischer Folge) sigliert und beschrieben.

a) Die Handschriften- bzw. Typoskriptbeschreibung nennt: Eigentümer, Lagerungsort, gegebenenfalls Signatur, Zahl der Blätter und der beschriebenen Seiten[1]*, Aufschrift der Konvolutumschläge, vorhandene Daten; sofern sie wesentliche Schlußfolgerungen erlauben, auch Format ⟨Angabe in mm⟩, Papierbeschaffenheit, Wasserzeichen, Schreibmaterial, Erhaltung.*

[1] *Beispiel: Die Signatur E III 89.16–20 bedeutet: Handschriftengruppe III, Konvolut 89, Blätter 16–20 einseitig beschrieben. Ein* [b] *(z. B. E III 220.1*[b]*) bezeichnet die nicht signierte Seite eines Blattes;* [c] *und* [d] *bezeichnen entsprechend die dritte und vierte Seite eines Doppelblattes. – Ausführliche Beschreibung des Sachverhaltes kann hinzutreten.*

b) Die Druckbeschreibung nennt: Titel, Verlagsort, Verlag, Erscheinungsjahr, Auflage, Buchschmuck und Illustration; bei seltenen Drucken evtl. Standort und Signatur.
Die Rechtfertigung der Textkonstituierung erfolgt bei der Beschreibung des dem Text zugrunde liegenden Überlieferungsträgers.

3. *Varianten (vgl. IV und V)*

4. *Zeugnisse*

Dieser Abschnitt enthält in signifikanten Ausschnitten Arbeitsbelege und werkbezogene Äußerungen aus Briefen von und an Hofmannsthal oder Dritter, aus Tagebüchern und anderen Aufzeichnungen des Autors und seiner Zeitgenossen.

5. *Erläuterungen*

Der Kommentar besteht in Wort- und Sacherklärungen, Erläuterungen zu Personen, Zitat- und Quellennachweisen, Erklärungen von Anspielungen und Hinweisen auf wichtige Parallelstellen. Auf interpretierende Erläuterungen wird grundsätzlich verzichtet.

IV. GRUNDSÄTZE DER VARIANTENDARBIETUNG

Die vollständige Darbietung der Vorstufen und Lesarten erwies sich angesichts der besonders reichen Überlieferungslage als unangemessen. Der große editorische Aufwand zur Erfassung der gesamten Varianz steht in keinem Verhältnis zu der durch sie vermittelbaren Erkenntnis. Unter Berücksichtigung des parallel mit der Edition entstehenden Hofmannsthal-Archivs, in dem das gesamte Material gesammelt und für spezielle Forschungsvorhaben zugänglich bleibt, entschlossen sich die Herausgeber zu folgendem, aus Variantenabhebung und Variantenbericht kombiniertem, Verfahren.[1]

1. *Nicht das gesamte überlieferte Material wird dargestellt, sondern nur ein ausgewählter Teil, während alles übrige berichtet wird. Die Berichte können auch Zitate enthalten.*
Auswahl und Umfang der Variantenverzeichnung richten sich nach der Qualität des zu edierenden Überlieferungsmaterials. Der Apparat soll die Entstehung und Entwicklung des jeweiligen Werkes in seiner Gesamtheit erkennbar und

[1] Ödipus und die Sphinx *und* Timon der Redner, *deren editorische Bearbeitung vor der Entwicklung dieser entlastenden Verfahrensweisen schon beendet war, erscheinen mit vollständiger Variantendarbietung. Diese dient zugleich als Beispiel für Art und Umfang der Gesamt-Varianz Hofmannsthalscher Werke. Für die Variantendarbietung im* Rosenkavalier *wurde ein eigenes Verfahren entwickelt. Die in diesem Band vorgelegte Edition von* König Ödipus *wurde s. Zt. bereits als Bericht konzipiert und entspricht damit weitgehend den heutigen Richtlinien.*

durchschaubar machen. Daher wird vom Ganzen zum Einzelnen gegangen, nicht die punktuelle Genese hat Vorrang, sondern die des gesamten Werks.

2. *Die Veränderungen eines Werks im Laufe seiner Entwicklung werden im Variantenteil auf zweifache Weise aufgezeigt:*
   a) durch Darstellung von Vorstufen und Varianten oder
   b) durch Bericht über solche Überlieferungsträger und Varianten, die nicht notwendig in extenso dargestellt werden müssen.
   Die Textentwicklung wird auf die jeweils letzte Fassung bzw. Zwischenfassung hin geboten, wobei der Besonderheit der Varianten, die sich nicht in der Endstufe wiederfinden, Rechnung getragen wird.
3. *Auf Wiedergabe von Binnenvarianten wird in der Regel verzichtet. Ausnahmen werden jeweils begründet. Auch bei völligem Verzicht auf Darstellung von Binnenvarianz erhält der Leser einen Hinweis über deren Quantität im Manuskript.*
4. *Geboten werden:*
   a) »echte« Fassungen bzw. Teilfassungen, das heißt solche, die entweder stilistisch (z. B. Prosa- und Versfassung) oder im Handlungsablauf von der im Textteil gebotenen Fassung grundlegend verschieden sind;
   b) Materialien (Notizen, Entwürfe, Varianten), die erste Anregungen, die Keimzelle, den Ausgangspunkt des Werkes bzw. einer neuen Fassung enthalten; die Quellen enthalten, die zum Verständnis des Werks, seines Stils oder einer bestimmten Textstelle unentbehrlich sind.
5. *Zusammenfassend berichtet wird, ggf. an Hand repräsentativer Beispiele, über:*
   a) durchgehende stilistische Veränderungen, sofern sie nicht eine neue Fassung bedingen,
   b) Änderungen von Eigennamen,
   c) kleinere Änderungen im Handlungsablauf,
   d) mehrmals ähnlich wiederkehrende Passagen.
6. *Außenvarianten können wie Binnenvarianten behandelt werden.*

V. SIGLEN · ZEICHEN

AUTOR- UND HERAUSGEBERTEXT

Texte Hofmannsthals werden recte, Herausgebertext und Texte Dritter kursiv gedruckt.

SIGLIERUNG DER ÜBERLIEFERUNGSTRÄGER

H *Handschrift Hofmannsthals*
h *Abschrift von fremder Hand*
t *Typoskript (immer von fremder Hand)*

tH	*eigenhändig überarbeitetes Typoskript*
th	*von fremder Hand überarbeitetes Typoskript*
D	*autorisierter Druck*
DH	*Druck mit eigenhändigen Eintragungen (Handexemplar)*
Dh	*Druck mit Eintragungen von fremder Hand*
d	*wichtiger posthumer Druck*
N	*Notiz*

ZÄHLUNG

Alle Überlieferungsträger eines Werks werden in chronologischer Folge durchlaufend mittels vorangestellter Ziffer und zusätzlich innerhalb der Gruppen H, t, D mittels Exponenten gezählt: $1\ H^1$ $2\ t^1$ $3\ H^2$ $4\ D^1$.

Ist die Ermittlung einer Gesamt-Chronologie und also eine durchlaufende Zählung aller Überlieferungsträger unmöglich, so werden lediglich Teilchronologien erstellt, die jeweils die Überlieferungsträger der Gruppen H, t, D umfassen. Die vorangestellte Ziffer (s. o.) entfällt hier.

Gelingt die chronologische Einordnung nur abschnittsweise (z.B. für Akte oder Kapitel), so tritt entsprechend ein einschränkendes Symbol hinzu: $I/1\ H^1$.

Da eine chronologische Anordnung von Notizen oft schwer herstellbar ist, werden diese als N 1, N 2 usw. durchlaufend gezählt, jedoch – wenn möglich – an ihren chronologischen Ort gesetzt.

LEMMATISIERUNG

Das Lemmazeichen] trennt den Bezugstext und die auf ihn bezogene(n) Variante(n). Die Trennung kann auch durch (kursiven) Herausgebertext erfolgen. Umfangreiche Lemmata werden durch ihre ersten und letzten Wörter bezeichnet, z.B.: Aber ... können.]

Besteht das Lemma aus ganzen Versen oder Zeilen, so wird es durch die betreffende(n) Vers- oder Zeilenzahl(en) mit folgendem Doppelpunkt ersetzt. Das Lemmazeichen entfällt.

STUFUNG

Die Staffelung von Variationsvorgängen wird durch folgende Stufensymbole wiedergegeben:

I	*II*	*III*
A	*B*	*C*
(1)	*(2)*	*(3)*
(a)	*(b)*	*(c)*
(aa)	*(bb)*	*(cc)*

Leseregel: Eine (2) hebt alles auf, was hinter (1) steht, ein (b) den gesamten Text hinter (a) und entsprechend.

Die Darstellung bedient sich bei einfacher Variation der arabischen Ziffern. Bei stärkerer Differenzierung des Befundes treten die Kleinbuchstaben-Reihen hinzu. Nur wenn diese 3 Reihen zur Darbietung des Befundes nicht ausreichen, beginnt die Darstellung bei der **A**- *bzw.* **I**-*Reihe.*

Das Grenzzeichen | *kennzeichnet das Ende eines varianten Bereichs, z.B. (1) ...*
(2) ... | *...*

Das stufende Verfahren kann durch verbale Kennzeichnungen ergänzt oder ersetzt werden, z.B. »danach/davor:«, »danach/davor gestrichen:« u.a. Ist die letzte Stufe eines Variationsvorgangs mit dem Lemmatext identisch, tritt vor die Varianten ein »aus«.

Ein Sternchen in Verbindung mit einem Stufensymbol signalisiert, daß die angegebenen Varianten eine Auswahl aus mehreren im Manuskript vorhandenen sind.

SCHICHT

Lassen sich innerhalb eines Überlieferungsträgers – aufgrund evidenter Kriterien – durchgängige Variationsschichten, z.B. im Zusammenhang mit Umarbeitungen, unterscheiden, so werden sie fortlaufend entsprechend ihrer chronologischen Abfolge gezählt: $1{,}1\ H^1$ $1{,}2\ H^1$ $1{,}3\ H^1$.

TILGUNG · TEXTERWEITERUNG

Um Unterapparate zu Notizen oder innerhalb von Lemmaapparaten zu vermeiden, wird ersatzlose Autortilgung durch recte eckige Klammern [...], *erwogene Autortilgung durch kursive eckige Klammern [...] dargestellt. Nachträgliche Einfügungen werden durch Einweisungszeichen ⌊...⌋ markiert, wenn ihre genaue Plazierung unsicher ist, oder wenn sie den Textzusammenhang unterbrechen.*

HERAUSGEBEREINGRIFFE

Werden Abkürzungen aufgelöst, so erscheint der ergänzte Text recte in Winkelklammern. Bei Ergänzung ausgelassener Wörter und Daten wird analog verfahren. Auslassungen werden durch drei Punkte in Winkelklammern markiert.

Kürzel und Verschleifungen werden stillschweigend aufgelöst, es sei denn, die Auflösung hätte konjekturalen Charakter.

UNSICHERE LESUNGEN · UNENTZIFFERTES

Unsicher gelesene Buchstaben werden unterpunktet, unentzifferte durch möglichst ebensoviele xx *vertreten.*

B. SPEZIFISCHE PRINZIPIEN IM VARIANTENTEIL VON ›ÖDIPUS UND DIE SPHINX‹

Ödipus und die Sphinx *ist eines der beiden Werke, die nach den ursprünglichen Prinzipien der Kritischen Ausgabe mit vollständiger Varianz*[1] *erscheinen.*

I. ÜBERLIEFERUNG

Hier werden die Siglen der Überlieferungsträger eingeführt. Ihre Beschreibung nennt für die Handschriften in jedem Fall Format, Papierbeschaffenheit und Schreibmaterial.

II. VARIANTEN

Lemmatisierung · Integrale Darstellung · Abhebung

Varianten werden entweder lemmatisiert (aus ihrem Kontext gelöst und mit einem Bezugstext verglichen) oder integral (im eigenen Kontext) dargeboten. Bietet ein Überlieferungsträger nur wenige Varianten und gibt es einen Bezugstext mit verwandtem Wortlaut, so wird lemmatisiert, bei dichter Varianz oder fehlendem Bezugstext wird integral dargestellt. Bei Niederschriften mit dichter Varianz und fehlendem Bezugstext wird die letzte Textstufe abgehoben und der Variantendarbietung als ›Lesetext‹ angeschlossen (vgl. S. 231,25–232,3).

SIGLEN · ZEICHEN

T ist die Sigle für ein Typoskript; handschriftliche Überarbeitungen werden als Schichten des Typoskripts dargestellt, z.B. 9,1 T; 9,2 T; 9,3 T; 9,4 T (vgl. S. 214,16–23).

Die Überlieferungsträger werden nur einfach gezählt: 1 H, 2 H, 3 H, 4 H, 5 D usw. Die Zählung innerhalb der Gruppen H, T, D mittels Exponenten entfällt.

Ist eine Variation mit einem von der Grundschicht abweichenden Schreibmaterial vollzogen worden, so wird dies durch die Exponenten ^{S} *für Bleistift,* ^{T} *für Tinte angezeigt.*

[1] *Als genetisch irrelevant und daher auch hier nicht darstellungsbedürftig gelten u.a. folgende Phänomene, sofern sie nicht gelegentlich als charakteristische Merkmale dargeboten werden: Wechsel von deutscher und lateinischer Schrift, die graphische Gestaltung von Varianten, Schreib- und Variationsversehen, gleichgültig, ob korrigiert oder übersehen; unterlassene grammatikalische Adjustierung bei Variationen, graphische Inkonsequenzen (z.B. bei Abkürzungen); kurze, undeutbare Schreibansätze, Beseitigung von graphischen Unklarheiten.*

SOFORTVARIANTE · SPÄTVARIANTE

Die Darstellung unterscheidet zwischen Sofortvarianten und Spätvarianten, je nachdem ob bei Eintritt der Variation Folgetext bestanden hat oder nicht. (Der Umfang des Folgetexts ist unbestimmt, zumindest umfaßt er e i n Wort.) – Bei Sofortvarianten werden die Stufensymbole (vgl. S. 737,29–738,4) ohne weitere Zeichen verwendet:

OIDIPUS *(1)* Das Geheimnis bleibt
merk, zwischen mir und
(2) Heiß du deine Augen
nicht fragen. Das Geheimnis bleibt in mir
und zwischen mir und ihm, dem Gott. *(S. 242, 6–10)*

Bei Spätvarianten weist ein Pfeil → hinter der Grundstufe auf den invarianten Folgetext. Das Grenzzeichen | hinter der letzten Stufe zeigt an, wie weit die Variation reicht und wo der Folgetext beginnt[1]*:*

LICHAS *(1)* Du weißt doch →
(2)^{S} Du w⟨eißt⟩'s nicht?
(3) Verschon mich, |
er redete zuerst herum und zielte
doch immer nach dem einen. ⟨...⟩ *(S. 239, 1–5)*

Bei horizontaler Anordnung wird auf den Pfeil verzichtet; das Grenzzeichen allein unterscheidet die Spätvariante von der Sofortvariante:

Ödipus *(1)* rettet, *(2)* löscht: | er kommt gelaufen, demoliert ein Dach *(S. 562, 22f.)*

Ist die Deutung des Befundes Sofort- oder Spätvariante unsicher, so erscheinen Pfeil und Grenzzeichen durchbrochen (z. B. S. 237, 16f.).

TEXTERWEITERUNG · TEXTVERMINDERUNG

Diese Befunde können (unter Benutzung von Leerstellen) durch Stufensymbole wiedergegeben werden. Eine Leerstelle im Stufungsprozeß bezeichnet ›Textlosigkeit‹ der Vorstufe bei Texterweiterung (Ergänzung) bzw. der Folgestufe bei Textverminderung (ersatzlose Streichung):

Dann dämpft er sich *(1)* →
(2) sogleich |, als wären Thüren zugefallen. *(S. 420, 14–16)*

⟨...⟩ ich war ganz abgelöst
(1) ich konnte meine eignen Leiden anschaun →
(2)^{T} | und in mir dacht es nicht: ⟨...⟩ *(S. 440, 19–23)*

[1] *In umschließenden Fällen beide Zeichen halbfett; z.B. S. 290, 27–30.*

Manchmal empfiehlt sich die kürzere Darstellung mit diakritischen Zeichen: ⌈ ⌉ *= Texterweiterung,* [ ] *= Textverminderung. Den oben zitierten Textstellen entspricht die folgende diakritische Darstellung:*

Dann dämpft er sich ⌈sogleich⌉, als wären Thüren zugefallen.

⟨...⟩ ich war ganz abgelöst
[^{T}ich konnte meine eignen Leiden anschaun]
und in mir dacht es nicht: ⟨...⟩

ERWOGENE VARIANZ

Erwogene Texterweiterung wird durch ↓↓, *erwogene Textverminderung durch* ↑↑ *und erwogene Textersetzung durch* ↑ ≈ ↓ *diakritisch dargestellt*[1]*:*

⟨...⟩ dass ich der König bin
↓JOKASTE
Kreon mein Bruder wen verräth⟨st⟩ du nun
KREON
Du stößest mich zurück. So weiß ich auch
du trägst ein Pfand in deinem Schooß und spielst
um dessenwillen das gewagte Spiel↓
JOKASTE *(S. 458, 32–459, 1)*

– und schick ich dich hier neben diesen schlafen so hieße das zu milde strafen ↑Wer alt ist weiß was die Welt in sich hält er hat ihren Saft getrunken↑ So milde straf ich nicht. *(S. 322, 34–36)*

⟨...⟩ in Ehrfurcht schauderte
↑als vor der Gegenwart lebendiger Götter
≈ wie vor der nackten Näh lebendiger Götter↓ *(S. 233, 21–23)*

TEXTWIEDERHOLUNG

Wird bei der Darbietung eines Variationsvorgangs ein vom Autor nur einmal geschriebenes Wort oder Zeichen wiederholt, so erscheinen die wiederholten Textbestandteile petit:

(1) Ich? Oidipus? →
(2)^S Ich, Oidipus, | ich eines Königs Sohn *(S. 233, 12f.)*

PHASEN

Variationen, die über eine einzelne Werkstelle hinausgreifen, können oft mit Hilfe von Textwiederholung als zusammengehörig dargestellt werden. Unter bestimmten Umständen jedoch, z. B. wenn zwischen gleichphasigen Varianten viel in-

[1] *In umschließenden Fällen halbfett; z. B. S. 276, 35–277, 10.*

varianter Text besteht, wäre dieses Verfahren unangemessen aufwendig. Dann bedient sich die Darstellung der Phasenexponenten, die hinter die Stufensymbole oder diakritischen Zeichen treten und Phasengleichheit verschiedener Variationen anzeigen. Der Anfang eines Variationsvorgangs wird durch ^{P} *ausgezeichnet, die weiteren gleichphasigen Veränderungen durch* ^{p}*. Die Pp-Exponenten können neben den Schreibmaterialexponenten* ^{S} *und* ^{T} *erscheinen (vgl. S. 739, 24–26):*

ANTIOPE Wer ist der Knabe
(1) sind Knaben Mörder? →
(2)^{P} auch Knaben können morden.|
VOLK Schweig und *(1)* hör auf ihn. ⇢
(2)^{p} horch.¦

(S. 475, 21–25)

INHALT

Einband- und Umschlaggestaltung: Dieter Kohler
Satz: Gebr. Rasch & Co., Bramsche · Bibliomania GmbH, Frankfurt am Main
Druck: Druckerei Gebr. Rasch & Co., Bramsche
Einband: Realwerk G. Lachenmaier GmbH u. Co. KG, Reutlingen
Papier: Scheufelen, Lenningen
Iris-Leinen der Vereinigten Göppinger-Bamberger-Kalikofabrik, GmbH, Bamberg